미드영어

MENTORS

표현사전

A-L

E&C・서성덕

멘토스
미드영어표현사전 A-L

2019년 11월 18일 인쇄
2022년 2월 21일 (개정판포함) 8쇄 발행

지은이   E & C · 서성덕
발행인   Chris Suh
발행처   **MENTORS**
　　　　　경기도 성남시 분당구 분당로 53번길 12 313-1
　　　　　TEL 031-604-0025 **FAX** 031-696-5221
　　　　　www.mentors.co.kr
　　　　　blog.naver.com/mentorsbook

등록일자   2005년 7월 27일
등록번호   제 2009-000027호
I S B N   979-11-86656-89-1
　　　　　979-11-86656-88-4(세트번호)
가 격   23,600원

미드 열풍 왜 안꺼지나?

폭풍처럼 몰아치던 대작위주의 미드 열풍은 이제는 춘추전국시대로 접어든 모습이다. 〈Friends〉를 시작으로 〈The Sex and the City〉, 〈Desperate Housewives〉 그리고 과학 수사물인 〈CSI〉 등의 다양한 미드들이 쓰나미처럼 우리에게 휘몰아쳤고, 이후 잠시 주춤하는듯 싶더니 〈Prison Break〉와 〈Spartacus〉가 다시 세간의 화제가 되었었다. 이후 〈The Big Bang Theory〉, 〈Good Wife〉, 〈Breaking Bad〉, 〈Modern Family〉, 〈Walking Dead〉 그리고 실망스런 마지막 시즌의 〈The Game Thrones〉 등의 수작들이 다시 미드의 맥을 이어가면서 여전히 미드족을 즐겁게 해주고 있다.

이런 미드 열풍의 밑에 깔려 있는 원인은 몇 가지 정도로 볼 수 있다. 첫째, Btv, 넷플릭스를 품은 LGU+TV, KT 올레TV 및 다양한 케이블채널 방송들이 더빙없이 '원음+자막'으로 많은 미드를 볼 수 있게 해주고 있기 때문이다. 또 시험 위주의 영어공부에서 실제적인 영어회화의 필요성이 강조되는 현 사회에서 영화보다 짧고, 드라마의 특성상 계속 이어지는 재미와 살아 있는 영어와 함께 미국의 문화를 가까이 접할 수 있다는 점이 우리를 미드 앞으로 강하게 끌어당겼다. 마지막으로 미드를 전문으로 하는 카페에서 많은 이들이 열정적으로 미드에 대한 소식과 영어 이야기를 상호교환하는 즐거운 장이 생겼기 때문이다. 물론 비록 어둠의 경로이지만 누구든 쉽게 미드를 접할 수 있는 다운로드의 덕과 미드의 높은 퀄리티도 무시하면 안 될 것이다.^^

미드로 왜, 어떻게 영어공부를 해야 하나?

미드로 영어를 공부하면 좋다는 것을 알면서도 현실은 쉽지가 않다. 한국인을 위한 영어 드라마가 아닌 이상 빠른 속도의 영어 대화와 미국 문화에 대한 무지는 자꾸만 한글 자막을 보게 하고, 결국 시간 투자에 비해 영어실력의 향상 속도 또한 더딘게 사실이다. 전작 『All NEW 미드영어 단숨에 따라잡기』에서 언급했듯이 많은 표현을 알아야 많이 들을 수 있고, 또 그런 상황을 반복해야만 미국에 가지 않고도 영어표현의 의미와 쓰임새의 감을 온몸으로 느낄 수 있다. 그래서 『멘토스 미드영어표현사전』에서는 가장 많이 쓰이는 표현을 위주로 가장 많은 미드문장을 담으려고 노력했다. 1, 2권 통틀어 무려 거의 1,100페이지에 걸쳐 최대한 많은 표현과 설명 그리고 예문을 담았다.

하지만 마냥 미드만 본다고 해서 영어실력이 향상되지는 않는다. 일단 미드에 나오는 표현들을 많이 숙지하는 것이 최선이다. 이런 점에서 이번에 미드전문 출판사 멘토스가 출간하는 『멘토스 미드영어 표현사전』에 수록된 표현들을 최대한 숙지해야 한다. 이 책에 수록된 모든 표현과 예문은 미국 현지 Writers' Group이 미드 표현에 가장 근접하게 작성·변경한 것이며, 이 또한 모두 네이티브의 목소리로 녹음되어 있어 이 책을 여러 번 읽고, 듣다 보면 잘 들리지 않던 미드의 표현들이 조금씩 들리기 시작할 것이다.

물론 미드 표현에 근접하거나 일부 미드에서 나오는 문장들은 비문법적인 것이 많다. 주어도 빼먹고 혹은 be 동사도 빼먹고 발음도 각계각층의 사람들이 나오기 때문에 다양하고 또한 표현도 비일상적인 것도 나오고 그래서 미드는 반듯한 영어회화교재와 달리 미국 현장을 옮겨놓은 것이기 때문에 이 책 또한 그런 면들을 가능한 많이 반영하려고 노력하였다. 그렇기 때문에 문장이 좀 이상하고 발음이 좀 이상하다고 답답해 할 필요는 없다. 우선 들리는 것부터 하나 둘씩 늘려가면 된다. 그러면서 재미를 더 늘리면 서로 상호작용하면서 영어 리스닝과 스피킹이 팍팍 늘어날거라 확신한다. 원고를 다 쓰고 난 후의 소감은 '참 많이 담았지만, 참 많이 빠져있다'는 느낌이다. 미드는 그냥 미국 생활 자체로 봐야 하기 때문이다. 두꺼운 본 책이 나오기까지 E&C와 더불어 골수 미드족으로 함께 끝까지 밤을 새워가며 큰 도움이 되어준 서성덕 님께 감사하다는 말을 드린다.

미드, 무엇이 있고 무엇을 어떻게 봐야 할까?

'미드'란 말을 쓰게 된 시기는 대략 2006년 이후이다. 그전까지는 〈Friends〉가 대히트를 치면서 시트콤이란 말을 썼다. 하지만 situation comedy의 약어인 시트콤으로는 〈CSI〉, 〈24〉 등의 다른 미국드라마들을 포함할 수가 없었다. 그래서 줄여쓰기를 좋아하는 요즘 사람들이 모든 미국드라마를 통칭해서 줄여 '미드'라고 부르기 시작한 것이다. 사실 〈미션 임파서블(제 5전선)〉, 〈왈가닥 루시〉, 〈맥가이버〉, 〈보난자〉 그리고 〈X-file〉 등 그전부터 많은 미국 히트 드라마들은 항상 있어왔다. 그럼 이제부터 편의상 카테고리로 분류해 대표적으로 어떤 미드들이 있으며, 그 미드들이 어떤 이야기를 담고 있으며, 또한 영어공부에 어떤 도움이 되는지 정리해 보자.

 드라마 & 시트콤 코메디

Friends

대표적인 건 뭐니뭐니 해도 〈프렌즈〉이다. 네이티브들과 대화를 나누다보면 처음엔 생김새도 참 다르고 사고방식도 많이 다르다 싶지만, 좀 더 대화하거나 생활하다 보면 '아~ 똑같은 사람이구나, 우리랑 생각이 다르지 않구나'라는 생각이 불쑥불쑥 들게 된다. 3명의 여성(모니카, 레이첼, 피비)과 3명의 남성(챈들러, 로스, 조이)이 펼치는 우정과 사랑의 이야기는 우리 정서와 딱 맞아 떨어질 뿐만 아니라 매우 코믹한 부분이 많아 지금까지도 많은 이들의 사랑을 받고 있다. 시즌 10까지 가면서도 지루하지 않고 재미있게 만들었다. 조크 때문에 다소 난해한 부분들이 있지만 영어공부하기에 아주 적합한 미드임은 부정할 수 없다.

The Sex & the City

상류층 뉴욕 여성 4명의 삶을 다룬 스타일리스트한 미드로 남자와 여자의 사랑과 결혼에 대한 내용을 아주 진지하고, 아주 재미있고, 또한 아주 야하게 그린 잊을 수 없는 미드이다. 특히 성에 대한 대담한 담론은 이 미드를 드라마 이상의 위치에 올려놓았다고 해도 과언이 아니다. 시즌 6으로 끝났지만 아쉬움과 미련 때문에 후속으로 영화판 1, 2를 만들어 역시 큰 성공을 거두었다.

Desperate Housewives

갑자기 혜성같이 〈위기의 주부들〉이 등장하면서 미드 열풍을 이어간다. 〈위기의 주부들〉은 미국 중산층 부부들의 결혼생활과 가족들을 때로는 상당히 노멀하게, 때로는 상당히 엽기적으로 그린, 뭔가 한마디로 정의하기 힘든 미드로 많은 미드족의 인기를 얻고 있다. 이 드라마를 처음 기획하게 된 계기가 참 재밌다. 한 엄마가 자식을 죽였다는 충격적인 기사를 보고 자기 엄마에게 이 이야기를 하게 된 기획자는 엄마한테 예상 외의 말을 듣는다. "나라고 그런 적이 없었겠냐!"라고. 제작자는 여기서 힌트를 얻어 주부들이 남편과 자식들과 얼마나 힘들게 싸우며 가정을 꾸려나가는지를 보여주려고 〈위기의 주부들〉을 만들었다고 한다. 학습의 관점에서 보면 〈프렌즈〉나 〈섹스 앤 더 시티〉보다 훨씬 일상적이고 사실적이기 때문에 영어 듣기 공부에 아주 적합한 미드로 강추한다.

Big Bang Theory

영어공부하기에는 조금은 낙제점이지만 미드를 즐기기에는 최고의 작품이다. 주인공 괴짜 공학도 4명(레너드, 쉘든, 라지, 하워드)과 앞집의 페니, 버나넷, 에이미 등이 이야기를 끌고 가는, 인기 상한가의 시트콤이다. 신나게 웃을 수 있지만 어려운 단어나 대화가 좀 많이 나오는 게 단점이다. 하지만

즐겁게 웃으며 일부분의 영어만 익혀도 무리는 없다. 아무리 영어 배우기에 좋아도 재미가 없으면 '꽝'이기 때문이다.

Modern Family

〈빅뱅이론〉과 더불어 가장 인기있는 시트콤. 요즘 미국 가족들의 여러 일상들을 코믹하게 보여주며 장수하고 있는 드라마이다. 특히 일상회화를 다른 미드보다 많이 담고 있어 영어학습하는데 더할 나위없이 좋은 미드이다.

Shameless

오리지날은 영드로 미국에서 리메이크한 것. 탄탄한 구성과 세상에 적응하기 위해 노력하는 가난한 이들의 모습을 조금은 슬프게, 조금은 웃기게 그리고 조금은 야하게 볼 수 있는 수작이다. 대중적이지는 않지만 재미를 붙여볼 만하다.

Breaking Bad & Mad Men

이 시대 최고의 미드로 매니아들이 손꼽는 드라마. 바르게 살아온 한 화학선생님이 암에 걸린 후 남은 가족의 생계를 걱정한 끝에 한 제자와 최고급 마약을 제조하여 판매를 시작한다는 스토리. 하지만 그는 부를 축적하게 되면서 '가족을 위해서'라는 말은 한낱 변명으로 변하고 더 많은 부를 모으기 위해 점점 사악한 인간이 되어 간다. 인간의 탐욕과 희생 등을 심도있게 다룬 수작드라마이다. 또한 1960년대 미국 광고업계 종사자를 칭하는 〈Mad Men〉 또한 뛰어난 작품성과 연기로 많이 이들의 사랑을 받고 있다.

House of Cards

케빈 스페이스의 출연으로 화제를 모은 정치드라마. 부인의 도움을 받아 상원의원에서 대통령이 되고 다시 연임을 하기 위해 벌어지는 미국 정계의 권력과 야망, 암투 등을 흥미진진하게 다룬 미드이다.

Big Little Lies

리즈 위더스푼, 니콜 키드먼, 그리고 쉐일린 우들리 등 화려한 출연진으로 화제를 모았던 작품이다. 시즌 2에서는 메릴 스트립까지 나와 작품의 무게를 더하고 있다. 모든 사람은 바닷속처럼 다른 사람은 알지 못하는 자기만의 고통, 고뇌, 어둠이 있다는 무거운 사실을 보여주고 있다. 오프닝에 나오는 밀려오는 거친 파도는 그런 숨겨진 진실을 외치고 싶은 부르짖음을 상징하고 있는 것 같다.

Handmaid' Tale

매드맨에서도 열연한 엘리자베스 모스의 연기력이 만개한 작품. 출산율이 낮아진 가공의 나라에서 젊은 여성들은 잡아다 씨받이로 사용한다는 독특한 설정의 디스토피아 미드이다. 그밖에 미국에서 장수하는 〈How I Met Your Mother〉, 〈Two and a Half Men〉, 〈Scandal〉, 〈Orange is the New Black〉, 그리고 호러 스릴러 인기미드인 〈Stranger Things〉 등이 있다.

범죄 수사물 - 정통

Law & Order

범죄 수사물 하면 두 명의 제작자를 거론하지 않을 수 없다. 〈CSI〉의 제작자 Jerry Bruckheimer와 〈Law & Order〉의 제작자 Dick Wolf이다. 정말 많은 수작의 범죄물을 장기간 제작한 두 사람에게 경의를 표하지 않을 수 없다. 먼저 원조 〈Law & Order〉는 최장수 미드로 시즌 20까지 갔다. 우리나라에서는 〈범죄 수사대〉라는 제목으로 상영됐는데 상반부는 범인 체포, 후반부는 검사와 변호사의 치열한 공방 싸움으로 쏠쏠한 재미를 주었다. 스핀오프인 〈뉴욕 특수수사대〉는 〈CSI〉와는 전혀 다르게 인간의 심리를 역이용해 자백을 받거나 사건을 해결하는 긴장감 넘치는 수작 드라마이다.

Law & Order - Special Victims Units

〈성범죄 수사대, SVU〉란 제목으로 방영했던 것으로 〈Law & Order〉의 스핀오프 중 하나이다. 미국에서는 상당한 인기를 끌고 있는 작품으로 주로 성범죄 관련 범죄자를 체포하는 수사물이다. 특히 남자 수사관 엘리엇과 여자 수사관 벤슨의 연기가 돋보인다.

CSI

현직 범죄자들, 예비 범죄인들 그리고 평범하게 살려는 우리까지도 죄를 지으면 안 되겠다는 마음이 들게 하는 무시무시한 드라마다. 여기서 제리 브룩하이머의 천재성을 엿볼 수 있다. 〈CSI〉는 '모든 것은 증거가 말해준다(follow the evidence)'라는 명대사 등이 나오는 신세대 최고의 범죄 수사물이다. 원조격인 〈CSI Las Vegas〉는 그리썸이 연극에 대한 열정으로 물러나고 반장이 계속 바뀌는 상황 속에서도 장수하였다. 〈CSI Las Vegas〉가 철저히 이성적으로 증거에 따라 과학적인 분석을 통해 범인을 잡는 반면, 스핀오프로 탄생된 〈CSI Miami〉는 호라시오 반장의 감성적인 호소력으로 그를 호반장으로 부를 만큼 역시 큰 인기를 이어갔다. 다만 지나치게 감성과 액션에 의지하다 보니 점점 구성의 탄탄함이 떨어지는 것이 결점이다. 〈CSI〉의 세번째 스핀오프인 〈CSI New York〉은 아쉽게도 앞의 두 〈CSI〉와 별다른 차별화 없는 밋밋한 작품. 〈Medium〉에서 뛰어난 연기력을 보여줬던 패트리샤 아퀘트 주연의 〈CSI CYBER〉가 CSI의 명맥을 이어가고 있다.

Without A Trace & Cold Case

〈위드아웃 어 트레이스〉로 방영하는 제리 브룩하이머의 작품으로 멜론 반장을 중심으로 한 수사요원들의 탄탄한 연기력과 실종자를 역으로 찾는다는 발상이 특이한 범죄물이다. 실종된 이의 삶을 역추적하면서 주변 사람들조차 몰랐던 실종자의 고통과 고뇌가 밝혀지면서 우리의 삶이 얼마나 위장되고 슬픈가를 느끼게 하는 감동 드라마이다. 브룩하이머의 또 다른 작품인 〈Cold Case〉역시 여자 반장 릴리를 중심으로 곡소리 비슷한 오프닝의 시그널 음악처럼 과거에 해결되지 않은 사건을 현대의 새로운 과학수사기법을 통해 해결하는 좀 특이한 수사물이다. 범인을 찾는 과정에서 과거에는 알 수 없었던 사람들의 거짓과 진실이 드러나면서 애잔한 감동을 불러일으키는 드라마이다. 보너스로 20세기 초부터 중후반까지의 미국문화를 엿볼 수도 있는 작품이다.

Criminal Minds

범죄 수사물 중에서도 특이하게 연쇄살인범의 심리를 프로파일링해 범인을 찾는 FBI 수사물이다. 현재 최고의 인기 수사물로 〈CSI〉와는 정반대로 범인의 과거의 삶과 현재의 상황, 심리 등을 종합·분석하여 프로파일링해 범인을 좁혀 간다. 보통 범인을 잡으면 통쾌하고 권선징악이 떠오르게 마련이지만 〈Criminal Minds〉에서는 범인을 사살하거나 잡고 나면 오히려 마음이 더 무거워진다. 동정해서가 아니라 범인이 저렇게 행동할 수밖에 없는 상황이 너무 슬프기 때문이다. 부모 혹은 형제 등 주변 사람들과의 관계와 상황 때문에 자신도 어쩔 수 없이 저지른 범인의 행동에 맘이 무거워진다. 주변의 무관심 속에 외로움 때문에 목을 매 자살하는 우울증에 걸린 이들처럼, 범인들의 행동도 자신이 어쩔 수 없는 경우가 대부분이다. 다른 수사물의 동기가 치정, 돈, 질투 등인 반면 여기에 등장하는 범인들의 동기는 그렇게 태어난 죄와 그렇게 살려진 삶이기 때문에 더욱 더 슬프다. 하치너의 냉정한 리더쉽, 기디언에 이은 로시 그리고 모건, 프렌티스 또한 JJ와 가르시아의 연기가 볼만하다.

Flash Point

캐나다 경찰 특공대 SRU 팀의 활약을 그린 드라마. 수사보단 범죄, 테러, 자살시도 등 범죄자들의 범행현장에 투입돼 협상하고 제압하는데 초점이 맞춰져 있다. 긴박한 액션임에도 협상하면서 밝혀지는 범행동기, 숨겨진 진실 등이 눈물짓게 하는 휴머니즘을 갖춘 드라마.

Closer

브렌다의 넘치는 애교와 단것을 무척 좋아하는 모습에 웃음이 절로 나오지만 범인을 취조할 때는 두뇌회전이 압권인 〈Closer〉는 〈CSI〉류와는 또 다른 재미를 준다. 처음에는 〈실버수사대〉처럼 생각이 들 정도였지만 브렌다가 북치고 장구치고 하면서 극을 아주 재미있게 끌고 가는 미드이다.

Person of Interest

인터넷, 핸드폰, CCTV 등을 모두 모아서 AI를 만들어 테러방지를 하게 된다. 이 기계를 만든 사람 중의 한명인 해롤드 핀치와 전직 CIA요원 존 리스가 힘을 합쳐 강력범죄 등을 예측하여 사전에 예방하는 수사물. 첨단기술의 발달로 인간의 일거수일투족을 감시할 수 있게 빅브라더의 등장이 현실화되는 요즘 우리의 본능적인 관심을 끌 수밖에 없는 드라마이다.

그밖에 폭발적 인기를 끌다가 시즌 3부터 곤두박질 친 〈프리즌 브레이크〉, 시체에서 뼈만 남았을 경우 이를 토대로 범죄자를 찾는 〈Bones〉, 증인을 보호하는 US Marshall의 활약을 그린 〈In Plain Sight〉, 〈Stalker〉, 그리고 과거 액션 미드를 리메이크한 〈하와이 파이브 오〉, 〈전격 Z작전 나이트

라이더〉 등이 있다. 또한 좀 특이한 범죄물로 살인 욕구를 채우기 위해 흉악범들을 연쇄살인하는 한 법의학 전문가의 이야기를 다룬 〈덱스터〉, 그리고 독특한 수사물 〈트루 디텍티브〉, 산드라 오가 골든 글러브 주연상을 받은 〈킬링이브〉도 있다.

 범죄 수사물 + α

Mentalist

정통 범죄수사물이라기 보다는 정식 수사요원 외에 외부 인물 한 명이 가세하여 사건을 풀어 가는 반정통(?) 수사물로 가장 인기있는 건 뭐니뭐니해도 〈멘탈리스트〉이다. 금발 제인(남자)의 날카로운 분석력을 통해서 사건을 해결하는 드라마로 역시 과학적인 방법보다는 고도의 심리전을 사용하는 흥미로운 미드로 많은 사람들의 호응을 받았다.

Castle

추리소설작가 캐슬과 여수사관 베켓이 벌이는 묘한 감정과 예리하게 범죄자를 쫓는 반 코믹 수사물로 부담없이 즐기기에 아주 재미난 미드이지만 갈수록 초반의 흡인력을 상실하고 있는 아쉬운 드라마.

Perception

한 정신분열증 천재교수가 제자였던 FBI 케이트 요원을 도와 사건을 해결하는 심리 수사물. 또한 좀 지나간 미드이지만 꿈을 통해 사건의 해결실마리를 찾는 영매 앨리슨 드보아의 이야기인 Medium 역시 잘 만들어진 수사물이다. 앨리슨 드보아 역의 패트리샤 아퀘트는 〈CSI CYBER〉에 출연중이기도 하다.

Blacklist

특이하게도 범죄자를 통해 범죄인들을 잡는다는 기발한 소재의 드라마. 거물 범죄자인 레딩튼이 FBI에 자수하면서 자신이 정한 FBI요원 엘리자베스 킨과 함께 범죄를 하나씩 풀어나가는 기존 수사물과는 조금은 차원이 다른 수사물이다. 레딩튼의 역을 맡은 제임스 스페이드의 연기력에 빠지기만 해도 족한 미드이다.

Numbers

Ridley Scott 형제가 제작한 수사물로 모든 사건을 수(numbers)로 푸는 상당히 특이한 FBI 드라마이다. 역시 수사관의 동생인 천재가 협력한다.

Monk

강박증에 사로잡혀 정상적으로 경찰직을 수행하지 못해 사설탐정으로 활약하는, 뛰어난 기억력과 예리한 관찰력으로 남이 보지 못하는 것을 보는 능력으로 사건을 해결하는 해결사의 이야기다. 또한 가벼운 터치의 수사물로 제목대로 사이크(심령술사) 끼가 있는 주인공과 조수의 이야기인 〈사이크〉도 있다.

24

드라마의 시간과 현실의 시간흐름이 동일하게 흘러가는 기발한 첩보물로, 〈CTU(Counter Terrorist Unit)〉의 주인공 잭 바우어가 테러범들과 펼치는 스릴만점의 미드. 아마 모든 미드 중에서 한 편을 보는 심리적인 시간이 가장 짧을 것이다. 그만큼 몰입하게 하는 강도가 무척 강렬하다. 잭 바우어의 명연기와 목소리의 긴박감 또한 명품이다.

Designated Survivor

잭 바우어의 최신작품. 이번에는 사상 초유의 워싱턴 테러로 대통령과 의원들이 몰살당한다. 이런 경우를 대비해서 대통령을 대신 수행할 지정생존자를 지정해두는데, 바로 주택도시개발장관이던 잭 바우어가 지정생존자로 얼떨결에 대통령 역을 수행하게 되면서 벌어지는 일을 다루고 있다. 〈24〉의 잭 바우어의 귀환이 반갑기는 하지만 테러 만을 집중적으로 다룬 〈24〉와는 달리 후반부로 갈수록 다양한 소재의 일들이 벌어지면서 집중력을 줄어들게 만드는 미드이다.

NCIS(Naval Criminal Investigative Service)

우리나라 뿐만 아니라 미국에서도 상종가를 치고 있는 해군첩보 수사대로, 해군ㆍ해병대와 관련한 살인사건과 첩보사건을 해결하는 스토리로 전세계적인 인기를 끌고 있다. 먼저 주인공 깁스의 카리스마, 토니와 지바의 끊임없는 티격태격, 매번 당하는 데 일가견이 있는 프로비, 맥기 그리고 괴짜 천재 에비의 독특한 의상 등 많은 이들의 인기를 한 몸에 받고 있는 미드이다. 그 인기에 힘입어 〈NCIS LA〉 및 〈NCIS: NEW ORLEANS〉라는 스핀오프가 나왔다.

Homeland

알카에다 등의 테러집단들로부터 미국내 테러를 막는 것을 주 테마로 한 드라마. 클레어 데인즈과 다니엘 루이스의 뛰어난 연기로 화제를 모은 Homeland, 놓치면 후회하는 드라마일 것이다. 특히 미국인들의 테러에 대한 강박증을 투영한 클레어 데인즈의 연기가 압권이다.

위의 두 작품 외에 제니퍼 가너를 내세운 〈엘리어스〉, 어설픈 척의 머리에 인터섹트가 내장되면서 예쁜 새라와 첩보활동을 하는, 이야기의 구성보다는 주인공 캐릭터로 장수했던 코믹첩보물 〈척〉, 또한 전직 CIA 요원의 좌충우돌을 그린 〈번노티스〉 등이 있다.

The Good Wife

명감독 리들리 스콧의 작품으로 탄탄한 구성과 피터 플로릭, 알리샤 플로릭의 명연기 등으로 많은 각광을 받고 있는 미드이다. 파탄 직전의 가정과 일반 법정 사건들을 풀어가는 이중구조로, 역시 리들리 스콧이라는 말이 나올 만큼 수준 높은 드라마이다.

How to Get Away With Murder

신선한 형식, 속도감 그리고 반전에 반전을 거듭하는 수작 법정 스릴러. 로스쿨 교수이자 현직 변호사인 키팅 교수와 학생들이 사건을 해결하면서 벌어지는 일들을 그린 이야기로 한번 빠지면 못빠져나오는 중독성이 강한 드라마이다.

Boston Legal

법률회사 사람들과 그들을 둘러싼 사건들을 중심으로 펼쳐지는 약간은 코믹하고 약간은 야하고, 어떤 때는 웃기기도 하고 어떤 때는 인생의 애환이 느껴지는 수작이다.

Suits

대형로펌에서 가짜 하버드 출신의 변호사의 활약을 다룬 Suits, 그리고 연기파 글렌 클로즈가 주인공으로 나오는 법정 드라마 〈Damages〉도 빼놓을 수 없는 작품이다.

또한 존 그리샴 원작을 미드화한 법정 스릴러 〈야망의 함정: The Firm〉, 보스턴을 무대로 변호사들의 일과 사랑을 다룬 〈앨리맥빌〉, 아쉽게 시즌 2에서 끝난 〈클로즈투홈〉, 〈샤크〉, 그리고 〈일라이 스톤〉 등이 있다.

 SF 혹은 미스터리

Westland

기술의 발달로 인간이 마치 신처럼 인간과 흡사한 인공지능 호스트를 만들어, 이를 관광상품으로 만든다. 하지만 이 호스트들은 기계적 오류로 인해서 자의식이 싹트면서 자신들이 인간들에게 착취당한다는 사실을 인지하고 결국 인간들에게 반란을 하게 된다는 신선한 작품이다. 인공지능 개념의 유행에 맞춰 나온 드라마로 사람들의 궁금증을 많이 불러 일으키고 있다.

Walking Dead

대표적인 좀비 드라마로 좀비의 잔인한 모습이나 흥미 위주의 액션이 아닌 좀비로 문명이 몰락한 디스토피아를 배경으로 살아남은 인간들을 통해 극한의 상황에서 생겨나는 갈등과 사랑, 우정, 일상에선 숨겨졌던 극단적인 모습 등을 그린 휴머니즘 드라마이다.

Orphan Black

현실에 근접한 SF라고 할 수 있는 복제인간에 대한 이야기로 참신한 아이디어와 흥미로운 드라마 전개로 많은 이들의 관심을 받고 있다. 특히 1인 7역을 소화하는 타티아나 마슬라니의 연기력이 돋보인다.

Fringe

우리가 도저히 이해할 수 없는 사건들을 전문으로 파헤치는 FBI 요원 올리비아 던햄의 활약을 그린 수사물로 많은 흥미를 끌지만 〈X-file〉보다는 좀 난해하고, 시리즈가 계속 되면서 줄거리가 복잡해져 매니아층만 즐기는 듯한 인상을 풍긴다.

Heroes

초능력을 갖게 된 인물들이 활약하는 모습을 그린 드라마로 많은 인기를 끌었다.

Supernatural

퇴마사인 두 형제가 악마를 물리치는 이야기로 허접한 귀신들로 시작해서 시즌이 갈수록 스케일이 커지고 천사와 악마가 등장하는 등 흥미진진한 대표적인 초자연적 드라마이다.

Ghost Whisperer

우리나라의 〈전설의 고향〉과 비슷하게 억울하게 죽은 원혼을 볼 수 있는 고든(제니퍼 러브 휴잇)이 구천을 헤매는 영혼의 원혼을 풀어주고 천국에 보내주는 선행드라마이다.

그밖에 〈배틀스타 갤럭티카〉, 〈트루 블러드〉, 〈뱀파이어 다이어리〉, 〈데드존〉 그리고 〈테라노바〉, 〈블랙미러〉 등 초자연적인 현상 및 SF을 다룬 미드는 꽤 많은 인기를 끌고 있다.

 의학 드라마

House

원인 불명의 질병을 앓는 환자들을 진단하는 진단과 의사 닥터 하우스와 동료들의 이야기. 환자의 생명보단 병의 수수께끼를 푸는데 관심이 있고, 지독하게 이기적이며 신랄한 독설과 유머를 내뱉는 괴짜의사 하우스의 역을 맡은 Hugh Laurie의 연기가 압권이다. 최고의 의학 드라마로 꼭 챙겨봐야 하는 미드 중에 하나이다.

Grey Anatomy

한국계 산드라 오가 나와 우리의 관심을 끈 〈Grey Anatomy〉는 의료진의 활동 및 그들의 사랑과 열정을 그린 로맨스 드라마이다.

Nip/Tuck

의학드라마 중 성형외과 의사들의 이야기를 다룬 미드. 성형은 단순히 배경이고 가정의 갈등과 화해를 보여 주는 휴먼 드라마로 좀 야하다.

그밖에 의학드라마의 대명사인 〈ER〉이 있다.

고전물

Game of Thornes

판타지 소설 〈얼음과 불의 노래〉를 영상화한 미드. 〈왕좌의 게임〉은 7부까지 예정된 〈얼음과 불의 노래〉 1부의 제목. 시즌 1은 이름대로 판타지적 요소보다는 7왕국의 왕좌를 둘러싼 음모와 권력다툼의 정치물적 성격이 강하다. 입에서 불을 뿜어내는 용이 나오는 등 판타지성 드라마이지만 그보다는 인간들 사이의 갈등, 욕망, 배신 등이 잘 스며들어 있는 드라마의 성격이 강하다. 시즌 8을 대단원으로 막을 내렸지만 공감할 수 없는 스토리라인으로 많은 비난을 받았다.

Spartacus

로마시대에 노예 신분 탈출을 시도한 실존 인물 스파르타쿠스를 주인공으로 한 드라마로, 줄거리의 구성 뿐만 아니라 그래픽한 검투사들의 잔인한 싸움 장면과 거침없는 노출로 세간의 화제가 된 미드이다.

그외 가벼운 판타지물인 〈레전드 오브 시커〉, 영국왕 헨리 8세의 왕비 일대기를 그린 〈튜더스〉, 시저와 안토니우스 그리고 옥타비아누스까지의 로마시대를 그린 〈Rome〉, 그리고 르네상스 시대의 타락한 보르지아 가문에서 배출한 보르지아 교황의 타락과 부패를 그린, 제레미 아이언스의 명연기가 돋보이는 〈보르지아〉 등이 있다.

수퍼히어로

Daredevil

소재의 한계에 부딪힌 미국 미드산업계가 눈을 돌린 곳은 기존의 수퍼히어로들이다. 〈Daredevil〉은 그 중에서도 가장 돋보이는 작품으로 미국 마블코믹스 드라마. 앞이 보이지는 않지만 맨손으로 도시의 정의를 지키는 평범한 영웅 이야기로 많은 호평을 받고 있다. 특히 〈뉴욕특수수사대〉의 고렌형사 역을 한 빈센트 도노프리오가 연기한 Kingpin의 연기가 압권이다.

Agents of Shield

역시 마블코믹스의 드라마로 어벤저스 이후의 비밀기관 요원들의 활약상을 담은 작품이다. 그리고 스핀오프인 캡틴 아메리카의 짝사랑인 페기 카터가 단독으로 나와 쉴드에서 활약하는 내용의 드라마인 〈Agent of Carter〉 또한 볼만하다. 토니 스타크의 아버지였던 하워드 스타크의 발명품이 도난당하는데 이 도난당한 발명품을 찾는 이야기가 메인 스토리이다.

Gotham

이번에는 DC코믹스의 작품. 배트맨 프리퀄의 성격이 강한 드라마로 어린 시절의 브루스 이야기를 다루고 있다. 고든 형사와 악당들과의 싸움 속에서 브루스가 어떻게 성장하여 배트맨이 되는가를 보는 것도 흥미로운 감상법이다.

The Flash

연구소의 폭발사고로 초인간적인 수퍼히어로가 된 역시 DC코믹스의 작품으로 같은 회사의 작품을 미드로 만든 Arrow와 함께 많은 사람들의 주목을 끌고 있다.

그밖에 〈Lost〉, 〈Mistress〉 70년대 젊은이들의 모습을 코믹하게 그린 〈70's show〉, 정치 드라마 〈West Wing〉, 예전의 제5전선과 유사한 〈레버리지〉, 〈X-file〉의 데이빗 듀코브니가 출연하는 캘리포니아와 fornication의 합성어인 〈캘리포니케이션〉 등 미드의 종류와 작품은 다양하다. 앞으로도 계속 대작도 나오고 중작, 소작도 많이 나올 것이다. 개인의 선호도에 따라 차이가 있겠지만 거부감 없이 생소한 미드를 접하다 보면 의외로 재미를 느끼는 경우가 많다. 그때를 대비해서 가능한 미드에 많이 나오는 영어표현들에 친숙해지면 미드 보는 재미도 느끼고 영어실력도 쑥쑥 올라가는 보람찬 결과를 얻을 수 있을 것이다.

멘토스 미드영어 표현사전 보는 법

미드영어는 너무 방대해서 모두 다 담기는 불가능하다. 일상생활뿐만 아니라 과거의 유행어, 영국식 영어 등 네이티브조차 생소한 표현이 마구 나오기 때문이다. 『멘토스 미드영어표현사전』에서는 가능한 한 많이 나오는 표현을 중심으로, 키워드별로 최대한 많은 표현을 중요 표현과 설명을 곁들여 정리하였다. 미드에 재미를 붙이고 싶고 그러면서 영어실력 또한 향상되길 바라는 사람들에게 큰 도움이 될 것이라 확신한다.

키워드 사전이기는 하지만 단어 자체가 중요하지는 않기 때문에 조그맣게 표시하였다.

미드 표현 미드에 자주 나오는 표현들이다.

놓치면 원통한 미드 표현들 메인으로 뽑기에는 좀 약하지만, 미드 냄새가 진동하는 표현들을 간단한 예문과 함께 모아 정리하였다.

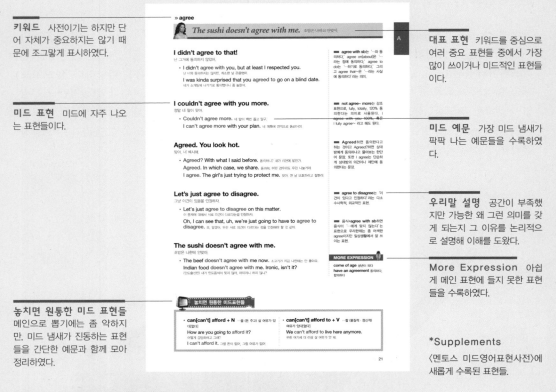

대표 표현 키워드를 중심으로 여러 중요 표현들 중에서 가장 많이 쓰이거나 미드적인 표현들이다.

미드 예문 가장 미드 냄새가 팍팍 나는 예문들을 수록하였다.

우리말 설명 공간이 부족했지만 가능한 왜 그런 의미를 갖게 되는지 그 이유를 논리적으로 설명해 이해를 도왔다.

More Expression 아쉽게 메인 표현에 들지 못한 표현들을 수록하였다.

*Supplements
〈멘토스 미드영어표현사전〉에 새롭게 수록된 표현들.

〈멘토스 미드영어표현사전〉에 새롭게 수록된 표현들.
미드 속 미드영어표현사전 새롭게 추가된 부분으로 실제 미드에서 미드영어표현사전에서 나온 표현들이 등장하는 장면을 캡처하여 장면설명과 대사를 수록하였다.

CONTENTS

A

» aboard

Nice to have you aboard, Michael. 마이클, 같이 하게 되어 잘 됐어.

Perfect. Problem solved. Welcome aboard.

완벽해. 문제 해결됐어. 함께 일하게 된 걸 환영해.

- A: I'm willing to try. B: Okay. Welcome aboard.
  A: 기꺼이 할래. B: 좋아. 동참을 환영해.

  Welcome aboard. Mr. House. You're right here in 2A.
  탑승을 환영합니다. 하우스 씨. 좌석은 바로 여기 2A 석입니다.

Nice to have you aboard, Michael.

마이클, 같이 하게 되어 잘 됐어.

- Good to have you aboard Tom! 같은 팀이 돼서 좋아, 톰!

  Glad to have you aboard this time. 이번에 같은 팀이 되어서 기뻐.

You should be aboard immediately.

즉시 탑승하세요.

- All ticketed passengers should be aboard for imminent departure. Thank you.
  표를 가진 모든 승객들은 즉시 출발을 위해 탑승해주세요. 감사합니다.

■ **Welcome aboard** 함께 일하게 된 걸 환영해, 귀국[귀항]을 축하해 'go aboard the plane, train'은 비행기나 기차에 탑승하는 것으로서 All aboard!는 기차, 버스, 배 등에서 "모두 탑승하세요!"라는 의미

■ **have sb aboard** 역시 같은 배를 탄다는데서 유래하여 같은 팀으로 같이 일하게 되었다는 의미를 갖는 표현.

■ **aboard**는 통상적인 교통수단에 탑승하는 것을 의미하나 climb aboard는 턱이 높은 교통수단(예: 선박 등)에 올라탄다는 뉘앙스를 가진 표현

What was all that about? 이게 다 무슨 일이야?

That's about it.
그게 다야, 대강 그 정도야

- That's about it. I rarely think about the past.
  뭐 그래. 난 과거에 대해서는 거의 생각을 하지 않아.

  We checked it for a murder weapon, but that's about it.
  우린 살인무기를 찾으려고 그걸 조사했으나 그게 다였어.

■ 앞에 나열한 후에 **That's about it,** 혹은 That's about the size of it이라고 하면 어떤 문제의 있는 그대로의 측면을 말하는 것으로 '뭐 그런 것이다,' '진상이 그렇다니까' 정도에 해당되는 표현이다.

It's not about that.
그게 문제가 아냐

- A: I didn't clean anything. B: It's not about that.
  A: 난 어떤 것도 치우지 않았어. B: 그게 문제가 아냐.

  No, no, not about that. About where she's going today.
  아니, 그게 아니라. 걔가 오늘 어디에 가는지 말이야.

■ **It's not about that**은 상대방이 포인트를 잘못 잡았을 때 바로잡아주는 표현.

This is about you ~ing
문제가 네가 …하는 거야

- This is about you stealing my money. 문제는 네가 내 돈을 훔친다는거야.
  This is about you spending more time with her.
  문제는 네가 걔하고 더 많은 시간을 보낸다는거야.

■ **This is about sb ~ing**는 상대편이 문제의 핵심을 이해하지 못할 때 답답해하면서 요점을 간략하게 정리해주는 표현.

What's that about?
왜 그러는거야?, 도대체 무슨 일이야?, 뭐에 관한거야?

- She always put a towel around her waist. I mean, what is that about? 걘 항상 허리춤에 수건을 두르고 있어. 도대체 왜 그러는거야?

  A: She lied right to my face. B: What's that about?
  A: 걔가 내 면전에서 거짓말을 했어. B: 어떤건데?

■ **What's that about?**은 '도대체 무슨 일이야?' 라는 뜻으로 비슷한 표현으로 What's it about?, What's it all about? What's this all about? 등이며 과거 일을 물을 때는 What was (all) that about?(이게 다 무슨 일이야?)이라고 쓴다.

This is what it's all about.
그게 바로 그런 거야

- I'd like to know what this is all about. 이게 무슨 일인지 알고 싶어.
  I have no idea what that's all about. 난 그게 무슨 일인지 모르겠어.

■ **This is what it's all about**은 굳어진 표현으로 상대방에게 요약해서 설명해줄 때 사용하는 표현.

What about it?
그래서?, 어쩔 건데?

- A: We'd like to talk to you about your outfit. B: What about it?
  A: 네가 입은 옷에 대해 너랑 말하고 싶어. B: 뭐가 어째서?

■ **What about it?**는 뭘 알고 싶은데라는 말이며 what about+명사[~ing]는 '…은 어때?,' '…하는 건 어때?' 라는 표현.

I'm all about you.
난 너뿐이야.

- It's all about you. 이건 모두 너를 위한거야.
  I am all about the dudes. 난 그 친구들뿐이야.

■ **I'm all about sb~**는 내가 생각하는 것은 온통 sb에 대한 것이라는 사랑의 표현

» accuse

She accused me of having an affair. 걔는 내가 불륜을 했다고 비난했어.

How dare you accuse me of that.
어떻게 감히 네가 그걸로 날 비난할 수 있니?

- She accused me of having an affair. 걔는 내가 불륜을 했다고 비난했어.
  He did falsely accuse me of child abuse. 걘 내가 아동학대했다고 누명을 씌웠어.

Your honor, the defendant is accused of raping a girl.
판사님, 피고는 여자애를 강간한 혐의로 고소되었어요.

- Mike would not do what he's being accused of. Believe me.
  마이크는 고소당할 짓을 하지 않을 사람야. 정말야.
  Was he falsely accused of something? 걔가 뭔가로 억울하게 고소당했니?

■ (falsely) accuse A of B 'A가 B라고 (잘못) 비난하다'(고소 하다)라는 의미. 일반적인 표현으 로는 비난하다라는 뜻이지만 법적 으로는 고소한다는 의미이다. be falsely accused하면 억울하게 누명쓰다라는 말.

■ be accused of는 주로 법 적인 의미로 사용되는데 '…로 고 발[고소]당하다' 라는 의미

» ace

That's my ace in the hole. 그건 내 비장의 무기야.

I think I aced it.
시험 잘 본 것 같아.

- You must have aced your exam today. 너 오늘 시험 무척 잘본게 분명해.
  I guess Seth's just aced his Brown interview.
  세스가 방금 브라운 대학 인터뷰를 잘한 것 같아.
  I serve and ace him. 내가 서브해서 걔가 받지 못했어.

I got aces. What do you got?
난 에이스들을 가졌어. 넌 뭘 가졌니?

- A: What do you got? B: I've got aces and eights, two pair.
  A: 넌 패가 뭐냐? B: 에이스와 8, 투페어야.
  I need to get aces to win the game. 게임에서 이기려면 에이스가 나와야 돼.

That's my ace in the hole.
그건 내 비장의 무기야.

- Wes Craven was your ace in the hole?
  웨스 크레이븐이 너의 비장의 무기였니?
  Mr. Choo is ace in the hole in our team. 추선수가 우리 팀의 비장의 무기야.

■ ace 동사로 'A 플러스를 받다' 라는 뜻이지만 배구와 같은 구기에서 '상대방이 서브를 받지 못하게 하다' 라는 의미로도 사용 된다.

■ ace는 포커의 에이스 패를 의미한다. ace 4장이면 ace four cards라고 표현하고 거의 최고로 높은 패

■ ace in the hole은 비장의 무기를 의미하며 have an ace up your sleeve도 비장의 카드, 성공의 비결이라는 의미

» ache

My loins ache for you. 내 몸이 널 그리워해.

I'm aching in the joints.

마디마디가 쑤신다.

- It's nothing. Sometimes my ears ache a little.
  아무 것도 아냐. 간혹 내 귀가 조금씩 쑤셔.

  I see the way Ben looks at you. It makes me ache, you know?
  벤이 널 어떻게 쳐다봤는지 알아. 그게 날 아프게 해, 알아?

I ached for you, pumpkin.

너무 그리웠어, 자기야.

- Oh, ravish me, Howard. My loins ache for you.
  날 만족시켜줘, 하워드. 내 몸이 널 그리워해.

  You ached to feel her naked body pressed up against yours.
  넌 그녀의 벗은 몸이 널 누르는 것을 몹시 느끼고 싶었지.

▬ ache는 신체부위가 지속적으로 심하지 않게 아프다는 뉘앙스를 가지고 있다.

▬ ache for[to do]는 '몹시 …하고 싶다' 라는 의미의 표현

MORE EXPRESSION

aches and pain 온몸이 쑤심

» act

Don't act innocent! 시침떼지마!

Don't act innocent!

시침 떼지마!

- Are we supposed to act appropriately? 우리 조신하게 행동해야 되는거야?
  You have to calm down. We need to act professional.
  침착해. 우린 프로답게 행동해야 해.

Don't act like it means nothing!

그게 아무것도 아닌 것처럼 행동하지마!

- Stop acting like you're all that. 잘난 척하지마.
  You're the patient. Not the doctor. Act like one. 넌 환자지 의사아냐. 확실히 해.

Get your act together.

기운차려.

- Let me get my act together. 정신 좀 차릴게.
  You gotta get your act together. 똑똑하게 굴어야 돼.

She caught me in the act trying to bury the body.

난 시체를 묻으려다가 걔한테 현장에서 들켰어.

- We're gonna have to catch them in the act for once.
  우리 걔들을 현장에서 단번에 잡아야만 해.

  And then the killer was caught in the act? 그런 다음 살인범이 현장에서 잡혔어?

▬ act는 '행동하다.' '...인 척하다' 라는 의미로서 act 다음에는 형용사나 부사가 온다.

▬ act like는 '...처럼 행동하다' 라는 뜻. 또한 acting은 배우가 하는 연기를 의미한다.

▬ get one's act together는 '정신을 차리다,' '기운을 내다' 라는 의미의 구어체 표현

▬ (catch~) in the act of는 '...하는 도중에 (잡다) 라는 의미로서 현장에서 잡히는 경우를 말한다.

This action is dismissed. 이 소송은 기각합니다.

You need to take action to restore balance.

넌 균형을 다시 잡기 위해 조치를 취해야만 해.

- I decided to take action and this time he answered.
  난 행동을 취하기로 했고 이번에는 걔가 반응을 했어.

  She took some drastic action. 걘 강경조치를 취했어.

take action은 '어떤 조치를 취하다', '행동을 취하다' 라는 의미로 take step과 같은 맥락의 표현.

You've gotta see this thing in action before you say "no way."

넌 '말도 안돼' 라고 말하기 전에 이게 실제 돌아가는 것을 보아야만 해.

- Jill, if the jury doesn't get to see me in action, they'll feel cheated. 질, 배심원들이 만약 내가 계획대로 움직이지 않는 걸 안다면 속았다고 느낄거야.

  I love watching you in action because the more you work, the less I have to. 난 네가 일하는 걸 보는게 좋아, 왜냐하면 네가 일을 더할수록 난 덜해도 되니까.

see[watch] ~ in action은 '…가 계획[예정]대로 돌아가는 걸 확인하다' 는 의미로 see the players in action하면 선수들이 뛰는 것을 보다라는 표현.

Frozen for a moment, the man springs into action.

그 남자는 잠시 멈추었다가 갑자기 행동을 취했어.

- They spring into action when a black sedan pulls up alongside the curb. 검은 승용차가 도로변에 정차할 때 그들은 갑자기 행동을 취했어.

put ~ into action은 계획했던 걸 실행하다라는 의미이며 spring[swing] into action은 비교적 조용히 있다가 갑자기 바로 실행한다는 표현이다.

I could consider the best course of action.

내가 제일 바람직한 행동방침을 생각해낼 수 있을 것 같아.

- Officer Thompson offered safety tips and a plan of action.
  톰슨 요원은 안전수칙에 대한 정보와 함께 행동계획에 대해 설명을 해줬어.

  The recommended course of action is to suppress it with drugs.
  추천받은 방침은 약으로 그걸 억제하는 것이야.

course[plan] of action은 통상 행동 방책(계획)을 뜻하며 change course of action이면 '행동방향을 바꾸다' 라는 의미의 표현.

The squirrels are getting more action than you are.

다람쥐들이 너보다 더 재미를 보겠다.

- I am sorry your girlfriend gives me action in the pants.
  미안하지만 네 여친 때문에 내가 꼴리는데.

  I finally got some action with Julia! 드디어 줄리아와 섹스를 했어.

get more action, get a lot of action, get any action 등의 표현에서 action은 섹스를 포함한 재미있는 일을 뜻한다.

This action is dismissed. Court is adjourned.

이 소송은 기각합니다. 폐정합니다.

- I can assure you their Cause of Action is totally baseless.
  분명히 장담하는데 그 사람들의 소송 사유는 전혀 근거가 없어요.

action은 법적인 조치, 즉 소송을 의미하며 따라서 cause of action이면 소송의 사유가 된다.

You haven't filed a class action in five years.

넌 5년 동안 집단소송 한 건도 못했어.

- We're expanding this case to a class action suit. 이건을 집단소송으로 할거야.

  It's a class action involving thousands of plaintiffs, and it's complicated, Denny. 원고가 수천 명인 집단소송이잖아, 복잡하기도 해, 데니.

class action (suit)은 여러 명이 동시에 한 건에 대해 소송을 제기한다는 의미에서 '집단소송' 이라는 법적인 용어가 된다.

We're seriously considering legal action.

우린 심각하게 법적소송을 고려중이야.

- He's brought an action against you in Family Court for derivative neglect. 걔는 가정법원에 너를 '방임죄'로 고소를 제기했어.

  They brought legal action against the tobacco companies forty years ago. 걔들은 40년 전에 담배회사들을 상대로 법적인 소송을 제기했어.

> ■ bring legal action against~는 '…에게 법적 소송을 제기한다'라는 의미이며 bring a civil action이면 민사소송을 제기한다는 말

Actions speak louder than words.

말보다 행동이 중요해.

- I want action not words. 난 말보다 행동을 원해.

  He was reported missing in action in Afghanistan. 걔는 아프간에서 행불자로 보고되었어.

> ■ action은 행동을 의미하지만 전투행위라는 의미로도 쓰인다. 따라서 MIA(Missing in Action)하게 되면 '전투중 행불자'라는 용어가 된다.

» addict

I'm not a sex addict! 난 섹스중독자가 아냐!

No! No! I am not a sex addict!

아냐, 난 섹스중독자가 아냐!

- The biological mother was a drug addict. 생모는 마약 중독자였어.

  He was a criminal and an addict, but he was only 18 years old. 걔는 범죄자이자 중독자였으나 나이는 단지 18세였어.

> ■ sex addict는 섹스중독자, drug addict 마약중독자를 의미한다. 한편 바람직한(?) 일중독자의 경우에는 workaholic이라는 단어를 사용한다.

I'm not addicted to heroin.

난 마약 중독자가 아냐.

- Is it possible to be addicted to a person? 사람에게 중독된다는게 가능해?

  I think Patrick's addicted to me. 패트릭이 나한테 중독되어 있다고 생각해.

> ■ be[get] addicted to는 '…에 중독되다'라는 뜻이며 addict oneself to도 '…에 빠지다', '중독되다'라는 같은 의미의 표현이다.

I felt like I had finally kicked my addiction.

난 마침내 중독을 떨쳐버렸던 것 같았어.

- The secret addictions consume our souls. 은밀한 중독들은 우리 영혼을 파괴해.

  Sex is as much an addiction for me as booze. 섹스는 알콜만큼 중독성이 있어.

> ■ kick one's addiction은 중독을 떨쳐버리고 극복하다라는 의미. 참고 computer game addiction하면 컴퓨터 게임 중독, gambling addiction은 도박중독을 의미한다.

놓치면 원통한 미드표현들

- **absolutely** 당연히(문장앞), 완전히(문중에서)
  Absolutely. No problem.
  당연해. 문제없어.

- **have an affair** 바람을 피우다
  He's not having an affair!
  걔는 바람을 피지 않아!

Court is adjourned. 휴정합니다.

Court is adjourned.
휴정하겠습니다.

- At this time you are dismissed. Court adjourned.
이제 돌아가셔도 됩니다. 휴정합니다.
We'll adjourn for lunch. Be back at 4:00. 점심 휴정하고 오후 4시 재개합니다.

■ adjourn은 재판이나 회의 등이 연기되는 경우에 사용하며 be adjourned의 형태로 많이 쓰인다.

I'll rule on these tomorrow. Adjourned.
내일 판결을 내리죠. 휴정입니다.

- In that case, we're adjourned until 9:00 A.M. tomorrow morning.
이 사건과 관련 우린 내일 아침 9시까지 휴정합니다.
The defendant is free to go. We're adjourned. 피고는 가세요. 폐정합니다.

■ Adjourned는 판사가 하는 말로서 '휴정[폐정]합니다' 라는 법정 용어.

Let's adjourn to the hall.
잠시 복도로 나갈까요.

- Let's adjourn to the room. 잠시 방으로 갑시다.
I know a cozy little photocopy machine we could adjourn to.
스티커 사진 찍을 안락하고 작은 장소를 아는데 거기로 갈까?

■ adjourn to somewhere 은 하던 일을 마치고 잠시 쉬기 위해 다른 장소로 간다는 의미로 종종 유머러스한 뉘앙스를 갖는다.

 I hate to admit it, 인정하고 싶지는 않지만,

Okay, I admit it!
알았어. 내가 인정할게!

- Yeah, I admit it. I have a crush on you. 그래, 인정하지. 난 너한테 반했어.
Come on, admit it! All things considered, you had fun tonight.
인정해! 모든 상황을 고려해봐도, 오늘밤 재미있었잖아.

■ I admit it은 거의 숙어적 표현으로 '내 인정할게' 라는 의미로 사용된다. Admit it!은 상대편에게 인정하기를 강하게 요구하는 표현.

You gotta admit that our relationship is over.
우리 관계가 끝난 걸 인정해야 돼.

- Thank you. I've got to admit, Emma does look cute.
고마워. 인정해, 엠마는 귀여워.
I was embarrassed to admit that I was seeing Big again.
내가 빅을 다시 만나고 있었다는 점을 인정하는 게 당황스러웠어.

■ You gotta admit~은 '…을 인정해야 돼' 라는 뜻이며 I have to[must] admit~은 '난 …를 인정해야만 해' 라는 의미.

I hate to admit it, but I like your theory.
인정하고 싶지 않지만 네 이론이 맘에 들어.

- I hate to admit it but, I really screwed up. 인정하기 싫지만 난 정말 망쳤어.
I hate to admit it, but I wish they were all dead.
난 인정하고 싶지 않지만 걔들이 모두 죽었으면 좋겠어.

■ I hate to admit~, but은 인정하고 싶지 않지만 어쩔 수 없이 인정할 수밖에 없는 상황에서 사용하는 표현.

He already admitted to one affair.
개는 이미 한 번의 불륜을 인정했어.

■ admit (to) ~ing 혹은 admit sth은 '…을 받아들이다,' '인정하다,' '자백하다' 라는 의미

- He admitted to taking her body and burying it. 갠 시체끌고가 매장한 걸 인정했어.

» advance

 You've made no advances. 넌 아무런 진전도 보이지 못했어.

Advance it to 8:27 P.M.
시간을 오후 8시 27분으로 돌려봐.

■ advance는 '…를 앞으로 돌리다,' '앞으로 나아가다' 라는 뜻으로 예를 들면 CCTV 등에서 시간대를 앞으로 돌리라는 의미가 된다.

- He advances toward the car, his hands still in his pocket.
  개는 손을 여전히 주머니에 넣고서 차를 향해서 가고 있어.

  Tony advances toward them again. 토니는 갠네들에게 다시 다가갔어.

So in five years you've made no advances.
그래 5년이 지나도 너는 아무 진척도 보이지 않았어.

■ advance는 명사로서 발전 또는 진척이라는 의미로 사용된 것이다.

- It's another example of the great advances man has made.
  이건 인류가 이룬 위대한 발전의 또 다른 예이다.

Someone got an advance on their allowance.
누군가 수당 선불을 받았어.

■ advance는 명사로서 가불 또는 선불을 의미하며 동사로도 사용할 수 있다.

- I was wondering, if I got a $100 advance in my salary?
  100 달러만 가불 좀 해줄래요?

  It was cash advance on a credit card. It's not cheap.
  그건 신용카드에서 현금서비스를 한거야. 서비스 비용이 싸지 않아.

The guys make advances to her all the time.
남자들은 늘상 그 여자를 어떻게 해보려고 해.

■ make advances to sb '농짓거리하다' 라는 뜻으로 성적으로 접근을 시도한다는 뉘앙스 표현

- I thought you were making sexual advances in the workplace.
  네가 직장에서 성적으로 집적대고 있다고 생각했어.

  He created a hostile working environment with repeated, unwelcomed sexual advances.
  갠 반복적으로 불쾌하게 성적으로 집적대서 냉담한 근무환경을 조성했어.

■ I apologize in advance 는 뒤에 말할 내용이 상대에게 상처를 줄 수 있는 내용으로서 미리 양해를 구할 때 쓰는 표현

I should apologize in advance.
내가 미리 사과해야겠구나.

- I'm sorry in advance if this is putting too much pressure on you, but can you close your business?
  압박을 너무 가하는 것 같아서 사전에 미리 미안하다고 말씀드리지만 사업을 그만둘 수 있나요?

■ advanced는 병이 진전된 이라는 의미로 통상 '진전된,' '발전된' 이라는 의미를 갖는다.

He says I have advanced lung cancer.
개가 난 폐암후기라고 해.

- The cancer appears to be advanced. 암이 진행된 걸로 나타났어요.

  I happen to be a very advanced kisser. 난 키스의 대가야.

MORE EXPRESSION

advance one's career 승진하다
career advancement 경력상승
in advance 사전에, 미리
advanced notice 사전통보.

You got any advice for me? 나한테 해 줄 조언없어?

I need some advice from a professional.
난 프로로부터 자문이 좀 필요해.

- Hey you guys, I need some fashion advice. 야, 패션관련 조언이 필요해.
  He probably wants free legal advice. 걘 아마도 무료법률자문을 원할 걸.

▬ want[need] advice 혹은 seek advice는 조언을 필요로 하다, 조언을 구한다라는 의미로 advice 앞에 legal 등 다양한 형용사를 넣어 조언의 종류를 말할 수 있다.

Listen. You want my advice? Walk away.
이봐. 내 조언이 필요해? 그냥 가버려.

- Want my advice? Call dad. Go tell him to kick Andrew's ass.
  내 조언이 필요하니? 아버지에게 전화해서 앤드류를 혼내라고 말해.
  Piece of advice? 충고 하나 해드릴까요?

▬ You want my advice는 '내 조언이 필요해?' 라는 의미로 주어 you를 빼고 쓰기도 한다.

You got any advice for me?
나한테 조언해 줄거 없니?

- Honestly, I'm relieved to get his advice. 솔직히, 걔 조언받고 마음이 놓였어.

▬ get advice from은 '…로부터 조언을 받다,' So, got any advice?는 '뭐, 조언해 줄 거 없어?' 라는 표현

I'm not very good at giving advice.
난 조언을 하는데 서툴러.

- One guy gave me advice about my equity investments.
  한 친구가 내 자산투자에 대해서 조언을 해주었어.
  Can I give you a piece of advice? If you do get her, don't let her go. 조언을 해줄까? 그녀를 찾으면 절대 놔주지마.

▬ give sb advice (about)는 '…에게 (…에 대해) 조언을 해주다' 라는 표현

Fine! Take their advice.
좋아! 걔들 조언을 받아들여.

- She made it a rule never to take advice from her friends again.
  걘 다시는 자기 친구들로부터 조언을 받지 않기로 했어.
  In any case, I'm not taking relationship advice from you.
  어쨌든, 너로부터 어떤 인간관계에 대한 조언도 받지 않을거야.

▬ take one's advice는 '…의 조언을 받다' 라는 말로 take 대신에 follow를 써도 된다.

I'm going in. Any last minute advice?
나도 참여할게. 마지막으로 해줄 어떤 조언 있어?

- Thank you, dad. So really, any last-minute advice?
  아버지 고마워요. 정말로 마지막 조언 없으세요?
  She doesn't want to give me any last-minute advice.
  걘 내게 마지막 순간에도 조언을 해주기 싫어해.

▬ last-minute advice는 어떤 결정을 하기 직전 마지막 순간 또는 막바지에 해주는 조언을 의미한다.

I have advised my client not to speak further.
난 의뢰인에게 더 이상 말하지 말도록 조언했어.

- Did you advise her not to cooperate with the police?
  걔한테 경찰과 협조하지 말라고 조언했니?
  Our lawyer has advised me not to speak to the police.
  우리 변호사가 내게 경찰에게 말하지 말라고 했어.

▬ advise sth[sb]은 '…을 […에게] 조언하다,' advise sb (not) to do는 '…에게 …하도록 [하지말도록] 조언하다' 라는 의미의 표현.

We have to advise you of your rights.

우린 네 권리에 대해 조언을 해야만 해.

- It's my duty to advise you of your right to counsel.
  변호인에 대한 너의 권리가 있다고 조언하는 내 의무야.

  I'm gonna advise you against that. 난 그걸 하지 말라고 네게 조언할거야.

Be advised, they have fired on police officers.

걔들이 경찰관에게 총격을 가했음을 주지하기 바랍니다.

- He's coming out. Be advised: Suspect is armed.
  밖으로 나오고 있음. 용의자가 무장하고 있음을 주지바람.

  We strongly advise that you don't hand over that money.
  그 돈을 넘기지 않는 것이 좋을 겁니다.

■ advise sb of~는 '…에게 …를 조언하다' 라는 뜻이며 advise sb against면 '…에게 … 하지 말도록 조언' 하는 것을 의미.

■ be advised (that~)는 주위에 that 이하를 알려줄 때 사용하는 표현으로 '…을 잊지 마세요' 또는 '…을 알고 계세요' 라는 의미이다. 당연히 능동형 advise that~은 that 이하에 대해 조언을 한다는 표현이다.

MORE EXPRESSION

My advice to you is to~
…에 대한 나의 조언은 …이다

» again

Oh, not again! 어휴, 또야!

Oh, no, not again!

어휴 또 그래!

- I will not have sex with you! Not again! 난 너랑 섹스하지 않을거야. 다시는!
  No one wants to see that. Oh, not again!
  아무도 그걸 보고 싶지 않아해. 정말, 다시는!

■ No, not again은 '어휴 또 야,' '어떻게 또 그럴 수 있어!' 라는 표현이며 그냥 not again하면 '다시는 그렇지 않겠다' 는 다짐의 표현이다.

He'd fall in love with me all over again.

걔는 다시 나와 사랑에 빠질거야.

- No, we'll have to start all over again.
  아냐, 우린 처음부터 다시 시작해야만 할거야.

  If I had to do it all over again, I'd do the exact same thing.
  만약 내가 처음부터 다시 시작해야만 하더라도 난 똑같은 일을 할거야.

■ all over again은 '처음부터 다시' 새롭게 시작한다는 의미

Well, then again, her mother died a year ago.

글쎄, 한편으로 걔 엄마가 1년 전에 돌아가셨어.

- But then again, we all knew your weakness for limos.
  그런데 우리 모두가 네가 리무진에 약하다는 점을 알고 있잖아.

■ then[there] again은 앞 문장을 받아서 '그러나' 또는 그런데' 라는 의미와 함께 앞의 문장과 대비되는 표현으로 '또 한편으로는' 이라는 뜻으로서 사용된다.

This is going to happen again and again.

이런 일은 계속해서 반복적으로 생길거야.

- I've told you over and over again that school is so important.
  내가 너한테 학교가 중요하다고 골백번은 말했잖아.

  I kicked it hard and over and over and over again.
  난 그걸 세게 여러 번 차버렸어.

■ over and over again, again and again, time and (time) again 등은 주로 부정적인 문맥에서 사용되며 '매우 자주,' '반복적으로 여러 번' 이라는 뜻을 갖는다.

MORE EXPRESSION

now and again 때때로

You're under the age of consent. 넌 아직 합법적으로 성관계를 맺을 수 없어.

You're under the age of consent.
넌 합법적으로 성관계를 가질 수 있는 나이가 안됐어.

- All four girls are under the age of consent.
  4명 소녀가 모두 법적으로 성관계가 용인되는 나이가 아냐.

  In Iceland the age of consent is 14. 아이슬란드에서 법적승낙나이는 14세야.

■ **age of consent**는 합법적으로 섹스에 대해 여성이 승낙할 수 있는 나이로 미국은 16세이다.

She's our age.
걘 우리 또래야.

- Every guy our age loved that. 우리 또래의 모든 남자들은 그걸 좋아했어.

  Why can't you get a girlfriend your own age? 왜 또래의 여친을 안사귀어?

■ **be (about) one's (own) age**, 또는 **(of) one's age**는 '…와 나이가 같다,' '같은 나이의' 라는 표현이다.

Elizabeth is very mature for her age.
엘리자베스는 나이에 비해 아주 성숙해.

- I mean, your mom's tall, and you are a little short for your age.
  내말은 네 엄마는 키가 큰데 넌 나이에 비해 좀 작아.

  Betty was always old for her age. 베티는 나이에 비해 항상 늙어 보였어.

■ **for one's age**는 '…의 나이에 비해' 라는 의미로 하는 행동이나 가지고 있는 특징이 나이에 걸맞지 않을 때 사용하는 표현이다.

I haven't been on a date in ages.
난 오랫동안 데이트를 하지 못했어.

- I haven't had a cardiac case in ages. 난 오랫동안 심장병 환자를 맡지 않았어.

  Boy, this is great. I haven't had a vacation in ages.
  맙소사, 이거 너무 좋다. 난 오랫동안 휴가를 가지 못했어.

■ **in ages**는 '오랫동안' 이라는 뜻으로서 상당한 기간 동안이라는 의미로 for ages라고 해도 된다.

Claims hormones can reverse the aging process.
호르몬이 노화진행을 역행시킬 수 있다고 주장하고 있어.

- Do you consider aging a disease? 넌 노화가 병이라고 생각하니?

  You look fantastic. You haven't aged a day. 정말 멋져. 전혀 늙지 않았어.

■ **aging**은 늙어가는, 나이든, 노화, anti-aging은 노화방지(의). age는 동사로 '나이를 먹다' 라는 뜻으로도 쓰인다.

MORE EXPRESSION

Act your age! 나이 값 좀 해라!,
at age (숫자) …살에 = at the age of +숫자
age difference 나이차이

놓치면 원통한 미드표현들

- **be[get] agitated** 불안, 초조하여 가만 있지 못하다
  I am agitated
  마음이 조마조마해
  Did he seem upset or agitated when you saw him?
  걘 봤을 때 불안하고 초조해하는 것 같았어?

- **use an alias** 가명을 쓰다. alias는 가명, 특히 범죄자의 가명, 혹은 인터넷이나 이멜에 쓰는 가명을 의미하기도 한다.
  His e-mail alias is 'Apollo.'
  걔의 이메일 가명은 '아폴로' 야.
  I'll look at properties under an alias.
  난 가명으로 된 재산들을 검토해 볼거야.

The sushi doesn't agree with me. 초밥은 나하고 안맞아.

A

I didn't agree to that!
난 그거에 동의하지 않았어.

- I didn't agree with you, but at least I respected you.
  난 너와 동의하지는 않지만, 최소한 널 존중했어.

  I was kinda surprised that you agreed to go on a blind date.
  네가 소개팅에 나가기로 동의했다니 좀 놀랐어.

■■ **agree with sb**는 '…와 동의하다,' agree on[about]은 '…라는 점에 동의하다,' agree to do는 '…하기로 동의하다,' 그리고 agree that~은 '…라는 사실에 동의하다' 라는 의미.

I couldn't agree with you more.
정말 네 말이 맞아.

- Couldn't agree more. 네 말이 백번 옳고 말구.
  I can't agree more with your plan. 네 계획에 전적으로 동감이야.

■■ **not agree~ more**는 강조 표현으로, fully, totally, 120% 동의한다는 의미로 사용된다. I agree with you 100%, 혹은 I fully agree~ 라고 해도 된다.

Agreed. You look hot.
맞아, 너 섹시해.

- Agreed? With what I said before. 동의하니? 내가 이전에 말한거.
  Agreed. In which case, we share. 동의해. 어떤 경우라도 우린 나눌거야.
  I agree. The girl's just trying to protect me. 맞아. 걘 날 보호하려고 할뿐야.

■■ **Agreed**하면 동의한다고 하는 것이고 Agreed?하면 상대방에게 동의하냐고 물어보는 한단어 문장. 또한 I agree는 단순하게 상대방의 의견이나 제안에 동의한다는 문장.

Let's just agree to disagree.
그냥 이견이 있음을 인정하자.

- Let's just agree to disagree on this matter.
  이 문제에 대해서 서로 의견이 다르다는걸 인정하자.

  Oh, I can see that, uh, we're just going to have to agree to disagree. 오, 알겠어. 우린 서로 의견이 다르다는 점을 인정해야 할 것 같아.

■■ **agree to disagree**는 '이견이 있다고 인정하다' 라는 다소 수사학적, 외교적인 표현.

The sushi doesn't agree with me.
초밥은 나한테 안맞아.

- The beef doesn't agree with me now. 소고기가 지금 나한테는 안 좋아요.
  Indian food doesn't agree with me. Ironic, isn't it?
  (인도출신인) 내가 인도음식이 맞지 않아, 아이러니 하지 않니?

■■ 음식+**agree with sb**하면 음식이 '…에게 맞지 않다' 는 표현으로 우리한테는 좀 어색한 agree이지만 일상생활에서 잘 쓰이는 표현.

MORE EXPRESSION

come of age 성년이 되다
have an agreement 동의하다, 합의하다

놓치면 원통한 미드표현들

- **can[can't] afford + N** …을 (돈 주고) 살 여유가 있다[없다]
  How are you going to afford it?
  어떻게 감당하려고 그래?
  I can't afford it. 그럴 돈이 없어, 그럴 여유가 없어.

- **can[can't] afford to + V** …할 (물질적 · 정신적) 여유가 있다[없다]
  We can't afford to live here anymore.
  우린 여기에 더 이상 살 여유가 안 돼.

» ahead

Let's not get ahead of ourselves. 너무 앞서가지 말자.

He is 2 years ahead of me in school.
걘 나보다 학교 2년 선배야.

- I'm gonna be one step ahead of you, every single time!
  난 모든 순간 너보다 한 발짝 앞서 있을 거야.

  Actually, they will be completed ahead of schedule.
  실은 걔네들은 일정보다 빨리 끝낼거야.

> ■ **ahead of** 앞에 숫자나 기간이 나오면 '…보다 (…만큼) 앞선' 이라는 표현이 된다.

Go ahead. Try a piece.
한 조각 먹어봐요.

- All right, you wanna win by cheating, go ahead.
  좋아, 부정으로 이기고 싶다는거지, 그래 해봐.

  But if there's something you wanna say you should go ahead and say it. 하지만 할 말이 있다면 어서 하는게 좋겠어.

> ■ **go ahead (with)**는 '…에 앞서가다' 라는 뜻도 있지만 '…을 시작하다,' '어서 하다' 라는 의미도 가지고 있다.

You want to talk? You go ahead and talk.
말하고 싶어? 어서 말해봐.

- Why don't you go ahead and start the briefing?
  어서 브리핑을 시작해봐.

  You go ahead and talk while I figure it out.
  내가 알아내는 동안 넌 어서 말이나 해봐.

> ■ **go ahead and~**는 '어서 …해라' 라는 의미로서 and 이하의 행동을 어서 시작해보라는 뉘앙스를 가진 표현

Well, let's not get ahead of the evidence.
글쎄, 증거보다 앞서가지 말자.

- We gotta do something to get ahead of him.
  우린 걔를 앞서기 위해 뭔가를 해야만 해.

  It's not gonna be easy to get ahead of him.
  걔보다 앞서기가 쉽진 않을 거야.

> ■ **get[keep, stay] ahead (of)**는 '…보다 앞서다' 라는 표현으로 get ahead of times는 시대에 앞서는 것을 get ahead of the evidence면 증거보다 앞서가는 것을 의미한다.

Let's not get ahead of ourselves.
너무 앞서서 생각하지 말자.

- I think we are getting a little ahead of ourselves here.
  지금 우리가 조금 앞서서 생각하는 것 같아.

  I don't want to get ahead of ourselves and start promising deadlines. 난 너무 앞서가서 기한까지 정하고 싶진 않아.

> ■ **get ahead of ourselves** 는 스스로를 앞서간다는, 즉 '너무 앞서 생각하다' 는 의미. 부정문이면 '자제심을 발휘한다' 는 표현이 된다.

I'm just ahead of the curve.
난 유행에 앞서가고 있어.

- And as always, Chuck's aiming to be ahead of the curves.
  항상 그렇듯이 척은 유행에 앞서가는 것을 목표로 하고 있어.

  We're way ahead of the game. 우린 상대보다 한참 앞서 있어.

> ■ **ahead of the game [curves]**는 어떤 시합에서 상대보다 앞서다 또는 어떤 추세에서 앞서간다는 의미이다.

MORE EXPRESSION

**give sb the go-ahead =
get the go-ahead** 앞서다
**light years ahead (of its
time)** 훨씬 (시대를) 앞선

28

Everything's up in the air. 아직 모든게 미정이야.

(You) Want to get some air?
바람 좀 쐴래?

- I got it. Go get some fresh air. 알았어. 가서 신선한 공기 좀 쐬라.

  I took a drive and got some fresh air.
  난 운전하면서 신선한 공기를 마셨어.

■ air는 공기, 바람을 뜻하는데 fresh air하면 신선한 공기로 get some fresh air하면 '바람을 쐬다,' 즉, '기분전환을 하다' 라는 뜻이 된다.

Everything's up in the air.
아직 모든 것이 미정이야.

- It's up in the air. 미결상태이다.

  I sensed that change is in the air. 난 변화가 임박했음을 감지했어.

■ be up in the air하면 '아직 생각중이다,' '미정이다' 라는 의미이며 한편 be in the air는 …이 곧 일어날 것 같은 상황을 뜻한다.

Jordan went on the air at 2:00.
조단은 2시에 방송에 나갔어.

- Let's get the description of the car on the air.
  방송에서 그 차에 대한 묘사를 얻어 보자.

  Your Honor, do you really want this problem aired out?
  재판장님, 이 문제가 방송을 타고 나가기를 진짜 원하시나요?

■ be on (the) air는 '방송 중' 이라는 의미이며 반대로 be off air는 '방송이 끝났다' 라는 의미.

It's good to clear the air. Secrets cause cancer.
의혹을 푸는 것이 좋아. 비밀은 암을 유발시키거든.

- We thought it was time to clear the air. 이제 문제를 해결할 때라고 생각했어.

  I wanted to clear the air. I'm sorry. 상황을 좋게 하려고 했어. 미안해.

■ clear the air는 논쟁이나 좋지 않은 상황을 끝내기 위해 '상황을 개선하다', '오해를 풀다' 라는 의미의 표현.

Grace. I am walking on air.
그레이스. 난 기뻐서 공중에 떠 있는 것 같아.

- I'm just walking on air. Just the thought of suing you.
  난 넘 기뻐, 널 고소한다는 생각만으로도.

  But I felt like I was floating on air. 그러나 난 공중에 떠 있는 것처럼 느꼈어.

■ be walking[floating] on air는 '매우 기쁘다' 라는 뜻으로 마치 기뻐서 공중에 떠서 걷고 있는 것 같다는 뉘앙스.

Well, well, well, look who came up for air.
자, 봐라 누가 바람을 쐬러 나왔는지.

- A kiss so hot and so deep you never wanna come up for air.
  숨쉬기 싫을 정도로 짜릿하고 진한 키스지.

  You should get some sleep and eat a real meal and come up for air once in a while. 잠도 자고, 제대로 먹고 가끔 바람도 쐬어야지.

■ come up for air는 물속에 있다가 숨을 쉬기 위해 잠시 물 밖으로 나온다는 것으로 '한숨 놓다,' '바람을 쐬다' 라는 의미

MORE EXPRESSION

put on airs 뽐내다(give oneself airs)

hold[lift] ~ in the air
…를 공중에 올린다

I'm all over it. 잘 알고 있어.

It's all or nothing.
양단간의 결정이야.

- I want all of you. **All or nothing.** 난 너희들 모두를 원해, 전부 아니면 아무도 필요없어.
  Does it have to be **all or nothing?** 그건 양단간의 결정이어야만 하니?

■■ **all or nothing**은 전부 아니면 아무 것도 아니라는 양단간의 결정이라는 의미.(used to say that unless something is done completely, something else will happen)

I'm all over it.
난 여기 푹 빠져 있어요, 잘 알고 있지.

- **It's all over your face.** 네 얼굴에 다 쓰여 있어.
  Your fingerprints were **all over the gun.** 네 지문이 그 총에 범벅이었어.
  He turns on the light. Blood is **all over his hands.**
  걔가 불을 켜자 걔의 손에 피가 범벅이었어.

■■ **be all over sth**은 '···가 ···의 도처에 있다,' '···가 널려있다' 라는 의미의 표현. 참고로 be all over in one's face는 얼굴에 쓰여 있다.

It's all over the news.
뉴스에 계속 나와.

- It was **all over the news.** Everybody thinks she's dead.
  뉴스에 계속 나와서 다들 걔가 죽었다고 생각하고 있어.
  His face is **all over the news.** We've got him cornered.
  그 남자의 얼굴이 뉴스에 계속 나오고 있어. 우리가 코너에 몰아넣은거야.

■■ **be all over the news**는 뉴스마다 계속 나온다는 말.

She was all over a guy, hot and heavy.
걔는 한 남자에게 뜨겁고 진하게 덤벼들었다.

- He wouldn't stop. He was **all over me.**
  걘 멈추지 않으려고 했고 온통 내게 덤벼들었어.

■■ **be all over sb**는 '성적으로 덤벼들다' 참고로 be all over. '끝났다' 라는 말.

I'm all in now.
난 완전히 녹초야.

- Hold on! **I'm all in.** 잠깐 기다려. 전부를 걸게.
  I just want you to know I'm in. **I am all in.** 나도 끼고 싶다는 걸 알아줘. 나할래.

■■ **be all in**은 '아주 피곤한,' '지친' 이란 뜻. 하지만 I'm in(나도 할래)의 강조형으로 I'm all in으로 쓰이기도 하고 또한 포커 게임에서 I am all in은 자신이 가진 판돈을 전부 건다는 의미로도 사용된다.

I did my job. I arrested him. He's all yours.
난 내 일을 했을 뿐이야. 난 걔를 체포했고 이제 걔는 네 관할이야.

- A: Ladies, may I sweep my bride away? B: **She's all yours.**
  A: 숙녀분들, 내 신부를 데려가도 될까요? B: 마음대로 하세요.
  We cleared 250 feet in every direction. **It's all yours.**
  우린 사방으로 250 피트 공간을 치웠어. 이제 네 책임이야.

■■ **sb's all yours**는 'sb는 네가 원하는 대로 하라,' '···의 책임이다' 라는 의미. 따라서 It's all yours라고 하면 '그건 네 책임이다' 라는 의미가 된다.

I'm not going. That's all there is to it.
난 안가. 그게 다야.

- I've decided that I need you, and **that's all there is to it.**
  난 네가 필요하다고 결정했고 그리고 그게 다야.
  We're just gonna have to move. **That's all there is to it.**
  우린 이제 이사를 가야만 할거야. 그렇게만 하면 돼.

■■ **That's all there is to it**는 '그게 다야,' '그렇게만 하면 돼' 라는 의미. 참고로 That's all there is to say하면 '더 이상 할 말이 없다' 라는 뜻이 된다.

It's all about the Benjamins.
돈이 제일 우선이다. (Benjamin은 100 달러짜리 지폐얼굴인 벤자민 프랭클린)

- Tonight is all about starting over. I trust you. And him.
모든 걸 새롭게 시작하는 날이야. 널 믿고, 걔도 믿어.

  In this case, it's all about the girls. 이 사건에서 여자들이 제일 중요해.

■ be all about는 '…가 제일 중요하다'라는 의미로 사용되는 구어체 표현.

You ready to do it all over again?
처음부터 다시 할 준비됐어?

- Um, we're going to have to do this all over again! 첨부터 다시 해야 할거야.
You're living your father's life all over again. 네 아버지 삶을 반복하고 있어.

■ all over again은 '처음부터 다시' 또는 '새삼스럽게'라는 의미의 표현.

All I can do I say I did not rape her.
내가 오직 말할 수 있는 건 내가 걜 강간하지 않았다는거야.

- That's all I can do right now. People are watching.
그건 내가 지금 할 수 있는 전부야. 사람들이 지켜보고 있어.

  All I can do now is not make any more mistakes.
내가 지금 할 수 있는 것은 더 이상 실수를 하지 않는 것뿐이야.

■ all I can do는 내가 오직 할 수 있는 건이라는 의미의 표현

His face looks like he's not all there.
걔 얼굴은 정신이 없는 것처럼 보여.

- She's not all there, if you know what I mean.
걘 완전히 정신이 없어, 내가 뭘 말하는지 안다면 말야.

■ be not all there는 '정신이 없다,' '제정신이 아니다'라는 의미.

Actually it's not all that easy to find.
실은 그건 그렇게 찾기 쉽지 않아.

- I want you to know that you and I are not all that different.
너와 내가 그렇게 많이 다르지 않다는 점을 알아줘.

  I'm not all that interested in chasing after it.
난 그걸 추적하는데 그렇게 많은 관심을 가지고 있지는 않아.

■ 'not all that+형용사' 형태는 not very와 같은 뜻으로 '아주 …하지는 않다'라는 의미.

You've been lying all along.
넌 처음부터 끝까지 거짓말을 하고 있어.

- Anne owned the gun all along, and she killed the both of them.
앤은 처음부터 끝까지 총을 가지고 있었으며 그걸로 그 2명을 죽였어.

  Your client has been lying to us all along. Both to you and to me.
네 의뢰인은 우리한테 줄곧 거짓말을 하고 있어. 너하고 나한테 모두.

■ all along은 '처음부터 끝까지'라는 표현으로 쉬지 않고 계속 …하고 있었다라는 의미.

■ all too는 주로 안좋은 상황의 문맥에서 '매우'라는 뜻으로 all too well이면 '너무나도 잘'이라는 의미

I don't think about you all too often.
난 너에 대해 그렇게 자주 생각하지는 않아.

- A: This isn't a serial killer? B: It's all too neat.
A: 연쇄살인범아니지? B: 넘 깨끗해.

  I think you guys are all too busy to come to my party.
너희들은 내 파티에 오기에 너무 바쁠 것 같아.

MORE EXPRESSION

all but 거의
Be all you can be. 능력을 최대한 발휘해라.
Not at all. 천만에요, 별말씀을.
all of+숫자 기껏해야~
*look all of 12 12살로 보여
where it's (all) at 핵심
all in all 모든 것을 고려해볼 때
Will that be all? 더 필요한건요?

A

I'm not allowed to do that. 난 그거 하면 안돼.

Allow me in.
좀 들어갈게요

- Will you **allow** me in to apologize? 사죄하려는데 들어가게 해줄래요?
  Allow me in to clean up the classroom. 들어가서 교실 청소하게 해줘요
  Need your cigarette lit? **Allow** me. 라이터 필요해요? 여기요.

> ■ **Allow me** '나한테 맡겨,' '제가 할게요(formal),' '다가가도 될까요' 등 뭔가 허락을 구할 때, 그리고 allow sb in[out]은 '…을 들여보내다,' '나가게 하다' 라는 의미.

This warrant allows us to search the premises.
이 영장으로 우리가 구내를 수색할 수가 있어.

- Then **allow** me to take advantage of your situation.
  그러면 내가 네 상황을 이용하게끔 해줘.
  I don't **allow** porn at home. 난 집에서 포르노를 허용하지 못해.

> ■ **allow sb to do**는 '…가 …를 하도록 허용, 허락하다,' 그리고 allow sth이면 '…를 허용하다' 라는 표현

But I will not allow myself to be in this for you.
하지만 당신을 위해서 개입하지는 않을 겁니다.

- I **allowed** myself to feel sorry for her.
  난 걔한테 미안한 감정이 생기는 걸 받아들였어.
  Finally, I can **allow** myself to relax. 마침내, 난 시간을 내서 쉴 수 있어.
  Mindy **allowed** herself to buy some expensive clothes.
  민디는 평소와 달리 비싼 옷을 사기로 맘먹었어.

> ■ **allow oneself to do**는 자신 스스로에게 …하는 것을 허용한다는 의미, 즉 긴장풀고 평소에 하지 않던 것을 해보다(relax and be able to do sth unusual)라는 의미로 사용된다.

I'm allowed to take stuff home to test it out.
난 그걸 집에 가져가서 시험해 보도록 허락받았어.

- It's okay, you're **allowed** one mistake. 좋아, 넌 한 개는 틀리는게 허용돼.
  Are you **allowed** to talk to me like that? 너 나한테 그렇게 말해도 되는거야?
  My lawyer says you are not **allowed** to talk to me.
  내 변호사가 말하길 넌 나한테 말걸면 안된데.

> ■ **be allowed to** 는 수동태로서 '…하도록 허락되다' 라는 의미. 반대는 be not allowed to.

I cannot allow for that.
난 그 가능성을 허용할 수가 없어.

- Why does God **allow** for all the suffering that goes on?
  왜 하나님은 모든 고통을 허용하실까?
  You rely too much on precedent, you never **allow** for the unexpected. 넌 지나치게 전례에 의존하고 있어서 예측불허한 상황을 고려치 않아.

> ■ **allow for**는 어떤 가능성이나 문제 등을 허용한다는 의미로 고려하다, 가능케하다라는 뜻이다.

놓치면 원통한 미드표현들

- **allegedly** 이른바, 전해진 바에 따르면
  Yeah, she was a minor, allegedly having an affair with a Mr. Martin.
  걔는 미성년이었는데 마틴씨와 섹스를 가졌다고 알려지고 있어.

- **alleged murder** 혐의자
  The only witness to this alleged murder is you. 이 살인 혐의의 유일한 증인은 당신이야.
  Your son's alleged suicide attempt.
  네 아들이 자살미수를 했다고 그래.

» alone

Just leave me alone. 그냥 나 좀 내버려 둬.

You're not alone.
너만 그런 게 아니야.

- Son, you're not alone, and you're not sick. 너 혼자도 아니고, 아프지도 않아.
  All I'm saying is that you're not alone, all right?
  내가 말하고 싶은 것은 네가 혼자가 아니라는거야, 알겠어?

■■■ **not be alone**은 혼자만 그러는 것이 아니다라는 의미의 표현. '너만 …하는게 아니다' 라고 말하려면 not be alone in sth [~ing]이라고 하면 된다.

I don't want to go it alone.
난 혼자 하고 싶지 않아.

- A: I don't have a partner. B: Just go it alone.
  A: 난 파트너가 없어. B: 그럼 그냥 혼자 해.
  Some people want to go it alone. 일부 사람들은 혼자 힘으로 하고 싶어 해.

■■■ **go it alone**은 '혼자 힘으로 하다' 라는 의미의 표현.

Just leave me alone!
제발 날 그냥 놔둬!

- I didn't mean to kill him. I just wanted him to leave me alone.
  난 걔를 죽일 생각은 없었어. 난 걔가 날 그냥 놔두기를 원했던거야.
  Don't leave me alone with him. 날 걔하고만 둘이 놔두지마.

■■■ **leave ~ alone**은 '…을 그냥 놔두다' 라는 뜻이며 한편 stand alone은 '독립하다,' '혼자 떨어져 있다' 라는 의미의 표현

She can barely take care of herself, let alone her kid.
걔는 자신의 애는 커녕 자신도 돌볼 수가 없었어.

- He won't be getting out of bed, let alone leaving the country.
  걔는 나라를 떠나기는커녕 잠자리에서 일어날 수가 없을거야.
  I couldn't afford my rent let alone pay a bunch of medical bills.
  난 의료비는 고사하고 집세도 낼 여유가 없었어.

■■■ **let alone**은 '…하기는커녕' 이라는 표현으로 유명. 특히 let alone 다음에는 명사 및 동사원형까지도 바로 이어온다는 점에 유의한다.

MORE EXPRESSION

all alone 혼자서

» annoy

It's annoying, isn't it? 정말 짜증난다, 그렇지 않아?

You annoy me sometimes.
너 때문에 가끔 짜증나.

- He annoys the customers as much as he annoys you?
  걔가 너를 괴롭히는 만큼 고객들도 괴롭히고 있니?
  Do you know how much it annoys me? 그게 얼마나 짜증나게 하는지 알아?

■■■ **annoy sb**는 '…를 괴롭히다' 라는 의미로 신경을 거슬리거나 약간 화를 나게 한다는 뉘앙스를 가지고 있다.

She's annoyed by the way that Nick is acting.
걘 닉의 행동방식에 짜증이 났어.

- Robin got annoyed at everything he said. 로빈은 걔말하는 모든 것에 짜증났어.
  You know, mostly I'm annoyed that the whole thing happened.
  있잖아, 난 그 일 자체가 발생한데 대해 짜증이 나.

■■■ **be annoyed at[with]**는 '…에 의해 짜증이 나다' 라는 뜻이 되며 be annoyed that~이면 that 이하에 대해 짜증이 난다는 표현

Yeah, it's annoying, isn't it?

그래, 정말 짜증난다, 그렇지 않아?

- It's so annoying. Does it bug you? 정말 짜증이 나. 이것 때문에 괴롭니?
  I remember, she's annoying. 기억해. 걘 짜증나지.

▬ It's annoying! 또는 How annoying! 하면 '짜증나네' 라는 구어체 표현이며 It's annoying that~ 이면 that 이하가 짜증이 난다는 이야기.

» answer

 I think I know the answer to that. 답을 알 것 같은데.

Get out of my chair. And the answer is no.

내 의자에서 꺼져. 그리고 답은 노야.

- Must be a bitch. The answer is no. 걔 미친 년임에 틀림이 없어. 대답은 노야.
  The answer is no. He didn't hurt anyone. 대답은 노야. 걘 누구도 안해쳤어.

▬ The answer is no[yes] 는 '대답은 부정[긍정]이야' 라는 표현으로 구어체로 많이 사용된다.

That doesn't answer the question.

그건 대답이 되지 않아.

- Please answer the question, Doctor. 박사님, 질문에 답을 해주세요.
  Are you saying you think this was me? Answer the question! 그게 나였다고 생각한다는 말야? 질문에 답해!

▬ answer the question은 '질문에 답을 하다' 라는 표현.

I don't have the answer to that question.

그 문제를 해결할 방법이 없어.

- You believe that the Book has all the answers. 넌 성서가 모든 해답을 가지고 있다고 믿지.
  Now I'm intrigued. So? What's the answer? 궁금해지네. 그래 어떻게 해야돼?

▬ have the answer to는 '…에 대한 해답을 알다', give sb an answer to면 '…에게 …에 대한 답을 주다' 라는 표현. 또한 have all the answers는 단순히 모든 답을 알고 있다 혹은 현실상 그럴 수 없기 때문에 실제는 모르면서 아는 척을 한다라는 의미로 쓰인다. 한편 What's the answer?는 '어쩌지?,' '어떻게 해야 돼?' 라는 뜻

I think I know the answer to that.

그 문제에 대한 답을 알 것 같아요.

- You know the answer to that. 넌 그 문제에 대한 답을 알고 있지.
  I don't think I'm gonna know the answer to that for a while. 난 잠시동안 그에 대한 답을 모른다고 생각했었어.

▬ know the answer to~는 '…에 대한 답을 알다.'

Please answer the door.

누가 왔나 나가 봐라.

- Why didn't you answer your cell phone. 왜 핸드폰 안받았어?
  Will you please answer the phone? 전화 좀 받아 줄래?

▬ answer the phone[a call]이면 '전화받다,' answer the door이면 '문을 열어주다' 라는 의미.

You should always answer for your words.

넌 네가 한 말에 대해 항상 책임을 져야 해.

- I can't answer for my colleagues. 난 내 동료들을 보증할 수 없어.
  She does have a lot to answer for. 걔는 책임을 질 일이 많아.

▬ can answer for sb는 '…에 대해 책임을 지다' 또는 '…에 대해 장담하다, 보증하다' 라는 뜻으로 사용된다.

» any/ anyone/ anymore

Not anymore. 더 이상은 아냐.

That's not just any girl. You saw her.

걘 보통 여자애가 아냐. 너 봤잖아.

- She hooked me up with a tux! But not just any tux, Batman's tux! 걔가 턱시도를 나한테 입혔어. 보통 턱시도가 아니라 배트맨의 턱시도를.

  Well, he's not just any pool man. 저기, 걘 그냥 단순한 풀장 직원이 아냐.

■ not just any+sb[sth]는 통상적이지 않고 뭔가 특별한 사람이나 사물이라는 의미를 가지고 있는 표현

Any injuries incurred here?

여기서 조금이라도 부상이 있었니?

- Any word from Dale? 데일한테서 뭔가 전언이 있니?

  Any blows exchanged? Physical contact? 치고받았어? 신체적 접촉은?

■ Any+명사? '명사'가 조금이라도 있냐고 확인하는 표현

Is there any way I could see you naked?

너 벗은 모습을 볼 방법이 뭐 있을까?

- Is there any way to link these two? 이거 2개를 연결시킬 방법이 있니?

  Is there anyone else here who may have seen them?
  여기 있는 분들 중 그들을 봤을 수도 있는 사람이 있나요?

■ Is there any way to~? 는 '…할 방법이 없나요?'라는 표현. 또한 Is there anyone (else) who~?는 …한 사람이 있는지 물어보는 형태의 표현이다.

We're not in Kansas anymore.

우리는 엉뚱한 곳에 와 있는거야.

- I've got a feeling we're not in Kansas anymore.
  우리가 다른 곳에 와있다는 생각이 들어.

  Looks like someone's not in Kansas anymore. 우리가 다른 곳에 온 것같아.

■ be not in Kansas anymore 는 영화 오즈의 마법사에서 나오는 구절로 집이 아닌 다른 곳에 와있다라는 말.

MORE EXPRESSION

Not anymore. 지금은 아니야.

» anything

I will do anything for you. 너를 위해서라면 뭐든지 할게.

I didn't do anything to him.

난 걔한테 아무 짓도 안 했어.

- I would never do anything to hurt you. 난 널 해칠 짓은 결코 하지 않을거야.

  I don't want to do anything to screw it up with her.
  난 걔와의 관계를 망칠 어떤 것도 하고 싶지 않아.

■ not do anything to sb 은 '…에게 아무 짓도 하지 않다,' not do anything to do~하게 되면 '…할 아무 짓도 하지 않다' 라는 의미.

I didn't do anything wrong.

난 나쁜 짓은 하나도 하지 않았어.

- Mr. Locke didn't do anything wrong. He's my friend.
  로크 씨는 나쁜 짓은 하나도 하지 않았어. 걘 내 친구야.

  My husband didn't do anything wrong. 내 남편은 어떤 잘못된 짓도 하지 않았어.

■ not do anything wrong 이면 '못된 짓, 나쁜 짓을 하지 않다'라는 말.

35

Don't do anything I wouldn't do.
내가 안 할 것 같은 일은 너도 하지 마.(작별인사와 함께)

- **Don't do anything I wouldn't do at the presentation.**
  발표회에서 문제일으키지 말고 잘해.

  Don't do anything I wouldn't do on our blind date.
  소개팅에서 바보 같은 짓 하지마.

■ don't do anything I wouldn't do는 내가 하지 않을 일은 하지마라라는 좀 어렵게 돌려서 말하는 것으로 '행동거지 조심해,' '바보 같은 짓은 하지마,' '문제일으키지마' 라는 말씀.

I'll do anything for you.
너한테 뭐든지 해줄게.

- **I can't do anything for you, Rose.** 로즈, 내가 널 위해 해 줄게 없어.

  I'd do anything for you, you know that. 널 위해서라면 뭐든 할게. 알잖아.

■ will[could] do anything for sb는 '…에게 뭐든지, 원가를 해주다' 라는 의미의 표현

Is there anything I can do?
내가 할 수 있는 일이 뭐 있을까?

- **Is there anything good on?** (방송에서) 뭐 재미있는 거라도 해?

  So, I gotta get you a gift now. Is there anything you need?
  그래, 이제 너한테 선물해줘야겠다. 너 뭐 필요한 거 있니?

■ Is there anything (else)~? 는 다음에 anything을 꾸며주는 형용사가 오거나 혹은 주어+동사가 이어져 …한 혹은 …가 …할 거가 뭐 있는지 물어볼 때 사용하는 표현.

(Will there be) Anything else?
더 필요한 건 없나요?

- **Thank you. Anything else?** 고마워요. 필요하신게 더 있나요?

  A: Jim, could you put up the partition, please? B: Yes, sir. Anything else? A: 짐, 칸막이 좀 쳐줄 수 있니? B: 그래요. 또 다른 것은 요?

■ Anything else?는 특히 상점 등에서 더 필요한 것이 없냐고 점원이 고객에게 물어보는 표현. 물론 일반적인 상황에서도 쓰인다.

Anything you say to him will be considered testimony.
네가 걔한테 말하는 건 뭐든지 증언으로 간주될거야.

- **Anything you say can and will be used against you in a court of law.** 당신이 말하는 건 뭐든 법정에서 불리하게 사용될 수 있습니다.

  All right then, anything you say in the next thirty seconds is free, starting now. 알았어. 그럼 지금부터 30초간 자유발언시간을 줄게.

■ Anything you say~는 '네가 말하는 뭐든지' 라는 의미. 한편, Anything you say가 단독으로 쓰이면 '시키는 대로 하죠,' '말씀만 하세요' 라는 뜻으로 상대방의 말에 기꺼이 따르겠다는 동의 의사를 표시할 수도 있다.

Anything goes.
뭐든지 돼.

- **We live in time where almost anything goes. Don't we?**
  우린 거의 뭐든지 되는 시대에 살고 있어. 그렇지 않니?

  Yeah. But tonight, anything goes. 그래. 그런데 오늘밤은 뭐든지 돼.

■ (~) anything goes면 뭐든지 된다는 의미의 표현.

He didn't have anything to do with it.
걘 그것과 전혀 관련이 없었어.

- **It doesn't have anything to do with me.** 난 모르는 일이야.

  Did it have anything to do with why you assaulted her mom?
  이것이 네가 걔 엄마를 폭행한 이유랑 관계가 있었니?

■ not have anything to do with sth[의문사절]~은 '…와 전혀 무관하다' 라는 의미의 표현.

Look, I don't have anything else to say.

이봐, 난 할 말이 전혀 없어.

- I didn't have anything else to do on a Saturday afternoon.
  난 토요일 오후에 할 일이 아무것도 없었어.

  Don't you have anything else to do? 너 특별히 할 일이 없니?

▬ have anything else to+ 동사는 '…할 게 전혀 없다' 라는 표현.

Well, she is anything but cold.

저기, 걘 절대 냉정하지 않아.

- You don't worry about anything but growing my son in there.
  내 아들을 잘 키워주시는 것만 신경 써 주시면 돼요.

  That won't happen, he's not interested in anything but physics.
  그렇게 안될거야, 걘 물리학이외에는 관심이 없어.

▬ anything but은 '…이외에는 아무 것도' 라는 의미로 결코 (never)라는 의미도 가지고 있다. 참고로 nothing but은 '오직,' '단지 …일 뿐인' 이라는 의미.

You know, it's a skill like anything else.

있잖아, 그건 다른 것과 마찬가지로 하나의 기술이야.

- It's just like anything else, you just have to get used to it.
  이건 다른 것과 마찬가지야, 단지 넌 그냥 익숙해져야만 해.

  Like anything else, you just have to make it work for you.
  이건 다른 것과 마찬가지로 너한테 도움이 되도록 만들어야 해.

▬ like anything else는 '여타 다른 것과 마찬가지로' 라는 의미의 표현이다.

It's not a career or anything but it's got me solvent.

무슨 거창한 직업은 아니지만 그래도 돈은 벌 수 있으니까.

- And you didn't think to call 911 or anything like that?
  그래서 911 같은 번호를 호출할 생각을 하지 못했어?

▬ 명사+or anything?은 '뭐 그와 같은 것' 이라는 뜻으로 or anything like that, or anything else가 와도 같은 뜻이 된다.

He seemed fine. If anything, he was upbeat.

걔는 괜찮아. 오히려 걘 낙관적이었어.

- There's no rule, if anything, you owe me a table!
  그런 룰은 없어, 오히려 네가 내 테이블을 물어내야지!

▬ if anything은 '어느 편인가 하면,' '오히려' 라는 의미로서 어느 한 쪽을 택해서 말한다면 이라는 뉘앙스를 가지고 있다.

MORE EXPRESSION

not anything like[near] 전혀 다른

like[as] anything 몹시, 대단히

» anytime

She will be back anytime soon. 걘 조만간 돌아올거야.

A: Thank you, boss. B: Anytime.

A: 고마워요, 보스. B: 언제라도 부탁해.

- Jenny, this is my card. You call me anytime, okay?
  제니, 내 명함이야. 언제라도 전화해, 오케이?

  A: Thanks for taking me shopping. B: Oh, anytime.
  A: 쇼핑에 데려가줘서 고마워. B: 오, 언제라도 해줄게.

▬ Anytime은 여러 가지 뜻을 가질 수 있는데 초대를 받았을 때 anytime이라고 답하면 '언제라도' 라면서 호응하는 표현이 되며 Anytime you are ready하면 '너만 준비되면 언제든지' 라는 표현이 된다.

I mean, we can get laid anytime we want.

내 말은 우린 원하면 언제라도 섹스를 할 수 있다는거야.

- You can come visit her anytime you want. 아무때라도 걜 방문할 수 있어.

  I can show them to Mike anytime I like.
  난 내가 원할 때 언제라도 그것들을 마이크에게 보여줄 수 있어.

■ anytime sb want[like]는 '…가 원하는[좋아하는] 시간에 언제라도' 라는 의미의 표현.

I don't think he'll be back anytime soon.

걔가 조만간 돌아올 것으로 생각되지 않아.

- Peace of mind won't be coming anytime soon.
  마음의 평화가 조만간 올 것 같지가 않아.

  Cameron's dad isn't gonna go away anytime soon.
  카메론의 아버지가 금세 가진 않으실 모양이야.

■ anytime soon은 주로 부정문, 의문문에서 사용되면서 '곧,' '조만간' 이라는 뜻으로 사용된다.

» apology

I owe you an apology. 난 너한테 사과해야 해.

I owe you an apology.

난 너한테 사과해야 해.

- You owe me an apology. 너 나한테 사과해야 돼

  Do I owe her an apology? 내가 걔한테 사과해야 하는 건가?

■ owe sb an apology는 …에게 사과를 빚지고 있다는 의미로 '…에게 사과해야해' 라고 해석된다.

I understand. Apology accepted.

이해해. 사과 받아줄게.

- A: I guess I was wrong. B: Oh, apology accepted.
  A: 내가 잘못했던 것 같아. B: 오, 사과 받아줄게.

  I'll take that apology any time. 사과는 언제든 받을게.

■ accept an apology나 take that apology는 사과를 수용하거나 받아주는 것을 의미하며 'apology accepted' 하면 사과를 받아준다는 답변으로 자주 사용된다.

I just want to apologize for that.

내 사과할게.

- Would like to apologize to you for my behavior tonight.
  오늘밤 내 행동에 대해 너한테 사과하고 싶어.

  Hi. It's Rufus, Calling again to apologize about last night again.
  하이, 루퍼스야. 지난 밤 일로 다시 한 번 사과하고 싶어서 또 전화하는거야.

■ apologize (to sb) for sth은 '…에게 …에 대해 사과하다' 라는 뜻으로 to sb가 생략되면 We apologize for that처럼 단순하게 사용되기도 한다. 또한 apologize about은 '…에 대해서 사과하다' 라는 의미.

You know what? I don't need an apology!

그거 알아? 나 사과는 필요없어!

- By the time I got home, I was sure he'd left an apology on my voice mail. 내가 집에 도착하면 걔가 사과 메시지를 남겨놓았을게 확실해.

  I'm not making an apology. 난 사과하지 않을거야.

  I'm arranging for your public apology. 네가 공개 사과할 준비를 할게.

■ make an[no] apology for sth처럼 apology는 다양한 동사와 결합되기도 하여 write an apology면 사과편지를 쓰다, leave an apology면 사과 메시지를 남기다, demand an apology하면 사과를 요구하다라는 의미. 한편 public apology는 '공개사과,' letter of apology는 '사과의 편지' 라는 뜻.

She has an appetite for rap music. 걔는 랩음악을 좋아해.

She has an appetite for rap music.

걔는 랩 음악을 좋아해.

- Maybe they had an appetite for murder. 아마 걔들은 살인욕구를 가지고 있었어.
  Girls have a strong appetite for talking much. 여자애들은 수다떠는걸 넘 좋아해.

■■ have an appetite for는 가장 평이한 표현으로 …에 대한 취향이나 의욕을 가지고 있다는 의미로 '…을 좋아하다' 라고 해석된다.

I have a good appetite.

입맛이 돌아, 식욕이 왕성해.

- Looks like you got your appetite back. That's a good sign.
  너 식욕이 돌아온 것 같구나. 그건 좋은 조짐이야.
  I've got no appetite, I'm aching all over. 난 식욕이 전혀 없어. 온 몸이 쑤셔.

■■ have[get] no appetite 는 '식욕이 없다' 라는 뜻이며 have a good appetite는 '식욕이 좋다' 라는 표현이다. 한편 get one's appetite back이면 '식욕을 되찾다' 라는 의미.

Jesus fucking Christ! Now I've lost my appetite.

빌어먹을! 이제 난 식욕을 잃어버렸어.

- Something disgusting that will take your appetite away.
  뭔가 구역질나는 일이 네 식욕을 앗아갈거야.
  The patient hasn't lost his appetite. 그 환자는 식욕을 잃어버리지 않았어.

■■ lose one's appetite는 '식욕을 잃다' 라는 뜻이며 비슷한 표현으로 spoil[ruin] one's appetite는 '식욕을 망치다,' kill one's appetite는 '식욕을 죽이다' 등이 있다. 한편, take one's appetite away는 '식욕을 빼앗아 가다' 라는 의미가 된다.

That'll really work up your appetite for lunch.

그렇게 하면 점심 먹고 싶은 생각이 들거야

- Boy, you must have really just worked up an appetite.
  이것 참, 너희는 진짜 운동을 해서 식욕을 돋워야만 했었어.
  All the activities certainly worked up our appetite.
  모든 활동으로 분명히 우리 식욕이 늘어났어.

■■ work up an appetite는 운동을 통해서 '식욕을 돋우다,' '불러일으키다' 라는 좋은 표현.

Side effects are weight gain and noticeable drop in sexual appetite.

부작용으로는 체중증가 및 뚜렷한 성욕감소가 있어.

- The hostages are suffering from high level of stress and loss of appetite. 인질들이 상당한 스트레스 및 식욕상실을 겪고 있어.
  Regular exercises at the gym would cure your lack of appetite. 체육관에서 정기적으로 운동을 하면 너의 식욕부진을 치유할 수 있을거야.

■■ drop of appetite는 식욕 감소, loss of appetite는 식욕상실, lack of appetite 식욕부진.

놓치면 원통한 미드표현들

- **be angry with[at/about/over]** …에게 화나다
  I don't think I have ever been this angry!
  내가 이렇게 화난 적은 없는 것 같아!

- **make[get] sb angry** …을 화나게 하다
  And it hurts me, and it makes me angry.
  그런데 그것 때문에 내가 기분이 상하기도 하고 화가 나기도 해.

- **be arraigned (for)** 기소인정여부절차를 밟다
  He's been arraigned on attempted murder charges. 걘 살인미수혐의로 기소됐어.

- **arraignment** 기소인정여부절차, 비난
  The case is over. No arraignment necessary.
  소송끝났어. 기소인정여부절차는 불필요해.

» appoint

I have another appointment. 나 다른 약속이 있어.

The court will appoint you another guardian.
법원이 너한테 후견인을 한 명 더 지명할거야.

- It's a special task force appointed by the commissioner.
그건 국장이 임명한 특별 TF 팀이야.

  I'll appoint a law guardian, pro bono. 내가 무료로 법률인을 지정해줄게.

■ appoint A B는 'A에게 B를 지명해주다,' be appointed by[as]는 '…로 지명되다' 라는 의미.

I'm calling to make an appointment with Dr. Burke.
난 버크 박사와 예약을 하려고 전화했어요.

- I'd like to set up an appointment. 난 예약을 하고 싶어요.

  I even had to schedule my own doctor's appointment once.
난 한때 주치의와 약속 일정을 잡아야만 했어.

■ make an appointment with[at]~는 '…와 약속을 잡다' 라는 표현으로 make 대신 set up을 써도 된다. 또한 schedule an appointment하면 '약속일정을 잡다' 라는 뜻.

I'm afraid I have another appointment.
난 다른 약속이 있는데 어쩌지.

- I have to go! I have a massage appointment. 나 가야돼. 마사지 예약있어.

  He has a dentist appointment at four o'clock. 걘 4시에 치과예약이 있어.

■ have an appointment는 '약속이 있다,' have another appointment하면 '또 다른 약속이 있다' 라는 뜻. appointment 앞에 각종 단어가 나와 massage[hair, dentist] appointment 등과 같이 약속의 종류를 말하기도 한다.

Don't fail to keep an appointment with doctors.
의사들하고 예약은 꼭 지켜라.

- She missed an important appointment because of her dementia.
걘 치매 증상으로 중요한 약속을 지키지 못했어.

  I'm calling to confirm my appointment Saturday for a cut and color with John. 토요일 이발과 염색 예약을 존하고 했는데 확인하려고 전화하는 거예요.

■ confirm one's appointment는 '약속을 재확인하다,' keep an appointment는 '약속을 지키다,' miss an appointment는 '약속을 지키지 못하다' 라는 의미이다.

» appreciate

I really appreciate this. 정말 감사해요.

Thank you Richard, I appreciate the support.
리차드, 고마워, 지지해준데 감사해.

- I guess I have to appreciate your honesty.
네 정직함에 고마움을 표시해야만 할 것 같아.

  I'm not indebted to anyone. No matter how much I appreciate what you did. 난 빚을 지고 살 순 없어. 물론 너한테 고마워하긴 하지만.

■ appreciate sth은 '…에 대해 감사하다' 라는 표현으로 appreciate뒤에 의문사절이 올 수도 있다.

I really appreciate this.
정말 고마워.

- Thanks for the offer. I really **appreciate it**. 제의 고마워. 정말로 감사해.
  I wanted her to know how much I **appreciated it**.
  내가 얼마나 감사하고 있는지 걔가 알았으면 했어.

■ **appreciate it[this]**은 앞에 나온 것에 대해 it나 that이라는 대명사로 받은 표현으로 굳어진 형태로 사용된다.

I so appreciate you coming tonight.
오늘 네가 여기 와줘서 정말로 감사해.

- Well, you know, I **appreciate you** giving it a shot.
  저 있잖아. 네가 시도해준데 대해 감사해.
  I really **appreciate you** spending this time with me.
  네가 나랑 시간을 보내준데 대해 너무 감사해.

■ **appreciate sb ~ing**는 '…가 …을 해준데 대해 감사하다'라는 의미로 뭐에 대해 감사하는지 함께 표현할 때 좋은 표현.

His genius is not only appreciated, but celebrated.
걔의 천재성은 인정을 받을 뿐만 아니라 축복을 받고 있어.

- I think the dean of admissions at Yale will actually **appreciate my ability**. 예일대 입학처장은 내 능력을 알아볼 수 있을거야.

■ **appreciate**는 감사하다라는 의미와는 다르게 '…의 중요성이나 필요성을 이해하다,' '깨닫다,' '감상하다,' '그 가치를 인정하다'라는 뜻으로도 쓰인다.

I'd appreciate it if we don't go through this again.
다시는 이 일을 겪지 않았으면 좋겠어.

- I'd **appreciate** if you didn't mention this to her.
  네가 이걸 걔한테 말하지 않았으면 고맙겠어.
  I would **appreciate it if** you left us alone. 우릴 좀 가만히 놔두면 고맙겠어.

■ **I would appreciate it if you~**는 '네가 …해주면 고맙겠어'라는 의미의 표현으로 다소 공식성을 띠고 있는 표현이다. 감사 표현이라기보다는 부탁하는 표현으로 if 다음에는 동사의 과거형이나 would, could 등이 온다. 단 살아있는 미드에서는 이런 룰도 가끔 깨지는 경우도 볼 수 있다.

» argue

 Can't argue with that. 두말하면 잔소리지.

We argue about everything. And they saw us fighting.
우린 모든 것에 대해 다퉈. 걔들이 우리가 싸우는 것을 봤어.

- I don't wanna **argue about this**. I need time to think.
  더 이상 다투기 싫어. 생각 좀 해봐야겠어.
  We do not have time to **argue about this**.
  우린 이것에 대해 다툴 시간이 없어.

■ **argue with[about, over]**는 '…에 대해 말다툼을 하다'라는 의미의 표현

Can't argue with that.
두말하면 잔소리지.

- No one **argue with that**. 그건 확실해.
  I can't **argue with you**! All right? 네 말이 맞다고! 알았어?

■ **can't argue with ~** '에 토를 달 수 없다'라는 관용적 표현으로 '물론이다'라는 뉘앙스를 가진다.

He'll argue that it was rough but consensual sex.
걘 거칠기는 했지만 합의에 의한 섹스였다고 주장할거야.

- Pam's attorney will argue that Caroline may have cut herself.
  팸 측 변호사는 캐롤라인이 자해했을 가능성이 있다고 주장할거야.

  His lawyer will argue that they live in the same neighborhood.
  걔의 변호사는 자신들이 같은 동네에 살고 있다고 주장할거야.

▬▬ argue that~ 은 that 이하를 '주장하다,' '논증하다' 라는 의미로 법률적인 의미로도 많이 쓰인다.

Clearly, I'm not gonna win this argument.
내가 이 논쟁에서 이길 수 없다는 것이 분명해.

- Karen, I'm not gonna have this argument with you again.
  카렌, 난 다시는 너랑 이런 논쟁을 하지 않을거야.

  Ms. Novak's arguments make sense to me.
  노박 씨의 주장은 내게 말이 되는 것 같아.

▬▬ have an argument with 는 '…와 논쟁을 하다,' '다투다' 라는 의미. 또한 win[lose] an argument하면 '논쟁에서 이기다[지다]' 라는 뜻이 된다.

For the sake of argument, let's say that it's someone else.
토론을 위해서 이것이 다른 누군가라고 생각해보자.

- Okay, let's say just for the sake of argument, that someone else did.
  좋아, 단지 토론을 해본다는 의미에서 누군가 다른 사람이 했다고 해보자.

  So, for the sake of argument, let's say that he was framed.
  그래, 토론을 위해서 걔가 누명을 썼다고 가정해보자.

▬▬ for the sake of argument 는 토론의 실마리를 만들기 위해서라는 말로 '토론을 위해서' 라고 해석할 수 있다. 주로 회의시간에 쓰는 말.

You're just being argumentative.
넌 단지 논쟁적이야.

- A: Objection, argumentative. B: Withdrawn.
  A: 이의를 제기합니다. 논쟁소지가 있습니다. B: 철회합니다.

  A: Objection, argumentative. B: I'll rephrase.
  A: 이의를 제기합니다. 논쟁을 불러일으킬 수 있습니다. B: 다시 표현하겠습니다.

▬▬ argumentative는 '논쟁적인,' '논쟁을 위한' 이라는 뜻이며 법정에서 증인을 상대로 사실을 캐는 것 보다 증인에게 논쟁을 불러일으킬만한 질문을 할 때 상대편 변호인이 Objection, argumentative라고 말할 수 있다.

» arm

He's up in arms about this kid. 걘 이 아이한테 엄청 열받았어.

She had the kid in her arms.
걘 아이를 자기 팔로 안았어.

- Hold a real woman in your arms instead of some picture in your head. 네 머릿속으로 상상하는 대신 실제 여인을 안아봐.

  You don't know what it's like to hold your newborn baby in your arms. 네 팔로 갓 태어난 아이를 안는 것이 어떤 느낌인지 넌 모를거야.

▬▬ hold[have] sb in one's arms 또는 take sb in one's arms은 '…을 팔로 부드럽게 잡다' 라는 의미의 표현으로 주로 사랑하는 여성이나 아이를 팔로 안는다는 뜻.

It's always been easier for me to keep people at arm's length.

난 사람들과 약간 거리를 두는 것이 항상 더 편해.

- I was always able to stay objective, to stay at arm's length.
난 약간의 거리를 두면서 사물을 객관적으로 항상 볼 수가 있었어.

  Rachel leaves the apartment holding the newsletter at arm's length. 레이첼은 팔에 신문을 안고 아파트 밖으로 나가고 있어.

■ hold sth at arm's length는 팔 거리 정도를 둔다는 뉘앙스를 가지고 있어 '…과 적당한 거리를 둔다' 라는 의미로 사용된다. hold 대신에 keep을 써도 된다. 물론 1차적인 의미로 팔에 안다, 들다라는 의미로도 쓰인다.

He's up in arms about his kid.

걔는 자기 애 땜에 열 받았어.

- Yesterday you were up in arms. Now, now you're ready to cave in? 어제 넌 반기를 들었어. 이제는 굴복할 준비가 되어 있니?

  She is up in arms about her daughter.
걔는 자기 딸에 대해 분개하고 있어.

■ be up in arms (about)는 '무기(arms)를 들고 일어나다,' '반기를 들다,' '분개하다' 라는 의미로 사용된다.

Tim and Jane welcomed you here with open arms.

팀과 제인은 기꺼운 마음으로 널 환영했어.

- I'll be standing right here with open arms.
난 바로 여기서 기꺼운 마음으로 서있을거야.

  But you welcomed us into your home with open arms.
그러나 넌 기꺼운 마음으로 우릴 너의 집에 초대해서 환영했어.

■ welcome[accept] sb with open arms는 '…를 기꺼운 맘으로 보다,' '받아들이다' 라는 뜻으로 팔을 펴서 환영한다는 그림을 그려보면 된다.

You're not armed?

넌 무장하지 않았지?

- The armed guards stopped her. 무장한 경비들이 걔를 저지했어.

  We don't think he's armed, but he is very dangerous.
우린 걔가 무장했다고 생각지는 않지만 걔는 아주 위험해.

  She came to bed armed with love. 걔는 사랑으로 무장한채 침대로 왔어.

  The armed robbers load up, head for the exits.
무장강도는 짐을 싣고 출구를 향했어.

■ arm은 동사로 무장시키다 라는 뜻을 가지고 있으며 armed robbery면 무장 강도, under arms면 '무장을 하고,' '전투태세를 하고' 라는 의미가 된다.

MORE EXPRESSION

take[have, grab] sb by the arm …의 팔을 잡고 데리고 가다

놓치면 원통한 미드표현들

- **have[get] ants in one's pants** 불안하거나 화나가 혹은 섹스하고 싶어 안절부절 못하다
  You got ants in your pants?
  왜 그렇게 안절부절 못하니?
  She used to say you had ants in your pants.
  네 엄마는 네가 안절부절 못했다고 말하곤 했어.

- **be antsy** 안달을 한다
  I'm getting kind of antsy.
  난 안달이 나서 못 견디겠어.
  What's wrong with you? You've been antsy all night. 왜 그래! 넌 밤새 안절부절 못하고 있어.

43

» arouse

I can see you're aroused. 네가 흥분했다는 것을 알겠어.

He played along not to arouse suspicion.
의혹을 사지 않기 위해 갠 동조했어.

- I'm over my wrinkle fetish. You don't arouse me.
  난 더 이상 주름 때문에 흥분되진 않아. 당신을 봐도 아무렇지도 않다고.

  When I see a woman who arouses me, the whole world disappears except for her.
  날 흥분시키는 여자를 보면 그녀만 보여.

■ arouse suspicion은 '의심을 자아내다,' '의혹을 불러일으키다' 라는 의미. 그냥 arouse sb 하면 '성적으로 …흥분시키다' 라는 의미가 된다.

I was sexually aroused by Penny's friend Zack.
난 페니의 친구인 잭에게 성적으로 끌렸어.

- Do men really get aroused by stupidity?
  남자들은 정말 멍청함에 흥분돼?

  I contend that arousal implies consent.
  성적흥분한건 동의로 봐야 합니다.

■ get aroused by는 이성을 보고 혹은 일부는 동성을 보고 성적으로 흥분하다라는 표현. 또한 (sexual) arousal는 명사형으로 성적으로 흥분한 상태, 즉 성적자극, 성적흥분이라는 말.

» arrest

You're under arrest. 당신을 체포합니다.

Authorities have arrested a suspect in a Brooklyn.
당국이 브루클린에서 혐의자를 체포했어.

- You've arrested the wrong man? What are you thinking?
  너 다른 사람을 체포했지? 무슨 생각으로 그런거야?

■ arrest sb for[on] charges [suspicion] of~면 '…를 …혐의로 체포하다' 라는 의미이며 have sb arrested하면 직접 체포하지는 않더라도 부하들 통해 '…를 체포하다' 라는 뜻.

On what grounds were you arrested, Mr. Kallah?
칼라 씨 무슨 혐의로 체포되었나요?

- I've been arrested a bunch of times, been busted with hookers. 난 여러 차례 체포되었지, 창녀들하고 같이 걸렸어.

  She got arrested for trespassing, bit a cop, and spent eight days in jail. 걔는 무단침입 및 경찰폭행으로 체포되어 8일간 감옥에서 보냈어.

■ be[get] arrested (for)는 '…혐의로 체포되다' 라는 뜻으로 수동태 형태로 많이 쓰이는 표현이다.

You're under arrest
당신을 체포합니다.

- I'm placing your daughter under arrest. 당신 딸을 체포합니다.

  FBI. Get dressed. You're under arrest for insider trading.
  FBI입니다. 옷 입으세요. 내부자 거래죄로 당신을 체포합니다.

  I'm on house arrest. It's a condition of my bail.
  난 가택연금 중이야. 보석의 조건이야.

■ be under arrest (for)는 '체포하다' 라는 뜻. place[put] sb under arrest는 '…를 체포하다' 라는 뜻으로 단순히 체포라는 동사를 쓰는 것보다 좀 더 공식적인 표현이다. 한편, be under house arrest는 '가택연금당하다,' be on house arrest는 '가택연금 중이다' 라는 의미.

If there's cardiac arrest, we'll need nitroglycerin.

심장마비가 생기면 니트로글리세린이 필요하게 될거야.

- She's going into cardiac arrest due to an overdose of anesthesia.
  걔는 마취제 과다복용으로 심장마비가 올거야.

  He's in cardiac arrest. 걘 심장마비야.

■ get into cardiac arrest 면 '심장마비에 걸리다' 라는 표현으로 arrest 대신 failure를 사용해도 같은 뜻이 된다.

» as

 I might as well get used to it. 난 그거에 익숙해지는게 나을거야.

So as of Monday I'm being officially relocated.

그러면 월요일부로 난 공식적으로 전근가는거야.

- As of this moment I will never have to make coffee again.
  이 순간부터 난 다시는 커피를 타지 않을거야.

  Garcia, there are 8 new victims as of tonight.
  가르시아, 오늘밤 시점으로 8명의 새로운 희생자가 있어.

■ as of +시점~은 '…시점부터' 라는 뜻으로 '…부로' 라고 해석된다.

Uh, ring as in engagement ring?

그러니까, 약혼반지와 같은 반지를 말하는 거지?

- In life, as in art, some endings are bittersweet.
  인생은 예술에서와 마찬가지로 일부 끝은 달콤 씁쓸한거야.

  Did she just say she was leaving? As in quitting?
  걔가 나갔단말야? 그만두었단말야?

■ as in은 '명사+as in' 이면 in 이하에 나와 있는 '명사' 와 같이 라는 뜻이며 'as in+명사' 라고 하면 '명사 에서와 마찬가지로 라는 뜻이 된다.

It's as if you don't think I'll punch you.

내가 널 때릴 수 있다는 생각을 못하고 있는 것 같아.

- He looks as if he has something else on his mind.
  걔는 뭔가 딴 생각을 하고 있는 것처럼 보여.

  I'm running out of food, and it's not as if I can go to the grocery store. 음식이 떨어지고 있고 식료품 가게도 갈 수 없는 것 같아.

■ as if[as though]는 '마치 …인 것처럼' 이라는 뜻이며 It's as if~하면 '…하는 것과 같다' 라는 표현이 된다. 또한 it's not as if~는 '…라서 어쩌니' 라는 다소 놀라면서 하는 표현으로 문자 그대로 '…하는 것 같지 않다' 라는 뜻도 가지고 있다.

I waited until I got married, as did your father.

난 네 아버지와 마찬가지로 결혼할 때까지 기다렸어.

- My mother used to be a Christian Scientist, as did I.
  내가 그랬듯이, 한때 우리 어머니도 크리스천 사이언스 신자였어.

  Yes, you were very clear, as was everyone else at the table.
  응, 넌 테이블에 있던 모든 사람과 마찬가지로 매우 빛났어.

■ as did~ 또는 as was~는 '…와 마찬가지로' 라는 뜻으로 사용된다.

I might as well get used to it.

난 그것에 익숙해지는게 나을거야.

- I might as well just come out and say it. 그냥 당당히 말해버리는게 나을 것 같아.

  Would you like me to write her a little poem as well?
  내가 걔한테도 짧은 시를 써주기를 원하니?

■ might[may] as well은 '…하는 편이 좋을 것 같다' 라는 기본표현. 또한 as well은 주로 문장의 맨 끝에 와서 '…와 마찬가지로' 또는 '…도' 라는 뜻으로 사용된다.

MORE EXPRESSION

as it were 말하자면, 이를테면
as it is 현 상황에서는, just as it is 있는 그대로
as for+사람, as to+의문사
…로서는 또는 …에 대해서는

Let me ask you something.
뭐 좀 물어볼게.

- So I'm going to ask you again, just one more time.
  그래요, 단지 한 번만 더 물어볼게.

  I hate that I have to ask you this, but have you seen Serena?
  이걸 너한테 물어보기 싫지만 세레나를 본 적이 있니?

■ ask sb (sth)은 '…에게 …를 묻다' 라는 기본적인 표현.

Can I just ask you a question?
질문 하나 해도 될까?

- You mind if I ask you a few questions? 질문 몇 개도 괜찮겠어?

  Let me ask you that question another way.
  그 질문을 다른 식으로 해볼게.

■ ask sb a question은 '…에게 질문을 하다' 라는 뜻으로 let me ask~ 또는 can I ask~ 라는 단골 표현으로 주로 사용된다.

I need to ask you if you've ever seen this.
네가 이걸 본 적이 있는지 물어봐야겠어.

- We can only ask you if you recognize any of the men, Sarah.
  우린 네가 이 남자들 중 누구라도 알아볼 수 있는지 물어보는거야, 새라.

  Aren't you going to ask me if I want a beverage?
  내가 음료가 필요한지 안 물어볼거야?

■ ask sb if ~는 '…에게 …인지 물어보다' 라는 뜻이며 I'll ask sb if~ 는 '…인지 …에게 물어볼게' 라는 표현이 된다.

I am not asking you to lie.
난 네게 거짓말을 하라고 하는게 아냐.

- I'm not asking you to set me up. 만남을 주선해달라는 얘기가 아니야.

  I'm not asking you to go on a date with him!
  걔하고 데이트하라고 너한테 요청하는 게 아냐!

■ ask sb to do는 '…에게 …을 하도록 요청하다' 라는 표현이다.

You asked for it.
자업자득야, 네가 자초한 일이잖아, 그런 일을 당해도 싸다.

- I broke my own rule. I asked for it. 내 자신의 규칙을 어겼어. 자업자득이었어.

  Nicole asked for it, and she got what she deserved.
  니콜이 자초했어, 자업자득한 셈이지.

■ ask for는 '…을 요청하다' 라는 평범한 뜻이지만 asked for it 하면 '…을 스스로 자초하다' 라는 관용적 표현이 된다.

He asked me out.
걔가 데이트 신청했어.

- Are you asking me out on a date? 데이트 신청하는거야?

  When was the last time a man your age asked you out?
  네 나이 또래 남성이 너한테 데이트를 신청한 마지막 때가 언제였니?

  Wow! I cannot believe Mark asked you out.
  와! 마크가 너한테 데이트를 신청하다니 믿을 수가 없어.

■ ask sb out (on a date)은 '…에게 데이트를 신청하다' 라는 재미있는 표현이 된다.

Whatever you ask

뭐든 말만 해, 무슨 말이든 하기만 하세요, 다 들어드릴 테니까

- I will do **whatever you ask**. 뭐든지 할게요.

  Whatever you ask, Neil will refuse. 무슨 말을 하든, 닐은 반대할거야.

A: Oh my god, Where's Emma? B: Don't ask me, I was in there talking Jack!

A: 맙소사, 엠마가 어디있지? B: 묻지마, 난 거기서 잭하고 얘기하고 있었잖아!

- **Don't ask me** why, but I got a feeling there's a connection.
  이유를 묻지마, 그런데 뭔가 관련이 있다는 감이 잡혀.

  A: Are you happy? B: **Don't ask me that**. A: 너 행복하니? B: 그걸 왜 물어.

Don't ask, you don't want to know.

묻지마. 별로 알고 싶지도 않을걸.

- A: And if you're wrong about this? B: **Don't ask**.
  A: 만약 네가 이게 틀린다면? B: 묻지마.

  A: Where was the badge B: **Don't ask**. A: 배지가 어디에 있었니? B: 묻지마.

In the office, don't ask, don't tell.

사무실에서는 함구령이 내렸어.

- Apparently Lorelai has decided to invoke the '**don't ask, don't tell**' rule. 로렐라이는 분명히 '묻지도 말하지도 말라' 는 규칙을 거론하기로 맘먹었어.

  You should keep that in mind in the military, that is '**don't ask don't tell policy**.' 군에서는 '묻지도 말하지도 말라' 는 원칙을 염두에 두어야 해.

If you ask me, she liked the attention.

말하자면 걔는 주변의 관심받는 것을 좋아했어.

- **If you ask me**, he got exactly what he deserved.
  내 생각을 말한다면 걔는 정확히 자업자득인거야.

  If you ask me, trouble is coming. 내 생각에 힘든 시간이 올거야.

Ask away!

얼마든지 말해봐!

- A: I'm glad. Mom, I need to ask you a favor. B: **Ask away**.
  A: 기뻐요, 엄마. 부탁드릴게 있어요. B: 얼마든지 말해.

  A: Can I ask you something? B: Yeah. **Ask away**.
  A: 뭐 좀 물어봐도 돼요? B: 그럼. 얼마든지.

Is that too much to ask?

그게 내가 너무 많이 요구하는거야?

- I mean, just tell me what's going on! **Is that too much to ask**?
  내 말은 진행상황을 말해달라는 거야! 그게 무리한 요구야?

  Is it too much to ask for a little appreciation?
  약간의 감사표시를 해달라는 것이 지나치게 요구하는거니?

That's all I ask.
내가 바라는 건 그 뿐이야.

- **Take me back Jill, that's all I ask.** 질을 데려다줘. 바라는 건 그뿐이야.
  Visit your grandmother. That's all I ask.
  네 할머니를 방문하는거. 내가 바라는 건 그뿐이야.

All I ask for is a chance.
내가 원하는 건 기회밖에 없어.

- **Nate, all I asked you to do was support me.**
  네이트, 내가 원하는 것은 나를 지지해달라는 것뿐이야.
  All I ask is that they pray for me.
  내가 바라는 것은 걔들이 나를 위해 기도해달라는 것 밖에는 없어.

Who asked you?
누가 너한테 부탁했어?

- **Who asked you to spend three hours on dinner?**
  저녁 식사하는데 3시간이나 걸린다고 누가 말하든?
  Who asked you to, I don't even know why you're here.
  누가 너한테 오라고 부탁했는지 몰라도 네가 여기에 왜 왔는지 난 몰라.

I couldn't ask you to do that.
(고맙지만) 그러지 않으셔도 돼요

- **I can't ask you to give that up.** 그걸 포기하라고 말할 수 없지.
  A: I will go with you. B: I can't ask you to do that.
  A: 함께 갈게. B: 그러지 않아도 돼.

■ **That's all I ask**는 '자기가 바라는 것을 강조하기 위한 표현으로 다른 건 없고 단지 '난 이것만을 바랄 뿐이야' 라는 강조표현.

■ **All I ask for is sth**, 혹은 All I ask for is that S+V 또는 All I asked you to do is~는 '내가 원하는 것은 …하는 것뿐이다' 라는 표현. 또한 All I'm asking is for you to~하면 '내가 너한테 바라는 것은 …밖에 없어' 라는 뜻.

■ **Who asked you?**는 '누가 물어봤어?,' 즉 '난 관심없어' 라는 표현. 또한 관심없는 내용까지 말하려면 Who asked you to~?라고 해서 '누가 네게 …하고 부탁했니?' 라는 표현이 된다.

■ **I couldn't ask you to do that**은 고맙지만 그러지 않으셔도 돼요(That is very kind offer, but I would not ask you to do)라는 정중한 사양의 표현이 된다.

MORE EXPRESSION

Who's asking? 누구세요?
be one's for the asking 원하기만 하면 …의 것이다
(I) Couldn't ask for more 최고예요, 더 이상 바랄 게 없어요
What more could you ask for? 뭐를 더 바랄 수 있겠는가?

🖥 **놓치면 원통한 미드표현들**

- **be the apple of one's eye** 매우 소중한 사람
  You're the apple of my eye.
  넌 정말 내게 소중한 사람이야.

- **Big Apple** 뉴욕   **Adam's apple** 목젖
  as American as apple pie 전형적인 미국인
  You are as American as apple pie.
  넌 전형적인 미국인이야.

Hey, honey. How's the Big Apple treating you? 자기야, 뉴욕 어땠어?
Uh, Sam, women don't have Adam's apples.
어, 샘, 여자는 목젖이 없어.

- **the apple doesn't fall far from the tree**
  아이는 부모를 닮는다
  Apple doesn't fall far from the tree, does it?
  아이가 부모 닮지 않겠어?

I'm gonna kick some ass. 혼 좀 내야겠어.

Look I'm sorry I've been such an ass.

이봐, 내가 그런 멍청이여서 미안해.

- You're an ass and a hypocrite. 넌 멍청이고 동시에 위선자야.

  I know they are trash cans, smart ass!
  걔들이 쓰레기고 건방진 놈들이라는 걸 알아!

■■ an ass는 멍청이 또는 바보거나 짜증나게 하는 사람을 의미하는 속어로서 미드에서 무지 많이 등장하는 단어이다. 또한 smart ass는 긍정적 의미로는 '수재,' 부정적 의미로는 '건방진 녀석' 이라는 뜻이 된다.

I'm done making an ass of myself for you.

너를 위해 바보 같은 짓을 하는 거 이제는 끝이야.

- Oh, so watching your mother make an ass of herself was fun for you? 오, 그래 네 엄마가 바보 같은 행동을 하는 걸 보는 게 재미있냐?

■■ make an ass of oneself 는 '스스로 바보 같은 짓을 하다' 라는 의미로 사용된다.

Hey! Get your ass back here, Tribbiani!

헤이! 트리비아니, 이쪽으로 와봐!

- My God. Dick, get your ass in here. 맙소사. 딕, 이리로 와봐.

  Get your big ass out of my face! 내 앞에서 빨리 꺼져버려!

■■ get[bring] your ass in here는 이쪽으로 오다라는 표현으로 서둘러 떠나거나 어떤 특정 장소로 이동하라고 할 때의 강조형으로 쓰이나 예의가 바른 표현은 아니다.

Now please, get your ass in gear!

이제 좀, 잽싸게 움직여라!

- It's going to be a long ride to Arizona. Move your ass.
  아리조나까지 오래 운전해야 할거야. 서둘러.

  We need to haul ass to get there on time. 제때 도착하려면 서둘러야 돼.

■■ move your ass도 역시 '서둘러라' 라는 표현이며 get one's ass[butt] in gear는 '잽싸게 움직이다' 라는 다소 저속한 표현이다. 또한 haul ass는 '서둘러 이동하다' 라는 표현으로 엉덩이를 분주히 움직이다라는 뉘앙스를 가지고 있다.

I'm gonna kick some ass.

혼 좀 내줘야겠어.

- And I realized the ass I should be kicking is yours.
  그리고 난 내가 혼내줄 사람은 바로 너라는 걸 깨달았어.

  I wanted to see him get his ass kicked, not killed.
  난 걔가 죽지는 말고 혼쭐이 나기를 원해.

■■ kick (sb's) ass[butt]하면 '…를 혼내다,' '(경기 등에서) …를 물리치다' 라는 의미. 이 표현을 써서 혼쭐나다라고 할 때는 get one's ass kicked라고 쓰면 된다.

I kicked ass in that meeting because of this suit.

그 회의에서 난 이 옷으로 강렬한 인상을 주었어.

- I have an idea, let's throw Leonard a kick ass birthday party.
  좋은 생각이 있어. 레너드에게 인상적인 생일파티를 해주자.

  You've been kicking ass in this video game. 비디오 게임에서 아주 멋졌어.

■■ kick ass[butt]는 '강렬한 인상을 주다,' '히트치다' 라는 뜻으로, kick(-)ass하면 형용사로 사람이나 사물이 '인상적인,' '강렬한' 이라는 뜻이다.

This guy has been kissing ass all his life.

이 친구는 평생 아첨만 하고 살아.

- And you're trying to kiss my ass. 그래 넌 나한테 아부하려는거지.

  Tornado passed through, is heading to Illinois. Kiss my ass, Chicago! 폭풍이 지나서 일리노이로 향하고 있어. 빌어먹을, 시카고!

■■ kiss sb's ass는 '…에게 아첨하다' 라는 뜻이며 Kiss my ass!하면 '빌어먹을!,' '우라질,' '설마!' 라는 의미로 사용된다.

Yeah, cover your ass and hide.
그래, 대책을 세우고 숨어.

- I was facing criminal charges. And lied to cover my ass.
  난 형사기소 당하게 되어서 다치지 않으려고 거짓말을 했어.

  I took this job to work with you, not cover your ass.
  난 네 뒷감당하기 위해서가 아니라 너랑 같이 일하려고 이 일을 택했어.

■ cover one's ass는 다가 올 위험, 즉 비난, 손해 등에 대비 하여 몸을 숨기거나 대책을 세우 는 것을 말한다. cover one's back이라고 해도 된다.

You saved my ass, Mike.
네가 날 구했어, 마이크.

- Man, those guys were hardcore. You really saved my ass.
  야, 저 친구들은 강경파들이야. 네가 진짜 날 구했어.

  You saved my ass. And I'm sorry if I didn't thank you adequately. 네가 날 구했어. 내가 충분히 감사표시를 못했다면 미안해.

■ save one's ass는 '…의 생명을 유지하다,' 또는 상징적으 로 '…의 체면을 유지하다,' '…을 구하다' 라는 뜻으로 사용된다.

Shove the medal up your fuckin' ass, all right?
그 빌어먹을 자네 메달은 엿이나 바꿔먹어, 알았어?

- Well, you're lucky I didn't shove the ring up your ass.
  저, 넌 운이 좋은 거야. 내가 널 엿 먹이지 않았어.

  Daddy, stick it up your ass. 아빠, 엿이나 먹어요.

■ shove[stick] it up your ass는 '…는 엿이나 먹어라' 라는 상스러운 표현.

You bet your ass I'm gonna fire you!
내가 널 해고할 거야, 장담해!

- You bet your ass I'm gonna do something about it.
  내가 뭔가 조치할거야, 장담해.

  A: Being a single parent's tough. B: You bet your ass it is.
  A: 편부모 노릇하기가 힘들어. B: 그래 정말 그렇지.

■ bet one's ass (that S+V) 는 '…에 대해 장담하다' 라는 뜻 으로 사용된다.

He's working his ass off.
그는 뼈 빠지게 일해.

- I spent the last decade working my ass off in Denver.
  난 지난 10년간 덴버에서 미친듯이 일했어.

  Look, go home. Take a day. You've been working your ass off.
  이봐, 집에 가. 하루 좀 쉬어. 정말 열심히 일했잖아.

■ work one's ass[butt] off 는 '열심히 일하다' 라는 뜻으로 work one's ass off[~ing]하면 '…하느라 뼈빠지게 일하다' 라는 표현이 된다.

I will break my ass for you, sweetheart.
여보, 난 당신을 위해서 내가 죽기 살기로 일할거야.

- I busted my ass to make this delicious Thanksgiving dinner.
  난 이 맛있는 추수감사절 저녁을 만드느라 죽어라 고생했어.

  They busted their asses on this project. 걔넨 이 일에 죽기살기로 달라붙었어.

■ bust[break] one's ass 는 '죽기 살기로 고생하다,' 또는 '죽기로 일하다' 라는 의미의 구어 체 표현.

My ass is dragging.
(힘들어서) 꼼짝도 못하겠어.

- I have been dragging my ass all day. 난 하루 종일 지쳐서 힘들었어.

  I've been dragging my ass all day, too, and you know what got me through it? 나도 종일 힘이 없는데 내가 뭐 땜에 그러는지 아니?

■ drag one's ass는 지치고 힘들어서 몸을 간신히 움직인다는 뉘앙스를 가진 표현으로 '풀이 죽 어있다,' '기운이 없어 힘들어하 다' 라는 뜻이 된다.

You've been on my ass all day.
종일 귀찮게 하는군.

- I'll be on your ass every hour of every day 'til Monday.
난 월요일까지 매일 매시간 널 귀찮게 할거야.

be on one's ass+시간은 '…시간 동안 귀찮게 하다' 라는 표현이다.

A

You're sitting on your ass staring at the door.
넌 문을 쳐다보면서 아무것도 안하고 있네.

- You can take a leave of absence if you want to, but you're not going to sit on your ass all day.
넌 원하면 휴가를 받을 수 있지만 종일 아무 일도 안하고 있으면 안 돼.

The new guy sat on his ass all day long. 새로운 친구가 온종일 앉아 있어.

sit on one's ass는 자기 엉덩이를 깔고 앉아있다 라는 뉘앙스로서 '아무것도 안한다,' '소일하고 있다' 라는 의미의 표현.

It's my ass on the line.
내가 위험한 처지에 있어.

- That's wrong. It's my ass on the line. 그건 아니야. 내가 위험에 처하게 돼.

That's easy for you to say. It ain't your ass on the line.
넌 말하기는 쉽지. 네가 위험한게 아니잖아.

be one's ass on the line는 '위험한 상황에 놓이다,' '위험한 처지에 놓이게 되다' 라고 하려면 put[get] one's on the line라 하면 된다.

She's kinda a pain in the ass, but maybe that's my type.
걘 좀 귀찮은 존재이지만 아마도 내가 좋아하는 타입이야.

- Jack can be a pain in the ass, but he thinks outside the box.
잭은 귀찮은 존재이지만 걘 무척 창의적으로 생각해.

He's an arrogant, washed-up, pain in the ass.
걔는 거만하고 쓸모가 없으며 귀찮은 존재야.

be a pain in the ass [neck]는 '귀찮은 존재' 또는 '성가신 존재' 라는 뜻.

Samantha Jones, you're one hot piece of ass.
사만다 존스, 넌 섹시한 여자야.

- First place they're gonna go is for a drink and a piece of ass.
걔들이 갈 첫번째 장소는 술과 섹스할 여자가 있는 곳이야.

I hear she's a real nice piece of ass. 걔가 진짜 괜찮은 섹스상대라고 들었어.

piece of ass는 섹스 상대로서의 여성이라는 뉘앙스를 갖고 있어 '섹시한 여자' 라는 뜻.

Parked across the street, laughing my ass off.
길 건너편에 차를 세웠다고, 웃기지마.

- My ass! 바보 같은 소리(상대방 말을 못 믿겠다는 뉘앙스)

That book will fuckin' knock you on your ass.
저 책을 읽으면 엉덩방아를 찧을 정도로 놀랄거야.

You prayed on him until he killed himself. Steve Aaron, murderer. LMAO. 걔가 자살할 때까지 걜 위해 기도했다고, 스티브 애론, 이 살인자, 웃기지마라.

laugh my ass off는 '날 웃기지마' 라는 뜻으로 약어로 LMAO라고도 사용한다.

asshole은 '멍청한 녀석' 이라는 상대방을 비하하는 표현.

You're such an asshole!
넌 아주 멍청이야.

- She had decided all men were assholes. 걘 모든 남자는 멍청하다고 단정졌어.

Quiet, asshole, I'll call the cops! 조용히 해, 멍청한 놈. 내가 경찰을 부를거야.

MORE EXPRESSION

be up to one's ass 어려움에 처하다

No signs of sexual assault. 성폭행 흔적은 없어.

Yeah, you're under arrest for assault.
그래, 넌 폭행죄로 체포야.

- He's been arrested for assault and probably drug violations, too.
  걘 폭행죄로 체포되었으며 아마도 마약관련 위법 혐의도 있어.

  His license was suspended when he got 11 months for assault.
  걔가 폭행죄로 11개월을 받았을 때 면허증도 취소되었어.

■ for assault는 '폭행죄로' 라는 의미.

No signs of sexual assault.
성폭행 흔적은 없어.

- But there's no other sexual assault complaints in his file.
  그러나 걔 파일에는 어떤 다른 성폭행 고소내용은 없어.

  Until we find signs of sexual assault, we can't be sure it's him.
  성폭행 흔적을 찾을 때까지 범인이 걔라고 확신할 수는 없어.

■ sexual assault는 '성폭행' 이라는 용어.

He was arrested but never charged with assault.
걔는 체포되었지만 결코 폭행죄로 고소당하지는 않았어.

- What, you gonna charge me with assault again?
  뭐라고, 네가 날 폭행죄로 다시 고소하겠다고?

  They were charged with assault and battery.
  걔들은 공갈 폭행죄로 고소당했어.

■ charge sb with assault 는 '…를 폭행죄로 고소하다' 라는 의미이며 be charged with assault하면 '폭행죄로 고소당하다' 라는 표현이 된다.

You assaulted that man.
네가 그 사람을 공격했어.

- Hey! She assaulted me, demanded I deflower her.
  이봐요! 걔가 날 성폭행하고서 내가 자기 처녀성을 빼앗았다고 해요.

■ assault sb는 '…를 공격하다' 라는 일반적인 내용으로 사용된다.

 It won't cover attempted murder. 그렇게해서 살인미수가 은폐되지 않을거야.

Did Jill ever attempt suicide before?
질은 전에 자살을 시도했었니?

- Did you attempt to conceal your relationship with Miss Horn?
  넌 미스 혼과의 관계를 숨기려고 시도했니?

  What qualifies you to attempt to understand my mind?
  네가 무슨 자격으로 내 마음을 이해하려고 시도하니?

■ attempt to do는 '…하려고 시도하다' 라는 뜻이며 attempt sth은 '…를 시도하다' 라는 의미. attempt를 명사로 사용해 make an attempt to하게 되면 같은 뜻이 된다.

He locked the door in an attempt to keep us out.

걘 우리를 못들어오게 하려고 문을 잠궜어.

- We're going through her checkbook, in an attempt to find out who she is. 우린 걔의 신원을 파악하려고 걔의 수표책을 점검할거야.

  I broke my heel tripping over a blind man in an attempt to avoid his dog. 난 시각장애인 안내견을 피하려고 하다가 시각장애인에 걸려 구두굽이 망가졌어.

There was an attempt on the eyewitness' life.

증인 목숨을 앗아가려는 시도가 있었어.

- She had her own man make an attempt on Spartacus. 걔는 자신의 심복을 이용해 스파르타쿠스 목숨을 앗아가려고 했어.

  We are worried that it was an attempt on the life of the boss. 보스 목숨을 노리는 시도가 있었다는 데 우린 걱정을 하고 있어.

It certainly won't cover attempted murder.

그건 확실히 살인미수를 은폐하지는 못했어.

- We're talking about attempted murder here. 우린 지금 살인미수 건에 대해 얘기하고 있는거야.

  She's never been arrested before for attempted murder. 걔는 과거에 살인미수로 체포된 적이 결코 없었어.

» attend

We hear you're attending Chilton. 너 칠튼에 들어갔다며.

What school did Ania attend?

애니아는 어떤 학교 다녔어?

- Oh that's good. So, we hear you're attending Chilton. 잘됐구나. 그래 우리가 듣기론 네가 칠튼에 들어갔다던데.

  I really didn't want to attend the history class. 난 정말 역사수업시간을 듣고 싶지 않았어.

You haven't been attending the trial.

넌 재판에 참석한 적이 없어.

- You think Ronnie wants to attend her own daughter's funeral? 넌 로니가 자신의 딸 장례식에 참석하고 싶을 거라고 생각하니?

  I was attending a party of my boyfriend's ex-girlfriend. 난 남친의 옛 여친의 파티에 참석을 하고 있었어.

I need to attend to the children.

난 애들을 돌봐야 돼.

- Has the plumber attended to room four yet?
  배관공이 4호실 벌써 수리했어?

  I have a little family matter to attend to.
  난 신경을 써야할 집안의 작은 일이 있어.

attend to sb[sth]는 '⋯를 돕다' 또는 '⋯일에 신경을 쓰다' 라는 표현으로 일이나 용무를 처리하거나 식당이나 가게 등에서 고객을 돕는다는 의미로 많이 쓰인다.

Here's what the attending told me.

이게 바로 내 주치의가 내게 한 말이야.

- I'm Dr. Franks, attending. Have you located his family yet?
  난 주치의 프랭크 박사예요. 걔 가족을 아직 찾지 못했나요?

  Katie belongs to the new attending now, Dr. Shepherde.
  케이티는 이제 새 주치의 쉐퍼드 박사가 맡을거야.

attending은 참석이라는 의미도 있지만 명사로서 '주치의' 라는 의미로도 사용된다.

Parking attendant found her on the second level.

주차 요원이 걔를 2층에서 발견했어.

- He's been ignoring the flight attendants.
  걔는 항공승무원의 말을 무시하고 있었어.

  Which flight attendant gave her the pillow?
  어느 승무원이 걔한테 배게를 주었니?

attendant는 어떤 특정 장소에서 일하는 '직원' 이라는 뜻으로 parking attendant하면 주차 요원, flight attendant하면 비행기 승무원을 말한다.

I won't take attendance.

난 출석을 확인하지 않을거야.

- I checked Lisa's attendance.
  난 리사의 출석을 확인했어.

  This is not a tea party. Attendance is not optional.
  이건 티 파티가 아니야. 참석은 선택사항이 아니야.

attendance는 출석을 의미하는데 take attendance는 선생님이나 주최측에서 '출석을 확인하다,' be in attendance는 '참석 중이다' 라는 표현이다.

» attitude

You've got some attitude. 너 태도가 불량하구나.

What the fuck is with the attitude?

도대체 무슨 태도냐?

- Kay, first of all, this attitude is not helping.
  케이, 우선 이런 태도는 도움이 안돼.

  It's no attitude. 그런 태도는 안 돼.

  You need to check that attitude. 넌 태도가 글러먹었어.

  I don't like your attitude. 네 태도가 맘에 안들어.

  What is your attitude towards online dating?
  온라인 데이트에 대해 네 의견은 어때?

attitude는 태도나 의견을 뜻하는 명사로 품행, 자세 등도 의미한다.

You've got some attitude.
너 태도가 불량하구나.

- **See? She's got the right attitude. Thank you very much.**
  봤지? 걔는 올바른 태도를 지니고 있어. 정말 고마워.

  I know Jimmy. The guy's got an attitude. Cocky.
  지미 알지. 걘 성깔있어. 건방져.

  Where do you get this attitude?
  어디서 이런 태도를 배웠니?

get an attitude는 어떤 태도를 취하다라는 의미이지만 attitude가 '고집스러운 나쁜 태도'라는 뉘앙스도 가지고 있다.

Oh, now you're gonna give me attitude!
야, 이제 네가 나한테 못되게 구네!

- **Billie was being a pain as usual giving me attitude.**
  빌리는 골칫거리였어, 여전히 나한테 못되게 굴면서말야.

  Diane has been giving me an attitude.
  다이안은 내게 못되게 굴었어.

give me an attitude에서 attitude는 위에서 말한대로 '고집스러운 나쁜 태도'를 의미한다.

You always have such a good attitude.
넌 항상 아주 태도가 좋아.

- **It is important that we keep a positive attitude.**
  우리가 긍정적인 태도를 유지하는 것은 중요해.

  The problem wasn't lack of effort or bad attitude.
  문제는 노력의 부족이나 나쁜 태도가 아니었어.

have a bad[good] attitude는 '나쁜[좋은] 태도를 가진다'라는 의미이며 have a positive[negative] attitude하면 '긍정적[부정적] 태도를 가진다'라는 표현이 된다.

Nobody wins with that kind of attitude.
아무도 그런 식의 태도로는 승리할 수가 없지.

- **Well, with that kind of an attitude, we're not gonna get anywhere.** 그런 종류의 태도로는 우린 아무 것도 이룰 수가 없어.

  Don't come back with that kind of attitude!
  그런 태도라면 다시는 돌아오지마라!

with~ attitude는 '…태도로는'이라는 뜻이다.

MORE EXPRESSION

gung-ho attitude 용맹한 태도
can-do attitude 적극적인 태도
attitude problem 태도에 문제가 있는 거

놓치면 원통한 미드표현들

- **Don't be arrogant.** 거만하게 행동하지마.
  Well, he's either careless or arrogant, maybe.
  글쎄, 걔는 주의가 부족하거나 아니면 아마도 거만한거지.
  You are all a bunch of arrogant surgeons.
  너희들은 거만한 외과의들이야.

- **fall[sound] asleep** 잠이 들다 *be asleep이면 잠이 들어 있는 상태를 말하고 half asleep이면 반쯤 잠들다라는 의미.
  Yeah, well, I fell asleep during sex.
  응, 그런데 난 섹스 도중에 잠 들었어.

They all pretend to fall asleep. 걔들은 전부 잠든 척을 해.
He always falls asleep with his TV blaring.
걘 항상 TV를 틀어놓고 잠이 들어.

- **My leg is asleep.** 다리가 저리다.
  One side of my butt is totally asleep.
  내 한 쪽 엉덩이는 완전히 무감각해.
  Parts of your brain are still asleep.
  너의 뇌 일부가 아직 죽어 있어.

The coroner is beginning an autopsy. 검시관이 부검을 시작할거야.

I think I missed something at the autopsy.
내가 부검에서 뭔가를 놓친 것 같아.

- An autopsy? Detective, Rex died of a heart attack.
  부검이라고? 형사양반, 렉스는 심장마비로 죽었어.

  Is it still illegal to perform an autopsy on a living person?
  살아있는 사람을 대상으로 부검을 실시하는 것이 아직도 불법이니?

When are they doing the autopsy?
걔들은 언제 부검을 실시할 거야?

- The coroner is beginning an autopsy.
  검시관이 부검을 시작할 거야.

■ autopsy는 부검을 의미하는데 살인사건이 주요 테마인 범죄미드에서는 당연히 많이 나오는 단어 중의 하나이다.

■ do the autopsy는 '부검을 하다,' begin an autopsy는 '부검을 시작하다' 라는 의미.

She's available for coitus? 걔와 성교할 수 있을까?

She'll be available in a week.
그 여자 일주일 후면 시간이 날거야.

- No one is available. Please leave a message.
  아무도 받을 수가 없네요. 메시지를 남겨주세요.

  There's no other team available. 어떤 다른 팀도 없어.

I really need to know what's available to me.
과연 내가 지금 뭘 가질 수 있는지 정말 알아야겠어.

- He's seeking intimacy with a woman unavailable to him.
  걔는 자신한테 맞지도 않는 여성과 깊은 관계를 원하고 있어.

  You're so available to me, and I'm so available to you.
  난 널 언제든지 만날 수 있고 너도 언제든지 날 만날 수 있어.

So she's available for coitus?
그래 걔와 성교를 할 수 있을까?

- Is your womb available for rental? 네 자궁을 좀 빌려도 될까?

  You're not available for video games during the week.
  넌 주중에는 비디오 게임을 할 시간이 없어.

■ be available는 '시간이 나다,' '…을 이용하다' 라는 의미로 Are you available?하면 '너 시간이 되니?' 라는 질문. 또한 '명사+available'는 그 명사를 이용할 수가 있다는 의미, 반대로 'no+명사+available' 하게 되면 그 명사를 이용할 수가 없다라는 부정적인 표현이 된다.

■ be available to sb는 '…에게 이용할 수 있다,' '…에게 시간이 되다' 라는 의미의 표현.

■ be available to do[for~]는 '…할 시간[여유가]이 있다' 라는 표현.

Makes additional federal funds available.
연방기금을 추가로 사용할 수 있게 될거야.

- Let's just hope she's willing to make herself available.
  걔가 스스로 시간을 낼 수 있도록 단지 희망해 보자.

  He made himself available to her as often as she liked.
  걔는 그녀가 원하는 만큼 자주 만나줬어.

■■■ make ~ available하면 '…를 이용하게 하다,' '사용하게 하다' 라는 의미가 된다.

He has every available cop in Ontario.
걔는 온타리오 주에 있는 모든 활용가능한 경찰들을 동원할 수 있어.

- Every available cop in the state is out looking for your daughter.
  이 주에 모든 활용가능한 경찰들이 네 딸을 찾고 있어.

■■■ every available~는 '모든 이용한…,' '모든 활용가능한 …' 이라는 강조표현.

» awesome

You look awesome. 너 끝내준다.

Love it. You look awesome, by the way.
좋아. 어쨌든 너 굉장히 멋져 보여.

- A: OK. How are you doing? B: Awesome.
  A: 그래. 잘 지내? B: 아주 좋아.

  This explains why I was always so awesome at basketball.
  이래서 내가 농구할 때 항상 펄펄 뛰는거야.

■■■ awesome은 '멋있는,' '대단한' 이라는 뜻으로 Awesome! 또는 That's awesome!은 '와우, 멋있다!' 라는 감탄적 표현이 된다.

I'm in awe of how together you are these days.
요즘 너희들이 얼마나 잘 지내는지 놀라울 따름이야.

- Once again, I am in awe of the kidnapper's tactical brilliance.
  다시 한번, 유괴범들의 작전이 매우 뛰어나 놀라워.

■■■ be[stand] in awe of sb, hold sb in awe는 '…를 경외하다' 라는 의미로 놀라움을 가지고 높게 평가하거나 놀랍다는 뉘앙스를 갖는다.

B

» babe/ baby

Don't be a baby. 철좀 들어라.

I'll see you at the gym, babe, bye.
자기야 체육관에서 봐, 잘가.

- Hey! Babe! Aren't you excited we're going on our honeymoon?
  야! 자기야! 신혼여행을 가는데 흥분되지 않아?

  Hey, babe. Why you home so early? 여보, 왜 이렇게 일찍 집에 온거야?

  This place is a real babe magnet. Wanna make out?
  이 곳은 정말 여심을 흔드는 곳이네. 우리 좀 할까?

Look, baby, you don't have to worry about me.
자기야, 나에 대해 걱정할 필요는 없어.

- Here, baby, let me fix your tie. 자기야, 넥타이를 고쳐줄게.

  Royal flush. Get naked, baby girl. Sexy! 로열 플러쉬. 벗어, 애기야. 섹시하네!

She had a baby.
걔가 애를 낳았어.

- She s having a baby. 걔 임신중이야.

  I mean, having a baby is a pretty big thing. 내말은 애갖는 건 간단치 않다는거야.

■ babe는 매력적인 여자 혹은 젊은 여자를 지칭하는 다소 자극적인 표현이며 hot babes하면 섹시녀들을 의미함. babe는 한편 배우자를 부르거나 애인을 부를 때 사용하기도 한다. 또한 babe magnet면 여자를 유혹하는 것 또는 매력적인 남자라는 의미.

■ baby는 애인 부를 때는 '자기야' 라는 뜻이 되며 혹 모르는 여자를 부를 때는 다소 무례한 표현이 될 수 있다.

■ give birth to a baby, deliver a baby는 '애를 낳다,' '분만하다' 라는 뜻이며 have a baby on the way, expect a baby면 '임신 중이다,' '출산예정이다' 라는 의미로 쓰인다.

Sarah's a babysitter, not a certified nanny.

새라는 정식 보모가 아니라 애봐주는 애야.

- Jane's my babysitter until about a month ago.
  한 달 전쯤까지 제인은 내 보모였어.

  So you were babysittin' another kid that day?
  그래 넌 그날 다른 애를 보고 있었다고?

■ babysit, babysitter는 '애를 보는 사람,' '보모'를 의미하며 babysit은 '애를 보다' 라는 동사.

Don't be a baby.

어린애처럼 굴지마.

- You're behaving like the biggest baby. What's your problem?
  넌 다 큰 어린애같이 행동하고 있어. 뭐가 문제니?

  Shut up man, you cried like a baby. 야 입닥쳐. 넌 어린애처럼 울었잖아.

■ baby를 성인한테 사용하면 당연히 부정적인 의미로 사용된다. big baby하면 덩치만 큰 바보, like a baby면 단순히 어린이와 같다라는 의미로도 쓰인다.

I have to change the baby.

기저귀를 갈아야겠어.

- It's your baby. 그건 네가 할 일이야.
  The baby needs shoes. 행운을 빌어줘.

■ change the baby는 애를 바꾸는게 아니라 '기저귀를 갈다' 는 뜻. 또한 be one's baby는 '…의 책임이다,' the baby needs shoes하면 행운을 빌어달라는 뜻의 표현이다.

» back

I got your back. 내가 널 책임질게.

OK, so will he be back soon?

오케이, 그럼 걔가 금방 돌아올까?

- Don't worry, you're doing great. I'll be back soon.
  걱정하지마, 너 아주 잘 하고 있어. 곧 돌아올게.

  I'm gonna go get myself a drink. Be back in a moment.
  음료 한잔 가져오게. 금방 돌아올게.

■ I'll be back은 '다녀올게,' '금방 올게' 라는 말로 (I'll) Be back soon 또는 I'll be right back도 같은 뜻이 된다. 또한 I'll be back 다음에 in+시간명사를 넣어 금방, 혹은 구체적인 숫자를 넣어 돌아오는 시간을 말해주는 표현. 뒤에 in a second[sec], in a moment하면 바로 온다는 말이고, in an hour하면 한시간 후에 온다는 말이 된다는 말씀.

He'll be back in court.

걘 법정으로 돌아올거야.

- Sooner or later, you'll be back here or dead.
  조만간 넌 여기에 오던가 아니면 죽을거야.

  By next semester, he'll be back in school getting straight 'A's.
  다음 학기까지, 걘 학교에 돌아와서 올 A 학점을 받을거야.

■ I'll be back 다음에 장소가 오는 경우로 '…에 돌아올거야' 라는 표현이 된다.

I'll be back to pick him up in an hour.

한 시간 내 걜 픽업하러 돌아올거야.

- I'll be back in an hour to check you again.
  널 다시 점검하기 위해 한 시간 내 다시 올게.

  I'll be back 8:00 sharp tomorrow morning to bring you to court.
  내일 아침 8시 정각에 널 법정에 데려가기 위해 돌아올게.

■ I'll be back to do[for~]은 '…하기 위해 돌아올거야' 라는 것으로 돌아오는 목적을 구체적으로 표현하는 문장이다.

B

But, honey, it goes back and forth.
그런데, 여보, 오락가락해.

- He's back and forth from the farm. 걔는 농장에서 이리저리 왔다 갔다 해.

  A mother held her new baby and very slowly rocked him **back and forth.** 한 엄마가 애를 안고 아주 천천히 흔들어 주고 있었어.

■ back and forth는 '이리 저리' 움직인다라는 뜻으로 go back and forth면 '오락가락 하다,' rock sb back and forth하면 '…를 앞뒤로 흔들다' 라는 의미가 된다.

Right back at ya.
나도 그래, 나도 동감이야.

- A: You're my friend! B: Right back at ya! A: 넌 내 친구야. B: 나도 그래.

  Right back at ya. I got a cell phone number for you.
  나도 그래. 너한테 핸드폰 번호를 알려줄게.

■ Right back at ya[you]는 상대방의 말에 '나도 그래' 라고 전적으로 동의하는 표현으로 'the same to you' 라는 말이다. 채팅용어로도 사용되는데 약어로는 RBAY라 한다.

We go way back.
우리 알고 지낸지 오래됐어.

- Georgina and I go way back. We have a special bond.
  조지나와 난 알고 지낸지 오래 됐어. 우린 사이가 각별해.

  Oh, John and I go way back. He dated my daughter.
  오, 존과 난 알고 지낸지 꽤 돼. 걔가 내 딸하고 데이트했었지.

■ go way back은 '주어들이 알고 지낸지 오래되었다' 라는 표현.

It was on the back of my mind.
머릿 속에는 맴돌고 있었어.

- But in the back of your mind you probably thought it was me.
  그러나 네 마음 속 한편에서는 아마도 그게 나라고 생각했겠지.

  I had it in the back of my mind for a while.
  난 한참동안 그게 내 마음 속에 걸렸어.

■ at[in, on] the back of one's mind는 '…의 마음 한 구석에' 라는 의미.

Backs are against the wall.
어려운 상황에 처해 있어.

- Oh, I bet she's at her best with her back against the wall.
  오, 걔는 지금 어려운 처지에서 최선을 다하고 있을게 확실해.

  House uses his cane to push the dad back against the wall.
  하우스는 지팡이로 아버지를 벽 쪽으로 밀어붙였어.

■ have one's back against [to] the wall은 벽에 기대다라는 말로 비유적으로 '곤란한 상황에 처하다' 라는 뜻. with one's back against the wall하면 '어려운 상황에 처해 있는' 이라는 의미.

I got your back.
내가 네 뒤를 봐줄게.

- I've got your back, okay? You're not alone. 너 뒤를 봐줄게. 넌 혼자가 아냐.

  Don't sweat it. We got your back. 너무 속상해하지마. 우리가 널 책임질게.

■ get sb's back이면 '…의 뒤를 봐주다,' '도와주다,' '책임지다' 라는 뜻으로 사용된다.

Get off my back.
귀찮게 굴지 말고 나 좀 내버려둬.

- I gotta get her off my back. She keeps asking me about this.
  난 걔를 떨쳐 내야 해. 걘 이걸 계속해서 나한테 묻고 있어.

  I wish I could figure out a way to get Paris off my back.
  패리스를 떨쳐낼 수 있는 방법을 찾아냈으면 좋겠어.

■ get off sb's back은 …의 등에서 내려놓다라는 말에서 '…를 괴롭히지 않다' 라는 뜻이 된다. 괴롭히는 인간을 표현하려면 get A off sb's back이라고 하면 되고 이때는 A가 귀찮게 하는 것을 그만두게 하다라는 뜻이 된다.

He is on my back.

걔 등살에 못 살겠어.

- Why is everyone on my back about this?
  왜 다들 이 문제에 대해 나를 괴롭히는거야?

  Oh, you've been on my back all day!
  어, 하루 종일 날 괴롭히는구나!

B

be on sb's back 역시 '…를 괴롭히다' 라는 뜻으로 '… 의 등살에 못 살겠어' 정도의 의미가 된다.

You went behind my back.

너 나 뒤통수쳤잖아.

- Don't go behind my back. 뒤통수치지마.

  It's my fault you thought you had to go behind my back.
  네가 내 뒤통수를 쳐야겠다고 생각한 것은 내 잘못이야.

go[be] behind one's back은 '…의 뒤통수를 치다' 라는 표현. 또한 say stuff behind one's back은 '…의 뒤에서 딴소리하다' 라는 뜻.

You know this building like the back of your hand.

넌 이 빌딩을 마치 네 손바닥처럼 잘 알고 있어.

- This guy knows the country roads like the back of his hand.
  이 친구는 지방 도로들을 아주 자세히 잘 알고 있어.

  I go way back with Milton. I know Milton like the back of my hand. 난 밀튼과 오래 전부터 아는 사이야. 난 밀튼을 속속들이 알고 있지.

know sth[sb] like the back of your hand는 어떤 장소 등을 아주 자세히 잘 알거나 어떤 사실에 대해 해박한 지식을 갖고 있다는 의미.

Don't turn your back on him.

걔한테 등을 돌리지마.

- So while you may choose to turn your back on her, I choose to turn my front on her.
  네가 그녀한테 등을 돌릴 수 있지만 한편 난 걔를 도와주기로 선택할거야.

turn one's back on~은 '…의 도움을 거절하다' 라는 뜻으로서 등을 돌리는 모습을 연상하면 된다.

Back me up.

도와줘.

- Why can't you back me up? 나 좀 도와주라?

  I'll come along too and I'll back you up. 나도 갈게. 그리고 널 도와줄게.

  Call the back up. 지원 병력을 요청해.

back up이 동사로 쓰이면 '지원하다,' '컴퓨터 백업하다,' '차량을 후진하다' 라는 등의 의미. 또한 명사로 back up하면 경찰들이 쓰는 말로 '지원병력' 혹은 단순히 '지원' 이라는 뜻으로도 쓰인다.

Would you back up?

좀 꺼져 줄래요?

- All right people! Let's back up! Give her some room here!
  여러분들! 잠시 물러서세요! 걔한테 길 좀 비켜주세요!

  I told you not to move! Back up! 움직이지 말라고 했지! 물러서!

back up의 미드에 자주 나오는 또다른 의미는 '뒤로 물러서다' 라는 의미.

Police! Back away from her!

경찰입니다! 저 여자로부터 물러서세요!

- Back away from the window! 창문에서 물러나세요!

  Castle, back away from the door! Get away!
  캐슬, 문에서 떨어져! 물러서란 말이야!

back away from은 '…로부터 물러서다' 라는 표현으로 from 뒤에는 사람이나 사물이 나올 수 있다.

(You) Back off!

비키시지!(꺼져, 비켜, 물러서)

- If she doesn't want to talk, you back off.
  만약 걔가 말하고 싶지 않아 한다면 넌 좀 물러서.

  He's not gonna stop until you back off or you're dead.
  네가 꺼지지 않는다면 걘 중단하지 않을거야 그리고 넌 죽은 목숨이야.

■ **back off** 역시 '뒤로 물러서다' 라는 뜻으로 내가 할 테니 넌 그만두라는 뉘앙스를 가진다.

Don't back out on me now!

이제 와서 나한테 발을 빼지마.

- They will get crazy if I try to back out on it.
  내가 그것에서 물러나려고 한다면 걔들이 미쳐버릴거야.

■ **back out on sb[sth]**은 '…한테서 발을 빼다,' '물러서다' 라는 의미.

Stop being a back seat driver!

참견 좀 그만해.

- He's a back-seat driver. 걘 오지랖이 넓어.

  She's in the back seat in the office. 걘 사무실에서 별로 중요하지 않은 사람이야.

■ **back seat driver**는 '참견하는 사람' 이라는 뜻을 갖는데 운전시 뒷좌석에서 운전자에게 이리가라 저리가라고 참견한다는 의미에서 생긴 표현이다. 한편, take a back seat하면 '중요하지 않은 자리에 있다' 라는 뜻.

MORE EXPRESSION

get in through the back door 부정한 방법으로 뭔가 이루다
back-burner 뒤로 미루다
back-to-back 연이은
laid-back 느긋한

» bad

My bad. 내가 잘못했어.

(That's) My bad.

내가 잘못했어.

- It's my bad. I should have called her last night.
  내 잘못이야. 내가 지난 밤 걔한테 전화했어야 했는데.

  I'm so sorry. That's my bad. My bad. 미안해. 내 잘못이야. 내 잘못.

■ **My bad**는 구어체 표현으로서 '내 잘못이야' 라는 뜻.

Is this a bad time?

지금은 좋지 않은 시간이니?

- Have I come at a bad time? 내가 안 좋은 시간에 온거니?

  I know this is a bad time to bitch to the boss.
  지금이 보스에게 불평하기에 좋지 않은 때란 걸 알고 있어.

■ **bad time**은 시기적으로 좋지 않은 시간이라는 의미.

Oh, can I borrow this? My milk's gone bad.

오, 이것 좀 빌릴 수 있니? 내 우유가 상했어.

- Yeah, he killed a lady, a push-in robbery gone bad.
  그래, 걔가 한 여성을 살해했어. 소매치기 강도사건의 최악의 결과지.

  Meeting in the park went bad, didn't it? 공원만남이 잘 안됐지, 그렇지 않았어?

■ **go bad**는 '…가 나빠지다' 라는 뜻으로 gone bad하면 '상하다,' '악화되다' 라는 의미이고 go from bad to worse면 '설상가상이다' 라는 표현이 된다.

I did a bad thing last night.
난 어제 밤 나쁜 짓을 저질렀어.

- You've never done a bad thing in your whole life.
  넌 평생 나쁜 짓을 결코 하지 않았지.

  What bad thing did you do? 너 무슨 나쁜 짓을 했니?

B

■ bad thing은 '나쁜 짓' 또는 '악행'이라는 문자 그대로의 의미를 가지고 있다.

That's not bad.
그리 나쁘지 않아.

- That's not bad. You might be on to something.
  그리 나쁘지 않아. 넌 뭔가 알고 있을지 몰라.

  He's actually not bad at all. 걘 사실상 전혀 나쁜 사람이 아냐.

  I am not that bad. 내가 그렇게 나쁜 사람은 아냐.

■ not that[so] bad는 '그렇게 나쁘지 않아'라는 뜻. 또한 (That's) Not bad는 '나쁘지 않네,' 즉 꽤 괜찮다는 긍정의 의미로 생각보다 더 좋은 경우를 강조하려면 Not bad at all이라고 써도 된다.

That's too bad.
저런, 안됐네.(이를 어쩌나)

- Well, that's too bad. He's a nice guy. 글쎄, 안됐어. 걘 좋은 친구야.

  It's too bad he's not coming. 걔가 오지 못한다니 참 안됐네.

■ That's too bad는 아주 많이 쓰이는 표현으로서 어떤 안 좋은 일이 발생했을 때 하는 말로 '안됐어'라는 의미이다. It's too bad that~는 '…라니 참 안됐구나'라는 의미의 표현이다.

She's in a bad way.
걘 중태야.

- My daughter's in a bad way right now. 내 딸은 지금 무척 불행해 있어.

  Some boobs that were big, but kind of in a bad way.
  가슴은 컸지만 좀 그랬어.

■ be in a bad way는 '매우 아프다' 또는 '불행하다'라는 구어체적 표현이다. 물론 in a bad way는 단독으로는 '안좋은 쪽으로,' '바람직하지 않게'라는 문구이다.

» bag

 Want me to bag it for you? 봉투에 담을까요?

She brought me a doggie bag.
걘 남은 음식을 싸왔어.

- She brought Bette a brown bag and a to-go cup of coffee.
  걘 베티에게 도시락과 테이크아웃 커피를 갖다 주었어.

  We can brown bag some sandwiches on our date.
  우린 데이트할 때 샌드위치를 싸갈 수 있어.

■ have a doggie bag은 식당에서 먹고 남은 음식을 포장해 가다라는 의미. 이런 포장은 주로 갈색종이봉투를 사용하기 때문에 brown bag하면 남은 음식포장 뿐만아니라 도시락 및 포장해서 음식을 가져오는 것을 뜻한다.

I got left holding the bag.
내가 다 뒤집어썼어.

- Wait, you're holding the bag? You moron, let go!
  잠깐, 네가 혼자서 뒤집어 쓸거야? 멍청이, 손떼!

  They were trying to leave Thornton holding the bag.
  걔들이 쏜톤에게 다 뒤집어씌울려고 시도했어.

■ leave~holding the bag은 '…한테 뒤집어 씌우다'라는 의미로 사용되며 hold the bag이면 '혼자서 뒤집어 쓰다'라는 의미가 된다.

Jennifer, pack your bags or I will.
제니퍼, 짐 싸 아니면 내가 쌀게.

- Come on. Unpack your bag. 자, 빨리 짐을 풀어.

  I packed my bag. I wanted him to take me with him.
  난 짐을 꾸렸어. 난 걔가 날 같이 데려가길 원했어.

■ pack one's bag은 '…의 짐을 싸다' 라는 뜻으로 싸움 후에 짐을 꾸려 살던 곳에서 떠나다라는 의미로도 사용된다.

Cat's out of the bag.
비밀이 밝혀졌어.

- We'll hate to let the cat out of the bag and then leave.
  우리는 비밀을 밝히고 떠나버리기는 싫어.

  Tom wasn't kidding when he threatened to let the cat out of the bag. 톰이 비밀을 폭로하겠다고 협박할 때 농담은 아니었어.

■ let the cat out of the bag이면 어떤 사실, 비밀 등을 폭로하다라는 뜻. 또한 Don't let the cat out of the bag하면 무심코 비밀을 말해버리는 일이 없도록 하라는 조심하라는 의미.

Well, it's already been bagged up.
그래, 이미 가방 속에 넣어졌어.

- In anticipation of their arrival, I've bagged some evidence.
  걔들이 도착할 것을 예상해서 증거 일부를 담았어.

  I want everything bagged and tagged! 다 봉투에 담고 표시해봐!

  Bag it separately. 분리해서 봉투에 담아.

■ bag (up)은 '…를 가방이나 봉투에 넣다' 라는 동사로 쓰인 경우. 특히 범죄미드에서 증거물을 봉투에 넣다라고 할 때 많이 쓰인다. 또한 속어로 Bag it!하면 '닥쳐,' Bag your face!는 '입다물어,' 그리고 Bags I는 '내가 먼저 할거야' 라는 의미.

My witness sandbagged me.
내 증인이 날 속였어.

- I know why you sandbagged Hellen in court.
  네가 법정에서 왜 헬렌을 속였는지 알아.

  The prosecution tried to sandbag the defense, Your Honor.
  판사님, 검찰 측이 피고를 속이려고 했습니다.

■ sandbag이 동사로 서투른 척을 하면서 상대를 속인다라는 뜻을 가지고 있다. 또한 이런 사람들을 sandbagger라고 표현하기도 한다.

MORE EXPRESSION

Are you bagging z's? 너 지금 조는 거니?
a bag of bones 뼈만 앙상한
baggy 헐렁한 tight의 반대말
bags of+N 많은…

» bail

She jumped bail. 걘 보석기간중에 달아났어.

You didn't post bail?
너, 보석금을 내지 않니?

- Let's post bail and get her out of here. 보석금내고 걜 데리고 가자.

  I'll notify the judge that you intend to post bail.
  판사에게 네가 보석금을 낼 의도가 있다고 알릴게.

■ post bail, put up bail은 모두 '보석금을 내다' 라는 뜻이며 be held without bail은 보석 없이 구금되는 것을 의미한다.

He is released on bail.
걔는 보석으로 풀려났어.

- He'll be out on bail by tomorrow afternoon.
  걔가 내일 오후까지 보석으로 나오게 될거야.

  They won't release him on bail until they get the passport.
  그들이 여권을 확보하기 전까지 걔를 보석으로 풀어주지 않을거야.

■ be (out) on bail은 '보석으로 풀려나다' 라는 뜻이며 release (sb) on bail은 '…를 보석으로 풀어주다' 라는 의미.

He jumped bail. Does the girlfriend know anything?
개는 보석 기간 중에 달아났어. 여친이 뭐 좀 알고 있니?

- When I helped him, he was a suspect who jumped bail.
  내가 걔를 도와주었을 때 걔는 보석 중에 달아난 혐의자였어.

  You advised your client to jump bail, to flee the jurisdiction.
  당신은 의뢰인에게 보석기간중 도주하라고 했어요, 관할사법권에서 도망치라고요.

■ jump[skip] bail은 보석 중에 풀려나 재판에 오지 않다, 달아나다라는 의미이다.

I'll hear the people on bail.
보석 청문회를 엽니다.

- May I be heard on bail, judge? 재판장님, 보석청문회를 신청해도 될까요?

  At this time we'd like to be heard on bail. 지금 보석청문회를 신청합니다.

■ bail hearing은 보석 청문회라는 말로 죄가 아직 확정되지 않은 상태에서 보석여부를 결정하는 청문회를 열자고 변호사가 주장하는 경우.

He's gonna make bail in five minutes.
개는 5분 안에 보석이 될거야.

- Don't worry. We'll make bail and fight this.
  걱정마. 우린 보석으로 나와서 싸우게 될거야.

  How the hell did Victor make bail? 도대체 어떻게 빅터가 보석이 된거야?

■ make bail은 '보석 결정이 되다' 라는 의미가 된다.

We want bail denied, your honor.
재판장님, 우린 보석을 거부합니다.

- Kevin was denied bail. 케빈은 보석이 거부되었어.

  The judge from Pennsylvania granted him bail.
  펜실베이니아 주 출신 재판장이 개한테 보석을 허용했어.

■ grant (sb) bail은 '(…에게) 보석을 허락하다' 이며 반면 deny bail은 '보석을 거부하다' 라는 의미. 반면 보석을 신청한다는 request bail이라고 한다.

Bail is set at $500,000.
보석금은 50만 달러로 정해졌어.

- Your bail was set at three million dollars. 보석금은 3백만 달러로 정해졌어.

  The bail will be set at half a million dollars. 보석금은 50만 달러로 결정될거야.

■ bail is set at~은 '보석금이 …로 결정되었다' 라는 의미.

I need you to come bail me out.
빨리 와서 보석금 내고 날 빼내줘.

- The court record says you bailed out Monica Phelps.
  법정기록에 따르면 네가 모니카 펠프스를 보석금을 내고 빼내준 것으로 되어 있어.

  I'm at the police station. I need you to come bail me out.
  내가 경찰서에 있는데 빨리 와서 보석금을 주고 나 좀 빼줘.

  I'm sure your daddy will bail your ass out.
  네 아버님이 널 경제적으로 구제해줄거라 확신해.

■ bail sb out이 법정에서 사용되면 당연히 '…를 보석금 내고 빼오다' 라는 뜻. 일반적으로 bail sb out은 sb가 경제적 어려움에서 탈출할 수 있도록 '금전적 지원을 해주다' 라는 의미이다. 또한 속어로 bail은 '떠나다' 라는 의미로도 쓰인다.

Don't you dare bail on me.
네가 어떻게 나를 바람맞힐 수 있니?

- And you won't bail on me again? 넌 다시는 날 바람맞히지 않을거지?

  Okay, so you're not bailing on me? 좋아, 그럼 날 바람맞히지 않을거지?

■ bail on은 속어로 (데이트 등의) '약속을 어기다', '바람맞히다' 라는 뜻으로 사용된다.

MORE EXPRESSION

bailiff 집달리, 법정관리인
bail bondsman 보석 보증인

She had me by the balls. 나 꽉 잡혀살아.

I'll get the ball rolling.
내가 일을 계속하게.

- Fine, I'll get the ball rolling. I still love you.
  좋아, 내가 계속해볼게. 난 여전히 널 사랑해.

  You're the one that got this whole ball rolling again.
  네가 바로 이 모든 일을 다시 재개할 수 있는 사람이야.

■ get[keep] the ball rolling은 '…일을 계속[진행]하다'라는 뜻이고, set[start] the ball rolling하면 '…일을 시작하다'라는 의미.

The ball's in your court.
이제 결정은 네 몫이다.

- The ball's in your court. If you sign, I'll sign. 결정해. 너 서명하면, 나도 할게.
  But either way, the ball is in your court. 하지만 어떤 경우든 결정은 네가 해야 돼.

■ the ball is in one's court는 볼이 내 코트에 와있다라는 그림을 그리면 무슨 뜻인지 이해가 되는 표현으로 '…가 결정해야한다'라는 의미이다.

Glad to see you still got balls.
아직 배짱이 남아 있다니 다행이군.

- When are you going to have the balls to face that?
  언제 그거에 맞설 용기를 낼거야?

  After all, it takes balls to break the law. 결국, 법을 어기려면 배짱이 필요해.

■ have[get] the balls는 용기 또는 배짱이 있다라는 표현으로, It takes balls to~는 '…하려면 배짱이 요구된다, 필요하다'라는 의미.

Let's have a ball.
자, 마음껏 즐기자.

- Oh, honey, they're gonna have a ball with you.
  오, 자기야, 걔들이 너랑 즐거운 시간을 보내게 될거야.

■ have a ball은 '재미있게 놀다, 즐겁게 보내다'라는 뜻. 파티나 모임에서 즐길 때 주로 쓰인다.

Play ball with me.
나한테 협조해.

- Okay, we can play ball here. 오케이, 우린 여기서 서로 협조할 수 있어.
  Tim saw him playing ball outside in the dark.
  팀은 걔가 어둔 밖에서 공놀이 하는 걸 봤어.

■ play ball with sb면 비유적으로 '…와 협조하다' 또는 '…에게 정직하게 나오다'라는 뜻으로 쓰이나 단순히 문자 그대로 공을 가지고 논다라는 의미로도 쓰이는 것은 물론이다.

I guess I dropped the ball.
큰 실수를 한 것 같아.

- It seems all you do lately is drop the ball.
  네가 요즘 하는 것은 실수하는 것밖에 없는 것 같아.

  I felt like I dropped the ball with her. 내가 걔한테 실수했던 것같아.

■ drop the ball은 '실수하다,' carry the ball은 '책임을 지다'라는 표현으로 다 스포츠 표현에서 유래된 문구들이다.

Stop busting our balls.
우릴 좀 그만 괴롭혀라.

- Jill is gonna bust your balls if you are late. 너 늦으면 질이 널 엄청 괴롭힐 걸.
  Come on, don't bust his balls about it. 이봐, 그걸로 걔 그만 괴롭혀.

■ bust one's ball은 '…를 혹독하게 괴롭히다', '공격하다'라는 뜻으로 사용된다.

I hate to be a ball buster. Can I just do it?
난 부담주기 싫어. 내가 하면 안되니?

- He had this female boss. Real ball-buster, you know?
  걘 이 여자가 보스래. 진짜 깐깐한 여자래, 알지?

B

ball-buster는 자신의 지위나 혹은 실력으로 사람들을 괴롭히거나 엄히 다루는 상관이라는 의미. 여자도 되고 남자에게도 쓴다.

That's a lot of balls in the air.
동시에 많은 일들이 생기고 있어.

- I gotta lot of balls in the air. 나 할 일이 너무나 많아.
  It takes a lot of effort to keep these balls in the air.
  이런 일 동시에 하려면 많은 노력이 필요해.

keep~ balls in the air는 '동시에 여러 가지 일을 다루다'라는 뜻으로 juggler가 여러 개의 공을 동시에 공중에 떠 있게 하는 모습을 그려보면 된다.

She had me by the balls.
걔가 내 약점을 잡고 있어.

- You used to have the world by the balls. 넌 세상을 꽉 잡고 흔들었잖아.
  She had me by the balls, so I gave her half a million in cash.
  걔가 내 약점을 잡고 있어서 할 수 없이 현금으로 50만 불을 주었어.

have sb by the balls는 '...의 약점을 잡고 있다'라는 표현으로 명사+by the balls면 그 명사를 full control하고 있다라는 의미이다.

I will shoot your knee and shoot your balls.
내가 너 무릎하고 네 불알을 쏴버릴 거야.

- If my wife finds out, she'll cut my balls off in divorce court.
  만약 내 아내가 알아챈다면 이혼법정에서 내 불알을 잘라버릴 걸.
  You've been dating for 5 weeks and you haven't seen his balls yet? 넌 5주나 데이트했는데 아직도 걔 거시기를 아직 못 봤어?

cut one's balls off는 불알을 자르다, grab one's ball은 불알을 꽉 쥐고 있다는 말로 '꼼짝못하게 한다'는 의미.

He's got the ball.
칼자루를 쥔 사람은 그 사람이야.

- Oh, who got the ball? 오, 누가 칼자루를 가졌어?
  You suck up to guys who got the balls to do what you can't?
  네가 못하는 일을 할 수 있는 용기가 있는 사람에게 아부하는거니?

get the ball은 '칼자루를 쥐다'라는 뜻으로 통제권, 결정권을 가지고 있다는 의미이다. 다만 have[get] the balls to+동사의 용법과 구분해야 한다.

It's a whole new ball game.
완전히 새로운 상황이야.

- Now it's a whole new ball game. It's every man for himself.
  이제 완전히 새로운 형국이야. 다 각자 알아서 해야지.
  But life still manages to throw us curve balls.
  그러나 인생은 여전히 우리를 당혹스럽게 하고 있어.

a whole new ball game은 예전과 전혀 다른 새로운 상황[형국]이라는 관용구로 사용된다. 한편 throw~a curve ball은 '...을 당혹스럽게 하다,' '놀라게 하다'라는 뜻.

놓치면 원통한 미드표현들

- **be baffled** 당황하다 baffle sb ...를 당황시키다
  Sometimes your behavior baffles me beyond belief. 간혹 네 행동은 날 믿지 못할 정도로 당황스럽게 해.

- **ballistics** 탄도학 ballistic 탄도학의

So you have no ballistic evidence for us?
그래, 넌 탄도관련 증거를 우리한테 줄게 없니?

- **go ballistic** 화를 벌컥 내다
  She went ballistic. 걘 갑자기 화를 벌컥 냈어.

What is it that has you so balled up?

뭐가 그렇게 마음에 걸리시는데요?

- He just balled up socks. 그냥 양말을 둘둘만거야.

  Everything was balled up by the new employee.
  신입직원에 의해 모든게 다 뒤죽박죽됐어.

I wasn't even in the ball park.

헛다리짚었었네요.

- Well, ballpark it for me, Walter. 그래, 나한테 대충 어림해봐, 월터.

  I don't need the actual number, just a ballpark.
  난 정확한 수치는 필요치 않아, 그냥 대충만 말해봐.

■ balls ~ up은 비유적으로는
'…를 혼란케하다,' '뒤죽박죽되다'
라는 의미. ball up은 '…를 둘둘
말다' 라는 물리적인 표현으로도
사용된다.

■ ballpark은 '대강의,' '대
강산정하다' 라는 의미로 정확치는
않지만 근접했다는 뉘앙스를 갖는
다. 따라서 ballpark figure이면
'근접치' 라는 의미가 된다.

» bang

I banged the hell out of your girlfriend. 네 여친하고 신나게 했어.

This deal will be the bang for your buck.

이 거래가 본전 이상의 가치가 있을거야.

- They will never give you any bang for the buck.
  너는 걔들에게서 절대 본전을 뽑지 못할거야.

  Add a full clip, they get that one extra bang for the buck.
  꽉찬 탄창을 더하면, 걔들은 원래 이상으로 총을 쏠 수 있는 거지.

You're going out with a bang.

넌 크게 성공할 거야.

- They finish with a bang, and the crowd goes wild.
  걔들이 멋지게 끝내자 청중들이 흥분을 하고 있어.

  Don't starts off with a bang and ends with a whimper.
  용두사미로 끝내지마.

I will bang your heads together.

너희들 정신차리게 만들거야.

- Did you fall down? Or bang your leg against something?
  넘어지거나 다리를 부딪혔어요?

  We'll just bang our heads against a brick wall. 너무 미칠 것 같아.

Chicks don't want to bang cab drivers.

아가씨들은 택시 기사들과 섹스를 원하지 않아.

- Did he have to bang his secretary? 걔는 자기 여비서와 섹스를 해야 했대?

  He got his stripper girlfriend to bang a married man.
  걔는 자신의 스트리퍼 여친에게 유부남과 섹스를 하라고 시켰대.

■ get a bigger[better]
bang for your buck은 '돈을
쓴 것보다 더 많은 것을 건지다'
라는 의미의 구어체 표현. 따라서
bang for the buck하면 '본전은
뽑을 만한 가치' 가 있다는 의미가
된다.

■ with a bang은 '멋지게,'
'당당하게,' '성공적으로' 라는 의
미. 여기서 bang은 함성 또는 갈
채라는 뜻.

■ bang sth은 '…에 부딪히
다' 라는 뜻으로, bang one's
heads together는 정신차리게
하다, bang one's head against
a brick wall은 벽에다 대고 얘기
하는 듯하다라는 것으로 '미칠 듯
하다.' '답답하다' 라는 의미.

■ bang이 속어적 표현으로
have sex with라는 뜻으로 쓰이
는데 shag, screw, kick it,
poke, boink, hump 모두 섹스를
하다라는 의미로 쓰이는 동지들이
다.

This looks like a rape gang-bang.

이건 윤간 사건처럼 보여.

- Were you a gang banger before you became a cop?
  너 경찰이 되기 전에 비행 청소년이었니?

  We arrested a couple of gang-bangers. 우린 2명의 비행 청소년을 체포했어.

You're doing a bang-up job there, Chad.

차드, 아주 일 잘하고 있어.

- Yeah, and they're doing a bang-up job, too.
  그래, 걔들 역시 일을 훌륭하게 하고 있어.

  And I presume you have a bang-up expert witness.
  네가 아주 훌륭한 전문가 증인을 가지고 있다고 추정돼.

■ gang-bang은 '윤간,' 또는 '윤간하다' 라는 뜻으로 gang rape(집단강간, 윤간)을 했다는 표현이다. 한편 gang banger면 '비행청소년' 이라는 의미로도 사용된다.

■ bang-up은 '아주 훌륭한' 이라는 뜻으로 very good을 의미하는 속어적 표현이다.

B

» bar

 The fight will be no holds barred. 그 싸움은 아무런 제약도 없을거야.

Let's put killers behind bars.

살인범들을 감옥에 가두자.

- You're gonna be spending your varsity years behind bars.
  넌 대학 대표팀 전성기를 감옥에서 지내야할거야.

  We need corroborating evidence to put her behind bars.
  우린 걔를 가두기 위해서는 보강증거가 필요해.

■ behind bars는 '감옥에 있는' 이라는 말로, be behind bars는 투옥되다, put sb behind bars는 투옥시키다라는 뜻.

You're barred from the casinos for life.

넌 평생 카지노 출입금지야.

- The evidence is highly prejudicial, and will be barred at trial.
  이 증거는 너무 편파적이어서 재판에서 제외될거야.

  Call the cops, bar her from the hospital.
  경찰을 부르고 걔가 병원을 출입하지 못하게 해.

■ bar sb from~은 '…를 …로부터 금지하다' 라는 뜻으로 be barred from하면 '출입이 금지되다' 라는 의미가 된다.

You know, an in-depth, no holds barred interview.

있잖아, 심도 있으면서도 어떤 제약도 없는 인터뷰.

- All-out, no holds barred competition, sounds like fun.
  총력전인데다 무제한적인 경쟁이라, 재미있는걸.

  The fight will be no holds barred. 그 싸움은 아무런 제약도 없을거야.

■ no holds barred는 '어떤 제약도 없이,' '전면적인' 이라는 관용어구이다.

Karl said it was the best sex he's ever had, bar none.

칼이 말하길 그게 최고의 섹스였대, 절대적 최고.

- You are the greatest chef in the world, bar none.
  네가 이 세상 최고의 요리사야, 예외없이 말야.

  You're the finest homicide detective I've ever trained, bar none. 넌 내가 훈련시킨 최고의 살인담당 형사야, 누구도 따라잡을 수 없는 최고야.

■ bar none는 '더 나은 것이 없다' 라는 뜻으로 특정 집단에서 최고이다라는 뉘앙스를 갖는다.

She's gonna be fine, barring any complications.

걔 어떤 합병증도 없이 괜찮을거야.

- Dude, barring some act of God, Robin's gonna be with Sandy this weekend. 임마, 불가항력적 일 아니면 로빈은 이번 주말 샌디와 같이 지낼거야.

  We'll finish soon, barring any problems. 우린 아무 문제 없다면 곧 끝낼거야.

■ barring은 '…없이' 또는 '…일이 생기지 않고' 라는 뜻으로 쓰인다.

MORE EXPRESSION

bar 제외하고(except)
the bar 변호사 협회
be called to the bar 변호사가 되다

» bargain

 No confession, no plea bargain. 자백하지 않으면 형량협상도 없어.

It's a real bargain.

이거 진짜 싸다.

- For ten bucks? It's a bargain. 10 달러라고? 무지 싼거야.

  Are you willing to make a bargain? 흥정을 할 생각이 있나?

■ real bargain은 '아주 싼 것,' at bargain prices하면 '아주 싼 가격에' 라는 말. make a bargain하면 '흥정을 하다' 또는 '거래를 하다' 라는 의미가 된다.

You always drive a hard bargain.

넌 언제나 유리한 조건으로 흥정을 해.

- You have a reputation for driving a hard bargain.
  당신은 어려운 거래를 잘 성사시킨다는 명성을 가지고 있어요.

  The seller at the market drove a hard bargain.
  시장상인은 유리한 거래를 했어.

■ strike[drive] a hard bargain은 '유리한 조건으로 거래하다' 라는 뜻으로 어려운 거래를 잘 해결한다라는 뉘앙스를 갖는다.

No confession, no plea bargain.

자백하지 않으면 형량거래도 없어.

- I'm not interested in a plea bargain. 난 형량거래에 관심이 없어.

  We'll explore amnesty or some kinda plea bargain.
  우린 사면 또는 일종의 형량거래 가능성을 모색할거야.

■ plea bargain은 '형량거래' 라는 법정용어로 자백을 하면 형을 감해주는 미국사법제도의 특징으로 특히 범죄수사물 미드에서 정말 뻔질나게 나오는 표현이다.

I'm holding up my end of the bargain.

난 내 책임을 다 할거야.

- You held up your end of the bargain. 넌 네 책임을 다했어.

  I just want to live up to my end of the bargain. 난 단지 내 책임 다하길 원해.

■ hold up one's end (of the bargain)는 '책임을 다하다' 라는 뜻으로 어떤 일에 있어서 자신이 담당해야할 몫을 다하다라는 뉘앙스를 갖는다.

I'm not here to bargain with you!

난 너랑 흥정하러 여기에 있는게 아냐.

- You could try bargaining with him, give him a raise.
  넌 걔하고 협상을 하고 봉급인상을 해줄 수 있지.

  We're gonna be in no mood to bargain. 우린 협상할 분위기가 아냐.

■ bargain은 '협상하다' 라는 뜻이며 bargain for[with, over]면 '…에 대해 (가격)협상하다' 라는 뜻으로 쓰인다.

They got more than they bargained for.
개들은 협상했던 것보다 더 많은 것을 얻었어.

- This is a little more than she bargained for.
  이건 개가 예상했던 것보다 조금 더해.

  Sometimes you get more than you bargained for.
  때때로 넌 예상보다 더 많은 것을 얻기도 해.

■■ get more than you bargained for는 '협상[예상]했던 것보다 더 많이 얻다' 라는 뜻으로 쓰인다. 또한 be not what you bargained for는 '당초 예상했던 것이 아니다' 라는 의미.

Could you give us a little bargaining chip?
나한테 협상카드 좀 줄래?

- Ping's gotta be alive if he's using her as a bargaining chip.
  핑이 만약 개를 협상카드로 썼다면 살아 있을 수도 있었어.

  I am not letting that idiot use my baby as a bargaining chip!
  난 저 멍청이가 내 아이를 협상카드로 활용하는 것을 용납할 수가 없어.

■■ bargaining chip은 '협상 카드' 라는 뜻으로 일상생활에서도 많이 쓰이는 표현.

MORE EXPRESSION

in[into] the bargain 무엇보다도

» barrel

 He's got me over a barrel. 개가 날 궁지에 빠트렸어.

Monna still thinks she's got us over a barrel?
모나는 개가 우릴 궁지에 빠트렸다고 아직도 생각하고 있니?

- After everything I've done, she kinda has me over a barrel.
  내가 모든 걸 도와준 후 개는 날 궁지에 빠트렸어.

  The judge has got us over a barrel. 판사가 우리를 궁지에 빠트렸어.

■■ have sb over a barrel은 '…를 궁지에 몰아넣다' 라는 뜻.

I'm scraping the bottom of the barrel.
난 할 수 있는 것은 다 해보고 있어.

- Well, we get the bottom of the barrel around this place. Who's in trouble now? 글쎄, 우린 여기가 바닥이야. 이제 누가 어려움에 처해있지?

  The remaining items were bottom of the barrel.
  나머지 품목이 우리가 쓸 수 있는 마지막 것들이야.

■■ scrape (the bottom of) the barrel은 '…의 바닥을 긁다' 라는 말로 원치 않는 거라도 이용할 수 있는 것을 다 이용하다라는 의미. 또한 get (the bottom of) the barrel하면 '바닥에 닿다' 라는 표현.

I'm looking down the barrel of divorce number two.
난 두 번째 이혼을 목전에 두고 있어.

- I looked down the barrel of the gun and I believed.
  난 총을 목전에 보고서야 그제야 믿었어.

  Jessica fell for this guy lock, stock and barrel. It was love at first sight. 제시카는 이 친구한테 흠뻑 빠졌어. 첫눈에 사랑에 빠졌어.

■■ look down the barrel of는 '…을 목전에 두다' 라는 뜻이다. 한편 lock, stock, and barrel는 '몽땅,' '모조리' 라는 의미.

B

» base/ basis

You're way off base. 넌 완전히 틀렸어.

I'm off base.
내가 잘못 알았네.

- You are a bit off base. 네 얘기는 사실과 거리가 좀 멀어.
  You're way off base. 넌 완전히 틀렸어.

■ be off base는 '완전히 틀린'이라는 뜻으로 야구경기에서 베이스로부터 떨어져 있는 것을 상상해보면 된다.

I was hoping at least second base.
난 적어도 2루까지는 원하고 있었어.

- As a teenager, she felt guilty about letting her boyfriend go to second base. 걘 아직 10대로서 남친이 2루까지 가게 한데 대해 자책감을 느꼈어.
  Eric and I went to 2nd base tonight. He was hilarious. 에릭과 난 오늘밤 2루까지 갔어. 걘 무지 웃겼지.

■ get to[reach] first base는 '1단계(남녀관계에서 키스)까지 가다'라는 의미로 go to second (base)면 당연히 '2루까지 진도가 나가다라는 말로 가슴을 만지다(touching breasts), 그리고 3루는 전체몸을 만지다(touching whole body) 그리고 홈베이스는 have sex를 뜻한다.

Make sure you have all your bases covered.
네가 모든 준비가 되었는지 확실히 해.

- You know Ron wants to make sure she's got her bases covered. 론은 걔가 모든 준비를 했는지 확실히 하기를 원해.
  I only include it for the sake of covering absolutely all bases, sexual arousal. 난 모든 준비를 위해 심지어 성적흥분에도 대비하기 위해 그걸 포함시키는거야.

■ cover (all) the bases는 '모든 준비를 하다'라는 뜻이며 have all the bases covered면 '준비를 철저히 하다'라는 뜻이 된다.

I can touch base with you a lot more easily.
난 너하고 좀 더 쉽게 대화할 수 있어.

- I just wanted to touch base with you about this little party. 난 이 작은 파티에 대해 너하고 얘기를 나누고 싶었어.
  I need to touch base with the transplant centre. 장기이식센터와 협의해야돼.

■ touch base with sb는 '…와 대화하다,' '협의하다'라는 뜻이다.

I can't base this on faith.
난 이것을 믿음에 기초했다고 할 수 없어.

- On what do you base your opinion she was raped? 걔가 강간당했다는 네 의견은 어디에 근거를 두고 있니?
  Yes, if I base the results solely on the damage to his body. 그래요, 만약 내가 그 결과를 단지 걔 몸에 생긴 손상에 근거를 둔다면.

■ base A on B는 'A를 B에 근거해서 말하다'라는 뜻으로 여기서 base는 논리의 근거로 삼는다라는 의미를 가지고 있다.

So it's based on your life?
그래 이건 네 인생에 기초한거니?

- And are these doubts based on the plaintiff's evidence? 그런 의혹들은 원고 측이 제시한 증거 때문이야?
  And mission-based killers will not stop killing. 살인청부업자는 계속 살인할거야.

■ be based on은 '…에 기초하다,' '기반을 두고 있다'라는 뜻으로 자주 나오는 표현. 한편 -based는 '…소재인,' '…을 특징으로 하는'이라는 의미를 가지고 있어 broadly-based하면 '많은 것이나 사람들을 토대로 한'이라는 뜻이 된다.

We are on a first-name basis.
우리는 야자 하는 사이야.

- We are on a semi first-name basis. 우린 적당히 친한 사이야.
  We go by first name basis around here. 여기선 서로 이름을 부르면서 지내.

■ on a first-name basis는 '아주 친한 사이이다'라는 뜻으로 성이 아니라 서로 이름을 부르는 사이라는 뉘앙스를 갖는다.

I say we move it on a bi-monthly basis.

우린 그걸 격월에 한 번씩 옮기지.

- Penny, you face failure on a daily basis. How do you cope?
  페니, 넌 매일 실패에 직면하고 있는데 어떻게 극복을 하고 있는 거야?

  I remotely repair satellites on a regular basis.
  난 정기적으로 원격장치를 통해 위성을 수리해.

 on a daily basis는 '매일 매일'이라는 뜻이고 on a regular basis는 '정기적으로'이라는 의미이다.

MORE EXPRESSION

on the basis of ···을 기본으로
base 천박한
customer base 고객층

B

» bat

 I went to bat for you. 난 널 도와주러 갔어.

She took off like a bat out of hell.

걔가 매우 빨리 옷을 벗어버렸어.

- I could tell right off the bat Mike was nervous, you know?
  난 마이크가 초초해 있는 걸 당장에 알아챘어, 알아?

  You admit right off the bat that you spend your life at a bar.
  네가 술집에서 삶을 낭비하고 있다는 걸 바로 인정하는구나.

 right off the bat는 '즉시,' '당장에'라는 뜻이며 like a bat out of hell은 '매우 빨리'라는 구어체 표현이다.

I went to bat for you.

내가 널 도와주러 갔어.

- Somebody went to bat for him. 누군가 걔를 도와주러 갔어.
  Jim has gone to bat for you many times. 짐은 널 도와주러 여러 번 갔었어.

go to bat for sb는 '···를 도와주러가다'라는 뜻이다.

You don't bat an eye?

넌 눈 하나 깜짝하지 않니?

- Those two women didn't bat an eye when they got on the elevator. 그 두 명의 여자들은 엘리베이터에 탔을 때 하나도 놀라지 않았어.

  A 20-year-old student walks in here with 15 grand in cash, and you don't bat an eye?
  20살 난 학생이 현금 1만 5천 달러를 갖고 여기 걸어 들어왔는데 넌 눈 하나 깜짝하지 않니?

not bat an eye는 '별로 놀라지 않다'라는 뜻이며 without batting an eye하면 '눈하나 깜짝하지 않고,' '얼굴색하나 변하지 않고'라는 구어체 표현.

MORE EXPRESSION

bat one's eyes 눈을 깜박이다
be batting a thousand 매우 성공하다

 놓치면 원통한 미드표현들

- **barge in** 무례하게 끼어들다, 간섭하다
  Don't barge in. 끼어들지마.(Don't butt in.)

- **bark at** ···에 대고 으르렁거리다, 소리치다
  I don't know why he barks at you.
  걔가 왜 너한테 으르렁대는지 모르겠어.

- **bark up the wrong tree** 번지수를 잘못 찾다
  You're barking up the wrong tree. 잘못 알고 있는거야.

- **On your bike!** 꺼져!, 그만해!(영국슬랭으로 Get out of here!) 물론 자전거를 타고라는 1차적 의미로도 쓰인다.
  Ride up and see her, on your bike. 자전거 타고가서 걔를 만나.

I'm in on it. 난 그 일에 연루되어 있어.

Is he around?
개 있어?

- Hang on, I think the emergency key is around here somewhere.
  잠깐만, 비상 열쇠가 여기 어딘가에 있을 거야.
  I'm sure Steve is around here somewhere. 스티브가 여기 어디에 있다고 확신해.

■■ be around (sb, sth)는 '…의 주위에 있다' 라는 뜻이다.

I must be off.
이제 가봐야겠어.

- (I'd) Better be off. 나 먼저 갈게, 나 먼저 실례.
  And now I'm off to see my wife. 이제 아내 보러 가야겠어.
  I'm off to an audition. 나 오디션 보러가.

■■ be off (to)는 '…로 가다,' '출발하다' 라는 뜻이 된다. be off to의 경우에는 뒤에 동사 혹은 명사도 이어 나올 수 있다.

Are you in?
너도 할래?

- Then I'm fascinated. I'm in. 환상적인데. 나도 껴줘.
  Come on, are you in or are you out? 야, 너 끼는 거야, 빠지는 거야?
  I'm in if you're in. 네가 들어오면 나도 낄게.

■■ be in은 '…안에 있다,' '끼다' 라는 뜻이며 I'm in은 I will do it(내가 할게) 또는 Count me in(나도 껴줘)과 같은 의미가 된다. 물론 반대로 빠진다고 할 때는 be out이라고 한다.

Are you with me?
내 말 이해돼?, 내 편이 돼줄 테야?

- Are you with me on this? 이점 나랑 같은 의견인가?
  I'm with you. 동감이에요.

■■ be with는 '…와 같은 의견이다,' '같은 생각이다' 라는 의미로 상대방의 의견에 동의하거나 상대방이 제의한 일을 함께 하겠다고 할 때 사용되는 표현이다. 구체적으로 일을 말하려면 be with on sth이라고 하면 된다.

It's murder! I'm against it. You for it?
이건 살인이야! 난 반대야. 넌 찬성하니?

- I'm against abortion. 난 낙태에 대해 반대해.

■■ be for~는 '…에 찬성이다' 라는 뜻인 반면 be against~는 '…에 반대하다' 라는 의미이다. 난 찬성이야라고 말하려면 'I'm for it' 이라고 하면 된다.

I'm on it.
내가 처리 중이야.(내가 할게요.)

- A: Quickly! Move it! B: I'm on it, sir! A: 빨리! 움직여! B: 하고 있어요!
  A: We need it quickly, all right? B: I'm on it.
  A: 그거 빨리 필요해? 알겠어? B: 지금 하고 있어요.

■■ be on sth은 '…을 하다,' '처리하다' 라는 뜻으로 'I'm on it' 의 형태로 상대방의 지시나 부탁에 '지금할게,' '지금하고 있어' 라는 의미로 미드에서 무지 많이 쓰인다.

It's on me.
내가 낼게.

- Follow them, tickets on me. 개들을 따라가, 표는 내가 낼게.
  Next round's on me. 다음 잔은 내가 낼게.

■■ It's on sb는 '…를 …가 내다' 라는 뜻. sth be on the house면 '집 주인이 낸다' 는 뜻이 된다.

What's on TV?
텔레비전에서는 뭘 하지?

- What's it on? 뭐가 나왔냐?

  Are we going to be on TV? 우리가 TV에 출연하는거야?

■ sth be on+media는 언론기관에 뭐가 나왔다는 표현이다.

You are on.
그래 좋았어.(특히 내기를 받아들일 경우)

- Jack, you're on. Here's your coffee. 잭, 그래. 여기 네 커피.

  A: You wanna bet? B: Yeah, you're on. A: 내기할까? B: 좋아, 그래.

■ you are on은 상대방의 내기 제안 혹은 도전을 받아들이면서 '그래 해보자'라는 의미로 쓰인다. 참고로 I'm on은 상대방 제의에 찬성할 때 쓰는 표현.

I'm so into you.
나, 너한테 푹 빠져 있어.

- I'm into this stuff. 난 이런거 좋아해.

  She was way more into me than she's into you.
  걔는 지금 너한테 빠져있는 것보다 예전에 나한테 더 빠져있었어.

■ sb be into sb[sth]는 '…에게 빠져 있다,' '몰입하다,' '관심 갖다'라는 의미로 문맥에 따라 몰입정도를 감안해서 해석해야 한다.

I'm like you.
나도 너랑 같은 생각이야.

- I'm like you, I need the room. 나도 같은 생각인데 방이 필요해.

  I'm like him! I'm a sunny, positive person. 난 걔처럼 밝고 긍정적인 사람야.

■ be like sb는 '…와 같은 생각이다'라는 뜻으로 의견이 상대방과 같다고 말할 때 사용된다.

It's me.
나야.

- It really isn't me. 그건 정말 내가 아니었어.

  Sorry, Fred, I'm not myself this morning. 미안, 프레드, 올 아침 내정신이 아냐.

■ be me는 '나야'라는 뜻으로서 전화를 받으면서 신원을 밝히는 경우 혹은 '그게(그런 모습이) 나야'라고 말할 때 쓰인다. 한편 be oneself는 '제 정신이다'라는 의미.

It's not that.
그런 건 아니에요.

- It's not that. I'm just feeling a little queasy. 그런 게 아냐. 내가 좀 메스꺼워서.

  A: It's not that. B: What is it? A: 그런 게 아냐. B: 그럼 뭐야?

■ be not that은 '그런 것이 아냐'라는 표현이다.

I'm in on it.
난 그 일에 연루되어 있어.

- It turns out my father was in on it. 내 아버지가 관련되어 있다는 것이 밝혀졌어.

  Relax, partner. I'm in on it now. 침착해, 파트너. 이제 나도 끼어 있는 거야.

■ be in on sth은 어떤 계획 등에 '…에 연루되다,' '관련되다'라는 뜻으로 앞서 나온 I'm on it과 구분해야 한다.

I'm on to you.
난 네 속셈을 알고 있어.

- It's a pretty smart plan, Jerry, but I'm on to you.
  아주 스마트한 계획인데 제리, 그래봐야, 내 손바닥 위야.

  My mom is on at me. 우리 엄마는 끊임없이 잔소리만 하셔.

■ be on to sb는 '…의 속셈을 알다'라는 의미. 한편, be on at sb면 '…에게 잔소리하다'라는 뜻으로 nag sb이라는 표현이다.

B

You'll be in for it.
너 혼날 줄 알아.

- You're in for it! 넌 혼날 줄 알아!
  What are you in for? 어떤 곤란한 처지야?

■ sb be in for는 …가 그걸 경험하게 될 것이다라는 의미로 '곤경에 빠지다' 혹은 '혼나다' 라는 의미로 쓰인다.

Wake me up when it's over.
끝나면 깨워.

- It ain't over till it's over. 완전히 끝날 때까진 아직 끝이 아니야
  My husband thinks it's over. 남편은 이제 끝이 났다고 생각해.

■ be over는 '…가 끝이 나다' 라는 표현.

I am over you.
너랑은 끝났어, 이제 괜찮아

- It's over between us. 우린 끝났어.
  We've been over this. 이건 이미 끝난 일이야.
  I'm gonna get you over this Keith thing, once and for all.
  키스라는 애 때문에 생겼던 상처를 이번에 완전히 끝내줄게.

■ be over sb[sth]은 '…와 끝이 났다' 라는 표현으로 사람이면 '관계가 끝이 났다'는 의미이며 사물이면 '일을 끝냈다' 라는 뜻이다. 한편, 참고로 get sb over면 '…가 …를 정리하게 해주다' 라는 구어체 표현.

Be my valentine.
내 애인이 되어 줘 .

- Be careful! She thinks you're about to propose.
  조심해! 걔는 네가 프러포즈할 걸로 생각하고 있어.
  Don't be angry. Be thankful. 화내지마. 감사한 태도를 가져.

■ Be+형용사[명사]는 '…가 되라' 라는 명령형 표현이다.

What'll it be?
뭘로 드시겠습니까?

- Hey, Marshall. What'll you have? 야, 마샬, 뭘로 할래?
  A: Jina, what'll it be? B: Whatever you recommend.
  A: 지나, 뭘로 할까? B: 네가 추천하는거 아무거나.

■ What'll you have?나 What's yours?는 술집 등에서 바텐더가 손님에게 물어보는 말로서 '뭘로 하시겠어요?' 정도의 의미이다. What'll it be? 또한 같은 뜻이지만 일반적인 의미로 '뭘로 할거야?' 라는 표현으로도 쓰인다.

MORE EXPRESSION

be that as it may 그럼에도 불구하고
be under 사업망하다, 실패하다
be after …뒤를 쫓아 다니다

» bear

I wasn't born yesterday. 난 풋내기가 아냐.

I can't bear this pain.
난 이 고통을 참을 수 없어.

- You just can't bear the thought of a patient dying.
  넌 환자가 죽어간다는 생각을 참을 수가 없는거야.
  I can't bear to see her in such a pain. 걔가 그런 고통 겪는 걸 차마 볼 수 없어.

■ can't bear sth[sb]은 '…을 참을 수가 없다' 라는 뜻이며 can't bear to~하면 '차마 …하지 못하겠다' 라는 의미가 된다.

I was born to be in porn.
난 포르노 사업을 하도록 태어났어.

- It's not my fault, I was just born to kill. 내 잘못이 아냐. 난 타고난 살인자야.
  Like you said, just born to lie. 네가 말했듯이 타고난 거짓말쟁이라서.
  My client was born into a culture of slavery.
  내 의뢰인은 노예문화 속에서 태어났습니다.

■ be born to do는 '…하도록 태어나다' 라는 뜻으로 born to~하면 '타고난 …' 라는 의미로 해석하면 자연스럽다. 그래서 born failure하면 '타고난 낙오자' 라는 뜻이 된다. 또한 be born to[into, of+sb하면 '…의 가정에서 태어나다' 라는 의미이다.

B

Well, let's assume it's not blood-borne.
글쎄, 그게 피로 감염되지 않는다고 가정해 보자.

- Means you're wrong about food-borne toxins.
  네가 음식내 독극물에 대해 틀렸다는 말이지.

■ -borne는 '…로 전달되는,' '…를 통해 감염되는' 이라는 뜻이다.

I wasn't born yesterday!
난 풋내기가 아냐.

- I might have been born yesterday, Folks, but I wasn't born last night! 여러분, 난 애송이일 수는 있으나 아주 애송이는 아니에요.

■ not born yesterday는 '풋내기가 아닌,' '애송이가 아닌' 이라는 뜻. 문자 그대로 '어제 태어나지 않았다' 라는 뉘앙스를 떠올리면 된다.

She gave me a huge bear hug!
걔는 날 엄청 세게 포옹했어.

- He throws his arms around Alan in a bear hug. 팔로 알랜 목을 감싸며 안았어.
  She rushes in and gives Chris a big bear hug. 걘 달려서 크리스를 세게 포옹해.

■ give sb bear hug는 '…에게 힘찬 포옹을 하다' 라는 뜻으로 tight hug와 같은 의미이다.

I'm tired of bearing the brunt.
정면으로 맞서는 데 지쳤어.

- How long do I have to bear the brunt of this woman?
  얼마나 이 여자로 고생을 해야 하는거야?
  His eyes took the brunt of the punishment.
  걔의 눈이 가장 많이 다쳤어.

■ bear[take] the brunt는 '…와 정면으로 맞서다,' '온갖 고생을 하다,' '가장 많은 피해를 입다' 라는 뜻이다.

It had no bearing on the quality of my work.
그건 내 일의 질적 수준과 아무런 관련이 없어.

- I'm trying to get my bearings here. 난 여기서 내 분수를 알려고 노력하고 있어.
  Hi, sorry I'm late, I couldn't find my bearings.
  하이, 늦어서 미안, 어디로 와야 되는지 방향을 모르겠더라고.

■ have no bearing on은 '…와 상관이 없다' 라는 뜻이다. bearing이 관련, 영향이라는 의미와 함께 방향, 위치라는 뜻도 있어 get[find] one's bearings하면 '…의 처지[입장, 분수]를 알다' 라는 의미가 된다.

MORE EXPRESSION

bear in mind 명심하다
bear fruit 결실을 맺다
bear interest 이자가 붙다
born and raised 태어나고 자랐다

놓치면 원통한 미드표현들

- **Bingo!** 바로 그거야
  Bingo! This time we have a great plan! 바로 그거야! 이번엔 우리는 멋진 계획이 있는거야!

- **a bit, a little bit, quite a bit** 약간, 조금의
  She looks a bit like her brother, don't you think? 걘 남자동생을 조금 닮았어, 그렇게 생각되지 않니?

- **a bit of, bits of** 약간의…

I'm just doing a little bit of research.
난 단지 약간의 연구를 하고 있어.

- **be bitter about** …에 대해 입맛이 쓰다, 억울하다
  All you've got is a bitter wife.
  너한테는 혹독한 부인만이 남아 있을 걸.

- **swallow a bitter pill** 힘든 일을 겪다
  You swallow a bitter pill this morning, Yang? 아침에 안 좋은 일 있었어, 양?

I can't beat that. 정말이지 못 당하겠어.

The victim had been severely beaten.

희생자는 심하게 두들겨 맞았어.

- He was beaten to death in the backyard. 걔 뒤뜰에서 죽도록 맞았어.

  That guy used to beat the shit outta me in kindergarten.
  저놈이 옛날에 유치원에 다닐 때 나를 엄청나게 두들겨 팼었지.

■ beat (sb) to death는 '…를 죽도록 패다' 라는 의미이며 beat the living daylights out of sb도 '…를 심하게 패다' 라는 뜻.

I will beat you up.

널 엄청 패버릴거야.

- I don't beat up on weaker kids. It's cheap.
  나보다 약한 애는 건드리지 않아. 너무 비열하잖아.

■ beat sb up도 '…를 흠씬 패다' 라는 의미로 beat up on sb하면 어리거나 약한 사람을 팬다는 표현이 된다.

Stop beating yourself up.

그만 자책해.

- Don't beat yourself up about it. It's fate. 그것에 대해 자책하지마. 운명이야.

  You can't beat yourself up. You're a victim here. 자책마. 넌 피해자야.

■ beat oneself up (about) ~는 '…에 대해 자책하다' 라는 뜻이며 beat up on oneself면 '자신을 억누르다' 라는 표현이 된다.

You're beating a dead horse.

넌 지금 쓸데없는 고생을 하고 있는거야.

- Let's not beat a dead horse, it's over. 다 지난 일 헛물켜지마. 끝난 일이야.

■ beat a dead horse하면 '이미 지난 일을 거론하다,' '이미 다 끝난 일에 헛수고하다,' '헛물켜다' 라는 뜻. 죽은 말 채찍질해서 달리게하려는 모습을 상상해보자.

I can't beat that.

정말 난 못당하겠어.

- (You) Can't beat that. 짱이야, 완벽해

  Can you beat it? 어때 놀랍지 않아?

■ You can't beat sth이면 …보다 더 훌륭할 수 없다로 역으로 '완벽하다' 라는 뜻 beat 대신에 top이란 동사를 사용해도 된다. I can't beat that하면 반대로 '난 못당하겠어' 라는 뜻.

That's because nothing beats rock.

왜냐면 록 음악이 최고거든.

- I'll be nuclear bomb. Nothing beats nuclear bomb.
  난 핵폭탄이 될거야. 핵폭탄이 최고잖아.

  Nothing beats a cold beer at the end of the day.
  하루를 끝내고 찬 맥주만큼 좋은 것도 없어.

■ Nothing beats sth은 '…가 최고야' 라는 뜻이다. 이 표현 역시 어느 것도 sth을 이길 수가 없다라는 뉘앙스를 갖고 있다.

I can't beat the commute.

난 통근 길 교통 혼잡을 피할 수 없어.

- Working at home beats the commute to work. 재택근무하면 출근혼잡을 안겪지.

■ beat the traffic은 '교통 혼잡을 피하다' 라는 뜻으로 traffic 대신에 commute를 써도 된다.

Looks like you beat me to it.

네가 나보다 먼저 할 것 같아.

- No, you'll have to beat me to her first. 아냐, 네가 그녀한테 선수쳐야 할 걸.

  Is there a rival company trying to beat you to it?
  너보다 앞서려는 라이벌 회사가 있니?

■ beat sb to sth는 '…보다 먼저 하다,' '…에게 선수를 치다' 라는 표현이 된다.

If you can't beat them, join them.
네가 이길 수 없으면 같은 편이 돼.

- I decided to join them if I can't beat them.
  난 내가 걔들을 이길 수 없으면 걔들과 한편이 되기로 결정했어.

  All they do 24/7 is figure out how to beat the system.
  걔들이 1년 내내 하는 것은 어떻게 하면 시스템을 피할 수 있는 가를 알아내는 거야.

Why's my heart beating like this?
왜 이렇게 심장이 뛰지?

- The heart's beating beneath his chest. 심장이 걔 가슴 밑에서 뛰고 있어.

  It's called adrenaline, it makes your heart beat fast.
  이건 아드레날린으로 네 심장을 빨리 뛰게 해주는 거야.

Outta there! Go on! Beat it!
거기서 꺼져! 어서 가! 비켜!

- I have to get up in two hours! So, if you don't mind, beat it!
  2시간 안에 일어나야해. 괜찮으면 좀 가줄래!

  I said go home now! Beat it! 이제 집에 가라고 했다! 꺼져!

Beats me. Her car's still in the parking lot.
몰라. 걔 차가 아직도 주차장에 있어.

- A: What the hell happened to Bob's hair? B: Beats me!
  A: 밥의 머리가 어떻게 된거야? B: 난들 알아!

  A: Well, where are we having the party? B: Beats me.
  A: 저, 우리 파티 어디에서 하는거야? B: 내가 어떻게 알아.

Don't beat around the bush.
말 돌리지마.

- I've got to learn not to beat around the bush.
  말 안돌리는 법을 배워야겠어.

  Stop beating around the bush. What do you want?
  빙빙 돌려 말하지 말고, 뭘 원해?

You're gonna try on wife beaters?
너 흰색 나시티를 한 번 입어볼래?

- John's not your typical wife beater.
  존은 네가 생각하는 전형적인 아내패는 사람아냐.

  I need to borrow a wife beater for tonight.
  오늘밤 입을 흰색 나시티 빌려야 돼.

See you in the morning. I'm beat.
내일 아침에 보자. 난 아주 피곤해.

- I know, sweetie, I'm sorry, but, I'm beat. 알아, 여보, 미안한데 너무 피곤해.

■ if you can't beat, join them은 관용어구로 '네가 이길 수 없다면 그냥 함께 하라' 라는 실리용 문장. 한편 beat the system은 불법적이든 합법적이든 (정부, 법) 시스템을 이겨내고 원하는 것을 얻다라는 의미.

■ beat은 '심장이 뛰다' 라는 동사로 heart beats는 심장 박동이라는 뜻이며 beat fast하면 '심장이 빨리 뛴다' 라는 의미가 된다.

■ Beat it!은 '빨리 꺼져!', '비켜!' 라는 표현이다.

■ Beats me는 '잘 모르겠는데,' '내가 어떻게 알아,' '몰라,' '내가 어찌 알아' 라는 뜻. 원가 놀라운 사실을 발견하고 왜 그런 일이 발생하는지 왜 그게 사실인지 이해가 되지 않는다는 뉘앙스를 갖는다. Search me라고도 한다.

■ beat around the bush는 사냥할 때 주변 수풀부터 치면서 사냥감(game)을 모는 모습에서 나온 말로 직접적으로 말하지 않고 '…를 둘러서 말하다,' '변죽 올리다' 라는 표현이다.

■ wife beater는 '부인을 패는 놈' 이라는 뜻. 영화같은데서 보면 보통 남자가 술취해서 하얀 나시티를 입고 아내를 패곤하는데 이런 연유로 wife beater는 아이러니하게도 흰색나시티를 뜻하기도 한다.

■ dead beat은 '녹초가 된' 이라는 뜻으로 I'm beat은 I'm very tired라는 의미이다.

MORE EXPRESSION

beat off 성공하다
if that don't beat all 충격적이고 놀랍다

» bed

You're so good in bed. 너 정말 침대에서 끝내준다.

It's time to go to bed.
이제 잘 시간이야.

- I put on my pajamas and got into bed. 난 파자마를 입고 잠자리에 들었어.
  Wait. You have to help me get into bed. Sheldon has to get me into bed. 잠깐. 넌 나 자는거 도와줘야 해. 쉘든이 날 재워줘야 돼.

■ go to bed는 '잠자리에 들다' 라는 표현으로 침대에 누워서도 재잘거리면서 자지 않을 때도 써도 된다. get (sb) into bed, put sb to bed면 '…를 재우다' 라는 뜻이 된다.

He didn't even get out of bed.
걘는 일어나지 조차 못했어.

- First she kicks me out of bed at 5 this morning.
  우선 개는 오늘 아침 5시에 날 강제로 깨웠어.
  He pulled me out of bed and started to hit me. 날 침대에서 끌어내 때렸어.

■ get out of bed는 '일어나다' 라는 뜻이며 kick[throw, knock] sb out of bed, get sb out of bed, drag sb out of bed 등은 '…를 깨우다' 라는 의미가 된다.

She said our father got into bed with her.
그 여자는 우리 아버지와 잤다고 말했어.

- You've got to know who you're getting in bed with.
  네가 누구랑 같이 자는지 알아야 돼.
  Medina was in bed with a drug trafficker. 메디나는 마약밀매하는 놈과 잤어.

■ be[get] in bed with는 '…와 잠자리를 같이하다' 라는 표현으로 go to bed with, get in(to) bed with도 같은 표현이 된다.

You think I'm trying to get you into bed?
넌 내가 너와 자려고 한다고 생각하니?

- You'll do anything to get me into bed. 넌 나랑 자기 위해 무슨 일이라도 할거야.
  Were you just trying to get me into bed? 나하고 그냥 섹스하려던 거였지?

■ get sb into bed는 기본적으로 '…를 재우다' 라는 뜻이나 오묘한 남녀관계 문맥에서는 '…와 섹스하다' 라는 의미가 된다.

You're so good in bed.
넌 침대에서 너무 끝내줘.

- If you want, I can tell people you're good in bed.
  네가 원한다면 네가 침대에서 끝내준다고 사람들에게 말할 수 있어.
  Of course you've got to be good in bed to be successful.
  물론 성공하려면 넌 침대에서 잘해야만 해.

■ good in bed는 GIB라는 약자로도 사용하는데 '침대에서 능한,' 좀 문자 좀 쓰자면 '방중술에 뛰어난' 이라는 부러운 의미.

She can't fake a bedside manner.
걘 환자를 다루는 방법을 거짓으로 못해.

- We know Hal. A little short on the bedside manner.
  우린 할을 알지. 환자를 다루는데 요령이 좀 부족하지.
  Dr. Brown is known for his kind bedside manner.
  브라운 박사는 환자를 친절히 다루는 것으로 유명해.

■ bedside manner는 '환자를 다루는 법' 이라는 표현으로서 의사를 두고 하는 말이다.

We're not becoming a bed and breakfast.
우린 민박을 하지 않을거야.

- Nothing better than a weekend at a good bed and breakfast.
  좋은 민박집에서 주말을 보내는 것보다 좋은 건 없지.
  The bed and breakfast in Dublin was beautiful. 더블린의 민박은 아름다웠어.

■ bed and breakfast는 숙박과 아침을 제공하는 '민박' 이나 숙박업소를 말한다. 줄여서 B&B 라고도 한다. 또한 bed and board는 하숙처럼 숙박과 모든 식사가 되는 것으로 room and board라고도 한다.

She has bedroom eyes.
그녀는 욕정어린 눈을 가지고 있어.

- I saw you undressing him with your bedroom eyes.
  네가 욕정어린 눈으로 걔 옷을 벗기는 걸 봤어.

  Charlotte's life seemed to be a bed of roses.
  샬롯의 삶은 안락한 생활인 것 같았어.

MORE EXPRESSION

take to one's bed 아파서 자다
make one's bed 잠자리준비하다

B

» beef

What's your beef? 뭐가 불만이야?

What's your beef?
뭐가 문제야?

- What's your beef here, Bree? 브리, 여기서 뭐가 문제가 돼?

  What was your beef with Ryan, the horse trainer?
  네 말조련사 라이언과 뭐가 문제니?

He had a beef with some girls he was banging.
걘 섹스파트너들한테 불만을 가지고 있었어.

- You had a beef with him. 넌 걔하고 다퉜지.

  Anybody got a beef with you? 누가 너한테 불만이 있대?

■ beef는 여기서 어떤 문제나 다루기 어려운 일이라는 의미. 착 각하기 쉬운 표현으로 Where's the beef?가 있는데 이는 웬디스 가 맥도날드 햄버거의 고기가 너 무 적다고 네거티브 광고를 하면 서 유명해진 것으로 비유적으로 '핵심이 뭐냐, 알맹이는 뭐냐?'라 는 말.

■ have[get] a beef with는 '…와 불만이 있다,' '다투다'라는 뜻으로 complain, quarrel과 같 다. 한편 get into a beef하면 '… 와 다투게 되다'라는 의미.

MORE EXPRESSION

beef (sth) up 강화하다, 보강하다
beef about 매우 불만하다

» beg

I beg to differ. 내 생각은 달라.

Her life belongs to me, and she'll beg to keep it.
걔의 목숨은 나한테 달렸는데 살려달라고 애원할거야.

- No Michael. I am not gonna beg for forgiveness.
  안돼 마이클. 용서해달라고 빌지 않을거야.

  He'll dump Susan and beg me to take her.
  걘 수잔을 버리고서는 나한테 가지라고 간청할거야.

■ beg to[for]는 '…에게[을] 구걸하다, 애원하다'라는 뜻이고 beg sb to하면 '…에게 …해달라 고 애원하다'라는 의미가 된다.

Then tell him that. I beg of you.
그런데 제발 걔한테 말해줘.

- A: We can go into detail. B: No don't. I beg of you!
  A: 우린 좀 자세히 들어갈 수 있어. B: 그러지마, 제발!

  Please forgive me, I beg of you, please, forgive me.
  제발 용서해줘. 제발, 용서를.

■ I beg of you는 '제발'이 라는 뜻으로 please와 같다. 문자 그대로면 '너한테 빌게'라는 말.

81

I beg to differ.

내 생각은 달라.

- Oh, I beg to differ, buddy. You're a wanted criminal.
  오, 친구 난 생각이 달라. 넌 수배자야.

  I beg to differ. I'm five weeks older than you.
  난 생각이 달라. 내가 너보다 5주 나이가 많아.

I'll have to beg off.

난 빠져야겠어.

- We should all beg off. Tell him we failed.
  우리 모두 빠져야 될 것 같아. 걔한테 우리가 실패했다고 말해.

  My friends begged off the invitation. 내 친구들은 초대를 거절했어.

I'm begging you.

부탁이야.

- If you know anything, I am begging you to tell me.
  네가 뭐라도 알면 말해주기를 부탁해.

  But I'm begging you, please leave my wife out of it.
  그래도 부탁해 제발 내 아내를 그 일에서 빼줘.

I beg your pardon.

다시 말해줄래.

- I beg your pardon. Your testimony. 다시 말해주세요. 당신의 증언말입니다.

Which begs the question: who're you sleeping with?

이 질문을 하게 되는데. 도대체 누구랑 잔건대?

- Which begs the question, "Marvin, what do we do now?"
  이 질문을 해야 되겠군, "마빈, 이젠 우리 어떻게 하지?"

  It begs the question, did you make the right decision?
  질문을 하게 되는데, 제대로 된 결정을 한거야?

» behave

It's a pattern of behavior. 제 버릇 개 못준다니까.

I thought you've seen him behave like that.

걔가 그렇게 행동하는 것을 네가 본 적이 있다고 생각했어.

- Can't we just sit here and behave like normal human being people? 우리 여기에 앉아서 그냥 정상적인 인간처럼 행동할 수는 없을까?

Behave yourself

버릇없이 굴면 안 돼.(점잖게 행동해.)

- Hey, make sure you behave yourself out there.
  야, 밖에 나가서는 올바르게 행동해야 해.

  You're going to behave yourself. Because if you don't, I'm
  going to fire you. 예의바르게 행동해. 그렇지 않으면 해고할거야.

■ behave oneself는 '행실을 바르게 하다' 라는 뜻으로 주로 어린아이들에게 사용하는 표현이다.

Well, then I better be on my best behavior.

글쎄, 난 근신하는 편이 좋을거야.

- Fine, but you have to promise to be on your best behavior.
  좋아, 하지만 넌 행실을 잘하겠다고 약속을 해야만 할거야.

  You make me promise to be on my best behavior around
  your girlfriend. 네 여친 옆에서 얌전하게 굴라고 내 다짐을 받아냈잖아.

■ be on your best[good] behavior은 '근신중이다,' '행실을 잘하는 중이다' 라는 의미의 표현

It's a pattern of behavior.

제 버릇 개 못 준다니까.

- It'll help us establish a good pattern of behavior.
  그건 좋은 습관을 기르는데 도움이 돼.

  I'm with the FBI, behavioral analysis unit. FBI 범죄행동분석팀에서 일합니다.

■ pattern of behavior는 행동양식이라는 말로 '행태' 또는 '버릇' 을 의미하는 단어이다. 또한 BAU는 FBI 내 한 부서인 '범죄행동 심리분석팀' 으로 범인의 행동 양식을 심리적으로 분석하여, 즉 profiling해서 범인을 찾는 곳이다.

» behind

Put today behind us. 오늘 일은 다 잊어버리자.

I'm behind the eight ball.

지금 곤란한 상황이야.

- Um, the immigration laws have gotten really tough in this
  country, so we're behind the eight ball going in.
  이 나라 이민법이 갈수록 나빠지고 있어 우리 입장도 더 어려워지고 있지.

■ be behind the eight ball은 '불리핸[곤란한] 입장에 처해있다' 라는 표현. 포켓볼에서 맨 나중에 넣어야 하는 검은 공인 8번 뒤에 있다는 데서 유래된 말.

I'm right behind you.

나도 당신 뒤를 따를게요.

- I'm 100% behind you. 난 전적으로 네 편이야.
  We're behind you all the way. 우리는 너를 끝까지 지지할거야.

■ be behind you는 '너를 돕는다' 또는 '네 편이다' 라는 의미이며, Behind you!하면 '뒤를 봐,' '조심해' 라는 표현.

Put today behind us.

오늘 일은 잊어버리자.

- We can put this whole nasty episode behind us.
  이 더러운 일을 다 잊어버리자.

  Can't we just put this behind us? 우리 이걸 잊을 수는 없을까?

■ put ~ behind sb는 '…을 뒤로 한다' 라는 뉘앙스로서 '..를 잊다' 라는 의미.

I don't believe this. 이건 말도 안돼.

I can't believe it.

설마! (말도 안 돼!, 그럴 리가, 이럴 수가!)

- Oh, my God! This is so cool! I can't believe it.
  맙소사! 이거 멋졌다! 이럴 수가!

  Oh, my gosh. I can't believe it! We're roommates!
  이런. 우리가 룸메이트라니!

■ I can't believe it은 믿을 수가 없다라는 뉘앙스로 '설마' 또는 '이럴 수가' 라는 표현.

I can't believe you did that.

네가 그걸 했다니 믿을 수가 없어.

- I can't believe Blair hasn't told me about this yet.
  블레어가 왜 나한테 아직 그거에 대해 말을 안했는지 놀랍구만.

  I can't believe you lied to me! 네가 나한테 거짓말을 하다니!

■ I can't believe S+V~는 놀라서 믿을 수 없다는 느낌의 표현으로 '…한 것이 믿어지지 않는다,' '…가 놀랍다,' '말도 안 돼,' '도저히 있을 수 없는 일이다' 라는 의미.

You can't believe what your mom did!

넌 네 엄마가 한 짓을 믿지 못할 거야!

- You can't believe how mad Bart was. 넌 바트가 얼마나 화났는지 믿지 못할거야.
  You can't believe I'm some cold-blooded killer.
  내가 냉혈한 살인자라는 걸 믿지 못할거야.

■ You can't believe~는 '…을 믿지 못할 거야' 라는 의미로 상대방에게 놀랍거나 충격적인 사실을 전달할 때 사용한다. You can't believe that S+V 혹은 You can't believe 의문사 S+V 라 써도 된다.

I don't believe it.

뜻밖이야.

- God! I don't believe it! When did you get to town?
  어휴, 뜻밖이네. 언제 시내에 온거야?

  I don't believe this. You're setting me up? 말도 안 돼. 날 함정에 빠트렸어?

■ I don't believe it은 놀람이나 짜증을 나타낼 때, '뜻밖이네,' '이럴수가' 에 해당된다. 한편 I don't believe this는 '이건 말도 안돼!' 라는 뜻으로 뭔가 이상한 상황에 처했을 때 혹은 그다지 원하지 않는 방향으로 자신의 상황이 진행되어갈 때 사용하는 표현.

Would you believe it?

그게 정말이야?, 그걸 지금 말이라고 하는거야?

- Would you believe she was once the most beautiful girl in high school? 걔가 고등학교에서 한때 가장 예쁜 애였다는 걸 믿으라고?
  Would you believe it slipped my mind? 내가 그걸 깜빡했다는 걸 믿어져?

■ Would you believe~?는 '지금 그걸 믿으려는거야?' 라는 뜻으로 갑작스럽고 놀라운 일로 그다지 받아들이고 싶지 않을 때 사용할 수 있다.

A little hard to believe how hot he is.

걔가 섹시하다는 건 좀 믿기 어렵지.

- Is that so hard to believe? 그게 그렇게 믿기 어렵니?
  You may find this very hard to believe, but it's true.
  이건 좀 믿기 어렵지만 사실이야.

■ It is difficult[hard] to believe~는 '…를 믿는게 어렵다' 라는 표현으로 줄여서 hard to believe~라고 해도 된다.

You won't believe what you started.

네가 뭘 시작했는지 믿지 못할 걸.

- You won't believe what I just got. 내가 지금 뭘 받았는지 못 믿을거야.
  You won't believe how easy this is. 이게 얼마나 쉬운지 믿기 어려울 걸.

■ You won't believe this는 '이거 믿지 못할 걸' 이란 표현으로 놀라운 소식을 전할 때 사용한다. You won't believe 의문사 S+V라고 자세히 놀라운 이야기를 한 문장에 넣어 말할 수도 있다.

Do you expect me to believe that?
설마 나더러 그 말을 믿으라는 건 아니겠지?

- You can't expect me to believe that.
  그 말도 안 되는 소리를 나더러 믿으라는거야.

  You expect me to believe that nothing happened?
  아무 일도 없었다고 나보고 믿으라고?

B

■ expect sb to believe~
는 '…가 …를 믿다' 라는 의미.

Believe me.
정말이야.

- Believe me, your feelings are just as important as hers.
  정말이야, 네 감정은 개의 감정만큼이나 중요하지.

  Believe me when I say I tried to calm her down.
  내가 걜 진정시키려고 했다고 말하면 믿어주라.

■ Believe me는 '날 믿어,' '정말이야' 라는 뜻. 강조하려면 Believe you me를 쓰기도 하는데 이는 You really should believe me와 같은 뜻. 또한 Believe me when I say~는 '내가 …라고 하면 믿어' 라는 말.

You('d) better believe it!
정말야, 확실해!

- You better believe it, lady. 아가씨, 정말이라니까.

  A: Waiting for us? B: You better believe it.
  A: 우릴 기다렸다고? B: 정말이야.

  You better believe he's tired, after the day we had!
  걘 하루일과를 마치고 지친게 확실해.

■ You had better believe it은 네가 믿는 편이 좋아, 즉 '틀림없어,' '정말야' 라는 말. 또한 You'd better believe that S+V는 앞의 it 대신에 S+V의 절이 나온 경우로 역시 '…가 정말이야,' '틀림없어' 라는 뜻이다. had 그리고 심지어는 You도 생략해도 된다.

It's believed to be his most vicious kill of all.
그가 저지른 것 중 가장 잔인한 살인인 것 같아.

- The store's owner is believed to have been inside at the time of the blast. 가게 주인은 폭발당시 가게 안에 있었던 것 같아.

  It is believed to be female. 여성이라고 믿어져.

■ It is believed that~은 '…라고 믿어진다' 라는 뜻으로 that절 대신에 It's believed to do~라고 써도 된다.

Me too. I'll believe it when I see it.
나도 그래. 내가 직접 봐야 믿지.

- A: It's a done deal. B: I'll believe it when I see it.
  A: 합의가 이루어졌어. B: 직접 봐야만 믿겠어.

  You don't say! I'll believe it when I see it. 설마! 직접 보기 전엔 못 믿어.

■ I'll believe it when I see it은 '눈으로 볼 때 믿는다' 라는 뜻으로 불신의 시대에 바람직한 표현으로 '직접봐야 믿겠어' 라는 말로 그전까지는 못믿겠다는 의미.

You don't have to make believe you're gonna call.
전화하는 척할 필요는 없어.

- But theoretically, just in a make believe world.
  그러나 단지 가공의 세계에서 이론적으로는.

  We're not wealthy. Make believe or not.
  우린 부자가 아냐. 그런 척을 하거나 말거나.

■ make believe는 '…인 척 하다' 라는 뜻이며 또한 형용사로 쓰이면 '가공의' 라는 의미가 된다.

MORE EXPRESSION

I believe so 그런 것 같아
I don't believe so 그렇지 않은 것 같아
believe it or not 믿거나 말거나

You don't belong here. 너 여기에 오면 안돼.

It doesn't belong to him.
이건 걔의 소유가 아냐.

- This cat belongs to a little girl. 이 고양이는 어린 여자애거야.

  I say this ring belongs to the last person who can hold on.
  이 반지는 끝까지 잡고 있는 사람이 임자라고 하자.

belong to는 '…에 속하다,' '…의 것이다' 라는 뜻으로 소유 내지 소속을 의미한다.

You belong with me.
넌 나와 함께 해야 돼.

- You're 14 years old. You still belong with your parents.
  넌 열네살야. 부모님과 아직 함께 해야지.

  You belong with the big boys. 넌 큰 물에서 놀아야 돼.

belong with는 '…와 관계가 있다,' '…와 반드시 함께 해야 한다' 라는 의미.

We do belong together.
우린 진짜 연인사이야.

- You and Martin belong together. 너와 마틴은 연인사이야.

  It just seems that you two belong together.
  너희 둘이 연인사이인 것 같구나.

belong together는 비유적 의미로 쓰여서 '연인 사이이다' 라는 의미.

You don't belong here.
여기에 오면 안 돼.

- Why don't you stop butting in where you don't belong?
  네가 이곳 사람이 아닌데 왜 끼어들려고 하니?

  Don't ever tell me that I don't belong here. 내가 여기 사람아니라고 말하지마.

belong somewhere는 '어느 곳 사람이다' 또는 '어느 곳에 어울린다' 라는 의미. 주로 와서는 안될 곳에 왔을 때의 느낌을 떠올려보면 된다.

She's packing her belongings to move to Ross's.
걘 로스 집으로 이사가려고 소지품을 꾸리고 있어.

- You mind if we go through Chris's belongings?
  우리가 크리스 소지품을 뒤져봐도 괜찮니?

  She goes over to get all of her belongings from the desk.
  걘 가서 책상에 있는 모든 자기 소지품을 챙겼어.

personal belongings는 '개인 소지품' 이라는 표현. belongings처럼 항상 복수로 써야 된다는 점을 명심하자.

놓치면 원통한 미드표현들

- **bloom** 자라다, 생기가 돌다 in (full) bloom 만개한, 완전히 자란
  I didn't bloom. 난 아직 완전히 자라지 않았어.

- **late bloomer** 대기만성형 사람
  He was a bit of a late bloomer. He's a big man now. 걘 약간은 대기만성형이었지. 이제는 큰 인물이지.

- **boil down to** 핵심[결론]은 …이다, …로 귀착이 되다
  I'll boil it down for you. 간단히 얘기할게.

- **bollocks** 불알, 무의미한 말(nonsense), 개소리
  Bollocks to him. 엿이나 먹으라고 해.
  Oh, bollocks! Not her as well?
  오, 개소리마! 그 여자애도 역시 아냐?

» bend

 You bend over backwards. 넌 최선을 다해 애쓰고 있어.

She struggles to bend over to get it.
걘 그걸 얻으려고 열심히 노력하고 있어.

- Don't bend over for the soap. 비누를 집으려고 몸을 숙이지마.

  You used to go out to the barn, lift up your shirt, and bend over.
  넌 헛간으로 가서 셔츠를 벗어버리고 자세를 취하곤 했지.

  So I am not going to bend over a dollar to pick up a dime.
  내가 허접한 것을 얻으려고 더 소중한 것을 무시하지는 않을거야.

You bend over backwards.
넌 최선을 다해 애쓰고 있어.

- I am willing to bend over backwards.
  난 기꺼이 최선을 다해 노력할게.

  We're gonna bend over backwards to assist you on this.
  우린 이 문제와 관련 널 도와주기 위해 최선을 다할거야.

Thank you for your bending your ears.
내 말에 귀 기울여줘서 고마워

- Let me bend your ear down the hall for a sec, huh?
  잠깐만이라도 홀 쪽에 귀를 기울여봐, 어?

  Can I bend your ear for a few minutes? 잠깐만 귀 좀 기울여줄래?

I'm sure they'll bend the rules.
걔들은 규정을 어길게 분명해.

- Ask me to bend the rules to help you on your case?
  네 소송에서 널 돕도록 나한테 규정을 어기라고 부탁하는거야?

  Come on, bend the rules this one time. 이봐, 이번 한번만 규칙을 어기자.

What are you getting so bent out of shape for?
뭐 때문에 그렇게 열 받은거야?

- I'm sorry you're so bent out of shape. I didn't mean to upset you. 너 열받게 해서 미안해. 널 화나게 하려는 생각은 없었어.

  Clearly Cindy was bent out of shape. And so was I.
  분명히 신디는 열을 받았어. 나도 그랬고.

Why are you so hell bent on getting me to go out with you?
나와 데이트하려고 왜 그렇게 필사적이야?

- She's hellbent on getting the four of us together Saturday.
  걘 우리 4명이 토요일에 모이는데 필사적이야.

  Ray has been hellbent on destroying Tom.
  레이는 탐을 망가트리려고 필사적이야.

B

■ **bend over**는 '노력을 하다' 라는 뜻으로 …을 하려고 몸을 굽히는 그림을 그리면 이해가 된다. 특히 get ready to be fucked라는 의미로 남자가 여자에게 혹은 감방에서 남자가 남자에게 하는 말. 그래서 감방에서 비누가 바닥에 떨어졌다고 해서 주우려고 하면 안되는데 비유적으로 뭔가 잘못했을 때 '수치를 당하고 참다' 라는 표현으로도 쓰인다.

■ **bend over backwards for sth[~ing/ to do]**은 남을 위하거나 어떤 목표를 향해 '최선을 다해 …하려고 애쓰다' 라는 표현으로 많이 쓰인다.

■ **bend one's ears**는 '…의 귀를 기울이다,' '경청하다' 라는 의미.

■ **bend the rules**는 '규칙을 어기다' 또는 '변칙을 적용하다' 라는 의미.

■ **get bent out of shape**은 '…에 대해 화를 내다,' '열받다' 라는 뜻으로 get upset과 같은 의미.

■ **(be) (hell) bent on sth[~ing]**은 뭔가 나쁜 일을 하려고 굳게 마음을 먹었다는 뉘앙스를 가진 표현으로서 '…하는데 필사적이다,' '…하려고 작정하다' 라는 의미.

MORE EXPRESSION

on bended knee 무릎 꿇고, 열심히 설득하는
bend to one's will 원치 않지만 다른 사람이 원하는 것을 하다

87

We're friends with benefits. 우린 섹스하는 친구사이야.

Clearly being alone has its benefits.
혼자라서 유익한 것도 있어.

- She had the benefit of not getting kicked out of three schools.
  걘 학교 3군데로부터 쫓겨나지 않는 특혜를 받았어.

  It's not quite as interesting, but it has the benefit of being true.
  그건 아주 흥미롭지는 않지만 실화라는 장점은 있어.

■ **have the benefit of**은 '…의 혜택을 받다' 라는 표현. get benefit from도 같은 뜻. 한편 be of benefit은 '이익이 되다' 라는 의미로 be beneficial과 같은 표현.

It works to the client's benefit as well.
의뢰인들의 이익에도 도움이 되었습니다.

- You were sued for manipulating that study to your benefit.
  넌 그 연구를 네 이익을 위해 조작했다고 고소당했어.

  The speech was read for the benefit of the audience.
  연설은 청중들을 위해 낭독되었다.

■ **to[for] the benefit of**는 '…에게 유익하게,' '…에게 도움이 되는' 이라는 뜻이며 with [without] the benefit of~하면 '…의 혜택과 함께[혜택이 없이]' 라는 의미가 된다.

We were planning a benefit dinner.
우린 모금 만찬을 기획하고 있었어.

- We met at a kids' charity benefit. 우린 아동자선 모금행사에서 만났어.

  Not to mention the medical benefits, it would improve your quality of life. 이건 의료보험은 말할 것도 없이 네 생활수준을 향상시킬거야.

■ **benefit dinner**는 '자선 만찬' 이라는 뜻이다. 한편 charity benefit은 '자선모금행사' fringe benefit하면 임원비서나 자동차 등의 '부가혜택' health benefit은 '의료혜택' medical benefit은 '의료보험' 등을 각각 의미한다.

I want to give you the benefit of the doubt.
난 널 선의로 믿어보고 싶어.

- Come on, give me the benefit of the doubt, will you?
  이봐, 나 속는 셈치고 한 번 믿어보지 않을래?

  Let's just give her the benefit of the doubt.
  속는 셈치고 걔를 믿어보자.

■ **give sb the benefit of the doubt**는 '…의 말을 반증할 수 없으므로 선의로 …를 믿어주다,' '유리한 판단을 하다' 라는 의미. 법에서 쓰이면 증거불충분으로 '무죄추정을 하다' 라는 뜻이 된다.

Who benefited from her death?
걔의 죽음으로 누가 이익을 봤나?

- She's actually benefiting from the breakup.
  걔는 실제로 헤어져서 더 이익을 봤어.

  So who benefits from destroying the life of another?
  그래 다른 사람의 삶을 파괴시켜서 이익 보는 사람이 누구냐?

■ **benefit from**은 '…으로 이익을 보다' 라는 뜻으로 benefit이 동사로 쓰인 경우.

Fine. Are you and Chris friends with benefits?
좋아. 너하고 크리스는 부담 없는 섹스파트너야?

- A: So we're still friends? B: With benefits?
  A: 그래 우린 여전히 친구사이지? B: 섹스를 하는?

  I don't think I'm modern enough to handle this 'friends with benefits' thing. 난 '부담 없는 섹스파트너' 라는 것을 감당할 만큼 현대적이지 못한 것 같아.

  A fuck buddy is a guy you dated once or twice. He's like a dial-a-dick. 섹스친구는 한두번 데이트한 사람을 말해. 전화하면 오는 남자처럼말야.

■ **friends with benefits**는 아주 재미있고 국내도입이 시급한 미국문화. 낮에는 친구, 밤에는 섹스파트너가 될 수 있는 관계로 감정적인 개입은 없기 때문에 남친, 여친이라고는 하지 않는다. fuck buddy와 유사한 개념이고 dial-a-dick(전화하면 오는 남자)라고 불리기도 한다. 또한 bootycall friends도 비슷한 개념.

That's the best I can do. 그게 내가 할 수 있는 최선이야.

It's the best day of my whole life.
내 생애 최고의 날이야.

- It's the best thing for a cold. 그건 감기에는 최고야.
  It's the best possible scenario. 그건 최고의 시나리오야.

> It's[That's] the best~는 '최고의 …이다' 라는 표현.

It's the best we got, Hotch.
하치, 그건 우리가 가진 것 중에 최고야.

- It's the best chance I've got. 내가 가진 최고의 기회야.
  It's the best evidence we got, so we're gonna run with it.
  우리가 보유한 최고의 증거라 써먹을거야.

> It's[That's] the best (+N) we got은 '…는 가진 것 중에 최고야' 라는 의미이다.

It's the best sex I have ever had.
내가 해본 것 중에 최고의 섹스야.

- It was a best blind date I've ever had.
  내가 해본 것 중에 가장 최고의 소개팅이었어.
  He's the best friend I've ever had. 걘 내가 가져본 가장 최고의 친구야.

> It's[That's] the best+N S+have ever+pp는 '…해본 것 중에 최고야' 라는 강조표현.

That's the best I can do.
그건 내가 할 수 있는 최선이야.

- It's the best I can do till Tripp gets back.
  트립이 돌아올 때까지 그게 내가 할 수 있는 최선이야.
  I promised I'd sit with you. That's the best I can do.
  내가 너랑 같이 앉을 것을 약속해. 그게 내가 할 수 있는 최선이야.

> It's[That's] the best I can do는 '내가 할 수 있는 최선' 이라는 뜻이다.

What's the best way to get him to do something?
걔로 하여금 뭔가를 하게 하려면 어떤 방법이 최선이야?

- It's the best way to jump start him into talking.
  그게 걔로 하여금 말하도록 다그치는게 최선의 방안이야.

> What is the best thing [way] to~ ?는 '…하는데 최선의 방법은 무엇이야?' 라는 표현.

That's the best thing about her.
이 점이 걔의 가장 좋은 점이야.

- A: We love naked girls. B: They're one of the best things in the world. A: 우린 벗은 여성을 좋아하지. B: 세상에서 제일 좋은 것 중에 하나지.
  This is the best thing for everyone. 이건 모두에게 최선이야.

> the best thing은 당연히 '최고의 것,' '장땡' 이라는 뜻.

Then being close to him was the next best thing.
그런데 걔와 가까이 있는 것이 차선책이었어.

- He might die today anyway but Dr. Burke is the very best.
  걘 어쨌든 오늘 죽을 가능성이 있지만 버크 박사는 최고의 의사야.
  I've got the next best thing, Jessica. 난 차선책이 있잖아, 제시카말야.

> the very best~는 '최상의' 라는 뜻이며 the next best thing, second best는 '차선' 이라는 의미를 갖는다.

B

I did it! I got the best of you!
내가 해냈어. 내가 널 이겼지.

- Never let your emotions get the best of you. 절대로 감정적으로 말하지마.
  Make sure her hormones don't get the best of her.
  호르몬에 환자가 좌지우지 안되게 해.

■ get the best of sb는 '…를 이기다,' '능가하다,' '…를 잘 이용하다' 라는 등 여러 의미로 쓰인다.

We're just gonna have to make the best of this.
우린 어려운 상황에서도 최선을 다해야 돼.

- Some of us just have to move on to Plan B and make the best of it. 우리 중 일부는 Plan B로 넘어가 최선을 다해야 돼.
  You try to make the best of a bad situation. 안 좋은 상황에 잘 대처해봐.

■ make the best of sth은 어렵고 힘든 상황에서도 원하는 결과를 얻기 위해 '최선을 다하다' 라는 뜻이다.

All the best to your classmate.
네 학급 친구들에게 안부 전해줘.

- Give my best to your folks. 가족들에게 안부전해줘.
  Give my best to your family, Ben. OK? 벤, 가족들에게 안부전해줘, 응?

■ give one's best to는 '…에게 …의 안부를 전하다' 라는 뜻으로 all the best for도 같은 의미. 물론 give one's regards to sb도 안부전해달라는 표현.

I'm hoping for the best.
잘 되길 빌고 있어.

- It's all for the best. 앞으로 나아질거야.
  I'm sure you'll agree it's for the best.
  다 잘 되라고 그러는 것이라고 네가 동의할거라 확신해.

■ hope for the best는 '가능성은 희박하지만 잘되기를 바라다' 라는 의미로 Hope for the best, be ready for the worst라는 속담도 있다. 또한 be (all) for the best는 '지금은 좋지 않지만 그게 잘하는 일이다' 라는 표현.

I'm doing my best.
난 최선을 다하고 있어.

- I'll do my best to answer them. 걔들에게 답변하려고 최선을 다하고 있어.
  I'm going to do my best to keep my word.
  내 약속을 지키려고 최선을 다할거야.

■ do one's best는 '…의 최선을 다하다' 라는 기본표현으로 try one's best라고 해도 된다.

You are the best!
네가 최고야!

- Dr. Burke said you're the best. 넌 내가 알고 있는 사람 중 최고야.
  You are the best. People come from all over the country to see you.
  당신이 최고야. 전국의 사람들이 너를 보려고 오잖아.

■ You are the best는 '네가 최고다' 라는 말. 앞의 경우처럼 (that) I've ever had을 넣어서 강조할 수도 있다.

■ to the best of one's ability~는 '…의 능력이 닿는데까지' 라는 표현.

I tried this case to the best of my ability.
난 이 소송에서 능력이 닿는 한 최선을 다했어.

- Now, to the best of my map reading abilities, we're headed towards Portsmouth, New Hampshire.
  이제, 나의 지도 읽는 능력을 동원해서 우린 뉴햄프셔 포츠머스로 향했어.

  Our complaining witness is protected and represented to the best of our ability. 우리의 고소제기 증인은 보호되고 있고 우리 능력껏 대변될 것입니다.

MORE EXPRESSION

best of all 무엇보다도
as best you can 최선을 다해
with the best of intentions 선의로
at the best of times 가장 좋을 때에도
at best 기껏해야
at one's best 가장 좋은 때
best man 신랑 들러리
one's Sunday best 가장 좋은 옷

I wouldn't bet on it. 아닐 것 같은데.

(You) Wanna bet?
내기할래?

- How much you want to bet? 넌 얼마나 걸고 싶으니?
  What do you want to bet that's where he was coming from?
  걔가 그곳에서 오는 길이었다는데 뭘 걸래?

■ You want to bet?은 '나랑 내기할래?' 라는 말로 What do you want to bet S+V?하면 '…하는데 뭘 걸고 싶으니?' 라는 표현이다.

I'd bet my last dollar that she's a lesbian.
걔가 동성연애자라는 건 정말 확실해.

- I bet it will have nothing to do with secret agents.
  그건 비밀요원과는 아무런 관계가 없을거라고 확신해.
  No, but I'd bet somebody here was. 아냐, 하지만 여기 누가 있었던게 확실해.

■ I('ll) bet S + V, I bet you that S+V은 '…라는 걸 장담해,' '…를 확실해' 라는 뜻이 된다. 한편 좀 길지만 I'd bet my last dollar that~이면 …라는 데 내 전 재산을 걸겠다라는 말로 '…라는 건 확실해' 라고 강조하는 표현.

I'd bet my life on it.
틀림없어.(확실해.)

- And you'd bet your life on that. 그리고 그건 아주 확실해.
  You bet on me. 날 믿어봐.

■ bet one's life on sth은 …에 …의 목숨을 건다라는 말로 '…가 확실해' 라는 뜻으로 강한 확신을 표현한다. 한편, bet on sb는 사람에게 베팅건다는 것으로 '…를 강하게 믿는다' 라는 의미.

You can bet he's gonna use it.
걔는 그걸 반드시 사용할거야.

- You can bet your sweet ass I will find them.
  내가 반드시 걔들을 찾을거야.
  You can bet that he's done the same thing to other women.
  걔가 다른 여자들에게도 분명히 같은 짓을 했어.

■ You can bet (sth) S + V는 '장담하지만 틀림없이 …이다' 라는 말로 앞의 You bet S+V와 같으나 can을 넣어서 좀 부드럽게 만든 경우. sth 자리에 your sweet ass 또는 your sweet life 라는 표현을 사용하면 강조가 된다.

I wouldn't bet on it.
난 아닐 것 같아.

- Personally, I'd bet on a bear market. 개인적으로 난 하락장세가 될거라 믿어.
  You can bet on it. 그럼, 물론이지, 정말야.

■ bet (sth) on sth은 …이 될 것에 건다라는 뉘앙스로 '…에 장담해' 라는 의미를 가지며 don't bet on it하면 …에 걸지마라라는 말로 '…가 아닐거야' 라는 뜻이 된다.

My bet is that it's against your lab's policy.
내 생각으로는 그건 확실히 실험실 정책에 어긋나는거야.

- My bet is that it's at the loading dock. 내 생각은 그게 선착장인 것 같아.

■ My bet is that~은 '내 생각으로는 반드시…' 라는 의미로 내가 that 이하에 내기를 건다라는 뜻이기 때문이다.

Your best bet is to hide it in the safe.
가장 좋은 방법은 그걸 금고 안에 숨기는거야.

- Your best bet would be to kill all the other men on the planet.
  가장 좋은 방법은 지구상에 있는 모든 다른 남자들을 죽이는거야.
  It's your best bet to make this go away. 잊는게 가장 좋은 방법이야.

■ Your best bet is~는 '가장 좋은 방법은 …이다' 라는 구어체 표현이다.

B

They're in Atlanta, I'll bet.

걔들은 틀림없이 아틀랜타에 있어.

- I'll bet. I'm gonna change and go to the gym. 걱정마. 옷갈아입고 체육관가갈게.
  A: Thank God. I was so worried. B: Yeah, I'll bet.
  A: 다행이야. 걱정 많이 했었어. B: 그래, 그랬을거야.

I'll bet은 '틀림없어,' '확실해' 라는 뜻으로 I'm pretty sure와 같은 의미로 쓰이나 약간 빈정거리는 투로 '그래, 알았어' 라는 뜻으로도 사용된다.

You bet.

확실해. (물론이지.)

- A: Will you come with me? B: You bet! A: 우리랑 같이 갈거니? B: 그럼!
  A: What do you think I am, a pimp? B: You bet!
  A: 내가 뚜쟁이 같아? B: 물론!

You bet은 이번에는 반대로 상대방보고 베팅을 걸라는 의미로 그만큼 확실하다, 틀림없다라는 표현이다. You betcha라고 표기도 하는 이 표현은 '틀림없어!,' '물론이지!, ' 그럼!'이라는 감탄 표현으로 많이 쓰인다.

You bet your ass I do.

맹세코 내가 할게.

- A: You have every reason to be angry with me. B: Yeah, you bet your ass I do. A: 내게 화를 내도 할 말이 없다. B: 그래, 당연이지.
  A: You're pathetic, that's what you are. B: You bet your sweet ass I am. A: 너 한심 그 자체야. B: 그래 정말이지 나 찌질해.

You bet your life, You bet your boots!, You bet your bippy, You bet your ass 등은 '하느님께 맹세코,' '단연코' 라는 강조표현으로서 상대방 말을 받아 뒤에 I do, I am 등을 사용한다.

I got a bet with House.

난 하우스 박사하고 내기를 했어.

- A year earlier, Jim made a bet with Bill. 일 년 전에 짐이 빌과 내기걸었어.
  I just lost a bet with myself. 난 나 자신에게 진 사람이야

win[lose] a bet은 '내기에서 이기다[지다]' 라는 뜻이며 place[put, lay] a bet 또는 make a bet, get[have] a bet 등은 '내기를 걸다, 하다' 라는 의미의 표현들.

It's a good bet he's not our guy.

걔가 우리가 찾는 용의자가 아닌 것이 확실해.

- It's a safe bet she lives on Staten Island, probably in Stapleton. 걔가 스태튼 섬, 아마도 스테이플턴에 살고 있는게 확실해.
  It's a pretty safe bet I'm clean. 난 전과가 없다는게 확실하다니까.

It's a good[safe] bet S+V는 '···하는 게 제일 안전해' 또는 '···하는 게 제일 확실해' 라는 표현이다.

» **better**

What could be better? 이보다 더 좋은게 뭐가 있을까?

(It) Couldn't be better.

최고야. (더 이상 좋을 순 없어.)

- Oh well, you're timing couldn't be better. 오, 정말 너 타이밍 끝내주네.
  It couldn't have worked out better. 이번 일은 너무 잘 됐어.

couldn't be better는 '더 이상 좋을 순 없어' 또는 '최고야' 라는 말. not이 있다고 부정으로 생각하면 안된다. 부정+비교=최상급이라고 배웠던 학창시절을 떠올려보자.

I've never been better.
그 어느 때보다도 잘 지내.

- My health has never been better. 난 그 어느 때보다 건강해.
  I've never eaten better. 음식 정말 잘 먹었어.

have never been better도 Couldn't be better와 같은 형식으로 부정어와 비교급이 어울리면 최상의 뜻을 갖게 된다. 단순하게 Never Better(최고야)라고 쓸 수도 있다.

What could be better?
이게 가장 좋아.

- What could be better than this? 이보다 더 좋은게 뭐가 있을 수 있겠어?
  What could be better? We're in. 이게 가장 좋아. 우리도 함께 할게.

What could be better (than) sth?은 ⋯보다 더 좋은게 뭐가 있겠니?라는 뜻이므로 '⋯가 가장 좋아' 라는 뜻이 된다.

(Things) Could be better.
별로 그래.

- Oh no! It could be better, but it's gonna be okay, right?
  오 아냐! 그냥 그래, 하지만 좋아지겠지, 그렇지?

(Things) Could be better는 겉모습만 보고 사기당할 수 있는 표현. 하지만 직역하면 더 좋을 수도 있다라는 말로 결국 '별로야,' '그냥 그래' 라는 뜻이 된다. 반대로 could be worse는 긍정적 표현으로 '잘 지내' 라는 표현.

(It's) Better than nothing.
없는 것보단 낫네.

- And you got 3 points which is better than nothing.
  그리고 넌 3 포인트나 있는데 이것은 없는 것보다 나아.
  Something's better than nothing. 어떤 것은 아예 없는 것보다 나아.

better than nothing은 '없는 것보다 나아' 라는 표현이다.

(I've) (got) Better things to do.
시간낭비하지마.(그걸 할 바에는 다른 걸 하겠어.)

- I got better things to do than listen to a cop crack wise.
  경찰의 그럴듯한 말을 듣느라 낭비할 시간 없어.
  We got better things to do than be the Frank's family counselor.
  프랭크 가족의 고문 변호사가 되는 것은 시간 낭비야.

have got better things to do (than)~는 직역하면 ⋯하는 것보다 더 해야 할 나은 일들이 있다라는 말로 결국 '⋯하느라 시간 낭비하지마' 라는 표현이다.

Are we better off now?
우리 이제 더 잘 살고 있는거야?

- You're better off without me. 내가 없는게 너한테 더 좋을 거야.
  Like I said before, he's better off here. 전에 말한 것처럼 갠 여기서 잘살고 있어.

be better off는 '잘 살고 있다' 라는 뜻이며 be better off without하면 '⋯이 없는 게 더 낫다' 라는 표현이 된다.

You had better not be doing it.
넌 이걸 하지 않는 편이 나아.

- Perhaps you'd better come inside, boys. 애들아, 아마 안으로 들어오는게 나을걸.
  Counselor, you'd better come with me. 변호사님, 나랑 같이 가요.

You'd better+동사는 '⋯하는 편이 나아' 라는 말로 약간 명령이나 충고성에 가까운 표현. '하도록 해' '⋯해라' 에 가까운 표현이다. 또한 You better~ 혹은 Better~라 줄여 쓰기도 한다.

Wouldn't it be better to save Denny for trial?
데니가 재판을 맡는 것이 낫지 않을까?

- Karen, wouldn't it be better to learn to deal with her?
  카렌, 걔를 다루는 법을 배우는 편이 더 낫지 않겠어?
  Wouldn't it be better to keep it covered up for a while?
  당분간 그걸 은폐하는 것이 더 낫지 않을까?

Wouldn't it be better to[if S+V]는 '⋯가 더 낫지 않을까?' 라는 표현.

MORE EXPRESSION

Better late than never. 늦더라도 안하는 것보다 낫다.

» between

It stays between us. 이건 우리끼리 비밀이야.

Well it's somewhere in between.
그 중간쯤 되는거야.

- Some are great, some are terrible, most are in between.
  일부는 훌륭하고, 일부는 형편없고, 대부분은 중간에 속하지.

  There's less time in between them. 그것들 사이에 시간이 너무 적어.

This is between you and me.
이건 우리끼리 비밀이야.

- Whatever you say to me in confidence is between us.
  내가 너한테 비밀리 말하는 건 모두 우리끼리 얘기야.

  Alright, I got an idea. But it stays between us. Agreed?
  좋아, 나한테 좋은 생각이 있어. 하지만 우리끼리 얘기니까 비밀을 지켜야 돼, 알았지?

Nothing would ever come between us.
어떤 것도 우릴 갈라놓지 못해.

- No bad day can come between us.
  아무리 힘들어도 우릴 갈라놓지 못해.

  If you try to come between me and my husband, I will take you down. 만약 나와 내 남편사이에 이간질을 시도한다면 너 혼내줄거야.

■ in between은 '중간에,' '사이에 끼어서' 라는 뜻이다.

■ Let's keep it between us, It stays between us는 '우리끼리 비밀로 하자' 라는 표현이며 Just between us[you and me]는 '우리끼리의 비밀인데' 라는 뜻. between ourselves를 사용해도 같은 뜻이다.

■ come between sb는 '···사이에 오다, 끼다' 라는 뜻으로 Nobody could come between us면 '누구도 우리 사이를 갈라놓을 수 없다' 라는 표현이 된다.

» big

You have a big mouth. 너 참 입이 싸다.

Your dad's in love big time.
네 아버지는 사랑에 폭 빠졌어.

- (I had) Big time. 대단했어.
  I get that, okay, I get that big time. 좋아, 충분히 알아들었어.
  You guys owe me big time. 니네들 내게 크게 빚졌다.

Well, thank you, Susan. Very big of you.
저기, 수잔 매우 친절하게 해줘서 고마워.

- That's big of you. 친절하기도 하지.
  That's very big of you to admit. 인정하다니 통이 크시네요.

No biggie.
별 일 아냐.

- Are you sure? I mean, no biggie. 분명해? 별거아니라는 말이지.
  Oh, all right, that's cool, no biggie. 그래, 아주 좋아. 별 일 아냐.

■ big time은 품사에 얽매이지 않아야 한다. '일류의,' '크게,' '많이' 라는 의미를 갖는다.

■ It is big of sb to do~ 는 '···하다니 통이 크네요,' '···하다니 친절하네' 라는 뜻을 가진 표현.

■ no biggie는 '별일이 아니다,' '큰 일이 아니다' 라는 표현으로 크게 걱정하지 않아도 된다면서 위로할 때 사용할 수 있다.

You're gonna make it big.
넌 크게 성공할거야.

- We were going to cash them when we made it big.
  우리가 크게 성공하면 그것들을 현금화 하려고 했어.

  Do we want to make it bigger? 우리가 더 크게 성공하길 원해?

 make it big은 '성공하다,' 혹은 글자 그대로 '더 크게 만들다' 라는 의미로도 쓰인다.

You got big plans for Valentine's Day, right?
발렌타인 데이를 위해 멋진 계획을 가지고 있지, 그렇지?

- We had big plans together. 우린 함께 야심찬 계획을 세웠었어.

  I know a detective who has big plans for you.
  한 형사가 너를 위해 아주 큰 계획을 세우고 있어.

■ have big plans는 '야심찬 계획을 갖다' 라는 의미로 특별하거나 큰 계획을 의미.

That's okay. I'm not big on snacks.
괜찮아요. 난 스낵을 그다지 좋아하지 않아.

- I'm not big on mysteries. 난 미스테리 물을 그리 좋아하지 않아.

  He's big on learning the value of the dollar.
  걘 돈의 가치를 열심히 배우고 있어.

■ be big on sth[~ing]은 '…를 무척 좋아하다' 라는 뜻.

You have a big mouth!
넌 입이 싸!

- As far as I'm concerned, you both have big mouths!
  내가 볼 때는 너희 둘 모두 떠버리들이야!

  Aw, me and my big mouth. Please tell me he's not a gay.
  어, 이놈의 주둥이. 제발 걔가 게이가 아니라고 말해줘.

■ big mouth는 '싼 주둥이' 또는 '말많은 주둥이' 라는 다소 비하적인 표현으로 me and my big mouth하면 '이놈의 방정맞은 주둥이' 라는 뜻으로 하지 말아야 할 말을 뱉었을 때 사용한다.

MORE EXPRESSION

in a big way 대규모로

» bill

 I'll foot the bill. 내가 계산할게.

I'll foot the bill.
내가 계산할게.

- Some guys still like to foot the bill. 자기가 계산하는 걸 좋아하는 친구들도 있어.

  Are you seriously expecting us to foot the bill for that?
  우리가 그걸 계산할 거라고 정말 생각하고 있니?

■ foot[fill] the bill은 '계산서를 지불하다' 라는 뜻으로 식당이나 여타 비용 등을 지불할 때 사용되는 표현이다.

Sam had a clean bill of health.
샘 건강은 아무런 이상이 없어.

- Yeah, my doctor gave me a clean bill of health.
  그래, 의사가 내 건강을 보증해줬어.

  The guys gave you a clean bill of health. 걔들이 네 건강을 보증해줬어.

■ give sb[sth] a clean bill of health는 '…에게 건강증명서를 주다' 라는 뜻으로 bill of health는 선원 등에게 발급해주는 '건강증명서' 를 의미한다.

I'm in a bind. 난 빼도박도 못한 상황에 처했어.

She was just bound and gagged.
걔는 단지 재갈이 물린 채 묶여있었어.

- They found her bound and gagged inside the room.
  걔들은 방안에서 그 여성이 몸이 묶이고 재갈이 물린 채 있는 것을 발견했어.

■ bound and gagged는 '몸이 묶이고 재갈이 물린 채'라는 의미로 범죄 드라마에서 많이 나오는 표현.

It isn't even legally binding.
그건 법적으로도 구속력이 없어.

- You realize this is not legally binding until it's been notarized.
  이것은 공증받기 전까지는 법적 구속력이 없다는 걸 넌 깨달아야 해.

  This contract between you and me is legally binding.
  너와 나의 계약서는 법적구속력이 있어.

■ legally binding은 '법적 구속력이 있는'이라는 의미이다.

I'm in a bind.
난처한 상황에 빠졌어.

- I'm in kind of a bind. 난 좀 어려운 상황에 처했어.
  From what I can gather, she's in a bind. 내가 알기로 걔 빼도박도 못하게 됐다며.

■ be in a bind는 '곤경에 처하다,' '빼도박도 못하다,' '진퇴양난에 빠지다'라는 의미.

She hates her brother, but she's bound to him.
걔는 오빠를 싫어하지만 어쩔 수 없이 남매관계로 묶여 있어.

- As a scientist, you are bound to an even higher standard.
  과학자로서 넌 더 높은 기준에 얽매여 있어.

■ be bound to+명사는 '…에 얽매여 있다'라는 뜻으로 혈연관계, 재산관계는 물론 특정한 가치관 등에 묶여있다는 의미로도 쓰인다.

These things are bound to happen occasionally.
이런 일들은 종종 생기기 마련이야.

- It was bound to happen anyway after our fight.
  우리가 다툰 다음에는 어쨌든 이런 일들이 생기게 마련이었어.

  Well, our kids were bound to meet. It's a small island.
  글쎄, 우리 애들은 서로 만나게 되어 있었어. 이곳은 작은 섬이잖아.

■ be bound to+동사는 '…할 예정이다,' '…할 가능성이 있다'라는 뜻으로 be likely to와 같은 의미.

You'd be duty bound to report it.
넌 그걸 보고할 의무가 있을거야.

- I am duty-bound to raise it. 난 그걸 제기할 의무가 있어.
  I'd be duty-bound to inform you immediately.
  난 너에게 즉시 알릴 의무가 있겠지.

■ be[feel] bound to~는 have to의 의미로 '…를 해야만 한다'라는 뜻. 한편 be duty bound to~하면 '…할 의무가 있다'라는 표현.

He is bound by the rules of the court.
걔는 법원의 규칙에 의해 제약을 받아.

- Carol's bound by law not to release any of that information.
  캐롤은 법에 의해서 그 정보의 어느 부분도 공개할 수가 없어.

■ be bound by~는 '…에 의해 제약을 받는다'라는 다소 법적인 의미로 …의 한계 안에서 행동하고 있다라는 뉘앙스를 갖는다.

MORE EXPRESSION

지명+bound …행
home-bound people 귀향민
be bound up in …에 연루되다
bound and determined 단호한

Don't bitch about it. 그거 불평하지마.

B

That bitch said I raped her?
그 년이 내가 강간했다고 그래?

- That bitch took everything from you! 그 년이 너로부터 모든 걸 앗아갔어!
  You know what the real bitch of it is? 그거의 진짜 골칫거리가 뭔지 알아?

■ **bitch**는 여자에 대한 비속어로서 '년'이라고 해석이 되나 '골칫거리'라는 의미도 있어 a real bitch하면 진짜 '개 같은 년'이라는 뜻과 함께 문맥에 따라서는 '골칫거리'로 해석될 수도 있다.

What the hell are you bitching about?
도대체 뭐에 대해 불평하고 있는거야?

- Don't bitch about it. 그것 가지고 툴툴대지마.
  Those rich kids bitch about their perfect lives.
  저 부자집 애들은 자신들의 완벽한 삶에 대해 투덜대고 있어.
  There's nothing you can do about it. So stop bitching.
  그거 속수무책이야. 그러니까 더 이상 불평하지마.

■ **bitch about[at]**은 '…에 대해 불평하다,' '짜증내다'라는 뜻으로 한 단어로 complain.

Whoa! Is that the laser? It's bitchin'.
와, 그거 레이저니? 끝내주네.

- A: So how're you doing? B: Bitchin'.
  A: 그래, 어떻게 지내니? B: 끝내줘.
  A: Boy, that was terrific. B: Really, bitchin'!
  A: 야, 이거 멋있었어. B: 정말 끝내주네.

■ **bitchin'**은 일종의 감탄사처럼 의외의 의미로 쓰이는데 'awesome' 또는 'excellent'와 같은 뜻.

You slept with my fiancee, you son of a bitch!
너 내 약혼녀와 잤어? 너 이 개자식!

- That son of a bitch rapes and kills innocent children.
  그 나쁜 놈이 무고한 아동들을 강간하고 살해해.
  I guess the son of a bitch got what he deserved.
  그 나쁜 자식이 죗값을 치르는 거라고 생각해.

■ **son of a bitch**는 가장 사용빈출도가 높은 욕설 중의 하나로 우리말로는 '개자식' 또는 '개새끼'가 된다. 좀 순화해서 말하려면 son of gun이라고 하면 된다.

I don't remember you being this bitchy.
네가 이렇게 지랄같이 행동하는 건 처음 봐.

- Ooh, somebody's been taking bitchy pills.
  오, 누군가가 지랄같은 약을 먹고 있나봐.
  You monitor my periods? Based on when I get bitchy or...?
  너 내 생리주기를 모니터하고 있니. 내가 고약부릴 때를 근거로, 아니면…?

■ **bitchy**는 '욕하는,' '고약한,' '악의적인,' '지랄 같은' 등의 나쁜 의미를 갖는 단어.

놓치면 원통한 미드표현들

- **boink sb** …와 섹스하다
  So you're boinking the doctor, aren't you?
  너 의사랑 섹스하지, 그렇지 않아?

- **boo boo** 바보같은 실수
  I made a boo-boo, all right?
  내가 실수를 했어, 알았어?

Let's grab a bite. 좀 먹자.

She takes a bite of her salad angrily.
걘 화가 나서 샐러드를 한입 씹어 먹었어.

- Oh, he and I went out for a bite to eat. 오, 걔하고 난 외식하러 나갔어.

  A: So where were you 8:30 last night? B: I was having a bite to eat. A: 그래, 너 어제 저녁 8시 반에 어디에 있었니? B: 난 식사 중이었어.

take[have, get] a bite (of)는 '···를 한입 베어 먹다' 라는 뜻으로 take는 먹고 있는 행위를 강조하는 표현이며 have[get]은 입안에서 먹고 있는 행위를 말한다. 한편 get out for a bite (to eat)하면 '외식하러 나가다' 라는 의미.

Let's grab a bite.
좀 먹자.

- Why don't we all grab a bite to eat? 우리 모두 조금 먹을까?

  We'll grab a bite to eat before we head for the airport.
  우린 공항에 가기 전에 식사를 조금 할거야.

grab a bite (to eat)는 '간단히 허기를 때우다' 라는 뜻으로 a bite (to eat)는 small meal과 같은 의미.

Give me a bite! I'm starving.
한 입만! 배고파 죽겠단 말이야.

- It appeals to the writer in me. Did you want a bite of this?
  내 안에 있는 작가기질을 자극하네. 이거 좀 읽어봤어?

give sb a bite, save sb a bite of~, want a bite of에서 bite는 먹는 거 외에 다른 것에도 쓰이는데 '한 입' 정도의 소량을 의미한다.

He takes a bite out of the sandwich.
걔는 샌드위치를 한입 먹고 있어.

- He tries to take a bite out of my cookie. 걘 내 과자를 조금 먹으려고 해.

  Her boss took a bite out of her annual salary.
  보스가 걔의 연봉을 조금 삭감했어.

take a bite out of sth은 뭔가 양을 삭감하다(reduce)라는 뜻으로 기본적으로 쓰이고 또한 '···에서 한입 먹다' 라는 뜻으로도 쓰인다.

Can't you see these? They're human bite marks.
이거 안 보여? 이건 사람이 문 자국들이야.

- A: Interesting love bites on the chest. B: Curious, isn't it?
  A: 가슴에 키스자국이 흥미롭네. B: 궁금하지, 그렇지 않아?

  Chase looks at the big bite mark on his arm that is bleeding.
  체이스는 자기 팔이 크게 물린 자국에서 피가 흐르고 있는 것을 보고 있어.

bite mark는 물린 자국으로 snake bite면 뱀이 문 자국, love bite는 키스자국을 의미한다. 물론 'the bite of+동물' 하면 그 동물이 문 자국이 된다.

Bite me.
배째라!, 나보고 어쩌라고!

- Okay, this time I know where I went wrong. Oh bite me!
  그래, 이번에 내가 뭘 잘못했는지 알아. 오, 배째라 째!

  A: I'm so lucky to have you. B: Okay, I'll bite. Why are you so lucky? A: 네가 있어 무척 행운이야. B: 그래, 말해봐. 왜 행운인데?

Bite me는 상대방에 대한 불만을 공격적으로 표현하는 것으로 우리말로는 '그래 어쩔래,' '배째라' 라고 하는 말. 주로 애들이 쓰는 말. 한편 I'll bite하면 '모르겠어,' '어디 들어보자,' '좋아, 말해봐' 정도의 표현이 된다.

Bite the bullet.
이를 악물고 참아.

- You leave me no choice. I'm gonna have to bite the bullet.
  넌 내게 선택권을 주지 않았어. 난 이를 악물고 해볼거야.

  You might have to bite the bullet and ask her for her recipe.
  넌 눈 딱 감고 걔한테 걔의 요리법을 물어봐야만 할거야.

bite the bullet은 총알을 물다라는 말. 마취제 없던 시절의 전쟁터에서 병사들을 수술할 때 총알을 입에 물게 하고 수술을 한 데서 유래하여 '하기 싫어도 해야 되는 것을 이를 악물고 참다' 라는 뜻으로 쓰인다. bite the dust하면 '헛물켜다,' '죽다' 라는 의미.

Bite your tongue.
입 조심해.(말이 씨가 되는 수가 있어.)

- That's how you bit your tongue. 그렇게 말을 꼭 참으면 되는거야.
  I'm going to bite my tongue. 난 말을 꼭 참을거야.

■ bite one's tongue은 '말을 꼭 참는다' 라는 뜻으로 슬프거나, 웃기거나 말을 참기 어려울 때 억지로 혀를 깨물고서 참는다라는 모습을 상상하면 이해가 되는 표현이다.

You bit off his nose?
걔 코를 물어뜯었다고?

- She bit off his penis. 걘 남자 성기를 물어뜯었어.
  Didn't she teach you not to bite off more than you can chew? 걔가 너보고 너무 욕심내지 말라고 하지 않았어?

■ bite off는 '물어뜯다' 라는 평범한 뜻을 갖지만 bite off more than you can chew는 씹을 수 있는 이상으로 물어뜯었다 라는 의미에서 '과욕을 부리다' 라는 표현이 된다.

I don't bite the hand that feeds me.
난 은혜를 원수로 갚지는 않아.

- Why would I bite the hand that feeds me? 왜 내가 은혜를 원수로 갚겠어?
  Spoiled kids always bite the hand that feeds them. 버릇없이 자란 놈들은 꼭 은혜를 원수로 갚아.

■ bite the hand that feeds sb는 '은혜를 원수로 갚다' 라는 재미있는 표현.

Or if one of us is bitten by a zombie.
아니면 우리 중 한명이 좀비한테 물린다면.

- Were you bitten by some kind of rabid dog? 광견병같은 병걸린 개한테 물렸어?
  He must have been bitten by a different snake. 걘 다른 뱀한테 물렸음에 틀림없었어.

■ be bitten by the~는 '…에 물리다' 라는 표현.

I don't want her biting off our heads.
난 걔가 이유없이 우리에게 신경질 내는 걸 원치 않아.

- Do you have to bite your nails so loud? 그렇게 초조한 모습을 보여야겠니?
  She's been biting her fingernails again, too. 걔역시 불안 초조함을 보이고 있어.

■ bite one's nail은 '초조해하다' 라는 뜻으로 불안해서 손톱을 깨무는 모습을 연상하면 된다. nail-biting하면 '조마조마한' 이라는 뜻. 한편 bite[snap] sb's heads off면 '이유 없이 신경질내다' 라는 뜻이 되기도 한다.

MORE EXPRESSION

What's biting you? 무슨 일야?
Once bitten, twice shy. 자라 보고 놀란 가슴 솥뚜껑보고 놀라다.
bite sth back 참다

» **blame**

 I don't blame you. 그럴 만도 해.

I don't blame you.
그럴 만도 해.(너도 어쩔 수 없잖아.)

- A: You can't stop me. B: I don't blame you. A: 날 막지마. B: 이해해.
  That food was terrible, but I don't blame you. 음식이 끔찍했지만 너도 어쩔 수가 없었잖아.

■ I don't blame you에서 'blame=비난' 으로 공식화되어 생각하면 정확히 이해가 되지 않는다. 이 표현은 비난하지 않는다가 아니라 상대방의 입장이 충분히 이해되니 '그럴 수도 있다,' '괜찮다' 라는 위로의 표현이다.

Don't blame me.

나한테 그러지마, 내 탓으로 돌리지마.

- Don't blame me. Talk to your sister. 내 탓만 하지 말고 누나한테 말해봐.

  All right, fine, but don't blame me if it doesn't work.
  좋아, 그런데 잘 되지 않아도 내 탓 하지마.

Let's blame me for this.

내 잘못으로 치자.

- That's cool. You can't blame me for trying, though.
  멋지다. 그래도 내가 해본다고 탓하면 안돼.

  He'll find a way to blame me for this. 걘 이것으로 날 비난할 꼬투리를 잡을거야.

You're to blame.

네 책임이지.

- Somebody is always to blame. 누군가가 항상 책임져야지.

  You're not to blame for this, Hellen. 헬렌, 이건 네 책임이 아냐.

I have myself to blame.

모두 내 탓이야.

- I guess I got no one but myself to blame. 다 내 잘못인 것 같아.

  You'll only have yourself to blame. 너밖에 책임질 사람이 없어.

Why is she taking the blame for him?

왜 그녀가 걔에 대해 책임을 져야 해?

- I'm sure I share part of the blame for that.
  난 확실히 그것과 관련 일부 책임이 있어.

  Someone's going to get the blame for what happened.
  누군가 발생한 일에 대해 책임을 져야할거야.

Don't place[lay] the blame on me.

내 탓하지마.

- Shifting blame onto someone else. That's classic criminal behavior. 누군가에게 책임을 전가하는 것. 그건 고전적인 범죄행위야.

- Don't blame me (for~), 는 '…에 대해 날 탓하지마'라는 표현으로 충고했는데도 따르지 않는 경우에 사용된다.

- blame A for B면 'B에 대해 A를 비난한다'라는 의미. 또한 find a way to blame sb하면 '…에 대해 비난의 꼬투리를 잡다'라는 표현이 된다.

- be to blame (for sth) '…의 책임이다,' '…가 책임을 져야 한다'라는 의미.

- have oneself to blame 은 '…의 잘못이다,' '…가 책임져야 한다,' 그리고 only를 덧붙여 ~only have oneself to blame 하게 되면 '…말고는 책임질 사람이 없다'라는 의미의 강조표현.

- take[accept, get] the blame for는 '…에 대해 책임을 지다'라는 뜻이며 share the blame for하면 '…에 대해 공동의 책임을 진다'라는 의미가 된다.

- shift[place, lay, put] the blame on~은 '…에게 책임을 돌리다, 전가하다'라는 의미.

놓치면 원통한 미드표현들

- **out of bounds** 지나친

  But right now you're way out of bounds.
  그러나 이제 넌 너무 지나쳐.

  In all honesty, I did go a little out of bounds.
  솔직히 말해서 내 행동이 좀 지나치긴 했지.

- **within the bounds of** …의 범위 안에서

  You're doing what your client wants within the bounds of the law.
  법 테두리 안에서 의뢰인이 원하는 걸 자네는 하고 있어.

I drew a blank on my wife's birthday. 아내 생일을 깜박했어.

My mind is a blank.
내 마음은 텅 비어있어.

- I went blank in front of the jury. I couldn't remember a damn thing.
배심원 앞에 서니 머리가 텅 비더라고. 하나도 기억이 안 나는거야.

Like I said, the whole thing is a blank. 내가 말한 것처럼, 모든게 멍해졌어.

> ■■■ go blank는 '머리가 텅 비다,' '정신이 멍해지다' 라는 의미.

I'm drawing a complete blank.
난 완전히 잊어버렸어.

- Sorry, I drew a blank on my wife's birthday.
미안, 내가 아내의 생일을 깜박했어.

Everybody in Sleepy Hollow is still drawing a blank on the victim? 슬리피 홀러우에 사는 모든 사람들이 여전히 희생자를 찾지 못했어?

> ■■■ draw a blank는 '아무런 생각도 나지 않다,' '헛수고하다,' '허탕치다' 라는 뜻. 제비뽑기 등에서 아무 것도 없는 빈 종이를 잡는 모습을 생각해보면 된다.

I blank out, I forget.
아무 생각도 안나, 잊었어.

- How can I be blanking on this? 내가 어떻게 이걸 잊을 수가 있어?
Do you know that? You just completely blanked me.
너 그거 아니? 너 완전히 날 무시했어.

> ■■■ blank out은 blank가 동사로 쓰인 경우로 머릿속이 하얘지다라는 의미이고 또하나 blank sb하면 '무시하다' 라는 의미로도 쓰인다.

I'll give you a blank warrant.
난 너한테 모든 걸 다 수색할 수 있는 영장을 줄게.

- You have a blank check from me to help them.
네가 걔들을 도와주는 데 대해 백지수표를 줄게.

Nolan had a blank expression on her face. 놀란은 무표정한 모습이었어.

> ■■■ blank warrant, blank check은 '백지보증,' '백지수표' 라는 뜻으로 '백지위임' 또는 '마음대로 할 수 있는 재량권' 을 의미한다. 한편 blank face, blank expression하면 '무표정한 얼굴,' '멍한 표정'을, 한편 blanking idiot는 '바보,' '천치' 라는 뜻.

I'm trying to fill in the blanks after that.
그 이후 일은 내가 상상해볼게.

- He says he's okay and he's trying to fill in the blanks.
걘 괜찮다면서 빈칸을 채우겠다고 말해.

Can you fill in the blanks? 빈칸을 채울 수 있겠니?

> ■■■ fill in the blanks는 시험 문제에서 많이 보고 듣던 표현으로 '빈칸을 채우다' 라는 뜻. 각종 양식에 있는 공란을 채운다라는 말로 비유적으로는 '상상으로 채운다' 라는 의미로도 쓰인다.

I got a vasectomy. I'm shooting blanks.
난 정관수술을 해서 임신을 시킬 수 없어.

- Did you know that you were shooting blanks?
네가 임신불남성이란 걸 알고 있었니?

I wouldn't want to be shooting blanks either.
나도 목표달성에 실패하고 싶지 않아.

> ■■■ be shooting[firing] blanks는 '목적 달성에 실패하다' 라는 뜻으로 '공포탄을 쏘다' 라는 뜻에서 나온 표현. 그래서 shooting blanks는 '알짜배기없는 사정' 이라는 뜻에서 '임신 못시키는 남자' 라는 의미.

I had a blast. 난 신나게 놀았어.

I had a blast.
신나게 놀았어.

- Now this is gonna be a blast, don't you think?
  이제 이건 즐건 파티가 될거야, 그렇지 않니?

  Don't worry about us. Ella's having a blast. 우리 걱정마. 엘라는 잘 놀고 있어.

■ have a blast는 have a fun과 같은 뜻으로 '즐거운 시간을 보내다' 라는 의미로 쓰인다.

That's a blast from the past!
그거보니 옛 시절이 생각나네!

- I've totally forgotten about him! Ah! That's a blast from the past! 난 걔에 대해 완전히 잊었는데! 아, 걔 이름을 들으니 옛 시절이 생각나네!

  Horndog? It's a blast from the past. 발정난 개? 옛날 생각나게 하는 단어네.

■ a blast from the past는 '옛 시절을 생각나게 하는 사람 [것]' 이라는 표현.

She's gonna blast your fantasy life to pieces.
걔가 네 상상의 삶을 박살낼거야.

- We then hear the sound of a trucks horn being blasted.
  그리고 우린 트럭경적 소리가 크게 나는 것을 들었어.

  Lots of blast damage. This was no little pipe bomb.
  폭발피해가 커. 작은 파이프 폭탄이 아니었어.

■ blast through [throughout]는 '터지다,' '세게 치다' 라는 뜻으로 폭탄이 폭발하거나 총이 발사되는 상황을 상상하면 된다. 또한 명사로 blast는 폭발이라는 말.

MORE EXPRESSION

at full blast 전속력으로

There's a blessing in disguise. 전화위복이 될 수도 있어.

Thank you. God bless you.
고마워. 하나님 축복이 같이 하기를.

- God bless you, Ted. You're reading my blog.
  하나님 축복이 있기를, 테드. 내 블로그를 읽어주다니.

  God bless you. Can you take us to her?
  하나님의 축복이 함께 하길. 우릴 걔한테 데려다 줄 수 있어?

  I don't need you to bless me. 네가 날 축복해줄 필요는 없어.

■ (God) Bless you!는 '하나님의 축복이 있으시길' 이란 뜻으로 상대방의 행복을 빌어줄 때 사용된다. 또한 상대방이 재채기 할 때 영혼도 함께 빠져나간다는 미신때문에 God bless you!라고도 한다. 또한 기본적으로 bless sb[sth]는 '…을 축복하다' 라는 뜻으로 be blessed by 형태로도 많이 쓰인다.

I am not blessed with the dance.
난 춤 재능을 타고 나지는 않았어.

- He's blessed with wealth, so he must be guilty?
  걔는 부를 타고 났어 그래서 유죄인거야?

  I've been blessed with a lot of great roles.
  난 복을 타고 나서 여러 가지 좋은 배역을 맡았어.

■ be blessed with sth은 '…재능을 타고나다,' '복을 타고나서 …하다' 라는 뜻으로 쓰인다.

There's a blessing in disguise.
전화위복이 될 수도 있어.

- Getting suspended was a blessing in disguise.
자격정지된 것은 전화위복이었어.

  It's probably a blessing in disguise. 이건 아마도 전화위복일거야.

And you want my blessing?
내가 축복해주길 원해?

- You have my blessings to nail the son of a bitch.
네가 그 나쁜 놈을 잡을 수 있도록 축복해줄게.

  It's yours. Take it. You have my blessing. 네꺼야. 가져. 내 축복해줄게.

B

■ blessing in disguise는 '전화위복' 이라는 뜻으로 문자 그대로 축복으로 보이지 않지만 나중에 보면 축복이라는 뜻.

■ have one's blessing은 '축복해주다,' with my blessing은 '기꺼이,' '그래' 라는 뜻으로 상대방 생각에 동의나 찬성을 나타낼 때 쓰는 표현으로 yes와 같다 또한 It's a blessing that~은 '…은 축복이다' 라는 뜻이다.

MORE EXPRESSION

When is the blessed event?
출산예정일이 언제예요?
May God bless sb …에 축복 내리다

» block

She's a chip off the old block. 걘 아버지 빼닮았어.

Tom was the toughest kid on the block.
탐은 거기서 가장 터프한 얼굴이었어.

- So, what's going on the block? 그래, 뭐가 경매에 붙여졌니?
Back then, she was the new kid on the block.
과거 그 당시에 걘 신참이었어.

■ go on the block은 '경매에 붙이다,' '팔리다' 라는 의미이고, new kid on the block은 어떤 특정 조직이나 장소에서 '신참' 또는 '새얼굴' 이라는 뜻이다.

She's a chip off the old block, isn't she?
걘는 아버지와 꼭 닮았어, 그렇지 않니?

- Mike's a real chip off the old block. 마이크는 아버지를 꼭 닮았어, 그렇지 않아?
Check it out, man, I'm a chip off the old block.
야, 한번 확인해봐. 난 아버지하고 꼭 닮았거든.

■ be a chip off the old block은 '아버지를 꼭 닮은 사람' 이라는 뜻으로 쓰이는데 오래된 벽돌의 한 조각이라는 뉘앙스를 떠올려도 이해가 된다.

It's no wonder he's blocked it out.
걔가 그걸 막은 것은 당연해.

- This is a scared little girl who blocked out her assailant.
여기에 폭행범을 막아낸 공포에 질린 어린 소녀가 있어.

  You've blocked it all out. But it's gonna come back.
넌 이걸 전부 막아냈지만 다시 돌아올거야.

■ block out은 '빛이나 소리 등 뭔가 못오게 차단하다' 그래서 비유적으로 어떤 기억이 나지 않게 차단하다라는 의미로도 쓰인다.

■ blocked number는 '발신자표시제한 전화번호' 를 의미. 한편 선불폰은 pre-paid phone 이라 한다. 역시 범죄미드에 단골로 나오는 표현들.

He got a call at 9:19 pm, from a blocked cell phone number.
걔는 저녁 9시 19분에 발신자표시제한 전화를 한통 받았어.

- From a blocked telephone number, you called Caroline that night.
넌 발신자표시 제한번호로 그날 밤 캐롤린에게 전화했어.

  Kids use them to get around blocked sites.
애들은 접근방지 사이트를 우회해서 들어가기 위해 그것을 사용했어.

MORE EXPRESSION

block sb[sth] …를 막다
be around the block a few times 그 분야에 경험이 많다
put one's head[neck] on the block 목숨 걸고 하다

We got fresh blood right here. 여기 신참이 왔어.

I have blood on my hands because of your father.
난 네 아버지 때문에 손에 피를 묻혔어.

- I didn't have any blood on my hands. 난 손에 피를 묻힌 적이 없어.
  You killed again! You got blood on my hands that will never come out! 넌 또 살인을 했어! 내 손에 절대 지워지지 않을 피를 묻혔어!

■ have blood on one's hands는 '…의 손에 피를 묻히다' 그리고 have one's blood on one's hands하게 되면 '…의 죽음에 책임이 있다' 라는 뜻.'

You murdered him in cold blood.
넌 걔를 냉혹하게 살해했어.

- This man confesses to shoot your wife in cold blood.
  이 사람은 네 아내를 냉혹하게 사살했다고 고백하고 있어.
  This guy killed his own sister in cold blood. 걘 냉혹하게 여동생을 살해했어.

■ in cold blood는 '냉혹하게' 또는 '냉정하게' 라는 의미.

Yeah, we got fresh blood right here.
그래, 우린 여기에 신인이 생겼어.

- I think we need to bring in some new blood. 새로운 사람을 영입해야 돼.
  How about bloody ashes? I've got some fresh blood here.
  피가 묻은 시체는 어때? 여기 새로운 피가 보여.

■ new[fresh] blood는 문자 그대로 '새 피' 라는 의미로 비유적으로 '신인,' '새로운 멤버' 라는 의미.

He's like our own flesh and blood.
걔는 우리 친족과 같아.

- Your brother locked up for drugs. Your own flesh and blood.
  네 남동생은 마약으로 감방에 들어갔어. 네 형제가 말이야.
  Ray, you're my own flesh and blood. 레이, 넌 네 친족이야.

■ own flesh and blood는 '친족'을 의미하는데 피와 살을 나눈 사이라는 말. 한편 그냥 flesh and blood는 '사람,' '인간' 이라는 의미.

It gets my blood up.
화나게 하네.

- Now that gets my blood up. 이제 그게 날 열받게 해.
  The argument got Ryan's blood up. 논쟁 때문에 라이언이 흥분했어.

■ have[get] one's blood up은 '흥분하다,' '화나게하다,' '발끈해지다' 라는 의미이며 put one's blood into~는 '…에 심혈을 기울이다' 라는 표현이 된다.

I need to take her blood pressure.
지금 그 여성의 혈압을 재야 해요.

- Have you ever had a blood transfusion? 수혈을 한 적이 있어?
  He said your blood pressure is through the roof!
  네 혈압이 엄청 높다고 걔가 말했어.

■ blood pressure는 혈압, blood transfusion은 수혈, blood donor는 헌혈자. 또한 donate one's blood면 '헌혈하다,' take one's blood pressure는 '혈압을 재다,' lower one's blood pressure면 '혈압을 낮추다' 라는 의미.

They use blood money to hire the best lawyers.
걔들은 피 묻은 돈을 최고의 변호사들을 고용하는데 사용하고 있어.

- Are you asking as my bloodsucking publisher or as my bloodsucking ex-Wife?
  날 착취하는 내 발행인 자격으로 요청하는거니 아니면 피 빨아먹는 전 부인 자격으로 요청하는거니?
  Nobel invented dynamite. I won't accept his blood money.
  노벨이 다이너마이트를 발명했지. 난 그가 주는 피묻은 돈을 받지 않을거야.

■ blood money는 '피 묻은 돈' 이란 뜻으로 문맥에 따라 다양하게 쓰인다. 유가족에게 주는 위자료, 킬러에게 주는 돈 혹은 남의 피로 번 돈을 의미한다. 한편 bloodsucking은 '피빨아먹는,' '착취하는,' bloodsucker는 당연히 '흡혈귀' 라는 의미가 된다.

I went from professor to cold-blooded murderer.
난 교수에서 냉혈 살인자가 되었어.

- There's some blue-blooded rich woman out there.
  저기에 귀족출신의 부유한 여성들이 있어.

  We haven't had sex for months, Rex. Most normal, red-blooded men would be climbing the walls by now.
  렉스, 우리 몇 달 동안 섹스를 안했어. 대부분 정상적인 활기찬 남성들이라면 지금쯤이면 하고 싶어서 가만히 있지 못하고 안절부절 할거야.

▬ cold-blooded는 '냉혹하게' blue-blooded는 '귀족 출신의' red-blooded는 '활기찬' 이란 뜻으로 각각 쓰인다.

B

» blow

 Don't blow me off. 날 바람맞히지마, 날 무시하지마.

He's always blowing his own horn.
걘 항상 지 잘났다고 하고 다녀.

- Don't blow your own trumpet. 자화자찬하지마.
  I don't mean to toot my own horn. 난 자화자찬하려는 것은 아냐.

▬ blow one's own horn은 '자화자찬하다,' '스스로 자랑하다' 라는 의미. blow 대신에 toot란 동사를 써도 되고 또한 horn 대신에 trumpet을 써도 된다.

It blows my mind!
정신 못차리겠어.

- Did that kiss just completely blow her mind? 키스로 걔 마음을 뽕가게했어?
  Wow. That biting thing at the end totally blew my mind.
  와우. (섹스후에) 마지막 부분 깨무는 걸로 난 완전히 뽕갔어.

  I hoped mind-blowing sex would become a relationship.
  난 뽕가게 하는 섹스가 관계로 발전될거라 희망했었어.

▬ blow one's mind는 바람이 연약한 맘을 불어친다는 말로 '…을 놀라게 하다,' '몹시 화나게 하다,' '충격을 주다,' '흥분시키다,' '넋을 잃게 하다' 등 다양하게 쓰인다. mind-blowing은 문맥에 따라서는 '감동적인,' '압도적인' 이라는 긍정적인 표현도 있지만 '충격적인' 이라는 의미로도 쓰인다.

Don't blow your cool[stack, top].
화내지마.

- Before you blow your stack, why don't you take a look at the girl? 너 화내기 전에 먼저 그 여자애를 한 번만 봐라.

▬ blow one's cool은 '…를 화나게 하다' 라는 뜻이 된다. cool 대신에 stack이나 top를 써도 된다.

Tell him what you did or I'll blow your head off!
걔한테 네가 저지른 일을 말해. 그렇지 않으면 네 머리를 쏴 죽여 버릴 거야.

- It only takes one bullet to blow your brains out.
  널 죽이는데 총알 한 방이면 돼.

  Keep moving, or I'll blow your face off!
  계속 움직여, 그렇지 않으면 네 얼굴이 날아갈거야.

▬ blow one's head off는 '머리를 쏴 죽이다' 라는 뜻으로 blow one's face off, blow one's socks off도 같은 뜻이지만 비유적으로 쓰게 되면 '…에게 큰 타격을 주다' 라는 뜻. blow one's brains out 또한 자신의 머리에 총으로 자살하거나 또는 다른 사람을 죽이다라는 뜻으로 쓰인다.

I will blow the whistle on the whole thing.
내가 전모를 불어버릴거야.

- What you going to do? Blow the whistle on your own escape?
  뭐할려고? 네 자신의 탈출계획을 불어버릴거야?

▬ blow the whistle (on)하면 '내부 비밀을 폭로하다' 라는 뜻으로, whistle blower하면 '내부고발자' 라는 뜻이 된다.

She's gonna blow the lid off your happy family?

걔가 네 행복한 가정의 비밀을 공개할까?

- Well, you couldn't blow your cover. 글쎄, 네 정체를 밝히지 않을 수도 있었어.
  That's called blowing your cover. 그런 걸 신분노출이라고 하지.

■■ blow the lid off는 '비밀을 공개하다' 라는 뜻. 또한 blow one's cover하면 '…의 정체를 밝히다' 라는 의미로 여기서 cover는 은폐한 신분을 의미한다.

I blew it.

(기회 등을) 망쳤어.(날려버렸어.)

- All you need to know is I blew my chance. 내가 기회놓친 것을 넌 알면 돼.
  How'd it go? Thanks to you, I blew it! 어땠냐고? 네 덕에 망쳤다!

■■ blow it은 실수나 부주의 등으로 '…의 기회를 날리다' 라는 의미로 blow one's chance와 같은 의미. blow me 또한 '제기랄(fuck you)' 이란 욕설에 가까운 말이지만 명령형으로 Blow me하게 되면 '오럴섹스하다' 라는 의미가 된다.

Hold it out as far as you can. Try to blow it out.

가능한 한 끝까지 버텨. 물리쳐보도록 해.

- The campers started a fire, but the wind blew it out.
  캠핑자들이 불을 냈는데 바람이 불어 꺼졌어.
  The candle is on the table. Blow it out. 테이블 위에 촛불이 켜져있어. 불어 꺼.

■■ blow A out하면 불어서 없어지게 한다는 것으로 비유적으로 'A를 물리치다' 라는 의미가 된다. 한편 blow-out은 쉽게 이긴다는 '낙승' 이라는 뜻도 있지만 타이어가 펑크난 것도 의미한다.

Don't blow me off.

날 무시하지마.

- So, what? you're just gonna blow me off? 그래, 뭐라고, 날 그냥 무시할거야?
  You got angry when she blew you off? 걔가 널 바람맞혔을 때 화났지?
  It's a blow-off. 식은 죽 먹기야.

■■ blow off하면 역시 불어서 떨어지게 한다는 것으로 '…을 날려버리다' blow sb off하면 '…를 무시하다' '…를 바람맞히다' 라는 의미로 무척 많이 쓰인다.

I was mad. I was just blowing off steam.

난 화가 나서 그저 스트레스를 풀고 있었어.

- Sometimes he'd go there to blow off steam.
  때때로 걘 스트레스를 풀려고 거기에 가곤 했어.
  He's somewhere blowing off steam. It's what he does.
  걘 스트레스를 풀려고 어딘가에 가 있어. 걘 가끔 그래.

■■ blow off steam은 '스트레스를 풀다' 라는 뜻이다.

If you blow up, you'll blow it.

화를 내면 일을 망칠 걸.

- We're going to go blow up some bombs. 우린 폭탄을 터트릴거야.
  This whole thing could just blow up in our faces.
  이 모든 것이 우리 체면을 손상시킬 수 있어.

■■ blow up은 '…을 파괴하다,' '…을 터트리다' 라는 뜻으로 문맥에 따라서는 '상황이 위험해지다,' '매우 화내다' 라는 의미도 된다. 한편 blow up in one's face면 '망신을 톡톡히 당하다' 라는 표현.

It just blows me away.

나를 뻑 가게 만들었어.

- I think it's gonna blow you away. 그 얘길 들으면 넌 놀라 기절할거야.
  Everything above the neck is blown away. 목 위는 다 날라갔어.
  Honestly, I wasn't blown away. 솔직히 말해서 별로 놀라지 않았어.

■■ blow sb away는 '…를 날려버리다[죽이다] 라는 뜻도 있지만 '기절시키다' 또는 '…을 물리쳐버리다' 등 다양한 의미로 쓰인다.

No, we never actually came to blows.

아냐, 우린 결코 실제 주먹다툼을 하지 않았어.

- But if you buy him a present, it might soften the blow.
  그러나 네가 걔한테 선물을 사주면 충격은 완화시킬 수 있을거야.

  Trust me. The money she'll make, it'll cushion the blow.
  날 믿어. 걔가 번 돈이면 충격을 완화시킬 수 있을거야.

■ come to blows는 '주먹다짐을 하다' 라는 뜻이며 soften [cushion] the blow는 '충격을 완화시키다' 라는 뜻이 된다.

B

Tim's wife won't give him a blow job.

팀의 부인은 남편한테 오럴섹스를 해주지 않는대.

- In the middle of the movie, I gave him a blow job.
  영화보는 도중에 난 걔한테 오럴섹스를 했어.

  If we perpetually gave men blow jobs, we could run the world.
  우리가 계속해서 남자들에게 오럴섹스를 해주면 우린 세상의 주인이 될 수 있을거야.

  Jack, if you don't do the dishes, I'm not gonna let you eat me out.
  잭, 설거지 안하면 오럴섹스 못하게 할거야.

■ blow job은 '여성이 남성에게 해주는 오럴섹스(fellatio)' 를 의미하는 것으로 give sb a blow job이면 '…에게 오럴 섹스를 해주다' 라는 말이 된다. 상대를 바꾸면 eat me (out)라고 하는데 cunnilingus라고도 한다. 참고로 eat me는 fuck you라는 욕설로도 쓰인다.

That's such a low blow.

그건 정말 비열한 행동이야.

- A: Low blow. B: Wasn't me. Wish it was!
  A: 비열한 행위야 . B: 아쉽게도 내가 아니었어.

  It's a low blow. Low blow. 그건 참 비열한 짓이야. 비열한 짓 말야.

■ death blow는 '치명타' 를 의미하며 low blow는 '비열한 행동' 을 의미하는데 권투 등 격투기에서 바지 밑을 가격하는 반칙을 떠올리면 된다.

» bluff

 Don't call my bluff. 뻥 아니라니까.

It's a trick, I know he's bluffing.

이건 속임수야. 걔가 허풍을 떠는거야.

- So was he bluffing or not? I just couldn't tell.
  그래 걔가 허풍을 떠는 거였어 아니었어? 난 정말 모르겠는데.

  I was bluffing. She's right. 내가 뻥쳤어. 걔가 맞아.

■ bluff는 명사로 '허풍,' '허세,' '남 속이기' 를 의미하며 동사로는 '허풍을 떨다' 라는 뜻으로 쓰인다.

But she was the one who knew how to bluff.

그러나 걘 허풍떠는 법을 아는 사람이었어.

- Be careful. He already knows how to bluff.
  조심해. 걘 이미 허풍치는 방법을 알아.

  You're not the only one who knows how to bluff.
  너만 허풍떠는 법을 아는 건 아냐.

■ know how to bluff는 '허풍을 떠는 법을 알다' 라는 표현.

You don't believe me? Call my bluff. See what happens.

너 나 못 믿는다는거지? 해볼테면 해보라는거지. 어떻게 되는지 보라고.

- All right, you called my bluff. I am not really a virgin.
  좋아, 내가 뻥친다고 했지. 난 사실 처녀가 아니야.

  Don't call my bluff. I'm serious. 내가 뻥친다고 하지마. 장난아냐.

■ call one's bluff는 상대방이 하는 말이 허풍이나 뻥이라는 단정하에 '한번 해볼테면 해보다, 증명해봐라' 라는 뜻.

MORE EXPRESSION

bluff sb into~ 허세부려 …하게 하다
double bluff 이중 속임수
bluff one's way of 거짓으로 나아가다, 성공하다

I gotta go back to the drawing board. 첨부터 다시 시작해야 돼.

No criminal records across the board.
전반적으로 전과가 없어.

- Star Trek I failed across the board, art direction, costume, music, sound editing.
  스타트렉 1은 미술감독, 의상, 음악, 음향편집 등 전반적으로 실패했어.

■ **across the board**는 '모든 분야에서,' '모든 부서에 걸쳐,' '전면적으로' 라는 의미.

I gotta go back to the drawing board.
난 처음부터 다시 해야 해.

- Sorry guys. Back to the drawing board. 미안해 친구들. 처음부터 다시야.
  Let's go back to the drawing board on this. 이거 첨부터 다시 시작하자.

■ **go back to the drawing board**는 '처음부터 다시시작하다' 라는 의미.

He went overboard.
그 사람이 좀 너무 했어.

- When the bomb exploded, I was thrown overboard.
  폭탄이 터질 때 난 밖으로 튕겨 나갔어.
  I may have gone a little overboard. 내가 좀 선을 넘어섰을지도 몰라.

■ **go overboard**는 '지나치다,' '선을 넘어서다' 라는 의미로 원래 overboard는 '배밖으로' 라는 의미의 단어이다.

I am not on board with this!
난 이것에 동참할 수 없어.

- And I'm glad that you're back on board with our plan.
  그리고 난 네가 우리 계획에 다시 참여하게 되어 기뻐.
  I want you to be on board with what I'm gonna say.
  내가 말하는 것에 네가 동참하기를 원해.

■ **be on board**는 '승선하다,' '동승하다' 라는 뜻으로 비유적으로 어떤 계획이나 의견에 같이 한다는 의미. 한편 take sth on board하면 '경청하다' 라는 뜻이 된다.

He pays for my room and board.
걔가 내 숙박비를 부담해.

- You'll be giving room and board to this fellow.
  네가 이 친구한테 숙박비를 대줄거야.
  Damian Westlake is an old friend of mine from boarding school. 대미언 웨스트레이크는 기숙사 학교 시절부터 알고 있는 옛 친구야.

■ **room and board**는 '숙박비' 를 의미하는데 하숙의 개념처럼 숙박과 식비를 포함한 것이다. board and lodging도 같은 의미가 되며 boarding house는 기숙사, boarding school은 기숙사 학교를 의미한다.

놓치면 원통한 미드표현들

- **think out of[outside] the box** 독창적 사고를 하다 *box는 비유적으로 고정관념이나 틀
  Let's think out of the box for a moment.
  잠깐만 독창적 사고를 해보자.
  She is not strong at thinking outside the box. 걔는 독창적 사고에는 강하지 않아.

- **outside the box thinking** 새로운 사고
  Let me offer a little outside the box thinking here. 여기서 새로운 사고를 좀 해보겠어.

Don't rock the boat. 공연히 평지풍파 만들지마.

You missed the boat
넌 기회를 놓쳤어

- A: Where's Natasha? B: She missed the boat.
  A: 나타샤가 어디 있어? B: 걘 배를 놓쳤어.

  You missed the boat, George. 조지, 넌 기회를 놓쳤어.

Don't rock the boat
공연히 평지풍파 일으키지마.

- I don't want to rock the boat. hey. 야, 난 난동피우고 싶지 않아.

  She must have not wanted to rock the boat.
  걘 소동을 피우고 싶지 않았을거야.

We're all in the same boat
우리 모두 같은 처지야

- I'm all for sticking together. But we're not in the same boat here.
  난 우리 모두가 함께 뭉치는데 찬성야. 하지만 우리가 다 같은 처지는 아닌거야.

  And then I'd be in the same boat as you.
  그리고 나면 난 너와 같은 처지가 될거야.

■ miss the boat는 배를 놓치다라는 말로 '기회를 놓치다,' '때를 놓치다'라는 말로 쓰인다.

■ rock the boat는 평온하게 가는 배를 흔들어대니 평지풍파가 일어날 수밖에. 난동이나 소동을 피우다라고 생각하면 된다.

■ be in the same boat는 be in the same difficult, 혹은 be in the same troublesome situation이라는 말로 '같은 곤경, 같은 처지에 놓여있다'는 말.

MORE EXPRESSION

push the boat out 돈을 막쓰다
burn one's bridge[boats]
배수진을 치다

Where's the body? 시신이 어디 있어?

Over my dead body.
내 눈에 흙이 들어가기 전엔 안돼.

- The only way you're going back to jail is over my dead body.
  내가 죽기 전에는 절대로 넌 감방에 다시 못가.

  I told her no way is she borrowing my stuff. Over my dead
  body! 난 걔한테 절대로 내 물건 빌려갈 생각말라고 했어. 죽어도 안된다고!

Where's the body?
시신이 어디있는거야?

- And the body we have doesn't even have a face.
  그리고 우리에게 있는 시신은 얼굴 형체도 없어.

  No purse or I.D. found on the body. 지갑이나 신분증이 시신에 없어.

■ over my dead body는 내눈에 흙이 들어가기 전에는 절대 안돼라는 우리말에 딱 들어맞는 표현. 상대방이 이말을 하면 That can be arranged(내가 죽여주면 되겠네)라고 받아칠 수 있다.

■ body는 몸, 신체라는 일반적인 의미 외에 특히 범죄수사미드에서는 시체, 시신이라는 의미로 많이 등장한다.

B

It narrows it down to a single body of water.
하나의 물줄기로 좁혀지고 있어.

- Both victims had contact with the same body of water?
  모든 피해자가 같은 물줄기에 접촉했어?

  Do we know what body of water? 어떤 물줄기인지 알고 있어?

■ body of water는 물줄기나 바다나 호수 등을 말한다.

» bomb

 I got totally bombed. 난 완전히 술에 쩔었어.

Has the bomb dropped yet?
벌써 폭탄선언한거야?

- I'm sorry to drop a bomb on you. 이런 안 좋은 소식을 전하게 돼서 미안해.

  You just dropped the bomb and ran? 너 폭탄선언만 하고 도망가는거니?

■ drop the bomb은 '폭탄을 떨어트리다' 라는 문자 그대로의 뜻도 있으나 비유적으로 '폭탄선언을 하다' 라는 의미로도 쓰인다.

Doesn't mean he didn't plant the bomb.
걔가 폭탄을 설치하지 않았다는 걸 의미하진 않지.

- Chris planted the bomb under Sam's car.
  크리스는 샘의 차 밑에 폭탄을 설치했어.

  Guilt. I'm the one who built the bomb. 유죄. 내가 바로 폭탄을 만든 장본인야.

■ plant the bomb은 '폭탄을 설치하다' 라는 뜻이며 build the bomb은 '폭탄을 만들다' 라는 뜻.

And then tell him to call the bomb squad.
그리고 나서 폭탄처리반에게 연락하라고 해.

- I go back in and wait for the bomb squad.
  난 안에 돌아가서 폭탄처리반을 기다릴게.

  Right. And the bomb squad is coming. 좋아. 폭탄처리반이 오고 있어.

■ bomb squad는 '폭탄처리반' 이라는 뜻으로 테러관련 미드에서 많이 등장하는 단어이다.

That's the bomb! I had no idea.
정말 멋지다! 난 몰랐어.

- Background subtraction application software is the bomb.
  배경삭제 응용 소프트웨어는 정말 끝내줘.

  Oh, it was great. I got totally bombed. 오, 너무 좋았어. 난 완전히 갔어.

■ be the bomb하면 속어로 '멋지다,' '훌륭하다' 라는 뜻이지만 be bombed하면 술이나 약에 '취하다' 라는 의미가 된다.

Don't bomb during the singing contest.
노래 대회에서는 망치지 마라.

- Alex, you really bombed during the game. 알렉스, 너 정말 게임중에 망쳤어.

  Over half of the students bombed the exam.
  반이상의 학생들이 시험을 망쳤어.

  My son bombed his midterm. He's such a jerk!
  아들이 중간고사를 망쳤어. 머저리같은 놈.

■ bomb (out)은 역시 동사로 무척 성공적이지 못하다, 즉 '망치다,' '실패하다' 라는 뜻이며 특히 bomb+각종시험하면 시험을 망치다라는 뜻으로 쓰인다.

» bond

I'm glad you guys were bonding. 너희들이 잘 지내고 있다니 기뻐.

They're really bonding.
걔들은 정말로 잘 지내고 있어.

- We were totally bonding as soon as we met each other.
우린 서로 만나자 마자 완전히 찰떡궁합이야.

  I'm glad you guys were bonding. 너희들이 잘 지내고 있어 기뻐.

■ be bonding은 '유대관계가 좋다,' '잘 지내다' 라는 뜻이며 수동태인 be bonded하면 '유대가 끈끈하다' 라는 뜻이 된다.

A new baby needs to bond with its mother.
신생아는 엄마와 유대감을 형성해야 해.

- Do you bond with all the convicts or was Carlos just special?
넌 모든 범법자들과 유대감을 형성하니 아니면 카를로스만 단지 특별한 케이스니?

  My client has developed a strong bond with Barry.
내 의뢰인은 배리와 강한 유대관계를 형성했어.

  I was bonding with a victim. 난 한 희생자와 유대감을 유지하고 있었어.

■ bond with는 '…와 유대감을 형성하다,' '정이 돈독하다,' bond between하면 '…사이에 유대감을 형성하다' 라는 뜻이며, have a bond with하면 '…와 유대가 있다' 라는 뜻이 된다.

I thought it'd be a good bonding opportunity.
난 이게 아주 유대감을 형성할 수 있는 좋은 기회로 생각했었어.

- It'll be like our first y'know roommate bonding thing.
이건 우리가 최초 룸메이트들 간 유대관계를 형성하는 것 같은 걸거야.

  You know, see what was further down the beach. Male bonding. 알잖아, 바닷가에서 볼 수 있는 것. 남성들 간 동료의식이 생기지.

■ bonding은 '유대감 형성' 이라는 뜻이며 male[female] bonding은 '남성들[여성들]간 동료의식' 이라는 뜻.

» bone

Don't make any bones about your feelings. 네 감정을 숨기지마.

I've got a bone to pick with you.
나 너한테 따질 일이 있어.

- I have a bone to pick with you, sir. 선생께 따질 일이 있습니다.

  That reminds me, I have a bone to pick with you.
그러니까 기억이 나는데, 나 너한테 따질 일이 있어.

■ have a bone to pick with sb는 부드럽게 말하면 얘기 좀 할게 있다, 노골적으로 말하면 '…에게 따질게 있다' 라는 뜻이다.

I can't prove it. But I feel it in my bones.
내가 증명할 수는 없지만 직감으로 느껴.

- Feel it in your bones. 마음 깊이 그걸 느껴봐.

  I knew he'd do it again. Knew it in my bones.
걔가 그 짓을 다시 할 줄 알았어. 직감으로 알고 있었어.

■ feel[know] sth in one's bones는 '직감으로 느끼다' 라는 뜻. 뼈 속으로 느낀다라는 것으로 문자 그대로의 의미를 생각해보면 이해가 쉽다.

The cause of the problem was a bone in her throat.
문제의 원인은 목에 걸린 가시였어.

- Jenna was rushed to the hospital with a bone in her throat.
  제나는 목에 가시가 걸려서 병원으로 급히 갔어.

  Jerry said he couldn't go out because he had a bone in his throat.
  제리는 목에 가시가 걸려서 외출할 수 없다고 했어.

I have a bone in my throat는 목에 가시가 걸렸다라는 말로 비유적으로 쓰일 때는 상대방의 제안이나 부탁을 거절할 때 사용한다. 참고로 have a frog in one's throat하면 '목이 잠기다' 라는 뜻.

You want my help, Tim, you gotta throw me a bone.
팀, 내 도움을 원하면 내 환심을 사야지.

- The actor threw his friend a bone. 그 배우는 친구를 돕는 척만 했어.

  Come on, throw me a bone. I need help!
  자, 나 좀 도와줘. 도움이 필요해!

throw sb a bone은 강아지에게 뼈를 던져주는 모습에서 나온 표현으로 '환심을 사려고 하다,' '돕는 시늉만 하다' 라는 의미.

She made no bones about her love for Dave.
걘 데이브에 대한 사랑에 주저하지 않고 말했어.

- I made no bones about being unhappy.
  난 불행해지는 것에 대해 까놓고 다 말해.

  Don't make any bones about your feelings.
  네 감정을 숨기지 마라.

make no bones about은 …에 대해 직설적이고 분명한 태도를 갖고 있어 '거침없이 …하다,' '주저하지 않고 …하다,' '까놓고 말하다,' '숨김없이 말하다' 라는 의미가 된다.

My mama worked her fingers to the bone for me.
엄마가 나를 위해 뼈 빠지게 일하셨어.

- And the rest of us have had our budgets cut to the bone.
  그리고 나머지 우리들은 예산을 최대한 삭감해야 했어.

  My son is working himself to the bone.
  내 아들은 최대한 열심히 일을 하고 있어.

to the bone은 '최대한' 이라는 의미를 가지고 있는데 be chilled[frozen] to the bone이면 '무척 춥다' work one's fingers to the bone은 '뼈 빠지게 일하다' 라는 표현.

Cheryl spent the night boning up for the exam.
쉐릴은 시험공부 벼락치기하면서 밤샜어.

- You have three weeks to bone up for the interview.
  면접까지 벼락치기하는데 3주 남았어.

  Has everyone boned up for biology class?
  다들 생물시간 예습 다했어?

bone up (for, on) sth은 '벼락공부하다'라는 의미.

Trey! You have a boner!
트레이, 너 섰구나!

- A: David! You have a boner! B: You're so beautiful.
  A: 데이빗, 너 섰구나! B: 넌 너무 아름다워.

  My father got a boner when he was watching hardcore porno.
  아버지는 하드코어 포르노를 보면서 발딱 스셨어.

get a boner는 창의적인(?) 표현으로 뼈가 penis처럼 생겼다는 점을 발칙하게(?) 상상해보면 '발기하다,' '흥분하다' 라는 의미라는 것을 알 수 있다.

Richie wants me to get a boob job. 리치는 내가 유방확대수술을 하길 원해.

You're staring at my shirt boobs.
넌 셔츠에 튀어나온 내 가슴을 보고 있구나.

- Carlos! Her boobs are none of your business!
  카를로스! 걔 가슴에 신경 쓰지마!

  No. I didn't even see her boobs. 아냐, 난 걔 가슴을 보지도 못했어.

I guess we can rule out boob job.
우린 유방확대수술은 안해도 되겠어.

- I can't believe you would actually consider having a boob job.
  네가 실제로 유방확대수술을 고려하다니 믿기지 않아.

  Richie wants me to get a boob job. He wants 'em bigger.
  리치는 내가 유방확대수술을 하길 원해. 걘 큰 가슴을 좋아하거든.

■ boobs는 '여성의 유방(women's breast)'을 의미한다. breast, bosom, chest 등의 단어들로 마찬가지로 가슴을 뜻한다. 참고로 bosom friend [buddy]하면 '절친한 친구'를 뜻한다.

■ boob job은 '유방 확대 수술'을 의미한다.

B

You did everything by the book. 넌 모든 것을 원칙대로 했어.

Not in my book.
내 생각에는 아냐.(내 판단으로는 아니야.)

- You know, in my book, the dress was blue.
  있잖아, 내 생각으론 그 옷은 푸른색이야.

  In my book, the thing you did was wrong.
  내 판단에 네가 한 일은 잘못됐어.

  In our book, Charlie seems guilty of the crime.
  우리 생각으로는 찰리가 유죄인 것 같아.

You're all right in my book.
넌 완전히 내 타입이야.

- Anyone who helps animals is all right in my book.
  동물을 도와주는 사람은 누구라도 내 마음에 드는 사람이야.

  The new boss is all right in my book. 신입 사장은 마음에 들어.

You did everything by the book.
넌 모든 것을 원칙대로 했어.

- We do it by the book. Then we pray. 우린 원칙대로 하고 나서는 기도해.

  And just so we're clear, the arrest went by the book.
  그리고 분명히 해두는데 체포는 규정대로 이루어졌어.

■ in my book은 '내 생각으로는'이라는 뜻으로 쓰인다.

■ be in one's good book는 주어가 '마음에 든다,' '좋다'라는 뜻으로 반대 의미를 표현하려면 good 대신에 bad를 쓰면 된다.

■ do[play] sth by the book는 책에 적힌대로 한다는 것으로 '…을 원칙대로 하다,' '규정대로하다'라는 뜻. go by the book이라고 해도 된다.

I need to do this off the books.

난 이걸 비공식적으로 처리해야 해.

- Some of the girls thought that Jessica was working off the books.
  일부 여자애들은 제시카가 비공식적으로 일하고 있었다고 생각해.

  The best part is we can finally get her off the books.
  가장 좋은 점은 마침내 걔를 내보낼 수 있다는거야.

I could read her face like a book.

난 걔 얼굴을 정확하게 읽을 수가 있어.

- He read the old man who lived a miserable life like a book.
  걔는 비참한 삶을 살았던 그 노인의 마음을 훤히 알았어.

  You read me like a book. Why would you hire that woman?
  나를 훤히 꿰뚫어보고 있군. 근데 왜 저 여자를 고용한거야?

We're booked solid for the next month!

우린 다음 달 예약이 꽉 찼어.

- We are fully booked for the weekend. 우리는 주말에 일정이 꽉 찼어.
  It was booked up two years in advance.
  그건 앞으로 2년 치가 예약이 끝나버렸어.

I'm going to book this guy. You want to go with?

난 이 놈의 진술을 받으려고. 너도 같이 갈래?

- We need to book an OR. 수술실 예약해야 돼.
  I want to book you for the opening of a new club.
  새로운 클럽 오프닝에 네가 참석하도록 예약해주고 싶어.

■ **be[do] off the books**는 '장부에서 제외되다' 라는 말로 비유적으로 비공식적이다라는 뜻이다. 응용표현으로 work off the books하면 '비공식적으로 일하다,' keep~off the books는 '…를 기록으로 남기지 않다' 라는 표현. 한편 take[get] sb off the books하면 탈퇴시키다, 내보내내라는 뜻이 된다.

■ **read sb like a book**은 '…의 마음을 책 보듯 훤히 알다' 라는 뜻이다. like a book은 '정확하게' 라는 의미.

■ **be booked solid, be fully booked**는 '예약이 꽉 차다' 라는 의미이며 book in advance하면 '사전에 예약하다' be booked up하면 '예약이 차다' 또는 '할 일이 많다' 라는 표현이 된다.

■ **book**은 '예약하다' 또는 '(경찰이 연행해서) 피의사실을 기록하다' 라는 뜻으로도 쓰인다.

MORE EXPRESSION

bookworm 공부벌레

» boot

For a booty call, press number one. 섹스를 원하면 1번을 눌러주세요.

I wouldn't know. She gave me the boot.

나야 모르지. 걔가 날 잘랐어.

- That's what he got me booted for. 그게 바로 걔가 날 자른 이유야.
  The manager is gonna stick around until he gets the boot.
  매니저는 쫓겨날 때까지 붙어 있을거야.

You knew you'd be booted out of football.

넌 네가 축구팀에서 쫓겨날 걸 알고 있었어.

- The drunken couple was booted off the tour boat.
  만취커플은 유람선에서 쫓겨났어.
  We'll boot him out if he comes back. 걔가 돌아오면 쫓아낼거야.

■ **give the boot**는 신발던져주고 나가라라는 말로 '절교하다,' '해고하다,' 반대로 get the boot 혹은 get booted하면 '해고당하다.' 그러나 자동차의 경우에 get[be] booted하면 불법주차한 차에 클램프를 채우다라는 뜻으로도 쓰인다.

■ **boot out[off]**는 잘못을 해서 회사나 학교 및 집에서 '강제적으로 내쫓다' (make sb leave) 라는 의미.

You must be my lucky night. And with taste to boot.
넌 참 운좋은 밤이야. 그것도 고상하게 말야.

- Has an appreciation for golden-age Hollywood and is a gentleman to boot. 그 사람은 할리우드 황금시대를 이해하고 게다가 신사이기도 해.

■ to boot는 그것도, 게다가 라는 말로 앞에 한말에 부가적인 의미를 부여할 때 사용한다.

He boots all over my counter.
걘 내 카운터 전체를 세게 찼어.

- I don't think that I'm gonna wear the boots tonight. 오늘 밤에 장화를 신지않을까봐.

When she booted us, it made me want to steal something of hers again. 걔가 우릴 때려서, 난 다시 걔한테서 뭔가 훔치고 싶은 충동이 들었어.

■ boot는 동사로 사람이나 사물을 '세게 차다.' 물론 가장 기본적으로 '목이 긴 장화'를 말한다.

He was best known as a bootlegger, a womanizer.
걘 주류밀매업자 및 바람둥이로 유명했어.

- You found a bootleg copy of that concert? 네가 그 콘서트 해적판 앨범을 찾았다고?

Bootleg movies pose a threat to national security? 불법 영화가 국가안보를 위협한다고?

■ bootleg는 '불법의,' '해적판의' 라는 말이고 bootlegger는 금주시대의 '주류밀매자'를 뜻한다.

There's no greater gift than the gift of booty.
섹스보다 더 좋은 선물은 없지.

- She's got six tables waiting and she's taking a bootie break? 걘 아직 6테이블을 더 돌아야 하는데 일 안하고 섹스하는거야?

Jack prefers women with big booties. 잭은 엉덩이가 큰 여자들을 더 좋아해.

■ booty는 전리품 혹은 쇼핑에서 전리품처럼 당당히 사온 물건들을 말할 때도 있고 속으로 '엉덩이(buttocks)'을 말할 때도 있다. bootie라고 표기하여 매력적인 엉덩이라고 말하기도 한다.

Yeah, but those were just booty calls.
그래, 하지만 그것은 그냥 섹스하자는 전화였어.

- You've reached friends with benefits. For a booty call, press one now. 섹스친구에게 연결되었습니다. 섹스를 원하시면 지금 1번을 눌러주세요.

You want me to just stop everything so you can have a booty call? 나보고 하던 일 다 멈추라는거야, 섹스하는 네 전화를 받을 수 있게?

■ booty call는 아무 조건없이 그냥 만나서 육체적 관계를 맺자고 하는 전화를 말한다.

A boot camp for troubled girls.
문제 일으키는 여자들용 훈련소야.

- Where is he again? Some kind of a boot camp for juvenile delinquents. 걔 또 어디있어? 청소년 비행 교정 훈련소에 있는거야?

You don't have to go back to boot camp? 훈련소에 돌아가지 않아도 돼?

■ boot camp는 원래 신병소를 뜻하는 단어이나 말안듣는 문제아이들을 군대식으로 가르키는 훈련소를 말한다.

Pick up Vincent, I'll bootstrap a warrant.
기운내, 빈센트, 내가 영장을 꼭 받아낼게.

- That's right on the money, Mr. Gardner. It's called bootstrapping. 가드너씨 딱 맞았어요. 그걸 부트스트랩핑이라고 해요.

Better hope Novak can bootstrap us a warrant. 노박 검사가 우리에게 영장을 받아낼 수 있을거라 희망해야지.

■ bootstrap는 어떤 일이 확실히 일어날 수 있도록 고생을 하다(do extra or difficult things to make certain something will happen)이라는 의미.

B

I'm off the booze. 나 술 끊었어.

Well, someone gave her the booze.
글쎄, 누군가 걔한테 술을 먹였지.

- Where does Meredith keep the booze? 메러디스가 어디에 술을 두니?
  Has the booze rotted your brain? 술 때문에 네 뇌가 이상해진거야?

booze는 '술' 또는 '술을 마시다' 라는 의미로 booze it하면 '과음하다' 라는 표현이 된다.

I'm off the booze.
나 술 끊었어.

- Hiking. There's nothing like it to take your mind off booze.
  하이킹. 술을 끊으려면 그것만큼 좋은 것은 없어.
  No, you want to blame this on the booze, but that's easy.
  아냐, 너 이걸 술 때문이라고 핑계대고 싶지. 핑계대는 건 쉽지.

on the booze는 '술이 취해서' 라는 뜻이며 반대로 off the booze하면 '술을 끊은' 이라는 의미가 된다.

You're the boss. 분부만 내리세요.

I am my own boss.
자영업을 해요.

- I was still my own boss. 나 아직도 자영업을 운영하고 있었어.
  I started this business and I'm my own boss.
  난 이 사업을 시작했고 내가 운영해.

be one's own boss는 '자영업을 하다' '사업하다' 라는 뜻으로 스스로가 주인이라는 말씀.

You're the boss.
분부만 내리세요.

- A: Say I'm the boss. B: Yes, you're the boss.
  A: 내가 보스라고 말해봐. B: 예, 분부만 내리세요.
  All right, you're the boss. I guess I gotta do what you tell me.
  좋아, 분부만 내리세요. 말씀하신대로 할게요.

You're the boss는 '당신이 보스에요' 라는 의미로 비유적으로는 '분부만 하세요' 또는 '따를게요' 혹은 네가 결정하는 자리이니 '네 맘대로 해라' 라는 표현이 된다.

You're just a little bossy boss!
넌 으스대는 보스야.

- Okay, maybe I get a little bossy. 그래, 아마 내가 좀 으스대지.
  I love the way he used to boss around Alice.
  걔가 앨리스한테 이래라 저래라 하던 방식이 좋아.

bossy는 '으시대는' 또는 '주인행세를 하는' 이라는 다소 부정적인 뜻이 된다. 한편 boss around면 '이래라 저래라하다' 라는 의미.

» bother

Don't let it bother you. 그것 때문에 신경쓰지마.

May I ask why you didn't bother to tell me?
왜 나한테 말을 안 해줬지, 이유가 뭐예요?

- We thought he was asleep, so we didn't bother him.
  우린 걔가 자고 있다고 생각해서 걔를 굳이 깨우지 않기로 했어.

  He's been missing for days, yet you didn't bother to call anyone? 걔는 며칠 동안 실종되었는데 아직 넌 아무한테도 전화도 하지 않았단 말이지?

■ didn't bother to do하면 '…하는 것을 신경 쓰지 않았다' 라는 뜻이며 'didn't bother sb는 '…를 괴롭히지 않는다' 또는 '…에게 폐를 끼치지 않는다' 라는 의미가 된다.

I'm sorry to bother you.
폐를 끼쳐서 죄송해요.

- I'm sorry to bother you. Do you have a minute?
  폐를 끼쳐서 미안한데 시간 좀 있어요?

  Sorry to bother you. Hello. I'm looking for a Zack Johnson who used to have coitus with my neighbor Penny.
  여보세요, 미안하지만 잭 존슨을 찾고 있어요. 걘 내 이웃 페니와 성교를 하고 있었던 친구죠.

■ be sorry to bother you 는 '폐를 끼쳐서 죄송하다' 라는 표현.

Yes, it bothers me Ron.
그래, 그게 마음에 걸려, 론.

- It bothers me that I'm never gonna have that feeling.
  내가 그런 감정을 결코 갖지 못할 거라는 것이 마음에 걸려.

  It bothers me when people gossip about other people behind their backs. 사람들이 뒤에서 남에 대해 험담할 때 마음에 걸려.

■ It bothers me (that, when) S+V은 '…한 것이 마음에 걸린다' 라는 의미로 It kills me 도 같은 의미의 표현이 된다.

What's bothering you?
뭐 때문에 힘들어?

- Just talk about what's bothering you. 불편한 점을 그냥 말해주세요.

  A: Something's not right. B: Well, what's bothering you?
  A: 뭔가 이상해. B: 그래, 뭐가 불편한대?

■ What's bothering you?, What bothers you the most ~하면 '…에서[하면서] 가장 불편한 점이 뭐야?' 라는 표현. What's been bothering you?로 하면 '뭐 때문에 힘들었어?' 라는 의미가 된다.

Don't let it bother you.
그거 때문에 신경 쓰지마.

- I tried not to let it bother me. 그것에 신경을 쓰지 않으려고 노력했어.
  That's why I didn't let it bother me. 그래서 내가 신경을 쓰지 않았던 거야.

■ not let A bother sb 'A 때문에 신경을 쓰지 마라' 라는 뜻.

Is something bothering you?
뭔가가 신경이 쓰이는게 있어?

- Something's bothering her. I'll keep an eye on her.
  걔가 뭔가가 신경 쓰이나봐. 내가 걜 지켜볼게.

  Amy, did Jane ever mention anyone bothering her?
  에이미, 제인이 누가 걜 괴롭힌다고 말한 적이 있었니?

■ Sth[sb] is bothering sb 는 '…가 …를 괴롭게 하다' 또는 '…가 …를 신경쓰이게 하다' 라는 뜻이 된다.

B

Don't bother to deny it.

굳이 그걸 부정할 필요는 없어.

- I'm done with you, Josh. Don't bother coming home.
  난 너랑 끝났어, 조시. 굳이 집에 올 필요 없어.

  Don't bother me. 저리 가. (나 좀 내버려둬.)

I can't be bothered now.

지금은 꼼짝도 하기 싫어.

- The pharmacy can't be bothered to deliver. 약국이 배달을 하지 않아.

  He can't be bothered to wipe his ass. 걔는 뒤를 닦는 걸 귀찮아해.

Stop bothering me.

나 좀 가만히 놔둬.

- You both promise to stop bothering me about it.
  너희 둘 그것에 대해 날 가만히 놔두기로 약속해.

  Stop bothering me. I've got work to do. 나 좀 그만 괴롭혀. 나 할 일이 있다고.

 bother to+동사면 '굳이 …하느라 애쓰다' 라는 의미로 Don't bother to+동사[…ing]는 '굳이 …할 필요 없어' 라는 표현이 된다.

can't be bothered는 '… 할 마음이 내키지 않는다' 또는 '굳이 …하고 싶지 않다' 라는 귀차니즘을 대변하는 표현.

stop bothering은 '가만히 놔두다' 라는 의미로 괴롭히는 것을 중단하다라는 문자 그대로의 뜻을 새기면 된다.

MORE EXPRESSION

Sorry to be a bother[pest]
귀찮게 해서 미안해

» bottle

 Don't keep it bottled up. 혼자 속 끓이지마.

It's not good to keep that bottled up inside.

그걸 마음속에 담아두는 것은 좋지 않아.

- Don't keep it bottled up. 혼자 속 끓이지마.

  I'm not the type of person that can keep things bottled up inside.
  난 뭔가를 마음속에 담아두는 타입이 아냐.

The invitation said BYOB.

초청장에 '술은각자지참' 이라고 되어 있어.

- So you brought your own bottle of wine with you, then?
  그래, 그러면 넌 네 와인을 가져왔니?

  You know, strictly BYOB. 있잖아, 철저하게 '술은각자지참' 방침이야.

keep sth bottled up [inside]은 '마음 속에 담아두다' 라는 뜻으로 신경 쓰이는 뭔가를 마음속에 둔다라는 의미. bottle up이 병안에 봉해 놓는다는 의미라는 것을 생각해보면 된다.

bring your own bottle는 '술은 각자지참' 이라는 뜻으로 술을 각자 가져와서 즐기는 파티를 말한다. Bring Your Own Beer[Bottle, Beverage, Booze]도 같은 표현으로 BYOB라는 약자로 사용되기도 한다.

MORE EXPRESSION

hit the bottle 술을 많이 마시다
bottle out 포기하다
bottle it 그만두다

What's the bottom line? 요점이 뭐야?

I'm sure we'll get to the bottom of this.
우린 이것의 진상을 확실히 알아볼거야.

- It took me a few listens to get to the bottom of them.
진상을 알아보기 위해서 몇 번 경청을 했었어.

  We need to get to the bottom of it. 우린 진상을 파헤칠 필요가 있어.

■ **get to the bottom of sth**은 '…의 진상[원인]을 밝히다' 라는 뜻이며 get to the bottom of it은 관용표현으로 '확실하게 알아보다' 또는 '진상을 파헤치다' 라는 표현.

I really thought I hit rock bottom.
난 완전히 밑바닥까지 간걸로 생각했어.

- That's when I knew I'd hit rock bottom. 내가 바닥을 친걸 알게 된 때였어.

■ **hit[reach] rock bottom**은 '바닥치다,' '밑바닥까지 가다,' '완전히 폭락하다' 라는 뜻으로 비유적으로 '불행해지다' 라는 의미로도 쓰인다.

Now I say this from the bottom of my heart.
이제 난 진심으로 이걸 말하는거야.

- Thank you very much from the bottom of my heart for that incredible gift. 너무 좋은 선물을 준데 대해 진심으로 감사해.

  So from the bottom of my heart, for whatever I did to you, I apologize. 내가 네게 무슨 짓을 했던간에 너한테 진심으로 사과해.

■ **from the bottom of one's heart**는 '충심으로,' '진심으로' 라는 표현.

Bottoms up!
위하여!

- Come on. Everybody, bottoms up. 오, 이제 축배가 어때? 자, 모두 '위하여.'

  Bottoms up! Let's get drunk! 위하여! 자 취하자!

■ **bottoms up**은 술자리에서 drink up과 같은 뜻으로 '잔을 비우다' 라는 의미. 주로 술을 마실 때 건배를 하면서 외치는 '위하여!' 라는 의미로 쓰인다.

Her dad looked me over from top to bottom.
걔 아버지는 위아래로 날 훑어봤어.

- Everyone started this whole thing, from top to bottom.
모두가 다 이 일 전체를 하나도 빠짐없이 시작했어.

  It was mishandled. The whole thing from top to bottom.
잘못 처리됐어. 첨부터 끝까지 전체가 말야.

■ **from top to bottom**은 '위에서 아래까지' 라는 표현으로 '전부 몽땅' 이라는 뜻과 함께 '샅샅이,' '철저히' 라는 의미로도 쓰인다.

What's the bottom line?
요점이 뭐야?

- Here's the bottom line. 요지는 이거야.

  Bottom line, we have no indication this is a homicide, true?
결론은 이게 살인이라고 생각할 만한 것이 없다는거야, 맞지?

■ **bottom line**은 손익계산서의 맨아래줄에 수입과 지출을 뺀 수익이 나온다는 점에서 유래하여 비유적으로 '결론' 이라는 의미로 사용된다. The bottom line is ~ 하면 따라서 '제일 중요한 건 … 야' 라는 표현이 된다.

Pressure just bottomed out.
스트레스가 이제 바닥을 치고 나아지기 시작했어.

- Your career has totally bottomed out and you need to pay the bills. 네 경력은 완전히 바닥을 쳤으며 넌 청구서들을 지불해야 해.

  The car bottomed out on the old country road.
자동차는 낡은 시골길에서 벗어났어.

■ **bottom out**은 '바닥을 치고 다시 올라오는 상태를 말하는 것으로 주식이나 경력 등이 더 이상 나빠지지 않고 오히려 나아진다는 뉘앙스를 가진다.

MORE EXPRESSION

bottom rung 최하층
start at the bottom of the ladder 밑바닥부터 시작하다

So I bounced the hell up outta there. 그래서 거기서 정신없이 빠져나왔어.

The check bounced because of insufficient funds.
돈이 모자라 수표가 되돌아왔어.

- Don't let another check bounce this month.
  이번달에 수표를 더 부도내지 말자고.

  If I don't cut back on staff, the next round of paychecks are gonna bounce. 직원감축을 하지 않으면 다음번 급여수표는 부도날거야.

■ **bounced check**은 부도 수표. 우리나라 수표와는 달리 미국에서는 checking accounts에 돈을 집어놓고 그 범위내에서 수표를 발행해 결제하는데 잔액이 부족해 되돌아 오는 것을 부도수표라고 한다. 우리의 체크카드 개념과 비슷하다고 보면 된다.

It'll take a year to bounce back from the accident.
사고에서 일어서는데 일년이 걸릴거야.

- Can you bounce back from getting fired?
  해고당하고나서 다시 좀 일어섰어?

  Yeah, and he's so young, he's gonna bounce right back.
  그래, 그리고 걘 정말 젊어서 바로 다시 일어설거야.

■ **bounce back**은 '곤경에서 벗어나다,' '기분이 좋아지다,' '이멜이 돌아오다' 등 다양하게 쓰일 수 있다.

We'd like to bounce some ideas off you.
우리는 너하고 아이디어들을 토의하고 싶어.

- I didn't have a chance to bounce this off the boss.
  난 사장과 이걸 토의할 기회가 없었어.

  They decided to bounce around different proposals.
  걔네들은 다른 제안들을 토의하기로 결정했어.

■ **bounce off**는 다른 사람의 의견을 듣고 구하고 토의하여 결정하다라는 말로 bounce around라고 해도 된다. 한마디로 discuss.

He's a bouncer in a strip club.
걔는 스트립 클럽의 경비야.

- So I talked to one of my boys who bounces at a couple of clubs. 그래서 클럽 몇군데서 경비서는 내 애들중 하나에게 얘기해놨어.

  Frankie the bouncer beat up a guy in the parking lot.
  프랭키는 클럽 경비로 주차장에 있는 한 놈을 팼어.

■ **bouncer**는 클럽의 경비, 혹은 기도로 주로 덩치가 헤비급인 사람들로 입장을 통제하는 사람들을 말한다. 입장시에는 손에다 클럽도장을 찍어주기도 하고, 동사로도 쓰인다.

After she had sex with Tom, we bounced.
걔가 탐과 섹스를 한 후 우리는 떠났어.

- She got bounced out of regular porn.
  걘 포르노 업계에서 쫓겨났어.

  So I bounced the hell up outta there.
  그래서 난 거기를 후다닥 빠져나왔어.

  Well, what are we waiting for? Let's bounce, bitches.
  그래, 뭘 기다리는데? 가지, 이년들아.

  Well, she's a baby. You hold her. You bounce her.
  좋아, 걘 애기야. 안아주고 흔들어줘.

  That's the way the ball bounces. 인생이란 그런 거야

■ **bounce**는 그밖에 다양한 의미로 쓰이는데 옆의 문장들을 하나하나 보면서 감을 익혀보기로 한다.

Be a good boy. 착하게 굴어라.

Attaboy, Dave. We knew you could do it.
잘했어, 데이브. 우리는 네가 할 수 있을거라 알고 있었어.

- What a great job! Attaboy! 참 멋지게 했어! 잘했어!
  Attagirl! We knew she could do it. 잘했어! 우리는 걔가 해낼거라는 걸 알았어.

Be a good boy.
착하게 굴어라.

- I will try and be a good boy. 착하게 행동하려고 할게.
  I didn't mean to get you mad. Please. I'll be a good boy.
  널 화나게 할 뜻은 없었어. 제발. 착하게 굴게.

I told her to take her boy toy and get out.
난 걔한테 연하애인을 데리고 나가라고 말했어.

- I found myself a boy toy and had some fun with him last night.
  어젯밤에 연하애인을 물어서 재밌게 좀 놀았어.

Let it slide, you know? Boys will be boys.
그냥 잊어버려, 응? 남자놈이 다 그렇지 뭐. .

- These are some of Andrew's adult videos. I don't approve, but boys will be boys. 이건 앤드류 야동들이야. 난 인정안하지만 남자애들 다 그런 것 같아.

▬ **Attaboy!**는 '잘했어!,' '장해!' That's a boy!는 '야, 잘했다!' That is the boy도 '잘 했어,' '좋았어' 라는 의미의 표현들이다. 마찬가지로 Attagirl!도 같은 의미이지만 다만 여성에게 쓰인다는 점이 다르다.

▬ **be a good boy**는 '착하게 행동하라' 라는 뜻. 효과가 있을지 모르겠지만 결혼도 하기 전에 호텔방에 들어가는 남녀에게 쓸 수 있는 말.

▬ **boy toy**는 '나이든 여자(cougar)와 성적관계를 갖는 남자' 즉 '연하 애인' 이라는 뜻을 갖는다.

▬ **boys will be boys**는 '사내애들은 사내애들이다' 또는 '사내애들이 다 그렇지 뭐,' '사내애들은 어쩔 수 없다' 라는 의미의 표현이다.

MORE EXPRESSION

Oh, boy 어머나, 맙소사

 Brace yourself. 마음 단단히 먹어.

Brace yourself.
마음 단단히 먹어.

- I braced myself for what was next: rage, fury, a possible murder.
  다음에 닥칠 일에 마음을 단단히 먹었어: 분노, 울분, 그리고 일어날지도 모를 살인.

  He braced himself against the back of the booth.
  걔는 부스 뒤에 등을 대고 마음을 단단히 고쳐 잡았어.

I'm fine. I've been braced for this for a long time.
난 괜찮아. 난 오랫동안 이것에 대해 마음의 준비를 하고 있었어.

- Michael's right leg is still in a cast. His left arm is in a brace.
  마이클의 오른 발은 여전히 깁스를 하고 왼 팔은 보조기를 달았어.

▬ **brace oneself for[to do]**는 '…할 각오를 하다' '…할 마음을 단단히 먹다' 라는 의미.

▬ **be braced for**는 '…에 마음의 준비를 하다' 라는 의미이다. 한편 braces는 '보조기' 로서 부상당한 부분을 받쳐주는 장비를 말한다. 또한 wear a brace하면 통상 '치열교정기를 하고 있다' 라는 의미.

B

121

I'm racking my brain. 난 머리를 쥐어짜내고 있어.

Use your brain!
머리를 좀 쓰라고!

- I expect you to use your brain. 난 네가 머릴 좀 쓰기를 기대해.
  It just seemed like a no brainer. 그건 아주 쉬운 일 같아 보여.

You've got sex on the brain, you know that?
넌 머릿속에 온통 섹스만 들어있지, 그거 알아?

- A regular nine year old girl does not have sex on the brain.
  정상적인 9살짜리 여자애라면 머릿속에 온통 섹스만 들어있지는 않지.
  You sure have Rory on the brain. I wonder why that is.
  너 분명 머릿속에 로리를 생각하고 있지. 왜 그럴까.

My friend Raura blew her brains out in this house.
내 친구 로라가 이 집에서 총으로 자살해버렸어.

- Just go over there and fuck his brains out and he'll forget all
  about it. 거기 가서 걔 섹스로 반쯤 죽여버려. 그러면 걘 모든 걸 잊어버릴거야.
  I'm not leaving him unless you promise to screw my brains
  out tonight. 네가 오늘밤 죽어라 섹스해준다고 약속하지 않으면 난 걜 떠나지 않을거야.

I'm racking my brain.
내 머리를 짜내고 있어.

- I've been wracking my brain for an idea.
  아이디어를 생각해내려고 머리를 짜내고 있어.
  I've been racking my brain to think of a way to convince him.
  걔를 설득할 방법을 찾느라 머리를 짜내고 있어.

■ use one's brain은 '…의 머리를 쓰다'라는 의미로 brain 대신에 head, noggin 또는 noodle(구어로 머리라는 의미)을 사용해도 같은 뜻이 된다. 한편 no brainer는 '아주 쉬운 일'이라는 표현이다.

■ have sth on the brain은 '머릿속에 온통 …뿐이다'라는 의미.

■ screw[fuck] one's brains out은 '…의 머리를 못쓰게 하다,' '죽도록 섹스하다'라는 표현이지만 blow one's brains out은 '총으로 …의 머리를 쏘다' 그리고 beat one's brains out하면 뭔가 이해하기 위해 짜내다라는 의미.

■ rack one's brain는 '머리를 짜내다' 또는 '깊이 생각하다'라는 표현으로 rack 대신에 wrack를 써도 된다.

MORE EXPRESSION

brain dead 뇌사
be the brains of sth …의 핵심

Brazen it through. 그냥 밀고나가.

Brazen it through.
그냥 밀고나가.

- The basketball player brazened out his broken arm.
  그 농구선수는 팔이 부러졌는데도 당당히 맞섰어.
  How did you brazen through the problems you had?.
  어떻게 그 문제들에 맞선거야?

■ brazen out[through]은 당당히 혹은 염치없이 맞서다.

I don't believe him. He is so brazen.

난 걔를 믿지 않아. 걔는 너무 뻔뻔스러워.

- You are pretty brazen for a woman. 넌 여자치고는 무지 뻔뻔해.
  You don't understand! You didn't see how brazen she was.
  넌 이해 못해! 넌 걔가 얼마나 뻔뻔스러운지 모를 거야.

B

■ get[be] brazen은 '뻔뻔해지다' 라는 뜻으로 brazen은 '뻔뻔한' 이라는 의미이다.

He speaks so brazenly of the arena.

걔는 경기장에 대해 아주 뻔뻔스럽게 말해.

- Why do you continue to press so brazenly for my support?
  왜 뻔뻔스럽게 날 도와야한다고 압력을 넣니?

■ act[speak] brazenly는 '뻔뻔스럽게 행동하다[말하다]' 라는 뜻이다.

» break

I'll just break it off with her. 난 그냥 걔랑 헤어질거야.

We'll catch our break.

우리에게도 기회가 오겠지.

- Can't this girl catch a break? 이 여자애한테 기회가 없을까?
  Am I ever gonna catch a break with you?
  내가 너하고 어떻게 한번 해볼 기회가 없을까?

■ catch one's break는 '…기회를 잡다' 라는 의미.

Let's take a break.

잠깐 쉬자.

- We think that you need to take a break, okay?
  네가 좀 쉴 필요가 있다고 생각해, 오케이?
  I come visit every day on my lunch break. 난 매일 점심시간에 와.

■ break가 '휴식시간' 또는 '짧은 휴식' 이라는 뜻으로 lunch break면 '점심시간' 을 break time하면 '휴식시간' 을 의미한다. 또한 take a break는 '잠시 쉬다' 라는 의미로 아주 많이 쓰이는 표현.

We're on a break.

우린 잠시 떨어져 있는거야.

- You just happen to have caught me on a break.
  넌 우연히도 우리가 잠시 헤어져 있는 동안 날 만난거야.
  I have to go on a break now. 난 이제 좀 쉬러가야겠어.

■ be on a break는 일반적으로 잠깐 휴식을 취하는 것을 말하지만 연애하다가 명목상 서로에 대한 사랑을 회복하기 위해 잠시 떨어져 있는 걸 의미하기도 한다.

He could just make a break for it.

걔는 방금 빠져나갈 수 있었어.

- Come on, let's see if she tries to make a break for it.
  야, 걔가 빠져나가려고 하는지 지켜보자.
  Ok, I'm makin' a break for it, I'm goin' out the window.
  좋아, 난 여길 빠져나가겠어, 창문으로 나갈 거야.

■ make a break for it은 '…쪽으로 달아나다,' '…로 빠져나가다,' '탈옥하다' 라는 뜻이다.

Tough break!

재수 옴 붙었군!

- Hey, Scott, tough break. You almost had him.
  야, 스캇, 재수가 없었어. 거의 걔를 잡을 뻔했는데.

  Oh. Well that's a tough break. 글쎄, 운이 없나봐.

■ tough break는 '실패' 또는 '불운' 이라는 뜻.

Give me a break. I haven't done this before.

한 번 봐주지 그래. 난 이건 처음 해보는거야.

- Why don't you cut me a break, huh? 한 번 봐주면 어때, 응?

  It was a mistake every time. Give it a break. 매번 실수였어. 좀 봐줘.

■ Give me a break는 '좀 봐줘요' 또는 지겨우니 '그만 좀 하지 그래' 라는 뜻으로 아주 많이 사용하는 표현. give it a break, cut me a break도 같은 의미.

I'll have to break his legs too.

난 걔 다리도 분질러 버릴거야.

- I was afraid you'd break a hip or something.
  네 엉덩뼈 같은 게 부러졌을까봐 걱정돼.

  He broke my arm and threatened to hurt her.
  걘 내 팔을 부러트리고 나서 그녀도 해치겠다고 협박했어.

  So break a leg. I'll be in the front row. 그래 행운을 빌어. 내가 앞줄에 있을 거야.

■ break one's leg[arm]은 '다리[팔]을 부러트리다' 라는 뜻으로 break a hip하면 넘어져서 '엉덩뼈가 부러지다' 라는 말이다. 또한 Break a leg! 형태로 쓰이면 '행운을 빌어!' 라는 관용표현이 된다.

I didn't break the law.

난 법을 어기지 않았어.

- And you think I'm the guy to break the law for you?
  내가 널 위해 법법행위를 할 사람으로 보여?

  When we break the rules, we've got you to protect us.
  우리가 규칙을 어길 때 네가 바로 우릴 보호해줘야 해.

■ break the law는 '법을 어기다' 라는 뜻으로 law 대신에 agreement나 contract를 써서 합의나 계약을 깨트리다라는 의미로 쓰인다.

I'll break the news.

내가 소식을 알려줄게.

- I'm gonna have to break the news to everybody.
  내가 모두에게 그 소식을 전할거야.

  A: You gonna break the news to Fanny? B: It's already been broken. A: 네가 패니에게 그 소식을 전할거니? B: 이미 알려졌어.

■ break the news는 주로 속보를 전한다는 말로 놀라운 소식이나 좋지 않은 '소식을 …에게 처음으로 전하다' 라는 뜻이다.

Okay, I've got to break the ice here.

좋아, 내가 여기서 어색한 분위기를 깨볼게.

- I'll be the one to break the ice. 내가 분위기를 부드럽게 할게.

  Well that's a good ice breaker. 그래, 아주 분위기를 좋게 만드는 말이었어.

■ break the ice는 '어색한 분위기를 깨다' 라는 뜻으로 통상 사람들이 처음 만날 때 가벼운 이야기나 농담 등으로 분위기를 부드럽게 하는 것을 의미한다. ice breaker는 그와 같은 이야기나 농담을 표현한다.

Lucky break for the kid.

그 아이한테 다행이야.

- All right, we should break for lunch. 좋아, 점심을 먹으러 가자.

  It was a lucky break for the speeding driver. 스피드 운전자에게는 다행였어.

■ lucky break for sb는 '…에게 다행이다' 라는 표현. 단순히 break for lunch면 '점심을 먹으러 가자' 라는 뜻이다.

I broke even.
난 본전이야.

- I need to charge seventeen bucks a jar just to break even.
  한 병에 17 달러를 받아야만 본전이 돼.

  Can you break a hundred? 100 달러짜리 잔돈 좀 바꿔줄 수 있어?

I hate to break it to you.
너한테 이런 말하기는 싫지만.

- I don't know how to break it to you, kid. 얘야, 어떻게 말해야할지 모르겠다.

  And I hate to break it to you, but this is yours.
  이런 말하기 싫지만 이건 네거야.

Someone broke into my house.
누군가 집에 들어왔었어요.

- Break in new shoes. 새 신발을 길들여.

  Did somebody break in to my car? 누군가 내 차에 침입했나?

I'll just break it off with her.
난 그냥 걔하고 헤어질거야.

- I told her to break it off with that scum. 걔한테 그 인간쓰레기하고 헤어지라고 했어.

  Guys, come on, break it up guys! 야, 친구들, 그만 싸워.

I'm gonna break up with you.
우리 그만 만나자

- We broke up. 우리 헤어졌어.

  We never had sex again. A few weeks ago, she broke up with me.
  우린 다신 섹스하지 않았고 몇주전에 걘 나와 헤어졌어.

  You're breaking up! 소리가 끊어져서 들려!(전화통화에서)

Then let me break it down for you.
그러면 너한테 풀어서 설명을 해줄게.

- The lawyer broke it down for the jury. 변호사는 배심원에게 설명을 했어.

  Break it down for me so I can understand. 설명해봐 내가 이해하도록 말야.

He was housebroken in an hour.
한 시간 안에 대소변을 가렸어.

- He's incredibly well-behaved. He was housebroken in an hour. 걘(애완동물) 아주 얌전해. 한 시간 안에 대소변을 가렸어.

  Klaus Von Puppy is clean and housebroken, thank you very much. 클라우스 폰 퍼피는 깨끗하고도 대소변을 잘 가려. 무지 고마워.

■ break even은 '본전이 되다' 라는 뜻. 한편 break가 큰 액수의 돈을 '잔돈으로 바꾸다' 라는 동사로도 쓰이는데 그래서 I can't break that하면 거슬러 드릴 잔돈이 없어요, Can you break this?하면 잔돈 좀 바꿔줄래요?라는 문장이 된다.

■ break it to sb는 '…에게 말하다[털어놓다] 라는 의미.

■ break into[in to]는 '…에 침입하다' 라는 뜻이지만 break in 하면 신발 등을 새로 사서 몸에 맞게 '길들이다' 라는 뜻으로 쓰인다.

■ break it off는 '헤어지다' 라는 의미이며 break it up 또한 헤어지다라는 뜻 이외에 '싸움을 그만두라' 라는 뜻으로도 쓰인다는 점을 알아둔다.

■ break up (with)은 '남녀간에 헤어지다' 라는 뜻으로 미드에서 뻔질나게 나오는 표현. 한편 break up이 전화통화에서 쓰이면 상대방 소리가 끊어져서 들리는 경우에 쓰인다.

■ break it down은 '…를 풀어서 설명해주다' 라는 표현으로 복잡한 내용을 여러 포인트로 나눈다는 뉘앙스를 가지고 있는 표현이다.

■ be housebroken은 개나 고양이 등의 애완동물이 집에서 지내도록 잘 길들여지다, '똥 오줌 잘 가리다' 라는 뜻.

B

You sound like a broken record.
항상 똑같은 말만 하잖아.

- I sound like a broken record, but you work too hard.
  내가 같은 소리만 하지만 넌 일을 너무 열심히 해.

  It's like listening to a broken record. 이건 똑같이 반복하는 소리를 듣는 것 같아.

I'm going for broke, here.
난 여기서 이판사판으로 해볼거야.

- I'm going to just go for broke here and say I like you.
  이판사판으로 말해보는데 난 널 좋아해.

  And so now I'm broke and I'm homeless. 이제 난 빈털터리이자 노숙자야.

■■ sound like a broken record는 문자 그대로 '고장난 레코드판이 계속 반복해서 나오는 것처럼 '계속 똑같은 소리만 하다' 라는 비유적 의미를 갖는다.

■■ go for broke는 '이판사판 해보다' 라는 뜻으로 모든 것을 다 걸어본다는 뉘앙스를 갖고 있다. 한편 비슷하지만 be (flat, dead) broke는 '(완전히) 빈털터리가 되다' 라는 뜻으로 I'm broke는 I'm penniless와 같은 표현으로 '돈 한 푼도 없다' 라는 말이다.

MORE EXPRESSION

tie-breaker 승자를 결정짓는 것
break with tradition 전통과 단절하다

» breath

He took my breath away. 걔 때문에 숨넘어가는 줄 알았어.

You have bad breath.
너 입에서 악취가 풍겨.

- This must be what bad breath tastes like. 틀림없이 입에서 나는 악취일거야.
  It explains away his bad breath. 이래서 걔 입에서 악취가 나는거야.

He was kind of out of breath.
걔는 조금 숨이 찼었어.

- Heather comes to the door. She is out of breath.
  헤더는 문 쪽으로 가는데 숨이 가빴어.

  Hey, why do you sound out of breath? 야, 왜 숨 가쁜 소리를 내니?

You were a breath of fresh air.
넌 청량제 같은 사람이었어.

- He could get a breath of fresh air. 걘 신선한 공기를 마셨어.
  You can't get a breath of fresh air! 넌 신선한 공기를 마실 수 없어!

Take a deep breath, all right?
숨을 깊게 들이 쉬어봐, 알았어?

- She couldn't take a breath without worrying about it.
  걔는 잠깐이라도 그것에 대해 우려하지 않을 수 없었어.

  All right. Just take a breath. Calm down. 좋아, 심호흡을 하고, 진정해.

■■ have bad breath는 '입 냄새가 난다' 라는 의미.

■■ out of breath는 '숨이 차다,' '숨이 가쁘다' 라는 표현이다.

■■ a breath of fresh air는 '한줌의 신선한 공기' 라는 뜻으로 사람에 대해 사용하면 '청량제 같은 사람' 이란 비유적 의미가 된다.

■■ take a deep breath는 '숨을 깊게 들이쉬다' 라는 의미이며 take a breath는 '진정하다' 라는 의미로도 쓰인다.

I want you to close your eyes and hold your breath.
네 눈을 감고 숨을 참아봐.

- Get a court order, otherwise hold your breath.
  법원출두명령서를 받아, 그렇지 않으면 애가 탈걸.

  Don't make me hold my breath. 애타게 하지마.

■ hold one's breath는 '숨을 죽이다, 참다' 라는 뜻으로 비유적으로는 예로 합격자 발표 때나 혹은 조폭 옆을 지나갈 때 '마음을 죄는 것을 연상해보면 된다. '기대하다,' '애를 태우다' 라는 표현.

Don't hold your breath, scumbag.
기대하지마, 이 더러운 놈.

- A: That's a good guess, Abby. B: Well, don't hold your breath.
  A: 그건 좋은 추측이야, 애비. B: 글쎄, 기대하지마.

  A: Let's talk about this later, okay? B: Don't hold your breath.
  A: 이것에 대해 나중에 말해보자, 응? B: 너무 기대하지는마.

■ Don't hold your breath 는 '꿈도 꾸지마,' '기대하지도 마,' '기다리지마' 라는 뜻으로 쓰이는데 미리 겁을 먹지 말라는 의미로도 쓰인다.

I don't have time to catch my breath.
숨 돌릴 시간도 없어.

- Catch my breath. 숨 좀 돌리자.

  Sit down, take a few minutes, and catch your breath.
  앉아서 몇 분 동안 숨 좀 돌려.

■ catch one's breath는 '숨 좀 돌리다' 라는 뜻이며 get one's breath back은 '숨을 고르다,' '숨이 정상으로 돌아오다' 라는 뜻이 된다.

Jenny, please save your breath.
제니, 제발 가만히 있어.

- I'm gonna need you to save your breath, okay? 너 좀 가만히 있어, 응?
  Slow down. I don't want you to waste your breath.
  좀 느긋해봐. 괜히 아무 쓸모도 없는 말 하지 말고.

■ save one's breath는 숨을 아끼라는 말로 '말을 아끼다,' '잠자코 있다,' '쓸데없는 논쟁을 피하다' 라는 뜻이고 또한 waste one's breath는 '말해봤자 소용없다,' '말해봤자 입만 아프다' 라는 의미.

He took my breath away.
걔 때문에 숨넘어가는 줄 알았어.

- It takes your breath away until you see them again.
  네가 걔들을 다시 보기 전까지 숨이 넘어갈거야.

  I saw you, and you took my breath away. 널 봤는데 숨넘어가는 줄 알았어.
  Do something that will take her breath away. 뿅갈 정도로 멋진 뭔가를 해봐.

■ take one's breath away 는 숨을 빼앗아간다라는 말로 비유적으로 훈녀, 훈남을 봤을 때처럼 멋진 모습에 잠시 숨이 멈추는 것을 말한다. 다시 말하면 '숨넘어갈 정도로 멋있다,' '멋지다' 라는 말.

You were muttering under your breath.
넌 낮은 목소리로 중얼거렸어.

- So now you're going to talk under your breath.
  그래 이제 넌 낮은 목소리로 말할 거지.

  And then under my breath I whispered: "To the bus station."
  그러고 나서 난 낮은 목소리로 속삭였어: "버스 역으로"

■ under one's breath는 '낮은 목소리로' 라는 뜻.

I will fight until my last dying breath.
난 끝까지 싸울거야.

- You're blackmailing me and in the same breath accusing me.
  넌 나를 협박하면서 이어서 바로 날 비난하고 있어.

  What secrets did Matthew reveal in his dying breath?
  매튜가 죽으면서 마지막으로 무슨 비밀을 폭로했니?

■ in the same breath는 '숨도 쉬지 않고,' '바로 연이어서' 라는 뜻이고, in the next breath는 '다음 순간에는,' '한편' 이라는 뜻이다. 한편 with[until] one's last[dying] breath는 '임종시까지,' '끝까지' 라는 의미.

My boss is breathing down my neck.
제 상사가 너무 깐깐하게 굴어요.

- The media is already breathing down my neck.
  언론들이 이미 나를 괴롭히고 있어.

  And he's breathing down my neck, shouting at me, "Go on, hit her!" 그리고 걔는 나를 괴롭히면서 나한데 소리쳐, "가서 걔를 때려!"

Do not breathe a word of this.
이건 절대로 말을 꺼내지 마라.

- Do not breathe a word of what you heard last night to anyone.
  지난 밤 네가 들은 것을 누구한테도 한마디도 뻥긋하지마.

  If you ever breathe a word of this, you'll regret it for the rest of your lives. 네가 이걸 한마디라도 꺼낸다면, 네 평생 후회하게 될 거야.

 breathe down one's neck이란 …의 목에 대고 숨쉬다, 즉 뒤에 바짝 붙어서 뭘 하고 있는지 보고 있는 못된 사장놈처럼 다른 사람이 하는 일을 못미더워하며 깐깐하게 굴다라는 의미.

■■ not breathe a word는 '한마디도 꺼내지 않다' 라는 뜻.

MORE EXPRESSION

Breathe again! 진정해!
breathe a sigh of relief 안도의 한숨을 쉬다
breathe life into~ …에 생명을 불어넣다

» breeze

 We're just shooting the breeze. 우린 단지 수다를 떨고 있었어.

It's a breeze.
간단해.(식은 죽 먹기야.)

- Getting her in will be a breeze. 걔를 불러오는 건 아주 쉬워.
  It's going to be a breeze. You wait and see. 이건 식은 죽 먹기야. 지켜봐.

We were just chatting. Shooting the breeze!
우린 잡담을 하고 있었어. 수다 떨면서!

- We were just shooting the breeze. 우린 단지 수다를 떨고 있었어.
  You guys gonna shoot the breeze or you gonna do something about all that bleeding? 니들이 잡담이나 하는 거지 그 모든 출혈에 대해 조치를 할 수 있다는 거야?

■■ be a breeze는 '아주 쉽다,' '식은 죽 먹기다' 라는 뜻. It's a cinch도 같은 의미. It was a breeze, it wasn't a problem라고 하면 '(문제의 답 등이) 너무 쉽네' 라는 뜻.

■■ shoot the breeze는 '가볍게 대화하다,' '잡담하다,' '수다 떨다' 라는 뜻이다. shoot the bull은 '잡담하다,' '허풍떨다' 라는 의미.

 놓치면 원통한 미드표현들

- **brag about** 자랑하다, 뻐기다, 잘난 척하다
  Stop bragging about it. 제발 잘난 척 좀 그만해.
  It's impolite to brag about one's good works. 자기가 일 잘했다고 자랑하는 것은 무례한거야.

- **put the brakes on** …에 제동을 걸다
  Your mother puts the brakes on her deal with the landlord?
  네 엄마가 자신이 집주인하고 한 거래에 대해 제동을 걸고 있어.

- **hit the brakes** 브레이크를 밟다
  Wait, slow, hit the brakes, hit the brakes!
  천천히, 브레이크를 밟아, 브레이크를!

- **browse** 가게를 둘러보다 browser 인터넷 브라우저
  I'm just browsing. 전 그냥 둘러보는 거예요.
  Over here is my comic book collection. Feel free to browse.
  여기에 제 만화책 모음이 있어요. 부담 없이 둘러보세요.

» brew

She was brewing a big plan. 걔는 거대한 계획을 준비하고 있었어.

I think trouble is brewing.
문제가 일어날 것 같아요 .

- What do we got brewing here? 여기 무슨 일이 생기는거야?

  The weather forecaster warned everyone that a storm was brewing off the coast. 기상통보관은 앞바다에서 폭풍우가 일고 있다고 경고했다.

be brewing은 '안 좋은 일이 생겨나다,' '폭풍 등 곤란한 상황이나 문제가 생기기 시작하다' 라는 뜻.

B

So why don't I just go and brew some coffee?
가서 커피 좀 끓일까?

- We're in that room. Coffee's brewing. 우린 저 방에 있을게. 커피가 끓고 있어.
  A: Hey, Randy. you want a beer? B: Oh, no, thank you. I brew my own. A: 헤이, 랜디. 맥주 마실래? B: 아냐, 고마워. 난 맥주를 직접 만들어.

brew의 기본적인 의미로 '맥주를 양조하다,' '커피를 끓이다' 라는 뜻으로 쓰인 경우.

She was brewing a big plan.
걔는 거대한 계획을 준비하고 있었어.

- They were brewing a plan to surprise their sister on her birthday.
  걔네들은 여동생 생일날 동생을 깜짝 놀래줄 계획을 세우고 있었어.

  We didn't have time to brew up a big plan. 대단한 계획을 꾸밀 시간이 없었어.

brew a plan하면 '…을 준비하다,' '꾸미다' 라는 의미이다.

» bring

Don't bring me into this. 이 문제에 나까지 끌고 들어가지마.

You've brought this on yourself.
이건 네가 자초한거야.

- So I brought this on myself? 그래 내가 이걸 자초한거야?

  What do you expect me to do? You brought this on yourself.
  내가 뭘 하길 기대해? 이건 네가 자초했거든.

bring sth on oneself는 sth을 스스로에게 가져온다는 말로 '…을 자초하다' 라는 의미이다.

Don't bring me into this.
이 문제에 나까지 끌고 들어가지마.

- I didn't want to bring her into this. 난 걔를 이것에 끌어들이고 싶지 않았어.

  Did you bring me into this firm because of this case.
  이 소송건 때문에 날 이 회사에 끌어들였던거니?

bring sb into sth은 '…를 …에 끌어들이다' 라는 표현이다.

The defense can no longer bring up your past crimes.
변호인측은 더 이상 너의 과거 범죄에 대해 문제를 삼을 수 없어.

- Why would she bring up Gloria? 왜 글로리아 얘기한거야?

  Don't bring up a topic like a small penis before Jack.
  잭 앞에서는 작은 성기같은 화제는 꺼내지마.

bring up은 '양육하다' 또는 '화제를 꺼내다' 라는 의미를 갖는다.

129

Which brings me to my point.
그게 바로 내가 모두에게 말하고 싶은 아주 중요한거야.

- Which brings me to the first question I actually need an answer to. 결국 내가 실제로 대답을 원하는 첫 번째 질문으로 돌아가게 돼.

  You don't need to act. Which brings me to my point. You can't. 넌 행동할 필요가 없어. 그게 결국 내가 말하고픈 핵심야. 넌 못해.

Bring it on
한번 덤벼봐.

- Well, I have God on my side. Bring it on. 글쎄, 하나님이 내편이야. 덤벼.

  Bring it on, you fucking dwarf. 덤벼봐, 이 시발 난쟁이 같은 놈.

I can't even bring myself to say it!
난 차마 그 말을 할 수 없었어.

- I can't bring myself to develop it. 난 차마 그걸 계속 개발할 수가 없어.

  I couldn't bring myself to leave Lucy. 난 차마 루시를 떠날 수 없었어.

What brings you here?
무슨 일로 왔어?

- What brings you back to Boston? 무슨 일로 보스톤으로 다시 돌아왔니?

  What a pleasant surprise! What brings you here? 이렇게 놀라울 수가! 무슨 일로 온거야?

I guess disasters just bring out the worst in people.
사람들은 재앙 앞에서 나쁜 점들을 드러내는 것 같아.

- We bring out the worst in each other. 우린 서로의 단점을 끌어내.

  He brings out the worst in me. And weirdly, I think I bring out the best in him. 걘 나의 단점을 끌어내고 이상하게도 난 걔 장점을 끌어내는 것 같아.

He's gonna bring a lawsuit against your parents.
걔는 네 부모를 상대로 소송을 할거야.

- I always dread it when you bring me a case involving kids. 네가 애들이 연루된 소송건을 가져올 때마다 항상 두려워.

  DA should not bring a case when he lacks a good faith believe of conviction. 지방검사는 유죄확신이 부족하면 기소해서는 안 돼.

You know what? Let's bring in Danny Blue.
있잖아. 대니 블루를 데려오자.

- Have the state police bring in the wife. 주 경찰로 하여금 부인을 소환시켜.

  Let's bring in sheriff Hallum and see if he recognizes the background. 보안관 할럼을 불러서 그 배경을 인지하고 있는지 알아보자.

■ which[this, that] brings me to~는 '결국 …에 이르게 된다'라는 의미를 갖는데, 특히 which brings me to my point는 '결국 그게 내가 말하는 핵심[요점]이야'라는 뜻이다.

■ bring it on은 '덤비다,' '어디 한번 해보다'라는 의미로 동명의 영화제목으로 잘 알려진 표현.

■ not bring oneself to do는 '차마 (나서서) …를 하지 못하다'라는 뜻.

■ What brings you here?는 상대방이 여기에 왜 왔는지 이유를 물어볼 때 사용하는 표현. '무슨 일이니?(일로 왔니)'라는 뜻. brings 대신에 과거형 brought를 써도 된다.

■ bring out the best [worst] in sb는 '…내에 있는 장점[단점]을 끌어내다'라는 뜻.

■ bring charges (against)는 '고소하다,' '소송을 제기하다,' '기소하다'라는 의미이다. charges 대신에 lawsuit(소송), court case(재판), claim(법적청구), prosecution(기소)라는 단어를 써서 표현을 만들 수도 있다.

■ bring in sb는 '영입하다,' '데려오다,' bring in sth은 '…을 도입하다'라는 뜻으로 뭐든 밖에서 안으로 새롭게 들여오는 것을 말한다.

MORE EXPRESSION

bring sb on board 고용하다
bring home the bacon 생계를 유지하다

» bruise

I got really badly bruised. 난 정말로 심하게 멍이 들었어.

She had bruises all over her body, Danny.
걘 전신에 멍이 들어 있었어, 대니.

- The bruises on her neck are still reddish. 걔목의 멍들은 아직도 불그스름해.
  These bruises are at least a few weeks old. 이 멍들은 몇 주 이상 된거야.

■ have bruise는 '멍이 들다' 라는 표현이다.

I got really badly bruised.
난 정말로 심하게 멍이 들었어.

- Her blouse is torn and her face was bruised. 블라우스는 찢기고 얼굴에 멍들었어.
  Her thighs are heavily bruised. Her hymen is torn.
  걔의 허벅지는 심하게 멍들었고 처녀막은 손상되었어.

■ be(get) bruised 또한 '멍이 들다' 라는 의미.

My son came home with cuts and bruises.
내 아들은 상처투성이인 채로 집에 왔어.

- How about last night, when he came home with cuts and bruises? 걔가 상처투성이가 되어 귀가했던 어제 밤은 어땠어?
  There are cuts and bruises under her left eye socket.
  걔의 왼쪽 눈구멍아래가 상처투성이었어.

■ with cuts and bruises 는 '상처투성이로' 라는 뜻으로 비유적으로는 '모든 난관에도' 라는 의미도 갖는다.

» buck

You bucking for a promotion? 승진하려고 뛰고 있니?

Ten bucks says the owner sells the house.
주인이 집을 팔 거라고 장담해.

- Two hundred bucks says you can't do that three times in a row.
  네가 그걸 연속으로 세 번이나 할 수 없는 게 확실해.
  All right! Five bucks says she still wants Louis.
  좋아! 걔가 여전히 루이스를 좋아한다고 장담해.

■ ~bucks says S+V는 '…라고 장담하다,' '…가 확실하다' 라는 의미로 …에 (얼마를) 걸겠다 라는 의미에서 나온 표현이다.

Don't pass me the buck.
나한테 책임 떠넘기지 말아.

- You always pass the buck. 넌 항상 책임을 회피해.
  The buck stops with me. 내가 책임질게.

■ pass the buck은 '책임을 돌리다, 회피하다' 라는 의미. 포커 게임에서 패를 돌리는 것에서 나온 표현. 한편 트루만 미대통령이 책상위에 모든 책임은 내게 있다 라는 의미의 'Buck stops here' 라는 명패를 세워놓은 일화가 유명하다.

I paid 50 bucks for this.

난 이 대가로 50불을 지불했어.

- I'll give you twenty bucks for the tree. 나무 값으로 20 달러를 줄게.
  Really, they charge 10 bucks for this? 걔들이 진짜 이걸 10달러 달래?

give ~ bucks for sth은 '…를 위해 …를 지불하다' 라는 표현이다. give 대신 charge를 쓰면 역으로 청구하다라는 의미.

You bucking for a promotion?

너 승진을 위해 뛰고 있니?

- Dick is bucking for a promotion. 딕이 승진하려고 기를 쓰고 있어.
  My assistant is bucking for a raise. 조수가 월급인상해달라고 열올리고 있어.

buck for sth은 '…를 위해 열심히 노력하다' 라는 뜻으로 주로 직장에서 좋은 자리를 위해 노력하는 경우에 많이 쓰인다.

You made him feel like a million bucks.

넌 걔 기분을 끝내주게 했어.

- A: How you feeling? B: Like a million bucks.
  A: 기분이 어때? B: 너무 좋아.
  My God, she looks like a million bucks. 맙소사, 걘 정말 근사하게 보여.

look like a million bucks은 '멋져 보여' 라는 뜻이며 feel like a million bucks하면 '너무 좋아' 라는 의미가 된다.

Buck up!

기운 내! (서둘러)

- It was supposed to buck up your spirits and inspire your writing. 네가 기운을 차려서 글쓰기를 잘하도록 격려하려고 했던 거야.
  Buck up! Things will improve soon. 기운내! 곧 상황이 좋아질거야.

buck up은 '기분이 좋아지다,' '향상되다' 라는 뜻으로 buck sb up는 '…를 격려하다' 라는 의미.

MORE EXPRESSION

I don't have any buck. 땡전 한 푼 없어.
buck naked 홀딱 벗은 채로

» buckle

Buckle up. 안전벨트 매.

Buckle up.

안전벨트 매.

- She unbuckles her seat belt and gets out. 걔는 안전벨트를 풀고 내렸어.
  Don't forget to buckle up. 안전벨트 잊지 마세요.

buckle up은 '안전 벨트를 매다' 라는 뜻이며 unbuckle은 당연히 '안전벨트를 풀다' 라는 뜻이 된다.

All right, let's buckle down and work.

좋아, 집중해서 일을 해보자.

- Now it's time for me to buckle down. 이제는 내가 집중해서 일할 때야.
  And you know what I'm hearing? You need to buckle down.
  내가 뭘 듣고 있는 줄 아니? 네가 집중을 할 필요가 있다는거야.

buckle down은 '집중해서 열심히 일을 하거나 공부하다' 라는 뜻.

» budget

I work hard to meet tight budgets. 빡빡한 예산을 맞추려고 열심히 일했어.

We got no budget for witness protection.
우린 증인보호 계획관련 예산은 없었어.

- It must be nice to have a budget for hotels. 호텔예산 짜는 건 분명 좋을거야.
  He had a budget, it was never enough. 걘 예산이 있었으나 결코 충분치 않았어.

I will teach you how to live on a budget.
제한된 예산으로 사는 방법을 알려줄게.

- I'm assuming they're on a budget. 글쎄, 걔들 예산에 한계가 있나봐.
  No one does fashion on a budget like Ann. 앤처럼 제한예산으로 멋내는 사람없어.

I work hard to meet tight budgets.
빡빡한 예산을 맞추려고 열심히 일했어.

- We're victims of budget cuts like everyone else.
  우린 다른 모든 사람들처럼 예산삭감의 희생자들이야.

  Just remember that we're on a fairly tight budget. 돈이 빡빡하다는거 잊지마.

You didn't budget your time well.
넌 시간을 제대로 잘 활용하지 못했어.

- It's important to learn to budget your time. 네 시간을 잘 활용하는게 중요해.
  I budgeted my time so I could complete the project.
  난 내 시간을 잘 활용해서 그 프로젝트를 끝낼 수 있었어.

■ set one's own budget은 '예산을 잡다' 라는 뜻이며 have[get] a budget for하면 '…의 예산을 짜다' have[get] no budget for하면 '…의 예산이 없다' 라는 뜻이 된다.

■ on a budget은 '제한된 예산으로' 라는 뜻으로 live on a budget하면 제한된 예산으로 살아가다라는 뜻이 된다.

■ budgets cut은 '예산 삭감'을 의미하며 tight budgets은 '빡빡한 예산'을 의미한다.

■ budget one's time은 돈을 예산에 맞춰 쓰듯 시간도 계획을 세워 허비하지 않고 알뜰하게 사용하다, 잘 활용하다라는 것을 뜻한다.

» bug

Please stop bugging me. 나 좀 귀찮게 하지마.

Please stop bugging me.
나 좀 귀찮게 하지마.

- What's bugging you? 뭐가 널 짜증나게 하니?
  She was always bugging me to use my PlayStation.
  걔는 항상 내 플레이스테이션을 쓰겠다고 짜증나게 하고 있어.

Her house has just been bugged.
걔 집은 방금 도청 당했어.

- We can't rule out the possibility that your house was bugged.
  네 집이 도청 당했을 가능성을 배제할 수 없어.

  Paulson's crew bugged the bank's general manager for two
  weeks. 폴슨이 이끄는 팀은 그 은행 지점장을 2주 동안 도청했어.

■ bug는 '귀찮게 하다' 또는 '짜증나게 하다' 라는 의미.

■ bug는 또한 범죄수사미드에서는 '도청을 하다' 또는 '도청장치를 설치하다' 라는 의미로도 사용된다. put[plant] a bug라고도 한다.

MORE EXPRESSION

pick up a bug 병에 걸리다

B

He was building up his confidence. 걘 자신감을 키우고 있었어.

He doesn't share his father's strong build.

개는 아버지의 강한 체구를 이어 받지 못했어.

- A: Could you describe the guy? B: Black. Mid-20s. Uh, under six feet. Medium build.
  A: 그 친구를 묘사할 수 있니? B: 흑인. 20대, 6피트 이하 쯤. 중간 체구.

  His partner is early to mid-twenties. 5'8". Slight build.
  걔의 파트너는 20대 초중반으로 5피트 8인치이며 가냘픈 체구야.

■ build가 명사로 '신체' 라는 뜻으로 쓰인 경우. perfect build 는 '완전한 체구' strong build, medium build, slight build는 각각 '튼튼한 체구,' '중간 체구,' '가냘픈 체구' 라는 뜻이 된다.

You left her room at 7:00 to build up your alibi.

넌 알리바이를 만들려고 아침 7시에 걔 방을 나갔어.

- He was building up his confidence. 걔는 자신감을 키우고 있었어.
  We're trying to build bridges between Muslims and Jews.
  우린 회교도들과 유태인들 간 가교를 놓으려고 애쓰고 있어.

■ build up은 '…를 만들다, 형성하다' 라는 뜻. 한편 build bridges는 비유적으로는 어떤 둘 사이의 '가교를 놓다' 라는 뜻이 된다.

He's got a built-in defense, he's gay.

걔는 하나의 고정된 방어기제가 있어, 자기가 게이라는 거지.

- I saw a recliner with a built-in cup holder.
  컵받침이 달린 리클라이너 안락의자를 봤어.

  You've got a built-in safe topic of conversation.
  넌 무리없는 대화주제를 머리속에 지니고 있어.

■ built-in은 '붙박이의,' '내 장된' 이라는 뜻으로, built-in furniture하게 되면 '내장된 가구' 라는 뜻이 된다.

A bully's been picking on him. 불량배가 걔 괴롭히고 있어.

Your idea hit the bull's eye.

네 생각이 정곡을 맞췄어.

- My son's out there with a bull's-eye on his back.
  내 아들이 등에 과녁을 달고 저기 있어.

  Gentlemen, we've got ourselves a bull's-eye.
  여러분, 우리가 목표에 적중했습니다.

■ bull's eye는 과녁을 의미 하며 hit the bull's eye하게 되면 '과녁의 한 복판을 명중하다' 라는 의미가 된다. 한편 Bull's-eye!도 감탄 표현으로 '명중!' 이라는 뜻.

That's a load of bull crap.

그건 정말 헛소리야.

- If you fell for that guy's load of bull, you're in the wrong line of work, pal.
  네가 저 친구의 헛소리에 넘어간다면 넌 너하고 맞지도 않은 일에 빠지게 될거야.

  He takes the bull by the horn. 걘 용감하게 맞서고 있어.

■ a load of bull은 '난센스' 또는 '헛소리' 라는 뜻이다. 한편 take the bull by the horn하면 '용감하게 나서다' 라는 뜻으로 황 소를 뿔을 잡고 대하는 모습을 떠 올리면 된다.

A bully's been picking on him.
불량배가 갤 괴롭히고 있어.

- Here's your proof that Sean's a bully.
  숀이 불량배라고 하는 증거가 여기 있잖아.

  Dad says if a bully hurts me, I gotta fight back and kill the bastard. 아버지 왈 만약 불량배가 날 해치려한다면 대항해서 그 놈을 죽여 버리래.

Well, bully for me.
그래, 잘났다.

- Bully for Karen. You created this whole mess!
  잘했다 카렌. 이 모든 혼란을 네가 만든거구나!

  Is this failing exam yours? Well, bully for you!
  이 시험망친거 네꺼냐? 그래, 잘~했다!

B

MORE EXPRESSION

cock and bull story 황당한 이야기

» bum

That's gonna bum me out. 그건 정말 날 짜증나게 할거야.

Can I bum a smoke?
담배 한 대 얻을 수 있을까요?

- Do you mind if I bum a smoke? 담배 한 대 빌려도 될까요?
  He said a bum gave him 20 bucks. 걘 부랑자가 자신에게 20달러 줬다고 말했어.

I am bummed out.
실망이야.

- I just get a little bummed when my birthday's over.
  내 생일이 끝났을 때 기분이 단지 가라앉았어.

  She was all bummed out about it. 걘 완전히 맛이 갔어.

That's gonna bum me out.
그건 정말 날 짜증나게 할거야.

- I don't wanna bum you out but we kinda have a dress code here.
  널 괴롭히고 싶지는 않은데 이곳에 일종의 복장규정이 있어.

  I don't want to bum you out. 난 널 짜증나게 하고 싶지 않아.

It's a major bummer.
그것 때문에 정말 힘 빠져.

- Well, what a bummer. It'd be a real shame.
  글쎄, 정말 실망스럽네. 진짜 망신이야.

  Only bummer, he'll never play the piano again.
  그냥 실망스러워. 걘 다시는 피아노를 치지 않을거야.

MORE EXPRESSION

bum deal 부당한 대우
bum shoulder 빈약한 어깨

135

It gave me goose bumps. 그건 소름이 끼쳐.

I keep bumping into you.
우리 자꾸 마주치네요.

- Middle-aged women keep bumping into me.
  중년 여성들이 나와 자꾸 마주쳐.

  You're always bumping into people. What are you doing here?
  넌 항상 사람들과 마주치고 있어. 여기서 뭐하고 있니?

▪ **bump into sb**면 '…와 자주 마주치다' 라는 의미로 come across, run into와 같은 표현.

He's got a bump on the back of his head.
걔는 머리 뒤쪽에 혹이 생겼어

- It was no big deal, not even a bump on the head.
  별 일 아니야, 머리 부딪힌 것도 아닌데.

  I couldn't ride a bicycle, 'cause my mother was afraid I'd hit a bump and lose my virginity.
  난 자전거를 탈 수가 없었어. 왜냐면 엄마는 내가 자전거를 타다가 도로의 울퉁불퉁한 곳에 부딪혀 처녀성을 잃을까봐 걱정하셨거든.

▪ **have a bump**은 '혹이 나다' 라는 뜻이고 bumps and bruises는 '타박상' 이라는 표현. bump on the road는 '도로상에 있는 요철부분' 을 의미하며 hit a bump하면 '도로에 돌출부분에 부닥치다' 라는 표현이 된다.

It gave me goose bumps.
그건 소름이 끼쳐.

- You don't have goose bumps for no reason. 공연히 닭살이 돋지 않아.

  When he proposed to me with the ring, I got goose bumps.
  걔가 나한테 반지를 주면서 프러포즈할 때 난 소름이 끼쳤어.

▪ **give sb goose bumps**는 '닭살이 돋다,' '소름이 돋다' 라는 뜻.

MORE EXPRESSION

bumper to bumper 차가 막혀
bump up the ladder 승진하다
get one's bump up the ladder 승진하다

I don't wanna be a burden to you. 난 너한테 부담되고 싶지 않아.

I don't want to be a burden to you.
난 너한테 부담이 되고 싶지 않아.

- Have I become a burden? Is that what you're saying?
  내가 부담이 됐었니? 그런 뜻이야?

  You're not a burden, Mom. 엄마는 짐이 되지 않아.

▪ **be a burden**은 '…에 부담이 되다' 라는 뜻이며 carry a burden[load] to sb하면 '마음에 걸리다' 라는 표현이 된다.

Are you able to live up to that burden of proof?
너 입증책임을 감당할 수 있겠니?

- The prosecution cannot meet its burden of proof.
  검찰 측은 입증책임을 감당할 수 없어.

  The burden of proof rests mostly on the defendants.
  입증책임은 주로 원고 측에 있어.

▪ **the burden of proof**은 '입증책임' 이란 법률적인 용어.

You seem less burdened.
넌 부담을 덜 느끼는 것 같아.

- You know how it feels to be burdened with something.
  뭔가에 부담을 느끼는 게 어떤 느낌인지 넌 알지.

  I never wanted you to be burdened with this.
  네가 이걸로 부담 느끼는 건 원치 않아.

■ be burdened는 '···을 부담지다' 또는 '부담을 느끼다' 라는 의미이다.

B

» burn

 I'm totally burned out. 나 완전히 녹초됐어.

Every time I trusted someone, I got burned.
내가 누군가를 믿을 때마다 난 사기를 당해.

- I better not have gotten burned. 난 속지 않았어야 하는데.

  If you're quiet, you won't get burned. 조용히 있으면 다치진 않을거야.

■ get burned는 '사기당하다', '데이다', '속다' 또는 '상처받다' 라는 의미.

I am totally burned out.
완전히 뻗었어.

- No argument. You're no good to me if you're burned out.
  논쟁 끝. 네가 완전히 지쳤다면 나한테 쓸모는 없는거지.

  Were you burned out on your marriage? 네 결혼 생활에 완전히 지쳤어?

■ be burned out은 '완전히 지치다' 라는 의미.

I've been burning the midnight oil on the annual report.
나는 연례보고서를 만드느라 밤늦게까지 불을 밝혔어.

- She's got a pharmacy back there, burning the midnight oil.
  걔는 약국을 다시 열고 한밤중까지 일을 하고 있어.

  Wow Sam! Burning the midnight oil. 와 샘! 밤늦게까지 일을 하다니.

■ burn the midnight oil은 공부나 일 등으로 '밤늦게까지 불을 밝히다' 라는 의미이다.

Oh my God! You're burning up.
맙소사, 너 열이 펄펄나네.

- What are you out here for? Watch her crash and burn?
  여기 왜 왔어? 걔가 지쳐서 쓰러지는 걸 보려고?

  That burns me up! 정말 열 받네.

■ You're burning up은 '열이 나는구나' 라고 상대방이 아프다는 것을 말하는 표현이고 또한 crash and burn은 지쳐 쓰러지다라는 의미. 한편 burn sb up은 '···를 열 받게 하다' 라는 의미이다.

MORE EXPRESSION

burn one's fingers 배수진을 치다 = get one's fingers burned
My ears are burning. (남이 험담하는 것 같아) 귀가 가렵다.
burn the candle at both ends 기진맥진하다
be burned to death 불에 타죽다
burn down 불태워버리다

 놓치면 원통한 미드표현들

- **brush up (on)** ···을 복습하다
  It won't hurt to brush up. 복습해도 손해날 것은 없지.

- **brush one's teeth** 양치질하다
  I'm gonna go make sure she's brushing her teeth. 걔가 양치질을 하는지 확인을 해볼거야.

- **~won't budge** ···가 꼼짝도 하지 않는다 don't

budge an inch 조금도 움직이지 않는다
Warrick tries to get the door off. It won't budge. 워릭은 문을 열려고 노력을 했으나 꼼짝도 안 해.

- **bulge** 불룩한 것, 급증, 가득차다, 튀어나오다
  Did you see that bulge? 저기 튀어나온 것 봤니?
  A: Did he have a gun? B: I saw the bulge.
  A: 걔가 총을 가지고 있었니? B: 옷이 튀어나온 것을 보았어.

Mind your own business! 상관하지마!

Let's get down to business.
자 일을 시작합시다.

- I was ready to get down to business. 난 일에 착수할 준비가 되어있었어.
  Let's get down to business! Emma needs some makeup!
  자 일을 시작하자. 엠마는 화장 좀 해야 돼.

■■ get down to business 는 '일을 본격 시작하다' '진지하게 일을 착수하다' 라는 뜻.

It's none of your business.
네가 간섭할 일이 아냐.

- Ryan... stay out of this. It's none of your business.
  라이언, 참견하지 마. 이건 네가 간섭할 일이 아냐.
  Just leave us alone, all right, this is none of your business.
  그냥 우릴 놔둬, 알았어. 이건 네가 간섭할 일이 아냐.

■■ be none of one's business는 '…가 간섭할 일이 아니다' 라는 의미로 나의 사생활을 보호할 때 혹은 상대방이 넘 간섭할 때 사용하면 된다.

Mind your own business!
상관 말라고!

- (I'm just) Minding my own business. 난 다른 사람 일에는 참견하지 않아.
  I'll thank you to mind your own business. 남의 일에 참견 말아줬으면 고맙겠네.

■■ mind one's own business 도 '상관하지마라' 라는 의미로 자신의 일이나 신경을 쓰라는 표현.

I mean business.
진심이에요.(농담 아녜요.)

- Let 'em know I mean business. 내가 진심이란 걸 걔들에게 알려.
  Jack, these people mean business. 잭, 이 사람들은 진심이야.

■■ mean business는 '진심이다' 라는 뜻으로 mean it도 같은 맥락의 의미. 한편 Business is business라는 표현은 '일은 일이야,' '계산은 계산이야' 라는 표현.

So, Christopher, how's business going?
그래, 크리스토퍼, 잘 지내?

- A: So business is good? B: Oh, yes, never better.
  A: 그래 사업 잘 되니? B: 응, 더 좋을 수가 없지.
  Mom, I told you business is good. 엄마, 잘 지낸다고 말했잖아.

■■ How's business?는 '잘 지내?' 또는 '사업 잘돼?' 라는 문안 인사로 여기서 business는 사업뿐만 아니라 일상적인 상황을 의미하기도 한다.

I have some business to attend to.
내가 볼 일이 좀 있어.

- I just realized I have some business. 내가 볼 일이 있다는 걸 방금 깨달았어.
  I have some business to do in the New York office.
  뉴욕 사무소에서 할 일이 있어.

■■ get some business는 '볼 일이 좀 있어' 라는 표현으로 get 대신에 have를 써도 된다.

He is out on business.
외근중이에요.

- When I'm up here on business, I'm always in hotels.
  내가 여기 출장 올 땐 항상 호텔에 묵어.
  He's coming to town on business for a few days.
  걔가 며칠간 이 동네에 출장 올거야.

■■ go to~ on business는 '…로 출장가다' 라는 의미.

MORE EXPRESSION

have a going-out-of-business sale 점포 정리 세일하다

» **bust**

My whole life's a bust. 내 모든 삶은 실패야.

I am so busted.
딱 걸렸어.

- I was busted for speeding. 과속으로 잡혔어.

  You get busted again, you go back in a two-time loser.
  넌 또 붙잡히면 별을 두개 달게 될거야.

You bust your ass in this restaurant every day to keep it going.
넌 이 식당이 잘 돌아가도록 매일같이 열심히 노력했어.

- Hey, you know I'm gonna bust your ass on the court, right?
  야, 내가 법정에서 다그칠거라는거 너 알지, 그렇지?

  I still have the right to bust your ass if I see you slipping.
  네가 실수를 한다면 혼내줄 권리는 아직 있어.

You guys bust out?
너희들 빠져나가는거야?

- Honey, we gotta bust out of here! 자기야, 우린 여기서 빠져나가야만해.

  He started drinking, marriage busted up. 걘 이혼후 음주를 시작했어.

My whole life's a bust.
내 모든 삶은 실패야.

- A few weeks ago, the whole deal went bust. 몇주전 모든 거래가 깨졌어.

  I'll just tell him I'm undercover on a drug bust.
  난 마약사건에서 위장요원이라고 걔한테 말해버릴거야.

■ get[be] busted (for)는 '…로 체포되다' 라는 의미의 속어.

■ bust one's butt[ass]는 '열심히 노력하다' '죽어라 노력하다' 라는 의미. 단 이때는 주어와 one이 일치하는 경우이고 두번째 경우처럼 주어와 one이 일치하지 않는 경우에는 '혼내주다' 라는 뜻이 된다는 점을 눈여겨 둔다.

■ bust out은 '탈출하다' 라는 뜻이고 bust up은 '망가지다,' '헤어지다' 라는 의미.

■ be a bust는 '…는 실패다,' go bust는 '망하다' 라는 뜻이다. 한편 bust는 '사건' 이라는 뜻도 갖고 있어 drug bust하면 '마약사건' gun bust면 '총기사건' 이라는 뜻이 된다.

MORE EXPRESSION

bust a little move on 수작걸다
bust 돈을 흥청망청 쓰다

» **butt**

He kicks my butt in math. 걔가 수학은 나보다 잘해.

Please don't butt in.
끼어들지마.

- You're butting in. 오지랖도 넓지.

  I don't want to butt in, but are you doing too much?
  난 참견하고 싶지 않지만 너 너무한 거 아니니?

  Grace, I won't butt in. Come on, do it.
  그레이스, 참견하고 싶지 않아. 네가 해라.

■ butt in은 '참견하다' 라는 뜻으로 buttinsky는 '참견 잘하는 사람' 이라는 의미.

139

Butt out!

참견 말고 꺼져.(가서 네 일이나 잘해.)

- It means, butt out, back off, none of your business.
  내말은 참견하지 말고 꺼지라는 얘기야.

  No, Steven, I won't butt out, because you need to be pushed.
  아냐, 스티븐. 넌 압박을 받아야 하기 때문에 내가 참견할거야.

■ butt out는 '참견하지않다' 또는 '상관하지않다' 라는 뜻이다.

I work my butt off to make a living.

먹고 살려고 똥끝 타도록 일해.

- This isn't fair. I work my butt off for you. 불공평해. 난 널위해 똥끝 타도록 일해.

  I've been studying my butt off my whole life.
  난 일생동안 똥끝이 타도록 공부하고 있어.

■ work[play] one's butt off to는 '…하려고 똥끝 타도록 일하다' 라는 표현이다.

He kicks my butt in math.

걔가 수학은 나보다 잘해.

- Well, looks like, uh, we kicked your butts. 글쎄, 보기엔 우리가 니들보다 잘했어.

  I've mentally kicked your butt. 난 정신적으로 너를 이겼어.

■ kick one's butt는 '…의 엉덩이를 걸어차다' 라는 뜻으로 비유적으로 '…보다 잘하다' 라는 표현이 된다.

Caleb, get your butt over here.

칼렙, 여기로 와봐.

- Damnit Ross, get your butt out of the bathroom.
  제기랄, 로스. 화장실에서 나와.

  You're moving out and get your butt over here right now!
  너 나와서 당장 여기로 와.

■ get one's butt over here는 이쪽으로 오라는 좀 상스러운 말로 여성에게는 쓰면 안된다. 마찬가지로 get one's butt out of~는 …에서 빨리 튀어나오라는 말로 이역시 무례한 표현. 물론 butt 대신 ass를 써도 된다.

» button

You're pushing my buttons. 너 내 성질을 건드리고 있어.

Right on the button.

맞아.(제대로 맞췄어.)

- Right on the button. Let me tell you about Janelle.
  맞아. 쟈넬에 대해 말해줄게.

  You bastard, button your mouth! 이 개자식, 입닥쳐!

■ button one's mouth [lip]는 '입을 다물다' 라는 표현으로 Button it!하면 '입 다물어' 또는 '닥쳐' 라는 강한 표현이 된다. Zip your mouth도 같은 의미가 된다.

You're pushing my buttons.

넌 내 성질을 건드리고 있어.

- You made fun of my job, and you just pushed my buttons.
  넌 내 직업을 놀렸어. 내 성질을 건드린거야.

  Pete can push his friends' buttons until they snap.
  피트는 친구들이 폭발할 때까지 성질을 돋굴 수 있어.

■ push[press] one's buttons는 '성질을 건드리다' 라는 뜻. 한편 push the right buttons는 '제대로 정확한 곳을 짚어내다' 라는 의미가 된다. 또한 push the button하면 '버튼을 누르다' 라는 뜻.

We aren't buying your story. 네 얘기 믿을 수 없어.

We aren't buying your story.
네 얘기 믿을 수 없어.

- You're not buying all this. 이걸 곧이곧대로 믿지는 않지?
  Nice speech. Either of you buying? 말은 잘 했지만 너희 둘 중 그 말 믿는 사람 있어?

I can buy myself an ice-cream cone.
난 아이스크림콘을 사서 먹을 수 있어.

- I'm planning to buy myself a scooter. 난 내가 쓸려고 소형오토바이를 살 계획야.
  Jane bought herself a large coffee. 제인은 라지 사이즈 커피를 사마셨어.

I'm buying.
내가 쏠게.

- Who wants another drink? I'm buying. 누가 한 잔 더할래? 내가 쏠게.
  Let me buy you a drink. 술 한 잔 내가 살게.

■ buy one's story는 '…의 이야기를 믿다' 라는 뜻으로 buy it하면 관용구적으로 '믿는다' 라는 의미를 갖는다. 상대방의 말을 못 믿겠다는 말로 I don't buy it이라는 표현이 자주 쓰인다.

■ buy oneself sth은 '…를 자신을 위해, 자기가 쓰려고 구매하다' 라는 의미.

■ I'm buying은 '내가 살게' 라는 말이며 buy sb a drink하면 '…에게 술 한 잔 사다' 라는 의미가 된다.

MORE EXPRESSION

best buy 가장 잘 산 물건

What's the buzz? 무슨 소문이야?

Buzz him in.
들여보내.

- I'm going to buzz you in. 널 들여보내 줄게.
  When somebody does not buzz you in, that means go away.
  초인종을 눌러도 문을 안 열어준다는 건 꺼지란 소리지.

What's the buzz?
무슨 소문이니?

- What a buzz kill that was. 그거 얼마나 기분 잡치게 하는 건지 몰라.
  Look, I'm sorry I'm such a buzz kill. 이것 봐, 내가 초를 쳐서 미안해.

Buzz off! You're annoying me!
꺼져! 너 때문에 짜증나!

- Buzz off. We're really busy here. 가라고. 우리는 여기 정말 바빠.
  Buzz off. I don't want you hanging around. 꺼져. 네가 옆에 있는거 싫어.

■ buzz in은 '찾아오다,' '도착하다,' '찾아온 사람을 들여보내다' 라는 뜻으로 buzz가 현관에 있는 누르는 초인종이라는 걸 생각하면 된다.

■ the buzz는 '소문' 이라는 뜻이며 buzz kill은 '기분을 잡치게 하는 것[녀석]' 이라는 속된 표현이 된다.

■ Buzz off는 꺼지라고 하는 말로 Go away과 같은 의미.

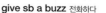
MORE EXPRESSION

give sb a buzz 전화하다

141

» cake

You take the cake. 너 정말 뻔스러워.

Okay, we call this the icing on the cake.
오케이, 이걸 금상첨화라고 할 수 있지.

- If we get the tumor out and Benjamin lives, anything else is icing on the cake.
  우리가 종양을 제거하고 벤자민이 살수 있다면 나머지는 금상첨화일거야.

  Well, that's just the icing on the cake. 글쎄, 그건 금상첨화야.

 icing on the cake은 '금상첨화' 라는 뜻이다. icing이 케이크 위에 모양내는 장식용 크림을 말하는 것을 알면 이해가 쉽다.

You can't have your cake and eat it too.
두 마리 토끼는 못 잡아.

- He wants to have his cake and eat it too. 걔는 꿩 먹고 알도 먹기를 원해.
  Scotty can't have his cake and eat it too. 스카티는 두가지 다 할 수 없어.

 can't have one's cake and eat it too는 '꿩 먹고 알 먹을 수 없다' 또는 '두 가지를 다 가질 수 없다' 라는 표현이다.

OK, lady. You take the cake.
오케이, 부인. 정말 뻔뻔하시네요.

- I thought my family was twisted, but you people take the cake. 내 가족은 엉망이지만 너희들은 정말 최악이야.
  Man, your brother really takes the cake. 어휴, 네 형 정말 잘났다.

 take the cake은 '잘하는 짓이다,' '어처구니 없다' 라는 뜻.

MORE EXPRESSION

sell like hot cakes 날개 돋친 듯 팔리다
piece of cake 쉬운 일

He won't take my calls. 내 전화를 안 받으려고 해.

Let's call it a day.
오늘은 여기까지만 하자.

- We should call it quits. 끝내야겠다.
  Well, I'm gonna call it a day. Goodnight! 자, 그만 하자. 잘 개!

> **call it a day**는 '업무를 끝내다' 또는 '퇴근하다' 라는 의미. call it quits, call it a draw, call it a night도 같은 의미로 쓰인다.

You call yourself a father?
당신도 아빠라고 할 수 있어?

- You call yourself a New Yorker. 소위 뉴욕커라는 사람이.
  And you call yourself a writer, yeah? 그래 네가 소위 작가라고?

> **You call yourself~**는 상대방을 비난할 때 사용하는 표현으로 '소위 …라는 사람이' 라는 말. 다시 말하면 넌 그럴 자격이 그러지도 못한다는 뜻이다.

That's your call.
네가 결정할 문제야.

- It's your call. I don't want to force you. 네가 결정해. 강요하고 싶지 않아.
  I wouldn't do it, but that's your call. 나같으면 안하겠지만 네가 결정할 문제다.

> **be one's call**은 '…가 결정할 일이다' 라는 의미이다.

It's a tough call, Casey.
그건 힘든 결정이야, 케이시.

- This job is about making the tough calls. 힘든 결정을 내리는 일이야.
  We're streamlining a little and I have to make some tough calls. 우린 회사구조조정을 좀 하고 있고 난 힘든 결정을 내려야 돼.

> **tough call**은 '힘든 결정' 이라는 뜻으로 make a tough call하면 '힘든 결정을 하다' 라는 의미.

It's at my beck and call.
그건 내 마음대로 할 수 있어.

- That Wilson will no longer be at your beck and call 24/7.
  이제 더 이상 하루 종일 저 윌슨을 네 마음대로 부릴 수 없을거야.
  I'm not always going to be here at your beck and call!
  네가 원하는 대로 항상 내가 여기에 오지는 않을거야.

> **be at one's beck and call**은 '…의 마음대로 하다' 라는 의미의 표현이다.

Give me a call.
나한테 전화해.

- If you think of anything else, give me a call. 뭐 생각한게 있으면 내게 전화해.
  Just have him call me okay? 걔한테 나보고 전화하라고 해, 응?

> **give sb a call**는 '…에게 전화를 하다' 라는 뜻. have A call B는 A보고 B에게 전화하도록 하다' 라는 의미의 사역동사 형태의 표현이다.

He won't take my calls.
내 전화를 안 받으려고 해.

- I can't make outgoing calls. 전화를 밖으로 거는 건 안돼.
  I was expecting your call. 네 전화 기다리고 있었어.

> **take[get] the call**은 '전화를 받다' make the call은 '전화를 하다' expect one's call은 '…의 전화를 기다리다' 라는 뜻.

I got another call.
다른 전화가 와서.

- **Hold on I have another call.** 잠깐, 다른 전화가 왔어.
  Can I call you back tonight? 오늘밤 다시 전화해도 돼?
  Why don't you try giving her a call again? 걔한테 다시 전화해봐.

Phone call for you.
너한테 전화 왔어.

- **Excuse me. There's a phone call for you.** 실례지만 전화왔어요.
  Some guy just called for you. 방금 어떤 사람한테서 전화 왔어.

I'll put in a call to Patricia.
난 패트리샤에게 전화를 할거야.

- **I'd be happy to put in a call.** 기꺼이 전화할게.
  I have just put in a call to his wife. 난 걔 아내에게 그냥 전화 했었어.

Call it off.
취소해.

- **If he finds out she's not a virgin, he'll call off the wedding.**
  걔는 신부가 처녀가 아닌 걸 알면 아마 결혼식 취소할 걸.
  Call it off because it's going to rain. 비온다니까 취소해.

Do you know why this is called a toast?
왜 건배라고 불리우는지 아니?

- **It is called "Improv," which is short for improving, okay?**
  이건 improving의 약어로 그냥 improv로 불리는 거야, 알겠어?
  I call that a major motive for murder. 그걸 살인의 주요 동기라고 부르지.

My doctor won't even make house calls.
주치의는 왕진을 가지 않으셔.

- **We're looking for another who can make house calls.**
  우린 왕진이 가능한 의사를 찾고 있어.
  I'm on a call 24 hours a day, okay? 난 24시간 비상대기야, 알았어?

I did make a crank call to the boss.
난 사장에게 장난전화를 했어.

- **Kids make a crank call to Mr. Wilson.** 아이들이 윌슨 씨에게 장난전화를 했어.

I checked the roll call.
난 출근확인을 했어.

- **I checked the roll call. He wasn't working that day.**
  출근확인결과 걔는 그날 결근했어.
  Missed morning roll call, did I? 내가 아침 조회시간을 놓쳤지?

■ **get another call**은 '다른 전화를 받다[오다]' 라는 뜻이고, be on another line이면 '통화중이다' 라는 의미. 또한 call back은 '답신하다' 라는 뜻이며 call again은 '다시 전화하다' call later는 '나중에 전화하다' 라는 뜻.

■ **(there's a) phone call for you**는 전화가 왔다고 알려줄 때 쓰는 전형적인 표현. 또한 call for sb하면 '…에게 전화를 하다,' call for sth은 '…를 요구하다, 청하다' 라는 뜻이다.

■ **put in a call**은 '전화넣다' 즉, make a phone call과 같은 의미.

■ **call off**는 기본적인 표현으로 '취소하다(cancel)' 라는 뜻.

■ **call A B**는 전형적인 구문으로 'A를 B라고 부르다, 칭하다' 라는 표현이다. 한편 be called는 '…라고 불리다' 혹은 '…로 불려가다' 라는 의미.

■ **make house calls**는 '가정방문을 하다' 라는 뜻으로 의사일 경우에는 '왕진가다' 라는 의미가 된다. 그리고 be on call하면 의사 등이 비상대기하다라는 뜻.

■ **crank call**은 '장난전화' 라는 뜻으로 두단어가 그대로 동사로도 쓰이고 혹은 make a crank call이라고 써도 된다.

■ **roll call**은 '점호' 또는 '출석확인' 이라는 뜻으로 morning roll call이면 '아침 출석확인' 이라는 뜻이 된다.

MORE EXPRESSION

disposable cell phone
1회용 휴대폰
pre-paid cell phone
요금선불 휴대폰

I got canned from my job. 나 직장에서 잘렸어.

Can it!
조용히 해!

- Hey, can it! Be good. 헤이, 조용히 해! 착하게 굴어.
  You're both wrong, so can it! 너희 둘 다 틀렸으니까 좀 조용히 해!

■ Can it!은 '조용히 해!' 또는 '입 다물어!'라는 뜻. can이 동사로 쓰인 경우로 통조림 만들 때 꽉 밀봉하는 것을 떠올려본다.

I got canned from my job.
나 직장에서 잘렸어.

- So you got canned, huh? 그래 너 잘렸니?
  Did you get canned as a part of budget cuts? 예산삭감으로 잘렸니?

■ can은 또한 '해고하다,' '자르다'라는 뜻으로도 쓰이는데 이때는 dismiss와 같은 뜻 따라서 be canned하면 '해고당하다'라는 의미가 된다.

That can't be right!
설마 그럴 리가!

- It can't be! 이럴 수개!
  That can't be a coincidence. 그건 우연일 리가 없어.

■ That can't be~는 '뭔가 잘못된거야,' '그럴 리가 없어'라는 뜻이며 That's impossible보다 강도가 약한 표현으로 뒤에 good, right, true 등 여러 단어가 올 수 있다.

The canned food tastes awful.
통조림 음식 맛은 끔찍해.

- A few hours in the can will give you a new respect for the law. 감옥에 몇시간만 있어보면 법에 대해 새삼스레 존경심이 생길 걸.

■ the can은 '감옥' 또는 '화장실'이라는 뜻으로도 쓰이며 canned+음식하게 되면 '통조림 음식'이라는 뜻이 된다.

It's a can of worms, George.
골치 아픈 일이야, 조지.

- It might be opening up a can of worms. 골치 아픈 상황이 터지는 수가 있어.
  I don't want to open a can of worms. 난 골치 아픈 일을 시작하고 싶지 않아.

■ can of worms는 '복잡한 상황' 또는 '골치 아픈 일'이라는 뜻. open a can of worms하면 '골치 아픈 일을 일으키다, 야기하다'라는 의미.

He got capped in an alley. 걘 골목길에서 총맞아 죽었어.

You capped your silencer with neoprene.
네 소음 총을 합성고무로 씌웠지.

- The mobster got capped in an alley. 그 조폭은 골목길에서 총맞아 죽었어.
  You'll get capped if you don't shut up. 입다물지 않으면 넌 죽을거야.

■ got capped는 '총 맞아 죽다'라는 뜻. cap은 동사로는 다양한 뜻이 있으나 가장 일반적으로는 '…덮다, 씌우다'라는 의미.

I'll put my thinking cap on, you put yours on.
난 나대로 깊이 생각해볼테니 넌 너대로 생각해봐라.

- Well, you better get your thinking cap on, Mister. 선생, 좀 깊이 생각해봐.
  She deserves a real surprise. Now put your thinking cap on.
  걘는 진짜 좀 놀래줘도 돼. 한번 곰곰이 생각해 봐라.

■ put[get] one's thinking cap on은 '…에 대해 곰곰이 생각하다'라는 표현이다.

MORE EXPRESSION

if the cap fits
자기에게 해당된다면

It's in the cards. 그건 예상했던거야.

I got carded.
난 신분증 제시를 요구받았어.

- **They carded me.** 나에게 신분증을 요구했어.
  Once you hit 30, all you want to do is get carded.
  일단 30을 넘으면, 넌 (10대 때 많이 당하던) 신분증 제시요구를 무척 원하게 돼.

■ card는 동사로 '신분증을 요구하다' 라는 의미로 술 등을 살 때 21세 이상임을 확인하기 위한 행위.

It's in the cards.
예상했던 거야.

- **Gee, I don't know if it's in the cards.** 야, 그게 그렇게 될런지 모르겠어.
  It just wasn't in the cards. 그건 단지 가능성이 없었어.

■ be in the cards는 '있을 수 있다,' '가능성이 있다' 라는 말로 be likely to happen이란 의미.

Okay, cards on the table.
좋아, 속내를 털어놓자.

- **I'm gonna lay my cards on the table.** 난 내 생각을 솔직하게 털어놓을 거야.
  Michael, we're both adults, put your cards on the table.
  마이클, 우린 성인들이야. 네가 생각하고 있는 걸 털어놔.

■ put[lay] all one's cards on the table은 '가지고 있는 것을 다 내놓다,' '모든 생각[계획, 의도]을 털어놓다' 라는 의미이다. 한편 play[keep] one's card close to one's chest는 '…를 비밀로 하다' 라는 표현.

He's holding all the cards.
걔가 상황을 장악하고 있는데.

- **Trust me. None ever holds all the cards.** 날 믿어. 아무도 압도적이지 않아.
  You hold more cards than you think you do. 생각보다 유리한 때가 많아.

■ hold all the cards는 '자신이 있다,' '상황을 장악하고 있다' 라는 의미. 한편 hold more cards than~하면 '…보다 유리한 입지에 있다' 라는 표현이 된다.

 MORE EXPRESSION

play one's last card 최후 수단을 쓰다

See if I care. 맘대로 해.

Let me take care of it.
나한테 맡겨.

- **I'll take care of everything.** 내가 모두 처리할게.
  Is that how you take care of the most important thing in your life? 인생에서 가장 중요한 것을 처리하는 방식이 그런 거니?

■ take care of는 of 다음에 사람이 나오면 '돌보다' 혹은 주어가 조폭이면 '사람을 죽이다' 라는 의미이고, of 다음에 사물이 오면 '어떤 일을 처리하다' 라는 뜻으로 쓰인다.

Take care (of yourself).
잘 지내. (몸 건강하게 잘 있어, 몸조리 잘해.)

- A: **It was good to meet you.** B: **Take Care!** A: 만나서 좋았어. B: 잘 지내!
  A: **Good Bye!** B: **Okay! You take care!** A: 잘 가! B: 그래, 잘 지내고!

■ Take care!는 '조심하고!' 라는 뜻으로 헤어질 때 인사로도 쓰인다.

I didn't care for it.
난 그거 싫어 했어.

- They often care for Emma while her daughter's in the hospital.
  걔들은 엠마의 딸이 입원해 있을 동안 엠마를 종종 보살피고 있어.

  (Would you) Care for some coffee? 커피 드릴까요?

■ care for는 긍정문, 부정문에서는 '좋아하다,' '돌보다' 라는 뜻이며 의문문에서는 '원하다' 라는 의미.

Who cares!
누가 신경이나 쓴대!

- It was somebody but who cares! 어떤 사람이었는데 하지만 알게 뭐야!
  A: Where would we go? B: Who cares! A: 어디로 갈건데? B: 어디든 상관없어!

■ Who care!는 구어체 표현으로 '알게 뭐야' 또는 '누가 신경이나 쓰냐' 라는 의미. 한편 Why do you care? 또는 What do you care?는 '무슨 상관이야?' 라는 표현이 된다.

See if I care.
내가 끄떡이나 할 줄 알아.

- Fine, go! See if I care! 좋아, 그렇게 해! 난 신경 안 쓸게!
  See if I care. Good luck finding girlfriends! 맘대로 해. 여친 찾는데 행운빌어!

■ see if I care는 '마음대로 해' 라는 뜻으로 네가 무슨 일을 하더라도 내가 신경을 쓰는지 두고 보라는 뉘앙스를 갖는다.

I don't care what we call it!
그걸 뭐라고 불러도 난 상관없어!

- You don't care about the kids. You hate the kids.
  넌 얘들에 대해 관심이 없지. 넌 얘들을 미워해.

  Don't you pretend you don't care. 상관없는 척 하지마.

■ I don't care about은 상대방의 부탁, 제안에 대해 '난 …에 상관없어' 라는 표현. 한편 I don't care if[what, how much~]하게 되면 '…이든 아니든 상관없다, 관심없다' 라는 뜻.

I couldn't care less.
알게 뭐람.

- My girlfriend is at a strip club with me and she couldn't care less.
  내 여친은 나랑 스트립 클럽에 갔는데 걘 전혀 개의치 않았어.

  What are you talking about? He couldn't care less.
  무슨 소리야? 걔는 전혀 관심이 없어.

■ I couldn't care less는 상관없어, 신경안써라는 말이며 I couldn't care less if~하게 되면 역시 '…이든 아니든 난 상관없어' 또는 '개의치 않아' 라는 의미이다.

놓치면 원통한 미드표현들

- **calm down** 진정하다 calm oneself 마음을 가라앉히다
  Now I need everyone to calm down.
  이제 모두 좀 진정해주시면 좋겠어요.

- **catfight** 여자들끼리 소리지르며 하는 싸움
  You here for another catfight?
  또 한바탕하러 온거야?

- **raining cats and dogs** 억수같이 비가 내리다
  It's raining cats and dogs as the gang

  arrives. 갱들이 도착하자 비가 억수같이 내렸어.

- **get[be] catty (about)** …에 대해 심술궂게 행동하다라는 의미.
  People think women are catty.
  사람들은 여성들이 심술궂다고 말한다.

- **cave in to** 굴복하다, 양보하다
  We can't just cave in to gangsters.
  우리는 갱들에게 굴복할 수 없어.

Don't get carried away. 너무 몰입하지마.

Carry on!
계속해!

- I don't need to know what you were doing. Carry on.
  네가 뭘 하고 있었는지 알 필요가 없어. 계속해라.

  They carry on kissing when there's a knock at the door.
  문에서 노크소리가 들릴 때도 걔들은 키스를 계속하고 있어.

■ carry on은 '…를 계속하다' 라는 의미. 계속하는 것을 말하려면 on 다음에 명사나 ~ing을 이어쓰면 된다.

Don't get carried away.
너무 흥분하지마.

- I guess I've gotten carried away. 내가 너무 정신없이 내 얘기만 했네.
  I'm understanding, but let's not get carried away. 이해해. 흥분하진말자.

■ be carried away는 '흥분하다' 또는 자제력을 잃을 정도로 '몰입하다' 라는 의미.

She still carries a torch for Nate.
걔는 아직도 네이트에 대해 감정을 가지고 있어.

- The fact that she still carried a torch for Greg. 사실 걘 여전히 그렉을 사랑했어.
  He carried a torch for his ex for years. 걘 오랫동안 전 아내에게 애정을 품었어.

■ carry a torch for는 '…을 사랑하다' 또는 '…에게 감정을 가지고 있다' 라는 의미이지만 특히 짝사랑의 뉘앙스를 강하게 갖고 있다. 한편 carry the torch of 하면 '…에 대해 지지하다' 라는 표현.

Do you carry Colombian coffee?
콜롬비아산 커피 팔아요?

- Do you carry adult diapers? 성인용 기저귀 있어요?
  Do you carry pictures of your children? 애들 사진을 지니고 다녀요?

■ carry sth은 '…를 지니다' 라는 일반적인 뜻을 갖지만 특히 상점에서 Do you carry~?하면 '…를 취급하고 있어요?' 즉, '…를 파나요?' 라는 의미가 된다.

My wife had a miscarriage.
내 아내가 유산했어.

- A: What happened to her? B: She miscarried. A: 걔 뭔일야? B: 유산했어.
  She might be having a miscarriage. 걔가 유산을 할 가능성이 있어.

■ miscarry는 '실패하다' 라는 뜻으로 임산부에게 쓰면 '유산하다' 라는 의미로 주로 많이 쓰인다. miscarriage는 유산.

MORE EXPRESSION

cash and carry 현금판매

Where are we on the case? 사건 어떻게 됐어?

Get off my case!
나 좀 방해하지마!

- Why don't you just get off my case, man? 야. 나를 좀 내버려둬.
  The only reason I came tonight was to get my parents off my case. 오늘밤 내가 여기 온 유일한 이유는 부모님이 날 방해하지 못하게 하는 거였어.

■ get off one's case는 '…를 내버려두다' 라는 의미. 또한 get sb off one's case하면 '…가 방해하지 못하게 하다' 라는 뜻.

My boss was totally getting on my case.
보스가 완전히 날 들볶고 있었어.

- I won't get on your case. 더 이상 널 괴롭히지 않을게.

  A: Parents? B: They were totally on my case.
  A: 부모님? B: 부모님이 날 무지 비난하고 있었어.

It's hard to make a case for a copycat.
모방범이라고 주장하기에는 좀 어렵지.

- Well, I must say, you make a very persuasive case for it.
  글쎄, 아주 설득력이 있는 주장을 했다고 생각돼.

  The kids made a case for going to McDonalds.
  아이들은 맥도날드에 가자고 주장했어.

  Are you making a case against your sister?
  너 네 누이에게 불리하게 말하는거야?

C

If that's the case, why not just admit it?
실제 그렇다면 왜 그냥 인정하지 그래.

- But if that's the case, it means that it wasn't a suicide.
  그러나 그게 사실이라면 자살이 아니었다라는 걸 의미해.

  If that's the case, I'd like to know about it. 그게 사실이라면 알고 싶은데.

You're off the case.
이 환자에서 손 떼!(병원), 이 사건에서 손 떼!

- Get it done, or you're off the case. 일을 끝내라. 그렇지 않으면 넌 손을 떼.

  Sorry, Detective. You're off the case. 형사양반, 미안하지만 이 사건에서 손 떼.

I'm on a case.
사건을 맡고 있어.

- A: I'm on a case. B: Is that why you forgot about the conference?
  A: 사건을 수사중야. B: 그래서 회의에 대해 잊은거야?

  I was gonna call you back. I got busy on a case.
  전화주려고 했는데. 사건으로 바빴어.

I was a basket case.
난 너무 초조해서 노이로제에 걸렸어.

- I didn't know what the hell I was doing. I was a basket case.
  내가 뭘 하고 있었는지 모르겠어. 완전 무기력해졌어.

  Jill was a basket case before the interview. 질은 면접전에 아주 굳어버렸어.

It's always the case.
항상 그 모양이야.

- That's always the case with Jenny. 제니는 항상 그런 식이라니까.

  Sadly for Orson, this was not always the case.
  올슨에게는 안됐지만 이게 항상 그런 것은 아냐.

Where are we on the case?

사건이 어디까지 진척된거야?

- Hey, guys, where are we on the case? 어이, 친구들, 사건진행이 어때?
  Where are we on the Sanchez case? 산체스 건은 어떻게 됐어?
  Where're you on the case we got yesterday? 어제 사건은 어디까지 진척됐어?

where we are[stand] on the case는 문장안에서 명사처럼 쓰이면 '사건에서의 우리 입장'이라고도 쓰일 수 있지만 의문문으로 물어볼 때는 조사에서 뭐 진척(any progress has been made in an investigation)된게 있는지 물어보는 말이 된다.

I have a case I think you might be interested in.

네가 관심을 가질 만한 환자가 있어.

- A: We have a case. B: Fat guy in a coma, I know.
  A: 특이한 환자가 있어.   B: 혼수상태에 있는 뚱뚱한 친구 말이지.
  If you think you have a case, charge him.
  소송 건이 된다고 생각하면 걔를 고소해버려.

have a case에서 case는 문맥에 따라 '환자' 또는 '사건, 소송'을 뜻한다.

He's been working on the case for ten years.

걔는 10년간 그 건을 맡아 일을 하고 있어.

- Are you still working on the case? 아직도 그 사건을 수사 중이니?
  There's five of us working on the case. 그 환자를 위해 5명이 힘쓰고 있어.
  I need you to work the case with me. 사건을 해결하는데 네가 필요해.

work on the case는 '…건으로 일을 하다'라는 뜻으로 경찰에서 사용하면 '…사건을 수사하다'라는 의미가 된다. on를 뺀 work the case 또한 같은 의미.

He's not gonna solve the case.

걔는 사건을 해결하지 못할거야.

- I'm gonna solve the case. 난 그 사건을 해결할거라고.
  Was the detective able to solve the murder case?
  그 형사가 살인사건을 해결할 수 있었어?

solve the case는 범죄사건에서 '범인을 잡다,' '사건을 해결하다'라는 의미이다.

So her dad's gonna close the case.

그래서 걔 아버지는 소송을 종결할거야.

- There's no evidence of foul play, So the detective just closed the case. 형사는 폭행치사 증거가 없어서 사건을 그냥 종결지었어.
  Thank you. Case closed. 고마워. 사건종결.

close the case는 '사건을 종결하다' 또는 '소송을 종결하다'라는 의미가 된다. case closed는 사건종결이란 법률용어.

I think I won the case for her.

난 걔를 상대로 한 소송에서 이겼다고 생각해.

- I lost the case and now he's taking it out on me.
  난 패소했고 이제 걔가 나한테 화풀이하고 있어.
  I heard you won the case. 네가 승소했다고 들었어.

win[lose] the case는 '소송에서 이기다[지다]'라는 의미이다.

cold case는 범죄에서 통상 '미해결 사건,' solid case하면 '확실한 기소건'이라는 뜻. 또한 I rest my case하면 '변론을 마칩니다'라는 뜻.

It's a cold case file I found in Lake's desk.

레이크 책상에서 찾은 미해결 사건이야.

- And he was all over us to make a rock-solid case.
  걔는 확실한 기소 건을 만들려고 우릴 다그쳤어.
  I cleared a cold case. 미해결사건 하나를 해결했어.
  I rest my case. 변론을 마칩니다.

MORE EXPRESSION

in case S+V …경우에 대비해서
(just) in case 만일에 대비해서
in this[that] case 이[저] 경우에
in any case 어쨌든
in nine cases out of ten 십중팔구

They paid cash up front. 걔네들은 현금으로 선불지급했어.

Why not cash in on it?
그걸 한번 이용해 봐라.

- I finally found a way to cash in on my good looks.
  마침내 내 잘생긴 외모를 이용할 방도를 찾았어.

  He cashed in his first-class ticket. 걔는 1등석 표를 현금으로 바꿨어.

■ cash in on은 '큰돈을 벌다,' '이용하다,' '편승하다' 라는 의미로, 그냥 cash in하면 '현금으로 바꾸다' 라는 뜻이 된다.

You paid cash up front.
넌 현찰을 선불로 냈어.

- A: Who stayed in there last Thursday? B: Oh, let's see. Paid cash up front, four nights.
  A: 지난 목요일 누가 거기에서 묵었어요? B: 저기, 4일치를 현찰로 선불 지급했는데요.

■ pay cash up front는 '현찰로 선불지급하다' 라는 의미.

Afraid you're gonna lose your cash cow?
네 돈줄을 잃어버릴까 두렵니?

- Well, maybe your boyfriend thought you're a cash cow.
  아마도 네 남친은 널 돈줄로 생각했나보구나.

  This program is a cash cow for the school. 이 프로그램은 학교의 돈줄이야.

■ cash cow는 '돈줄,' 또는 '황금 알을 낳는 거위' 라는 표현으로 수익성이 매우 높은 효자상품 등을 일컫는다.

You catch on quick. 너 이해가 빠르구나.

You caught me.
들켰네.

- He got caught red-handed. 걔는 현장에서 딱 걸렸어.
  I got caught in the cross fire. 고래 싸움에 새우등 터져.
  Tom got caught in a skirt. 탐이 치마입고 있다가 걸렸대.
  He was just swimming this morning. Got caught in a riptide.
  걔는 단지 아침에 수영을 하고 있었는데 역류에 휩쓸렸어.
  I just got caught up in all that money. 난 그 모든 돈에 어떻게 연루되었어.

■ get[be] caught (in)은 '…에 잡히다' 라는 뜻이며 한편 get caught in the crossfire하면 '나쁜 일 중간에 끼다[개입하다] get caught in the act하면 '현장에서 잡히다,' get caught in a riptide하면 '역류에 휩쓸리다' 라는 뜻이 된다. 한편 be [get] caught up in sth하게 되면 '안 좋은 일에 연루되다' 라는 의미.

Are you all caught up?
밀린 일은 다 했어?

- You want to catch me up? 무슨 말인지 알려줄까?
  You guys go ahead. We'll catch up. 너희들 먼저 가. 우리 뒤따라갈게.

■ catch up은 '밀린 일을 하다' 또는 '…를 따라잡다,' '이해하다' 라는 의미이다.

151

I'll catch up with you.
널 쫓아갈게.

- Garcia's gonna want an update. I'll catch up with her.
  가르시아가 업데이트를 원할 거야. 내가 걔한테 알려줄게.

  He'll be here for a while. You can catch up with him later.
  걔가 잠시 동안만 여기 있을 거야. 나중에 걔를 만날 수 있을거야.

■ catch up with는 '경찰들이 …를 따라가서 잡다,' '밀린 것을 따라잡다,' 혹은 '만나다' 라는 의미. 또한 소식이나 근황, 정보 등을 '업데이트 해준다' 라는 뜻으로도 쓰인다.

I'll try to catch you later.
지금 바쁘니까 나중에 시간나면 보자.

- Catch me later[some other time]. 나중에 다시 얘기하자.

  I'll try to catch you some other time. I'll try to see you later.
  다음 번에 널 만나도록 해볼게. 나중에 보자고.

■ catch sb later는 '나중에 만나 이야기하다' 라는 뜻으로 지금 시간이 없으니 나중에 하자는 뉘앙스를 갖는다.

Hey, honey, I'm glad I caught you.
자기야 만나서 기뻐.

- I'm so glad I caught you. I couldn't find you before.
  만나게 되어 아주 기뻐. 전에는 널 찾을 수 없었어.

■ (I'm) Glad I caught you는 '만나서 반가워' 라는 의미인데 특히 상대방이 자리를 뜨기 전에 도착해서 만나게 돼 기쁘다라는 뉘앙스가 있다.

Do you mind if I could catch a ride with you?
차를 좀 태워줄 수 있나요?

- Do you think I could catch a ride back into town with you?
  시내로 가는데 차 좀 같이 탈 수 있을까요?

  Aunt Jane caught a ride to the bar. 제인 아줌마는 차를 타고 바로 갔어.

■ catch a ride는 '차를 잡아타다' 라는 표현이다.

This last part is what caught my eye.
이 마지막 부분이 눈길을 끄네.

- There is something that caught my eye. 내 관심을 끄는 게 있어.

  I happened to gaze out the window and a bra caught my eye.
  창밖을 우연히 봤는데 브라 하나가 눈에 띄었어.

■ catch one's eye는 '눈에 띄다,' '눈길을 끌다' 라는 뜻으로 비유적으로 '관심을 끌다' 라는 의미로 쓰인다.

Oh, you catch on quick.
오, 너 이해가 빠르구나.

- He isn't starting to catch on, is he? 걘 이해하지 못하는 것 같지 않니?

  How do things like that catch on? 그런 것이 어떻게 유행을 할까?

■ catch on은 '유행하다' 또는 '이해하다' 라는 의미를 갖는 표현이다.

I didn't quite catch that last remark.
그 마지막 말은 확실히 알아듣지 못했어.

- I didn't catch what you said. 무슨 말인지 못 알아들었어.

  I didn't catch the name. 이름이 뭔지 모르겠어.

■ not catch sth은 '…를 못 알아듣다,' '…를 이해하지 못하다' 라는 의미.

Anne's a catch.
앤은 근사한 여자야.

- Ben is a catch. And for some reason, he's crazy about you.
  벤은 킹카야. 그런데 무슨 이유에선지 너한테 빠져있어.

  Next to you, I'll look like a catch. 너 옆에 있으면 내가 멋지게 보일거야.

■ be a (good) catch는 '근사한 사람' 즉 훈남[훈녀]라는 의미. 꽉 잡아야 될 사람이라는 말씀. be quite a catch도 같은 표현.

What's the catch?
무슨 꿍꿍이야?

- What's the catch? Sexual favors? Wants a little of this here?
무슨 꿍꿍이야? 성상납이니? 여기서 그런 걸 원해?
  You'll give me money? What's the catch? 돈 주겠다고? 무슨 속셈인데?

■■ catch는 명사로 또 다른 뜻으로 쓰이는데 '함정' 또는 '꿍꿍이' 라는 의미이다.

MORE EXPRESSION

The catch is that~ 문제는 … 이다
caught[stuck] between rock and a hard place 진퇴양난에 빠진

» caution

We warned you to use caution. 신중을 기하라고 경고했어.

C

I throw caution to the wind.
난 앞뒤 안가리고 행동해.

- She threw caution to the wind and reached out and grabbed his balls. 걔는 대담하게 행동하면서 손을 뻗어서 그의 거시기를 잡았어.
  You're taking every necessary precaution.
  넌 모든 필요한 모든 예방조치를 하고 있잖아.
  I brought him in as a precaution. 난 예방차원에서 걜 불러들였어.

■■ throw caution to the wind는 '앞뒤를 가리지 않고 행동하다' 또는 '대담하게 행동하다' 라는 표현이다. 문자 그대로 '조심성을 바람에 날려버렸다' 라는 말. 한편 take (pre) caution하면 (미리) 조심하다, safety precaution은 안전수칙을 뜻한다.

We warned you to use caution.
네가 신중을 기하도록 경고했어.

- He's armed, so make sure your teams use extreme caution.
그 놈은 무장했기 때문에 너희 팀들이 반드시 최고로 신중을 기울여야 해.
  Look at any strange guy's approach with caution and suspicion.
  이상한 녀석이 접근하지 않는지 주의 깊게 의심스런 눈으로 살펴라.

■■ use (extreme) caution은 '(극도의) 주의를 기울이다,' '신중을 기하다' 라는 의미이다. 한편 with caution이면 '조심성 있게' 라는 뜻.

I'd like to err on the side of caution.
난 신중한 쪽으로 하고 싶어.

- Let's err on the side of caution. Hmm? 신중한 방향으로 하지 않을래?
  It would seem that you would err on the side of caution.
  너는 매우 신중하게 하려는 것 같아.

■■ err on the side of caution는 '신중한 쪽으로 행동하다' 라는 뜻으로 결과가 불투명할 때 안전한 쪽으로 한다라는 뉘앙스를 갖는다.

놓치면 원통한 미드표현들

- **I don't have a cent to one's name** 땡전 한 푼 없다
  A: You won't have a cent to your name! B : Bring it on! A: 네 앞으론 땡전 한푼없어! B: 그래 어디 해봐!

- **put in my two cents** 의견을 말하다
  I just wanted to put my two cents in.
  난 단지 내 의견을 말하고 싶었어.

- **chalk sth up to** …을 …의 탓으로 돌리다

I'm gonna chalk last night up to fate.
지난 밤 사건은 운명이라고 생각할거야.

- **works like a charm** 일이 너무 잘 된다
  Between Jill and I, yeah, worked like a charm. 질하고 나 사이는 정말 모든 일이 무척 순조로워.

- **prince charming** 매력만점의 남친, 완벽한 남친[남편]
  Every girl fantasizes about finding her prince charming. 여성들은 다 매력만점남친을 찾을 거라는 환상을 품지.

You're certifiable! 너 완전히 돌았군!

You're certifiable!
완전히 돌았군!

- You have to be certifiable to put up with that. 그걸 참다니 너 완전히 미쳤어.

  I will not take it back because you are a certifiable nut job! 네가 완전히 정신이상이래서 난 취소하지 않을거야.

■ be certifiable은 '정신 이상인,' '미친'이라는 뜻이다.

Any of you certified deep sea divers?
너희 중 심해잠수부 자격증이 있는 사람 있니?

- So, you are a certified mechanic? 그래, 네가 면허 있는 정비사니?

  A: You've scuba dived before? B: Oh, yeah. I got certified when I was 15. A: 넌 전에 스쿠버 다이빙 해봤어? B: 그럼, 15세에 자격증을 땄는걸.

■ certified는 가장 보편적인 뜻으로 '…의 면허가 있는' 또는 '…자격증이 있는'이라는 표현.

Don't pass up your chance. 기회를 놓치지마라.

I'll take my chances.
모험을 해 보겠어.

- I want you to take a chance and trust me. 운에 맡기고 날 믿었으면 해.

  He will take any chances. 그 녀석 별 짓을 다할 거야.

  After that, I can't take the chance. 그 이후 난 기회를 잡을 수가 없었어.

■ take a chance는 '운에 맡기고 해보다,' '위험 부담을 감수하다'라는 의미이며 이에 반해 take the chance는 '기회를 잡다'라는 다른 의미.

We might actually have a chance of winning this.
우린 사실상 승산이 있어.

- You stand a chance of being a normal, productive person. 넌 정상적이며 생산적인 사람이 될 가능성이 있어.

  My daddy never got a chance to beat me. 아빤 날 때릴 기회가 없었어.

■ have[stand] a chance of~는 '성공할 가능성이 있다'라는 의미. 물론 have a chance to+동사를 써도 된다.

I think there's a chance of it.
그럴 가능성이 있다고 생각돼.

- There's not a chance in a million. 전혀 가망성이 없어.

  Was there a chance that she was seeing someone outside of the marriage? 걔가 외도했을 가능성이 있었어요?

■ There is a (good) chance that S + V는 '…할 가능성은 (충분히) 있다'라는 표현으로, 반대로 There is not a chance~하면 '…할 가능성이 없다'라는 의미가 된다.

Any chance you know where she is?
걔가 어디 있는지 혹시 알고 있니?

- Is there any chance that you took that phone call? 네가 혹시라도 그 전화기를 가져갔니?

  Is there any chance that Tony is a vampire? 토니가 뱀파이어일 가능성 있어?

■ (Is there) any chance that~은 '…할 가능성이 있니?'라는 뜻으로 Any chance of[that]~라고 표현해도 된다.

Not a chance!
절대 안돼!

- Oh, not a chance in hell, Castle. 오, 가망이 전혀 없어, 캐슬.
  Not a chance. He's a weirdo. 절대 안돼. 걘 이상한 놈이야.

Chances are slim.
가능성이 희박하지.

- Chances are he's gonna be this. 걔가 이렇게 될 가능성이 있어.
  And chances are she'll start with your accountant.
  걔가 네 회계사로부터 시작할 가능성이 있지.

You said you found me by chance?
네가 날 우연히 찾았다고 말했지?

- You didn't by any chance invite my parents, did you?
  너 우리 부모님을 어쩌다가 초청하지 않은 거지, 그지?
  Is Gibbs with you, by any chance? 혹시라도 깁스가 너랑 같이 있니?

Don't pass up your chance.
기회를 놓치지 마라.

- No one wants to pass up a chance for good luck.
  그 누구도 행운의 기회를 놓치고 싶어 하지 않아.
  You know I wouldn't pass up an opportunity to celebrate Jill.
  난 질을 축하할 기회를 놓치고 싶지 않는다는거 너 알잖아.
  You don't think I'm gonna pass up the chance to beat those
  sneaky SOBs. 내가 저 약아빠진 개자식들을 물리칠 수 있는 기회를 날릴거라고 생각하는 건
  아니겠지?

C

MORE EXPRESSION

another chance 또 다른 기회
have a fat chance 가망이 별로 없다
a chance of a lifetime 절호의 기회

» charge

On what charge? 무슨 죄목으로?

I'm not in charge of the lab.
난 그 실험실을 책임지고 있지 않아.

- Are you the person in charge of here? 여기 책임자인가요?
  I am in charge of this project. 내가 이 프로젝트를 책임지고 있어.

On what charge(s)?
무슨 죄목으로?

- A: You're under arrest. B: Excuse me? On what charge?
  A: 당신을 체포합니다. B: 뭐라고요? 무슨 혐의로?

You'll be charged with murder.
넌 살인죄로 기소될거야.

- Your rap sheet says you're charged with rape last year.
  네 전과기록에 의하면 넌 작년에 강간죄로 기소되었어.
  The man is charged with homicide. 이 사람은 살인죄로 기소되었어.

Charge it please.
신용카드 해주세요.

- Cash or charge? 현금으로요 아니면 신용카드로요.
  I just charged it on my mom's card. 엄마 카드로 결제했어.

■ be charged with는 '…죄로 기소되다'라는 의미로 역시 미드범죄물 단골표현. 여기서 charge는 동사로 사용되었으며 '기소하다'라는 법적인 용어로 쓰인 경우.

■ charge sth은 '…를 외상으로 달아놓다'라는 뜻으로 이 경우 charge는 신용카드로 달아놓는다는 의미이다. 한편 Cash, please하면 '현찰로 낼게요'라는 표현.

» chase

Can we cut to the chase? 우리 단도직입적으로 말할 수 있을까?

Can we cut to the chase?
우리 단도직입적으로 말할 수 있을까?

- I think you're right. So let's cut to the chase. 네가 맞으니 이제 까놓고 말하자.
  Let's just cut to the chase here. Okay? Heidi, which of my boys do you like? 이제 우리 그냥 까놓고 말하자. 좋아? 하이디, 내 아들 중 누굴 좋아하니?

Maybe it was all a wild goose chase.
아마도 그건 모두 헛수고였어.

- A: That's possible. B: This may be a wild-goose chase.
  A: 그건 가능해. B: 아무래도 헛수고일 가능성이 있어.
  Damn it, you sent us on a wild goose chase! 젠장, 너땜에 헛수고 했잖아!

You get to chase your dream.
넌 네 꿈을 쫓아.

- We had plenty of cops chasing the suspect. 용의자를 뒤쫓을 경관들이 많아.
  The boss is a profound skirt chaser. 사장은 여자라면 사족을 못써.

■ Let's cut to the chase는 '단도직입적으로 물어볼게,' '까놓고 이야기하자고'라는 의미. Just cut to the chase하면 '단도직입적으로 물어볼게요'가 된다.

■ wild goose chase는 '헛수고'라는 관용구적 표현이다.

■ chase는 기본적으로 뒤를 쫓다라는 동사로 chase sb[sth], chase after[down] 등으로 쓰이며 skirt chaser하면 여자꽁무니만 따라다니는 사람을 뜻한다.

MORE EXPRESSION

Stop chasing rainbows. 뜬구름 잡는 짓 그만해.
Go chase your tail! 썩 꺼져!, 귀찮게 하지 말고 저리가!
Go chase yourself! 꺼져라!

Can I chat with you for a sec? 잠깐 이야기 좀 할까?

I'm having a little chat with her.
난 걔하고 잡담을 하고 있어.

- I'll go have a chat with her. 가서 걔하고 얘기 좀 할게.

  Are you willing to have a chat with me? 나하고 얘기 좀 나눌 생각이 있어?

We should chat a little.
얘기 좀 해.

- Ted, can I chat with you for a sec in the kitchen?
  테드, 부엌에서 잠깐 나하고 얘기할 수 있을까?

  When you're drunken, you get chatty. 너 취하면 말 많아져.

■ have a chat with는 '…와 잡담하다[수다떨다]' 라는 뜻으로 have a little chat하면 '…와 잠시 잡담하다' 라는 의미가 된다.

■ chat with는 '…와 잡담하다' chat about하면 '…에 대해 얘기하다' 라는 뜻이 된다.

C

But then, talk is cheap. 하지만 말야, 말은 쉽지.

I'm not a cheap date.
난 데이트하면서 빨리 취해버리는 사람이 아냐.

- You are so cheap. 너 정말 치사하네.

  You talk about women as if they're all cheap.
  년 마치 여성들이 전부 헤픈 것처럼 말해.

Good defense attorneys don't come cheap.
훌륭한 변호사는 싸게 구할 수 없어.

- Though at $300 an hour, they don't come cheap.
  시간당 300 달러라도 걔들은 비싼게 아니야.

  Now, this type of justice does not come cheap.
  이제, 이런 종류의 정의는 쉽게 오는 것이 아냐.

But then talk is cheap.
하지만 말야, 말은 쉽지.

- Talk is cheap. Let's see what you can really do.
  말은 쉽지. 네가 정말 뭘 할 수 있는지 보자.

  Your speech sounded good, but talk is cheap.
  네 연설은 좋게 들리는데 하지만 말은 쉽잖아.

■ cheap은 '값싼' 이란 뜻으로 비유적으로 '헤픈,' '치사한' 이라는 의미. cheap date는 데이트할 때 특히 여자가 자발적으로 빨리 술에 취해 섹스까지 하는 사람을 말해 약간 헤프다는 뉘앙스가 깔려있다. 또한 make oneself cheap은 '값싸게 굴다,' '자기를 낮추다' 라는 표현이다.

■ go cheap 또는 come cheap은 '싸게 먹히다' 라는 뜻이다. 반대는 go[come] expensive 라고 한다.

■ talk is cheap은 Easier said than done처럼 말하기는 쉬워도 그걸 실제로 하려면 어렵다(be easy to talk, but more difficult to actually do something)라는 말.

She cheated on her husband. 그 여자는 남편몰래 바람폈어.

I thought he cheated fate.
갠 운명을 속였나봐.

- He cheated fate by surviving the accident. 갠 기적적으로 사고에서 생존했어.
  You'll never be able to cheat fate. 넌 절대로 운명을 속일 수는 없어.

■ cheat fate는 '운명을 속이다' '운명을 피하다' 라는 의미. cheat death도 '간신히 죽음을 모면하다' 로 같은 의미.

He cheated on his wife.
그 남자는 아내 몰래 바람을 피웠어.

- I never cheated on my wife. 난 결코 아내 몰래 바람을 피지 않았어.
  Did you know that Sam was cheating on Helen?
  샘이 헬렌 몰래 바람피고 있다는 걸 알고 있었어?
  You cheated on your SATs. 넌 SAT 시험에서 부정행위를 했어.

■ cheat on는 '…몰래 바람을 피다' 혹은 '시험에서 부정행위를 하다' 라는 표현.

Anybody else feel cheated?
누구 또 배반당했다고 느끼는 분?

- You feel cheated by life so now you're gonna get even with the world. 네가 삶에 배반을 당했다고 느끼면 이제 세상에 보복을 해야겠지.
  You're trying to cheat me out of half of his fortune?
  날 속여서 걔 자산의 반을 빼돌리려는거야?

■ feel cheated는 '배반이나 배신당했다고 느끼다' 라는 뜻. be cheated of victory하면 '사기로 승리를 빼앗기다' 라는 표현이다. 또한 cheat sb out of~하면 '…을 속여서 …를 빼앗다' 라는 의미.

I ran a check on him. 난 걔를 조사해봤어.

You should check it out sometime.
이거 한번 점검해 봐.

- I think I should go check it out. 내가 가서 한 번 점검해 봐야할 것 같아.
  Let's check it out after we finish our sweep. 수색을 끝낸 후 점검해보자.

■ check out은 '점검하다,' '한번보다' 라는 뜻으로 호텔에서 사용되면 check in의 반대의미가 된다. 물론 도서관에서 책을 빌리고 반납할 때도 쓸 수 있는 표현. 한편 많이 쓰이는 Check this out!하면 '이것 좀 봐!' 라는 의미.

Let's double check.
다시 한 번 보자.

- Can you double check please? 다시 한 번 확인해 줄래요?
  I'll have Gale double check when her plane landed.
  게일에게 그녀의 비행기가 착륙하는지 재확인하도록 할게.

■ double check은 '재확인하다,' '다시 한번 확인하다' 라는 의미로 동사 및 명사로 사용된다.

You will totally keep it in check this time.
넌 이번엔 완전히 그걸 저지할거야.

- I suggest you keep your unfounded accusations in check.
  넌 근거 없는 비난을 자제해야 돼.

■ keep[hold] A in check 은 'A를 막다,' '저지하다' 또는 '견제하다' 라는 의미.

Keep your temper in check and answer his questions.
감정을 억제하고 걔 질문에 답해줘.

I ran a check on the folks involved in the search.
수색에 관련된 요원들에 대해 조사를 실시했어.

- I need you to run a check on someone for me.
  날 위해 누군가에 대해 조사를 해주라.

■■ run a check은 '검사[조사]하다' 라는 의미로 make a check도 유사한 표현이다.

Check, please.
계산서 주세요.

- Separate checks, please. 따로 계산해 주세요.
  I'm gonna pay for this with check. 수표로 낼게요.

■■ check이 명사로 '수표' 라는 뜻. 미국에서는 checking account(당좌계좌)와 연계되어 personal check(개인수표)를 발행하는데 checkbook(수표책)의 형태로 가지고 다닌다. 한편 check이 식당에서는 계산서(bill) 라는 의미.

I'll take a rain check.
다음으로 미룰게.

- You mind if I take a rain check. 다음으로 미루어도 괜찮을까.
  Could I take a rain check? I am so tired.
  다음으로 미룰 수 있을까? 너무 피곤해서.

■■ rain check은 '우천교환 권' 이라는 의미로 야구 등 운동경기나 또는 공연이 비나 눈 등으로 취소될 경우 나중에 다시 올 수 있는 교환권을 뜻한다. 그래서 비유적으로 take a rain check하면 약속이나 제안을 '다음 기회로 미루다' give sb a rain check하면 '나중에 다시 초대하다' 라는 의미.

The coat check is right around the corner.
코트보관소가 바로 코너 뒤에 있어.

- Could you give me $2.00 for the coat check girl?
  코트보관소 여직원에게 줄 2 달러 있니?
  I'm not the coat check girl. M.B.A.
  난 코트나 받아주는 여자가 아냐. 경영학 석사야.

■■ coat check는 '코트 보관소' 라는 뜻으로 check room도 '휴대품 보관소' 또는 '코트 보관소' 로 같은 의미이다.

» cheese

Cheese it! Here she comes. 그만둬! 쟤가 온다.

Everybody say cheese and hold it. One, two, three.
모두 웃고 그냥 계세요. 하나, 둘, 셋.

- A: Say cheese B: Oops, I didn't say cheese.
  A: 웃어요. B: 아참, 웃지않았네.
  I'm sorry, did you say cheese? 미안하지만 웃지 않았어?

■■ (Say) Cheese!는 '김치하세요' 라는 의미. 즉 사진찍을 때 웃는 모습을 연출하기 위해 사진찍는 사람이 쓰는 단골 표현이다.

Cheese it!
그만둬! (도망쳐!)

- It's the police. Oh, cheese it! 경찰이다. 오, 튀어!
  She was a bit cheesed off. 그 여자는 약간 화났어.

■■ cheese it은 '그만둬' (stop it)이라는 뜻으로 '도망쳐' 라는 의미로도 쓰이고, be cheesed off 하면 '화가 나다,' '진저리가 나다' 라는 의미가 된다. 또한 속어로 cheese는 돈을, big cheese하면 중요한 사람을 뜻하기도 한다.

We got chemistry. 우린 죽이 잘 맞아.

We got chemistry.
맘이 잘 맞아.

- We're in chemistry. 우린 서로 잘 맞아.

  There are a lot of chemistry between you and me.
  너랑 나랑은 죽이 잘 맞아.

■ have a good chemistry
또는 be in chemistry는 '죽이 잘 맞는다' 라는 뜻으로 여기서 chemistry는 과학적 화학작용이 라기보다는 인간적 화학적 상호작용을 의미한다. 특히 남녀 간에 잘 통하다라는 뜻으로 많이 쓰인다.

And then in bed, there was no sexual chemistry.
그런데 침대에서는 속궁합이 잘 통하지 않았어.

- There was some sexual chemistry between them.
  걔들 간에는 일종의 궁합이 있었어.

  You just need to trust in the power of our overwhelming
  sexual chemistry. 넌 단지 우리사이에 강력한 궁합의 힘을 믿으면 돼.

■ sexual chemistry는 '궁합' 즉 남녀 간에 성적으로 잘맞는지를 의미한다.

She's never going to find that kind of chemistry with another man.
걔는 다른 남자하고는 결코 그런 궁합을 찾기 어려울거야.

- That was one hell of a kiss you gave me. You can't fake
  chemistry like that.
  네가 나한테 한 키스는 정말 대단한 거였어. 네가 그런 걸 꾸며낼 수는 없어.

  Did you find chemistry on your blind date? 소개팅에서 뭐 통했어?

■ find chemistry는 '성적인 화합[궁합]을 찾다' 라는 의미이며 fake chemistry면 '성적인 화합[궁합]을 꾸며내다' 라는 의미.

I got this off my chest. 난 이걸 맘속에서 다 털어놓았어.

I'm gonna have to get this off my chest.
이제 이걸 털어놔야겠어.

- I got all that stuff off my chest. 난 그 모든 걸 털어놓았어.

  Do you have anything else you wanna get off your chest?
  맘속에서 털어놓고 싶은 다른 게 더 있어?

■ get sth off one's chest
는 '…을 맘속에서 털어버리다' 라는 말로 맘속에 비밀 등의 이유로 말 못했던 '맘속이야기를 꺼내놓다' 라는 의미로 쓰인다.

You're staring at my knockers.
넌 내 젖가슴을 빤히 바라다보고 있잖아.

- I feel so young again except for the chest pains.
  가슴통증외에는 다시 젊어진 기분이야.

  She's short but has an ample bosom. I love it.
  걘 작지만 가슴이 엄청커. 맘에 들어.

  Your knockers are looking particularly full tonight.
  네 가슴은 오늘 밤 유독 실해보여.

■ chest는 일반적으로 목부터 가슴까지의 흉부를 뜻해 '총알을 가슴에 맞다,' '가슴통증이 있다' 라고 할 때 쓰며, breast는 가장 일반적인 '여성의 가슴'을 나타내는 표준어. bosom이나 bust 또한 여성의 가슴을 뜻하며 속어로 boobs, boobies, knockers, hooters 등이 있다. 또한 sweater girl하면 젖가슴이 돋보이게 옷을 입는 여자를 말하는 것으로 가슴이 크다는 뜻이 함축되어 있다.

Chewed me out for getting home late. 집에 늦게 왔다고 혼났어.

My mother will chew me out.
엄마가 나를 혼쭐낼거야.

- House turns around to chew him out for slowing down.
하우스는 속도를 늦추는데 대해 돌아서서 걔를 야단쳤어.

Thank you for not chewing me out for forging your signature.
서명을 도용했는데도 혼내지 않아서 고마워요.

Here, chew on these.
여기 이것 좀 생각해봐.

- Truman's gonna lose his job. You chew on that.
트루만은 일자리를 잃을거야. 이것 좀 생각해봐.

Look, I know it's a girlie offer, but chew on this... I'll be there.
여자애들이나 좋아할 제안이지만, 대신 좋은 점은 내가 거기 갈거라는 거지.

We could have some coffee and chew the fat.
커피 좀 마시면서 오래 잡담을 할 수 있어.

- Mom didn't exactly have time to sit around and chew the fat.
엄마는 앉아서 오래 잡담할 시간이 전혀 없었어.

Well, you haven't wanted to chew the fat for five days now.
글쎄, 넌 지금까지 5일 동안 잡담을 하지 않으려 하고 있었어.

■ chew sb out은 '…를 야단치다,' '…를 혼쭐내다' 라는 의미이다.

■ chew on sth은 '…를 생각해보다,' '뭔가 결정하기 전에 신중하게 오랫동안 생각해보다' 라는 의미.

■ chew the fat는 '오랫동안 잡담하다' 라는 의미로 shoot the breeze와 같은 의미.

MORE EXPRESSION

It's like chewing somebody else's gum.
꼭 남의 껌을 씹는 기분이야.

Life is too short for chatty chicks. 수다쟁이 여자들에게 인생은 너무 짧아.

I'm gonna take you cruising for chicks.
영계 헌팅하는데 널 데려갈게.

- I met this chick in a diner. 그래. 한 작은 식당에서 이 영계를 만났어.
Was that chick at the end really a client? 저끝에 앉아있는 영계가 고객였어?

Eva's not some hot chick you're banging?
에바는 네가 통상 섹스하는 영계는 아니니?

- You get to fool around with a totally hot chick. 넌 핫걸과 놀아나고 있구나.
I almost hooked up with a really hot chick tonight.
난 거의 오늘밤 진짜 섹시한 영계하고 할 뻔했어.

This thing is a real chick magnet.
이건 진짜 여성을 끄는 매력적인거야.

- Talk about your chick magnets. 너의 성적매력에 대해 말해봐.
That's going to make me a chick magnet. 여자애들이 떼로 몰려들거야.

■ chick은 '젊은 여자' 또는 '영계' 라는 다소 여성을 비하하는 표현. cruise for chicks하면 ' 영계를 헌팅하다' 라는 뜻.

■ hot chick은 '섹시한 영계,' baby chick하면 '애송이' 라는 뜻. baby chick을 '병아리'로 해석해도 우리말로도 비유적으로 어린 여자를 의미하기 때문에 원하는대로 해석해도 된다.

■ chick magnet은 '성적매력'(sexual attraction)이라는 의미로 영계를 끄는 자석이라는 원래 뉘앙스를 생각해보면 된다.

161

Don't call me a chicken. 날 겁쟁이라 부르지마.

I'm running around like a chicken with its head cut off.
난 미친 듯이 정신없이 뛰어다녔어.

- Stop running around like a chicken with its head cut off.
  미친듯이 뛰어다니지 말아라.

  The children ran around like a chicken with its head cut off.
  아이들은 미친듯이 뛰어돌아다녔어.

Don't chicken out.
꽁무니 빼지마.

- What? I did not chicken out! 뭐라고? 난 꽁무니를 빼지 않았어!

  Come on Simon, don't be a chicken. 이봐, 사이몬, 겁쟁이가 되지 말라고.

  How can I be a chicken if I showed up for the fight?
  싸우러 나왔는데 어떻게 내가 겁쟁이가 될 수 있니?

■ like a chicken with its head cut off는 '미친 듯이 돌아다니는' 이라는 뜻으로 문자 그대로 '마치 머리가 잘린 닭처럼' 이라는 뉘앙스를 생각해보면 된다.

■ chicken out은 겁을 먹고 '꽁무니 빼다' 라는 의미. 또한 be a chicken은 '겁쟁이이다' 라는 뜻으로, chicken 자체가 '겁쟁이' 라는 의미를 갖는 단어이다.

MORE EXPRESSION

chicken 비겁한 (사람)
That's chicken feed. 그건 껌값이야.

Let's all chip in. 모두 나눠서 내자.

He has a bad chip on his shoulder.
그는 아주 화를 잘 내요.

- You got a big chip on your shoulder, lot to prove.
  넌 싸울 거리가 많아, 증명할 것도 많고.

  He had some sort of chip on his shoulder. 걘 늘 싸울 준비가 되어 있었어.

When the chips are down, you come through.
위기가 닥치면 넌 극복할거야.

- When the chips are down, don't call me. 일이 닥쳐도 내게 전화하지마.

  When the chips are down, you find your true friends.
  일이 닥치면 진정한 친구를 찾아봐.

Let's all chip in.
모두 나눠 내자.

- The town just chipped in and bought one. 마을사람들은 돈모아 하나 구입했어.

  You guys finally chip in for a bodyguard? 결국 돈각출해서 보디가드를 구했지?

You seem chipper.
너 명랑한 것 같네.

- He didn't say. But he sounded very chipper. 걘 말없지만 쾌활한 것 같았어.

  I sound chipper? 기분 좋은 일 있냐고?

■ have a chip on one's shoulder는 '싸움을 걸려고 하다' 라는 의미로 어깨에 나무조각을 올려놓으면 항상 싸울 준비를 한 상태라는 뜻에서 나온 표현이다.

■ when the chips are down은 '일이 닥치면' 또는 '위기가 오면' 이라는 의미.

■ chip in은 '각출하다' 라는 뜻. 각자 십시일반 자기 몫을 내고 그걸 모아서 떠나는 사람이나 생일선물을 사거나 등을 하는 경우를 말한다.

■ chipper은 '기운찬,' '쾌활한,' '기분 좋은(feeling happy)' 이라는 뜻.

I have no choice here. 나도 어쩔 수 없는 일이야.

Do we have a choice?
우리 선택권이 있니?

- You need to make a choice. Me or your mother.
  넌 선택을 해야만 해. 나 아니면 네 엄마.

  She told me that I had to come. I didn't have a choice.
  걘 내가 와야 한다고 말했어. 난 선택의 여지가 없었어.

  What are my choices? 뭐가 있나요?

  I'm done with my choices. 난 선택을 했어.

■ have a choice, make a choice는 '선택권이 있다, 선택을 하다'라는 의미이다. 그밖에 choice가 쓰이는 경우들을 예문을 통해 알아보자.

I have no choice here.
나도 어쩔 수 없는 일이야.

- I have no choice but to grant the defense's request.
  피고 측 요청을 수락하지 않을 수가 없어.

  You leave me no choice but to give you detention.
  내가 너한테 구류처분을 내리지 않을 수가 없어.

■ have no choice하면 '선택권이 없다,' 그리고 have no choice but to는 '…하지 않을 수가 없다' leave sb no choice but to면 '…가 …하지 않을 수 없다' 라는 표현이 각각 된다.

I'm doing this by choice.
난 자진해서 이걸 하는거야.

- A: I'm single. B: By choice, or do you scare the men with your independence?
  A: 난 미혼이야. B: 자진해서 그러는 거니 아니면 남자가 네 독립성을 위협할까봐?

  A: You're still here B: Not by choice, believe me.
  A: 너 아직도 여기에 있구나. B: 원해서 그러는 게 아냐. 날 믿어.

■ by choice는 '자진해서' not by choice면 '원해서가 아니라' 라는 의미의 표현.

You're too choosy.
넌 너무 까다로워.

- This guy is not choosy. 이 친구는 까다롭지는 않아.

  You can't exactly afford to be choosy.
  넌 이것저것 가릴 여유가 없어.

■ be choosy는 '너무 가리는,' '까다로운' 이라는 뜻으로 picky와 일맥상통한 표현.

MORE EXPRESSION

pro-choice 임신중절 찬성
pro-life 낙태반대
have to choose between~
…사이에서 선택을 해야만 한다
There is little[nothing] to choose between~ …사이에서 선택의 여지가 없다

 놓치면 원통한 미드표현들

- **off the charts** 차트에서 벗어난, 정상을 뛰어넘는
  And my cholesterol's off the charts!
  내 콜레스트롤 수치는 정상치를 넘어.

- **charter** 전세를 내다 chartered bus 전세버스 chartered airplane 전세 비행기
  He chartered a private jet.
  걔는 자가용 제트기를 전세냈어.

- **chime in** 말 중간에 끼어들다
  Feel free to chime in on either conversation.
  어느 쪽 대화에도 부담 없이 끼어들어.

- **chin up** 기운 내다(perk up) keep one's chin up
  용기를 잃지 않다
  Chin up! Only ten minutes left.
  기운 내! 단지 10분 남았어.
  Keep your chin up. 용기를 잃지 마세요.

Stop speaking in circles. 똑같은 말만 계속하지마.

We'll circle back to that. One issue at a time.
나중에 얘기하죠. 한 가지씩 해요.

- How about I circle back to it? 그건 나중에 다시 얘기하면 어때요?
  He circled back to L.A. for a reason. 걔는 어떤 이유로 L.A.로 돌아왔어.

> **circle back**는 '크게 한 바퀴 돌다' 또는 '돌아오다' 라는 의미를 갖는 표현. 주로 비즈니스 업계의 중간관리자들이 어떤 문제를 '나중에 토의하자' 라는 의미로 쓰인다.

Then he started to circle her.
그리고 걔는 그녀 주변을 맴돌기 시작했어.

- This conversation has started to circle. Meeting adjourned.
  대화가 그냥 맴돌고 있네요. 휴회합니다.
  The hawks are starting to circle the field. 매들이 들판을 빙빙 맴돌기 시작했어.

> **start to circle**은 '원을 그리다' 또는 '맴돌다' 라는 의미를 갖는다.

All the female names circled.
모든 여자 이름들이 동그라미 쳐졌어.

- Susan circles a date in her calendar that reads "Date with Mike!" 수잔은 달력에 "마이크와 데이트"라고 쓰여진 날짜에 동그라미를 쳤어.
  Yeah, we'll circle the building again. 그래, 우린 다시 그 빌딩을 둘러쌀거야.

> **circle sth**는 '…을 둘러싸다,' '…에 동그라미를 치다' 라는 뜻으로서 자동사로 사용되면 '돌아다니다' 라는 의미도 갖는다.

Stop speaking in circles.
아무런 결론이 나지 않는 말은 하지 마.

- Now, you keep talking in circles. 이제 넌 쳇바퀴 돌듯이 똑같은 말을 계속하고 있어.
  We're talking in circles here. That's right. 우린 같은 소리만 하고 있어. 맞아.

> **talk[speak] in circles**는 아무런 진전도 없이 '쳇바퀴 돌듯이 계속 똑같은 말을 반복하다' 라는 뜻이다.

It's not like we run in the same circles.
우린 같은 서클에서 활동하고 있지 않는 것 같아.

- I don't think any of these victims are running in gang circles.
  이 희생자들 중 누구도 갱의 세계에서 활동하고 있는 것 같지 않아.
  I have a very wide circle. I have 350 friends on my space.
  난 아주 큰 서클을 가지고 있어. 회원이 350명이야.

> **run in circles**는 '…서클에서 활동하다' 라는 뜻. 또한 legal circles, media circles 등은 법조계, 언론계 등을 뜻한다.

MORE EXPRESSION

inner circle 핵심서클, 핵심세력
vicious circle 악순환

Not under any circumstances. 어떤 경우에도 안돼.

Not under any circumstances.
어떤 경우에도 안 돼.

- Under no circumstances 절대 안 돼
  He had no objection to the death penalty under any circumstances.
  걔는 어떤 경우에도 사형에 대해 반대를 하지 않았어.

> **not under any circumstances**는 '어떠한 경우에도 안 된다' 라는 표현으로 under no circumstances와 같은 의미.

I left under unfortunate circumstances.

난 불운한 상황에 빠졌어.

- **Under normal circumstances** I'd say, I told you so.
  정상적인 상황이라면 그렇다니까. 내 말했잖아.

  It's not an unreasonable conclusion, under the circumstances.
  이런 상황하에서 그건 비이성적인 결론은 아니야.

■ under ~ circumstance 는 '…한 상황에 놓이다' 라는 표현.

Not entirely inappropriate given the circumstances.

상황을 감안할 때 완전히 부적절한 것은 아냐.

- **Given the circumstances,** I don't think the DA will press charges.
  상황을 감안할 때, 난 검사가 기소를 압박하지 않을거라 생각해.

■ given the circumstances 는 '상황을 감안할 때' 라는 표현 이다.

We did, but there were extenuating circumstances.

우리가 그랬지만 정상참작을 할 수 있는 상황이었어.

- The **extenuating circumstances** call for compassion.
  정상을 참작하면 동정할 여지가 있어.

  The people would take into consideration the **extenuating circumstances.** 사람들은 정상참작이 가능한 상황을 고려사항에 넣어야해.

■ extenuating circum-stances는 '정상참작이 가능한 상황' 이라는 다소 법적인 표현이 된다.

» clap

The audience begins to clap. 청중들이 박수를 치기 시작했어.

They all jump up and clap their hands.

걔들은 모두 뛰면서 손뼉을 쳤어.

- **Gene** is clapping his hands looking very happy and so is Joey. 진은 매우 기뻐하면서 손뼉을 치고 있고 조이도 마찬가지야.

  The whistle blows and the audience begins to clap.
  청중들은 휘슬을 불고 박수를 치기 시작했어.

■ clap one's hands는 '… 의 손뼉을 치다' 라는 뜻이며 give sb a clap은 '…에게 갈채를 보내다' 라는 의미이다.

She gave me the clap and she didn't even apologize.

걔가 나한테 임질을 전염시키고도 사과조차 하지 않았어.

- If it's not **the clap,** it's a botched face-lift. 임질이 아니라면 성형이 실패한거야.

  Cynthia does have **the clap.** 신시아가 임질에 걸렸어.

■ clap이 '임질' 이라는 뜻을 가지고 있는데 병리학 전문용어로 는 gonorrhea이다.

MORE EXPRESSION

clap eyes on …를 보다

He's a real class act. 걘 정말 멋진 사람이야.

It's a real class act.
정말 탁월한 행동이야.

- You're a class act, Franklin. 넌 일류야, 프랭클린.
  Frank Sinatra was definitely a class act. 프랭크 시나트라는 정말 멋진 사람였어.

Everything I do has a touch of class, Jackie.
내가 하는 것은 모두 기품이 있어, 재키.

- I've got class that night anyway. 난 어쨌든 그날 밤 기품이 있었어.
  Most people think Carol has class. 대부분의 사람들은 캐롤이 세련됐다고 생각해.

I mean, this is pretty high-class.
내말은 이건 아주 고급이야.

- We believe he comes from a middle-class background.
  걔는 중산층 출신이라고 생각해.

  According to you, your husband's a first-class arrogant jackass.
  네 말에 따르면 네 남편은 최고로 거만한 멍청이야.

You know, she's so smooth and classy.
그러니까 걔는 정말 부드럽고 세련되었어.

- You were always so classy. 넌 항상 아주 고급이었어.
  And job loss is a classic stressor. 실직은 전형적인 스트레스 원인이야.

Now please join me in welcoming the class of 2010.
자 이제 함께 2010학년도 졸업생을 환영하도록 합시다.

- His name is Mark Johnson of Westport, Connecticut, Harvard class of 97.
  걔 이름은 마크 존슨으로 코네티컷 주 웨스트포트 출신 97년도 하버드 졸업생입니다.

  I want to introduce you to my granddaughter, Raura, class of 2007. 2007년도 졸업생인 내 손녀, 로라를 소개할게요.

I took acting classes when I was at Cambridge.
내가 캠브리지 대학에 재학했을 때 연기수업을 들었어.

- We don't have a class today?
  오늘은 휴강이에요?

  Sorry I'm late, I was at the gym. Spin class.
  미안 늦었어요. 체육관에서 실내자전거 수업을 듣다가요.

■ class act는 '탁월한 사람이나 뛰어난 재능이 있는 사람이나 행동'이라는 뜻.

■ have[show] class는 '고급 스타일을 보여 준다'라는 뜻으로 품위나 기품이 있다라는 의미로 쓰인다. 또한 give~a touch of class하면 '…을 고급 스타일로 만들다'라는 뜻.

■ high-class, low-class, top-class 등에서 class는 '급'을 의미한다. 즉 '고급' '저급' '최고급'을 의미하며, 한편 middle class하면 '중산층'을 뜻하는 용어.

■ be classy는 '고급이다,' '세련되다'라는 의미. be classic은 '훌륭한', '고전의', '전형적인'이라는 뜻. Classic!하면 '훌륭해'라는 감탄 표현으로도 쓰인다.

■ a class of는 '…학년도 졸업생'이라는 뜻이며 class reunion은 졸업 후에 하는 '동창회'를 의미한다.

■ attend a class, take a class, have class 등은 '수업을 듣다'라는 표현들이며 in class는 '수업중'이라는 뜻. 한편 drop the class는 '수업을 취소하다' ditch class는 '수업을 땡땡이치다' cut class는 '수업을 빼먹다' miss class는 '수업을 빠지다'가 된다.

MORE EXPRESSION

class clown 익살스런 반 친구, 농담을 잘하는 학생

Why don't you come clean? 자백하지 그래.

I'm clean
난 깨끗해, 그 일과 상관없어.

- My hands are clean. 난 결백해.
  She's clean. No priors. 그 여자는 깨끗해. 전과가 없어.

■ be clean은 '깨끗하다' 라는 뜻으로 비유적으로 '결백하다' 라는 의미.

Why don't you come clean?
자백하지 그래.

- You gotta come clean with me! 나한테 실토해!
  Why don't you just come clean with what you did last night?
  어제 밤 행동에 대해 나한테 털어놓는 게 어때?

■ come clean (with)는 '(…에게) 실토하다,' '(…에게) 자백하다' 라는 의미.

C

It's clean as a whistle. What's House looking for?
이건 먼지 하나 없이 깨끗해. 하우스가 뭘 찾고 있는거야?

- I am clean as a whistle! 난 먼지 하나 없이 깨끗해.
  Hey, clean as a whistle. We're good to go. 야, 아주 깨끗해. 우리 가도 돼.

■ clean as a whistle은 '먼지 하나 없이 깨끗한' 이라는 뜻.

Just keep it clean and don't call me honey.
그냥 깔끔히 정리하고 날 자기라고 부르지마.

- It's hard to keep it clean with so many girls coming and going.
  그렇게 많은 여자애들이 오가는데 깨끗이 하기가 어렵지
  But does that make it my job to keep it clean?
  하지만 깨끗이 뒷정리하는게 내 일 아닌가요?

■ keep it clean은 '깨끗이 하다,' '깔끔하게 하다' 라는 뜻.

I think it's best to make a clean break.
이게 가장 깔끔하게 헤어지는 방법 같아.

- I can't sleep at night! I've got to make a clean break.
  저녁에 잘 수가 없어! 깔끔하게 헤어져야 할 것 같아.
  John and I made a clean break. 존과 난 깨끗하게 헤어졌어.

■ make a clean break 또는 have a clean break-up은 '깔끔하게 헤어지다' 라는 의미.

He looks like the clean-cut corporate type.
걔는 아주 단정한 회사직원 타입 같아.

- She's as clean-cut as she seems. 걔는 보이는 것처럼 아주 분명해.
  I took the liberty of checking the wound and it's very clean cut.
  실례를 무릅쓰고 상처를 봤는데 깨끗했어.

■ clean-cut은 '명확한,' '분명한' 이라는 뜻으로 용모에 대해 말하면 '말쑥한,' '단정한' 이라는 뜻이 된다.

I'm cleaned out.
완전히 거덜 났어.

- Have your desk cleaned out by tonight. 오늘밤까지 네 책상을 완전히 치워놔.
  The entire place is cleaned out. There's no files.
  장소 전체가 깨끗이 치워져서 어떤 파일도 없어.

■ clean sb out은 '…의 돈을 다 쓰게 하다' 라는 뜻. 하지만 기본적으로 clean out하면 '깨끗이 치우다' 라는 의미.

I'm going to go get cleaned up.
내가 가서 치울거야.

- It's going to take a while to get this mess cleaned up.
이 난장판을 치우는데 상당한 시간이 걸릴거야.

  I just cleaned up after you. 네가 어지럽힌 걸 내가 방금 치워 버렸어.

■ clean up, get cleaned up, get ~ cleaned up 등은 모두 '청소하다,' '치우다' 라는 의미. 한편 clean up after sb면 '…가 어지럽혀 놓은 걸 청소하다' 라는 표현.

I cleaned up my act 12 years ago.
난 12년 전에 내 나쁜 버릇을 고쳤어.

- There's only one reason a man cleans up his act.
남자가 나쁜 버릇을 고치는 것은 단지 한 가지 이유 때문이지.

  Clean up your act and we'll offer you a job. 네 버릇을 고치면 일자리줄게.

■ clean up one's act는 '나쁜 버릇을 고치다' 라는 뜻이다.

» clear

 We're clear on this, right? 우린 이 문제에 대해 입장이 분명해, 그지?

Do I make myself clear?
내 말이 무슨 말인지 알겠어?

- I didn't make myself clear. 의사전달이 제대로 안됐네.

  Do I make myself clear? It won't happen again.
내 말 분명히 이해하겠어? 다시는 그런 일은 없을 거야.

■ make oneself clear는 '…의 말을 이해시키다' 라는 의미로 make oneself understood와 같은 맥락의 표현.

Let's make it clear from the start.
시작부터 확실하게 해두자.

- I had to make it clear to the old man. 난 그 노인에게 분명하게 해두어야만 했어.

  I'd just like to make it clear: she was wearing them.
난 그녀가 그걸 입고 있었다는 점을 명확히 하고 싶었어.

■ make it clear (that)는 '…를 확실하게 해두다' 라는 의미이다. make it clear, make it clear to~, make it clear that S+V 등 다양한 형태로 쓰인다.

Is that clear?
알겠어?

- He's my resident, I say it's not fine, is that clear?
걔는 내 레지던트야. 괜찮지 않거든, 내 말 알겠어?

  From this moment forward, the events of last night will never be mentioned again. Is that clear?
앞으로 지금부터 어젯밤의 일은 절대 다시 입밖에 내지 않는다. 알겠어?

■ Is that clear?는 상대방에게 불만속에 퉁명스럽게 혹은 아랫사람에게 자신이 앞서 한말을 제대로 알아듣고 이해했냐고 물어볼 때 쓰는 말. '알아들었냐?' '알겠어?' 라는 의미.

We're clear in here.
여긴 안전해.

- Police! Open up! We're clear. 경찰이다! 문 열어! 안전해.

  We're good. All clear! 우린 괜찮아. 모두 안전해!

  We need to get into the house. Not until I get the all clear.
그 집에 들어갈 필요가 있는데, 안전을 확보하기 전에는 안 돼.

■ Clear!는 경찰이 수색 중 '안전해!' 라는 의미. 한편 get [give sb] the all clear면 '안전을 확보하다' 라는 표현이 된다.

So we're clear on this, right?

그래 우린 이 문제에 대해서는 입장이 분명해, 그렇지?

- Are there any guns in here? I wanna be clear on that as well.
  여기에 총이 있니? 그 점에 대해서도 명확히 하고 싶어.

  Okay, is everyone clear on the plan? 좋아, 다들 그 계획을 명확히 알아들었어?

be[get] clear on은 '…에 대해 확실[명확]하다' 라는 뜻이다.

Just so we're clear, I know better.

분명히 말하지만, 내가 더 잘알아.

- Just so we're clear, you're insane. 분명히 말해두지만 넌 미쳤어.

  Just so we're clear, they have agreed to these interviews?
  분명히 해두는데 걔네들이 이 면담에 동의했어?

just so we're clear는 상대방이 내 말을 정확히 이해했는지 말하는 것으로 '분명히 말해두는데' 라는 뜻.

C

I'll clear out.

내가 자리 피해줄게.

- You're fired! Now clear out your office. 너 해고야! 야, 바로 사무실을 비워줘.

  I'm having a meeting here tonight, so if you can clear out for a few hours. 몇 시간만 비워줘, 여기서 오늘 저녁에 미팅이 있어.

clear out은 '자리를 비우다,' '자리를 피하다' 라는 의미.

Clear the way!

비켜주세요!

- Clear the way. Coming through! 길 좀 비켜주세요. 지나갑니다!

  Please clear the house right away. 즉시 그 집을 비우시기 바랍니다.

clear the way (for)는 '…를 위해 길을 비키다' 라는 뜻으로 사람이나 물건이 지나가기 위해 더 많은 공간이 필요해서 길을 비켜달라고 할 때 사용된다. 또한 clear+장소명사로 쓰이면 '…을 비우다' 라는 의미.

I want to clear my name.

내 무죄를 밝히고 싶어.

- I wanna go to court to clear my name.
  오명을 벗기 위해 법정에 갈거야.

  This is your opportunity to clear my name. I suggest you take it.
  니가 내 무죄를 입증할 기회야. 받아들이라고.

clear one's name은 무죄를 밝히다, 명예를 회복하다, 오명을 벗다라는 말.

It's jazz. Helps me clear my mind.

이건 재즈야. 내 마음을 정화시키는데 도움이 돼.

- Nighttime walks always helped her to clear her head.
  야간 산책은 항상 걔가 생각을 가다듬는데 도움이 되었어.

  Sometimes you need to step outside, clear your head.
  넌 가끔 상황에서 한 발짝 벗어나서 생각을 가다듬어봐.

clear one's head[mind]는 '…의 생각[마음]을 가다듬다' 라는 뜻이며 clear one's throat 하면 '…의 목청을 가다듬다' 라는 의미가 된다.

You know, for you, I clear the decks.

있잖아, 너를 위해서 모든 준비를 다 했어.

- 2 dead bodies, McGee. Photos coming your way. Tell Abby to clear the decks. 2명이 죽었어, 맥기. 사진들이 도착할거야. 애비한테 준비하라고 말해.

clear the decks는 해군에서 갑판을 치우고 전투준비를 하다라는 의미에서 나온 말로 뭔가 다른 중요한 일을 새로 시작하기 위해 현재 일들을 마무리한다는 뜻으로 쓰인다.

We'll clear it up. I promise.
우리가 해결할게. 약속해.

- Don't expect me to clear it up for you. 나도 설명할 수가 없어.
  We just want to clear up a few things. 우린 단지 몇 가지를 정리하고 싶어.

■ clear up은 '정리하다,' '치우다' 라는 뜻으로 비유적으로 '해결하다' 또는 '설명하다' 라는 의미.

The coast is clear.
지금이 기회야.

- Do you think the coast is clear downstairs? 아래층에서 들킬 위험은 없겠지?
  Said she'd be back in a couple of hours. The coast is clear.
  걔가 2-3시간 있다가 돌아온대. 들킬 위험은 없어.

■ the coast is clear는 '들킬 위험이 없다' 라는 뜻으로 어떤 행동을 들키거나 잡힐 위험 없이 안전하게 뭔가 할 수 있다는 의미.

Tell them to steer clear of Starbucks.
걔들한테 스타벅스를 멀리하라고 말해줘.

- Steer clear of the casinos in Vegas. 라스베이거스의 카지노는 멀리하라고.
  I have been in the bathroom. Stay clear of the salmon mousse. 난 화장실에 있었어. 연어 무스는 가까이 하지마.

■ keel[stay, steer] clear of는 '피해있다,' '떨어져 있다' 라는 뜻으로 …가 위험하거나 바람직하지 않기 때문에 멀리한다라는 의미.

Looks like you're in the clear.
넌 혐의를 벗어난 것 같아.

- You can let her know she's in the clear. 걔가 무죄라는 걸 알려줘라.
  Judge signed it. You're in the clear. 판사가 서명을 했어. 넌 깨끗해.

■ in the clear는 '혐의를 벗어난,' '혐의가 없어진' 즉, not guilty라는 뜻이다.

MORE EXPRESSION

clear-cut 명확한, 분명한
as clear as day 자명한
a clear conscience 깨끗한 양심
clear a debt[loan] 빚 청산하다

» climb

He's climbing the wall. 걘 초조해서 안절부절 못하고 있어.

He finally climbed down.
그 사람이 드디어 잘못을 인정했어.

- I slept with you, then climbed down the fire escape.
  너랑 자고서 비상계단을 통해 내려왔어.
  Professor Harris climbed down from his argument.
  해리스 교수는 자기 주장에서 물러섰어

■ climb down은 단순하게 '내려오다' 라는 뜻이나 비유적으로는 '자기 잘못을 인정하다' 라는 의미로도 쓰인다.

I can't just sit at home climbing the walls.
난 안절부절 못하면서 집에 그냥 앉아 있지 못하겠어.

- I told them to get back to work. They were climbing the walls in here. 걔들한테 다시 일을 시작하라고 말했어. 걔들은 여기에서 불안 초조해 했어.
  This guy Benny's climbing the walls. 여기 이 친구 베니는 초조해 하고 있어.

■ climb the wall는 '초조해 하다' 라는 뜻으로 '무척 걱정을 하여 어쩔 줄 모르는, '안절부절못하다' 라는 뉘앙스를 갖는다.

He's putting us on the clock. 걘 우릴 일 시키고 있어.

We're working around the clock.

우린 불철주야 최선을 다하고 있어.

- Cops will be on the girls around the clock. 경찰이 여자애들을 24시간 지킬거야.

  There are around the clock restaurants over there.
  저쪽에 24시간 여는 음식점들이 있어.

■ around[round] the clock은 '주야로 쉬지 않고' 또는 '24시간 내내' 라는 뜻이다.

He's putting us on the clock.

걔는 우릴 일을 시키고 있어.

- You always drink while you're still on the clock?
  넌 근무 중에도 항상 음주를 하니?

  You're on the clock, Tom. Get to work! 탐 근무시간이야. 일해!

■ be on the clock은 '근무 시간이다' 라는 뜻. 참고로 on the clock하면 '주행거리 기록계에' 라는 뜻.

You're always working against the clock.

넌 항상 시간과 다투면서 일을 하고 있어.

- Racing against the clock to save someone's life is exciting.
  누군가의 목숨을 구하려고 시간을 다투어 달리는 것은 흥미진진해.

  We're working against the clock to finish cooking.
  우리는 정해진 시간내에 요리를 끝내기 위해 열심히 일하고 있어.

■ be against the clock는 '시간을 다투어' 라는 의미로 work against the clock하면 정해진 시간내에 일을 맞추려고 열심히 일하다라는 뜻.

I haven't even clocked in yet.

아직 출근시간표에 찍지 못했어.

- It looks like you always clock in 10 minutes early.
  넌 항상 10분 일찍 출근하는 것 같아.

  He clocked in for work that night. Never clocked out.
  걔는 그날 밤 출근시간표를 찍었는데 결코 퇴근시간표를 찍지 않았어.

■ clock in, clock off는 시간기록계에 카드를 넣어 '출근시간을 찍다,' '퇴근시간을 찍다' 라는 의미의 표현이 된다. clock out 또한 퇴근카드 찍다.

MORE EXPRESSION

set[put, turn] the clock back
과거로 돌아가다
kill the clock 시간을 끌다

I've come close to finding him. 거의 걔를 찾을 뻔 했어

Let's bring this matter to a close.

이 문제에 대해 최종 결정을 내리자.

- The game is coming to a close. 게임이 끝나가고 있어.

  Our conversation did not just come to a close.
  우리 대화가 아직 끝나지 않았어.

■ bring sth to a close, come to a close, draw to a close는 '…을 끝내다' 라는 뜻이다. 즉, '…를 마무리(close)한다' 는 뜻.

That was a close call.
하마터면 큰일 날 뻔했네, 위험천만이었어.

- **That was so close.** 아주 아슬아슬했어.

  It was a close call. 구사일생이었어.

■ be a close call은 '위험천 만이다,' '구사일생이다' 라는 말로 call 대신에 thing이나 shave를 써도 된다.

I've come close to finding him.
거의 걔를 찾을 뻔했어.

- **She lets her coat down and starts coming close to him.**
  그녀는 코트를 벗고 개한테 다가가기 시작해.

  I came this close to actually cleaning the house.
  집안청소라도 정말 할 뻔했다고.

■ come close to ~ing는 '거의 …할 뻔하다' 라는 표현이며 한편 come close to sb하면 원 래 뜻대로 물리적으로 '…에 가까 이 가다' 라는 의미가 된다.

His advice comes close to home.
그 사람의 충고가 가슴에 와 닿았어.

- **He killed a blind girl close to home.**
  그는 집근처에서 눈먼 여자애를 살해했어.

  You think that hits a little close to home for you?
  그게 네 아픈 곳을 찌르는 것 같아?

■ close to home은 '정곡을 찌르는' '아픈데를 찌르는' 이라는 표현으로 hit (a little) close to home하면 '가슴에 와닿다,' 아픈 곳을 찌르다' 라는 의미가 된다.

I think we're getting close.
우리가 많이 친해진 것 같아.

- **I feel close to God there.** 난 거기서 하나님을 가까이 느껴.

  I think I'm getting close to her. 난 그녀와 사귀려고 생각해.

  He was close to a professor there. 걔는 교수님하고 가까웠어.

■ be close to~는 '…에 가 까이 있다' 라는 뜻으로 get close to하면 '…에 다가가다,' '사귀다' 라는 의미로도 쓰인다.

Not even close.
어림도 없어.

- **You're not even close.** 넌 근처에도 못 갔어.

  You're not even close to get it done. 넌 일을 완수하기에는 어림도 없어.

■ be not even close는 '… 근처에도 가지 못한다' 라는 뜻으 로 '어림도 없다' 라는 의미. Not even close라는 형태로 많이 쓰 인다.

Actually, you're close.
사실상 거의 정답에 근접했어.

- **A: The pupil's trying to kill the teacher? B: Hope you're close, Reid.** A: 그 학생이 선생님 살해를 시도한다고? B: 네 말이 거의 맞기를 바래, 리드.

  You're close, but that isn't quite right.
  거의 맞췄는데 아직 정확하지는 않아.

■ You're close, that's close는 '정답을 거의 맞추다' 라 는 의미. 또한 That's close enough라고 하면 '그 정도면 돼' 라는 뜻이 되기도 한다.

We are a small, close-knit community.
우린 작지만 밀접한 공동체야.

- **So your mom told me how close-knit your family is.**
  그래 네 엄마는 네 가족이 얼마나 단란한지 말해주었어.

  A: The two of you were friends? B: It's a close-knit group.
  A: 너희 둘 친구들이었니? B: 아주 절친해.

■ close-knit은 '긴밀한' 이라 는 뜻이다.

Spending a lot of time behind closed doors?

비밀리에 많은 시간을 보냈어?

- Nobody knows what goes on behind closed doors.
  아무도 비밀리에 무슨 일이 생기고 있는지 몰라.

  We don't really care what happens behind closed doors.
  뒤에서 무슨 일이 벌어지는지 우린 정말 상관안해.

behind closed doors는 '비공개로,' '비밀리에' 라는 뜻. 닫은 문 안에서라는 문자 그대로 의미를 새겨보면 된다.

I'm ready for my close-up.

난 근접촬영 준비가 되어 있어.

- She prints a close-up of her tattoo.
  걔는 자신의 문신 클로즈업 사진을 인화했어.

  Yeah, and there's lots more: full frontal, close-ups and stuff.
  그래, 여러 가지 더 있어: 전면사진, 클로즈업 및 기타 등등

close-up은 클로즈업, 또는 '근접촬영' 이라는 말이다.

MORE EXPRESSION

close to the bone 넘 노골적인
too close for comfort 절박하여
closing remarks 맺음말

C

» closet

He just came out of the closet. 걔 자기가 게이라고 털어놨어.

No wonder he's in the closet.

걔는 아직 게이라는 것을 숨기고 있는 게 당연해.

- Jeremy said he was really famous and still in the closet.
  제레미는 자신이 정말 유명했고, 여전히 동성연애자임을 숨겼다고 말했어.

  They say many actors are in the closet.
  많은 배우들은 자신들의 비밀을 숨기고 있다고들해.

be in the closet은 '옷장 속에 있다' 라는 뜻으로 비유적으로 '비밀이다' 또는 '동성연애자임을 속이고 있다' 라는 의미로도 쓰인다.

He just came out of the closet.

걔는 방금 자기가 게이라고 털어놨어.

- You were terrified to come out of the closet.
  넌 커밍아웃하는 걸 두려워했었지.

  We're out of the closet. We're not ashamed of it.
  우린 게이라고 밝혔고 부끄럽지 않아.

come out of the closet는 반대로 '동성연애자라고 공개적으로 고백하다' 라는 표현이 된다. 커밍아웃(coming out)은 우리말처럼 쓰인다.

Guess we found the skeleton in her closet.

우리가 걔의 말 못할 비밀을 찾았다고 생각해봐.

- Everyone has a skeleton in his closet. 털어서 먼지 나지 않는 사람은 없어.

  It is the skeleton in my family's closet. 그건 우리 집안의 수치야.

skeleton in one's closet는 옷장속의 해골이라는 뜻으로 '말 못할 비밀' 또는 '수치' 라는 뜻을 갖는다.

Join the club. 같은 신세구만.

Join the club.
같은 처지구만.

- • I'm really sorry you had to join the club. 같은 처지가 되서 정말 미안해.
  Well, welcome to the club. 글쎄, 같은 처지가 된 걸 환영해.

Can I go clubbing with you tonight?
오늘밤 너랑 클럽에 놀러 갈 수 있어?

- • We'll have you out clubbing for the weekend.
  우린 주말에 너를 클럽에 데려가서 놀거야.
  It was hot that night. That's what I'd wear if I was going clubbing.
  그날 밤 더웠지. 내가 클럽에 놀러 갔다면 아마 그 옷을 입었을거야.

■■ join the club, welcome to the club하면 상대방이 안좋은 처지에 놓이게 되었을 때 농담조로 말하는 표현으로 '같은 처지이다(be in a similar situation)' 라는 뜻. 같은 클럽에 속하게 되었다는 의미에서 나온 표현이다.

■■ club은 동사로 '클럽에서 놀다' 라는 의미도 갖는다.

MORE EXPRESSION

club ~ to death 박살내다, 때려죽이다
club together 공동분담하다

You've just not got a clue. 완전히 감을 못잡았군.

He doesn't (even) have a clue.
걘 하나도 몰라.

- • I haven't got a clue about that. 난 그것에 대해 전혀 몰랐어.
  You've just not got a clue! 완전히 감을 못 잡고 있군!

God, get a clue!
이런 맙소사, 감 좀 잡아라!

- • Grab a clue, Sam. 감을 좀 잡아, 샘.
  Keep talking, I'll jump in when I get a clue what the hell you're talking about. 계속 말해봐, 네 말에서 감을 잡으면 내가 끼어들게.

You're clueless.
넌 너무 어리석어.

- • I was just totally clueless. 난 완전히 멍청해.
  You're without a clue. 넌 아무것도 몰라.

Clue in!
주의해!

- • Any chance you wanna clue me in on what that cause is?
  그 이유가 뭔지 나한테 귀띔해줄 가능성은 없니?
  You gonna clue me in, Tina? 나한테 정보를 줄거지, 티나?

■■ don't have a clue하면 '하나도 모르다' 또는 '전혀 감을 잡지 못하다' 라는 표현. 즉 하나의 단서도 가지고 있지 못하다라는 말.

■■ get a clue는 '알다,' '이해하다' 라는 뜻으로 '눈치 채다,' '감을 잡다' 라는 의미.

■■ be clueless, without a clue는 '전혀 모르다' 또는 '어리석다' 라는 의미.

■■ clue sb in[on, about]는 '…에게 …에 대한 정보를 주다' 라는 의미.

Don't cock it up. 망치지마.

I need your cock inside me.
나 좀 해줘.

- I see a really big cock down there. 진짜 큰 남자성기가 저기에 있네.
  Ladies, let me tell you about his cock. 자, 내가 걔 성기에 대해 말해줄게 .

Why do you have to cock it up with that hair?
그 머리로 왜 모든 걸 망치니?

- Ooh, I love him! Don't cock it up. 오, 난 걔를 사랑해! 망치지마.
  I knew she'd cock it up. 걔가 실수를 저지른 것을 알아.

Aren't you too cocky?
너무 건방떠는 거 아냐?

- Don't get cocky yet. 아직 잘난 체는 하지마.
  You have been insufferably cocky. 넌 구역질나게 건방져.

■ cock은 '남자 성기'(penis) 를 말하는 비속어. 비슷한 표현으로는 dick, boner, prick, sugar stick, one-eyed monster 등이 있다.

■ cock sth up은 '…을 망치다' 또는 '실수를 저지르다' 라는 뜻이다.

■ cocky는 '건방진,' '잘난 체하는,' 자신에 찬' 이라는 뜻. 그리고 cockamamie는 터무니 없는 생각 등을 말할 때 쓰는 단어.

MORE EXPRESSION

cock sucker 더러운 인간
suck the cock 아부하다

We cracked the code. 우리가 암호를 해독했어.

We have a code brown situation.
애가 응가했어.

- A: Heart's stopped! B: Code blue! A: 심장이 멈췄어! B: 심폐소생술!
  Guys, we have a code red. 친구들, 소아 심폐소생술 환자가 생겼어요.

How'd you break the code?
어떻게 암호를 해독했니?

- I mean, he broke the code. He's wrong. 내말은 걔가 규칙을 어겼어. 걔 잘못야.
  Yeah, we cracked the code. 그래, 우리가 암호를 해독했어.
  I finally decoded the data fragment. 난 마침내 그 데이터 부분을 해독했어
  She's already coded 3 times. 세 번이나 발작을 일으켰어요.

That's an honor code violation, not a crime.
그건 사교예법을 지키지 않은거지 범죄는 아냐.

- Doesn't that violate the health code? 그건 보건법 위반 아니니?
  It's very casual, no dress code. 아주 캐주얼한 모임이야, 복장규정은 없어.

■ code blue는 병원에서 쓰는 용어로 '성인 심폐소생술.' 또한 code red는 '소아 심폐소생술' code green은 '외과적인 소생술' 을 각각 의미한다. 한편 code brown이면 이를 이용하여 '애가 대변을 본 상황'을 장난스럽게 표현한 것.

■ break[crack] a code는 '규칙을 어기다' 또는 '암호를 해독하다' 라는 의미. 기본적으로 code는 동사로 '암호화하다,' decode는 '암호를 해독하다' 라는 의미이다. 한편 code가 '발작하다' 라는 뜻으로도 쓰인다.

■ honor code, code of honor는 '사교상의 예법'을 의미한다. dress code는 '복장규정'을 의미.

We can't leave her out in the cold. 걔를 제외시킬 수는 없어.

Will gave her the cold shoulder.
윌은 걔를 푸대접했어.

- Of course we're with you. We will give Jill the cold shoulder.
  물론 우린 네 편이야. 우린 질을 차갑게 대할게.

  I was getting the cold shoulder in your precinct.
  난 네 구역에서 냉대를 받았지.

■ cold shoulder는 냉대, 푸대접이라는 말로 give the cold shoulder to sb 혹은 give sb a cold shoulder 등으로 사용되어 '…를 냉대하다,' '푸대접하다,' '차갑게 대하다'라는 의미로 쓰인다.

He heard 'wedding' and probably got cold feet?
걔는 '결혼'이라는 말을 듣고서 아마도 겁을 먹은거야?

- Now I've heard of brides getting cold feet. 신부들이 겁을 먹었다고 들었어.

  It's not about cold feet. 두려워서 그러는 게 아니야.

■ get[have] cold feet는 발이 차갑게 얼어붙어 꼼짝도 못하게 되듯 '겁을 먹다,' '주눅이 들다'라는 표현이다.

We can't leave her out in the cold.
걔를 제외시킬 수는 없어.

- It's the one who's different that gets left out in the cold.
  역시 따돌림 당하는 사람은 조금 성격이 특이한 사람이겠지.

  Walt's out of the picture. He's left out in the cold.
  월트는 관련이 없어. 그는 제외되었어.

■ leave sb out in the cold는 '…를 따돌리다' '…를 끼워주지않다'라는 표현으로 leave sb cold라고 해도 된다.

I was knocked out cold.
난 완전히 나가 떨어졌어.

- The second time I went up, he was out cold, so I called 911.
  내가 두 번째 일어났을 때 걔가 정신을 잃었어. 그래서 911을 호출했지.

  As soon as she's out cold, they carry her into the bedroom.
  그녀가 정신을 잃자마자 걔들은 그녀를 침실로 옮겼어.

■ out cold는 '무의식상태'를 의미한다.

MORE EXPRESSION

make a cold call 무작위로 전화하여 판매를 권유하다

Where does it come from? 왜 그런 말을 하는거야?

Work comes first.
일이 우선이다.

- You come first. 네가 더 중요해.

  My kids come first. 내 자식들 말고 또 누가 있담.

■ come first는 '…가 우선이다'라는 뜻으로 주어에는 사람이나 사물 모두 올 수 있다.

You had it coming!
네가 자초한거야!

- I didn't see it coming. 이럴 줄 몰랐어.
  You see that coming? 그럴 줄 알았어?

■ see that coming은 '그럴 줄 알았다' 라는 표현이다. 한편 have sth coming (to you)는 '스스로 자초하다' 라는 뜻이다.

Where does it come from?
왜 그런 말을 하는 거야?

- Where are you coming from? 너 어떻게 된거야?
  I know where you're coming from. 난 네 출신을 알아.

■ come from은 '…출신이다' 라는 표현으로만 알고 있는데 미드의 세계에서는 '…에서 나오다' 라는 뜻으로 상대방이 이상한 말을 할 때 왜 그렇게 말하는 거야라고 물어볼 때 많이 사용한다.

Where does it come out?
이런 결과가 어떻게 나올까?

- That so did not come out right. 그건 그렇게 잘 되지 못했어.
  Feelings got to come out sometimes. 때때로 감정이 표출돼.

■ come out은 '결과가 나타나다' 라는 뜻으로 come out all wrong은 '결과가 다 잘못되다' come out right은 '좋은 결과가 되다' 라는 의미가 된다.

Can you come over to my house?
우리집에 잠시 들릴래?

- Come over to my place[house]. 우리 집에 들러.
  She ever come over here and use your computer?
  걔가 여기와서 네 컴퓨터를 쓴 적 있어?

■ come over는 단독으로 '잠시 들르다,' 혹은 다음에 들르는 장소를 써서 '…에 들르다' 라는 의미로 무척 많이 쓰이는 표현. 물론 come 단독으로도 '오다' 라고 쓰이는 것은 당연지사.

Are you coming on to me?
지금 날 유혹하는 거예요?

- So you're coming on to me! 너 나한테 집적거리고 있잖아!
  I knew she was coming on to me. 걔가 날 유혹하고 있다는 걸 알고 있어.

■ come on to는 '…에게 추근대,' '…를 유혹하다' 라는 뜻이다. 성적목적으로 혹은 그냥 연인이 되려고….

He came down on the side of brotherly love.
걔는 형제애 쪽으로 결정을 내렸어.

- The Supreme Court has come down on the side of limiting free speech. 대법원은 언론의 자유를 제한하는 쪽으로 신중한 결정을 내렸어.
  Do you usually come down on the side of brotherly love?
  넌 보통 형제애 쪽으로 결정을 내려?

■ come down on the side of는 '…의 편을 드는 결정을 하다' 라는 표현이다. 특히 신중한 검토를 한 이후에 하는 결정을 내린다라는 뜻으로 come down in favor of~라고 해도 된다.

놓치면 원통한 미드표현들

- **coincidence** 우연
  That was not a coincidence. 그건 우연이 아니었어.
  It may just be a coincidence. 우연일지도 몰라.
  Is it a coincidence that she sends this to me?
  걔가 이걸 내게 보내는게 우연이란 말이지?

- **be coincidental** 우연의
  Don't you think it's a little coincidental?
  좀 우연스럽다고 생각하지 않아?
  It's a little coincidental, but believable.
  좀 우연같지만 신빙성은 있어.

I will come down on you as hard as I can.

난 가능한 한 심하게 널 혼내줄거야.

- Hotch just said he got a complaint, and he didn't **come down on you.** 하치는 불평이 있다고 말했지만 너한테 심하게 쏘아붙이지는 않았어.

come down on은 '심하게 혼내주다,' '심하게 쏘아붙이다' 라는 표현이다.

when it comes down to it

모든 것을 고려해볼 때

- When it comes down to it, things are really bad.
  모든 점을 고려해볼 때, 상황은 정말 안좋아.
  When it comes down to it, you'll have to tell her the truth.
  결국, 넌 걔한테 진실을 말할거야.

when it come (right) down to it은 '모든 점을 고려해볼 때' 라는 의미로 '결국은' 이라는 표현이 된다.

What did you come up with?

무슨 좋은 방안 생각해냈어?

- Maybe they'll **come up with** something. 아마도 걔들이 뭔가를 생각해 낼거야.
  What have you **come up with** so far? 여태까지 뭘 생각해 낸거야?

come up with는 '…을 고안해내다,' '…을 생각해내다' 라는 뜻으로 뭔가 새로운 아이디어나 방안 등을 생각해내는 것을 말한다.

Come on, kid, take it easy.

이리와, 얘야, 걱정 마.

- **Come on** in. 어서 들어와.
  Come on, give it to me. 그러지 말고, 그거 내게 줘.

come on은 문맥에 따라 다양한 의미를 갖는데 '이리 와', '말 좀 해봐,' '왜 그래' 등으로 쓰인다. 한편 come on in은 '…에 들어오다' 라는 의미.

Won't you come in?

안 들어올래?

- Did it **come in** yet? 그 정보[돈]가 입수되었니?
  Do you want to **come in** for some coffee or something?
  커피 등 뭔가를 먹으러 들리고 싶지 않니?

come in은 '들어오다' 라는 단순한 뜻도 있으나 (돈, 정보 등)을 받아보다' 라는 의미도 있다. 또한 come in for~하면 '…를 위해서 들리다' 라는 뜻. 참고로 come in on은 '…계획에 참여하다, 연루되다' 라는 뜻인데 주로 get in on의 형태로 쓰인다.

I'll come running back, okay?

내가 한걸음에 달려올게, 오케이?

- Ben didn't **come running** back to you. 벤은 너한테 한걸음에 달려오지 않았어.
  You always **come running** to me to complain. 늘 내게 달려와 불평해.

come running은 '한걸음에 달려오다' 라는 표현으로 급하게 오는 모습을 떠올리면 된다.

Come off it!

집어쳐!

- **Come off it.** This is not registered to him. 집어쳐! 이건 걔이름으로 등록안되어있어.
  Come off it! You were hitting on him! 그만해! 넌 걔한테 집적되고 있었잖아!

come off it!은 '집어쳐,' '건방떨지마!' 라는 표현. 상대방 말이 어처구니없는 새빨간 거짓말이고 말하는 사람도 그것이 거짓임을 알고 있는 명백한 상황 하에서 듣는 사람이 네가 하는 말을 못 믿겠다며 던지는 말.

So I'm just going to come out and say it.

그래 내가 단도직입적으로 말할게.

- Let me just **come out and say it.** 내가 그냥 단도직입적으로 말하지.
  OK Gina, just **come right out and say it!** 좋아, 지나, 직설적으로 말해봐.

come right out and say it은 '단도직입적으로 말하다' 혹은 '직설적으로 말하다' 라는 의미.

Hold on, I'm coming.
잠깐만, 곧 갈게

- I'm coming! I'll meet you in the garage. 내려가요! 차고에서 봐요.
  I'm coming with you. 나도 너랑 같이 갈래.
  Don't shoot! I'm coming out. 쏘지마요. 나가요.

Yes, yes, I'm coming.
그래요, 오르가즘을 느껴요.

- I can't remember my own name before I come.
  사정 전에 내 이름조차 기억못해.
  Rex cries after he ejaculates. 렉스는 사정 후에 울어.

How's the packing coming along?
포장은 어떻게 되고 있니?

- Come along! 빨리! (서둘러!)
  Anybody want to come along? 누구 같이 가고 싶은 사람?
  How is that little project coming along anyway?
  그 작은 프로젝트는 어쨌든 어떻게 되고 있어?

Our world is starting to come apart at the seams.
우리 세계는 붕괴하기 시작해.

- But why did the tire come apart in the first place?
  그런데 우선 왜 타이어가 떨어져나간거야?
  They didn't want to come apart. 걔들은 흩어지길 원치 않아.

I came off second-best.
2등 했어.

- See, if anyone overheard that, I didn't come off well.
  봐, 만약 누군가 그걸 엿들었다면 난 잘 되지 못했을거야.
  I really come off that badly? 내가 정말 그렇게 엉망이었어?

I don't want to come off like a lonely loser.
외로운 찌질로 보이고 싶지 않아.

- You think it makes you look cultured, but you just come off as
  bitter. 이것 때문에 네가 교양있게 보일 것으로 생각하지만 넌 그냥 불쾌한 인상을 풍겨.
  I come off as beautiful. Almost godlike. 난 아름답게 보였어. 마치 신과 같이.

She has a college tour coming up.
조만간 걘 대학순방을 하게 될거야.

- My mother's birthday is coming up. I'm going to need you to
  pick up a present. 내 어머니 생일이 곧 다가와. 네가 선물을 골라줬으면 좋겠어.
  She'll come right up here and do one of two things.
  걔가 곧 이곳에 와서 둘 중 한 가지 일을 할거야.

■ (I'm) Coming은 기다리는 상대방 쪽으로 (내려)가다라는 의미. '곧 가, 나갈게' 라고 해석해야 한다. 또한 come out은 밖으로 나오다, come home은 집에 오다, come with는 …와 함께 오다 라는 의미. 또한 You're coming?하면 너 올거니?라는 말.

■ come은 성적인 표현으로는 '오르가즘을 느끼다' 라는 의미. 비속어로 cum으로 쓰기도 하는 남성의 정액(semen) 혹은 사정하다(ejaculate)라는 뜻으로도 사용된다.

■ come along은 형태에 따라 다소 의미가 다를 수 있다. 예를 들어 진행형이면 '진행되다' 명령형이면 '서둘러' 서술문이나 의문문이면 '같이 가다' 라는 의미.

■ come apart는 '떨어져나가다,' '흩어지다,' '실패하다' 라는 뜻으로 come apart at the seams하면 '무너지다,' '감정이 폭발하다,' '결딴나다' 라는 의미가 된다. seams는 솔기로서 솔기부분에서 터져버렸다는 뉘앙스.

■ come off well은 '잘 되어가다,' '성공하다' 라는 뜻. 또한 come off just right은 '아주 잘 되다,' '성공하다' 라는 의미이고 반대로 come off bad하면 '실패하다' 라는 뜻이 된다.

■ come off as[like]는 '… 라는 인상을 주다' 라는 뜻. 그래서 come off as bitter하면 '화난 사람처럼 보인다' 가 된다.

■ be coming up은 '곧 일어나다,' '…가 곧 다가오다' 라는 뜻이다. 한편 come (right) up하면 '음식이 바로 나온다!' 라는 뜻.

C

179

How did we come to that again?
우리가 어떻게 다시 그 지경이 된 거야?

- You think it could come to that? 그렇게 될거라 생각하니?
  I'm hoping it doesn't come to that. 상황이 그렇게 되지 않기를 희망하고 있어.
  Does it come to this? 이게 말이 되냐고?

▬ come to sth은 항상 그런 것은 아니지만 '나쁜 상황에 이르다' 라는 뜻. 그래서 Why does it come to this?는 '어떻게 이 지경에 이르렀냐?' 라는 의미. 한편 come to+숫자는 '그 숫자에 다다르다' 라는 의미.

It comes as a bit of shocking.
정말 놀라운 일이야.

- That comes as quite a surprise. 상당히 놀라운 일이야.
  Her absence comes as surprise. 걔가 빠진 것은 놀라운 일이야.

▬ come as a surprise [relief, blow]는 '놀라움[안도, 치명타]으로 받아들여지다' 라는 뜻이다.

We need to account for her comings and goings.
걔가 오고 가는 것에 대해 따져봐야 해.

- So I'm keeping a log of all his comings and goings.
  그래서 난 걔가 오고 가는 것을 기록하고 있어.
  My English comes and goes. 난 영어가 잘 되다가도 안돼.

▬ comings and goings는 '오고감,' '드나듦' 이라는 관용어. 한편 come and go는 '오고가다,' '잘되다 안되다하다' 라는 의미.

I will come at you with everything I've got.
내 모든 것을 가지고 너한테 덤빌 거야.

- I don't know how they're gonna come at me.
  걔들이 나한테 어떻게 달려들지 모르겠어.
  I hit Sam when he came at me. 난 샘이 날 공격할 때 걜 쳤어.

▬ come at sb는 '…에게 달려들다', '…에게 덤벼들다' 라는 뜻으로 다소 공격적인 의미.

How come the shirt's not torn?
그 셔츠가 왜 찢어지지 않았지?

- How come nobody told me? 어째서 아무도 나한테 말을 하지 않았을까?
  How come we've never met her? 어째서 우리가 걜 한 번도 보지 못했을까?

▬ How come?은 '어째서?,' '왜?' 라는 뜻이며 How come S+V?하면 '어째서 …해?' 라는 표현.

놓치면 원통한 미드표현들

- **clam up** 갑자기 말을 멈추다 a clam 입을 꽉 다물고 있는 사람, 말없는 사람
  She clammed up. 그 여자는 입을 꾹 다물고 있었어.
  You sorta clammed up. What was that about? 너 입을 다물었어. 왜 그랬는데?

- **as happy as a clam** 기꺼이, 아주 기쁘게
  But then he came back happy as a clam.
  그런데 걔는 아주 기쁘게 돌아왔어.

- **click** 갑자기 이해하다 click with 서로 마음이 맞다
  We just clicked. 우리 그냥 마음이 맞았어.
  The joke finally clicked with us.
  우린 마침내 그 농담을 알아들었어.

- **be clogged** 막히다 get clogged up 막히게 되다
  My toilet's clogged. I thought maybe you could fix it.
  화장실이 막혔어. 아마도 네가 고칠 수 있을 걸로 생각했어.

Come to think of it, I don't need it anymore.
생각해보니 난 그게 더 이상 필요치 않아.

- It's a bit troubling, come to think of it. 생각해보니, 그건 좀 부담스러워.
  Come to think of it, they took off in another direction.
  생각해보니 걔들이 다른 방향으로 갔어.

come to think of it은 '생각해보니까 말이야,' '말이 나왔으니 말인데' 라는 의미의 표현이다.

Coming through, please.
좀 지나갈게요.

- Coming through. Out of my way! Handicapped.
  좀 지나갑시다. 비키세요. 장애자예요.
  Who did he think was coming through the door?
  걘 누가 문으로 들어왔다고 생각해?

Coming through는 '…를 지나갈게요'라는 뜻이다. 원래의 come through는 '…을 통해 들어오다 '라는 의미.

I'm coming down with a cold.
감기 기운이 있어요.

- He's come down with the measles. 걘 홍역에 걸렸어.
  I think I might be coming down with something.
  아무래도 내가 뭔가에 걸린 것 같아.

come down with는 '…에 걸리다,' '…에 감염되다 '라는 뜻으로 주로 병에 걸린 경우에 사용된다.

Now the filet mignon, what comes with that?
필레 미뇽에 뭐가 함께 나와요?

- It comes with snacks. 스낵과 함께 나올거야.
  What comes with the lunch special? 점심 스페셜에는 뭐가 달려나오나요?

What comes with~?는 '…에는 뭐가 함께 나와요?' 라는 뜻으로 음식이나 제품을 살 때 뭐가 같이 달려나오는지 물어볼 때 사용한다.

Something's coming up.
갑자기 일이 생겼어.

- Is there something up? 무슨 일 생겼어?
  I'll talk later. Yeah, something's come up. 나중에 말하자. 그래, 일이 생겼어.

come up은 어떤 예상치 못한 '…일이 생기다' 라는 뜻으로 특히 예정된 약속 등을 지키지 못할 때 사용한다.

There never comes a time when things get so tough.
일이 이렇게 어려워진 때는 결코 없었어.

- There comes a time when you take that next important step.
  네가 그 중요한 다음 조치를 취해야 하는 때도 있는 거야.

There comes a time[a point]~은 '…한 때도 있다' 라는 뜻이다.

She's an up-and-coming interior designer.
걔는 전도유망한 실내디자이너야.

- It's really an up-and-coming area. 이건 정말 전도유망한 분야야.

be up-and-coming~은 '전도유망한 …이다' 라는 뜻이다.

Give them what's coming to them.
걔들에게 당연한 벌을 주라고.

- The fired worker will take what's coming to him.
  소방관은 당연히 벌을 받을거야.
  You'll get what's coming to you in court. 법정에서 당연히 받을 벌을 받을거야.

get what's coming to sb는 '당연한 벌을 받다' 라는 뜻으로 get 대신 take를 써도 된다.

I'll come to that.

나중에 얘기할게.

- It has come to my attention that some of our brothers and sisters have lost their faith in god.
  일부 형제, 자매들이 하나님에 대한 믿음을 잃었다는 사실을 난 알게 되었어.

  I'm glad you asked. I'll come to that soon.
  물어봤어 기뻐. 곧 얘기할게.

» **commit**

We made a commitment to each other. 우린 서로 헌신하기로 약속했어.

He has not committed a crime.

걔는 범죄를 저지르지 않았어.

- You commit a crime, you pay the price. 범죄를 저지르면 대가를 치러야해.
  He was in prison for one year for the crime he didn't commit.
  걔는 자신이 저지르지 않은 범죄로 1년간 징역 살았어.

■ commit a crime은 '범죄를 저지르다' 라는 뜻으로 commit a murder는 '살인을 저지르다' commit a rape하면 '강간하다' commit adultery는 '간통하다' commit a suicide하면 '자살하다' 가 된다.

I committed myself voluntarily.

난 자발적으로 참여했어.

- Don't commit yourself to it. 그것에 너무 몰두하지마.
  Look, when I committed myself to you I meant it.
  이봐, 내가 너한테 헌신한다고 할 때는 진심이었어.

■ commit oneself to는 '···에 약속하다,' '···을 떠맡다,' '몰두하다,' '전념하다' '헌신하다' 라는 의미.

You're really committed to making this family work.

넌 정말 이 가정을 제대로 만들려고 전념하고 있어.

- He was committed to Amy the whole time.
  걘 모든 시간을 에이미에게 바쳤어.

  We made a commitment to each other. 우린 서로 헌신하기로 약속했어.

■ be committed to+ N[~ing]는 '···하는 데 전념하다' 라는 뜻. 한편 be committed to 다음에 감옥이나 정신병원 등이 나오면 '···에 수용되다' 라는 의미가 되고, make a commitment to~하게 되면 '···에 헌신하다,' '···에 대해 전념하다' 라는 의미가 된다.

» **company**

Please keep me company. 말동무해주라.

We enjoyed your company.

같이 있어서 즐거웠어요.

- I'll enjoy your company there. 거기서 같이 있는 걸 즐길거예요.
  Wendy enjoys her nephew's company. 웬디는 사촌이 함께 있어 즐거워.

■ enjoy one's company 는 '···와의 동행[같이 있음]을 즐기다' 라는 뜻. It was fun having you가 좀 더 캐주얼한 표현.

I have company.
일행이 있어요.

- I resent you saying we don't have company.
우리가 일행이 아니라고 네가 말하면 화낼 거야.

  In a minute, Sweetheart. We have company right now.
조금 있다가요, 자기야. 지금은 일행이 있어.

Please keep me company.
말[길]동무 해주세요.

- Would you keep me company? 나하고 같이 이야기하면서 있을래?

  I said it would be all right if you keep me company.
네가 나랑 말동무 해주면 좋겠다라고 말했어.

I'm expecting company.
더 올 사람 있어.

- I didn't expect company today. 오늘 같이 올 사람은 없었어.

  I'm expecting company. Now's not a good time.
누가 오기로 되어 있어. 지금은 좋은 시간은 아냐.

At least I'll be in good company.
적어도 난 다른 사람들과 마찬가지일거야.

- There's nothing to be ashamed of. They'll be in good company.
창피할 것이 전혀 없어. 다른 사람들도 마찬가지일거야.

  I was in good company with the other fellows.
난 동료 친구들과 잘 지내고 있어.

■ have company는 '일행이 있다'라는 의미로 company 앞에 관사가 없음을 주목한다.

■ keep sb company는 '…와 말동무하다'라는 뜻이 된다. 혼자있기가 무섭거나 혹은 이를 빙자하여 건수올릴려고 할 때 사용할 수 있다.

■ expect company는 '더 올 사람이 있다'라는 뜻으로 I'm expecting somebody하면 '누가 오기로 되어 있어'라는 표현.

■ be in good company는 '다른 사람들과 마찬가지이다'라는 뜻. 내가 실수를 해도 다른 잘난 사람들도 하기 때문에 걱정할 필요가 없다라는 뉘앙스. 한편 문자 그대로 '좋은 친구들과 사귀다'라는 뜻으로도 쓰인다.

MORE EXPRESSION

Two's company, three's a crowd.
둘이면 친구, 셋이면 남이야.

» complain

What's your complaint? 어디가 아프세요?

(I) Can't complain.
잘 지내.

- Not bad, can't complain. You? 좋아. 잘 지내지 뭐. 넌?

  A: How're things going with you? B: Can't complain. A: 어때? B: 잘지내.

(I have) Nothing to complain about.
불만가질게 없어.

- Don't complain about it. 그것에 대해 불만갖지마.

  You always find something to complain about. 넌 늘 불만거리를 만들더라.

■ can't complain은 '불만 없어,' '더 바랄 나위가 없어'라는 뜻으로 상대방의 안부인사에 좋다고 답하는 표현.

■ complain about[of]는 '…에 대해 불만이 있다'라는 뜻으로 I'd like to complain about~하면 '…에 대해 항의 좀 해야겠어요'라는 표현이 된다.

She has no complaints about you?

걔가 너한테 불만이 없다고?

- Hey, keep it down in here! We got a noise complaint.
  야, 좀 조용히 해라! 시끄럽다고 불만이 들어왔잖아.

  I'm sick of it. I'm making an official complaint. 짜증나. 공식으로 고소할거야.

That's okay. A complaint has been filed.

좋아. 고소가 들어왔어.

- Domestic abuse complaint filed by his ex-wife is dropped.
  전처가 고소한 가정폭력건은 기각되었어.

  The district attorney has lodged a complaint against you.
  지방검사(DA)가 자네에 대한 고소장을 제출했네.

That's your complaint? You major symptom?

거기가 아파? 주요 증상은 뭔데?

- A: What's your complaint? B: I want Carson back.
  A: 무슨 일이야? B: 칼슨을 다시 원해.

  What's your complaint? Are you unhappy? 무슨 일이야? 기분이 안좋아?

■■ have no complaints는 '불만을 하지 않다' 라는 뜻이며 반면 make a complaint는 '불만을 제기하다' 라는 의미가 된다.

■■ file[submit] a complaint 는 법적으로 '고소하다' 라는 의미이고, lodge a complaint against도 '…에 대해 고소하다' 라는 법적인 표현이다.

■■ What's your complaint? 는 병원에서는 '어디가 아프십니까?' 일반적으로는 '무슨 일이야?' 라는 의미.

MORE EXPRESSION

I don't mean to complain, but~ 불평하려는 것은 아니지만…

>> con

You've got conned. 넌 사기를 당했어.

Tim conned the guy out of 10 grand.

팀은 걔한테 1만 불을 사기쳤어.

- Eh, you conned the con man. 어, 네가 사기꾼한테 사기를 쳤구나.

  What did you want me to do? You conned me.
  내가 뭘 하길 원했니? 나한테 사기 쳤잖아.

You've got conned.

넌 사기를 당했어.

- Do you think you're the first person that ever got conned?
  네가 사기당한 첫 번째 사람이라고 생각하니?

  We've been conned. 우린 사기를 당했어.

He conned me into doing the shooting.

걔는 나를 사기쳐서 총을 쏘도록 했어.

- How did I get conned into this? 어떻게 내가 이거에 말려들었을까?

  She conned me into believing she loved me.
  걔는 자기가 날 사랑한다고 믿도록 속였어.

■■ con sb는 '…에게 사기를 치다' 라는 뜻으로 con sb out of sth은 '사기 쳐서 돈을 뺏다' 라는 표현.

■■ be[get] conned는 '사기를 당하다' 라는 의미가 된다.

■■ con sb into ~ing는 '사기쳐서 …하도록 설득하다' 라는 표현이다. 수동형인 get conned into ~ing도 함께 알아둔다.

184

He must have conned his way in.
걔는 속여서 안으로 들어왔음에 틀림이 없어.

- You **conned your way into** coming on this trip with me.
  네가 꼼수를 써서 내가 이 여행을 같이 하게 되었어.

  I **conned my way in** here, all to see you. 널 보려고 온갖 꼼수를 쓰며 온거잖아.

■ **con one's way in[into]** 는 '속여서 …로 오다,' '속여서 …하다' 라는 의미이다.

He works at a garage with a bunch of ex-cons.
걔는 일단의 전과자들과 같이 차고에서 일해.

- His **ex-con** buddies were always at the shop.
  걔의 전과자 친구들이 항상 가게에서 진을 치고 있었어.

  My ex-boyfriend was a real **con artist**. 내 전 남친은 정말로 사기꾼이었어.

■ **con**은 명사로 '사기' 또는 '죄수' 라는 의미가 된다. 따라서 **con artist**는 '사기꾼' **ex-con**은 '전과자' 가 된다. 물론 **con man** 은 사기꾼.

To that end, I have made a list of pros and cons.
그럴 목적으로 난 찬반양론의 목록을 만들어 보았어.

- I merely pointed out the **pros and cons**. 난 단지 장단점을 지적했었어.

■ **pros and cons (of~ing)** 는 '…하는 것의 찬반양론' 이라는 의미로 **weigh the pros and cons**하면 '이해득실을 따져보다,' '장단점을 비교하다' 라는 표현.

C

» connect

 I see you have connections. 너 뭐 믿는 구석이 있구나.

I really feel connected to him.
난 걔하고 정말 잘 통해.

- The sex is just a way for them to **feel connected** again.
  걔들에게 섹스는 단지 다시 소통하는 한 방식이야.

  The new girl never **felt connected** to her classmates.
  새로운 여학생은 반학생들과 전혀 맞지가 않았어.

■ **feel connected**는 '…와 잘 맞다,' '잘 통하다' 라는 뜻으로 친구사이에도 쓸 수 있는 표현.

How is this connected with your investigation?
이것이 네 수사랑 어떻게 연관이 있니?

- So the killer and this victim **were connected**.
  그래서 살인자와 이 희생자가 연관이 되어 있었어.

  How could they possibly **be connected**? 개들이 어떻게 서로 연관이 있을 수 있어?
  Her cell phone's **disconnected**. 걔 휴대폰이 끊어졌어.

■ **be connected with**는 '…와 연결되다' 라는 뜻으로 **connect A with B**면 'A를 B와 연결하다' 라는 의미가 된다. 또한 **get disconnected**는 '전화가 끊기다' 라는 뜻으로 **have a bad connection**하면 '전화연결 상태가 좋지 않다' 라는 의미.

What's your connection to Lake?
너와 레이크는 무슨 관계니?

- There's no **connection between** porn and rape.
  포르노와 강간사이에는 연관이 없어.

  She's got no **connection to** NCIS. 걔는 NCIS와 아무런 연관이 없어.

■ **There is a connection** 은 '…관계가 있다' 라는 뜻이며 **establish[make] connection**하면 '관계를 만들다' 라는 의미이다.

MORE EXPRESSION

connections 빽, 연줄, 연고
well-connected 연이 있는

Consider it done. 그렇게 해, 조치할게

All things considered, it's actually great news.
결국 그건 실제로 엄청난 뉴스야.

- You're in the best place you could be, all things considered.
  모든 걸 감안할 때 넌 가능한 최상의 위치에 있는거야.

  You know, all things considered I think I raised a pretty good kid.
  있잖아, 결국 난 애를 너무 잘 키웠다고 생각해.

■ all things considered는 '결국,' '모든 것을 감안할 때' 라는 의미이다.

You don't have to explain. Consider it done.
설명할 필요 없어. 그렇게 할게.

- A: That would be great, thanks. B: Consider it done.
  A: 그럼 최고지, 고마워. B: 당연히 조치할게.

  Consider it done. I'll get on it right away. 그렇게 할게. 당장 시작할게.

■ consider it done은 '된 걸로 생각해,' '조치할게,' '당연해' 라는 뜻이다.

Oh, that is interesting, considering the fact.
그 사실을 감안할 때 흥미롭네.

- That's not bad, considering. 그런대로 그리 나쁘지 않아.
  We're considering every scenario. 우린 모든 가능성을 고려하고 있어.
  I'm considering it. 그럴까 고려하고 있어. .

■ considering~은 '…을 감안하면' 이라는 뜻. considering이 단독으로도 사용되는데, 이 경우에는 '그런대로' 라는 의미를 갖는다. 또한 be considering sth은 …을 고려중이다.

He has a strong constitution. 걘 체질이 강해.

I waive my constitutional right.
난 헌법상의 권리를 포기했어.

- Okay, so how many amendments to the Constitution?
  오케이, 수정헌법이 몇 개나 있어?

  We're simply exercising our constitutional right.
  우린 단지 헌법상의 권리를 행사하는거야.

■ Constitution은 '헌법' 이다. constitutional right는 '헌법상의 권리' 가 된다.

He has a strong constitution.
그 사람은 체질이 강해.

- He has a strong enough constitution to fight the cancer.
  걔는 암과 투병할 만큼 체질이 강해.

  He does not have the constitution to survive in prison.
  걔는 감옥에서 생존할 만큼 강한 체질을 가지고 있지 못해.

■ have a strong[weak] constitution은 체질이 건강하다, 건강하지 못하다라는 의미로 여기서 constitution은 '체질' 을 뜻한다.

You realize this constitutes hugging?

넌 이게 포옹이 된다는 것을 깨닫고 있니?

- Many persons have the wrong idea of what constitutes true happiness. 많은 사람들은 참된 행복의 구성요소에 대해 잘못된 생각을 가지고 있어.

  Just wondering if offering to take you to a bedroom constitutes sexual harassment.
  널 침대로 데려가겠다고 제안하면 성희롱이 되는지 그냥 궁금해.

■ constitute는 좀 어려워 보이지만 뜻은 단순해서 '…되는 것으로 여겨지다,' '…이 되다' 라는 의미이며, 또한 일반적 의미인 '…를 구성하다,' '단체를 설립하다' 라는 뜻도 가진다.

MORE EXPRESSION

constitutional right 법적권한

» contempt

 You'll be in contempt of court. 법정모독죄에 처하게 될거야.

The court will hold you in contempt.

당신을 법정 모독죄로 구속하겠습니다.

- Your refusal constitutes contempt of court.
  당신이 거부하면 법정모독죄가 되요.

  Answer, or you'll be in contempt of court.
  답하세요, 아니면 법정모독죄에 처하게 될 겁니다.

■ hold sb in contempt of court는 '법정모독죄로 구속하다' 라는 의미.

Oh, yeah. It's beyond contemptible.

오, 그래. 그건 경멸할 가치도 없어.

- Telling the nurse that you're his daughter. That's beyond contemptible. 간호사에게 네가 걔 딸이라고 말한다면 그건 경멸할 가치도 없는거야.

  Her drunken behavior is beyond contemptible.
  걔의 만취행동은 경멸할 가치도 없어.

■ contemptible은 '경멸을 받을 만한' 이라는 뜻. beyond contemptible은 '경멸할 가치도 없는' 이라는 표현이 된다.

» convict

 You're dating a convict? 재소자하고 사귄다고?

They still convicted him for killing Liz.

그들은 리즈를 살해한 혐의로 걔한테 여전히 유죄판결을 내렸어.

- If you go to trial and get convicted, you're looking at 15 years in prison. 네가 재판해서 유죄판결을 받으면 15년 징역을 받게 될거야.

  The jury has plenty of evidence to convict Mike.
  배심원은 마이크에게 유죄판결을 내릴 많은 증거를 가지고 있어.

■ convict sb of[on]~는 '…에게 유죄판결을 내리다' 라는 뜻이다. 한편 get convicted면 '유죄판결을 받다.'

How many other defendants have you falsely convicted?

넌 몇 명의 피고들에게 억울하게 유죄판결을 내렸니?

- You wrongfully convicted Monna of murdering her daughter.
  넌 모나가 딸을 살해한 혐의로 잘못된 유죄판결을 내렸어.

  The prisoner was finally released after being falsely convicted.
  죄수는 억울하게 기소된 후에 마침내 풀려났어.

falsely convict는 '유죄판결을 잘못 내리다' 라는 뜻으로 wrongfully convict도 같은 의미이다.

Your father is a convicted murderer.

네 아버지는 유죄판결을 받은 살인자야.

- You're dating a convict? Does it come to this?
  네가 재소자하고 사귄다고? 이게 말이 되니?

  I'm a convicted felon still on probation.
  난 유죄판결을 받는 중범죄자로 가석방중이야.

convict는 명사로 '기소자,' '재소자' 라는 뜻. convicted criminal은 '유죄 선고받은 범죄자' convicted prisoner하면 '기결수' 라는 의미가 된다. 참고로 전과자는 ex-convict라 한다.

He'll use that to appeal his conviction.

걔는 그걸 이용해서 유죄평결에 항소할거야.

- I'm an ethical man. A man of conviction. 난 윤리적이고 신념에 찬 사람이지.
  I have great respect for her conviction. 걔의 신념에 큰 존경심을 가지고 있어.

conviction은 '신념' 이라는 뜻과 함께 '유죄의 판결' 이라는 의미를 다 갖고 있어 문맥에 따라 잘 이해해야 한다.

» cook

The evidence was cooked. 증거가 조작되었어.

Come on. Let's see what's cooking.

이봐. 무슨 일인지 알아보자.

- I think that somebody was cooking something here, and it wasn't food. 누군가 여기서 뭔가를 꾸미고 있었다고 생각돼. 음식 말고 말이야.
  Hey sweetheart, what's cooking? 자기야, 무슨 일이야?

What's cooking?은 '무슨 일이야?' 라는 뜻으로 현재의 상황이나 안부를 묻는 표현이다. get sth cooking은 '비밀리에 …을 계획하다' 라는 의미이다.

The evidence was cooked.

증거가 조작되었어.

- You cooked the intelligence. 넌 정보를 조작했어.
  Max got three years for cooking the books.
  맥스는 3년 동안이나 장부를 조작했어.

cook sth은 '…를 조작하다' 라는 뜻으로 cook the books 하면 '장부를 조작하다' 라는 의미이다.

You cooked up this phony kidnap scheme.

네가 이 사기 납치극을 꾸몄어.

- This lie you and your friends cooked up, it's a bad one.
  너와 네 친구들이 조작한 이 거짓은 정말 나쁜 거야.

  It's all been cooked up, so I doubt we'll get any DNA.
  그거 모두 조작되었어. 그래서 DNA를 추출하기 어려울 것 같아.

cook up은 '요리를 빨리 준비하다' 라는 뜻과 함께 어떤 변명, 이유, 계획 등을 '조작하다' 라는 뜻으로도 쓰인다.

MORE EXPRESSION

Too many cooks spoil the broth. 사람들이 넘 많으면 일을 그르친다.

Play it cool. 침착하게 행동해.

Be cool.
진정해라.

- You just gotta be cool. 넌 좀 진정해야해.
  All right, let's just be cool. 좋아, 좀 가라앉히자.
  That's cool. You keep that. 야, 멋있다. 계속해.

> ■ be cool은 '진정하다' 그리고 '멋지다,' '잘 지내다'라는 의미로 많이 쓰인다.

I'm cool with that.
난 괜찮아.

- It's cool with me. 난 상관없어.
  He's not cool with me moving in. 걔는 내가 이사 들어오는 걸 싫어해.
  I'm cool with your old boyfriend sleeping in your apartment.
  네 옛 남친이 네 아파트에서 자는거 난 상관없어.

> ■ sth be cool with sb[sth]는 '…에 동의하다' 또는 '…가 괜찮다'라는 뜻이다. 응용하여 be cool with sb ~ing하면 sb가 …하는 것에 찬성하다라는 의미.

(Have you been) Keeping cool?
잘 지냈어?

- Don't get too worked up, stay calm, stay cool. 흥분하지말고 진정해.
  All right! Everybody, keep cool, all right? 좋아! 모두들 차분해. 알았어?

> ■ keep cool은 '진정하다,' '평정을 유지하다'라는 뜻이며 Stay cool!하면 '잘 지내!,' '진정해!'라는 표현이 된다.

Let things cool down.
소동이 제풀에 식도록 내버려 둬요.

- You need to cool down, and get me bagel chips. 진정하고 베이글칩 가져와.
  I just thought I'd give you that time to cool down.
  난 너한테 진정할 시간을 준 걸로 생각했어.

> ■ cool down은 '진정하다'라는 뜻.

She's mad, but she'll cool off.
걔는 미쳤지만 곧 가라앉을거야.

- Look, maybe we should just cool it for a while. 잠시 좀 진정하자고.
  Good point, how you gonna cool it? 좋은 지적야, 넌 어떻게 진정할건데?

> ■ cool it 역시 '진정해,' '침착해'라는 뜻. cool off도 식히다라는 뉘앙스를 가지고 있어 '진정하다'라는 의미로 사용된다.

Play it cool.
침착하게 굴어.

- I was dying to ask. I was just trying to play it cool.
  물어보고 싶어 간질간질 했지만, 난 침착하게 행동했지.
  Just play it cool and everything will be OK. 침착히 행동하면 다 잘될거야.

> ■ play it cool은 '침착하게 굴다'라는 뜻이다.

He lost his cool.
그는 냉정을 잃었어.

- Sorry. I lost my cool. 미안해. 난 냉정을 잃었어.
  I'm sorry I lost my cool. But you handled that perfectly.
  흥분해서 미안하지만 넌 그걸 완벽하게 해냈어.

> ■ lose one's cool은 '냉정을 잃다,' '흥분해서 화를 내다'라는 뜻이다. keep one's cool은 '냉정함을 유지하다'라는 의미.

MORE EXPRESSION

a cool million[hundred, thousand] 많은 양의 돈

C

I thought you flew the coop. 난 너도 도망갔다고 생각했어.

Five days cooped up with the family felt like death.

가족하고 5일간 틀어박혀 있는 건 마치 죽음과 같아.

- I just hated being cooped up in an office building all day.

  난 하루 종일 사무실에 갇혀 있는 것은 딱 질색이야.

  I'm cooped up with a crazy woman.

  난 한 미친여자에게 꼼짝못하게 잡혔어.

■ be cooped up은 '틀어박히다,' '좁은 곳에 갇히다,' '두문분출하다' 라는 뜻이다. 여기서 coop은 '닭장' 또는 비유적으로 '교도소' 를 의미한다.

Don't be a chicken. Fly the coop.

겁쟁이가 되지마. 튀어 버려.

- I think the Chicken Pinciotti wants to fly the coop.

  '겁쟁이' 핀치오티는 달아나고 싶은 것 같아.

  I thought you'd flown the coop as well. 난 너도 달아났다고 생각했어.

■ fly the coop은 '달아나다', '도망치다,' '탈옥하다' 혹은 있기가 좀 그런데서 슬그머니 '살짝 빠져나오다' 라는 뜻으로 사용된다.

I already copped to it. 나 이미 인정했어.

I wanted to call the cops.

난 경찰을 부르고 싶었어.

- There are no cops here, Simon. We're alone.

  사이몬, 여긴 경찰이 없어. 우리뿐이야.

  He copped a murder, and you placed him under arrest.

  걔는 살인범을 잡았고, 그리고 넌 걔를 체포했지.

■ cop은 '경찰' 이라는 뜻으로 동사로 '범인을 체포하다' 라는 의미로도 쓰인다.

You ready to play bad cop?

협박을 할 준비가 되었니?

- I was thinking maybe we'd work a little "good cop, bad cop."

  우린 약간은 '회유와 협박' 작전을 써야 할 것으로 생각했어.

  I hope this good cop, bad cop routine works.

  '회유와 협박' 방식이 통할 것으로 기대해.

■ play good[bad] cop은 '회유와 협박을 하다' 라는 뜻으로서 선한역[악역]을 담당하다라는 배경에서 나온 표현이다.

Look, I already copped to it.

이봐, 난 이미 그걸 인정했어.

- He was a scumbag. He copped to another murder.

  그놈은 인간쓰레기야. 또 다른 살인사건에 대해 인정했어.

  The thief copped to stealing the jewelry. 도둑은 보석을 훔쳤다고 인정했어.

■ cop to는 '…을 인정하다' 라는 뜻으로 악행이나 잘못 등을 인정한다는 의미.

Nash copped a plea and testified against him.
내쉬는 중죄를 피하려고 가벼운 죄를 자백하면서 걔한테 불리하게 증언했어.

- Did you hear the dad copped a plea on the murder?
  아버지가 살인사건과 관련해서 중죄를 피하려고 가벼운 죄를 자백한 사실을 들었니?

  This is your chance to cop a plea. 형량을 낮출 수 있는 기회야.

 cop a plea는 '중죄를 피하려고 가벼운 죄를 자백하다' 라는 의미.

It seemed like he wanted me to do it. That's a cop-out.
걔는 내가 그걸 하길 원하는 것 같았어. 그건 발뺌한거지.

- That is the lamest, most pathetic cop-out in the book.
  이건 가장 설득력이 없고 가장 한심한 변명이야.

  That excuse is just a cop-out. 그 변명은 발뺌하는거에 불과해.

cop out은 '해야 할 일을 하지 않다,' '발뺌하다' 라는 뜻으로 cop-out하면 '변명' 또는 '해명' 이라는 의미가 된다.

MORE EXPRESSION
It's a fair cop. 잘못한 것을 인정하다.
cop off 놀아나다
cop a feel 상대방의 몸을 더듬다

C

» corner

 We'll have to cut corners. 경비를 절감해야 될거야.

It's just around the corner.
코앞에 다가왔어요.

- It's around the corner to your right. 오른 쪽 모퉁이를 돌면 바로 있어.
  It's around the corner, near the mosque. 모퉁이 돌아 회교사원 옆에 있어.

be around the corner는 '바로 앞에 있다' 라는 의미의 표현이다. 앞에 있는 코너를 돌면 바로 거기에 있다라는 뜻. 비유적으로 '…가 임박했다' 라는 뜻으로도 쓰인다.

We'll have to cut corners.
경비를 절감해야겠어.

- We won't cut corners just to save money.
  단지 돈을 절약하기 위해 편법을 쓰지는 않을거야.

  Let's face it. You do cut corners. 현실을 직면해야해. 넌 비용을 줄여.

cut corners는 '비용을 줄이다[절감하다]' 라는 뜻도 있지만 '일을 쉽게 하기 위해 편법[요령]을 쓰다' 라는 의미도 있다. 한편 cut a corner는 '지름길을 달리다' 라는 의미가 된다.

Tim is watching them out of the corner of his eye.
팀은 걔들을 곁눈질로 쳐다보고 있어.

- Marissa looks at Seth out of the corner of her eye.
  마리사는 세스를 힐끗 쳐다봐.

  I only watched that show out of the corner of my eye.
  난 곁눈질로 그 쇼를 대충 보았어.

out of the corner of one's eye는 '곁눈질로,' '힐끗하여' 라는 뜻.

"Sorry" don't suit me. You cornered me.
미안해 가지고 안 되지. 넌 날 궁지에 몰았어.

- Then dragged her in here and cornered her like an animal.
  그리고 그 여자를 여기로 끌고 와서 마치 짐승처럼 궁지에 몰았지.

  Did anyone put her in a corner? 누군가 걔를 궁지에 몰아넣었니?

corner sb는 '…를 궁지에 몰다' 라는 뜻이고, put~ in a corner하면 '누구를 혼내주다' 라는 표현이 된다.

MORE EXPRESSION
turn the corner 고비를 넘기다
corner the market 매점하다

191

I stand corrected. 내가 잘못했다는 걸 인정해.

I stand corrected.
내가 잘못했다는 거 인정해.

- I stand corrected. That's absolutely worse than not trying.
  잘못을 인정해. 그건 시도하지 않은 것보다 훨씬 나빠.
  I stand corrected. I always get that wrong. 잘못을 인정해. 난 항상 틀려.

> ■ stand corrected는 '자기가 잘못한 것을 인정하다' 라는 뜻.

Rory, correct me if I'm wrong.
로리, 내가 틀렸거든 말해보렴.

- And correct me if I'm wrong. I've always treated you fair.
  내가 틀렸으면 말해줘. 난 항상 널 공정하게 대했잖아.
  Correct me if I'm wrong, but we've met before.
  내가 틀리면 말해봐, 하지만 우리 전에 만난 적 있잖아.

> ■ correct me if I'm wrong는 '내가 틀렸으면 얘기해봐' 라는 의미.

You're a corrections officer?
교도관이세요?

- I'll see if I can convince the corrections commissioner.
  교도소장을 설득할 수 있는지 알아볼게요.
  What did you have against this corrections officer?
  이 교도관에 대항해서 할 수 있는게 뭐였어?

> ■ corrections officer는 '교도관' 즉, correction facilities 즉 교도시설에서 일하는 직원이고 corrections commissioner는 '교도소장' 으로서 교도시설의 책임자를 뜻한다.

I'm an old fart. Correction: A hot old fart.
난 늙은 멍청이야. 정정할게, 섹시한 늙은 멍청이.

- Just talk about his big cock. Correction, his big, beautiful cock.
  걔의 큰 성기에 대해 말해보자. 정정할게, 걔의 크고도 아름다운 성기.
  No, no. Correction, correction. I think about us all the time.
  아냐, 정정할게. 난 항상 우리에 대해 생각해.

> ■ correction은 '정정할게' 라는 뜻으로 자기가 방금 전에 한 말을 바꾸면서 사용하는 표현이다.

놓치면 원통한 미드표현들

- **be on cloud nine** 행복한
  They are on cloud nine over there.
  걔들은 거기서 무척 행복해.

- **every cloud has a silver lining** 괴로움이 있으면 즐거움도 있다
  It'll be all right. Every cloud has a silver lining. 괜찮을거야. 모든 괴로움에는 즐거움도 있어.

- **sugar-coat** 듣기 좋게 꾸며 말하다, 사탕발림을 하다
  Can't you sugar coat it a little?
  약간 듣기 좋게 꾸밀 수는 없니?

Not gonna sugar coat this, Tandy.
난 이걸 보기 좋게 꾸미지는 않을거야, 탠디.

- **be consistent with** …와 일치[부합]하다
  Injuries are consistent with an accident.
  부상은 사고와 일치해.
  She has no injuries consistent with a car accident.
  걔는 차사고와 부합되는 상처가 없어.
  None of that is consistent with the M.O.'s of the other robberies.
  그것중 어느 것도 다른 절도범죄방식과 일치하는게 없어.

I'm sure it cost a fortune. 돈이 많이 들어갔게 확실해.

That cost an arm and a leg.
돈이 상당히 들어.

- Is it gonna cost me an arm and a leg? 그거 엄청나게 비싼거야?
  Lily, you have to tell him. That dress cost a fortune.
  릴리, 걔한테 말해야만해. 그 옷은 너무 비싸.

It cost me pretty penny.
적지 않은 대가를 치렀어.

- That cost a pretty penny. 그건 적지 않은 대가를 치룬 거야.
  That must have cost your wife a pretty penny.
  그것 때문에 네 부인이 적지 않은 대가를 치렀어야만 했을거야.

It'll cost you your faith.
네 신앙을 잃게 될거야.

- I'm well aware that it may cost your son his life.
  난 니 아들이 목숨을 잃을 수도 있다는 것을 잘 알고 있어.
  That was a lie that cost me valuable clients.
  내게서 많은 귀중한 고객들을 앗아간 거짓말이었어.

■ cost an arm and a leg 는 '엄청난 돈이 들다,' cost a fortune 역시 '큰돈이 들다,' '무척 비싸다' 라는 표현.

■ cost sb a pretty penny 는 '적지 않은 대가를 치르다,' 즉 '돈이 꽤 많이 들다,' '아주 비싸다' 라는 의미.

■ cost sth은 원래 대가를 치르다라는 데서 발전하여 '넌 …를 잃게 될거야' 라는 뜻. 또한 cost sb one's job[life, marriage]하게 되면 '…가 …을 잃게 되다' 라는 표현이 된다.

MORE EXPRESSION

What does it cost? 얼마나 들어?
How much does it cost to~?
(…하는데) 비용이 얼마나 들어?
court costs 소송비

It's the thought that counts. 중요한 건 맘이야.

(I) Wouldn't count on it.
믿지 못하겠는 걸.

- You can count on me. 나한테 맡겨.
  Can I count on you not to cancel at the last second?
  마지막 순간에 취소하지 않을 거라고 믿어도 돼?

Does that not count for something?
그게 중요하다고 생각하지 않니?

- Every minute counts. 모든 순간이 매우 중요해
  I think that counts more than a quickie marriage.
  급행결혼보다 그게 더 중요하다고 생각해.

■ count on은 '…에 의지하다' 라는 의미로 rely on, rest on, depend on 등과 동의표현으로 잘 알려져 있다.

■ sth counts~ 는 '…가 중요하다' 라는 뜻이다.

It's the thought that counts.
중요한 것은 마음이야.

- I don't have to give you anything. It's the thought that counts.
  너한테 아무 것도 줄 필요가 없어. 중요한 건 마음이야.

  Kitty, you always said it's the thought that counts.
  키티, 넌 항상 중요한 것은 마음이라고 말했지.

It's the thought that counts에서 count는 역시 중요하다라는 뜻으로 '마음이 중요한 거야,' '중요한 건 마음이야' 라는 의미. It's sth that counts를 기본구문으로 해서 자신이 중요하다고 생각되는 것을 sth에 넣어 다양한 문장을 만들어보면 된다.

You can count me out!
난 빼줘!

- Count me out! 난 빼도 돼!
  You can count me in. 나도 끼워줘.

count sb out[in]은 '…를 빼다[끼워주다]' 라는 의미.

16 hours, but who's counting?
16시간, 몇 시간이든 무슨 상관이야?

- 21 years, 5 months, and 3 days. But who's counting?
  21년, 5개월 그리고 3일. 얼마나 길어도 무슨 상관이야?

  Actually it was three romps, but who is counting?
  사실상 3번째 낙승이지만 그게 무슨 상관이야?

Who's counting?은 누가 그걸 세고 있어?라는 뜻으로 숫자가 중요한 것이 아니라는 맥락으로 '숫자가 뭐든 무슨 상관이야?' 라는 의미의 표현이다.

I'll give you to count of three. One.
3까지 셀 거야. 하나…

- Okay, you guys, are you ready? On the count of three.
  오케이, 친구들 준비되었니? 3까지 셀 거야.

on the count of+숫자는 '…의 수를 세다' 라는 의미.

On the count of harboring an illegal alien, we find the defendant guilty.
불법체류 외국인을 숨겨준 혐의에 대해 피고에게 유죄 판결을 내립니다.

- On the matter of the United States versus Jerry Espenson, on one count of perjury, we the jury find the defendant, Steven Aaron, not guilty. '미국 대 제리 에스펜슨' 소송건에서 우리 배심원은 위증죄 혐의에 대해 피고 스티브 애론에게 무죄를 평결합니다.

  We were slowed down on account of the computer virus.
  컴퓨터 바이러스 때문에 속도가 늦어졌어.

  It can't be done today on account of the rain. 비와서 오늘은 할 수 없어.

on the count of (murder)는 '[살인]의 혐의에 대해' 라는 의미. 참고로 on the account of~ 하게 되면 …때문에라는 말이 된다.

MORE EXPRESSION

lose count of 수를 잘못세다
count for nothing 쓸모없다
count one's blessings 좋았던 시절을 회상하다

놓치면 원통한 미드표현들

- **compromise** 타협하다, 위태롭게하다
  Scientist do not compromise. 과학자는 타협하지 않아.
  Has the stress compromised his ability to perform romantically?. 스트레스가 로맨틱하게 행동하는걸 위태롭게 하나요?

  It can compromise mental functioning.
  정신적 기능을 위태롭게 할 수도 있어.

- **be compromised** 위태롭게 되다
  It that reputation is compromised, the stain runs to all cases.
  저 명성이 위태로와지면 모든 사건에 오점을 남기게 돼.

It's such a coup to get her. 걔를 데려오다니 대성공야.

It's a coup to beat the big guy.
그 큰 친구를 패다니 대성공이야.

- This is a coup for women's rights everywhere.
  이건 모든 여성인권의 대승리야.

  It is such a coup to get her, I can tell you!
  걔를 데려오다니 큰 성공이야, 정말!

■ (major) coup는 '대성공'을 의미한다.

Do you know what counting coup is?
공적 늘어놓기가 무엇을 의미하는지 아니?

- You're here just to count coup, aren't you?
  너 니 공적을 늘어놓으려고 여기 온거지, 그렇지 않아?

  This is the coup de grace. 이건 최후의 일격이야.

■ count coup는 '공을 세우다,' '자기의 공을 늘어놓다' 라는 뜻이다. 또한 coup de grace는 '최후의 일격' 이라는 표현이 된다.

Let's just settle it on the court. 법으로 해결하자.

So we went to the courthouse.
그래서 우린 법정에 갔어.

- I just had to go to court this morning and get sentenced.
  난 오늘 아침 법원에 가서 선고를 받았어.

  Please don't forget your court date.
  너 재판일을 제발 잊지 마라.

  What's the status on the court order? 법원 명령이 현재 어떤 상태야?

■ go to the court(house)는 '법정에 가다' 라는 뜻. 그리고 court day[date]는 '재판일' court of law[justice]는 '재판소' court order는 '법원 명령'을 각각 의미한다.

Let's just settle it on the court.
그냥 법정에서 해결하자.

- The case was to be settled out of the court. 그 소송은 합의로 해결되게 됐어.

  You and I can settle our differences on the court.
  우리는 법으로 우리 문제점을 해결할 수 있어.

■ settle sth out of court 는 '…를 법정 밖에서 해결하다' 라는 뜻으로 '재판없이 합의로 해결하다' 라는 의미. 반대로 settle sth on the court는 '…문제를 법으로 해결하다' 라는 말이 된다.

It was thrown out of court, of course.
물론, 이건 기각되었어.

- Evidence against a killer was thrown out of court.
  살인자에게 불리한 증거가 기각되었어.

  The phony suit was thrown out of court. 그 허위 소송은 기각되었어.

■ be thrown out of court 는 '기각되다' 라는 뜻이다.

C

He's courting her.
걔는 그녀에게 구애하는 거지.

- I've been courting her for months to let me handle the deal.
  내가 그 건을 다루려고 몇 달 동안 걔를 구슬리고 있어.

  The company is courting new investors.
  회사는 새로운 투자자들의 환심을 사려고 하고 있어.

I have the common courtesy to sleep with her first.
난 걔랑 먼저 잘 정도의 기본 예의는 있지.

- At least he has the courtesy to kiss me and buy me jewelry.
  적어도 걔는 나한테 키스하고 보석을 사줄 정도의 예의는 있어.

  Have the courtesy to make noise elsewhere.
  다른 데 가서 떠드는 예의를 좀 지켜라.

You know, I came to tell you as a courtesy.
있잖아, 난 의례상 너한테 말하려고 왔어.

- You're here as a courtesy, Mrs. Spencer.
  스펜서 부인, 의례상 여기 오셨죠.

  I came here as a courtesy. 난 의례상 여기에 왔거든.

Give me the same courtesy.
나한테도 같은 예의를 지켜라.

- Do me the courtesy of bringing back lunch.
  점심을 가져오는 예의는 지키라고.

  Give us the courtesy of smoking outside.
  외부에서 담배 피는 예의는 지켜.

Benson, Stabler, pay a courtesy call.
벤슨, 스테이블러, 예의상 방문해라.

- I make the courtesy call! 난 예의상 방문했어!

  I got a courtesy call from the new neighbors.
  새 이웃들이 예의상 우리집을 방문했어.

MORE EXPRESSION

courtly 대단히 정중한
Supreme Court 대법원
Appeal Court 항소법원
May (if) it please the court
감히 한 말씀 드리겠습니다(법정표현)

놓치면 원통한 미드표현들

- **be compelled to** …하지 않을 수가 없다
  She felt compelled to do what Morton wanted. 걔는 모튼이 원했던 것을 해야만 한다고 느꼈어.

- **compelling** 설득력 있는, 강렬한
  It's compelling argument. 그건 강력한 주장이야.

- **motion to compel** (법률용어) 재정신청
  Uh, well, opposing counsel was granted their motion to compel.
  음, 그래, 반대 측 변호사들에게 재정신청이 재가 되었어.

- **can't compete with** …와 상대가 안되다
  I can't compete with that. 도저히 못 당하겠군.

We've got you covered. 우리가 널 지켜줬어.

She's trying to cover the fact that we're divorced.
걘 우리가 이혼했다는 사실을 숨기려고 해.

- She tries to pull her shirt down to cover the fact that she's wearing men's boxers. 남성용 팬티를 입고 있다는 사실을 숨기려고 셔츠를 내리려고 했어.

■ cover the fact that~은 '…라는 사실을 숨기다' 라는 뜻.

Please cover for me.
제발 내 대신 좀 해주라.

- I need someone to cover me on the 16th. You in? 16일에 대신 근무 좀 서 줘. 그래 줄래?

  All right, cover me. I'm gonna go in. 좋아, 나 좀 엄호해줘. 들어갈게.

■ cover for sb는 '내 대신 좀 해줘' 라는 뜻으로 경찰이 쓰면 '엄호해줘' 라는 의미가 된다. 한편 사무실에서 쓰이면 '자신의 일을 대신 봐주다' 라는 표현으로 Could you fill in for me? 또는 Can you come in for me tomorrow? 등과 같다.

I'm not trying to cover up some murder.
난 살인을 은폐하려고 시도하고 있지 않아.

- There isn't a contract that can legally cover up a crime. 합법적으로 범죄를 은폐할 수 있는 계약은 없어.

  And he's making you cover up the truth. 걘 진실을 은폐하도록 유도하고 있어.

■ cover up은 '…를 은폐하다' 라는 의미로 cover-up은 명사형으로 '은폐' 라는 뜻이 된다.

We've got you covered.
우리가 널 엄호했어.

- Don't worry. I got you covered on that. 걱정마. 그건 내가 지켜줬어.

  I got you covered, Elliot. 내가 널 보호했어, 엘리엇.

■ get sb covered는 '보호하다,' '엄호하다' 라는 의미.

I can spot an undercover officer.
난 위장경찰관을 알아낼 수 있어.

- Yeah, in fact I'm undercover right now. I'm a whore. 그래, 실은 내가 지금 위장요원이야. 창녀로.

  I used my undercover alias. Steve Aaron. 난 가명을 쓰고 있어. 스티브 애론.

■ undercover는 '위장' 이라는 뜻으로 undercover agent는 '위장요원' 이라는 의미가 된다.

MORE EXPRESSION

cover one's ass 거짓으로 발뺌하다
cover all the bases 다 감안하다
be covered with …로 뒤덮이다

Stop playing coy with me. 내게 내숭떨지마.

Don't be[play] coy with me!
내 앞에서 내숭 떨지마!

- Stop playing coy with me. 나한테 더 이상 내숭 떨지마.
  Don't play coy with me. You threw your hand. 내숭떨지마. 너 손들었잖아.

■ be[play] coy with는 '내숭을 떨다' 라는 의미의 표현이다. coy는 수줍어 하는, 말없는이라는 뜻으로 play coy하면 '내숭떨다,' '수줍어하다', '시치미떼다' 라는 뜻이 된다. 특히 Don't play coy with me란 문장이 많이 쓰인다.

What are you being so coy about?
뭐에 대해 수줍어 하니?

■ coy (about)는 '수줍은,' '순진한 체하는' 이라는 뜻이다.

- Is this your coy way of telling me you want a child?
  이게 아이를 갖고 싶다고 수줍게 말하는 네 방식이니?
  Children wanna be coy a little. 아이들은 조금은 수줍은 체를 하고 싶어 하지.

» crack

Take a crack at this. 이거 한번 해봐라.

Time to crack the books.
공부할 시간.

■ crack the book은 '책을 파다' 라는 뜻으로 여기서 crack 은 hit과 같은 의미이다. 한편 crack a smile[joke]이면 '미소 [농담]를 짓다[하다]' 라는 표현이 된다.

- He cracked a smile. 걔가 쌩긋 미소 지었어.
  You know, laying her hand on his arm every time he cracked a joke. 있잖아, 걔가 농담할 때마다 그녀가 걔 팔에 손을 얹어.

It's not all it's cracked up to be.
사람들의 말처럼 그런 건 아냐.

■ crack은 또한 '금가게 하다', '쪼개다', '암호를 해독하다' 등 다양한 의미로 쓰인다.

- It's not what it's cracked up to be. 평판만큼은 아니다.
  Having a job is not all it's cracked up to be. 직장다니는게 다 그런 건 아냐.

Her skull is cracked wide open.
걔의 두개골은 부서져서 열렸어.

■ crack sth open은 '…를 부셔서 열다,' '폭로하다' 라는 뜻으로 open 앞에 wide를 붙여 강조할 수 있다.

- I cracked this case wide open. 난 이 사건을 폭로해 버렸어.
  She's the one who cracked this one open. 걔가 이걸 부신 장본인이야.

Let's get cracking.
빨리 가자.

■ get cracking (on)은 '서둘러 일을 시작하다' 라는 의미로 일을 서둘러 적극적으로 바로 시작하자는 말이다.

- I'd better get cracking on this baby. 이 아이를 바로 돌봐야겠어.
  Get cracking on the case work. 그 사건 빨리 시작하자.

You want to take a crack at him?
걔를 한번 찔러보고 싶니?

■ have[take] a crack at it 은 될지 안될지 모르겠지만 '한 번 해보다,' '시도하다(give it a go),' 그리고 at 다음에 사람이 나오면 그 사람에게 뭔가 해보다(do sth with sb) 혹은 '…에게 …을 설득하다' (convince sb of sth) 라는 의미가 된다.

- Look, take a crack at this, for your son. 야, 네 아들을 위해 이거 한번 해봐라.
  Let me get a crack at that neck. 목 부분을 한번 시도해보자.
  Hang on a sec. Why do you get first crack at her?
  잠깐. 왜 너는 걔한테 젤 먼저 시도해보려는거야?

Said he fell through the cracks.
걘 자기가 잊고서 간과했다고 말했어.

- The simple truth is this one fell through the cracks.
  사실은 이 사건이 있는지 미처 확인을 못했다는거야.

  He slipped through the cracks, missed a lot of days in school.
  걘 신경도 쓰지않고 학교를 많이 가지 않았어.

Are you on crack?
약먹었어?

- If they're on crack, then, hell, they'll do anything.
  걔네들이 약먹는다면 무슨 짓이든 할거야.

  With all due respect, Dr. Cooper, are you on crack?
  죄송합니다만, 쿠퍼선생님 약먹었어요?

■ **fall through the cracks** 는 갈라진 틈으로 떨어지다, 즉 보이지 않게 되다라는 뜻에서 '잊혀지다,' '간과되다', '잊고서 처리 못하다' 라는 의미로 fall 대신에 slip을 써도 된다. 주로 잊고 하지 않는 대상은 학교나 회사, 법 등 어떤 system이 나오게 된다.

■ **be on crack** crack은 강력한 마약의 일종으로 be on crack하면 약먹은 상태(get high)를 말한다.

MORE EXPRESSION

Who cracked? 누가 말했어?
at the crack of dawn 새벽에
crack wise 그럴듯하게 말하다

C

» **cram**

 I'm gonna do a lot of cramming. 벼락치기 많이 할거야.

She claims she was up all night cramming.
걔는 벼락치기하느라 밤을 샜대.

- We used to stay up all night cramming for chem, eating ice cream.
  우린 밤새 아이스크림을 먹으면서 화학공부를 벼락치기로 하곤 했어.

  I'm so tired. I crammed last night. 너무 피곤해. 어젯밤에 벼락치기했거든.

That place is always crammed.
저 곳은 항상 꽉 차있어.

- Living room was crammed with combustible materials.
  거실이 인화물질들로 가득 차 있었어.

■ **cram**은 '벼락치기 공부하다' 를 뜻하며, cram for+과목[시험]의 형태를 벼락치기한 내용을 표현할 수도 있다.

■ **be crammed with**는 '…로 가득 차다' 라는 뜻이다.

 놓치면 원통한 미드표현들

- **convenient** 편리한
  When's convenient[good] for you?
  언제가 편하세요?

- **sorry for the inconvenience** 불편을 끼쳐서 죄송합니다
  I want to apologize for any inconvenience.

불편을 끼쳐서 사과드립니다.
RSVP at your earliest convenience.
가급적 조속한 시일에 참석여부를 통지해주세요.

- **inconvenience** 불편하게 하다
  Sorry to inconvenience you.
  불편하게 해드려서 미안합니다.

You're so full of crap. 넌 정말 엉터리같은 놈야.

Oh, crap! I can't believe I forgot this.

제기랄! 이걸 잊을 줄은 차마 몰랐네.

- Crap, she bought some expensive shoes. 제기랄, 걔가 비싼 신발을 샀어.
  Holy crap. Turn that damn thing off! 세상에. 그 빌어먹을 것 좀 꺼라!

■ Crap!은 '제기랄' 이라는 뜻의 감탄사. Holy crap! 또한 '세상에,' '말도 안돼' 라는 역시 감탄 표현이다.

Have you slept? You look like crap.

잠은 잤니? 너 엉망이야.

- You were right. All that crap was right. 네가 맞았어. 허튼 소리가 다 맞았다니까.
  You had no right to shoot the crap. 넌 허튼 소리를 할 권한이 없어.

■ crap은 비속어로 '엉망,' '허튼소리' 라는 뜻, shoot[sling, throw] the crap하게 되면 '허튼 소리를 하다' 라는 표현이 된다.

Cut the crap, you set this up, didn't you?

헛소리 그만해, 네가 꾸몄지, 그렇지 않니?

- Then cut the crap and start acting professional.
  이제 헛소리 그만하고 프로처럼 행동해라.

  All right, let's cut the crap. You need to be straight with us.
  좋아, 쓸데없는 소리는 그만하자. 너 우리한테 솔직해야만 해.

■ cut the crap은 '바보 같은 소리마,' '쓸데없는 이야기 좀 그만둬' 라는 표현이 된다.

You're so full of crap.

넌 헛소리만 지껄여, 넌 정말 엉터리 같은 놈야.

- I told you Miss Mo was full of crap. 내 말했잖아, 미스 모는 완전히 엉터리라고.
  Their mothers are full of crap. 걔네들 엄마는 헛소리들만 해대.

■ be full of crap은 '헛소리 투성이다' 라는 뜻. I'm full of crap하면 '쓸데없는 말만 잔뜩 늘어놓았네요,' That's a load of crap하면 '그건 엉터리 얘기야' 라는 말이 된다.

How much of her crap do I have to put up with?

내가 얼마나 더 걔의 헛소리를 참고 들어줘야 해?

- I don't give a crap what Ricky does to you.
  리키가 너한테 한 행동에 대해 나쁜 말은 안 해.

  Jake's parents never put up with crap from their kids.
  제이크의 부모는 자기 아이들의 헛소리를 절대 참지 않아.

■ put up with crap은 '헛소리를 참다' 라는 뜻이며 give sb a crap은 '안 좋은 말을 하다' 라는 의미가 된다.

Kiss the crap out of that girl.

그 소녀한데 진하게 키스해라.

- And I just know the guy beat the crap out of his girlfriend.
  그 놈이 여친을 몹시 때린 걸 알고 있어.

  I beat the crap out of the bully. 나 그 깡패를 죽어라 패줬어.

■ the crap out of는 '몹시' 라는 뜻으로 beat the crap out of~는 '몹시 때리다,' '엄청 패다' 라는 의미가 된다.

I saw a pigeon take a crap on it.

그 위에 똥을 싸는 비둘기를 봤어.

- I was just reading it whilst sitting on the crapper.
  난 변기에 앉아서 그냥 책을 읽고 있었어.

  I crapped myself once in junior high. 중학교 때 한번 바지에 똥싼 적이 있었어.

■ take a crap은 '똥을 싸다,' crap oneself는 '바지에 똥을 싸다' 라는 뜻이다. 한편 crappy는 '쓰레기 같은' 이라는 의미이며 crapper는 '변기.'

Now you crap 'em out.
이제 넌 그것들을 못 쓰게 해버렸어.

- Come on, you can't make that **crap up**. 이봐, 넌 그걸 망쳐버릴 수 없어.

  At least if you **crap out**, you can go home broke instead of busted. 네가 망하면 적어도 구속은 아니지만 그냥 빈털터리로 집에 갈 수 있어.

■ crap up[out]은 '망치다,' '못쓰게 하다,' '실패하다' 라는 의미이다.

» crash

 I need a place to crash. 잘 곳이 필요해.

You can crash in my bedroom.
내 침실에서 자도 돼.

- A: Hey, what's up? B: I need a place to **crash**.
  A: 아, 무슨 일이야? B: 잘 곳이 필요해.

  My parents get in tomorrow night. They'll want to **crash**.
  부모님이 내일 밤 들리실거야. 잘 곳을 원하셔.

■ crash는 '남의 집에서 자다' 라는 뜻이며 crash out은 '피곤해서 빨리 자다' 라는 의미.

I crashed and burned.
망쳤어.

- Why your relationship with Penny **crashed and burned**?
  페니와 관계가 왜 그렇게 급하게 망쳐버렸어?

  Face it, we **crashed and burned** tonight. 직면해. 우린 오늘밤 망친거야.

■ crash and burn은 '망치다' 라는 의미로 급작스럽게 실패하다라는 뉘앙스.

For all we know, he crashed the party.
아마도 걔는 초대받지 않은 파티에 참석했어.

- He **crashed the party**. This guy clearly is not taking no for an answer. 걔는 초대받지 않은 파티에 참석했지. No라는 것을 답으로 생각하지 못하는 가봐.

■ crash는 '초대받지 않은 파티에 가다' 라는 뜻. crasher는 그런 사람을 의미한다. 예를 들어 wedding crasher하면 '결혼파티에 초대받지 않은 손님' 이라는 말.

I can give you a crash course on everything.
너한테 모든 것에 대해 집중 훈련을 해줄 수 있어.

- I'm trying to give you a **crash course**.
  너한테 집중 훈련을 시켜주려고 해.

  The school offers a **crash course** for the SATs.
  학교는 SAT 시험준비에 집중반을 운영하고 있어.

■ crash course는 '단기간 집중 훈련' 또는 '특강' 이라는 의미.

I knew you'd come crawling back. 슬그머니 돌아올거라는 걸 알고 있었어.

Neighborhood's already crawling with uniforms.
주변에는 이미 유니폼 입은 사람들로 바글바글대.

- The campus is crawling with police, and she gets murdered.
  학교는 경찰로 가득찼는데 걘 살해됐어.

  Weddings are crawling with single men.
  결혼식장에는 독신남들로 득실대.

I decided to crawl into bed with him.
난 걔와 침대로 살며시 들어가기로 했어.

- I just feel so betrayed and embarrassed. I just want to crawl into a hole and die. 배신감과 당혹감에 쥐구멍에라도 들어가 죽고 싶어.

  Pam's gonna be crawling around soon, getting into everything.
  팸은 곧 주변을 슬그머니 알아보고 다니고 결국 모든 것을 알게될거야.

The pretty ones always come crawling back.
예쁜 애들은 언제나 돌아온다니까.

- They think they can do better but they all come crawling back to me! 자기들이 더 잘 수 있다고 생각하지만 결국에는 모두 다 내게 다시 슬그머니 돌아와!

  I knew you'd smell money and come crawling back.
  네가 돈 냄새를 맡고 슬그머니 기어돌아올거라 알고 있었어.

■■ **be crawling with** with 이하의 사람이나 사물들로 '바글바글대다' 혹은 '우글우글대다' 라는 의미로 주어는 바글바글대는 장소명사가 오게 된다. 달리 말하면 'to be completely covered with' 와 같다.

■■ **crawl into**는 '기어들어가다,' 특히 crawl into a hole하면 곤란한 상황에 처해 쥐구멍이라도 들어가고 싶다고 할 때 사용한다. 또한 crawl around는 '이리저리 주변을 기어다닌다' 는 의미.

■■ **come crawling back**은 슬그머니 돌아오다라는 의미.

MORE EXPRESSION

crawl space 좁은 공간

 You've got me going crazy. 너 때문에 미쳐가고 있어.

Really? It's all the craze right now, man.
정말로? 이건 지금 아주 유행하는거야, 친구.

- She turned to the latest fitness craze.
  걔는 최근 유행하는 체력단련에 관심을 돌렸어.

  Is the roller-disco craze over already?
  롤러 디스코가 이미 유행하고 있니?

I'm sorry. It's been a crazed night.
미안해. 완전히 미친 저녁이었어.

- I am crazed with thoughts of you. 네 생각에 완전 미치겠어.

  He's a love-crazed teenager. 걔는 사랑에 미친 10대야.

■■ **be the craze**는 '…가 유행이다' 라는 뜻으로 the latest craze하면 '최신의 유행' 이라는 의미이다.

■■ **be crazed**는 '완전히 미쳐서,' '통제가 안 되는' 이라는 뜻.

I'm crazy for[about] you.
난 너한테 빠져있어.

- What's so crazy about that? 뭐가 그렇게 좋다는거야?
  She told me that she's crazy about you. 걔가 나한테 말했는데 너한테 빠졌대.

■ be crazy for[about]~는 '…에 빠져 있다' 라는 의미이다.

This is crazy.
말도 안 돼.

- I know. Trust me, I know. This world, it's crazy.
  알잖아. 내 말 믿어. 이 세상은 정상이 아냐.
  I know this is crazy but am I too late? 말도 안된다는 거 알지만 내가 넘 늦었나?

■ be crazy는 '말도 안되다,' '정상적이지 않다' 라는 뜻.

You've got me going crazy.
너 때문에 미쳐가고 있어.

- I bet the guys were going crazy. 그 놈들이 미쳐가는 게 틀림없어.
  I've been going crazy with this baby stuff. 난 이 애들 물건에 완전 미쳐버렸어.

■ go crazy는 '미쳐가다' 라는 뜻으로, '열심히 …를 하다' 라는 의미로도 쓰인다.

That's making me crazy!
그거 때문에 미치겠어.

- It's been driving me crazy. 그게 날 미치게 만들어.
  That was gonna drive me crazy all night. 그게 날 밤새 미치게 만들었어.

■ make[drive] sb crazy는 '…을 미치게 하다,' '…을 돌게하다' 라는 뜻.

And I love you like crazy.
난 널 넘 사랑해.

- I miss 'em like crazy. 난 걔들이 미치도록 그리워.
  No, I'd have heard. The dogs bark like crazy. 아냐, 들었을거야. 개들이 엄청 짖어.

■ like crazy는 '매우 많이,' '매우 빨리' 라는 의미.

» cream

It just creams my corn. 그것 때문에 짜증나.

They are the cream of the crop.
그 사람들이 최고야.

- It must be how they attract the cream of the crop.
  이게 바로 최고를 동원하는 방법일거야.
  Our students are the cream of the crop. 우리 학생들은 최고야.

■ be the cream of the crop은 알짜인 사람[것], 가장 좋은 사람[것]을 뜻하는 것으로 '최고이다,' '최상이다' 라는 의미.

The Bulls creamed their rivals.
불스팀이 라이벌들을 완패시켰어.

- I mean, let's face it, you guys would get creamed without me.
  내 말은 현실을 직면하라는거야. 너희들은 나 없으면 완패할 걸.
  You could get creamed! 넌 완패당할 수 있어!

■ cream은 동사로 '완패시키다' 라는 뜻으로 get creamed면 '완패당하다' 라는 의미가 된다.

C

It just creams my corn.

그것 때문에 짜증나.

- All of this work really creams my corn. 이 모든 일이 정말 날 짜증나게 해.
  It creams my corn to be stuck in traffic. 교통이 막히는 건 왕짜증나.

■ cream one's corn은 '…을 귀찮게 하거나(bother), 짜증나게 하다(annoy)' 라는 표현.

» credit

Hey, credit where credit is due. 합당한 사람에게 공을 돌려야지.

I'd like to buy it on credit.

신용카드로 낼게요.

- No one in that dorm bought dry ice on credit.
  기숙사에 있는 누구도 드라이아이스를 카드로 사지 않아.

■ buy sth on credit은 '…를 신용카드로 구매하다' 라는 뜻.

I'd like to take credit for it, but ...

내 공으로 돌리고 싶지만…

- I am not gonna let you continue to take credit for all of my hard work. 내가 고생했는데 그 공을 네가 차지하도록 가만히 있지 않을거야.
  Am I supposed to lie and cheat and take credit for other people's work? 내가 거짓말을 하고 속여서 남의 공로를 차지해야 된다는거야?

■ I take credit for는 '내가 …의 공을 차지하다' 라는 의미.

I'm stronger than people give me credit for.

난 사람들이 믿고 있는 것보다 더 강해.

- No, don't give me credit now. Do it later with a champagne toast. 아냐. 지금 공을 나한테 돌리지 마. 나중에 샴페인 축배를 하면서 하자.
  You have to give me credit for an original date.
  독창적인 데이트를 한데 대해 나한테 공을 돌려야만해.

■ give sb credit (for)은 '…를 믿어 주다' 또는 '…에게 (…의) 공을 돌리다' 라는 의미.

Hey, credit where credit is due.

야, 합당한 사람에게 공을 돌려야지.

- I look fantastic! You know, I always give credit where credit is due. 난 정말 멋져! 난 항상 사람을 정당하게 평가하잖아.
  You must learn to give credit where credit is due.
  넌 공을 받아야 될 사람에게 공을 돌리는 법을 배워야 돼.

■ give credit where credit is due는 '마땅한 사람에게 공을 돌리다,' '정당하게 평가하다' 라는 의미.

You are a credit to our company.

넌 우리 회사의 자랑이야.

- The man was a credit to his genre. 이 사람은 자기 분야에서 신망이 있었어.
  Leo is a credit to his parents. 레오는 부모님의 자랑이야.

■ be a credit to sb[sth]는 '…의 자랑이다' 라는 의미.

MORE EXPRESSION

be credited to~ …의 공[덕분]이다

You're creeping me out. 너 때문에 소름끼친다.

It gives me the creeps.
소름끼쳐.

- He gives me the creeps. 그 놈만 보면 소름이 끼쳐요.
  Storage rooms give me the creeps! 창고를 보면 소름이 끼쳐!

Some creep broke into our house.
이상한 몇 놈들이 우리 집을 침입했어.

- How come all the creeps go after the good guys?
  어째서 이상한 놈들이 전부 좋은 사람들을 뒤쫓고 있니?
  He's not that different from the creeps you deal with every day.
  걔는 네가 매일 다루고 있는 못된 놈들과 그리 다르지 않아.

You're really starting to creep me out.
넌 정말 날 겁나게 하고 있어.

- Why would the little girl creep you out?
  왜 저 어린 여자애가 널 놀라게 하는 거니?
  Alright, stop it, both of you. You're creeping me out.
  좋아, 그만해, 둘다. 진짜 무서워.

You're a little creepy but you're cute.
넌 좀 기이한 구석이 있지만 귀여워.

- No, that's not creepy. 아냐, 그건 오싹하지는 않아.
  I thought he was kind of creepy. 걔가 좀 분위기가 기이한 것 같았어.

■ give sb the creeps는 '…가 소름 끼치다' 라는 의미이다.

■ creep은 명사로 '너무 싫은 사람,' '불쾌한 사람,' '못된 놈' 이라는 뜻이다.

■ creep sb out는 '…를 겁[놀]나게 하다,' '불안을 느끼게 하다' 라는 의미.

■ creepy는 '으스스한', '오싹케 하는,' '기이한' 이라는 뜻이다.

MORE EXPRESSION

make one's flesh creep
소름끼치게 하다

You did the crime. 넌 죄를 지었어.

That's our crime scene.
저기 우리의 범죄현장이야.

- We had your blood from the crime scene. 범죄현장에서 네 피가 나왔어.
  This is a crime scene, not a chat room. 여긴 잡담장소가 아니라 범죄현장이야.

You did the crime.
죄를 지었어.

- You did the crime, why should I have to pay the price?
  네가 범죄를 저질렀는데 왜 내가 대가를 치러야만 하니?
  Don't do the crime if you can't do the time. 콩밥먹지 않으려면 범죄짓지마.

■ crime scene은 '범죄현장' 이라는 뜻으로 scene of the crime이라고 해도 된다.

■ do the crime은 '죄를 자행하다,' '범죄를 저지르다' 라는 뜻이다. 그렇게 되면 do (the) time(감방살다)하게 된다.

At first I thought it was a hate crime.

처음에 난 증오범죄인 줄로 생각했어.

- There's no proof of any hate crime here. 여기 증오범죄의 증거는 전혀 없어.
  This might be a crime of passion and not one of the serial killings.
  이건 연쇄살인 범죄 중 하나가 아니라 치정범죄일 가능성이 있어.

It's almost a perfect crime.

이건 거의 완전범죄야.

- Robbing a smuggler. It's almost a perfect crime.
  밀수범을 터는 것. 이건 거의 완전범죄야.
  It's the perfect crime. No evidence. 이건 완전범죄야. 증거가 하나도 없어.

Who says crime doesn't pay?

범죄는 이익이 되지 않는다라고 누가 말했지?

- You know legally it's a crime. 법적으로 이건 범죄잖아.
  It's not justice, it's a crime. 이건 정의가 아니라 범죄야.

■ hate crime은 '증오범죄,' organized crime은 '조직범죄'이다. 주로 미국에서는 일반경찰이 아닌 FBI가 관할하는 범죄들이다. crime of passion은 '치정범죄'로 격정적인 감정에 남녀사이에서 벌어지는 범죄를 의미한다.

■ the perfect crime은 '완전범죄.' 사법계에서 '완전범죄'는 존재하지 않는다는 것이 정설이다.

■ Crime doesn't pay는 '범죄는 이익이 되지 않아'라는 유명문구. 한편 It's a crime은 '그건 범죄야'라는 뜻이다.

MORE EXPRESSION

a life of crime 범죄의 세계, 범죄의 삶

» cross

 We crossed paths at the airport. 우리는 공항에서 우연히 마주쳤어.

My fingers are crossed.

행운을 빌어요.

- I'll keep my fingers crossed. 잘 되어야 할 텐데.
  I'll keeping my fingers crossed here. 그건 잘 되기를 빌고 있어.

Really?! How come we didn't cross paths?

정말로? 왜 우리가 마주치지 못했지?

- We need to figure out where their paths crossed.
  걔들이 어디서 마주쳤는지 알아낼 필요가 있어.
  We crossed paths at the airport. 우리는 공항에서 우연히 마주쳤어.

Now I can cross it off my list.

이제 난 이걸 목록에서 지워버릴 수 있어.

- We can cross it off the list, come on. 그걸 목록에서 없앨 수 있어, 서둘러.
  I've got all the I's dotted and the T's crossed.
  내가 일을 꼼꼼히 처리했어.

■ cross one's fingers는 '행운을 빈다'라는 뜻으로 두번째와 세번째 손가락으로 십자가 형상을 만드는 모습에서 나온 표현. keep one's fingers crossed라는 형태로 많이 쓰인다.

■ cross paths는 '우연히 길에서 마주치다'라는 뜻으로 one's paths crossed로 쓰기도 한다. 또한 be crossed는 '전화가 혼선이 되다'라는 뜻.

■ cross it off one's list는 '목록에서 지우다,' '일을 처리하다'라는 뜻이다. 한편 cross the t's and dotting the I's는 '일을 꼼꼼히 처리하다' 또는 '계약을 마무리하다'라는 의미로 사용되는 표현.

MORE EXPRESSION

Cross my heart and hope to die. 내가 맹세컨대.

» crumble

I think I crumbled under questioning. 심문하다 내가 흔들린 것 같아.

That's the way the cookie crumbles.

사는 게 다 그런 거지.

- The best you can do is, 'that's the way the cookie crumbles?'
'살다보면 다 겪는 거지'라고 생각하는 것이 네 최선이야?

  That's the way the cookie crumbles. You can't always win.
사다보면 다 그래. 항상 이길 수는 없잖아.

> ■ That's the way the **cookie crumbles**는 '다 그렇게 사는 거지 뭐'라는 표현으로 상대방에게 좋지 않은 일이 있을 때 격려하는 말이다. 즉, '살다보면 누구나 다 겪을 수 있는 일'이라는 의미이다.

Fragile men have crumbled. We need strength.

약한 사람은 무너져버려. 우린 힘이 필요해.

- I don't know why I told him. I think I crumbled under questioning.
내가 왜 걔한테 말했는지 몰라. 걔 심문하다 내가 흔들린 것 같아.

  The old apartment is beginning to crumble. 낡은 아파트는 무너지기 시작했어.

> ■ crumble은 '무너지다,' '붕괴하다'라는 뜻으로 비유적으로 '마음이 흔들리다'라는 의미도 갖는다.

C

» crunch

This is crunch time. 지금이 중요한 때야.

I just crunch the numbers.

난 그냥 계산을 하고 있는 거야.

- Somebody's got to crunch the numbers. 누군가 계산을 해야만 했어.

  Crunching the numbers, I come up with a conservative 5,812 potential sex partners within a 40-mile radius.
계산해보니, 반경 40마일내에 보수적으로 잡아 5,812명의 잠재적인 섹스파트너가 있다는 걸 생각해냈어.

> ■ crunch the numbers는 '수치를 계산하다,' '숫자를 다루다'라는 뜻이다. 그래서 number cruncher하면 bean counter와 같은 말로 '숫자를 다루는 사람,' 즉 회계사를 뜻한다.

We got a big presentation today. This is crunch time!

우린 오늘 매우 큰 발표회가 있어. 지금이 중요한 때야!

- It's crunch time, and you need to study. 중요한 시기야, 공부 열심히 해야 돼.

  We're in a time crunch. The perp dies day after tomorrow.
중요한 때야. 범인은 내일모레 죽을거야.

> ■ crunch time 또는 the crunch는 '중요핸[중대한] 시기,' '마감이 다가오다'라는 뜻이다. 한편 in a time crunch는 '매우 중요한 시기에,' '결정적인 순간에'라는 의미를 갖는다.

놓치면 원통한 미드표현들

- **copulate** 성교하다

  My friend is looking for someone to copulate with. 내 친구는 함께 성교할 사람을 찾고 있어.

- **intercourse** 성교

  He's not going to have intercourse with Julie. 걘 줄리와 성교하지 않을거야.

- **coitus** 성교(하다)

  He must be very skilled at coitus.
걘 성교를 아주 잘하는 것 같아.

  You're just coitusing with me, aren't you?
너 나 엿먹이고 있지, 그지 않아?

» crush

I got a crush on you. 나 너한테 빠졌어.

I got a crush on you.
난 네가 맘에 들어.

- I have a major crush on you. 나 너한테 정말 반했어.

  You've been crushing on this girl for months and doing nothing.
  넌 이 여자에 수개월간 푹 빠져서 아무 것도 하지 않고 있어.

have[get] a crush on sb는 '…에 일시적으로 반하다' 라는 뜻. I'm crushing on~처럼 동사로도 사용된다.

She was always trying to crush my dreams.
걔는 항상 내 꿈을 짓밟으려고 했어.

- We have decided to crush your dreams. 우린 네 꿈을 망가트리기로 했어.

  Because the tumor was crushing her lungs. 종양이 폐를 누르고 있었어.

crush one's hope~는 '…의 희망을 누르다[망치다]' 라는 뜻이다.

I've never seen a crush injury so bad, and survive.
그렇게 심각한 압착부상을 당하고서 살아난 경우를 본 적이 없어.

- Her breathing will be compromised because of the crush injury.
  압착부상 때문에 걔 호흡이 위태롭게 될거야.

crush injury는 '압착 부상' 이라는 뜻이다.

Dad worked for years to pay the crushing debt.
아빠는 수년간 일해서 압박받던 빚을 갚았어.

- No prospects, no direction, no hope for relief from the crushing defeat. 치명적인 패배로부터 벗어날 어떤 전망도, 방향도, 희망도 없어.

crushing defeat은 '치명적인 패배,' crushing blow는 '치명타' 그리고 crushing debt은 엄청난 빚을 말한다.

» cry

I cried my eyes out last night. 간밤에 펑펑 울었어.

If you ever need a shoulder to cry on, I'll drink with you.
네가 위로해줄 사람이 필요하다면 내가 같이 술 마셔줄게.

- It's not as if you have a boyfriend's shoulder to cry on.
  널 위로해줄 남친이없는 것 같구나.

  You need a shoulder to cry on and he was happy to talk, among other things. 네가 위로해줄 사람이 필요하다면 걘 무엇보다도 기꺼이 얘기할거야.

a shoulder to cry on은 '기대어 울 수 있는 어깨' 라는 뜻으로 비유적으로 '위로해 줄 사람' 이라는 의미.

For crying out loud, I was at my girlfriend's place.
세상에, 난 여친 집에 있었다구.

- Oh, for crying out loud. What kind of superhero needs a jacket? 오, 맙소사. 어떤 수퍼 영웅이 재킷이 필요하대?

  She was a straight A student for crying out loud.
  세상에, 걘 올 A를 받는 학생이었어.

for crying out loud는 주로 화가 났을 때 하는 말로 '세상에,' '맙소사' 라는 뜻.

Don't cry wolf.
공갈 때리지마!

- You show them the slightest bit of attention, they cry wolf.
  걔들한테 최소한의 관심만 보여, 걔들이 거짓말을 하고 있거든.

  His career was destroyed because Justin McTeague cried wolf.
  저스틴 맥티그가 거짓정보를 줬기 때문에 걔의 경력이 파멸되었어.

■ cry wolf는 '거짓말을 전하다' 라는 뜻. 이솝우화에서 유래된 표현.

All are far cry from murder.
모든 게 살인과는 거리가 멀어.

- A far cry from my own fifteenth year. 내 자신이 15세일 때와는 너무 달라.

  Criminal defense is a far cry from criminal prosecution.
  범죄자를 변호하는 것은 기소하는 것과는 엄연히 다른 거야.

■ be a far cry from은 '…와 거리가 멀다,' '…와 전혀 다르다' 라는 표현이다.

I cried my eyes out last night.
어젯밤에 펑펑 울었어.

- I did not cry my eyes out! Come on! 난 펑펑 울지 않았어! 정말야!

  My first three days in Argentina I cried my eyes out.
  아르헨티나에 처음 도착한 3일 동안 난 그야말로 펑펑 울었지.

■ cry one's eyes out는 '펑펑 울다' 라는 뜻. 눈이 튀어나올 정도로 울었다는 말.

Honey, don't make me cry.
자기야, 날 울리지마.

- She made me cry using only her words. 걘 세치혀로 날 울렸어.

  That story doesn't make you cry? 그 이야기 듣고서 울지 않았어?

■ make sb cry는 '…을 울리다' 라는 의미.

MORE EXPRESSION

It's a crying shame. 끔찍한 상황이다.

crying need for 절박한 필요

» cuddle

We ended up cuddling. 결국 부둥켜안게 되었지.

We ended up cuddling.
결국 부둥켜안게 되었어.

- I'm looking for a soul-mate, someone who I can love and cuddle.
  난 사랑하고 애무할 수 있는 애인을 찾고 있어.

  They're outside cuddling on the balcony.
  걔네들은 발코니에서 애무하고 있어.

■ cuddle은 '애무하다' 라는 의미로 애인이나 부부사이가 서로 껴안고 애무하는 걸 의미한다.

They cuddle up to keep warm. They never untangle.
그래서 걔들은 온기를 유지하려고 껴안고 있어. 결코 떨어지지 않아.

- Don't you want to be at home on our couch, cuddling up under a warm blanket?
  우리 소파에서 따뜻한 담요를 덮고 웅크리고 자고 싶지 않니?

  It's nice to cuddle up when the weather gets cold.
  날씨가 추워질 땐 웅크리면 좋아.

■ cuddle up은 '껴안다' 혹은 '웅크리고 자다' 라는 의미. give sb a cuddle하면 '…를 껴안다, 포옹하다' 라는 의미이다.

Not my cup of tea. 내 스타일이 아냐.

That's not my cup of tea.
제 취향이 아니에요.

- I never really liked that show. Not my cup of tea.
  난 그 쇼를 정말로 싫어해. 내 스타일이 아니거든.

  The opera is not their cup of tea. 오페라는 걔네들 취향이 아냐.

■ be not one's cup of tea는 '…의 타입이 아니다' 라는 뜻의 표현이다.

Looks like he makes a killer cup of joe.
걔는 아주 끝내주는 커피를 만드는 것 같아.

- A: I don't drink coffee. B: I do. I love a cup of joe.
  A: 난 커피를 마시지 않아. B: 난 마셔. 난 커피 한잔을 좋아해.

  A cup of joe and a piece of pie, please. 커피한잔과 파이 한조각 주세요.

■ cup of joe는 '커피 한잔' 이라는 뜻이다.

Cut to the chase, what's your cup size?
단도직입적으로 말해서, 브라 사이즈가 어떻게 돼?

- Uh, cup size. I don't know, C? 사이즈 모르겠는데, C컵?

  He can pick anything from their hair color to their cup size.
  걘 머리색이나 가슴사이즈를 아무 여자나 고를 수 있어.

■ cup size는 여성들의 가슴 크기에 따라 입는 브라크기를 말한다.

Take your cut. 네 몫이야.

You are not cut out to be a physician.
자넨 의사로서 적합한 사람은 아니야.

- I'm not cut out for music. 난 음악하고 거리가 멀지.

  But Kelly wasn't cut out for this business.
  그러나 켈리는 이 사업하고는 맞지 않아.

■ be not cut out to[for]는 '…에 적합하지 않다,' '…에 맞지 않다' 라는 뜻이다. 특히 어떤 직업이나 일에 적합한지 여부를 말할 때 사용한다.

We have our work cut out for us!
우리가 일을 맡게 되었어!

- Excellent. Well, I've got my work cut out for me with you!
  아주 좋아. 내가 너랑 일을 함께 맡게 되었어!

  You still got your work cut out for you.
  넌 아직도 어렵고 힘든 일을 맡아 하고 있구나.

■ have[get] one's work cut out for sb하면 '…가 어렵고 힘든 일을 맡게 되다' 또는 '…에 알맞게 일하다' 라는 표현이 된다.

Hey, give her some slack. She's our friend too.
야 , 걔한테 좀 여유를 줘. 걔도 역시 우리 친구잖아.

- So why don't you ask Henry to cut us some slack?
  우리한테 좀 여유를 주라고 헨리에게 말 좀 해라.

  Just cut her some slack, okay? She just went through a breakup.
  걔한테 좀 여유를 줘라, 알겠니? 걘 방금 이별을 겪었잖아.

■ cut sb some slack은 '좀 봐줘요.' '여유를 좀 줘.' '너무 몰아세우지마' 라는 표현. cut 대신에 give를 써도 된다.

Cut it out!
닥쳐!

- Cut it out, now, both of you! 이제 너희 둘 다 그만 뒤!
  Jamie, cut that out! You got to help me here.
  제이미, 그만 해! 여기선 날 도와줘야 해.

■ Cut it[that] out!은 '그만 뒤,' '닥쳐' 라고 하며 상대방의 행동을 중단시키는 강한 표현.

That doesn't cut it.
그렇게는 안 되는 거야.

- That is so awesome. A high five doesn't even cut it. High six!
  정말 대단하네. 하이 파이브로는 안되겠어. 하이 식스!

  A: Did she give you a reason? B: Just that my work didn't cut it.
  A: 이유가 뭐라는데? B: 제 업무실력으로는 별로래요.

■ not cut it은 '…하기에 충분하지 않은' 이라는 뜻이다.

Cut the nonsense. Are you in or not?
헛소리 그만해. 합류할래 안할래?

- Cut the chatter! Exercise time. 수다 좀 그만 떨어. 운동시간이야.
  Cut the act, April! I'm sick of your crap.
  연기 좀 그만 해, 에이프릴! 네 헛소리에 질렸어.

■ Cut the~는 '…를 그만 뒤' 라는 뜻으로 통상 짜증이 나서 그만하라고 할 때 쓰는 명령형문장.

Cut him off (from you).
그 남자랑 헤어져.

- He cut me off from all our money. 걘 나를 우리 자금으로부터 차단시켰어.
  Try not to cut me off next time. 다음번에는 내 일에 끼어들지마.
  I tried to talk to him and he cut me off. 걔랑 얘기하려고 했는데 말을 잘랐어.

■ cut sb off는 '…와 헤어지다' 또는 '말을 끊고 끼어들다' 혹은 '말을 잘라버리다' 라는 뜻. 한편 cut sb off from하면 '…를 …로부터 차단하다' 라는 의미로도 쓰인다.

I'll cut and paste it to the final copy.
최종본에 그걸 잘라붙일거야.

- Someone Xeroxed DeVaal's signature and then cut and pasted it onto files. 누군가가 드발의 서명을 복사해서 다른 파일에 잘라붙였어.

■ cut and paste는 컴퓨터에서 문장을 '잘라내어 붙이다' 라는 의미.

You gotta cut your losses and get back in the game.
네 손실을 줄이고 다시 뛰어야지.

- You tell me to cut my losses. 내 손실을 줄이라고 네가 말했지.
  It's time to get out and cut your losses. 나가서 네 손실을 줄여야 할 때야.

■ cut one's losses는 '…의 손실을 줄이다' 라는 뜻이다.

C

Jack knew she was gonna cut and run.
잭은 걔가 줄행랑 칠 거로 알았어.

- Well, when you're not good at something, it's best to cut and run. 그래, 네가 뭔가에 자신이 없으면 튀는 게 최고지.

■ cut and run은 '줄행랑을 치다,' '황급히 달아나다,' '뺑소니치다' 라는 뜻이다.

I have cut out alcohol, caffeine and sugar.
난 알콜, 카페인 및 설탕을 줄였어.

- I want you to cut out everything that you can. 가능한 한 전부 줄여.
  I've already cut out a coupon. 난 이미 쿠폰을 오려냈어.

■ cut out은 '자리를 뜨다,' '배제하다,' '줄이다,' '오려내다' 등 여러 의미로 사용된다.

The body was cut in two.
그 시신은 반으로 갈라졌어.

- A wife's benefits are cut in half when the husband dies.
  남편이 죽으면 아내의 혜택이 반으로 줄어.
  Our income just got cut in half. 우리 소득이 그냥 반감되었어.

■ cut in half는 '반으로 가르다' 라는 뜻이다.

Take your cut.
네 몫이야.

- Don't worry. You'll still get your cut. 걱정마. 네 몫을 챙길 수 있을거야.
  We came by to give you your cut. 네 몫을 주려고 들렀어.

■ cut은 명사로 '몫' 이라는 뜻도 있다.

But most of them just have cuts and bruises.
그러나 걔들 대부분 상처 투성이었어.

- Look for signs of bloody clothes or even cuts and bruises.
  피 묻은 옷 또는 찰과상과 타박상의 징후를 찾아봐.

■ cuts and bruises는 '찰과상과 타박상' 이라는 뜻으로 비유적으로 '상처투성이' 라는 의미도 갖는다.

I'll try to make cuts, but no guarantees.
내가 삭감을 하려고 하는데 보증은 못하지.

- They're making cuts in all departments.
  모든 부서에서 삭감을 할거야.
  Tiger didn't even make the cut after the scandal.
  타이거 우즈는 스캔들 이후 본선에도 진출하지 못했어.

■ make cuts는 '삭감하다' 라는 뜻이다. 한편 make the cut은 조금 다른 뜻으로 '본선에 진출하다' 라는 의미.

MORE EXPRESSION

It cuts two ways. 두 가지 면이 있어.
Cut the comedy! 웃기지 매!
cut the cheese 방귀를 뀌다
Don't cut in. 말끊지마, 끼여들지마.
the cut and thrust 활발한 의견 교환
be a cut above~ …보다 한 수 위인
cut oneself 베다
to cut a long story short 간단히 줄여서 말하면

Don't get cute. 수작부리지마.

Nah, he was just so cute, I did it for free!
아니, 걔는 단지 섹시해. 내가 공짜로 섹스 해주었어.

- You know, she was a cute little hottie.
  알잖아, 걔는 귀엽고 섹시했다고.

  Jessica, you're so cute as a button. 제시카, 너 정말 귀여워.

■ cute은 '예쁜,' '섹시한' 이라는 뜻.

Don't get cute.
수작부리지마.

- Don't get cute, Anne. You're in my mind. 앤. 까불지 마. 내가 널 알지.

  Cops don't like you to get cute with them.
  경찰은 네가 수작부리는 걸 싫어해.

■ get cute는 '약삭빠르게 굴다' 라는 뜻으로 get cute with~ 하면 '…에게 까불다' 라는 의미가 된다.

C

놓치면 원통한 미드표현들

- **cordon off** 범죄현장 등에서 저지선을 설치하고 출입을 통제하다
  The drive way is cordoned off by crime scene tape. 차출입로는 범죄현장테이프로 통제됐어.

- **be too corny** …가 너무 진부하다
  That's too corny. 그건 너무 진부한 표현이야.

- **couch potato** 앉아서 TV만 보는 사람
  He is a couch potato. 걔는 죽어라 TV만 봐.

- **cough up** 내놓다, 토해내다, 자백하다

  Joe, just cough up the list.
  조, 명부를 그냥 털어놔.

- **cunt** 여성성기, 비열한 년
  I bet you have a beautiful cunt, dear.
  넌 확실히 예쁜 성기를 가졌어.

  Oh, I'm gonna miss you, you cunt.
  오, 내가 널 그리워할 거야, 비열한 년.

- **current address** 현재 주소
  You know, there's a current address here.
  여기 현재 주소가 있잖아.

D

» damage

What's the damage? 얼마예요?, 계산해주세요?

No damage.
손해 본 건 없어, 손해 볼 거 없잖아.

- There's no damage to the fuel line. 연료공급 라인에는 피해가 없어.
  No damage. This car was barely moving. 피해없어. 간신히 움직이던 차였는데.

■ no damage는 상대방이 피해를 줘 미안하다고 할 때 피해가 없거나 미미할 경우 말로 '손해 본 거 없다' 라는 의미이다. No harm done도 같은 맥락의 표현.

What's the damage?
얼마예요?, 계산해주세요?

- Good! What's the damage? 좋아! 피해규모가 어때?
  That was a good meal. What's the damage? 식사 맛있었어요. 얼마죠?

■ What's the damage?는 '손실이 얼마냐?' 라는 뜻. 하지만 재미나게도 식당에서 음식 등을 먹고 난 후 계산할 때 '가격이 얼마냐?' 라는 표현으로도 사용된다.

Do damage control.
수습관리를 해라.

- I knew I had to find you and do damage control. 널찾아 수습해야 할 걸 알았어.
  Well, I'm gonna go do some damage control just in case.
  글쎄, 난 만약에 대비해서 피해대책을 세울거야.

■ do damage control은 '피해대책을 세우다' 또는 '수습관리를 하다' 라는 의미이다.

Look at the bright side. The damage is done.
긍정적인 면을 봐라. 이미 손해를 봤잖아.

- You've done enough damage to this family. 넌 이 가정에 충분한 피해를 입혔어.

■ The damage is done은 '이미 피해[손해]를 보다' 라는 뜻. do damage to~는 '…에 피해[손해]를 입히다' 라는 의미.

He was collateral damaged.
개는 부수적으로 피해를 입었어.

- And you don't want to become collateral damage.
  넌 부수적 피해자가 되고 싶지 않지.

  I mean, I'm sure that there was some collateral damage.
  내 말은 약간의 부차적인 피해가 확실히 있었다는 거야.

■ collateral damage는 '부수적 피해'라는 뜻으로 예를 들어 군의 공격으로 뜻하지 않게 민간인이 피해를 보는 경우에 사용한다. 물론 비유적으로도 사용된다.

» damn

He's too damn old. 개는 더럽게 많이 늙었어.

Oh, damn! Damn! You see, this is what happens.
제기랄! 있잖아, 이 일이 생겼어.

- Damn it, I asked you to keep this between us. 젠장, 비밀로 하자고 했잖아.
  Damn it, I signed it. 염병할, 내가 거기에 서명을 했어.

■ Damn!은 '제기랄,' '빌어먹을!'이라는 뜻으로 주로 화났을 때나 사용되는 속어. Damn it! 또한 아주 화가났을 때 하는 '빌어먹을,' '제기랄'이란 뜻으로 조금 순화하려면 Darn it!이라고 하면 된다.

He's too damn old.
개는 더럽게 많이 늙었어.

- Nothing. I was too damn scared. 아무 것도 아냐. 난 정말 더럽게 무서웠어.
  Come on, give me the damn gun! 이봐, 그 빌어먹을 총을 나한테 줘봐!

■ damn이 '더럽게'라는 뜻으로 그냥 단순히 강조할 때나 혹은 왕짜증나서 쓸 때 각각 사용된다. 우리도 약속장소에 한시간 넘게 일찍 도착했을 때 짜증나지 않은 상태에서 참 우리 더럽게 일찍 왔네라고 말하는 것과 같다.

I'm not gonna tell you a damn thing.
너한테 하나도 말하지 않을거야.

- You're not going to do a damn thing to him. 넌 개한테 아무 짓도 못할거야.
  You can't prove a damn thing. 넌 쥐뿔도 증명할 수 없을 걸.

■ not a damn thing은 '하나도 없는,' '쥐뿔도 없는'이라는 강조 표현.

I'll be damned if I'll allow you to invade my privacy.
네가 내 프라이버시를 침해하게 절대 놔두지 않을 거야.

- I'll be damned if we let him get away with it. 절대로 개 못빠져나가게 할거야.
  I'll be damned. You found the guy? 이럴 수가. 그 놈을 찾았니?

■ (I'll be, I'm) damned if는 '…이면 내가 사람이 아니다'라는 뜻으로 '절대 …을 못하게 할것이다'라는 강한 부정의 표현. 한편 그냥 I'll be damned하면 '이럴 수가'라는 뜻으로 놀랐을 때 사용할 수 있는 표현이다.

I didn't give a damn.
대체 무슨 상관이야, 난 전혀 상관없었어.

- Frankly, I don't give a damn. 솔직히, 난 상관없어.
  I don't give a damn who lives where. 누가 어디에 살든 난 상관없어.

■ I don't give a damn은 '상관이 없다'라는 뜻으로 I don't give a shit, I don't give a fuck과 같은 표현이다.

The guys that fuck you aren't worth a damn.
너랑 섹스한 친구들은 쓰레기같은 놈들이야.

- Here's a secret. I couldn't see worth a damn, either, buddy.
  비밀이 하나 있는데, 쓸만한 놈 하나도 못 봤어.

  I can't trust you worth a damn. 난 널 조금도 신뢰할 수 없어.

■ be not worth a damn은 '한 푼의 가치도 없다'라는 의미.

MORE EXPRESSION

damn-fool 매우 멍청한
near as damn it 거의(almost)

You wouldn't dare! 감히 어떻게 그렇게!

I dare you to make out with that guy.

저 남자 한번 낚아봐.

- Look what I got. I dare you to call his girlfriend. Her name's Jill.
  너도 탐나지. 걔 여친에게 전화해봐. 이름은 질이야.

  Okay, Mitch, I dare you to kiss Donna. 좋아, 미치. 도나하고 한 번 키스해봐.

■ **I dare you to~**는 '상대방에게 좀 대범하거나 혹은 위험할 수도 있는 일을 해보라고 할 때 사용한다. '…해봐'라는 상대방에게 도전의식을 심어주는 표현.

Go ahead, eat it. I dare you.

어서 그거 먹어. 한 번 해봐.

- Ask him for a napkin, I dare you. 걔한테 냅킨 좀 달라고 해. 한 번 해봐.
  Ooh! Try this on. I dare you. 오! 이거 입어봐. 한 번 해봐.

■ **I dare you**는 앞의 표현에서 변형된 것으로 먼저 어떤 과감하고 용기있는 행동을 해보라고 한 다음에 문장 끝에 '한 번 해봐'라는 뜻으로 시도를 권유하며 쓰는 표현.

I dare say Nina would agree.

아마도 니나가 동의할거야.

- I dare say that some of these birds seem to be doing it on purpose. 아마도 이 새들은 고의적으로 그러는 것 같아.
  Dare I say you will arrive late? 네가 늦게 도착할거라고 내가 말했던가?

■ **I dare say**는 '아마도'라는 뜻을 갖는다.

Denise just landed, dare I say it, a big whale.

데니스는 방금 잡았어. 굳이 말하자면 큰 고래를.

- Maybe we live closer to each other. Perhaps, dare I say it, in the same zip code. 아마도 우린 가까운 곳에 살아. 아마 같은 지역번호에 살고 있지.

■ **dare I say (that~)**은 '굳이 말하자면,' 혹은 '…라고 해도 될까'라는 표현으로 뭔가 제안이나 말을 할 때 이게 좋거나 맞는 내용이라는 확신이 안설 때 사용하는 표현이다.

Don't blame me, don't you dare blame me!

날 비난하지마, 멋대로 비난하지 말란 말이야!

- But don't you dare interfere with my life like that. Okay?
  그런데 내 삶에 마음대로 끼어들지 마라. 알겠어?

  Don't you dare. We need to act like everything is normal.
  그러기만 해봐. 우린 모든 게 정상인 것처럼 행동해야만 해.

■ **don't you dare+V ~, don't you dare you~**는 '멋대로 …하지 마라'라는 뜻. 단독으로 Don't you dare!하면 '그러기만 해봐라'라는 뜻으로 상대방의 행동을 저지할 때 사용하는 표현.

You wouldn't dare harm me!

어떻게 감히 날 해쳐!

- You wouldn't dare talk to me like that if you didn't have that badge and gun.
  경찰 뱃지하고 권총을 가지고 있지 않으면서 나한테 그렇게 말할 수 없지.

■ **You wouldn't dare (do sth)!**는 단독으로 혹은 뒤에 동사를 이어붙여서 상대방이 감히 그렇게 못할 것이다라는 강한 불신을 품고 있는 표현. '그렇게 감히 못하지'라는 의미.

How dare you use my client as bait!

어떻게 내 고객을 미끼로 사용할 수 있어?

- How dare you interrogate my client without counsel present.
  변호인 없이 내 의뢰인을 어떻게 심문할 수 있니?

  Oh! How dare you! I'm a married woman! 네가 뭔데 그래! 난 유부녀야!

■ **How dare you+V?**는 '어떻게 감히 …할 수가 있냐?'라는 강한 분노의 표현이다. 단독으로 How dare you!는 '네가 뭔데,' '네가 감히!'라는 뜻.

MORE EXPRESSION

Do I dare ask? 물어봐도 되요?
on a dare 도전 삼아

» dash

I have to dash. 나 서둘러야 해.

She got her dreams dashed.
걔는 꿈이 박살나버렸어.

- I dashed his new drug discovery dreams? 걔의 신약개발꿈을 내가 박살냈어?
  My girlfriend dashed my hopes of marriage.
  여친이 내 결혼에 대한 희망을 박살냈어.

I have to dash. I love you.
난 서둘러야 되는데, 널 사랑해.

- I'll be there. We have to dash. Enjoy your meal, ladies.
  곧 갈게. 급하거든. 여성 여러분, 식사를 즐기세요.
  He cut a dash with his new car. 그 사람은 새 차로 뽐냈어.

You look dashing, Ducky.
덕키, 너 멋지다.

- Umm, well he's very dashing. 흠, 글쎄, 걔는 아주 근사해.
  Gale says you don't really like his hat, but I think it's kinda dashing. 게일이 네가 걔의 모자가 별로라고 말했다지만 나로서는 멋있게 보여.

Oh! Move over. My knees hit the dashboard.
야! 좀 비켜. 내 무릎이 계기판에 닿잖아.

- Like he was keeping a passenger from hitting the dashboard?
  마치 걔는 차에 탄 승객이 계기판에 부딪히는 것을 막으려고 하는 것 같았어?

■ dash one's hopes는 '…의 희망을 박살내다' 라는 뜻으로 destroy one's hope와 같은 의미이다.

■ I have to dash는 '서둘러야 해' 라는 뜻이고, cut a dash는 '남의 이목을 끌다' 라는 의미.

■ dashing은 '멋진,' '근사한' 이라는 뜻.

■ hit the dashboard는 '계기판에 부닥치다' 라는 의미이다. 공간이 좁거나 또는 충돌 시에 부닥치는 것을 말한다.

D

» date

Dan's got a date with Serena? 댄이 세레나하고 데이트가 있었니?

I take her out on a date.
그 여자와 데이트를 할거야.

- I don't think these two were out on a date. 이 둘이 데이트를 하는 것 같지 않았어.
  They're on a date. 걔들은 데이트 중이야.

I think I need a date.
난 데이트가 필요해.

- Every woman wants a date on Valentine's Day.
  발렌타인 데이에는 모든 여성이 데이트를 하고 싶어 해.
  The thing is, the date didn't go that well. 실은 그 데이트가 그리 잘 안됐어.

■ take sb out on a date, go out with sb (on a date)는 '…와 데이트를 하다' 라는 뜻이며 be (out) on a date하면 데이트를 하는 사이다. 그리고 ask sb out on a date하면 '…에게 데이트를 신청하다' 라는 의미이다.

■ want a date with는 '…와 데이트를 원하다' 라는 뜻이며 need a date면 '데이트가 필요하다' 라는 뜻.

I'm your blind date from the internet.
난 인터넷 소개팅에서 만난 사람이에요.

- OK, you're on a blind date, sitting across the table is that guy.
  좋아, 너 소개팅 하고 있잖아, 건너편에 앉아 있는 사람이 바로 상대야.

  You guys, have fun on your double date. 친구들, 더블 데이트를 즐기세요.

She must have the hottest date ever.
걘 가장 섹시한 데이트 상대와 데이트를 하고 있을거야.

- Ted's not my date. He's a friend. 테드는 내 데이트 상대가 아냐, 친구지.

  Yesterday my date was NATO. (NATO는 "No Action Talk Only의 축약어.)
  어제 데이트 상대는 손 한번 잡아 보지도 못하고 얘기만 하는 그런 쑥맥이었어.

Chris's got a date with Serena.
크리스는 세레나와 데이트가 있어.

- You just admitted to having a date with her. 걔랑 데이트했다고 인정했어.

  Come on. What, are you worried that he already has a date?
  왜 그래. 걔가 벌써 데이트 약속이 있는 게 걱정이 되니?

I dated a girl like Sally once.
난 한때 샐리 같은 여자애와 데이트를 했지.

- We used to date, but we're friends now. 데이트 했었는데 이젠 친구사이야.

  I like to date more than one person at once.
  난 한 번에 한명 이상과 데이트하는 걸 좋아해.

Pizza dates back to the 16th century.
피자는 16세기부터 시작됐어.

- Our table dates from the 1800s. 우리 테이블은 1800년대 만들어진거야.

- **blind date**는 '소개팅'을 뜻하며 **double date**는 '두 쌍의 남녀가 함께 하는 데이트'를 의미한다. 한편 **multi-dating**은 '여러 명을 만나서 잠깐 대화하는 데이트'를 뜻하며 **speed date**는 '즉석 만남'을 의미한다. **simulate date**는 줄여서 **simu-date**라고도 하는데 '연습 데이트'를 뜻한다.

- **one's date**는 '데이트 상대'라는 뜻으로 date는 데이트라는 추상명사 외에 데이트하는 사람이라는 구체명사로도 쓰인다.

- **have a date with**는 '…와 데이트를 하다'라는 뜻이다.

- **date sb**는 '…와 데이트하다'라는 뜻으로 date another girl on the side면 '양다리 걸치다'라는 의미가 된다.

- **date from**은 '…로부터 존재하다,' **date back to~**는 '…이래 있어왔다'라는 의미.

MORE EXPRESSION

to date 지금까지
date of birth[birth date] 생년월일
set[fix] a date 날짜를 잡다
up to date 최신의, 지금까지
out of date 구식의, 시대에 뒤진

- **song and dance about** …에 대해 판에 박은 설명[해명]을 하다
  Don't go into your song and dance.
  구구한 변명을 늘어놓지마라.

- **lap dancing** 랩 댄스. 여성 댄서가 손님의 무릎에서 추는 선정적인 춤
  I'll stay here and get a lap dance.
  난 여기 남아서 랩댄스 받을거야.

- **It dawned on me (that) S+V** …라는 생각이 떠오르다

It dawned on me that he didn't have my phone number.
걔가 내 전화번호를 가지고 있지 않다는 생각이 떠올랐어.

- **at dawn** 새벽녘에
  We'll meet on the field at dawn.
  우린 새벽녘에 운동장에서 만날거야.

- **the new dawn** 새로운 새벽
  Men have been using since the dawn of time to exploit women!
  남성들은 역사가 시작된 이래 여성들을 이용하고 있어.

Randy, you'll make a day of it! 랜디, 하루 종일 즐거울거야

I need to take a day off.
난 하루를 쉬어야겠어.

- You know this is my day off. 오늘은 내가 쉬는 날이잖아.
  This is my day off. 오늘은 쉬는 날이야.

■ take[have] a day off는 '하루를 쉬다' 라는 뜻으로 need a day off하면 '하루를 쉴 필요가 있다' 라는 의미이다. 즉, 몸이 아프거나 개인적 사정으로 하루 직장을 쉴 때 쓰는 표현

He's gone for the day.
그 분은 퇴근했어요.

- He's gone for the day. I'm his partner. Can I help you?
  그 분은 퇴근했어요. 제가 그분의 파트너인데 뭐 도울게 있나요?
  Where's Sam? Gone for the day? 샘 어디있어? 퇴근한거야?

■ be gone for the day는 '퇴근하다' 라는 뜻이다.

Those days are gone.
그런 시절은 지났어요.

- His clothes are gone, and only her stuff is in the bathroom.
  걔의 옷들이 없어졌고 단지 걔의 물건들만 화장실에 있어.
  Nayak's patient files are gone. 나야크의 환자 서류들이 사라졌어.

■ be gone은 '사라지다,' '없어지다' 라는 뜻이다.

He didn't make it. So, how was your day?
걔는 못 왔어. 그래 넌 오늘 어땠니?

- A: How was your day? B: Good. A: 오늘 어땠니? B: 좋았어.
  And how was your day, honey? 여보, 오늘 어땠어요?

■ How was your day?는 '오늘 어땠어?' 라는 뜻의 인사말.

I had a bad day.
진짜 재수 없는 날이야.

- I had a big day. 내겐 오늘 중요한 날이었어.
  Tomorrow is a big day. 내일은 아주 중요한 날이야.
  This is not my day. 정말 일진 안 좋네.

■ have a bad day는 '일진이 좋지 않다' 라는 뜻이며 have a big day는 '중요한 날이다' 라는 의미. Bad hair day면 '꼬인 날이다,' be not one's day도 역시 '일진이 좋지 않다' 라는 의미.

This is gonna be a long day.
오늘은 힘든 하루가 될거야.

- We have had a very long day. Please answer the question.
  우린 아주 힘들었어. 제발 질문에 답 좀 해라.
  We got a long day ahead of us. 앞으로 힘든 날이 닥칠거야.

■ have a long day는 '힘든 하루다' 라는 의미.

Rich girl by day, stripper by night.
낮에는 부잣집 여자, 밤에는 스트리퍼.

- By day these soccer moms bake cookies and carpool.
  이 축구 뒷바라지 엄마(사커 맘)들은 낮에는 과자를 굽고 카풀을 해.
  Was he Power Lad by day and a millionaire playboy by night?
  걔는 낮에는 권력 있는 청년이고 밤에는 백만장자 플레이보이였다고?

■ by day는 '낮에는' 이라는 뜻으로 during the day라는 의미. by day~ by night하면 '낮에는… 밤에는…' 라는 표현.

D

He never wanted you here from day one.
개는 처음부터 네가 여기에 오는 걸 원치 않았어.

- **From day one** she resented my relationship with him.
  그녀는 애초부터 내가 개와 관계하는 것에 분개했었어.

  They were already targeted, right **from day one**.
  개네들은 처음부터 이미 타겟으로 정해졌었어.

■■■ **from day one**은 '처음[애초, 당초]부터' 라는 뜻으로 from the beginning과 같은 의미이다.

My friends, I've been with many women in my day.
친구들, 내가 젊었을 때에는 많은 여성들과 놀았어.

- **Those were the days**, huh? 그 때가 좋았지, 그지?

  A: You guys were at that party B: **Those were the days**.
  A: 너희들이 그 파티에 있었지. B: 그때가 좋았어.

■■■ **in my day**는 '내가 젊었을 때' 또는 '내가 한창 때' 라는 뜻이며 Those were the days면 '그 때가 좋았지' 라는 의미로 지금보다 좋았던 시절을 회상하는 표현이다.

The things you just said really made my day!
네가 방금 말한 것은 정말로 날 기쁘게 해.

- You always **make my day** when you wave and smile hello.
  네가 손을 흔들고 웃으면서 안녕이라고하면 하루가 즐거워져.

■■■ **make one's day**는 '…를 즐겁게 하다' 라는 표현이다.

I can answer that. It's all in a day's work.
내가 답할게. 늘상 그래.

- On my last case, the victim is raped and murdered. **All in a day's work**, right?
  내가 맡은 마지막 사건인데 희생자가 강간당하고 살해되었어. 일상적인 일이지, 그지?

■■■ **be all in a day's work**는 '…는 아주 일상적인 일이다' 라는 표현으로 새로울 것이 없다라는 뉘앙스를 갖는다.

So, let's just take it one day at a time?
그래, 앞으로 어떻게 될지는 생각지 말자고?

- Don't get so worked up, Karen. Just **take it one day at a time**.
  카렌, 너무 흥분하지마. 앞으로 어떻게 될지는 생각하지마.

  I said **take it one day at a time**.
  너무 서두르지 말고 천천히 하자는 말야.

■■■ **take it one day at a time**은 미리 고민하지 않고 닥치면 그때그때 해결한다는 의미로 '앞으로 어떻게 될지 생각하지 않다' 라는 표현. take each day as it comes와 그리고 day at a time과 같은 표현. 너무 서두르지 말고 천천히 하자라는 의미.

I have a feeling it's gonna be one of those days.
예감이 안 좋은 날이거든.

- What can I say? **It was one of those days**.
  어쩌겠어. 별로 안 좋은 날이었어.

  Yeah. Just **one of those days**, I guess.
  그래, 안 좋은 날인 것같아.

■■■ **It's (just) one of those days**는 '좋지 않은 날이다,' '잘못 되어가는 것 같다' 라는 의미로 과거에 좋지 않았던 날 중의 하나인 것 같다라는 뉘앙스를 갖는다.

Randy, you'll make a day of it!
랜디, 하루 종일 즐거울거야.

- Karen'll pack a lunch, you'll bring the kids, we'll **make a day of it**.
  카렌이 점심을 싸고 넌 애들을 데려와. 우린 하루 종일 신나게 놀자.

  The family **made a day of it** at Disneyland.
  가족은 디즈니랜드에서 하루종일 즐거웠어.

■■■ **make a day of it**은 '뭔가 즐거운 일을 하면서 하루를 보내다' 라는 관용어적인 표현.

I haven't got all day.

이럴 시간 없어.

- We ain't got all day to get this done. Keep it moving.
  우린 마냥 이 일만 할 수가 없어. 빨리 움직여.

  Come on ladies, we don't have all day. 자, 여성분들, 이럴 시간이 없어요.

It's not every day we get someone famous in here.

여기에 유명인사를 모시는 것은 매일 있는 일이 아니지.

- It's not every day that one of my associates gets a big promotion.
  내 동료 중 한명이 크게 승진한 것은 항상 있는 일이 아냐.

  It's not every day I'll be getting an invitation like this.
  이런 초청을 받는 것은 아주 드문 일이야.

I was kind of hoping you'd save the day.

네가 실패를 면하기를 원했어.

- She seems to think that the FBI is here to save the day.
  걔는 FBI가 어려운 상황을 해결하기 위해 왔다고 생각한 것 같아.

  And that's when uncle Teddy shows up to save the day.
  바로 테디 아저씨가 나타나서 어려운 상황을 해결해줬어.

That will be the day.

그런 일은 절대로 없을거야.

- That'll be the day. 설마 그럴 리가 있나.

  I don't think so, bro. That'll be the day. 안 그래, 친구. 그럴 리가 없어.

■ not have all day, haven't got all day는 '그럴 시간이 없다' 라는 뜻으로 급하기 때문에 마냥 시간을 끌 수 없다면서 상대방을 재촉할 때 사용할 수 있는 표현이다.

■ It's not every day (that)~는 '매일 …하는 게 아니다' 라는 표현으로 날이면 날마다 그러는 것이 아니라는 뉘앙스. 따라서 '아주 드문 일이다' 라는 뜻.

■ save the day는 '…을 면하다,' '궁지를 벗어나다' 라는 뜻으로 실패나 곤경에 빠지지 않았다라는 뉘앙스를 갖는다.

■ That will be the day는 '설마 그럴 리가' 라는 의미의 표현. That will be the day when +불가능한 일)의 단축형이다.

D

MORE EXPRESSION

back in the day 예전에
the day of reckoning 심판의 날
숫자+if he's a day (나이) 적어도
to this day 지금까지(= up to the present day, until the present day)

» die

I guess old habits die hard. 오랜 습관은 쉽게 없어지지 않는 것 같아.

This strawberry rhubarb jam is to die for.

이 딸기 대황잼 정말 환상이에요.

- I want my Debutante Ball to be something to die for.
  내 데뷔 사교무도회가 정말로 멋있었으면 좋겠어.

  You're not the first to die for that mistake.
  그 실수를 하고 싶어 안달하는 사람이 네가 처음이 아냐.

Never die on the job.

절대로 순직하지마.

- She died on you before you could vent your anger.
  네가 화를 터트리기 전에 걔가 네 앞에서 죽었어.

  Oh, no. Don't die on me now! 아냐. 지금 내 앞에서 죽지마!

■ to die for는 '정말 갖고 싶은' 이라는 뜻으로 '환상적인,' '극히 멋있는' 이라는 의미. 또는 '정말로 …하고 싶은,' '…하고 싶어 안달하는' 이라는 의미로도 쓰인다.

■ die on sb는 '…앞에서 죽다' 라는 뜻이며 die on the job, die in the line of duty면 '순직하다' 라는 의미가 된다.

I am dying for a cappuccino. You want one?

난 카푸치노를 무지 마시고 싶어. 너도 원하니?

- Oh Eric's just dying to see that movie.
  오, 에릭은 그 영화를 보고 싶어 죽겠대.

  I'm seeing someone who's dying of lung cancer.
  난 폐암으로 죽어가는 누군가를 보고 있어.

You nearly died when you were a boy.

네가 소년시절 거의 죽을 뻔했어.

- We could have died because of it. 우린 그것 때문에 죽을 수도 있었어.

  She could have died in that accident. 걔는 그 사고로 죽을 수도 있었어.

I guess old habits die hard.

오랜 습관은 쉽게 없어지지 않는 것 같아.

- Principles die harder than people. 원칙들은 사람들보다 더 오래 가지.

  Oh, sorry, love. Old habits die hard. 오, 미안해, 자기야. 오래된 습관은 끈질겨.

Who died and made you king[Pope/God]?

누가 너더러 이런 일을 맡으라고 했어?

- Well, look who died and made you Hayley Mills?
  그래, 저기 네가 무슨 여배우 헤일리 밀즈라도 되는 것처럼 행동하는거야?

  I mean, who died and made him the Sultan of Brunei?
  내 말은 말야, 걔가 왜 그렇게 대단한 사람인 것처럼 행동하냐고?

■ **be dying for sth[to do]**는 '…를 무지 하고 싶다' 라는 뜻으로 be dying of hunger, thirst, boredom은 '배고파(목말라, 지루해) 죽을 지경이다' 라는 의미가 된다. 물론 be dying of~ 하면 '…으로 죽다' 라는 원래의 의미.

■ **nearly died**는 '죽을 뻔하다' 라는 뜻이고, I could have died면 '죽을 수도 있었다' 라는 의미.

■ **die hard**는 '쉽게 없어지지 않는다,' '끈질기다' 라는 뜻으로 앞에 old habit, traditions, customs 등의 단어가 오게 된다.

■ **Who died and made you king?**은 왜 네가 그렇게 중요한 사람인 것처럼 행동하냐고 묻는 질책성 표현.

MORE EXPRESSION

Never say die. 기운내, 약한 소리마.
to one's dying day 살아있는 한
The die is cast. 주사위는 던져졌다.
die laughing 죽도록 웃다

» dead/ death

I wouldn't be caught dead at that show. 난 그 쇼에 절대 나가지 않을거야.

You're dead.

넌 죽었어.

- He's a dead man. 걘 이제 죽었어.

  Pardon the expression! But, I'm dead meat.
  말 함부로 해서 미안해 ! 그래도 난 죽은 목숨이야.

When we get that answer, Bob'll be dead and buried.

우리가 답을 얻을 때 쯤이면 밥은 완전히 끝장나 있을거야.

- Unfortunately, sir, we're dead in the water. 유감스럽게도 우린 가망 없어요.

  If we don't get Radford to talk, we're dead in the water.
  만약 우리가 래드포드의 말문을 못 열면 우린 실패할거야.

■ **be dead**는 '죽다' be a dead man이면 '죽은 사람이다' 라는 뜻이다. 또한 dead meat은 비유적으로 '죽은 목숨' 이라는 의미.

■ **be dead and buried**는 '재고할 가치가 없다,' '완전히 끝장나다' 라는 뜻으로 논쟁, 문제 또는 계획 등이 주어로 나온다. 한편 be dead in the water하면 '성공할 것 같지 않다,' '가망이 없다' 라는 표현이 된다.

I wouldn't have been caught dead at a prom.
졸업반 프롬파티에 가는 일은 절대 없을거야.

- What respectable New York woman would be caught dead wearing this? 어느 존경할만한 뉴욕 여성이 이런 걸 입는 일이 있겠어?
  I wouldn't be caught dead at that show. 난 그 쇼에 절대 나가지 않을거야.

■ wouldn't be caught dead~는 …한 상태로 죽어있는 모습을 절대 보이지 않을 것이라는 말로 주어가 '절대 …하지 않겠다'는 아주 강한 의지의 표현.

She dropped dead.
걘 갑자기 죽었어.

- I told her to do the world a favor and drop dead.
  난 그녀한테 급사해서 세상에 좋은 일 한번 하라고 말했어.
  Why would you tell her to drop dead? 왜 걔한테 급사하라고 말했니?

■ drop dead는 '갑자기 죽다,' '급사하다'라는 뜻.

I'm afraid you're gonna miss that deadline.
네가 그 마감시한을 놓칠까봐 걱정스러워.

- I am so behind on my deadline. 난 마감시한에 너무 뒤처졌어.
  It's up against a deadline. 마감에 쫓기고 있어.

■ meet[miss] a deadline은 '마감시한을 맞추다[놓치다]'라는 뜻.

What was the cause of death?
사인이 뭐였어?

- Cause of death is multiple gunshot wounds. 사인은 여러발의 총탄 부상이야.
  I guess I don't have to ask about cause of death.
  사인에 대해 물어볼 필요가 없다고 생각돼.

■ cause of death(COD)는 '사인'이라는 뜻으로 범죄미드에 단골로 나오는 표현.

She was scared to death.
걔는 무서워서 죽을 것 같았어.

- She slowly bled to death. 걔는 천천히 피를 흘리면서 죽었어.
  And the man who beat him to death, is he in this courtroom?
  걔를 때려서 죽인 범인이 이 법정 안에 있나요?

■ ~to death는 강조표현으로 '…해서 죽다'라는 뜻이다. to the death는 '죽을 때까지'라는 의미.

Sick people shouldn't be put to death.
병든 사람은 처형되어서는 안돼.

- If I'm gonna be put to death, I might as well die right here.
  만약 내가 처형될 것이라면 난 지금 여기서 죽는 편이 나아.
  Jack said he thought Tina should be put to death.
  잭은 티나가 처형당해야 한다고 생각한다고 말했어.

■ put (sb) to death는 '(…을) 죽이다,' '처형하다'라는 뜻.

Your client's headed for death row.
네 의뢰인이 사형수 감방으로 향하고 있어.

- People on death row get a last meal. 사형수들은 최후의 음식을 먹게 돼.
  I'm against the death penalty in principle. 난 원칙적으로 사형에 대해 반대야.

■ (on, off) death row는 '사형수 감방에 있다(없다)'라는 뜻. death penalty하면 '사형'을 의미한다.

You'll be the death of me (yet).
너 때문에 내 명에 못 죽을거야.

- These things will be the death of me. 이것 때문에 내 명에 못 죽을거야.
  Good God, this party is gonna be the death of me.
  야단났어, 이 파티가 날 잡아먹겠어.

■ sb will be the death of me는 '…때문에 내 명에 못 죽을 거야' 또는 '…가 날 잡아먹겠어'라는 강조 표현이다.

MORE EXPRESSION

go dead 죽다, 수명을 다하다
at death's door 죽음의 문턱에서
kiss of death 파멸을 부르는 키스

Don't make a big deal out of it. 과장하지마.

Condom? What's the big deal? Let's risk it.

콘돔? 무슨 상관이야? 그냥 하자.

- Oh, what's the big deal, Karl. Your marriage is history anyway. 오, 그게 어때서, 칼. 네 결혼은 어쨌든 지나간 일이야.

  What's the big deal? It's just sex. 뭐가 문제야? 그냥 섹스일 뿐인데.

■ What's the big deal?은 '별거 아니네?,' '무슨 큰일이라도 있는 거야?,' '그게 어때서?,' '그게 무슨 상관이야?' 라는 뜻이다. 한편 What's the deal?하면 현재 무슨 일이 벌어지는지 그 이유를 물어보는 단순 표현이 된다.

Okay, I don't get what the big deal is.

오케이, 난 뭐가 큰일인지 모르겠어.

- I don't know what the big deal is. 뭐가 큰 일인지 모르겠네.

  I really don't see what the big deal is. 뭐가 큰 일인지 정말 모르겠어.

■ not see[get, know] what the big deal is는 '뭐가 큰일인지 모르겠다' 라는 뜻으로 역시 별일 아니다라는 것을 강조하는 표현.

Seriously, it's not a big deal. I will take care of it.

정말로 이건 별거 아냐. 내가 처리할게.

- It's no big deal, really. Don't worry about it. 진짜 별거 아냐. 걱정마.

  Just hanging with her, no biggie. 그냥 그녀하고 얼쩡거리는거야, 별거 아냐.

■ (That's, It's) No big deal은 '별거 아니다,' '대수롭지 않다' 라는 뜻으로 구어체로 No biggie라고 쓰기도 한다. 또한 B.F.D.[Big Fucking Deal]은 '거 참 대단하군!' 이라는 의미.

It'll be a very big deal to me. Please. Stay.

이건 나한테 아주 중요한 일이야. 제발 남아줘.

- Sex is actually kind of a big deal to some of us.
  섹스는 일부 사람들에게는 실제로 무지 중요한거야.

  Going to a hotel with a man is a big deal to me.
  남성과 호텔에 들어가는 것은 나한테는 무지 중요한 일이지.

■ the big deal (to~)은 '(…에게) 중요한 일' 이라는 뜻이다.

The big deal is that you lied to me.

대단한 건 네가 나한테 거짓말을 했다는거야.

- I guess I just wanted to see what the big deal is.
  뭐가 그리 대단한 일인지 단지 알고 싶었던 것 같아.

  The big deal is that nobody touches food on my plate.
  대단한 건 아무도 내 음식에 손을 대지 않았다는 거야.

■ The big deal is~는 '대단한 점은 …이다' 라는 뜻이고, I just want to know what the big deal is하면 '뭐가 대단한 일인지 알고 싶다' 라는 표현이 된다.

A deal's a deal.

약속한거야.

- Oh, a deal's a deal. It's all yours. 오, 약속은 약속이지. 전부 네거야.

  Yeah, maybe so, but a deal's a deal. I'm sorry.
  그래, 아마도 그렇지. 다만 약속은 약속이잖아, 미안해.

■ a deal's a deal은 '약속은 약속이야' 라는 표현이다.

(It's a) Done deal.

그러기로 한거야.

- I'm afraid it's a done deal. 이미 결정이 난거잖아.

  Now that I know that you want me and love me again, it's a done deal. 네가 다시 날 원하고 사랑한다는 걸 알게 되었으니까 다 된 거야.

■ (it's a) Done deal은 '결정이 난거야,' '그러기로 한거야' 라는 표현으로 final decision이나 agreement를 의미한다.

Deal. You're the best.
좋아. 네가 최고야.

- A: Right, so let's all just not talk. B: Okay. Deal.
  A: 좋아, 전부 말을 하지 말자. B: 오케이. 그렇게 하자.

  A: Do you want to work together or not? B: Deal.
  A: 같이 할거야, 말거야? B: 같이 하자

■ Deal!은 '알았어,' '그렇게 하자,' '약속한 거야' 라는 아주 간단한 표현.

It's a deal?
그럴래?

- A: All right, it's a deal. B: Yeah. A: 좋아, 내 약속하지. B: 그래.
  Alright you give me $30, and it's a deal. 좋아, 30달러 주면 된거야.
  That was not the deal. 그건 얘기가 다르잖아.

■ It's [That's] a deal은 '그러기로 한거야,' '내 약속하지' 라는 표현이다.

Let's make a deal.
이렇게 하자.

- How about we make a deal? Give me one more day.
  타협하면 어때? 하루만 더 줘.

  So what? You go behind my back and make a deal with my mom? 그래서? 나 몰래 내 엄마하고 거래를 해?

■ make a deal은 기본적으로 '거래를 하다' 라는 뜻으로 '타협하다,' '협상하다' 라는 의미도 있다.

D

Don't make a big deal out of it.
과장하지마.

- Come on, are you going to make a big deal about this?
  왜 그래, 이걸로 난리칠려고?

  It was a harmless little kiss! Why is everybody making a big deal about this? 이건 아무런 해가 되지 않는 작은 키스였어! 왜 모두가 난리야?

■ make a big deal out of 는 '…을 과장하여 생각하다,' '…으로 큰 소동을 부리다' 라는 의미이다. out of 대신에 about를 써도 된다.

I got a raw deal.
속았어, 불공평한 처우를 받았어.

- We got a good deal. 우린 한 건 했어.
  Good deal! 잘했어!

■ get a raw deal은 '부당한 대우를 받다' 라는 뜻으로 raw deal은 '부당한 처사' 라는 의미로 good deal, great deal의 반대 의미. 한편 Good deal은 감탄사로 쓰이는데 '잘했다' 라는 의미.

We figure out a strategy to deal with this.
이걸 다룰 전략을 찾아낼거야.

- I can deal with it. 가능해.
  I can't deal with the raw stuff. 날 음식은 못 먹어.

■ deal with는 '…를 다루다,' '처리하다' 라는 뜻이다. 한편 deal with it하면 '정신 차려' 라는 표현.

We have a deal?
동의하니?

- I thought we had a deal. 얘기가 다 됐다고 생각했는데.
  I have a deal to propose. 제안할 내용이 있는데.

■ have a deal은 '동의하다,' '얘기가 되어있다' 라는 뜻이다.

What's the deal?
도대체 어떻게 된 거야?

- **What's your deal, anyways?** 넌 어떻게 하자는 건데?

  So, **what's the deal** here? Am I getting lucky tonight?
  그래, 도대체 뭐야? 내가 오늘밤 운이 좋다는 거야?

  What's your deal? 무슨 속셈이야? 너 왜그래?

Here's the deal.
이렇게 하자.

- Okay, **here's the deal**. I need information. 좋아, 거래하자. 난 정보가 필요해.

  Okay, **here's the deal**. We're sort of broke. 좋아, 거래하지, 우린 빈털터리야.

No deal.
그렇게는 안 되겠는데요.

- If the number's no good, **there's no deal**. 숫자 안맞으면 합의할 수 없지.

  But you're bringing me breakfast in bed or **no deal**.
  그러나 내 침대로 아침식사를 가져오지 않으면 타협은 없어.

■■■ **What's the deal, what is one's deal?**은 '…의 문제가 뭐야?', '무슨 일이야?', '왜그래?'라는 의미.

■■■ **Here's the deal**은 '좋은 생각이 있어,' '거래를 하자'라는 표현이다.

■■■ **(There is) No deal**은 '합의할 수 없다'라는 뜻으로 거래를 성사시키지 못했다는 뉘앙스를 갖는다.

MORE EXPRESSION

The deal went sour. 그 거래는 잘 안됐어.

deal a blow to~ 피해를 끼치다

deal breaker 관계[거래]를 깨트리는 것

» decent

It's me. Are you decent? 난데. 들어가도 되겠니?

Are you decent?
들어가도 돼?

- A: Everybody **decent**? B: Yeah, come in. A: 들어가도 돼? B: 그래, 들어와.

  Mike? It's me. **Are you decent?** 마이크? 난데. 들어가도 되겠니?

He was charged with indecent exposure.
걔는 외설적인 노출죄로 기소되었어.

- Five counts of attempted murder, one count of **indecent exposure**. 5차례의 살인미수, 한번의 외설적 노출죄 항목.

  Heard you just copped a plea for **indecent exposure**.
  외설적 노출로 형량을 낮추기로 했다며.

■■■ **be decent**는 '점잖다,' '품위가 유지 된다'라는 뜻. 예를 들면 옷을 제대로 입고 있어서 기본적인 품위가 지켜진 상태를 의미한다. 한편 **do the decent thing**이면 '예의를 지키다'라는 의미.

■■■ **indecent exposure**는 '외설적인 노출'이라는 의미로 옷을 지나치게 벗고 있는 것을 의미한다.

놓치면 원통한 미드표현들

- **have an easy delivery** 순산하다
  She had an easy delivery. 걔, 순산했어.

- **on delivery** 배달과 동시에 **make a delivery** 배달하다
  I'm just making my regular delivery.
  난 그저 통상적으로 배달하고 있는거야.

- **don't be dense** 어리석게 굴지마
  I guess I'm a little dense. 내가 좀 멍청해 졌나봐.

- **be one's department** …의 일이다, …의 분야이다
  And accounting is not my department.
  회계는 내 분야가 아냐.

You've gone off the deep end. 넌 불같이 화를 냈어.

Deep down I knew better.

난 사실은 그게 아니라는 것을 알고 있었어.

- Because deep down, you didn't want to show up at the party.
  왜냐면 사실은 네가 파티에 오고 싶지 않았기 때문이야.

  They called her a bitch, but deep down, they know she's right.
  걔들은 그녀를 미친년이라고 불렀지만 사실은 걔가 맞다는 걸 알아.

■ deep down은 '사실은 말이야' 라는 표현. 알면서도 인정하기 싫어하거나 혹은 모르고 있었지만 선뜻 말하기 힘든 말을 꺼낼 때 시작하는 표현.

You've gone off the deep end.

넌 불같이 화를 냈어.

- The last time she went off the deep end, she got really messed up. 지난번 걔가 매우 화를 냈을 때 완전히 망가졌어.

  Ray is in the hospital after going off the deep end.
  레이는 화를 벌컥내고는 병원에 있다.

■ go off (at) the deep end는 '매우 화내다' 라는 뜻으로 별 근거 없이 화를 버럭 낸다는 뉘앙스를 갖는다.

Most wounds run deeper than imagined.

대부분의 상처는 생각보다 더 깊어.

- Your father died. Your issues run deeper than Vicodin.
  네 아버지가 돌아가셨지. 네 문제들은 바이코딘보다 훨씬 문제가 심각해.

  Let's just say, I'm not afraid to go deep to find out who someone really is. 진짜 누구인지 알아보려고 깊게 들어가도 난 두렵지 않다고 치자.

■ run[go] deep은 '…가 깊다' 라는 뜻으로 어떤 상황이나 문제 등이 심각하다는 비유적 의미로 쓰이기도 한다.

Still waters run deep.

깊은 물은 고요히 흘러.

- Y'know they say that still waters run deep and I wanna swim in yours. 고요한 물은 깊다라는 말이 있잖아, 난 너의 깊은 물에서 수영하고 싶어.

  It's hard to say because still waters run deep.
  벼는 익을수록 고개를 숙이기 때문에 말하기 어렵네.

■ still waters run deep은 '고요한 물은 깊게 흐른다' 라는 표현이다. 덕망이 높고 생각이 깊은 사람은 잘난체 하거나 떠벌리지 않는다는 격언.

His background is in deep bio-technology.

걔의 학문적 배경은 심도 있는 생명공학이야.

- He was in deep with a bookie. 걔는 마권업자와 깊이 개입되어 있었어.

  House is still deep in thought. 하우스는 아직도 깊은 사색에 빠져 있어.

■ be in (too) deep은 '깊이 개입되다,' '관련이 되어 있다' 라는 표현. 또한 deep in thought ~는 '깊은 사색에 빠져' 라는 의미가 된다.

I've searched the depths of my soul.

난 깊은 자기반성을 했어.

- We hunt the worst of humanity we see the depths of depravity. 우리는 타락의 심각성을 볼 수 있는 최악의 인간들(극악범죄자)을 쫓고 있어.

  I've overestimated the depths of our friendship.
  난 우리 우정의 깊이를 너무 높게 평가했어.

■ (see~) the depths of sth은 '…의 심각성을 파악하다' 라는 의미가 된다.

MORE EXPRESSION

be in deep shit 곤경에 처하다
be out of your depth 이해못하다, 능력밖이다
deep-six 포기하다, 폐기하다
in-depth 심도 있는, 깊이 있는

D

227

I need to stay undefeated. 난 불패로 남아 있어야 해.

But that would defeat the purpose.
그러나 그건 목적에 어긋날거야.

- Your honor, this defeats the purpose of the use of DNA test.
  판사님, 이건 DNA 실험의 목적에 위배되는 겁니다.

  I could, but that would defeat the purpose of doing it here.
  가능하지만 여기서 직접 한다는 목적에 어긋나지.

■ defeat the purpose는 '목적에 어긋나다' 라는 뜻이다.

Alan, I need to stay undefeated.
알랜, 난 불패로 남아 있어야 해.

- Still undefeated. I think my closing made all the difference.
  아직도 불패야. 내 마지막 변론이 먹혀들어갔다고 생각돼.

  The basketball team hopes to stay undefeated. 농구팀은 지지않기를 바래.

■ still[stay] undefeated는 '패할 줄 모르다' 라는 뜻이다. 변호사가 계속 승소할 경우에도 사용할 수 있는 표현.

Are you really admitting defeat?
너 진짜 패배를 인정하니?

- You just admitted defeat. 넌 방금 패배를 인정했어.

  We knew you'd accept defeat gracefully. 패배를 품위있게 인정하리라 알고있었어.

■ admit defeat는 '패배를 인정하다' 라는 뜻이다.

The defense rests. 변론을 마칩니다.

The defense rests.
변론을 마칩니다.

- Your Honor, the defense rests. 재판장님, 변론을 마칩니다.

  Your Honor, the defense rests and moves for dismissal.
  재판장님, 변호를 마치면서 휴회를 제청합니다.

  This is a deceptive attempt by the defense. 이건 변호인단의 속임수야.

■ The defense rests는 법정용어로 '변론을 마치다' 라는 표현. the defense는 집단적으로 '변호인(단)' 을 의미한다.

In my defense, the cleaning lady came on to me!
내 변명을 하자면 여자 청소부가 나를 유혹했어!

- Well, y'know in my defense I was a lousy father.
  글쎄, 날 변명하자면 난 한심한 아버지였어.

  I just wanna say one little thing in my defense.
  내 입장에서는 잠깐 한가지 이야기만 말하고 싶어.

■ in sb's defense하면 '…의 변명을 하자면,' '…를 옹호하자면,' '내입장에서는' 이라는 뜻.

That (all) depends.
상황에 따라 다르지.

- A: Is that a crime? B: It depends.
  A: 이건 범죄니? B: 글쎄, 상황에 따라 다르지.

  A: Are you arresting me, or are you buying me a drink? B: Ah, it depends. A: 날 체포할거니 아니면 한 잔 살거니? B: 아, 상황에 달려있지.

■■ it depends는 '상황에 따라 다르다' 라는 의미이다. 상황이나 사정에 따라 다르다는 뉘앙스.

I'm depending on you.
널 믿고 있어.

- Well, it depends on how many mothers are on the jury.
  글쎄, 배심원단에 엄마가 몇 명이나 있는지에 달려있어.

  I think that our lives may depend on it.
  우리 삶이 이것에 달려 있을 수도 있어.

■■ depend on은 '…에 의지하다,' '…에 달려있다' 라는 의미로 앞서 나온 rely on, rest on, count on과 같은 표현.

She's completely dependent on Adam.
걔는 완전히 아담한테 의존해 있어.

- Why do you need Katie to be so dependent?
  케이티가 왜 그렇게 너한테 의존적이길 바라는거야?

  My happiness is not dependent on my best friend being miserable and alone. 내 절친이 비참하고 외롭다고 해서 내가 행복한 것은 아니지.

■■ be dependent on은 '…에 의존[의지]하다' 라는 뜻이다. independent는 반대로 '독립되어 있는,' '독자적인' 이라는 의미.

D

» depress

Mark suffered from depression. 마크가 우울증으로 고생했어.

She's really depressed.
걘 정말 우울해.

- Ever since, Janey's been depressed and agitated.
  그때 이후로 제니는 울적하고 동요하고 있어.

  She's depressed because she's pathetic and she can't get boys.
  걘 자신이 한심하고 남자들을 사귀지 못해 울적해해.

■■ be[feel, get] depressed는 '우울증에 걸리다, 빠지다' 라는 뜻으로 '기분이 가라앉아 있다' 라는 의미.

She said Mark suffered from depression.
마크가 우울증에 걸렸다고 걔가 말했어.

- You'd fall into a deep depression and eventually you would die.
  넌 심한 우울증에 걸려서 결국 죽고 말거야.

  It sounds like your wife's going through postpartum depression.
  네 아내가 산후 우울증을 겪고 있는 것 같구나.

■■ depression은 '우울증' 을 뜻한다. 따라서 postpartum depression은 '산후 우울증'을 treat depression하면 '우울증을 치료하다' 라는 표현.

She deserved what she got. 걔는 마땅히 가진 걸 누릴 만해.

He deserves to go to jail.
걔는 감옥에 갈만 해.

- And that means she deserved to die? 그렇다면 걔는 죽어도 된다는거야?
  You did all that stuff. You deserve to go. 그거 다했으면 넌 가도 돼.

> ■ deserve to~는 '···할 만
> 하다' 라는 뜻으로 You deserve
> to+V하면 '넌 ···할 만해,' 너는
> '···할 자격이 있다' 라는 의미가
> 된다.

You deserve a wonderful life together.
너희들은 함께 멋있는 생활을 누릴 자격이 있어.

- You deserve this opportunity. 넌 이 기회를 받을 자격이 있어.
  You are still a member of this team, and they deserve your support. 넌 여전히 이 팀 멤버이고 걔네들은 너의 도움을 받을 자격이 있어.

> ■ deserve sth은 '···를 누릴
> 만하다,' '···를 가질 자격이 된
> 다' 라는 의미이다. deserve a rest
> [a medal, consideration,
> attention] 등의 표현으로 쓰인다.

You deserve it.
넌 그럴 자격이 돼.

- I hope you have a good trip, too. You deserve it. 여행 잘해. 넌 즐겨야지.
  Go bother her parents. They deserve it. 가서 걔 부모들을 좀 괴롭혀. 그래도 싸.

> ■ You deserve it은 '넌 그
> 래도 돼,' '넌 그럴 자격이 있어'
> 라는 의미. deserve it은 이처럼
> 뭔가 자격이 있음을 혹은 부정적
> 인 문맥에서는 '···해도 싸다,' '잘
> 당했다' 라는 의미로도 쓰인다.

So now she deserved what she got.
그래 이제 걔는 마땅히 가진 걸 누릴 만해.

- I'm gonna tell you why I deserve everything I get.
  내가 왜 마땅히 모든 걸 누려도 되는지 너한테 말해줄게.
  Look, you deserve what you get. 이봐, 넌 마땅히 네 것을 누릴만해.

> ■ deserve all[everything]
> you get는 '네가 마땅히 모든 걸
> 누릴 자격이 있다' 라는 뜻으로
> deserve what sb get도 '···가
> 마땅히 가질만하다' 라는 의미.

Orson, this child deserves better.
올슨, 이 애는 보다 나은 대접을 받아야해.

- No. It's just you deserve better. 아냐. 단지 네가 좀 더 나은 대우를 받아야해.
  I'm not proud of what I did. You deserve better.
  난 내가 한 일에 대해 자랑스럽지 않아. 네가 더 대접을 받아야해.

> ■ deserve better는 '보다
> 나은 대접을 받아야 한다' 라는 의
> 미.

You know, you two deserve each other.
알잖아, 너희들 서로 잘 만났어.

- You two deserve each other. If you wanna go, just go.
  너희 둘은 잘 만났어. 가고 싶으면 그냥 가버려.

> ■ deserve each other는
> '둘이 잘 만났다,' '서로 잘 어울
> 리다' 라는 표현이다.

> **MORE EXPRESSION**
>
> well-deserved 충분한 자격이 있는

놓치면 원통한 미드표현들

- **designated driver** 지명운전자
  I'm the designated driver. 난 지명 운전자야.

- **destroy sb[sth]** ···를 부수다, 파괴하다
  Life is too precious. Do not destroy it.
  인생은 너무도 소중해. 파괴하지마.

- **treat sb like dirt** ···를 인간취급 안하다
  He's a punk. He treated women like dirt.
  걔는 날라리야. 여성을 인간취급하지 않아.

- **hit pay dirt** 노다지를 캐다
  We might hit pay dirt. 의외로 건수를 올릴 수도 있어.

I'd like to know the details. 난 세부내용을 알고 싶어.

I didn't want to get into details in front of Blair.

블레어 앞에서 구체적인 것들을 거론하고 싶지 않았어.

- As a gentleman, I would prefer not going into details.
  신사로서 난 세부적으로는 들어가지 않을게.

■ be into details는 '상세한 내용에 관심이 있다' 라는 뜻으로 go[get] into detail하면 '구체사항을 거론하다' 라는 의미가 된다.

Still, I'd like to know the details.

아직도, 난 세부내용을 알고 싶어.

- I need to know the details of your sex life. 너 성생활의 구체적 내용을 알아야 해.
  If you didn't do it, how did you know the details of the murder?
  네가 안 그랬으면 그 살인사건의 세부내용에 대해 어떻게 알고 있는 거니?

■ know the details는 '세부적인 것을 알다' 라는 뜻. 또한 iron out the details하면 '세부사항을 검토하여 마무리짓다' 라는 의미이고 go over the details하면 '구체적인 것들을 검토하다' 라는 표현.

You're detailed, you have a following.

넌 미행당하고 있어, 뒤쫓는 사람이 있다는 거지.

- Please leave a detailed message. 구체적인 메시지를 남기세요, .
  We're gonna need you to give us a detailed description.
  넌 우리한테 구체적인 묘사를 해줄 필요가 있어.

■ detailed+명사하면 '구체적인 …' 라는 형용사이지만 detail이 동사로 쓰이면 '미행을 하다' 라는 의미로도 쓰인다.

D

So you made a deal with the devil? 그래, 네가 악과 타협을 했다고?

You were running like the devil's chasing you.

넌 미친 듯이 뛰고 있었어.

- To run like the devil's chasing you. My excuse - I'm training.
  미친 듯이 뛰는 것. 내 변명은 내가 현재 훈련 중이기 때문이야.
  Run fast, like the devil's chasing you. 빨리 달려, 미친듯이 뛰라고.

■ like the devil's chasing you는 '미친 듯이' 라는 뜻. '마치 악마가 뒤에서 쫓아오는 것 같이' 라는 문자그대로의 의미를 새겨보면 된다. 한편 like the devils면 '맹렬하게' 라는 뜻이다.

You're just playing the devil's advocate.

넌 일부러 반대를 위한 반대를 하고 있을 뿐이야.

- I was just playing devil's advocate. 난 단지 반대를 위한 반대를 하고 있는 거야.
  Let me play the devil's advocate for a while.
  한동안 일부러 반대를 위한 반대를 할게.

■ play the devil's advocate은 '일부러 반대하다' 라는 뜻. 중요한 결정을 할 때 group think (집단사고)의 위험을 피하기 위해 '반대를 위한 반대'를 해보는 것을 의미한다. 미국의 특정 정부부처에는 이런 일을 전담하는 office of devil's advocate도 있다.

Huh. Speak of the devil. And I mean that.

허, 호랑이도 제 말하면 온다더니. 진짜네.

- Speak of the devil, and he does appear, wearing his trademark scarf. 호랑이도 제 말하면 온다더니 걔가 특유의 스카프를 하고 나타났어.
  It may be a sin, but it's not devil worship. 죄일순 있는데 악마숭배는 아냐.

■ speak of the devil은 '호랑이도 제 말하면 온다더니' 라는 표현. 또한 devil worship하면 '악마숭배,' devil worshipper는 '악마숭배자' 라는 의미. 한편 banish the devil하게 되면 '악령을 추방하다' 라는 의미가 된다.

So you made a deal with the devil?
그래, 네가 악과 타협을 했다고?

- Blaming the devil for his cannibalism wasn't enough to lessen his guilt. 걔의 잔인함에 대해 악마 탓을 하는 건 걔의 죄를 감해주는데 충분하지 않았어.

  Webster woke up one day, and realized he had sold his soul to the devil. 웹스터는 어느 날 깨어나서 자신이 영혼을 악마에게 팔았다는 걸 깨달았어.

Mike just calls him the devil.
마이크는 걔를 그냥 악마라고 불러.

- Five minutes of her on the stand and they'll see she's the devil. 걔가 증언석에 5분만 있으면, 걔가 악마라는 걸 알게 될거야.

  You might think I'm the devil in just a second.
  넌 바로 내가 악마라고 생각하게 될거야.

  Come on. I saw you, you little devil. 왜 그래. 내가 널 봤지, 이 악동아.

What the devil is she talking about?
걔는 도대체 뭐에 대해 말하고 있는 거야?

- What the devil're you doing anyway?
  어쨌든 넌 도대체 뭘 하고 있는거니?

  What the devil is Anne talking about?
  도대체 앤은 무슨 얘기를 하고 있는거야?

■ make a deal with the devil은 '악과 타협[거래]하다' 라는 뜻이고, sell one's soul to the devil하면 '영혼을 악마에게 팔다' 라는 의미.

■ You're the devil은 '네가 나쁜 놈이야' 라는 문장. 또한 call sb the devil하면 '…를 악마라고 부르다' 라는 의미이다. 또한 little devil은 '개구쟁이,' '악동' 이라는 뜻이며 poor devil은 '불쌍한 놈[자식]' 이라는 의미.

■ What[Who,Why] the devil~?은 '도대체' 라는 뜻으로 의문문 내용을 강조한다.

MORE EXPRESSION

between the devil and the deep blue sea 진퇴양난에 빠지다

» dibs

I called dibs on him at that party! 난 그 파티에서 걔를 찍었어!

How did he get dibs on that?
어떻게 걔가 그걸 먼저 차지했던 거야?

- You know I have first dibs on designer everything.
  디자이너 제품들은 다 내가 먼저라는 거 알잖아.

  I can't believe, Edie. She doesn't have dibs on every man on the planet. 에디, 난 믿을 수가 없어. 걔가 지구상의 모든 남자를 찜해 놓은 것은 아니잖아.

I called dibs on him at that party!
난 그 파티에서 걔를 찍었어!

- Dude, back off. I called dibs on Stephanie.
  친구들, 물러서. 스테파니는 내가 찍었어.

  Don't shake your head at me! I called dibs on him at that party! 나한테 고개를 가로 젓지마. 그 파티에서 내가 걔를 먼저 찜했어.

■ have got dibs on은 '…을 먼저 차지하다,' '…을 찜하다' 라는 뜻으로 먼저 권한을 주장한다는 말.

■ call dibs on은 '…에 대해 찜을 해두다,' '…를 찍어두다' 라는 의미.

232

» dick

He was a total dick. 걔는 완전히 멍청이었어.

He was a total dick.
걔는 완전히 멍청이었어.

- Stop dicking around. 그만 빈둥대.

  You are a fucking asshole, you know that? You're a dick.
  넌 괘씸한 놈이야. 알아? 넌 멍청이란 말이야.

I need your dick now.
난 지금 네 거시기가 필요해.

- I told all this to the other two dicks. 이 모든 걸 다른 2명의 형사에게 말했어.

  His dick is like a gherkin! I feel so terrible. 걔 거기가 오이피클같아! 진짜 끔찍해.

  A : What's going on? Why are you crying? B : James has a small dick. A: 무슨 일이야? 왜 우니? B: 제임스 그게 작아.

■ dick around는 '빈둥거리다,' '엉뚱한 일로 시간을 낭비하다' 라는 뜻이고 명사로 dick은 '멍청한 놈' 이라는 의미.

■ dick은 '남자성기' 즉 penis를 의미하며 또 다른 뜻으로는 '탐정' 이란 의미로도 쓰인다.

MORE EXPRESSION

take one's[the] dick 맹세하다
(every) Tom, Dick and Harry
누구나, 평범한 사람들, 어중이떠중이

D

» difference

What difference does it make? 그래서 달라지는 게 뭔데?

What's the difference?
그게 무슨 상관이야?

- Yeah, to be honest, I don't see much difference.
  그래, 솔직히 말하면 별로 차이를 느끼지 못하겠어.

  The only difference is they were manually strangled.
  유일한 차이는 걔들은 손으로 교살되었다는 거야.

That makes a difference.
그거 확실히 다른데.

- It's gonna make a difference. 차이가 있을거야.

  Your closing made all the difference. Thank you very much.
  너의 맺음말이 중요한 영향을 미쳤어. 무척 고마워.

What difference does it make?
그래서 달라지는게 뭔데?

- What difference does it make? Fat is fat. 그래서 뭐가 달라져? 지방은 지방야.

  What difference does it make? I'm still fired. 그래서 뭐가 달라져? 난 잘렸는데.

(It) Makes no difference to me.
상관없어.

- It's not gonna make any difference. 전혀 상관없어.

  They went to jail, and it didn't even make any difference.
  걔들은 투옥되었지만 그것조차 별 상관이 없었어.

■ What's the difference between A and B?는 'A와 B의 차이점이 뭐지?' 라는 표현이며 there's a difference between하면 '…간에 차이가 있다' 라는 의미이다. 또한 see the difference면 '차이를 알게 되다' 라는 뜻.

■ make a[the] difference는 '차이가 나다,' '다르다' 라는 뜻이며 make all the difference 하면 '…에 중요한 영향을 미치다' 라는 의미가 된다.

■ What difference does it make?는 '그게 무슨 차이가 있어?' 라는 의미.

■ It makes no difference to sb는 '…에 상관이 없다' 라는 뜻이다.

I know that we've had our little differences.

우리가 의견차이가 좀 있었다는거 알아.

- I propose we resume our relationship and attempt to **resolve our differences.** 우리 관계를 다시 시작하고 의견차이를 해결해보도록 하자.

  We get along, but we **have our differences.** 잘지내지만 우린 차이가 있어.

Maybe I won't know the difference.

아마도 난 그 차이를 알지 못할거야.

- She doesn't **know the difference** between truth and lies. 걔는 진실과 거짓의 차이를 알지 못해.

  How could you **tell the difference** between Alex's voice and his father's? 넌 어떻게 알렉스 목소리하고 걔 아버지 목소리 차이를 구별 못하니?

And the wisdom to know the difference.

그 차이를 아는 현명함을 주소서.(기도문)

- Peter: "God, grant me to serenity to accept the things I cannot change, the courage to change the things I can, and **the wisdom to know the difference.**" 베드로: 하나님, 제가 변화시킬 수 없는 것을 받아들일 수 있는 평온함을 주시옵소서. 제가 할 수 있는 것을 변화시킬 용기와 함께 그 차이를 아는 현명함을 주시옵소서.

■ **have one's differences**는 '입장[의견]의 차이가 있다' 라는 뜻이며 settle[resolve] one's difference면 '차이를 해소[해결] 하다' 라는 의미이다.

■ **know the difference**는 '차이를 알다' 라는 뜻이며 tell the difference between하면 '…간의 차이를 구분하다' 라는 의미.

■ **the wisdom to know the difference** 기도문에 나오는 것으로 '차이를 아는 현명함을 주소서' 라는 의미의 구절.

MORE EXPRESSION

difference of opinion 의견 불일치

» dig

Can you dig it? 내 말 이해하겠어?

Garcia, dig up everything you can.

가르시아, 가능한 한 모든 걸 다 파헤쳐.

- Unfortunately, my P.I. has yet to **dig up** an unpaid creditor. 불행하게도 내가 고용한 탐정이 미수 채권자 한명을 파헤쳐야 해.

  We've **been digging** all day trying to find a connection. 우린 하루 종일 연계된 사람을 찾으려고 조사하고 있어.

Jim has managed to dig him out.

짐은 걔로부터 정보를 캐내었어.

- I'll go see if I can **dig out** a dress from my old closet. 옛 옷장에서 드레스 하나를 찾아낼 수 있는지 알아볼게.

  She's done **digging out** the car. 걔는 차를 완전히 뒤져봤나 봐.

What do you think, people? Come on, dig deep.

어떻게 생각들 하세요? 한번 깊이 생각해보세요.

- I'd like you to help me **dig deeper.** 내가 깊이 파고드는데 도와주길 바래.

  If you **dig deep** enough on any of us, we all have our sins, including Reid. 깊이 파보면 리드를 비롯해서 우리 모두가 죄를 지고 있지.

■ **dig up**은 '파헤치다' 라는 뜻으로 그냥 dig만 써도 '조사하다,' '파헤치다' 라는 의미.

■ **dig out**은 '안 쓰던 것을 찾아내다,' '진실[정보]을 알아내다' 라는 뜻이다.

■ **dig deep**은 '깊이 파고들다' 라는 뜻.

Let's dig into this turkey.
칠면조 먹자.

- A: Oh, thank God, I'm starving! B: Well, dig in. I am way too tired to eat. A: 어휴, 배가 넘 고파. B: 그래 먹어. 난 너무 피곤해서 못 먹겠어.

  He didn't want us digging into his background.
  걔는 우리가 걔의 배경을 파헤치는 걸 원치 않았어.

■ dig in(to)은 '바로 먹다,' '정보를 찾으려고 파다' 라는 뜻. Dig in하면 '자, 먹자' 라는 의미로 많이 쓰이는 표현이다.

You really dig me mucho?
정말 날 많이 좋아해?

- I really dig him. 나, 그 남자 정말 좋아해.

  Hey, you know who'd really dig seeing this experiment?
  야, 누가 이 실험을 정말 보고 싶어 했는지 알잖아?

■ dig은 '…을 좋아하다,' '관심을 갖다' 라는 뜻으로 I dug it하면 '나 그거 좋아했어' 라는 말이 된다.

We went digging around your apartment, Tom.
우린 네 아파트를 샅샅이 뒤지러 갔어, 톰.

- The boys dig around in a box. 남자 애들이 박스 하나를 뒤지고 있어.

  Greg's been digging through William's computer.
  그렉은 윌리암의 컴퓨터를 파헤치고 있어.

■ dig around는 '…를 뒤지다,' dig through는 '…를 파헤치다' 라는 뜻.

But I want you to keep digging.
그러나 네가 계속 파기를 원해.

- Keep digging until you find the truth. 네가 진실을 알 때까지 계속 파봐.

  Do you really want me to start digging around in your life, Mrs. Forte? 포르테 부인, 내가 당신 삶을 파헤치기 시작하기를 정말 원하나요?

■ keep digging은 '계속 파다' 라는 뜻이며 start digging이면 '파기 시작하다' 라는 뜻.

We did a little digging.
우린 좀 파보았어.

- I did some digging on those emails. 난 그 이멜들을 일부 뒤져보았어.

  We did some digging, and we found your overseas accounts.
  우린 일부 조사해봤는데 네 해외계좌들을 찾아냈어.

■ do some digging은 '일부 조사해보다,' '일부 뒤져보다' 라는 뜻이며 do a little digging은 '약간 파보다' 라는 뜻이 된다.

Can you dig it?
내 말 이해하겠어?

- I want you to shake your tail feathers down here ASAP, you dig? 넌 여기서 빨리 꼬리 좀 내려야해, 알겠니?

  I don't like big brother getting into my business, ya dig?
  형님이 내 사업에 끼어드는 걸 원치 않아, 알겠어?

■ You dig?은 '좀 알겠어?' I dig it하면 '알겠어' 라는 의미로 여기서 dig은 understand란 의미.

He was known for digging up dirt on folks.
걔는 사람들 스캔들을 캐내는 것으로 알려져 있어.

- I know you've been trying to dig up dirt on me.
  네가 나에 대해 나쁜 소문을 내려고 하고 있다는 걸 알고 있어.

  Why are you digging up dirt on Mr. Hartley?
  넌 왜 하틀리 씨를 험담하고 다니니?

■ dig up dirt on~은 '…의 스캔들을 캐내다' 라는 뜻이다. 또한 dig는 '험담을 하다' 라는 의미인데 여기서 dirt는 '험담,' '스캔들' 이라는 의미.

D

I'm digging myself a hole, here.

난 여기서 <u>스스로</u> 무덤을 파고 있어.

- **You're digging a political grave**, Counselor.
변호사님, 당신은 정치적 무덤을 파고 있어.

    They're digging in their heels on principle.
    걔들은 원칙에 대한 입장을 고수하고 있어.

Are you calling me a gold digger?

나더러 꽃뱀이라고?

- So our victim is now a **gold-digging whore**. 희생자는 꽃뱀 창녀야.
She looks like exactly the kind of **gold digger**. 걘 전형적인 꽃뱀같아.

■ **dig one's own grave**는 '스스로 무덤을 파다' 라는 뜻이며 **dig oneself a hole**도 같은 의미. 한편 **dig in one's heels**이면 '자기 입장을 양보하지 않다' 라는 의미가 된다.

■ **gold digger**는 '돈 많은 남자와 결혼하는 사람' 으로 우리말로 하자면 '꽃뱀' 이라고 할 수 있다.

MORE EXPRESSION

dig sb out of trouble 곤경에서 구해내다
make a dig at 빈정대다

» dime

> *Drop a dime on me and I'm gonna kill you.* 밀고하면 널 죽여버릴거야.

She got this on someone else's dime?

걔는 이걸 다른 사람 돈으로 얻었니?

- Let the locals handle it. You're **on our dime** now.
그건 현지인들이 처리하라고 해. 넌 지금 우리 돈을 받고 있잖아.

    On your own dime? Are you crazy? 네 돈으로 하려고? 너 미쳤니?

Bitch didn't leave me a dime.

그 년이 나한테 한 푼도 남기지 않았어.

- None of us are gonna **get a dime out of** Denslow hospital.
우리 누구도 덴슬로 병원으로부터 한 푼도 받아내지 못할거야.

    You do if you **want a dime out of me**. What's it for?
    한 푼이라도 돈을 받아내려면 말해. 어디다 쓰려고?

He's never had to earn a dime.

걔는 결코 돈을 벌 필요가 없었어.

- This is a promotional item. Didn't **cost me a dime**.
이건 판촉 상품이야. 공짜였어.

    If you're legally divorced when he signs the contract, then you
    don't **see a dime**. 걔가 계약에 서명을 해 법적으로 이혼상태가 된다면 넌 한 푼도 없을 거야.

She'll drop the dime on the captain.

걔는 대장을 밀고할거야.

- They won't **drop a dime** on their wife and kids? 걔들은 가족을 배반하지 않을걸?

    Yo, bitch, **drop a dime on me** and I'm gonna kill you, yo?
    미친년, 날 한번 밀고해봐 내가 널 죽여버릴거야, 알겠어?

■ **on one's dime**은 '…의 돈으로' 라는 뜻이며 **on who's dime?**이면 '누구 돈으로?' 라는 의미.

■ **get a dime out of**는 '…로부터 돈을 받다' 라는 뜻이며 **give sb a dime**은 '…에게 돈을 주다,' **leave sb a dime**은 '…에게 돈을 남기다' 라는 뜻이 된다.

■ **earn a dime**은 '돈을 벌다' 라는 뜻이며 **cost sb a dime**은 '…에게 돈이 들다' 라는 의미이다. 한편 **see a dime**하면 '돈이 되다' 라는 뜻으로 주로 부정적 표현과 합쳐서 '한 푼도 없다' 라는 표현으로 쓰인다.

■ **drop the[a] dime**은 '밀고하다,' '배반하다' 라는 의미.

Pencil-neck geeks are a dime a dozen.
약골 괴짜는 매우 흔해.

- It seems like murder trials are a dime a dozen.
  살인사건 재판은 매우 흔한 것 같아.

  And crimes like that are a dime a dozen down here.
  그런 범죄는 여기서는 매우 흔해.

I don't think Harvard would nickel and dime people like that.
하버드 대학이 그런 사람들에 대해 인색하게 대우하리라 생각지 않아.

- The girl's wearing dime store clothes and living on the street.
  그 여자애는 싸구려 가게 옷을 입고서 이 거리에 살고 있어.

  It's not worth a dime. 그건 값어치가 전혀 없어.

■ a dime a dozen은 '매우 흔한,' '값어치 없는'이라는 뜻.

■ nickel-and-dime은 동사로 '인색하게 굴다[대우하다]'라는 구어체 표현. 한편 not worth a dime은 '값어치가 전혀 없는' 그리고 dime store는 '10센트 가게'라는 뜻으로 '싸구려 가게'라는 의미이다.

MORE EXPRESSION

Can you spare a dime? 한 푼줍쇼?

» dirty

I love it when you talk dirty to me. 네가 나한테 야한 말을 할 때가 좋아.

They must know who the real dirty cop is.
걔들은 누가 진짜 부패 경찰인지 알아야만 해.

- Yeah. It sounds kinda dirty, doesn't it?
  그래, 약간 지저분하게 들리네, 그렇지 않니?

  I guess we just found our dirty cop. 부패경찰을 우리가 찾은 것 같아.

■ dirty는 '지저분한,' '부정한'이라는 뜻이다. 미드에 많이 나오는 dirty cop은 부패경찰.

We're looking into a murder, not dirty photos.
우린 야한 사진이 아니라 살인사건을 조사하는거야.

- I don't see any dirty pictures in here.
  여기서 야한 사진을 하나도 찾을 수 없어.

  It's still the dirtiest joke I've ever heard in my life.
  이건 내 생애 들은 것 중 제일 야한 농담이야.

■ dirty word는 '욕' dirty jokes는 '야한 농담' dirty weekend는 '기분 나쁜 주말'이라는 뜻이 된다.

I love it when you talk dirty to me.
네가 나한테 야한 말을 할 때가 좋아.

- Guy liked to talk dirty in bed. 남자들은 섹스 중에 야한 말을 하는 걸 좋아해.

  Don't even try to make it up to me by talking dirty.
  야한 얘기로 내게 보상할 생각은 아예 하지마.

■ talk dirty (to~)는 서로가 흥분과 스릴을 느끼기 위해서 '성적농담을 하다'라는 뜻이다.

Everyone knows you have Linda do your dirty work.
네가 린다에게 네가 하기 싫은 비열한 일을 시킨 걸 모두 알고 있어.

- You do the dirty work, only you don't get paid.
  비열한 짓을 하면 돌아오는 게 없을거야.

  I guess that makes me your dirty little secret.
  내가 너의 더러운 비밀이 되는 것 같네.

■ do one's dirty work은 '비열한 짓[협잡]을 하다'라는 뜻으로 문맥에 따라서는 '성행위,' '살인' 등을 의미하기도 한다.

237

They gives Jack a dirty look.
개네들이 잭을 째려봐.

- I want you to put your arm around me and give him a dirty look.
  네 팔로 날 감싸고서 걔를 노려봐.

  Joey turns and gives Peter a dirty look. 조이는 돌아서서 피터를 째려봐.

■ give sb a dirty look은 '…를 째려보다,' '…를 업신여기다' 라는 뜻이다.

You're constantly complaining about the dirty tricks.
넌 계속해서 그 비열한 행동에 대해 불평하고 있어.

- I know all the NYPD's dirty tricks.
  난 뉴욕경찰이 하는 모든 비열한 짓을 알아.

  That was a dirty trick haunting me with my past.
  그건 나의 불행한 과거를 떠올리게 하는 비열한 계략이었어.

■ dirty trick은 '비열한 짓[계략]' 또는 '흠집내기' 를 의미한다.

The court case aired the couple's dirty laundry.
이 소송은 부부의 더러운 치부를 드러냈어.

- Do you really think that I'm enjoying airing my dirty laundry in public? 내가 공개적으로 내 치부가 드러나는 걸 즐긴다고 생각하는거니?

■ air one's dirty laundry 는 '…의 치부를 드러내다' 라는 표현이다.

It's a dirty job, but somebody's gotta do it.
이건 더러운 일이지만 누군가는 해야 돼.

- I deliver newspapers. It's a dirty job, but somebody's got to do it. 난 신문을 배달해. 힘든 일이지만 누군가는 해야 되잖아.

  My point is it was simply a dirty job and I chose to let you do it.
  내 요점은 이게 지저분한 사건이어서 자네가 하도록 선택했다는거야.

■ It's a dirty job, but someone had to do it은 '이 건 더러운 일이지만 누군가 해야 해' 라는 표현.

He had his cousin Amir fashion a dirty bomb.
걔는 사촌 아미르로 하여금 더티 밤을 제조토록 시켰어.

- A: A dirty bomb. B: Where is it now? A: 더티밤. B: 지금 그게 어디 있는데?

  It's a dirty bomb, designed to explode and disperse highly radioactive cobalt-60. 이건 더티밤으로, 폭발하면 고방사능 코발트 60을 퍼트리게 돼.

■ dirty bomb은 닦지 않아서 더러운 폭탄이 아니라 '방사능 물질이 들어있는 폭탄' 을 의미하는데 그냥 '더티밤' 이라고도 쓴다.

You knew it was time to play dirty.
비열한 반칙을 해야 되는 때라는 걸 넌 알고 있었어.

- She wants to play dirty? So be it! 걔는 반칙하길 원하는데, 해보라고 해.

  If there's one thing about Ivan, he doesn't play dirty.
  이반에 대해 한 가지를 말하자면 걔는 반칙을 안해.

■ play dirty는 게임이나 대화에서 '부정한 반칙을 하다' 라는 뜻이다.

You're a dirty old man.
넌 더러운 늙은이야.

- You know what the problem is? You're a dirty old man.
  뭐가 문제인지 아니? 바로 네가 더러운 늙은이라는 거야.

■ dirty old man(DOM)은 '더러운 늙은이' 라는 뜻으로 주로 젊은 여성에게 성적 관심을 대단히 많이 갖는 나이든 남성을 지칭한다.

MORE EXPRESSION

sth is a dirty word …는 금기 어이다
dirty one's hands 노가다하다

You're dismissed. 가도 좋아.

You're dismissed, Jenny. For good.
영원히. 다시 올 생각 마, 제니.

- Class is dismissed. 수업끝났어요.
  Case dismissed. 사건이 기각되었어요.
  Couple of assault charges, mostly dismissed. 몇건의 폭행죄는 대부분 기각됐어.

▪ be dismissed 학교수업이 끝나거나 군대에서 용무 끝낸 부하에게 가보라고 할 때 혹은 법적사건이 기각되는 것을 말한다. 사람 혹은 수업이나 소송 등이 주어로 오고 다음에 be dismissed를 붙이면 된다.

You had to dismiss the rape case.
강간사건을 취하해야 했어.

- I move to dismiss this proceeding. 이 소송절차를 기각하는데 동의해.
  The motion to dismiss is granted. 기각요청은 받아들여졌습니다.

▪ dismiss the case [charge, claim]는 사건[기소, 주장]을 취하하다.

Don't you dismiss my rules.
내 규칙을 묵살하지 마요.

- Don't dismiss things you know nothing about.
  네가 아무 것도 모르는 것에 대해 묵살하지 마라.
  Don't come here and dismiss our rules. 여기와서 이 규칙들을 묵살하지마.

▪ dismiss sth[sb]는 일축하다, 묵살하다, 생각을 버리다.

D

Why don't you go the distance? 시작한 걸 끝내지 그래.

Is it within walking distance?
걸어서 가도 되는 거리인가요?

- Lived within walking distance from here.
  여기서 걸을 수 있는 거리 안에서 살았어.

▪ within walking distance는 '걸어서 갈 수 있는 거리' 라는 뜻이다.

It's a good distance.
상당히 먼 거리야.

- Now we can see something in the distance. 이제 멀리 뭔가를 볼 수가 있어.
  So we can't be seen from a distance, right?
  그래서 멀리서는 우리가 안보이지, 그렇지?

▪ in the distance는 시공간적으로 '멀리' 라는 뜻으로 at [from] a distance하면 '멀리서부터' 라는 의미가 된다.

I promise from now on I'll keep my distance from you.
약속하는데 지금부터 너와 거리를 둘게.

- You use your humor as a way of keeping people at a distance.
  넌 사람들과 거리를 두기 위해 유머를 사용해.
  I'll keep my distance until he calms down. 걔가 진정될 때까지 거리를 둘거야.

▪ keep one's distance는 '안전하게 거리를 두다' 라는 뜻. keep sb at a distance하면 '…와 급속히 가까워지는 걸 피하다,' '…와 거리를 두다' 라는 의미가 된다.

Why don't you go the distance?

시작한 걸 끝내지 그래.

- I'd be able to be a stand-up guy and go the distance, y'know?
  난 한 눈 팔지 않고 끝까지 해낼 수 있을거야, 알아?

  If anyone can go the distance, she can.
  누구든 끝까지 해낼 수 있다면 걔도 할 수 있어.

■ go the (full) distance는 '시작한 걸 끝내다' 라는 뜻이다.

I needed to distance myself from the agonizing truth that she's dead.

걔가 죽었다는 괴로운 사실을 좀 잊을 필요가 있었어.

- So you want to distance yourself from your mistakes by staying away from me? 나와 떨어져 네가 저지른 실수에서 도망치겠다는거야?

  We think it'd be best if you could distance yourself from her.
  네가 그녀로부터 거리를 둔다면 최고로 좋을 거라고 생각해.

■ distance oneself (from sth)는 '연루되지 않다,' '거리를 두다' 라는 뜻이다.

Has he always been this distant with you, or is this something new?

걔는 항상 너하고 이정도 거리를 두었니 아니면 뭔가 새로운 게 있는 거야?

- You're seeking out your husband's most distant and forgotten relative. 넌 네 남편의 가장 멀고 잊혀진 친척을 찾고 있는 거지.

  I'm really sorry I've been distant. 좀 신경을 쓰지 못해서 정말 미안해.

■ (be) distant는 '거리를 둔,' '먼,' '친하지 않는' 이라는 뜻이다. in the dim and distant past하면 '오래 전' 이라는 의미이고, distant look은 '다른 생각을 하는' 이라는 뜻.

» disturb

 Oh! Do not disturb. I'm eating. 오! 방해하지마. 식사 중이잖아.

I hope I haven't disturb you.

방해가 되지 않았으면 합니다.

- We won't disturb you unless there's a problem.
  문제가 있기 전에는 방해하지 않을게요.

  Mrs. Young? Didn't mean to disturb you. Your front door was wide open. 영 부인? 방해할 생각은 아닌데요. 대문이 활짝 열려있어서요.

  Well, I'm sorry to disturb her, but it's Dr. Richardson.
  방해해서 미안하지만 리차드 박사님이세요.

■ disturb sb는 '…를 방해하다' 라는 뜻으로 자는 경우에는 '깨우다' 라는 의미도 된다. sorry to disturb you, but은 '방해해서 미안하지만…' 이라는 뜻이다.

Oh! Do not disturb. I'm eating.

오! 방해하지마. 식사 중이잖아.

- Actually, I'm quite disturbed by it.
  사실 난 그걸로 무척 혼란스러워.

  She is disturbed by the beeping of alarms in the room.
  걔는 방에서 나는 경보음 소리에 동요했어.

■ Do not disturb는 '방해하지마라' 라는 뜻으로 호텔에서 방 해 하 지 말 라 고 문 고 리 (doorknob)에 걸어두는 표지판에 적힌 문구로 유명하다. 수동태로 be disturbed하면 '방해를 받다' 또는 '혼란스러워지다,' '동요되다' 라는 의미가 된다.

You had to know this guy was disturbed.

넌 이 친구가 정신적 장애가 있다는 사실을 알아야만 했어.

- It's a facility for the disturbed or addicted. 정신장애나 중독자들을 위한 시설야.

■ disturbed sb는 '정신적 장애가 있는 사람'이라는 의미가 된다.

There's some sort of disturbance at the police station.

경찰서에서 약간의 소란상태가 발생했어.

- I am sorry for the disturbance. 소란을 펴서 미안해요.

  They called the cops last week on a domestic disturbance.
  걔들은 지난 주 가정불화로 경찰을 불렀어.

■ disturbance는 '소란상 태,' '소요사태'라는 의미이며 sorry for the disturbance는 '소 란을 펴서 미안하다'라는 표현. 또 한 domestic disturbance는 '가 정불화' 또는 '집안싸움[다툼]'이 라는 의미이다.

MORE EXPRESSION

disturb the peace 치안질서를 어지럽히다

» ditch

I've ditched class before! 난 전에도 수업을 빼먹은 적이 있어!

Hailey didn't ditch the weapon.

헤일리는 무기를 버리지 않았어.

- So do you think he ditched his phone? 그래서 걔가 전화를 버렸다고 생각해?

  We found his car ditched in a barn outside town.
  도시 외곽 한 창고에 걔 차가 버려진 것을 발견했어.

■ ditch는 무기나 자동차, 핸 드폰 등 가지고 있던 것을 '버리 다'라는 뜻이다.

We got to ditch these girls.

우린 이 여자애들과 헤어져야만 해.

- A: Yeah, you gotta' ditch her. B: Obviously. A: 걜 버려. B: 당근이지.

  So badly that I just ditched my best friend when she needed me.
  그녀가 날 필요로 했을 때 난 최고의 절친을 그냥 버릴 정도로 안좋았어.

■ ditch는 또한 '갑작스럽게 연인과 헤어지다,' '그냥 일시적으 로 버리고 가다'라는 의미.

I ditched class to be with my boyfriend.

난 남친을 만나려고 학교를 빼먹었어.

- I've ditched class before! 난 전에도 학교를 빼먹은 적이 있어.

  A: And where can we find her? B: Making up for the classes you ditched? A: 걔를 어디에서 찾을 수 있을까? B: 네가 빼먹은 수업을 보충하려고?

■ ditch class는 '학교에 가 지 않다(skip class)'라는 뜻이다.

MORE EXPRESSION

last-ditch attempt[effort]
필사적인 시도[노력]

놓치면 원통한 미드표현들

- **be[get] discharged** 퇴원하다, 제대하다
  I discharged him from the hospital.
  난 병원에서 걜 퇴원시켰어.

- **(dis)honorable discharge** (불)명예제대
  I'm going to go get your discharge papers.
  네 제대서류를 가서 가져올게.

- **be a disgrace to** …에 불명예[치욕]이다
  You're a disgrace to our community.
  넌 우리 동네에 불명예야.

- **disgrace one's name[family]** …의 이름[가
  문]을 더럽히다
  She cheated on me. She disgraced our family. 걘 바람폈어. 걘 우리 집안의 이름을 더럽혔어.

That's what you always do. 넌 늘 그런식이잖아.

That's it, we're done for the day.
그래, 우린 퇴근할거야.

- 2:00 in the afternoon and he's done for the day? 오후 2시에 퇴근했다고?
  We're done for the day. 그만 가자.

■■ be done for the day or night은 '퇴근하다' 라는 뜻이다. be gone for the day와 같은 말.

But I am done. Done!
그래도 난 끝났어. 끝냈다고!

- A: It's done! B: Done! A: 다 끝냈어! B: 됐다고!
  Done! I'm done! I totally finished first. 끝냈어! 끝냈다고! 제일 먼저 해냈어.
  Are you done? Hurting me back? 다 끝났어? 날 다시 상처줄거야?

■■ Done!은 '됐어,' '끝냈어!' 라는 표현이다. (Are) You done? 또한 '다 했니?' 라는 뜻.

I'm done with this.
이거 다 끝냈어.

- Oh, are you done with that? I'll take it. 아, 그거 다 본거야? 내가 가져갈게.
  No, I'm all done with casual sex. 아냐, 캐주얼 섹스는 이제 다 끝났어.
  I should just say I'm done with him. 걔하고 끝났다고 해야겠지.

■■ be done with는 '…을 끝내다' 라는 의미로 with 다음에는 먹는 거, 장소, 이용하는 물건 등 다양하게 올 수 있다.

So, we done here?
그래, 이제 다 됐죠?

- We're not done here. Just relax. 아직 안 끝났으니 긴장풀어.
  I think we're done here. Thank you. 다 마무리 된 것 같아. 고마워.
  Izzie, you're done here. I need you to leave the room.
  이지, 넌 끝장이야. 이 방에서 나가줘.
  I think my help is done here. 내가 도와줄 건 다 한 거 같아.

■■ We're done here은 미드에서 무척 많이 나오는 표현. 문맥에 따라 상대방과 얘기하다 그만 끝내자는 짜증나는 말투로 '얘기할 것 다했어,' 혹은 남녀가 우리 '이제 끝났어' 라고 할 때 그리고 범죄세계에서는 '우린 이제 죽었어' 등 다양하게 쓰인다.

No. It's done, it's over.
아냐. 끝났어, 끝났다고.

- It's done. Let's go. 벌써 끝난 일이지. 가자.
  Well, what's done is done. I'm moving on. 지난일야. 담 단계로 넘어갈게.

■■ It's done now는 '벌써 끝난 일이야' 라는 표현. 또한 It's all done하면 '다 됐어,' Can it be done?하면 '끝낼 수 있겠어?' 라는 뜻이 된다. 참고로 What's done is done은 '이미 끝난 일이야' 라는 의미이다.

Yeah, well done brother.
그래, 잘 했어 형제.

- I'll have the chicken teriyaki, well done. 치킨데리야끼 먹을래, 잘 익혀서.
  I said, well done! 잘 했어! 라고 내가 말했지.

■■ well done은 '잘했어' 라는 뜻으로 Very well done하면 '아주 잘 했어요' 라는 표현이다. 또한 식당에서는 주로 스테이크가 '잘 익은' 이라는 의미.

That is how it's done.
이렇게 된거야.

- We each protect our own. That's how it's done.
  우린 서로 우리 것들을 보호해. 그래서 이렇게 된거야.
  If I tell you how it's done, will you go home? 방법 말해주면 집에 갈래?

■■ That is how it's done은 '이렇게 된거야,' '이런 식으로 되는거야,' '그건 그렇게 되는거야' 라는 표현이다.

All right, let's show them how it's done.
좋아. 어떻게 그렇게 되는 건지 보여주자.

- Okay, Castle. You show me how it's done. 그래, 캐슬. 어떻게 된건지 보여줘.
  I'd be happy to show you how it's done. 어떻게 된 건지 기꺼이 보여줄게.

■ show them how it's done은 '어떻게 된 건지 보여주다' 라는 뜻으로 see how it's done이면 '어떻게 된 것인지 알게 되다' 라는 의미가 된다.

Oh, my God. What have you done?
오, 하나님. 무슨 짓을 한거야?

- Who are you, and what have you done with my girlfriend? 넌 누구며 내 여친을 어떻게 했니?
  What did you do with Chuck's money? 척의 돈을 어떻게 한거야?
  Damn it, man, what have you done? 제기랄, 도대체 뭔 짓을 한거야?

■ What have you done? 은 '무슨 짓을 한거야?' 라는 의미. 또한 What did you do with~? 는 '…을 어떻게 했니?,' 라는 말로 What have sb done with~?와 같은 의미.

What have you done to me?
나한테 이럴 수 있어?

- What have you done to our family? 우리 가족에게 무슨 짓을 한거야?
  I'm gonna give you this letter so you'll remember what you've done to me. 너한테 이 편지를 줄거야 그러면 네가 우리한테 한 짓을 기억할 수 있겠지.

■ What have you done to sb[sth]?는 '…에게 이럴 수 있니?,' '…을 어떻게 한거야?' 라는 놀람과 충격의 표현.

You don't know what you've done.
넌 네가 무슨 짓을 했는지 모를거야.

- Look, I don't know what you've done. 이봐, 난 네가 무슨 짓을 했는지 모르겠어.
  Now you see what you've done? 이제 네 죄를 인정하겠니?
  Good god! What have we done? 맙소사! 우리가 무슨 짓을 한거지?

■ not know[see] what sb have you done은 sb가 무슨 짓을 했는지 모르고 있다라는 말로 상대방의 행동에 이해가 가지 않을 때 혹은 상대방이 저지른 충격적인 행동을 말하기 앞서 던지는 표현.

What is it you've done?
너 무슨 짓을 저지른거야?

- I see you're sweating. What is it you've done? 땀을 흘리던데. 무슨 짓을 한거야?
  You are very lazy. What is it you've done? 너 참 게으르다. 어떻게 한거야?

■ What is it you've done? 은 상대방에게 무슨 짓을 저지른 거야라고 궁금해서 물어보는 표현.

What would I have done without you?
네가 없었더라면 어쩔뻔했어?

- Thank you so much. What would I have done without you? 넘 고마워. 너 없었으면 어쩔뻔했어?
  It was a success. What would I have done without you? 성공했어. 너 없었으면 어쩔뻔했어?

■ What would I have done without you?는 '네가 없었더라면 어쩔뻔 했어?' 라는 감사의 강조표현.

I have to do my hair and shave my legs.
난 머리를 하고 다리를 면도해야 돼.

- I thought we'd start with my make up and then do my hair. 먼저 화장을 하고 나서 머리를 하려고 생각했어.
  Lily likes a clean sink, so I do the dishes right away. 릴리는 깨끗한 싱크를 좋아해서 난 즉시 설거지를 해.

■ do one's hair[nails, make-up]는 '머리, 손톱관리, 화장을 하다' 라는 뜻이며 do the laundry[dishes]하면 '빨래[설거지]를 하다' 라는 의미.

It does nothing for me.
그건 나한테 전혀 도움이 되지 않아.

- The art does nothing for your misery. 예술은 네 고통에 도움이 되지 않아.
  The medicine did nothing for my toothache. 이 약은 내 치통에 전혀 도움 안돼.

■ do nothing for는 '…에 도움이 되지 않는다,' '전혀 효력이 없다' 라는 의미.

You do as you're told, understand?
시키는 대로 해, 알겠니?

- So they think they can do as they please.
  그래서 걔들은 하고 싶은 대로 할 수 있다고 생각해.
  Go where you please and do as you please.
  가고 싶은 대로 가고, 하고 싶은 대로 해라.

■ do as you're told는 '시키는 대로 하다,' '하라는 대로 하다' 라는 의미이며, do as they please하면 '하고 싶은 대로 하다' 라는 의미가 된다.

I wanna do it right.
제대로 해결하고 싶어.

- I think you're gonna do it right now. 넌 지금 바로 그걸 해야 할 걸.
  We could just do it right here. 우린 바로 여기서 그걸 할 수 있어.

■ do it right은 '제대로 하다,' 한편 do it right now하면 '지금 바로 그걸 하다' 라는 뜻이다. 또한 do it right here하면 '바로 여기서 그걸 하다' 라는 뜻이 된다.

All right, you do that.
좋아, 그렇게 해.

- A: You know, I'll try to be gentle. B: Oh, you do that.
  A: 있잖아, 조심하게. B: 오, 그렇게 해.
  A: I will let you know when I get there. B: All right, you do that.
  A: 도착하면 알려줄게. B: 좋아, 그렇게 해.

■ You do that은 '그렇게 해' 라는 표현으로 우리에게 뭔가 좀 어색하지만 실제 미드에서는 엄청 많이 쓰이는 표현이다.

Yeah, I'll do that.
그래, 그렇게 할게.

- A: Let me know if you have any thoughts. B: I'll do that.
  A: 특별한 생각이 나면 알려줘. B: 그렇게 할게.
  Well, let's do this. 음, 이거 하자.

■ I'll do that은 '그렇게 할게' 라는 표현으로 You do that과 함께 꼭 기억해두어야 한다. 또한 Let's do that[this, it]의 형태로 '…을 하자' 라고 말할 수 있다.

Will do. Where you headed?
알았어. 너 어디로 가는데?

- A: We're meeting at the dorms tonight. Come find me. B: Will do.
  A: 오늘 밤에 기숙사에서 보자. 내 방으로 와. B: 그럴게.
  A: Say goodbye before you leave. B: Will do.
  A: 떠나기 전에 작별인사를 해. B: 알았어.

■ will do는 '그렇게,' '알았어' 라는 의미로 I'll do that이라는 의미가 된다.

What's he have to do with that?
걔가 그것하고 무슨 관계가 있니?

- Does it have to do with drugs? 그 사건이 마약하고 관련이 있는 거니?
  We didn't want anything to do with it.
  우린 그것하고 관련이 있는 어떤 것도 원치 않아.

■ have to do with는 '…와 관련이 있다' 라는 뜻. 반대는 have nothing to do with로 전혀 관련이 없다라는 의미.

Let's do it again.
또 만나자.

- Let's do this again sometime. 조만간 다시 한 번 모이자.
  We must do this again sometime. 조만간 다시 한 번 뭉쳐 보자고요.

■ Let's do it again은 '또 다시 만나자'라는 의미로 모임이 끝나고 헤어질 때 쓸 수 있는 말.

I do this all the time.
난 항상 이렇게 해.

- It's not like I do this all the time. 내가 항상 이렇게 하는 것은 아냐.
  Don't get me wrong. I do this all the time. 오해하지마. 난 늘상 이렇게 해.

■ do this all the time은 '항상 이렇게 한다,' '늘상이래' 라는 뜻.

Yeah. We can do that. Of course we can do that.
그래, 할 수 있지. 물론 할 수 있어.

- I think I can do that. 내가 할 수 있을 것 같아.
  We can't do this anymore. 우린 더 이상 이걸 할 수가 없어.

■ I can do that[it, this]은 '내가 할 수 있어'라는 뜻으로 I can do it하면 '할 수 있어' I can't do this하면 '할 수 없어'라는 표현이 된다.

Don't push. You can't do that.
압력 넣지마. 그러면 안 되지.

- You can't do that. This girl is a victim of sexual assault.
  그러면 안 되지. 이 여자애는 성폭행의 희생자야.
  You can't do that. It's censorship. 그러면 안되지. 그건 검열이야.

■ You can't do that!은 '그러면 안 되지!'라는 뜻으로 상대방을 저지, 금지하는 행위.

I did all I knew.
난 최선을 다했어.

- I've done everything you asked me to do. 네가 원하는 모든 것을 다했어.
  I'll do my damnedest. 최선을 다할거야.

■ do all I~는 '모든 것을 다 하다,' '최선을 다하다'라는 의미로 do everything~, do one's damnedest도 같은 의미이다.

놓치면 원통한 미드표현들

- **do[wash] the dishes** 설거지를 하다
  I hate doing my dishes right away.
  난 바로 설거지하는 것을 싫어해.

- **dish out** 음식을 서빙하다
  dish it out 비난하다(criticize)
  I'll dish out clam chowder soup at first.
  처음에 대합차우더 수프를 서빙할거야.
  That's not my dish. 그런 건 나와는 거리가 멀어.
  Just stop dishing it out for one night!
  하룻밤이라도 비난 좀 하지마!

- **ditto** 동감이야 ditto (for) sth …도 마찬가지야
  You were great, and Nick ditto.
  넌 대단했어, 닉도 마찬가지고.

- **John Doe** 남자 이름을 모르거나 비밀로 가명처리할 때 쓰는 말. 여성일 경우에는 Jane Doe.
  We booked you as John Doe.
  널 존 도우라고 가명으로 예약했어.
  So Jane Doe was never reported missing.
  그래 제인 도우는 결코 행방불명으로 보고되지 않았어.

I did it! You did it!
해냈어! 해냈구나!

- I did it. I'm taking her to the wedding. 해냈어. 그녀를 결혼식에 데려갈거야.
  You did it, babe. You got in. 네가 해냈구나. 합격했어.

■ I did it!은 '해냈어' 라는 뜻으로 중요한 목표를 달성했다는데 초점이 있다.

I did it for you, Michael.
마이클, 널 위해서 했어.

- You did it to keep him from corrupting other kids.
  걔가 다른 애들을 망치지 못하도록 네가 그렇게 했지.
  You lie! You did it on purpose! 거짓말! 넌 일부러 그런 거야!

■ Sb did it for[to]~는 '…을 위해서 했다' 라는 뜻이며 did it on purpose면 '의도적으로 그걸 했다' 라는 의미가 된다.

No can do. Presentation is tomorrow.
안 되겠는걸. 발표가 내일이야.

- Don't tell me about the girl. No can do.
  그 여자애에 대해서 나한테 말하지마. 안 되겠어.
  A: I need to see the body again. B: No can do. Released six hours ago. A: 그 시신을 다시 봐야겠어. B: 안 되겠는데. 6시간 전에 인도되었어.

■ No can do는 '안되겠는걸' 이라는 뜻이다.

But don't do that again.
그러나 더 이상 그러지마.

- Dude, don't do that. 야 임마, 그러지마.
  Dad, don't ever do that again. 아빠, 더 이상 그러지 마세요.

■ Please don't do that은 '제발 그러지마' 라는 뜻. 또한 don't do that anymore는 '더 이상 그러지 마' 라는 뜻으로 Don't ever do that again, Don't do that again 등과 유사한 표현. Don't ever try to do it 하면 '시도조차 하지마' 라는 의미.

That should do it. You OK?
그 정도면 됐어. 너도 그렇지?

- That's why we made it this wide. There. That should do it.
  그래서 이렇게 넓게 만든 거야. 저기. 그 정도면 됐어.
  A: I will see to it. Anything else I can do? B: That should do it. Thank you, Luciano. A: 알아볼게. 또 다른 것은? B: 그 정도면 됐어. 고마워, 루치아노.

■ That should do it은 '그 정도면 됐어' 라는 뜻이며 That ought to do it도 같은 의미.

When you want to push someone's buttons, that'll do it.
네가 누군가를 화나게 하고 싶을 때 그 정도에서 그쳐.

- A: I think she knew Jane's secret and was blackmailing her.
  B: Yep, that'll do it.
  A: 걔가 제인의 비밀을 알고 협박을 한 것 같아. B: 그래, 이제 그만.
  Thank you, boys. That will do. 고마워, 애들아. 이제 됐어.

■ That will do (it)는 '이제 그만,' '이제 됐어' 라는 뜻이며 의문형인 Will that do it?하게 되면 '그거면 충분하지?' 라는 의미가 된다. Will that do?도 같은 의미이다.

It won't do to lie to your parents.
부모님께 거짓말하면 안되지.

- It won't do to skip the funeral. 장례식을 안가면 안되지.
  That won't do. You need to change clothes.
  그러면 안돼. 옷을 갈아 입어야 돼.

■ That won't do는 '그렇게 해서는 안돼' 라는 금지의 표현. 안 되는 내용을 구체적으로 함께 말하려면 That won't do to+동사 라고 하면 된다.

Chris and Serena are doing it.
크리스와 세레나가 그걸 하고 있어.

- You want to do it on the table this time? 이번에는 테이블위에서 할래?
  Do it. Make contact. 그렇게 해. 접촉하라고.
  Come on, you can do it. 그러지마, 넌 할 수 있다고.
  Please don't do it. 제발 그러지마.

■ do it은 우리말로도 '그거 하다' 라는 뜻으로 성관계(섹스)를 은유적으로 의미하는 표현이다. 그렇다고 do it만 보면 무조건 그 거라고 통제불능의 상상력을 발휘 하면 안된다. 일반적인 의미로 쓰 이는 경우가 더 많기 때문이다.

How're you doing?
괜찮아?

- So the real question is: How are you? 진짜 물어보는 건 너 괜찮냐는거야.
  I have absolutely nothing. How are you doing? 난 꽝야. 넌 어때?

■ How're you doing?및 How are you?는 안부인사로만 머리에 박혀있는데 실제로는 만나 고 난 이후에도 상대방이 좀 이상 할 때 혹은 상대방이 어떻게 하고 있는지 물어볼 때도 많이 쓰인다 는 점을 알아야 한다. 언어에서 고 정관념을 깰 수 있는 좋은 경우.

Mike, she's doing it again.
마이크, 걔가 또 그래.

- And yet, here we are doing it again. 그런데, 여기서 우리가 또 그러네.
  I won't be doing it again, ever. 난 결코 다시는 그러지 않을거야.

■ do it again은 '또 그런다' 라는 뜻으로 You're doing it again(또 그러네)이라는 표현이 많이 쓰인다.

Well, that does it! Now I am mad!
글쎄, 됐어! 난 화나 있거든.

- All right, that does it. 좋아, 됐어.
  That does it. You are banned from this bar!
  됐어. 넌 이 바에는 다시는 오지마.

■ That does it!은 '됐어' 라 는 뜻으로 더 이상 이 상황을 받 아들일 수 없다는 뉘앙스로 쓰이 는 표현이다.

You can't do this to me!
나한테 이러면 안 되지!

- I committed myself voluntarily! You can't do this to me!
  내가 자발적으로 한다고 했잖아! 나한테 이러면 안 되지!
  A: You can't do this to me. B: I know. I'm sorry.
  A: 나한테 이러면 안 되지. B: 알아. 미안해.

■ You can't do this to me는 '나한테 이러면 안 되지,' '이러지마' 라는 뜻으로 경우에 어 긋나는 걸 밥먹듯이 하는 쓰레기 같은 인간들한테 쓸 수 있는 말.

I wonder what's doing at the house.
난 집에서 무슨 일이 생기고 있는 지 궁금해.

- I just can't imagine how you're doing it.
  네가 그걸 하는 방법을 알 수가 없어.
  I wonder what's doing at the club tonight.
  오늘밤 클럽에서 무슨 일이 일어날지 궁금해.

■ wonder[imagine] what [how]'s doing~?은 무슨 일인 지, 무슨 일이 어떻게 돌아가는지 궁금할 때 사용하는 표현.

You would do well to learn that name.
저 이름을 기억해두는게 나을거야.

- He'd do well to be reminded of its cruelty.
  걘 그것의 잔혹함을 기억해두는게 좋을거야.
  You would do well to shut up for a while.
  넌 잠시 입다물고 있는게 좋을거야.

■ sb would do well to do 는 '…하는 게 나을거야' 라는 의 미로 상대방에게 충고나 조언을 할 때 사용한다.

I could do with a cognac.
난 꼬냑 한 잔이 필요해.

- Personally, I could do with a little less magic.
  개인적으로 난 약간의 마술 같은 게 필요해.

  I figure I could do without the company of men entirely.
  난 남성들이 옆에 없어도 잘 지낼 수 있다고 생각해.

■ could do with sth는 '…할 필요가 있다,' '…가 필요하다'라는 뜻으로 반대로 could do without하면 '…없이 지내다' 라는 의미가 된다.

You couldn't do it all.
넌 절대 그렇게 못할거야.

- You didn't do it because you couldn't do it.
  넌 그렇게 못하니까 하지 못한거야.

  Let me guess. You couldn't do it. 글쎄, 넌 절대 못할거야.

■ You couldn't (do that)!은 상대방이 그렇게 못할 거라는 확신하에 '절대 못할걸,' '그렇게 못할거면세!' 라는 의미이다.

Wait, what are you doing with that?
잠깐, 그걸 갖고 어떻게 하려고?

- What are you doing with my USB? 내 USB로 뭐하는 거야?
  What are you doing with my things? 내 물건 갖고 뭐하는 거야?

■ What are you doing with sth?은 '이걸 어떻게 할거냐?'라는 의미가 된다.

That's what you always do.
넌 늘 그런식이잖아.

- No, I expect you to do what you always do.
  아냐, 난 네가 늘 하던 대로 할거라 생각해.

  And you're doing what you always do in relationships.
  넌 대인관계에서 항상 하던대로 하고 있어.

■ That's what you always do는 '네가 하는 일이 다 그렇지 뭐,' '늘 그런식이지' 라는 뜻으로 다분히 비아냥거리는 표현이다. do what you always do하면 마찬가지로 '늘 하던 식으로 하다,' '늘 그런식으로 하다' 라는 말.

How could you do this to me[us]?
어쩜 나한테 그럴 수가 있니?

- Cindy, how could you do this to me? 신디, 어떻게 나한테 그럴 수가 있니?
  You're this guy's teacher. I mean how could you do this?
  네가 이 친구 선생님이지. 내 말은 어쩜 그럴 수가 있냐는 거야?

■ How could you do this[that] (to~)?는 '어떻게 그럴 수가 있니?' 라는 뜻으로 상대방의 어처구니없는 행동을 탓하는 표현.

As a doctor, how do you do that?
의사로서 어떻게 해낸 거야?

- You won the first prize. How do you do that?
  네가 일등 했어. 어떻게 해낸 거야?

  How do you do that? You are like a bomb-sniffing dog,
  except with poop. 어떻게 한거야? 넌 폭약냄새맡는 개같아, 똥싸는 것만 빼고.

■ How do you do that?은 '어쩜 그렇게 잘하니?,' '어떻게 해낸거야?' 라는 뜻으로 상대방이 놀라운 일을 해냈을 경우 이를 보고 감탄하면서 쓰는 표현이다.

What are you doing here?
여긴 어쩐 일이야?

- What're you doing here? You can't be here! 여기서 뭐해? 여기 있으면 안 돼!
  Oh! My God, what are you doing here? 오, 맙소사. 여기서 뭐하니?

■ What are you doing?은 '지금 뭐해?' 라는 뜻이고 here가 붙으면 '여기서 뭐해?,' '여긴 어쩐 일이야?,' '여기서 뭐하는 거야?' 라는 의미로 생각못한 곳에서 아는 사람을 만났을 때 하는 인사말.

What can I do for you, Mrs. Robinson?
로빈슨 부인, 뭘 도와드릴까요?

- What can I do for you, detective? 형사님, 무슨 일이세요?
  What else can I do to help? 내가 더 도와드릴 일은 없나요?

■ What can I do for you? 는 '뭘 도와드릴까요?', '무슨 일이세요?' 라는 뜻으로 일반적인 상황하에서도 쓰이지만 주로 가게에서 점원이 손님에게 쓸 수 있는 표현이다.

I'm sorry. What can I do?
미안해. 내가 어쩌겠어.

- A: What else can I do? B: Help her. A: 내가 어쩌겠어? B: 걜 도와줘.
  What can I do? I'm going to ignore her for the rest of my life.
  어쩌겠어. 남은 여생동안 그녀를 무시할거야.

■ What (else) can I do? 는 '내가 뭘 (더) 할 수 있겠어?' 라는 뜻으로 '내가 (달리) 어쩌겠어?' 라는 의미.

What do we do now?
이제 어쩌지?

- What should I do? 어떻게 해야 하지?
  So what should I do to make him jealous? 걔 질투심을 나게 하려면 어쩌지?

■ What should[do] I do (with)~? 는 '…를 어떻게 해야 하나?' 라는 의미로 'What shall [should] I do with?' 도 같은 의미이다.

I'm Alan Mills. What is it you do, Will?
알란 밀스에요. 윌, 직업이 뭐죠?

- What is it you do? You girls? 아가씨들, 직업이 뭐에요?
  A: So what do you do? B: I'm a reporter for Metro News 1.
  A: 그래 직업이 뭡니까? B: 메트로 뉴스 채널 1의 기자입니다.

■ What is it you do? 는 '직업이 뭐냐?' 라는 말로 What do you do for a living? 또는 What do you do? 와 같은 의미이다.

You have any idea what this'll do for your sex life?
이게 네 성생활에 무슨 도움이 될지 알고는 있니?

- What'll we do for entertainment around here? 여기 주변에서 뭐하고 놀지?
  What shall we do for our gift? 우리 선물을 어떻게 마련하지?

■ ~what it will do for~ 는 '…에 도움이 되다' 라는 뜻이나 what will you do for~ 면 '…을 어떻게 마련하다' 라는 뜻으로 I'm not sure what we'll do for~ 는 '…을 어떻게 마련할지 잘 모르겠다' 라는 의미가 된다.

Why did you do that to those kids?
그 애들한테 왜 그런 일을 했니?

- A: Well, then why are you doing this? B: Because I love her.
  A: 글쎄, 그런데 왜 이런 일을 한거야? B: 그녀를 사랑해서지.
  Why are you doing this to us? 왜 우리한테 이러는 거야?

■ Why did you do this [that]? 은 '왜 이런 일을 한거야?' 라는 뜻이고, Why are you doing this to me? 하면 '왜 나한테 이러는 거야?' 라는 의미.

My wife doesn't know what to do with herself.
아내는 자기 시간을 어떻게 보낼지 모르고 있어.

- He didn't tell me what to do with it.
  걔는 그걸 어떻게 할지 내게 말하지 않았어.

  He's trying to figure out what to do with us.
  걔는 우릴 어떻게 할지 생각을 모색중야.

■ don't know what to do with~ 는 '…를 어떻게 할지 모르다' 라는 뜻. 또한 don't know what to do with oneself 하면 '자유시간이 넘 많아 어떻게 이를 써야 될지 모른다' 고 할 때 사용한다.

D

I'm afraid this is all my doing.
이게 내 탓인 것 같아.

- Garrett! This is your doing! 가렛! 이건 네 탓이야!
  The problem is all Mike's doing. 문제는 마이크 탓이야.

 be one's (own) doing은 '…의 탓이다' 라는 뜻이다.

It takes a lot of doing.
꽤 힘들어요.

- A: You get his confession? B: Took some doing.
  A: 걔 자백을 받았니? B: 꽤 힘이 들었어.
  Well, it took some doing, but a P.I. friend of mine tracked that phone call. 글쎄, 힘이 좀 들었지만 내 친구인 사립탐정이 그 전화번호를 추적했어.

take some doing은 '일이 힘들다' 라는 뜻으로 to be hard work라는 의미이다.

She likes our can-do attitude.
걘 우리의 의욕적인 자세를 좋아해.

- This isn't something you can fix with a plucky, good attitude and a can-do spirit.
  이건 용기있는 자세와 할 수 있다는 정신만으로 해결할 수 있는 것은 아니야.

can-do attitude는 '의욕적인 자세,' '긍정적인 자세' 를 의미하며 can-do spirits하면 '할 수 있다는 정신' 이라는 의미이다.

MORE EXPRESSION

He's done for! 그 사람 죽었어!
do or die 죽을 각오로 하다
When are you going to say your "I do?" 국수 언제 먹여줄 거야?
dos and don'ts 주의사항, 규칙
do it over again 다시하다
do well by sb 잘 접대하다
be doable …할 만하다, 실행할 수 있다, 섹시하다

» doctor

 You're the doctor. 네 말대로 할게.

You're the doctor.
네 말대로 할게.

- A: You'd better study more for the test. B: You're the doctor.
  A: 시험공부 더 열심히 해라. B: 네 알겠어요.
  Yeah, you're the doctor. I'm gonna take a day off.
  그래. 네 말대로 할게. 오늘 하루 쉴게.

You're the doctor는 문자 그대로 '당신이 의사네요' 라는 뜻으로 비유적으로 '네 말대로 할게' 라는 의미.

Okay, how'd it go at the doctor's?
그래, 병원에서는 어땠어?

- It's weird! In a doctor's office? 이상하네! 병원에서?
  The doctor's office has no patient records. 그 병원은 환자 진료기록이 없어.

the doctor's는 '병원' 이라는 뜻으로 doctor's office라는 말이다.

It doesn't look doctored.
이건 조작된 것으로 보이지는 않아.

- This is actually a doctored photo of House.
  이건 사실 하우스가 조작한 사진이야.
  I mean, it's gotta be doctored. Right? 내말은 조작되었다는거야. 그렇지?

doctor는 동사로 '조작하다,' '음식물에 유독물질을 넣다,' '동물을 거세하다' 등 다양한 의미로 쓰인다.

MORE EXPRESSION

family doctor 가정의

Dog ate my homework! 개가 숙제를 먹었어요!

I heard your case has gone to the dogs.
네 환자가 악화되었다고 들었어.

- It's gone to the dogs. 악화되었어.
  The whole place is going to the dogs. 온 전체가 파멸로 치닫고 있어.

Dog ate my homework!
개가 숙제를 먹었어요!

- So what's this, "The dog ate my homework?" 개가 숙제를 먹었다는게 무슨말야?
  They're not finished. And the dog ate my homework.
  아직 못끝냈어요. 우리집 개가 숙제를 먹어치워서요.

Matt here has been working like a dog.
매트는 여기서 힘들게 일하고 있어.

- I killed my wife like a dog. 난 아내를 개처럼 죽였어.
  You're like a dog with a bone. 넌 아주 집요해.

It's dog-eat-dog world.
냉혹한 세상이야.

- She could be a real dog. 그 여자, 완전히 폭탄일 수도 있어.
  So how long is she gonna be in the doghouse?
  그래 걔가 얼마동안 찬밥신세가 될 건가?

■ **go to the dogs**는 '망하다,' '악화되다(become worse)' 라는 의미로 go to pot과 같은 맥락의 의미.

■ **Dog ate one's homework**는 숙제하지도 않고 핑계대는 것으로 '말도 되지 않는다' 라는 뜻이다. 한편 eat dog이면 '굴욕을 참다' 라는 의미.

■ **like a dog**은 '개처럼' 이라는 말. treat sb like a dog하면 '…를 개처럼 대하다' work like a dog은 '고되게 일하다' 그리고 like a dog with a bone하면 '고집이 센,' '집요한' 이라는 뜻이 된다.

■ **dog eat dog**은 '냉혹한' 이라는 뜻으로 개가 서로 먹고 먹힌다는 말. 또한 a real dog은 '폭탄' 이라는 의미로 사용되며 be in the doghouse하면 '찬밥신세' 라는 표현이다.

MORE EXPRESSION

Every dog has its[his] day. 쥐구멍에도 해뜰날이 있다.
Don't let sleeping dogs lie. 잠자는 사자의 코털을 건드리지 마라.
top dog 승자

We're doomed. 우린 죽었다.

We're doomed.
우린 죽었다, (그게) 우리 운명이야.

- All who suffer from the mummy's curse are doomed to die.
  미이라의 저주를 받은 사람은 모두 죽게 되어 있어.
  This relationship is probably doomed. 이 관계는 아마도 망하게 되어 있어.

You know that it's gonna spell your doom.
그걸로 넌 파멸하게 된다는 걸 알아야 해.

- You're the Cindy, the one who can change everything, or spell our inevitable doom.
  너 신디지. 모든 걸 바꿀 수 있는 사람이거나 아니면 우리에게 불가피한 파멸을 가져오든가.
  It seems I met my doom at last. 드디어 내가 망한 것 같아.

■ **be doomed to do**는 '…할 운명이다' 라는 뜻으로 be doomed to failure[defeat]하면 '실패[패배]할 운명이다' 라는 의미가 된다.

■ **spell doom**은 '파멸을 가져오다' 라는 뜻으로 meet one's doom은 '…가 죽는다,' '…가 망하다' 라는 의미가 된다.

MORE EXPRESSION

doomsday 최후의 심판일

Are you smoking dope? 너 약하니?. 너 미쳤니?

How much dope did you smoke?
마리화나를 얼만큼 폈니?

- Dad got hooked on dope, disappeared. 아버지가 마약중독되어 사라졌어.
  I'm afraid that he is shooting dope again. 걔가 다시 마약할 것 같아 걱정돼.
  Are you smoking dope? 너 약하니?, 너 미쳤니?

I'm a real dope, aren't I?
난 정말 멍청이야, 그렇지 않니?

- Every relationship starts with dishonesty, you dope!
  모든 관계는 서로 속이는데서부터 시작하는거야, 이 멍청아!

Someone doped this kid up.
누군가 이 애에게 마약을 먹였어.

- I look like a dirty doped-up cop. 난 마치 부패한 마약에 취한 경찰같이 보여.
  So golf ball salesman was too doped up to kill her.
  그래 골프공 세일즈맨은 그녀를 살해하기에는 너무 약에 취해 있었어.

■ smoke dope은 '마리화나를 피다,' do dope, shoot dope는 '마약을 하다' 라는 의미. 한편 get hooked on dope하면 '마약에 중독되다, 빠지다' 라는 표현이 된다. Are you smoking dope?하면 '너 마약하냐?' 라는 말도 되지만 '너 미쳤냐?' 라는 뜻으로도 쓰인다.

■ a dope은 '멍청이,' 즉 stupid person이라는 말씀.

■ dope가 '마약하다,' '마약을 먹이다' 라는 동사로 쓰인 경우. 한편 dope up은 '점검하다,' '마약을 복용하다' 라는 뜻도 있으나 be doped up의 형태로 쓰이면 주로 '멍하다,' '마취[마약]에서 깨어나지 못하다' 라는 의미가 된다.

MORE EXPRESSION

dopey 바보 같은, 약에 취해 몽롱한

Jill's been overdosed with heroin. 질은 헤로인 과다 복용이야.

She was dosed at the food court.
푸드코트에서 걔한테 약이 투여됐어.

- You're saying she dosed someone. 걔가 누군가에게 약을 먹였다는 말이지.
  I want to know the name. Who dosed you?
  이름을 알고 싶어. 누가 너한테 약을 먹였니?

That's probably where he received the fatal dose.
걔가 아마도 그곳에서 치사량을 받았을거야.

- She was also up on charges for administering a fatal dose of heroin to her boyfriend.
  걔는 자기 남친에게 치사량의 헤로인을 투여한 혐의를 받고 있어.

Jill's been overdosed with heroin. Get an ambulance.
질은 헤로인 과다 복용이야. 앰블런스를 불러라.

- Tom's been hospitalized for overdoses and attempted suicide.
  이 친구는 약물과다 복용 및 자살미수로 입원해있어.

  She died a year ago of an overdose from a mix of alcohol and heroin. 걔는 알코올과 헤로인의 복합 과다복용으로 1년 전에 죽었어.

■ dose (up)은 '약을 먹이다,' dose oneself는 '약을 복용하다' 라는 의미가 된다.

■ fatal dose는 '치사량'을 뜻하며, 옆의 예문에 administer는 '약을 투여하다' 라는 단어이다.

■ overdose(OD)는 '약물을 남용하다,' '약물을 과다 복용하다' 라는 의미이다.

I'll see you at 4:15, on the dot. 약속대로 4시 15분에 보자.

5:30 on the dot, as promised.
약속한대로 5시 30분 정각에.

- I'll see you at 4:15, on the dot. 약속대로 4시 15분에 보자.
  I will be here, seven o'clock on the dot. 난 7시 정각에 여기로 올게.

■ on the dot은 '정각에' 라는 뜻이다.

We'll dot the I's and cross the T's another day.
우린 다른 날에 완결을 지을거야.

- Who basically goes through the plan, crossed the t's, dotted the I's? 누가 기본적으로 계획을 검토하고 완성할거야?
  You really want to dot the I's and cross the T's, don't you? 넌 정말로 완성을 하고 싶은 거지, 그렇지 않니?

■ dot the i's and cross the t's는 '…를 완결하다' 라는 뜻으로 i에 점을 찍고 t 상단부에 선을 그어 스펠링을 완성한다는 이야기.

D

You double-booked us? 우리한테 양다리 걸친 거야?

You know everything!! Oh wait, double or nothing.
넌 모든 걸 알지!! 기다려, 배팅을 2배로 올리자.

- Dude, double or nothing, there's no way you're hitting it that far. 야, 두 배로 따던가 아니면 다 잃든가. 네가 그렇게 이길 방도는 없어.
  Let's go double or nothing on this bet. 이번 베팅은 두배로 하자.

■ double or nothing은 '두 배로 따던가 아니면 다 잃다' 라는 뜻으로 내기에서 약이 올라 배팅을 두 배로 올려 리스크를 키우는 경우에 사용된다.

What do you say we make it a double feature?
영화 두 편을 보고 싶은데 어떠니?

- Give me a whiskey, and make it a double. 위스키줘요, 더블로요.

■ make it a double은 '술을 더블로 하다,' '곱빼기로 하다' 라는 뜻. 그리고 give sb double 하면 '…에게 두배를 주다' 라는 의미가 된다.

We need to concentrate on the double murder.
우린 이중 살인사건에 집중해야만 해.

- Your son is a prime suspect in a double homicide. 당신 아들이 이중 살인사건의 주요 혐의자입니다.
  They framed him for a double homicide. 그들이 걔에게 이중 살인혐의를 뒤집어 씌웠어.

■ double homicide는 '이중 살인' 즉 2명을 살인했다는 의미. double murder는 '이중살해' 라는 뜻. murder는 일반적인 살인을 의미하지만 homicide는 고의적인 살인을 의미한다.

It doubled the impact of the alcohol.
그걸로 알코올의 충격이 배가되었어.

- I would be more comfortable if we doubled her security. 그녀에 대한 보안을 배가한다면 내가 좀 마음이 편할 거야.
  I'll double it if you give me my hotel back. 내 호텔 돌려주면 두배로 쳐주지.

■ double은 동사로 '두 배로 하다' 라는 의미.

You double-booked us?

우리한테 양다리 걸친거야?

- She said he'd accidentally double-booked. 걔가 우연히 이중예약했다고 말했어.

  How about you set me up with someone, and we double date! 한명 소개시켜주고 우리 더블데이트하자!

■ double-book은 '이중 예약을 받다,' '양다리걸치다' 라는 뜻. 또한 double date는 두쌍의 남녀가 함께 식사나 영화를 보면서 데이트하는 것을 뜻한다.

You double-crossed your partners.

넌 네 파트너들을 배신했어.

- Nash didn't frame Pete, they were partners until Nash double-crossed him. 내쉬는 피트에게 누명씌우지 않았어, 걔네들은 내쉬가 걜 배반할 때까지 파트너였어.

  They killed him for double-crossing them. 걔네들은 배반했다고 걜 죽였어.

■ double-cross는 주로 불법적인 일과 관련돼서 배신하거나 배반하는 것을 말한다.

Jerry doubled back.

제리는 오던 길을 되돌아갔어.

- He took a commercial flight to Beijing, then doubled back on a train bound for Berlin. 걘 베이징행 민간항공기타고 베를린행 기차편으로 되돌아갔어.

  A: Is it gonna double back? B: Maybe. A: 그게 다시 돌아올까? B: 아마도.

■ double back은 '오던 길을 되돌아가다' 라는 뜻이다.

MORE EXPRESSION

double 대역배우
On the double! 빨리해(chop up)

» doubt

 There is no doubt about it! 틀림없어!

I doubt it. Look at this.

그렇지 않을거야. 이걸 봐.

- A: You think she'll remember more details? B: I doubt it.
  A: 걔가 좀 더 자세한 걸 기억하리라 생각하니? B: 그렇지 않을 걸.

  A: He's not here. B: I doubt that. A: 걔는 여기에 없어. B: 그럴까?

■ doubt it[that]은 '과연 그럴까,' '그럴 리 없다' 라는 뜻이다. suspect가 그럴거라고 의심하는 반면 doubt는 그렇지 않을거라고 의심을 하는 경우이다.

I doubt our paths will cross.

우린 만날 일이 없을 겁니다.

- I doubt that he's a cannibal. 걔가 식인종일 리가 없어.

  I doubt if his research would ever have been published.
  걔의 연구가 행여 발간될 가능성은 없을거야.

■ I doubt if[that]~는 '나는 …인지 의심스럽다' 라는 뜻이며 마찬가지로 I suspect that~이면 '…일거라 의심하다' 라는 뜻이 된다.

I had my doubts.

난 믿지 않았어.

- Honestly, I had my doubts, but I did not do this.
  솔직히 말해서 믿지는 않았지만 내가 꾸민 짓은 아니야.

  You know I've had my doubts about my skills as a father.
  내가 아버지로서 내 능력을 믿지 않았다는 걸 알잖아.

■ have one's doubts는 '믿지 않는다' 라는 의미이다.

I have no doubt she's highly capable.
난 걔가 출중한 능력을 가진 걸 의심치 않아.

- I have no doubt he was having an affair with Olivia.
  걔가 올리비아하고 관계를 가졌다는데 의심의 여지가 없어.

  I have no doubt that her breasts are perfect.
  걔 가슴이 완벽하다는데 의심의 여지가 없어.

 have no doubt[that~]은 '…를 의심하지 않는다,' '의심의 여지가 없다' 라는 표현이다.

There is no doubt about it!
틀림없어!

- There is no doubt that spousal rape exists.
  부부 사이에도 강간이 존재한다는데 의심의 여지가 없어.

  Exact model. No doubt about it. 바로 그 모델야. 틀림없이 확실해.

 (There is) No doubt (about it)은 '물론이지,' '확실해,' '의심의 여지가 없어' 라는 뜻으로 상대방의 말에 동의하면서 쓰는 표현이다.

A: Is he onto you? B: Without a doubt.
A: 걔가 너한테 추근대니? B: 그래.

- A: He killed the wrong girl. B: Without a doubt.
  A: 걔는 다른 여자애를 죽였어. B: 틀림없어.

  The burden of proof is beyond a reasonable doubt.
  피고인이 무죄를 입증할 의무는 당연한 것이다.

 without a doubt는 '틀림없이,' '그럼,' '그렇고 말구' 라는 뜻이다. beyond doubt은 '의심의 여지가 없다' 라는 뜻이며 doubter 는 '회의론자' 를 의미한다.

MORE EXPRESSION

if[when] (you're) in doubt
의심이 나면
Doubting Thomas 증거없으면 뭐든지 의심하는 사람
room for doubt 의심의 여지

»down

 Don't let me down. 기대를 저버리지마, 날 실망시키지마.

Our security system has been down for months.
우리 보안시스템이 몇 달 동안 고장이 나있어.

- The internet's been down for half an hour.
  인터넷이 30분 동안 작동이 되지 않았어.

 be down for는 '…동안 작동되지 않다', '…동안 고장이 나있다' 라는 의미이다.

When I feel down about something, I shop.
난 뭔가에 기분이 가라앉으면 쇼핑을 해.

- Hi, sad-eyes. What's got you down? 하이, 슬픈 표정. 뭐 때문에 우울해졌니?
  Has someone got you down? 누군가가 널 우울하게 만들었니?

 feel down은 '기분이 가라앉다' 라는 뜻이며 get sb down 하면 '…를 우울하게 하다' 라는 의미가 된다.

I think something's going down with his family.
가족들한테 무슨 일이 생겼나봐.

- I can predict, down to the week, how long a couple is going to last. 난 결혼하는 남녀가 얼마나 오래 갈지 일주일 단위까지 예측할 수 있다고요.
  What's going down with the neighbors? 이웃에 무슨 일이 생긴거야?
  Betty is not sure what will go down with her boyfriend.
  베티는 남친에게 무슨 일이 생길 줄 몰라.

 go down with는 '…에 걸리다' 라는 뜻으로 주로 질병을 의미하나 특정한 일이 생기는 경우에도 사용된다. 참고로 down to+단위가 되면 '…단위까지' 라는 말이다.

Don't let me down.
기대를 저버리지마, 날 실망시키지마

- What a letdown! 참 실망이다!
  You're the first man I ever met who didn't let me down.
  네가 내가 만난 사람 중 날 실망시키지 않은 최초의 사람이야.

■ let sb down은 '…를 실망 시키다' 라는 뜻으로 letdown하면 명사로 '실망' 이라는 의미가 된다.

What a downer!
야, 참 실망이네!

- That's a downer. 김빠지는 거야.
  Tony was a real downer last night. 지난 밤 토니는 너무 실망스러웠어.

■ downer는 '진정제,' '흥을 깨는 것,' 혹은 '기분을 울적하게 하는 것' (something that is depressing)이라는 단어.

Because he downed both your drinks.
걔가 너희들 술잔도 마셔버렸기 때문이야.

- She stayed awake, even though she downed the whole bottle.
  걔는 한 병을 마셔버렸음에도 불구하고 말짱했어.
  Herman quickly downed three beers. 허먼은 맥주 3병을 빨리 마셨어.

■ down은 동사로 '빨리 마시 다[먹다],' '때려눕히다' 라는 뜻으 로도 사용된다.

So we turned her world upside down for nothing.
그래서 우리는 걔 삶을 아무 이유없이 뒤집어버렸어.

- Keri's life has been turned upside down for the past 2 years.
  케리의 삶은 지난 2년간 완전히 뒤집혔어.
  That doesn't mean they can't turn your life upside down.
  그렇다고 그들이 너의 삶을 망칠 수 없다는 의미는 아냐.

■ turn sth upside down 는 '…를 완전히 뒤엎다' 라는 의 미.

MORE EXPRESSION
down-and-out 운이나 돈이 없는
low-down 부정직한, 야비한, 정
보, 내막, 실상
down with~ …를 타도하다
ups and downs 부침, 흥망성쇠

» drag

 I'm sorry you got dragged into this. 네가 이것에 말려들게 해서 미안해.

And I was being dragged into the van.
난 밴으로 끌려 들어왔었어.

- She was wearing it when she was dragged out of the hospital.
  걔가 병원에서 끌려나올 때 여전히 그걸 차고 있었어.
  A: Apologize? For what? B: For dragging me into this.
  A: 사과? 뭐 때문에? B: 날 이것에 끌어들인 것에 대해서.

■ drag into는 '…에 끌어들 이다,' drag sb into하면 '…를 …에 끌어넣다,' '관계 속에 끼어 들게 하다' 라는 의미가 된다. 한편 drag sb out of~하면 반대로 '…를 …에서부터 끌어내다' 라는 표현이 된다.

I'm sorry you got dragged into this.
네가 이것에 말려들게 해서 미안해.

- But we all get dragged into it, just like we did today.
  그러나 우린 모두 오늘 그런 것처럼 그렇게 말려들었어.
  I hear you've been dragged into something bad.
  네가 뭔가 나쁜 일에 말려들었다고 들었어.

■ get dragged into는 '… 에 말려들다' 라는 뜻이다.

What event are you dragging me to this week?
이번 주 무슨 행사에 날 데려가려고?

- He's dragging me to a corporate retreat. 걔는 날 회사 휴양지로 데려갔어.

  I'll drag myself home. You wanna share a cab? 집에 갈건데 택시 같이 탈래?

■ **drag sb to+장소**는 '…를 …로 데려가다' 라는 뜻으로 drag oneself to[into]하면 '스스로 …로 들어가다' 라는 의미가 된다.

It was a real drag.
지루해서 혼났어.

- It is such a drag to be here in detention. 여기 감금되어 있는 건 정말 지루해.

  I don't want to be a drag on you. 너한테 짐이 되긴 싫어.

■ **be a (real) drag**는 '(정말) 지루하다' 라는 의미이다. such a drag하면 '아주 지루하다' 라는 강조표현. 감탄문으로 지겨움을 강조하려면 What a drag!(아휴 지루해!)라고 하면 된다. 또한 be a drag on~하게 되면 '…에 짐이 되다' 라는 뜻이다.

How dare you drag me out of my wedding!
어떻게 감히 내 결혼식에서 날 끌어내!

- You drag me out to a park at 3 in the morning?
  새벽 3시에 날 공원으로 불러내잖아.

  Don't drag this out. 질질 끌지 마라.

■ **drag sb out**는 '…을 끌어 내다.'

He takes a drag from his cigarette.
걔는 담배를 한 모금 빨아 들였어.

- A: Can I have a drag? B: Absolutely not. You're much too young to smoke.
  A: 한 모금 빨아도 돼? B: 절대 안 되지. 넌 담배피기엔 너무 어려.

■ **have a drag**는 '담배 한 모금 빨다' 라는 뜻으로 take a drag 역시 '담배를 빨다' 라는 의미가 된다.

I look like a drag queen.
난 여장 남자처럼 보여.

- Wait, Penny Noir was a drag queen? 잠깐, 페니 느와는 여장 남자였니?

  I don't think I'm ready for you to see me in drag.
  내가 여장한 걸 아직 보여줄 준비가 안됐어.

■ **drag queen**은 '여장 남자' 를 의미하며 in drag하면 '여장한' 이라는 뜻이다.

D

놓치면 원통한 미드표현들

- **doll up** 예쁘게 차려입다

  Look at you all dolled up and walking the street. 예쁘게 차려입고 거리를 걷는 널 봐라.

  What? Getting all dolled up for a Jimmy Buffett concert?
  뭐라고? 지미 버페트 연주회를 위해 예쁘게 성장했다고?

- **be a (real) doll** (완전히) 조각이다

  He's a real doll. 그 사람 완전히 조각이야.

  Thank you for listening. You're a doll.
  들어줘서 고마워. 넌 인형 같은 여자야.

It went just down the drain. 헛수고가 되었어.

It went just down the drain.
헛수고가 되었어.

- She said that it went down the drain. 걔는 헛수고를 했다고 말했어.
  They take their whole families down the drain with them.
  걔들은 전 식구들이 같이 망해버렸어.

■ go down the drain은 '…가 수포로 돌아가다,' '헛수고 가 되다' 라는 뜻. 시간, 돈, 노력 등이 보람도 없이 날아가 버렸다 즉, '실패하다,' '망하다' 라는 의미.

Listen, honey, I'm a little emotionally drained.
자기야, 난 약간 감정적으로 피곤해.

- There's barely any blood. The bodies were probably drained.
  거의 피가 없어. 시신들이 아마도 말라버렸나 봐.
  They're all completely drained of power. 걔들은 전부 완전히 힘이 빠졌어.

■ be drained는 '무척 피곤 하다,' '진이 빠지다,' '감정이 메 말라 버리다[고갈되다] 라는 의미 이다.

That's where you draw the line? 그게 네 한계선이니?

No, let's just draw straws.
아냐, 그냥 제비를 뽑자.

- As your senior field agent, I say we draw straws.
  너의 현장요원 상관으로 말하는데 우리 제비를 뽑자.
  Looks like it's a draw. 비긴 것 같아.

■ draw straws는 '제비를 뽑다' 라는 뜻이다. 한편 draw가 '무승부' 라는 의미로도 사용되며, be quick on the draw는 '상황 판단이 빠르다' 라는 의미.

I just drew the short straw.
난 단지 재수 없게 걸렸어.

- Guess Steve drew the short straw. 스티브가 재수 없게 걸렸다고 생각해봐.
  About four a.m. I pulled the short straw. 약 새벽 4시경. 난 재수없게 걸렸어.

■ draw the short straw는 '재수 없게 걸리다' 라는 뜻. draw 대신 pull을 써도 마찬가지 의미이 다. 제비뽑기에서 짧은 걸 뽑아서 당선이 되었다는 슬픈 이야기.

I've had a contract drawn up.
난 계약서를 작성하게 시켰어.

- Did you draw up a list of those involved in the search?
  수색에 참여한 사람들 리스트를 작성했니?
  I'll call Marshall. We'll draw up the contract. 마샬불러. 계약서를 작성할거야.

■ draw up은 계약서 등을 '작성하다' 라는 의미이다.

We might be able to draw the unsub out.
우린 미확인용의자가 말하도록 유도할 수 있을 거야.

- If we have to do a search, we can try to draw him out.
  우리가 수색을 해야만 한다면 걔가 말하도록 유도할 수 있을 거야.
  I tried to draw her out, but she doesn't want to talk.
  우린 그녀가 말을 하도록 최선을 다했지만 걔는 말하고 싶지 않아해.

■ draw sb out은 '…의 기 운을 차려 개인적인 생각들을 말 하게 하다' 라는 의미이다.

But we don't want to draw attention.
그러나 우린 관심을 끌고 싶지 않아.

- He's killing civilians now and he's drawing a lot of attention.
  걔는 지금 민간인을 살해하고 있어, 많은 관심을 끌고 있지.

  Now, yes, maybe he's trying to draw attention to him.
  이제, 걔는 자신에게 관심을 끌려고 노력하고 있어.

■ draw one's attention은 '…의 관심을 끌다' 라는 의미이다.

I'm drawn to her.
걔한테 끌렸어.

- It's hard for me to be objective, I'm drawn to her.
  내가 객관적이기 어려워, 그녀에게 끌려있거든.

  Are you drawn to me? 너 나한테 끌리니?

■ be drawn to sb는 '…에게 끌리다' 라는 뜻이다.

Next to the pool trying to draw your gun.
수영장 옆에서 총을 빼려고 하고 있어.

- Unsub gets into the car, gun drawn, and tells her to drive.
  미확인용의자가 총을 뽑은 채로 차로 들어가서 그녀한테 운전하라고 말해.

  The policeman drew his gun before entering the house.
  경찰은 집에 쳐들어가기 전에 총을 꺼내들었어.

■ draw one's gun은 '총을 뽑다' 라는 의미.

D

I'll draw you a map.
내가 약도를 그려줄게.

- You're gonna draw me a map if I need one. 내가 필요하면 약도 그려주라.

  What they all keep asking me to do, draw a map.
  걔들이 나한테 줄곧 요구하는 것은 약도를 그려달라는 거였어.

■ draw a map은 '지도[약도]를 그리다' 라는 의미이다.

We draw the line at bedpans.
우린 변기까지는 안돼.

- The line must be drawn here! This far, no farther!
  여기가 선이야! 여기까지고, 넘어서면 안 돼!

  Where do we draw the line between addition and passion?
  그러나 중독과 열정 사이에 어디에 선을 그어야하니?

■ draw a line (at~)은 '(…에) 선을 긋다,' 비유적으로 '…는 거부한다' 라는 뜻이다.

That's where you draw the line?
그게 네 한계선이니?

- A little experiment to see where you draw the line.
  네 한계를 알아보는 작은 실험.

  I guess answers is where you draw the line. 대답을 보면 네 한계선을 알 수 있어.

■ where do you draw the line은 어디에서 선을 긋다라는 말로 한계라는 뉘앙스를 갖는다. 그래서 This is where you draw the line하면 '여기까지야,' '그만해' 라는 뜻이 된다.

■ draw blood는 '피를 흘리게 하다[채취하다]' 라는 의미이다.

They draw blood!
걔들은 피를 뽑았어!

- Foreman, draw blood, test for mercury poisoning.
  포먼, 피를 채취해서 수은 중독여부를 테스트해봐.

  Stop scratching. You'll draw blood. 긁지마. 피를 흘릴거야.

MORE EXPRESSION

draw a check 돈 인출하다
draw near[closer] 다가오다
end in a draw 무승부로 끝나다
(end in a tie, be a draw)
the luck of the draw 운수, 팔자소관
draw breath 잠깐 숨을 돌리다

In your dreams, you idiot. 꿈도 꾸지마, 이 바보야.

In your dreams, you idiot.

꿈도 꾸지마, 이 바보야.

- A: Nice dress, Sam. B: In your dreams.

  A: 드레스 이쁘다, 샘. B: 꿈도 꾸지 마.

  Even people in your dreams know you're gay?

  네 꿈에서 나오는 사람들조차 네가 게이인 걸 알겠지?

■ in your dreams는 '꿈도 꾸지마,' '네 꿈에서나 가능하겠 지'라는 의미의 표현이다. You wish!와 같은 뜻. 같은 맥락의 표 현으로 Dream on!(꿈깨)도 있다.

Dream on!

꿈도 꾸지마, 이 바보야.

- Dream on! She's married. 꿈깨! 저 여자는 유부녀야.

  A: How about a quickie before I go home? B: Dream on!

  A: 집에 가기전에 한번 어때? B: 꿈깨!

■ Dream on! 역시 상대방의 허황된 말에 핀잔을 주는 표현으 로 '꿈깨!'라는 의미.

In my wildest dreams, I never could've imagined.

난 꿈에서조차 상상할 수가 없었어.

- I never imagined I'd meet you, even in my wildest dreams.

  난 꿈에서 조차 널 만날 줄은 상상도 못했어.

  I'm killing these people in my dreams. 난 꿈속에서 이 사람들을 죽여.

■ in my wildest dreams 는 '꿈에서조차'라는 뜻이며 not (even) in your wildest dreams 하면 '그런 건 꿈도 꾸지마'라는 의미가 된다. 물론 in one's dreams하면 '꿈속에서'라는 말.

Promises me sex beyond my wildest dreams.

(걘) 내가 상상하는 이상의 섹스를 약속해줬어.

- No, Jason. That was beyond my wildest dreams.

  아냐, 제이슨. 그건 내 상상이상이었어.

  But this has succeeded beyond my wildest dreams.

  그러나 내 상상이상으로 성공했어.

■ beyond one's wildest dreams은 '···의 상상이상이다' 라는 의미이다.

I sat there. I couldn't move. It was like a dream.

난 거기에 앉았어. 움직일 수가 없었지. 마치 꿈속에 있는 것 같았어.

- Smells a little funky but fits like a dream.

  약간 악취가 나지만 아주 잘 맞았어.

  Your new car drives like a dream. 네 새 차는 멋지게 달린다.

■ ~ like a dream은 멋지게 (···하다)라는 표현이고 be like a dream하면 '꿈과 같다,' '비현실 적이다'라는 의미가 된다.

Some kids dream of being astronauts.

일부 애들은 우주비행사가 되는 꿈을 꿔.

- I dream of angels, but I live with demons.

  난 천사들의 꿈을 꾸지만 악마들하고 살고 있어.

  I had the dream of choking her. 난 그녀의 목을 좨는 꿈을 꿨어.

■ dream of~는 '꿈꾸다'라 는 뜻이며 dream이 명사로 쓰여 have the dream of하면 '···하는 꿈을 꾸다'라는 의미가 된다.

That dream of yours, you know, what is it, really?

네가 꿈꾸는 것, 저기 그게 정확히 뭐였지?

- Getting into that place has been a dream of hers.
  그 곳에 들어가는 것은 그녀의 꿈이었어.

  She'd never even thought about kids, but it was a dream of mine. 걘 결코 애들에 대해 생각한 적이 없어, 그건 내 꿈이었어.

■ dream of one's는 '···의 꿈' 이라는 뜻이다.

Well, you get to build your dream house, for free.

글쎄, 넌 꿈에 그리던 집을 지을 수 있어, 그것도 공짜로.

- It must be a dream job for a man with your talents.
  너 같은 재능이 있는 사람한테는 이건 꿈에 그리던 직업일거야.

  We were able to build our dream house a few years ago.
  우리는 몇 년전에 꿈에 그리던 집을 지을 수 있었어.

■ dream house는 '꿈에 그리던 집' dream home이면 '꿈에 그리던 가정' dream job이면 '꿈에 그리던 직업' 이라는 뜻으로 이상적인 것을 의미한다.

You are a dream come true.

넌 꿈이 실현된거야.

- Later that week, Kevin experienced a dream come true.
  그 주 후반 케빈은 꿈이 실현되는 것을 경험했어.

  It's a dream come true, and who knows where it could lead?
  꿈이 실현된거야, 그리고 앞으로 어떻게 될지 누가 알겠어?

■ be a dream come true 는 '꿈이 실현되다' 라는 표현.

MORE EXPRESSION

Dare to dream. 그건 꿈에서나 있는 일이지.
be[leave] in a dream world 꿈속에 남아있다
in a dream 비몽사몽, 꿈을 꾸는

D

» dress

Did you ever mentally undress her? 너 맘속으로 걜 벗겨본 적 있어?

Don't dress it up like that.

그렇게 꾸며대지마.

- You don't have to dress up for a Knicks game.
  닉스 경기를 위해 차려입을 필요는 없어.

  You dress down, but you're very attractive. 편하게 입어도 넌 아주 매력적이야.

■ dress up은 '성장하다' 즉 '잘 차려입다' 라는 뜻이며 dress down은 '편안하게 옷을 입다' 라는 의미. 미국의 일부 행정부처에서는 dress down day를 정해서 캐주얼을 입고 출근하기도 한다.

So get up, get dressed.

그래 일어나 옷을 입어라.

- She had to get dressed for court. 걔는 법원에 출두하기 위해 옷을 입어야 했어.

  You don't have to get undressed for this. 이 때문에 옷을 벗을 필요는 없어.

■ get dressed는 '옷을 입다' 라는 뜻이며 get undressed 는 '옷을 벗다' 라는 의미.

I'd rather be dressed to the nines.

차라리 멋지게 차려 입을테야.

- The audience dressed to the nines. 청중들이 격식을 갖춰 옷을 잘 입었어.

  Susan always comes dressed to the nines. 수잔은 항상 옷을 멋지게 차려입어.

■ dressed (up) to the nines는 '격식을 갖춰 우아하게 옷을 입다' 라는 뜻이다. dressed to kill은 '옷차림이 끝내주는[죽여주는]' 이라는 의미가 된다.

I don't need a pretty veil and a fancy dress.
난 예쁜 면사포하고 멋있는 옷이 필요치 않아.

- You lured her into the dressing room. 넌 그녀를 탈의실로 유인했어.

  They can change their window dressing. 걔들은 쇼윈도장식을 바꿀 수 있어.

Did you ever mentally undress her?
너 맘속으로 걜 벗겨본 적 있어?

- When I come home she makes me undress in front of her.
  내가 집에 오면 걘 자기 앞에서 내 옷을 벗게 했어.

  Said the suspect's started making people undress.
  용의자가 사람들로 하여금 옷을 벗게 하기 시작했대.

■ fancy dress는 '멋있는 옷' dressing room은 '분장실,' '탈의실' window dressing은 '쇼윈도 장식'을 각각 의미한다.

■ undress sb with one's eyes는 '…를 엉큼하게 쳐다보다' 라는 의미로 눈으로 사람의 옷 벗은 모습을 그려본다라는 의미. undress mentally와 같은 맥락의 표현. 물론 undress는 옷을 벗(기)다라는 단어.

MORE EXPRESSION

dressing 샐러드 드레싱

» drift

 Do you get my drift? 무슨 말인지 알겠어?, 이해돼?

You're drifting away from Dan and your family.
넌 댄과 가족으로부터 점점 멀어져가고 있어.

- They often blame each other, and they drift apart.
  걔들은 종종 서로 비판하다가 헤어져버렸어.

  I guess after that she and I kind of drifted apart.
  그 이후 개하고 난 서로 멀어져버린 것 같아.

■ drift apart는 '헤어지다' 라는 뜻이며 drift away하면 '멀어지다' 라는 의미이다.

Catching my drift?
내 말 이해했어?

- Do you get my drift? 무슨 말인지 알겠어?, 이해돼?

  We can all spend some more time together, if you catch my drift.
  내말의 진의를 이해한다면 우린 서로 좀 더 많은 시간을 보낼 수 있어.

■ catch[follow,get] one's drift는 '무슨 말인지 진의를 이해하다' 라는 뜻이다.

놓치면 원통한 미드표현들

- **feel like a million dollars** 기분이 아주 좋대[끝내 준다]
  I feel like a million dollars[bucks].
  난 아주 기분이 끝내줘.

- **douche** 멍청이(악의없이 거만하고 짜증나게 구는 남자), 질 세척(하다), 경멸하다
  You're just a douche. 넌 바보 멍충이야.
  We aren't supposed to fart, douche, use tampons. 우린 방귀도, 질세척도, 생리대도 하면 안된다니까.

- **douche bag** 바보, 얼간이, 멍청이
  Can you believe this douche bag?
  이 얼간이 말이 믿겨져?

- **drat** 제기랄
  Drat. Is this your card? 젠장, 이게 네 카드야?
  A: What do you think? B: Drat.
  A: 어떻게 생각해? B: 젠장

You know the drill. 어떻게 돌아가는지 알잖아.

What's the drill?
무슨 일이야?

- I'm new. What's the drill around here?
  난 새로 와서 그런데 여기 주변이 어때?
  What's the drill during the lunch hour? 점심동안은 어땠어?

You know the drill. This won't take long.
어떻게 돌아가는지 알잖아. 그리 오래 걸리지 않을거야.

- You know the drill. Assume the position! 넌 잘 알잖아. 그 자리를 맡아!
  He knows the drill, Tim. What do you get, McC?
  팀, 걔는 방법을 알고 있어. 맥, 뭔데?

Mother drilled that into me.
엄마는 그걸 훈련시켜서 내 몸에 배게 했어.

- You drilled those guys. 네가 저 친구들을 훈련시켰지.
  It took weeks to drill it into the trainees' heads.
  그것을 훈련생들에게 주입하는데 한참 걸렸어.

■ What's the drill?은 '무슨 일이야?' 라는 뜻으로 막 도착한 장소에서 일어나고 있는 일을 물을 때에 쓰는 표현이다. 또한 '무엇을 어떻게 하면 되죠?' 라는 의미도 갖는데 이 경우는 어떤 일을 하는데 필요한 규칙이나 절차를 문의하는 경우.

■ know the drill은 '올바른 방법을 알다,' '어떻게 하는지 알다,' '어떻게 상황이 돌아가는지 알다' 라는 구어체 표현이다.

■ drill sb는 '…를 훈련시키다' 라는 뜻이며 drill sth into sb는 '…를 훈련시켜 몸에 배게 하다' 라는 의미가 된다.

MORE EXPRESSION
known associates 관련자 범인의 친구나 공범
fire[emergency] drill 화재[비상] 훈련
escape drill 비상탈출 훈련

She's having drinks with her date. 걔는 데이트 상대와 술마시고 있어.

Liver failure. He drank like a fish.
간질환야. 걔는 술고래처럼 마셨거든.

- Her mother drank like a fish. 걔 엄마는 술고래처럼 마셨어.
  Once I get home and drink myself to sleep, I'll be fine.
  일단 집에 들어가서 잘 때까지 마시면 괜찮을거야.

Come on, drink up. Here you go. Good.
자, 쭉 마셔. 그래, 좋아.

- Don't you worry about that, little J. Just drink up.
  걱정하지마, 꼬마 J. 마시기나 해.
  So drink up, enjoy and flirt. 그래 마시고, 즐기고 헌팅도 해보자.

I'll drink to that!
찬성이야!

- All right. Well, I'll drink to that. 좋아. 글쎄, 그것에 찬성이야.
  Yeah, I'll drink to his memory. You want to make the toast?
  그래, 걔를 추모하는 건배를 할거야. 네가 건배할래?

■ drink like a fish는 '술고래처럼 마시다' 라는 뜻이며 drink oneself into a stupor[to death] 하면 '인사불성[죽을 때까지] 마시다' 라는 표현이 된다.

■ drink up은 '쭉 다 마시다[들이켜다] 라는 뜻으로 주로 명령문으로 사용된다.

■ drink to는 '…에 건배하다' 라는 의미도 있지만 상대방의 말에 동의한다는 일반적인 의미로도 사용되는 표현. 즉 drink to that하면 '그것에 찬성한다' 라는 뜻이 된다.

Thank you. What are you drinking?
고마워. 뭘 마실래?

- Doesn't work. What are you drinking? 안 통해. 뭘 마실래?

  A: What are you drinking? B: Uh, tea. A: 뭘 마실래? B: 음, 차로 할래.

■ What're you drinking? 는 '뭘 마실래?'라는 뜻으로 술집 에서 상대방에게 술 한 잔 사면서 물어보는 표현이다.

We were hoping to get drunk.
우린 취하기를 원하고 있었어.

- I am not drunk. I do not get drunk. 난 안 취했어. 난 취하지 않아.

  I was drunk as a skunk. Met these guys at a bar.
  난 고주망태로 취했어. 술집에서 이 친구들을 만났지.

■ get drunk는 '취하다'라는 통상적인 표현이다. drunk as a lord[skunk]는 '고주망태로 취한' 이라는 뜻으로 very drunk라는 의미이다. 가볍게 취하는 건 tipsy 라 한다.

The man was charged with being drunk and disorderly.
걔는 음주난동죄로 기소됐어.

- Well, he was busted for drunk and disorderly at a place called O'Malley's. 저, 걔가 오말리라는 술집에서 술먹고 난동피서 잡혔어.

  College student? What's her record for, drunk and disorderly?
  대학생이라고? 무슨 죄목이야, 술에 취해 난동폈대?

■ drunk and disorderly는 술에 취해, 즉 만취상태에서 난동 이나 소란을 피는 것을 말한다.

I always told Ashley, "Never drive drunk."
항상 애쉴리에게 '음주운전은 하지 말라'고 말했어.

- The state police can, for example, take blood from a drunk driving suspect. 예를 들어, 주 경찰은 음주운전 용의자의 혈액을 채취할 수 있죠.

■ drunk driving은 '음주운 전'이라는 뜻이다. drink and drive, drive drunk도 같은 의미 로 '음주운전을 하다'라는 의미가 된다.

She's having drinks with her date.
걔는 데이트 상대와 술을 마시고 있어.

- She's out having drinks with him. 걘 나가서 걔하고 술마시고 있어.

  The day he died he had drinks with Jason at the Hilton Hotel.
  걔가 죽은 날 힐튼 호텔에서 제이슨하고 술을 마셨어.

■ have drinks with는 '… 와 술을 마시다'라는 뜻이다.

MORE EXPRESSION

What kind of drinks you got?
무슨 술이 있습니까?
drink sb under the table
…보다 술을 더 마시다

놓치면 원통한 미드표현들

- **drool** 침을 흘리다

  Stop drooling. 침이나 닦아라.

- **drool over** 군침을 흘리다

  He was just drooling all over you.
  걔는 단지 너한테 완전 군침을 흘리고 있어.

- **leave sb high and dry** …를 고립시키다

  I feel like I'm leaving you high and dry.
  내가 널 고립시키는 것 같이 느껴져.

- **dry up** 입을 다물다, 목이 마르다, 소진하다

  Dry up. 입 다물어.

  Get me some water I'm drying up.
  물 좀 줘요. 목말라 죽겠어요.

What are you driving at? 무슨 말을 하려는거야?

You're driving me crazy.

너 때문에 미치겠어.

- You're driving me up the wall. 네가 날 미치게 만드네.

  It drives me nuts the way he hikes up his left pant leg after he's eaten too much.

  걔가 잔뜩 먹고 나서는 왼쪽 바짓가랑이를 걷어 올리는 것 때문에 내가 미칠 지경이에요.

What are you driving at?

무슨 말을 하려는거야?

- A: Spend any quality time with your stepdaughter? B: What are you driving at?

  A: 네 의붓딸하고 좋은 시간을 보내? B: 무슨 말을 하려는 거야?

  I don't understand. What're you driving at?

  난 이해가 안돼. 뭘 말하려는거야?

This can drive you to be isolated.

이건 널 고립되게 할 수 있어.

- He's gonna drive me to the park. 걘 차로 날 공원에 데려다 줄거야.

  Can you drive me to work on Wednesday?

  수요일날 날 직장에 차로 데려다줄 수 있어?

Well. I have absolutely no sex drive.

글쎄. 난 성욕이 전혀 없어.

- He was a young guy, strong sex drive.

  걔는 성욕이 강한 젊은 친구였어.

  They probably could have killed his sex drive.

  그것들로 인해 걔 성욕이 죽어버릴 뻔했어.

I figured she was a career-driven woman.

걘 경력에 사로잡힌 여성이었던 걸로 생각했어.

- He's a need driven offender, Kevin.

  케빈, 걔는 욕구지향적인 범인이야.

  No, whoever's doing this isn't driven by anger.

  아냐, 누가 이걸 저질렀더라도 분노에 의한 것 같지 않아.

Would you like to test drive?

시운전을 해볼래요?

- Before you buy the car, you take it for a test drive.

  차를 사기전에 시운전을 해봐야지.

  You bastard! I'm in love with you, and you're treating me like some sort of test drive!

  개자식! 난 널 사랑했는데 넌 날 일종의 시운전 쯤으로 취급하다니!

■ **drive sb crazy[nuts, mad, insane]**는 '···를 미치게 만들다'라는 표현이다. 한편 drive sb up the wall도 같은 의미의 표현이다.

■ **drive at**은 '···를 말하려고 의도하다'라는 뜻. What're you driving at?의 형태로 많이 쓰이는데 상대방의 말하는 속내가 무어냐고 물어볼 때 쓰는 표현.

■ **drive sb to[into]~**는 '···가 ···하게 하다'라는 뜻. 단순히 물리적으로 drive sb to~면 '···를 차로 데려다주다'라는 의미.

■ **drive**는 '충동,' '욕구'라는 뜻으로 sex drive하면 '성적 충동,' '성욕'이라는 의미가 된다.

■ **-driven**은 need-driven(욕구지향적인)에서처럼 '···에 의해 움직이는'이라는 뜻이다. 또한 be driven by하면 '···에 의해 움직이다,' '···에 사로잡혀있다'라는 의미가 된다.

■ **test drive**는 '시운전을 하다'라는 의미로 우리처럼 본격적으로 사귀기 전에 한번 섹스해보는 것을 뜻하기도 한다.

MORE EXPRESSION

Drive safely. 조심 운전해.
drive-in 드라이브 인(차타고 들어가서 즐길 수 있는 식당이나 극장)
drive-through 차에서 내리지 않고 일을 처리할 수 있는 식당(주로 패스트 푸드점) 및 은행

» drop

You can drop the act. 넌 연기 그만 해.

Drop by for a drink sometime.
언제 한 번 들러.

* Drop in sometime. 근처에 오면 한 번 들러.
  I'm glad you could drop by. 들려줘서 기뻐.

■ drop by는 '···에 잠시 들 리다' 라는 뜻으로 drop in도 같은 의미이다.

Drop me a line.
나한테 편지[이멜] 좀 써.

* Drop me a note. 편지 써라.
  I'll drop you a line. 편지할게.

■ drop sb a line[note]은 '···에게 편지 한 줄 쓰다' 라는 뜻 으로 '연락하다' 라는 의미.

NCIS, drop your weapons.
NCIS야, 무기를 버려.

* I suggest you drop your weapons. 무기를 버리라고 말했지.
  Put it down. Drop the gun, drop the gun! Drop it now.
  내려 놔. 총을 내려놓으라고. 지금 당장.

■ drop your weapon은 '무기를 버리다' 라는 뜻으로 범죄 미드에서 경찰이 범인들에게 쓰는 표현. drop the gun은 '총을 버 리다' 라는 의미이다.

I'll drop you.
(가다) 내려드리죠.

* Why don't you just drop me off, and you can come back.
  그냥 날 내려줘요 그리고 넌 돌아가고.
  Well, she probably saw you drop me off yesterday.
  글쎄, 걔는 아마도 어제 네가 날 내려주는 걸 봤을지도 몰라.

■ drop sb (off)는 '···를 내 려주다' 라는 뜻이다.

Can you[we] drop this?
이 얘기 좀 그만 할 수 없니?

* So come on, let's just drop it and watch the movie.
  그래, 그만 이야기하고 영화 보자.
  I tried to get him to drop the subject, but he wouldn't.
  난 걔가 그 주제에 대해 말하지 않도록 했으나 걔는 말을 듣지 않았어.

■ just drop it은 '이야기를 그냥 중단하다,' 그리고 drop the subject하면 '그 주제에 대해 그 만 말하다' 라는 의미가 된다.

Date rapes are more likely to drop charges.
데이트 강간은 고소를 취하할 가능성이 커.

* Rape victims intimidated, persuaded to drop charges.
  강간 피해자들은 고소를 취하하도록 협박을 받거나 설득을 당해.
  Let me know when you drop the case. 네가 언제 소송취하할건지 알려줘.

■ drop charges는 '고소를 취하하다' 라는 의미이고 drop a case하면 '소송을 취하하다' 라는 의미.

A: You found traces of seminal fluid. B: Not a drop.
A: 네가 정액 흔적을 찾았지. B: 아니, 조금도 찾지 못했어.

* A: Hey, did you drink any of this? B: Not a drop.
  A: 야, 너 이 것 좀 마셨어? B: 한 방울도 마시지 않았어.
  A: So, blood? B: Not a drop. A: 그럼 피는? B: 한 방울도 없어.

■ not a drop 또는 not even half a drop은 '조금[한 방울]도 아니다' 라는 강조 표현.

You're really dropping out?

너 진짜로 자퇴할거니?

- If I could, I'd drop out of school. 가능하다면 학교를 그만 둘거야.

  He convinced me to drop out of college. 걘 날 설득해서 학교를 그만두게 했어.

■ drop out은 '자퇴하다,' '그 만두다,' drop sb out은 '퇴학시 키다' 라는 뜻. 주로 be dropped out of school 형태로 '퇴학당하 다' 라는 의미로 쓰인다.

You can drop the act.

넌 연기 그만 해.

- You can drop the act, Rory. It's okay. 로리, 척하지 마. 괜찮아.

  No, it's all right, you can just drop the act, Tommy.
  아냐, 괜찮아, 척할 필요 없어. 타미.

■ drop the act는 '…하는 척을 그만두다' 라는 뜻이다.

We can go anywhere we want at the drop of a hat.

우린 아무런 준비없이 바로 어디든지 갈 수가 있어.

- I don't actually sign contracts at the drop of a hat.
  실은 난 준비없이 바로 계약에 서명하지 않아.

  Where would you want to go at the drop of a hat?
  지금 막 어디 가고 가고 싶니?

■ at the drop of a hat은 '즉각,' '주저 없이,' '준비없이 바 로' 라는 뜻이다.

MORE EXPRESSION

drop one's eyes 시선을 떨구다
drop sb in it 비밀을 말해 곤란하 게 하다
drop a hint 암시주다

D

» drug

I didn't tell her to do drugs. 걔한테 마약을 하라고 말하지 않았어.

He was their drug mule.

걔는 그들의 마약운반책이었어.

- And I hear you're a drug mule. Why aren't you in jail, man?
  네가 마약운반책이라고 들었어. 왜 아직 감옥에 안간거야, 친구?

  How do you like a brother who uses you as a drug mule?
  어떤 형이 동생한테 마약 운반책이나 시키니?

■ drug mule은 '마약운반 책' 을 의미한다.

I didn't tell her to do drugs.

걔한테 마약을 하라고 말하지 않았어.

- When Lizzie started doing drugs, I put my foot down.
  리지가 마약을 시작했을 때 내 입장은 분명했어.

  So, Claire was taking drugs? 그래, 클레어가 마약을 하고 있었니?

■ take[use, do] drugs하면 '마약을 하다' 라는 의미.

He said your mom sold him the drugs.

걔는 네 엄마가 자기한테 마약을 팔았다고 말했어.

- Carol's making money selling drugs. 캐롤은 마약을 팔아서 돈을 번다.

  Because she was dealing drugs. 걔가 마약을 거래하고 있었기 때문이지.

■ sell[buy] the drugs는 '마약을 팔다[사다]' 라는 뜻이며 give sb the drugs하면 '…에게 마약을 공급하다,' deal drugs하 면 '마약을 거래하다' 라는 의미가 된다.

Vanessa's on drugs, desperate for money.

바네사는 마약을 해서 돈이 절실히 필요해.

- Why did I get a call informing me that you were on drugs?
  내가 왜 네가 마약한다는 연락을 받았을까?

  In all likelihood, he'll be high on drugs.
  십중팔구 걔는 마약에 취하게 될거야.

■■ be on drugs는 '규칙적으로 약을 먹다[복용하다]' 또는 '마약을 하다' 라는 뜻이며 high on drugs하면 '마약[약]에 취해 정신이 몽롱한' 이라는 의미가 된다. 한편 come[be] off drugs하면 '(마)약을 끊다' 라는 뜻.

We got a drug overdose.

약물 과다복용 환자가 생겼어.

- It's not a drug overdose. 이건 약물 과다복용이 아니야.
  A: I'm guessing, she died suddenly. B: Let's say drug overdose.
  A: 추측컨대, 걔는 갑자기 죽었어. B: 약물 과다복용이겠지.

■■ drug overdose는 '약물 과다복용' 이라는 뜻이다.

Did your son have any history of drug abuse?

네 아들이 마약남용 전력이 있었나요?

- Well, that condition's normally associated with drug abuse.
  글쎄, 그런 상태는 정상적으로는 마약남용하고 연관이 있어.

  The drug abuse, did that start at an early age?
  약물남용, 어릴때 시작했어?

■■ drug abuse는 '마약 남용,' '약물 남용' 이라는 뜻이다.

He's like a drug addict.

걔는 마약중독자 같아.

- It's like a drug high. 마치 마약에 흥분된 상태 같아.
  It makes my client sound like a drug dealer.
  제 의뢰인이 마치 마약 판매상인 것처럼 들리게 합니다.

■■ drug high는 '마약에 흥분한 상태,' drug addict는 '마약중독자' drug dealer는 '마약 딜러[판매상]' 를 의미한다.

None of the others were drugged.

나머지 중 누구도 마약을 흡입하지 않았었어.

- You were drugged, burned, beaten, sexually assaulted.
  너한테 마약을 먹이고, 지지고, 얻어맞고 성폭행을 당했어.

  Adam drugged and tortured you for 2 days.
  아담은 이틀 동안 네게 마약을 먹이고 고문을 자행했어.

■■ drug은 동사로 '마약[약물]을 먹이다[투입하다]' 라는 뜻이다.

MORE EXPRESSION

hard drug 중독성 마약
soft drug 중독성 없는 마약

We're sitting ducks. 우린 독 안에 든 쥐야.

Don't try to duck out of it.
안하고 그냥 넘어가려 하지마.

- You want to duck out after your speech? 연설 후에 피하길 원해?

  I don't have time to explain adult relationships to you. Oh duck down.
  너한테 성인들 관계에 대해 설명해줄 시간은 없어. 그냥 피해버려.

  He had me duck down in the back seat. 걔는 날 뒷좌석에 몸을 숨기게 했어.

You want us to stick around like sitting ducks for this maniac.
넌 우리가 이 미친놈 때문에 무방비상태로 주변에 머무르기를 원하는구나.

- We come up in the middle of that yard, we're sitting ducks.
  우리가 저 마당 한 가운데에 나타나면, 우린 독 안에 든 쥐야.

  That's better than staying home being a sitting duck.
  그게 집에 남아서 꼼짝하지 않고 있는 것보다 더 나아.

■ duck out은 '피하다' 라는 뜻으로 dodge와 같은 의미이다. try to duck out of it은 '책임을 피하려고 하다', '그냥 넘어가려고 하다' 라는 의미로 책임이나 불쾌한 일을 피하려는 것을 의미한다. duck down 역시 '피하다', '몸을 숨기다' 라는 뜻으로 몸을 낮춰서 피한다라는 뉘앙스이다.

■ a sitting duck은 '쉽게 당하는 사람이나 봉,' '독 안에 든 쥐.' 그리고 like a sitting duck하면 '무방비상태로' 라는 뜻이다.

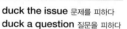

MORE EXPRESSION

duck the issue 문제를 피하다
duck a question 질문을 피하다

D

I've paid my dues. 난 대가를 치뤘어.

He was due to get married next month.
걔는 다음 달에 결혼할 예정이었어.

- Now if you'll excuse us, we're due in court. 실례지만 법정에 출두해야 돼요.

  His next surgery is due in two days. 이틀 후에 걔의 다음 수술이 예정되어 있어.

When are you due?
출산 예정일이 언제예요?

- When is this[it] due? 이게 언제 마감이죠?

  When is your baby due? 출산예정이 언제야?

I say this with all due respect, Lily.
릴리, 그렇기는 하지만 그래도 난 이말을 하는거야.

- So with all due respect, I think I'll decide who I see.
  그래 미안한 얘기지만 내가 만날 사람은 내가 정할거야.

  Sorry, Mama, Papa, but with all due respect I really can't go through. 엄마, 아빠, 미안하지만 그렇긴 해도 난 진짜 계속할 수가 없어요.

■ be due to do는 '…할 예정이다' 라는 뜻이고, be due in[on, at]은 '…예정이다' 라는 의미가 된다.

■ When be ~ due?는 '…가 언제 예정이냐?' 라는 의미. 한편 due date면 '예정일' 이라는 의미가 된다.

■ with all due respect는 '송구스럽지만' 이라는 뜻으로 상대의 말에 반대의사를 표하기 전에 사용하는 정중한 표현. '무례하게 들릴지 모르지만,' '나쁜 의도는 없지만,' '미안한 얘기지만' '그렇기는 하지만' 이라는 말.

I'm gonna tell him in due time.

난 걔한테 때가 되면 말할거야.

- If the man needs to be fixed, we'll fix him in due time.
  환자가 수술할 필요가 있다면, 그때 하는 거지.

  You'll make money in due time. 넌 머지않아 돈을 벌거야.

■ in due time은 '머지않아,' '때가 되면'이라는 뜻이며 in due course하면 '적절한 때에' 라는 의미가 된다.

I've paid my dues.

난 대가를 치렀어.

- I mean I can totally do this job, and God knows I paid my dues.
  내 말은 이 일을 충분히 할 수 있다는거야. 정말이지 난 대가를 치렀어.

  I pay my dues and these guys play hardball.
  난 대가를 치렀는데 이 친구들은 강경한 태도를 보이고 있어.

■ pay one's dues는 '빚을 갚다,' '대가를 치르다'라는 뜻으로 자기가 힘들게 고생하며 할 책무나 도리는 다 했다라는 뉘앙스가 깔려있다. 한편 dues는 '회비'라는 단어.

I have done my due diligence.

난 상당한 배려를 해주었어.

- Your assailant clearly has done his due diligence.
  널 폭행한 자는 나름대로 상당한 주의를 기울인 게 분명해.

  House, you're kidding, right? I've done my due diligence.
  하우스, 농담이죠, 그렇죠? 난 상당히 주의를 기울였어요.

■ due diligence는 '상당한 주의[배려]'라는 의미.

It was delayed, due to most unfortunate events.

아주 불행한 사건들로 그게 지연되었어.

- That could be due to stress. 그건 스트레스에 기인할 수 있어.

  We think it's due to go off in about eight minutes.
  약 8분 후에 꺼지게 될 걸로 생각해.

  Cause of death was asphyxiation due to strangulation.
  사인은 목졸림에 의한 질식사였어.

  I think it may be due to the fact that I didn't want to get married at all. 내가 결혼할 생각이 없었다는 사실 때문에 기인했을 수도 있어.

■ due to는 '…에 기인한'이라는 뜻으로 due largely to하면 '대체로 …에 기인한' due in part to하면 '부분적으로 …에 기인한'이라는 의미가 된다. 무척 많이 나오는 표현으로 to 다음에 동사가 오는지 명사가 오는지를 구분해야 한다.

MORE EXPRESSION

money+ be due+기간
…까지 내야 한다

» dumb

Don't play dumb with me! 날 바보로 생각하지마!

Don't play dumb.

모른 척하지마.

- Don't play dumb with me!?
  날 바보로 생각하지마.

  You can play dumb or you can play ball.
  모른 척하든가 아니면 협조해.

■ play dumb은 '모른 척하다,' '시치미를 떼다'라는 뜻으로 Don't play dumb with me하면 '날 바보로 보지마'라는 문장.

She's a dumb blonde.
걘 머리속이 빈 금발이야.

- Dumbass. They were nice.
  바보. 걔들은 좋은 사람들이었어.

  Oh, well, that was just dumb luck. 그래, 그건 단지 횡재였어.

■■ dumb blond는 '꼴통 금 발미녀' 라는 뜻이며 dumbass는 '바보,' '멍충이' 라는 의미. 한편 dumb luck은 '뜻밖의 행운,' '횡 재' 라는 의미로 쓰인다.

MORE EXPRESSION

be struck dumb 놀라 말을 못 하다

» dump

 It could have been a dump job. 이건 욕먹는 일일 수도 있었어.

I dumped him.
내가 쟤 찼어.

- You can't dump me. I don't get dumped. If anyone is getting dumped here, it's you.
  넌 날 못버려. 난 차이지 않을거야. 여기 차일 사람이 있다면 그건 너야.

  So you dumped her right before her birthday?
  그래서 걔 생일 전에 바로 걔를 차버렸니?

■■ dump sb에서 dump는 원 래 쓰레기 같은 것을 버리다라는 뜻인데 여기에서 발전하여 특히 남녀관계에서 헤어질 때 '…를 차 다' 라는 의미로 쓰인다.

She's still pretty down in the dumps.
걔는 여전히 울적해 있어.

- I mean, that girl must be really down in the dumps.
  내 말은 저 여자애가 진짜 맥이 빠져 있음에 틀림이 없다는거야.

  The thing is, we've got this friend, and he's kind of down in the dumps.
  문제는 이 친구가 약간 울적해 있다는 거야.

■■ down in the dumps는 '울적하여,' '맥없이' 라는 표현. 또한 dump sth on sb는 '…에 게 …를 떠넘기다' 라는 뜻으로 걱 정거리나 원치 않는 일을 남에게 씌우는 것을 의미한다.

It's a dump! What are you thinking?
더러운 곳이야! 넌 어떻게 생각해?

- This place is a dump. 여긴 완전 쓰레기 더미네.

  Pretty public spot for a dump site.
  폐기물 처리장 치고는 괜찮은 공공장소네.

■■ It's a dump는 '더러운 곳 이야,' '불쾌한 곳이야' 라는 뜻으 로 What a dump! 또한 같은 의 미가 된다. dump site는 '폐기물 처리장.'

It could have been a dump job.
이건 욕먹는 일일 수도 있었어.

- The blood type on the brick matches the victim so she wasn't a dump job.
  벽돌에 남아있던 혈액형이 피해자의 것과 일치해서 걔가 욕을 먹지는 않을거야.

  No blood on the ground. Could be a dump job.
  땅에 떨어진 혈액은 없어. 헛일이 될 수도 있어.

■■ dump job은 '욕질,' '매 도,' '비난' 을 의미한다. 또한 '멍 청한 일,' '한심스러운 일' 이라는 의미도 갖는다. 참고로 dumb job 하면 자기가 직장에서 하고 있는 일을 싫어한다고 표현할 때 쓰는 말.

So what's he doing in a dumpster?

걔가 쓰레기통에서 뭐하고 있는 거야?

- They investigate a body found in a dumpster.
  개네들은 쓰레기통에서 발견된 시체를 조사하고 있어.

  Paul Hayes was stuffed into a dumpster.
  폴 헤이즈는 쓰레기통에 던져져 있었어.

 dumpster는 '금속형의 대형 쓰레기통'을 의미한다. 가끔 CSI요원들이 들어가 뒤지는 큰 쓰레기통을 떠올리면 된다. 미국의 상표명이기도 하다.

MORE EXPRESSION

take a dump 똥을 누다

» dust

 I'm all done and dusted for it. 난 그걸 할 준비가 다 되어 있어.

But don't blame me when the dust settles.

그러나 사태가 진정될 때 날 비난하지마.

- That's when the dust settled, we still felt the same.
  사태가 진정되어도 우린 여전히 같은 느낌이었어.

  And when the dust settled, wedding bells were ringing.
  사태가 진정될 때 결혼식 종소리가 울리고 있었어.

I'll dust off my kit.

내 작업세트를 새롭게 준비했어.

- I am all done and dusted for it.
  난 그걸 할 준비가 다 되어 있어.

  I guess the thing to do now is just pick yourself up, dust yourself off, forget it and move on.
  이제 할 일은 몸을 추스르고 다 털어내고 잊고 다음 단계로 넘어가는거야.

 the dust settle은 '사태가 진정되다'라는 뜻으로, wait for the dust to settle이면 '사태가 정리될 때까지 기다리다'라는 의미가 된다.

dust off는 '업데이트하다,' '새롭게 하다'라는 뜻으로 먼지를 털어낸다는 뉘앙스를 생각하면 된다. 따라서 dust off the resume 하면 '이력서를 업데이트하다,' '이력서를 새로 쓰다,' be all done and dusted for하면 '…할 준비가 다 끝났다'라는 표현이 된다.

MORE EXPRESSION

not see sb for dust 순식간에 사라지다
bite the dust 굴욕을 참다
leave sb in the dust …를 크게 앞지르다

» duty

 I'm off duty at 6. 난 6시에 일이 끝나.

I felt it was my duty to let you know he's crazy.

걔가 미쳤다는 걸 너한테 알려주는 게 내 임무였다고 느꼈어.

- It's my duty to see that justice is done on behalf of your daughter.
  네 딸을 위해서 정의가 실현되는 것을 보는 게 내 의무야.

  Someone killed a child. It's our duty to speak for the victim.
  누가 아이를 죽였어. 피해자를 대변하는게 우리 의무야.

do one's duty는 '…의 의무를 하다'라는 의미로 It's one's duty to~하면 '…하는 것은 …의 의무이다'라는 표현이다.

I'm off duty at 6.
난 6시에 일이 끝나.

- Any security officers off duty are back on duty?
  비번 경비 중 누구 지금 근무 중인 사람이 있어?

  You're off duty. You should be with your mother.
  넌 비번이야. 네 엄마하고 같이 있어야지.

■ be off[on] duty는 '비번[당번]이다' 라는 뜻으로 I'm off 또는 I'm off duty는 '난 비번이야' 라는 표현.

He had a legal duty to make sure her kids were tested.
걔는 그녀 애들이 테스트를 받았는지 확인하는 법적 의무를 지녔어.

- Mindy did a tour of duty in Iraq.
  민디는 이라크에 근무를 했었어.

  Military confirmed Emit is on active duty in Afghanistan.
  군은 에미트가 아프간에서 현역으로 복무한 사실을 확인해주었어.

■ sense of duty는 '의무감'을 뜻하며 legal duty는 '법적인 의무'를 말한다. tour of duty는 '복무[근무]기간' on active duty면 '현역 복무중' 이라는 의미.

I snuck some scotch in from the duty free store.
난 면세점에서 스카치위스키 몇 병을 슬쩍했어.

- All of the stores on St. Barts are duty-free.
  세인트 바츠 섬에 있는 모든 가게는 면세야.

  All of these items are duty free.
  이 모든 물품은 면세야.

■ customs duty는 '관세'를 뜻하며 duty-free는 '면세' 라는 의미가 된다.

D

Coma Guy's hand is doing duty as a cup holder.
코마 가이의 손은 일종의 컵 받침으로 봉사하고 있어.

- The armrest between the two sides is wide and flat and does double duty as a table.
  양쪽 사이에 있는 팔걸이는 넓고 평평해서 일종의 테이블 역할을 하고 있어.

  He was doing his duty as a cop. 걘 경찰로서의 임무를 하고 있었어.

■ do duty as sth은 '…로 봉사[근무]하다,' '…의 역할[구실]을 하고 있다' 라는 뜻으로 serve as와 같은 의미이다.

놓치면 원통한 미드표현들

- **dude** 놈, 녀석
  Who's that dude to you anyway? You don't look related. 어쨌든 그 놈은 너한테 어떤 존재니? 서로 관계가 있는 것 같지 않아.

- **duke it out** 끝장날 때까지 싸우다
  I'm too busy to play favorites, so duke it out. 바빠서 편애할 수 없으니 끝까지 싸워서 얻어내.

- **go Dutch** 각자 지불하다
  Let's go Dutch. 각자 내자.
  Hey, I only go Dutch if girls ask the wrong question.
  헤이, 여자애들이 엉뚱한 질문을 해대면 그냥 각자 내기로 하자.

- **dwell on[upon]** …를 곰곰이[깊이] 생각하다, …에 연연해하다
  Let's not dwell on it. 그걸 너무 곱씹지마.
  Don't dwell on the past. 지난 일에 연연해하지마.

- **dwelling** 주택 dweller 거주자 dwell in …에 거주하다
  I will dwell in the house of the Lord forever.
  난 주님의 집에서 영원히 살거야.

E

» ear

I'm up to my ears in work. 일 때문에 꼼짝달싹 못해.

I'll play it by ear.
그때그때 상황에 맞게 처리하자.

- Let's just play it by ear. 상황에 맞춰 행동하자.
  I'll have to play it by ear. 상황에 맞춰서 처리할거야.

I'm up to my ears[neck] in work.
일 때문에 꼼짝달싹 못해.

- The whole office is up to its neck in work. 사무실 전체가 일이 넘 많아 꼼짝못해.
  Donna's been up to her neck in work this week.
  도나는 이번 주에 일이 너무 많았어.

Kids, man. In one ear and out the other.
남자 애들. 한 귀로 듣고 한 귀로 흘리지.

- You know our kids. I love them dearly, but that goes in one ear and out the other.
  우리 애들 알잖아. 난 걔들을 무지 사랑하지만 걔들은 한 귀로 듣고 한 귀로 흘려.
  Dana grins from ear to ear. 다나는 입이 찢어지게 웃고 있어.

■ play it by ear은 귀로만 의존해서 연주한다는 뜻에서 '그때그때 상황에 맞게 행동하다,' '임기응변으로 처리하다' 라는 의미.

■ be up to one's ears [nose] in work는 '일이 너무 많다' 라는 뜻으로 귀 밑까지 올라 찼다라는 의미. work 대신에 debt나 problems를 넣어서 빚이나 문제가 넘 많다라고 표현할 수도 있다.

■ (It goes) In one ear and out the other는 '한 귀로 듣고 한 귀로 흘린다' 라는 표현이다. 또한 grin from ear to ear는 '싱글 벙글 웃는다,' '입을 활짝 열고 웃다' 라는 의미.

I am all ears.
귀 쫑긋 세우고 들을게.

- If you have a better idea, I'm all ears. 더 나은 아이디어가 있다면 열심히 들을게.
  She was all ears. 걔는 귀를 쫑긋 세우고 들었어.

Vice gave us an earful about you.
바이스는 너에 대해 잔소리를 늘어놓았어.

- He's getting an earful from someone over at the doc's.
  그래, 걔는 병원에 있는 어떤 사람에게서 잔소리를 많이 듣고 있어.
  The complaint department at the condom company got an earful.
  콘돔 회사 고객불만센터는 고객들로부터 불만을 무지 많이 들어.

■■■ be all ears는 '열심히 귀를 기울이다[청취하다]' 라는 뜻. 같은 형태의 표현으로 be all thumbs하면 손재주가 없다라는 뜻이 된다.

■■■ get an earful from은 '…에게 잔소리를 듣다' 라는 뜻이며 sb is a handful하면 '…가 말썽꾸러기이다' 라는 의미이다. 한편 sb is an eyeful하면 '…가 미인이다' 라는 표현이 된다.

MORE EXPRESSION

wet behind the ears 풋내기의
This is for your ears only.
너한테만 말해주는 거야, 이건 비밀야.
Open your ears. 귀를 열고 잘 들어.
close[shut] one's ears 눈을 꼭 감다

» ease

I'm gonna ease into it. 난 그것에 편해질거야.

E

Ease it up.
천천히 해.

- Ease up. Until now, none of us knew what really happened.
  긴장 좀 풀어. 여태까지 우리 중 아무도 실제로 무슨 일이 생겼는지 몰랐잖아.
  Hey, Kirk, maybe you want to ease up on Penny a little.
  야, 커크, 페니한테 마음 좀 풀어.

■■■ ease up은 '긴장을 풀다' ease it up은 '천천히 하다' 라는 의미가 된다. 한편 ease up on은 '…에게 마음을 풀다' 라는 뜻.

Yeah, okay, at ease soldier!
그래, 좋아, 제군들 쉬어!

- Let me put your mind at ease. 네 마음을 편하게 해줄게.
  They seem quite at ease with one another. 걔넨 서로 꽤 편해보여.

■■■ at ease는 '편안하게,' '여유 있게' 라는 뜻으로 put~at ease하면 '…를 편안하게 해주다' 라는 의미가 된다.

Enough maybe to help ease the pain?
아마 고통을 덜어주는데 도움이 될만큼 충분히?

- You know what eases my depression? 뭐가 내 맘을 편하게 하는 줄 알아?
  He's trying to ease things over with her. 걘 그녀의 일을 좀 수월하게 해주려 해.
  I didn't ease exactly his mind. I falsely led him to believe I was having an affair. 난 걔 맘을 편하게 해주지 않았어. 내가 바람피고 있다고 믿도록 거짓유도했어.

■■■ ease one's pain에서 ease는 '…을 덜어주다,' '줄여주다' 라는 뜻으로 pain 대신에 mind, depression 등이 올 수 있다.

I'm gonna ease into it.
난 그것에 편해질거야.

- I'm a little nervous, so if you can kinda ease me into the whole process. 좀 초조해. 그래서 네가 그 전반적인 과정을 내가 편하게 해줄 수 있으면.
  He eases Jack into a chair. 걘 잭의 마음을 편하게 하여 의자에 앉혔어.

■■■ ease into는 '…에 편해지다,' '친숙해지다,' 그리고 ease sb into하게 되면 '…을 …에 편하게 하다' 라는 의미로 쓰인다.

Wow. You got off easy. 와. 너 쉽게 끝났네.

I'm easy. (to please).

네 결정에 따를게. (난 어느 쪽도 상관없어.)

- You're not very easy to please. 넌 좀 까다로운 사람이야.
  I'm easy to live with. 난 같이 살기에 편한 사람이야.

I'm easy (to please)는 '무슨 결정을 내리든 상관없어' 라는 뜻. 그래서 sb be easy to~ 하면 '…는 …하기에 편안한 사람이다' 라는 표현이 된다.

That's easy for you to say.

너야 말은 쉽지.

- A: You must try to stay calm. B: That's easy for you to say.
  A: 침착하도록 해야만 해. B: 말은 쉽지.
  That's easy for you to say, you found one already.
  말은 쉽지, 넌 이미 찾았으니까.

That's easy for you to say는 굳어진 표현으로 상대방이 자기는 어렵다고 생각하는 일을 쉬운 듯이 말할 때 쓰는 말로 '너야 말하기는 쉽지' 라는 의미.

Although that'll be easier said than done.

비록 그건 말이야 쉽겠지만.

- A: That's the plan. B: Well, that's easier said than done.
  A: 좋은 계획이야. B: 글쎄, 말이야 쉽지.
  I know it's easier said than done. 행동보다 말하기가 쉽다는 것은 알고 있어.

Easier said than done 은 '말이야 쉽지' 라는 격언이다.

I was trying to make your life easier.

난 널 좀 더 편하게 해주려고 했어.

- All I'm guilty of was trying to make his life easier.
  내가 죄가 있다면 걜 좀 편하게 해주려고 했던 거지.
  You're not making this easy. 네가 이걸 힘들게 하고 있는 거야.

make one's life easier 는 '좀 편하게 살게 해주다,' '문제없이 좀 쉽게 살 수 있도록 해주다' 라는 표현.

Well, how can we make it easier?

글쎄, 어떻게 그걸 좀 쉽게 만들 수 있을까?

- I thought if I saw her, it might make it easier.
  만약 걔를 보게 된다면 일이 좀 쉬워질 거라고 생각했어.
  That'll make it easier for you, Sam. 샘, 그걸로 인해 일이 편해질거야.

make it easier to do는 '…하는 것을 더 쉽게 만들다' 라는 뜻.

It's so typical of this girl to take the easy way out.

이 여자애가 쉬운 길을 택하는 것은 아주 당연한거지.

- Money problems. Family problems. He took the easy way out.
  돈 문제. 가정 문제. 걔는 편한 방법을 택했어.
  You know this is the easy way out. 이게 아주 편한 방법이라는거 알잖아.

take the easy way out 은 '쉬운 길[방법]을 택하다' 라는 뜻. 그래서 That's the easy way out하면 '그게 편한 길[방법]이다' 라는 의미가 된다.

It's all right. Take it easy.

괜찮아. 걱정하지마.

- We're not gonna hurt you. Take it easy. 널 해치지 않을거야. 진정해.
  You're gonna be fine. Just take it easy. 괜찮아 질거야. 그냥 편하게 있어.

take it easy는 '걱정하지 마,' '좀 쉬어가면서 해,' '잘 지내' 등의 의미를 지닌 아주 많이 사용되는 회화 표현이다.

Hold on. Easy does it.
잠깐. 살살해.

- Easy does it. Let go and let God. 천천히 해. 다 내려놓고 하나님께 맡겨.
  Easy does it. Don't drive so fast. 살살해. 너무 빨리 달리지 말고.
  Easy, easy, don't get all worked up. 진정하고, 넘 흥분하지마.

Go easy on me.
좀 봐줘.

- Poor guy. Maybe the jury will go easy on him.
  불쌍한 친구. 아마 배심원들이 걔를 봐줄거야.
  I can convince the D.A. to go easy on you.
  지방검사에게 널 좀 봐주라고 말해줄 수 있어.

Wow. You got off easy.
와. 너 쉽게 끝났네.

- As far as I'm concerned, you're getting off easy.
  내가 관여된 이상 넌 별 어려움이 없을거야.
  Oh my God! You got off easy! 오 맙소새! 넌 조금만 혼났네!

He's an easy-going person.
성격이 좋은 사람이야.

- You're just not as easy-going as Anne. 넌 앤처럼 털털한 사람이 아냐.
  He seems to be an easy-going person. 걘 까탈스럽지 않은 사람인 것 같아.

Things haven't been easy.
상황이 쉽지 않았어.

- It couldn't have been easy. 그건 쉽지는 않았을거야.
  Actually. It hasn't been easy. Nobody likes choosing sides.
  사실. 그건 쉽지는 않았어. 아무도 편을 들어주지 않았거든.

It's easy on the eyes as it gains in value.
가치가 올라가니까 보기가 좋네.

- Well, he's easy on the eyes. 글쎄, 걔는 보기에 좋아.
  I think you've had kind of an easy time. 넌 곤란을 겪어보지 않은 것으로 생각돼.

■ **Easy does it**은 '천천히 해,' '살살해,' '조심해서 해' 라는 뜻. Easy, Easy도 같은 의미로 '좀 진정해라,' '조심해라' 라고 할 때 쓰면 된다. 이사할 때 주인이 이삿짐센터 사람들에게 자주 말하게 되는 표현.

■ **go easy on sb**는 '…를 봐주다' 라는 뜻이며 go easy on[with] sth은 '…를 적당히 해라,' 그리고 Go easy하면 '진정해,' '살살해' 라는 의미가 된다.

■ **get off easy**는 '가벼운 꾸지람으로 끝나다,' '평소보다 쉽게 끝나다' 라는 표현이다. easy 대신에 lightly를 써도 된다.

■ **an easy-going person**은 '성격이 털털한 사람,' '무던한 사람' 이라는 뜻이다.

■ **haven't been easy**는 '쉽지 않았다' 라는 표현이다. 통상 힘든 상황을 이겨내고 결국 성공은 했지만 쉽지는 않았다라는 뉘앙스를 갖는다.

■ **have an easy time of it**은 '곤란을 겪지 않다' 라는 뜻이다. easy on the eye[ear]는 보기 좋은[듣기 좋은] 이라는 뜻이다.

MORE EXPRESSION

It'd be easy on your stomach.
이건 위에 부담이 안될거야.
Easy come, easy go. 쉽게 얻은 것은 쉽게 잃는다.
easy money 쉽게 번 돈, 손쉬운 돈벌이 *Easy money! 거저 먹기지!

🖥 놓치면 원통한 미드표현들

- **on earth** (의문문) 도대체, 대체
  Who on earth told you that? Patrick?
  패트릭, 도대체 누가 너한테 그걸 말했니?
  Freddy, what on earth are you doing here?
  프레디, 너 도대체 여기서 뭐하고 있니?

- **down-to-earth** 현실적인
  He's a very down-to-earth guy.
  걔는 아주 현실적인 친구야.
  That's a refreshingly down-to-earth theory.
  그건 참신하게도 아주 현실적인 이론이야.

She'll eat you up. 걔가 네 인생을 망칠거야.

It eats up the batteries.
배터리가 빨리 닳아요.

- Eat up Miss Blair. Your mom would want you to have a good breakfast. 미스 블레어, 다 먹어. 아침식사를 잘 하길 네 엄마가 원하잖아.

  Now eat up, we have the fish course coming. 다 먹어, 생선이 나올 차례야.

  We're talking about the big realty companies eating up our commissions. 우린 수수료를 다 꿀꺽 삼키는 대형 부동산 회사들에 대해 이야기하고 있어.

■ eat up은 '다 먹어치우다' 라는 뜻이다. 먹어치우는 것을 말하려면 eat sth up이라고 하면 된다. 비유적으로 뭔가 '빨리 소비하다,' '소진하다' 라는 의미로도 쓰인다. 또한 그럴 정도로 '뭔가를 믿는다' 라는 뜻도 있다.

She'll eat you up.
걔가 네 인생을 망칠거야.

- This job will eat you up if you let it. 이 일을 하게 놔두면 네 인생이 망가질거야.

  The revenge is eating you up inside. 분노는 널 사로잡아 아무 생각도 못할거야.

■ eat you up은 구어체로 '너의 인생을 망치다' 라는 의미. 이처럼 eat sb up하게 되면 벌레나 식인종이 먹는다는 뜻도 되지만 '어떤 생각 등에 사로잡히다' 라는 뜻으로도 사용된다.

Eat me.
오럴섹스해줘.

- Wait a minute. How come no one wants to eat me? 잠깐, 왜 아무도 내게 오럴섹스를 해주려 않는거지?

  I'd like you to eat me. 오럴섹스 좀 해줘.

■ eat me는 야인(야한사람)들이 우리말로 직역하여 '여자를 먹다' 라고 오해할 수도 있는데 사실은 여자에게 오럴섹스를 해주다 (have oral sex with sb)라는 의미이다.

I could eat a horse.
뭐든지 먹겠다.

- You eat like a bird! 넌 정말 적게 먹는구나!

  I couldn't eat another bite. I've had enough. 더 이상 못 먹겠어. 과식했어.

■ eat like a horse는 너무 배가 고파서 '뭐든지 먹다' 라는 의미이고 eat like a bird하면 '조금 먹다' 라는 뜻. 또한 I couldn't eat another thing[bite]하게 되면 '더 이상 못 먹겠다' 라는 표현이다.

Well, I hate to eat and run, but...
글쎄, 먹자마자 일어서기는 싫은데…

- I hate to eat and run, but I have to pick up my kids. 먹자마자 가고 싶지 않지만 애들을 픽업해야 해서.

  I hate to eat and run, but I've got an early meeting. 먹자마자 가기 싫지만 아침 일찍 회의가 있어.

■ (I) hate to eat and run 는 '먹자마자 일어나긴 싫지만' 이라는 뜻으로 식사 후 바로 일어서야 될 때 양해를 구하는 표현.

He'll eat us out of house and home.
걘 우리 집 음식을 완전히 거덜 낼거야.

- They'll eat you out of house and home if you let them. 개들은 기회만 되면 네 집 음식을 거덜 낼거야.

  She'll be staying with me, eating me out of house and home. 걔는 우리 집 음식을 거덜 내면서 우리 집에 머물 거야.

■ eat sb out of house and home은 '초대받은 집에 가서 음식을 과하게 먹다,' '…집 음식을 거덜 내다' 라는 재미있는 표현이 된다.

What's eating you?
뭐가 문제야?

- A: Never mind. I'll wait for the movie. B: What's eating you? A: 걱정하지마. 그 영화를 기다릴게. B: 무슨 걱정이라도 있는 거니?

  That's what's eating you. 그게 널 초조하게 하는구나.

■ What's eating you?는 무엇이 널 갉아먹고 있냐?라는 말로 '무슨 걱정거리라도 있어?,' '무슨 일로 그렇게 초조하니?' 라는 의미.

Defense is going to eat me alive.
피고측은 날 밥으로 알고 이용할거야.

- Don't do it, Tina, that woman will eat you alive.
  티나, 그러지 마. 그 여자가 널 잡아먹을 걸.

  No, no, those guys would eat you alive.
  아냐, 저 친구들이 널 밥으로 알거야.

Well, I'm eating for two.
저, 난 임신했잖아.

- A: What? I'm eating for two. B: Well, do both of you want to be fat? A: 뭐라고? 난 임신했어. B: 글쎄, 너희 둘 다 뚱뚱해지고 싶니?

  You know, I guess I should stop eating for two.
  있잖아, 더 이상 임신은 하지 않아야겠어.

Let's eat something.
뭘 좀 먹자!

- We'll unpack later. Let's eat. 짐은 나중에 풀게. 먼저 먹자.

  Let's eat. I'll get the soup. 먹자. 난 수프부터 먹을 게.

So, are you a healthy eater like Louis?
그래, 넌 루이스처럼 건강한에 좋은 음식을 먹니?

- I know who she is. She's a man-eating, scum-sucking whore!
  난 걔가 누군지 알지. 걔는 남자를 잡아먹는 사악한 창녀야!

  I'm a light eater. 난 소식하는 사람이야.

■ eat sb alive는 '···를 잡아 먹을 듯이 굴다,' '···를 밥으로 알 다,' '···를 이용하다' 라는 뜻이다.

■ I'm eating for two는 '임 신했다' 라는 의미가 된다. 즉, 나 뿐만 아니라 뱃속에 있는 아이도 먹는다라는 뜻.

■ let's eat something은 '뭘 좀 먹자' 라는 뜻이며 참고로 let's eat은 '(다 차려놓은 걸) 먹 자' 라는 말.

■ ··eater는 '···하게 먹는 사 람' 이라는 뜻으로 men-eater는 '식인종' men-eating은 '식인' 이 라는 의미가 된다.

MORE EXPRESSION

eat out 외식하다
eat one's words 자기가 한 말 이 틀렸다는 것을 인정하다
eat humble pie 굴욕을 참다(eat crow)
eat sb out of one's hand ···가 하라는 대로 하다, ···의 손에 놀 아나다

E

» edge

That would've put him over the edge. 그걸로 걔가 미치게 될 수 있었어.

He's always on edge.
그 애는 늘 위태위태해 보여.

- I'm a little bit on edge because I quit smoking.
  담배를 끊었더니 약간 초조해져.

  You seem on edge. 너 긴장돼 보여.

  I feel on edge. 초조하고 불안해.

We're on the edge of breaking the case open.
우리는 사건을 거의 해결하기 직전이야.

- Jim was found on the edge of the woods.
  짐은 숲 가장자리에서 발견되었어.

  Dr. Kim is on the verge of a great discovery.
  김박사는 대단한 발견을 하기 직전이야.

■ be[seem, feel] on edge 는 '불안초조하다' 라는 뜻이며 put sb on edge는 '···를 안절부 절하지 못하게 하다' 라는 의미이 다. edge가 칼날이라는 걸 떠올 려보면 된다.

■ be on the edge of는 '··· 의 가장자리에 있다' 라는 뜻으로 비유적으로 '거의 ···할 뻔하다' 라 는 의미로 쓰인다.

Likes to live on the edge, take risks.

위기 속에서 살면서 위험을 감수하고 싶어.

- Well, this is what happens when people live on the edge!
  글쎄, 사람들이 위기 속에서 살 때 이런 일이 생기는거야!

  I live on the edge. I can jump out if you want.
  난 벼랑 끝에서 살고 있어. 네가 원하면 뛰어내릴 수 있어.

■ live on the edge는 '위기 속에서[벼랑 끝에서] 살다' 라는 뜻이다.

I just needed something to take the edge off.

그냥 긴장을 풀어줄 뭔가가 필요했어.

- Hey, uh, you ladies want something to take the edge off?
  헤이, 숙녀 여러분 긴장을 풀어줄 뭔가를 원하나요?

  I'm sure that took the edge off your fear.
  그게 네 공포를 없앴다고 확신해.

■ take the edge off는 '긴장을 풀어주다,' '가라앉히다' 라는 의미. 단독으로도 쓰이지만 take the edge off sth 형태로 '…을 누그러트리다' 라는 뜻으로도 쓰인다.

That would've put him over the edge.

그걸로 걔가 미치게 될 수 있었어.

- Don't say her name. It'll push me over the edge.
  걔 이름 말하지마. 그러면 내가 미쳐버릴거야.

  When you interrogated him, you pushed him over the edge.
  네가 걔를 심문할 때 걔를 미치게 만들었어.

■ put sb over the edge는 '…를 미치게 하다' 라는 뜻이고 push sb over the edge하면 '…를 미치게 만들다,' '돌게 만들다' 라는 더 적극적인 표현이 된다.

They're edging you out.

걔들이 널 서서히 몰아내고 있어.

- They're totally edging me out. I didn't believe it but you're right.
  걔들이 완전히 날 몰아냈어. 난 믿지 않았는데 네가 맞았어.

  You'll just get edged out, blacklisted.
  넌 왕따가 되고, 블랙리스트에 오르게 될거야.

■ edge out은 '서서히 몰아내다' 라는 뜻으로 edge A out of B하면 A를 B에서 서서히 몰아내다, 그리고 get edged out하면 '서서히 밀려나다' 라는 뜻이 된다.

You are cutting edge. You are new. you are fresh.

넌 첨단이야. 새롭고 신선해.

- I don't know, you guys, you're really cutting edge, now.
  모르겠어. 이제 너희들 진짜 첨단이야.

  It's a brave new world, Doc, and we are at the cutting edge.
  의사선생님, 멋진 신세계네요 그리고 우린 그 선두에 있고요.

■ cutting edge는 '(최)첨단의' 라는 뜻이다.

MORE EXPRESSION

be[get] edgy 초조해하다, 긴장하다, 불안해하다.
on the edge of one's seat 몹시 흥분하여
edge one's way 서서히 나아가다

놓치면 원통한 미드표현들

- **put all one's eggs in one basket** 한 번에 모든 것을 걸다
  Don't put all your eggs in one basket.
  한 가지 일에 목숨 걸지마.

- **(have) egg on one's face** 망신, 체면구김

We're both going to have egg on our face.
우리 둘 다 망신을 당하게 될거야.

- **egg sb on** …를 부추기다, …를 꼬득이다
  You egged me on. 넌 날 부추겼어.

We've got an Amber Alert in effect. 앰버경보를 발령했어.

Words to that effect, yes.
뭐 그런 뜻의 말이지, 그래.

- My parents used words to that effect, yes.
  부모님은 뭐 그런 비슷한 이야기를 하셨어, 맞아.

  She used words to that effect to describe the movie, yes.
  걘 영화를 묘사하기 위해 뭐 그런 비슷한 말을 했어, 맞아.

  It sounded like thunder, or something to that effect.
  그 소리는 천둥이거나 뭐 그런 비슷한 거였어

■ words to that effect는 '뭐 그 비슷한 말이었어,' '그런 류의 얘기였어'라는 뜻이다. 앞에서 한 말과 비슷한 내용을 담고 있는 다른 말이란 뜻으로 바로 앞에서 한 말이 자신이 없을 때 덧붙여 사용한다. or something to that effect라고도 쓰인다.

We've got an Amber Alert in effect.
앰버경보를 발령했어.

- It appears that your treatments have taken effect after all.
  네가 받은 치료가 결국 효과를 발휘한 것 같아.

  If playground rules aren't in effect, it's anarchy!
  만약 경기규칙의 효력이 없다면 그건 무질서야!

■ take effect는 '발효하다,' '시행하다'라는 뜻으로 come[go] into effect, be in effect도 같은 의미. 한편 put sth into effect하면 '…을 발효시키다'라는 의미가 된다. 참고로 Amber는 90년대 실종된 아이의 이름을 딴 시스템으로 아동이 유괴되면 초기에 모든 인력과 장비를 총동원하는 것을 말한다.

What effect did that have on him?
그게 걔한테 어떤 영향이 있었는데?

- Do you think that this job has had any effect on your sex life?
  이 직업이 너의 성생활에 어떤 영향을 미쳐왔다고 생각하니?

  Gibbs tends to have that effect on people.
  깁스는 사람들한테 그런 영향을 미치는 경향이 있어.

■ have effect on은 '…에 영향이 있다'라는 뜻이다.

You willing to sign a statement to that effect?
그런 취지의 성명서에 서명할 용의가 있다고?

- Ms. Donovan, do you have any proof to that effect?
  도노반 여사, 그런 의미를 갖는 증거가 하나라도 있나요?

■ to this[that, the] effect는 '이런[그런] 취지로,' '이런[그런] 의미에서'라는 뜻이다.

I have her personal effects to put into evidence.
난 그녀의 소지품을 증거품으로 가지고 있어.

- We retained the personal effects found with the body.
  우린 시신과 함께 발견된 소지품을 보유하고 있었어.

  Prisoners left their personal effects on the table.
  죄수들은 테이블 위에 개인소지품을 남겨놨어.

■ personal effects는 '개인 소지품'이라는 뜻이다.

It's a weapon used by the Gurkhas to great effect.
이건 구르카인들이 아주 잘 쓰던 대단한 무기야.

- It's an old and venerable illusion that has been used to great effect.
  이건 오래전부터 그리고 지금까지도 사람들을 속이는 대단히 오래된 환상이야.

  It's working, to great effect. 그건 대단한 효과가 있어.

■ to good[great] effect는 '좋은,' '대단한'이라는 뜻이다.

 MORE EXPRESSION

effective immediately 즉시 효력을 발생하는
side effect 부작용

I was somewhere else. 잠시 딴 생각했어.

You want to fight? You and who else?
싸우고 싶다고? 어렵하시겠어?

- You think you can take him? You and who else?
  네가 걔를 맡을 수 있어? 어디 믿는 구석이라도 있어?

  No way you'll win the match alone. You and who else?
  너 혼자 그 경기를 이길 수는 없어. 뭐 믿는 구석이라도 있어?

> ■ You and who else?는 You and what army?와 같은 의미로 '어렵하시겠어!,' '믿는 구석이라도 있는 모양이지?' 라는 의미.

What more [else] can I do?
내가 뭘 더 할 수 있겠어?

- What else can I say? I love a big tip! 뭐라하겠어? 팁 많이 주면 좋지!

  Well, what else can I do? I love him. I have to go.
  글쎄, 내가 뭘 더 할 수 있을까? 난 걔를 사랑해. 가야겠어.

> ■ What else[more] can I say[do]는 '내가 할 수 있는 말[일]이 그거 말고 뭐가 있겠어?,' '달리 내가 할 수 있는 말[일]이 있어야 말이지' 라는 표현이다.

I was somewhere else.
잠시 딴 생각했어.

- I just looked away and pretended I was somewhere else.
  난 단지 다른 곳을 보았고 딴 생각을 하는 척했어.

  Let's get out of here. Let's go somewhere else. 가자. 다른 곳으로 가자.

> ■ be somewhere else는 '정신이 딴 데 팔려 있다,' '딴 생각하다' 라는 뜻이다. 그러나 go somewhere else하면 '다른 곳으로 가다' 라는 의미.

He said I had to give to some charity, or else!
걔는 어떤 자선단체에 기부를 해야만 하고 안 그러면 안 된대.

- If that's true, he better hope he's dead, or else I'll kill him.
  만약 그게 사실이라면 걔는 죽게 나을 걸, 안 그러면 내가 죽일 테니까.

  Said she had 24 hours to pay back the money, or else.
  걘 24시간 이내에 돈을 갚아야 한다고 했어, 아니면 안된대.

> ■ or else는 단순히 '그렇지 않으면' 이라는 뜻이나 문맥에 따라 '그렇지 않으면 …하겠다' 라는 의미로 쓰이기도 한다. 혹은 아예 더 무서운 의미로 ~or else만 써서 구체적으로 말하지 않고 협박하는 것으로 '아니면 알지' 라는 말이 된다.

If nothing else, I felt sorry for him.
최소한 난 걔한테 미안한 감정을 느꼈어.

- Look, if nothing else, that environment is unhealthy for that little girl. 이봐, 최소한 저런 환경은 저 어린 여자애의 건강에 좋지 않아.

  If nothing else, you're a man of your word. 적어도 넌 약속을 지키는 사람이잖아.

> ■ if nothing else는 '적어도,' '최소한' 이라는 뜻이다.

You're something else, you know that?
넌 정말 예쁘게 생겼어, 넌 아니?

- Can we talk about something else? 우리 다른 것에 대해 얘기할까?

  We actually had something else in mind. 사실 다른 걸 마음 속에 두고 있었어.

> ■ sb be something else면 '…가 정말 예쁘게 생겼다' 라는 표현. 단, 그냥 something else면 '다른 것' 이라는 의미.

Is there anything else?
무슨 다른 것이 있니?

- A : Anything else? B: Yes, I want you to apologize to me.
  A: 무슨 다른 것이 있니? B: 응, 나한테 사과해.

  All right, got it. Is there anything else? 그래, 알았어. 또 다른 건?

> ■ anything else는 '무슨 다른 것' 이라는 뜻이다.

Don and I will always be a loose end. 돈과 내 관계는 항상 뜨뜻미지근할거야.

You can't really just hold a victim anywhere for days on end.

희생자를 어느 곳에서든 끝없이 데리고 있을 수는 없어.

- We shouldn't have to stare at your bank balance for days on end.
  매일같이 네 은행잔고만 들여다볼 필요는 없어.

  Lisa was angry at me for days on end. 리사는 날이면 날마다 내게 화를 냈어.

■ for days on end는 '날이면 날마다' 라는 뜻으로 '끊임없이' '매일,' '오래동안,' '끝없이' 라는 의미.

Got convicted and did his time. End of story.

기소당해서 옥살이를 했어. 그게 다야.

- I told him to throw it out, and he did. End of story.
  걔한테 버리라고 했는데 버렸어. 그게 다야.

  He came by this morning. Then he left. End of story.
  걔가 오늘 아침 들렀다가 갔어. 그게 다야.

■ end of story는 '이야기의 끝,' '그게 다야' 라는 표현으로 더 이상 덧붙여 할 말이 없다는 말씀.

You get money, you get laid. End of discussion.

돈이 있으면 섹스해. 더이상 말마.

- We're not moving, end of discussion.
  우린 이사가지 않을 거야. 더 이상 토론은 없어.

  Sorry, Lynette, but the menu is not changing. End of discussion.
  르넷, 미안하지만 메뉴가 바뀌지 않을거야. 더이상 왈가불가하지마.

■ end of discussion 또한 '토론은 끝,' '더 이상 토론은 없어' 라는 의미 혹은 '더이상 왈가불가하기 없기,' '더이상 말마' 라는 표현.

E

That was gonna be the end of the world.

그렇다면 세상의 종말이었을거야.

- Do you really think that this is the end of the world?
  이게 정말 종말이라고 생각하는거니?

  A positive test result isn't the end of the world.
  결과가 양성이라 해서 다 끝났단 소리는 아니야.

■ be the end of the world 는 세상의 종말이라는 말로 비유적으로 '종쳤다,' '망했다' 라는 의미.

Don and I will always be a loose end.

돈과 내 관계는 항상 뜨뜻미지근할거야.

- Jessica wasn't stabbed by accident. She was at a loose end.
  제시카는 우연히 칼에 찔린 게 아니었어. 걔는 빈둥거리고 있었거든.

  We've got a loose end to take care of.
  우리는 신경써야 할 미진한 부분이 있어.

■ a loose end는 '미진한 부분' 이라는 뜻이고 be at a loose end하면 '특별히 할 일이 없다,' '빈둥거리다' 라는 의미.

So, I just heard the tail end of that conversation.

그래, 난 그 대화의 끝부분을 방금 들었어.

- I'm hoping I can still get out of here to catch the tail end of dinner with my wife.
  난 여기서 나가서 아내와 저녁 마무리라도 할 수 있기를 아직 바래.

  I came in at the tail end of the movie.
  난 영화의 막바지에 들어왔어.

■ the tail end of는 '…의 끝부분' 이라는 의미.

The father struggles to make ends meet.
아버지는 수지타산을 맞추려고 노력하셔.

- Must be hard to make ends meet with a family of six.
  가족 6명을 위해 수지타산을 맞추기는 분명 어려울거야.

  I had to work very long hours just to make ends meet.
  난 수지타산을 맞추기 위해 아주 오랜 시간 일을 해야만 했어.

■ make ends meet은 '수지 타산을 맞추다' 라는 의미이다.

You really are the end.
넌 정말 큰일 났어.

- You're also the one person that can end it all right here.
  넌 여기서 모든 것을 끝낼 수 있는 유일한 사람이기도 해.

  Heather chose to end it all with Steve.
  헤더는 스티브와 모든 걸 끝내기로 했어.

■ end it all은 '자살하다,' '모든 것을 끝내다' 라는 뜻이고, 한편 You are the end하면 '넌 끝장이다' 라는 표현이 된다.

What'd you end up doing that evening?
그날 저녁 어떻게 끝났니?

- How did you end up here in this court?
  어떻게 이 법정에 오게 된거야?

  If you try and chase two rabbits, you end up losing them both.
  두 마리 토끼를 잡으려다 둘 다 놓치게 돼.

■ end up (with+N, ~ing)은 '결국 …되다,' '…결과가 되다' 라는 의미로 아주 많이 쓰이는 표현.

It's the never-ending battle.
이건 끝이 없는 싸움이야.

- Dan lifts up the sheets to check Steve's never-ending erection.
  댄은 스티브 거시기가 계속 서있는지 확인하려고 침대보를 걷어냈어.

  This has been a never-ending court case. 이건 끝나지 않는 소송이야.

■ never-ending은 '끝이 없는' 이라는 뜻. 한편 low-end는 '저가의' 상품이고 반대는 high-end가 된다.

MORE EXPRESSION

have no end of trouble 한없이 고생하다
come to a sticky end 곤란하게 되다
to end all 최고
in the end 마침내

» enough

That's enough for now. 이제 됐어.

Okay, fair enough. It's your room.
좋아, 됐어. 이건 네 방이야.

- Fair enough. I'll leave you in peace. 좋아. 널 편안하게 놔둘게.
  Fair enough. When's your break? 됐어. 휴식시간이 언제니?

■ fair enough는 '좋아,' '됐어,' '이제 됐어,' '알았어' 라는 뜻으로 어떤 제안에 대한 답변을 할 때 사용한다.

Good enough!
좋아!, 그만하면 됐어!

- That's good enough for me. 그건 나한테는 족해요.
  He's not good enough to raise a child. 걔는 애를 키우기에는 부족해.

■ good enough (for sb) to~는 '(…가) …하기에는 족하다' 라는 뜻이다. 단독으로 Good enough!하면 '충분하다,' '그만하면 됐어,' Sure enough는 '물론,' '말할 것도 없이' 라는 의미이다.

That's (quite) enough!
이제 그만! (됐어. 그만해!)

- All right, that's enough! 좋아, 이제 됐어.
  That's enough, Warrick. Let's go! 워릭, 이제 됐어. 가자.

That's (quite) enough는 이제 충분히 했으니 '이제 됐어,' '그쯤 해둬' 라는 의미의 표현이 된다. That will do와 같은 맥락의 표현.

It's not nearly enough.
이건 훨씬 부족해.

- A: How many drinks have you had? B: Not nearly enough.
  A: 몇 잔이나 마셨니? B: 아직 멀었어.
  No, what I gave him was not nearly enough.
  아냐. 내가 걔한테 준 건 아주 부족해.

not nearly enough는 '훨씬 많이 부족한' 이라는 의미로 much less than you need라는 뜻이다.

I've had enough of you.
이제 너한테 질렸어.

- Now we've had enough of you tonight. 우리는 오늘 밤 너한테 질렸어.
  Enough, enough, enough. I've had enough of your little games.
  그만 해. 너 허접한 수에 질렸어.

have had enough (of~) 는 현재완료로 지금까지 계속 충분히 넘쳤다는 말로 비유적으로 '…에 질렸다' 라는 의미가 된다.

Enough is enough!
더 이상은 안돼.

- Chris, enough is enough. 크리스, 적당히 좀 하렴.
  But enough is enough. You gotta talk to him.
  그러나 더 이상은 안 돼. 넌 걔한테 말해야 해.

Enough is enough는 '더 이상은 안돼' 라는 표현으로 충분히 했다는 뉘앙스.

Enough said. Saturday night, what happened then?
알아들었어. 토요일 밤, 무슨 일이 생겼니?

- A: They only want one thing and it's a dirty thing they want.
  B: Enough said. A: 걔들은 단지 한 가지만 원하는데 그건 아주 더러운 거야. B: 알아들었어.
  Enough said, we need to hire you.
  그만 얘기해도 돼, 우리는 널 고용할거야.

Enough said는 다 이해했으니 더 이상 설명이 필요없다는 의미. '알아들었어,' '그만 얘기해' 라는 뜻이다. 한편 enough on that하면 더이상 그거에 대해 얘기할 필요가 없다는 말로 '이제 됐어,' '그만해' 라는 표현이다.

Can't get enough of this place, huh?
이 곳은 질리지가 않아, 응?

- My husband loves my body. He can't get enough of it.
  남편은 내 몸을 좋아해. 질리지가 않은 가봐.
  I can't believe how much I love her, I can't get enough of her.
  난 그녀를 너무 사랑해. 그녀는 전혀 싫증이 나지 않아.

can't get enough of~는 '아무리 …해도 싫증이 나지 않는다[질리지 않는다]' 라는 뜻이다. 질리는 대상은 예문에서처럼 사람, 사물이 다 올 수가 있다.

That's enough for now.
이제 됐어.

- I know he's there, so, that's enough for now.
  걔가 간거 알고 있으니 지금은 됐어.
  Y'know what? I think that's enough for now.
  너 아니? 이제 됐다고 생각해.

That's enough for now 는 '이제 됐다' 라는 표현으로 나중에는 어떻게 될지 모르겠지만 당분간은 괜찮을 것 같다라는 뉘앙스.

I know we don't have enough for a warrant.

영장을 청구하기에 증거가 충분치 않다는 걸 알아.

- We don't have enough evidence to arraign her.
  그녀를 기소하기에 증거가 충분치 않아.

  We don't have enough to charge PJ with Jenna's murder.
  PJ를 제나 살인범으로 기소하기에 증거가 충분치 않아.

■ not have enough~ 는 '…가 충분치 않다' 라는 의미이고 not have enough+(명사) to[for의]의 형태로 쓰인다.

It's gone on long enough.

그만하면 충분히 하셨어요.

- This has gone on long enough. I'm gonna call a nurse.
  할만큼 했으니 그만 멈춰야 돼. 간호사를 부를 거야.

  Your Honor, this badgering has gone on long enough.
  판사님, 이 공갈은 그만 멈추게해야 합니다.

■ be gone on long enough 는 '충분히 오래 됐다' 라는 의미로 '이제 그만 멈춰져야 한다' 라는 뜻.

Just couldn't leave well enough alone.

그냥 지금에 만족할 수 없어.

- What were you thinking? Couldn't you leave well enough alone?
  무슨 생각을 하고 있었던거야? 그냥 내버려둘 수는 없었니?

  Why can't people leave well enough alone?
  왜 사람들은 그냥 내버려 두지 않는거야?

■ leave well enough alone 은 있는 그대로 놔두다로 '지금에 만족하다,' '긁어 부스럼을 만들지 않다' 라는 뜻이 된다.

I can't thank you enough.

뭐라고 감사의 말을 드려야 할지요.

- A: I can't thank you enough. B: I didn't do this for you.
  A: 뭐라고 감사해야 할지. B: 너를 위해서 한 것은 아니었어.

  A: I can't thank you enough. B: You don't need to thank me.
  A: 고마워서 어떻게 한대. B: 나한테 감사할 필요는 없어.

■ can't thank you enough 는 '뭐라고 감사의 말을 드려야 할지 모르겠다' 라는 의미로 I don't know how to thank you 또는 How can we ever thank you? 등도 유사한 표현.

MORE EXPRESSION

be good[kind] enough to do
…할 정도로 친절하다
Sorry's not enough. 죄송하다 는 말만으로는 해결되지 않는다.
Do you have enough to~V?
…할 것이 충분히 있어?

» envy

You're the one who's green with envy. 샘이 나서 죽을 지경인 사람은 바로 너야.

I envy you your childhood.

네 어린 시절이 부러워.

- I envy somebody who can be so in touch with their dreams.
  자신들의 꿈을 이렇게 이룰 수 있는 사람이 부러워.

  I envy you two. Not having to go to the clubs.
  난 너희 둘이 부럽다. 클럽에 가지 않아도 되고.

■ envy sb sth은 '…의 …을 부러워하다' 라는 뜻으로 I envy sb who~하면 '난 …한 사람이 부럽다' 라는 표현이 된다.

I envy you.
네가 부러워.

- Isn't she brilliant, Leonard? How I envy you!
  레너드, 걔는 정말 똑똑하지 않니? 네가 정말 부러워.

  You know, sometimes I envy you. 저기, 가끔 난 네가 부러워져.

  I don't envy you guys. 난 너희들이 부럽지 않아.

I knew it would be the envy of all my friends.
그건 내 모든 친구들이 부러움의 대상이 될 걸로 알았어.

- I'm the envy of every maintenance man in this hotel.
  난 이 호텔의 모든 관리인들의 부러움의 대상이야.

  Larry is the envy of his high school class.
  래리는 고등학교 자기 반에서 선망의 대상이야.

You're the one who's green with envy.
샘이 나서 죽을 지경인 사람은 바로 너야.

- He watches her with envy at getting a prime assignment.
  걔는 그녀가 중요한 임무를 받은 데 대해 부러운 눈으로 걔를 쳐다보고 있어.

  I'm looking at your Porsche with envy.
  난 부러운 시선으로 네 포르쉐를 쳐다보고 있어.

E

» establish

We haven't established that yet. 우린 아직 불확실한 사이야.

We haven't established that yet.
우린 아직 불확실한 사이야.

- Ms. Green would like to establish some ground rules.
  그린 씨는 약간의 기본 규칙을 세우려고 해.

  What, are you trying to establish an alibi?
  뭐, 알리바이를 세우려고 하는거야?

But Jill and I are re-establishing our relationship.
그러나 질과 난 관계를 새로 정립하고 있어.

- I was hoping that I'd slowly establish a relationship with John.
  난 존과 관계를 서서히 가지기를 희망하고 있었어.

I was trying to establish that you were coerced.
네가 강압받았다는 사실을 입증하려고 했었어.

- I guess we've established who's staying here with Diane.
  여기서 다이안과 누가 체류하고 있는지 알아낸 것 같아.

  We've established that he utilizes materials from the victim's domicile. 걔가 희생자 거주지에 있는 물건들을 이용한다는 것을 입증했어.

It's a well-established terrorist tactic.

이건 테러리스트가 사용하는 잘 알려진 전술이야.

- My awkwardness with my father is well established.
  내가 아버지하고 서먹서먹하다는 사실은 잘 알려진 사실이야.

  Morton's is a well established Hollywood restaurant.
  모튼네는 할리우드 식당으로 꽤 유명해.

 well-established는 '기존의,' '확고한,' '잘 알려진' 이라는 의미. established fact는 '기정 사실' 이라는 뜻이다.

We are not that kind of establishment.

우린 그런 류의 시설이 아니야.

- I've been sampling food at this establishment for years.
  난 이 가게에서 몇 년 동안 음식을 시식하고 있었어.

  I'm sorry sir, you need to leave this establishment.
  선생님, 죄송하지만 여기서 나가주셔야 겠네요.

establishment는 통상 '기관,' '시설' 을 의미하나 '기득권층' 이라는 의미로도 사용된다.

MORE EXPRESSION

establish A as B …로의 지위를 확고히 하다
establish oneself 자리를 잡다, 자격을 확립하다

 » **even**

I believe things even out. 모든게 안정된다고 믿어.

I'll get even with you.

앙갚음해줄테야.

- Jane's just trying to get even with me. 제인은 나한테 복수를 하려고 해.
  You went back for the money. You got even with your dad.
  넌 돈 때문에 돌아갔어. 아버지한테 앙갚음을 한 거였어.

get even with sb는 '복수하다,' '앙갚음하다' 라는 뜻.

Scores are tied. We are even.

동점이야. 우린 비겼어.

- Well, then I guess we're even. 글쎄, 그럼 우린 비긴 거네.
  Okay, alright, you buy me a soda, and then we're even.
  좋아, 그래, 네가 음료를 사라 그러면 비긴 거야.

We are even은 '비겼어' 라는 뜻이고, That's even은 '그래야 공평하지' 라는 표현이다.

Even then, it's a constant battle.

그때까지도 그건 끊임없는 전투였어.

- Even then, he'll need to go easy.
  그렇다고 해도 걘 여유를 가질 필요가 있을 거야.
  Even then victory is doubtful. 그때까지도 승리한다는 것은 의심스러웠어.

even then은 '그때까지도,' '그렇다고 해도' 라는 뜻이다. 한편 even so는 '그렇기는 하지만' 이라는 의미.

I believe things even out.

모든게 안정된다고 믿어.

- I may lose100 grand. But the drinks are free, it all evens out.
  십만 달러를 잃을 수도 있지만 술이 무료라 거의 셈셈일거야.

  Do you think it evens out? 넌 그게 공평하다고 생각해?

even out은 '고르게 안정되다,' '공평해지다' 라는 뜻으로 level out이라고도 한다. 물론 부사로 쓰이는 be even out of~의 경우와는 구분해야 한다.

MORE EXPRESSION

break even 손익분기점을 맞추다

I hardly ever see her. 난 걔를 거의 보지 못해.

Have you ever been to prison?
감옥에 가본 적이 있니?

- You ever been to Flushing Meadow Park?
  플러싱 메도우 공원에 가본 적 있어?

  You ever been to Thailand? 태국을 방문한 적이 있어?

> ■ **have been to~**는 …에 갔다 온 적이 있다는 경험을 말하는 것으로 Have you ever been to~?, I have been to~의 형태로 많이 쓰인다. have gone to 또한 현대영어에서는 have been to와 구분없이 쓰는 경우가 많다.

I hardly ever see her.
난 걔를 거의 보지 못해.

- I got another car. I hardly ever use the pickup.
  새 차 뽑았어. 난 그 픽업을 거의 타지 않잖아

  Come on, I hardly ever get to see you. 왜 그래, 너 보기가 힘드네.

> ■ **hardly ever**는 '거의 …하지 않는다' 라는 표현으로 not very often과 같은 의미.

And they lived happily ever after?
그리고 걔들이 그 이후 행복하게 살았대?

- He succeeded, and they lived happily ever after.
  걔는 성공했고 그 이후 행복하게 살았어.

  And everybody will live happily ever after.
  그리고 모두 그 이후 행복하게 살거야.

> ■ **live happily ever after**는 '…이후 행복하게 살다' 라는 뜻으로 happy ending 영화나 스토리를 마무리 지을 때 쓰는 표현이다.

She's driving faster than ever before.
걔는 그 어느 때보다 빨리 운전을 해.

- Technology's made it easier than ever to spy on anyone.
  과학기술의 발전으로 사람들에 대해 감시하는 것이 그 어느 때보다 쉬워졌어.

  We can be closer than ever. 우리는 그 어느때보다 가까워질 수 있어.

  There's more competition than ever before. 그 어느 때보다 경쟁이 심해.

> ■ **~ than ever**는 '…어느 때보다,' 그리고 than ever before는 '예전 그 어느 때보다도' 라는 뜻.

This is gonna go on forever, isn't it?
이건 영원히 계속될 거야, 그렇지 않니?

- Good Lord, this place goes on forever. 오, 주님, 이 곳은 영원할 거예요.

  It felt like it went on forever. 마치 영원히 계속될 것 같이 느껴졌어.

> ■ **go on forever**는 '영원히 계속되다' 라는 뜻이다. for ever는 '항상,' '영원히' 라는 뜻으로 for good, for all time과 같은 의미이다. 또한 forever and ever 역시 '영원히 오랫동안' 이라는 의미.

E

 MORE EXPRESSION

first-ever 생전 처음의
if ever there was one 분명히
ever since …한 이래로 계속[줄곧]

놓치면 원통한 미드표현들

- **Either will do. (Anything will do.)** 둘 중에 어떤 것이든 되요. (어떤 것이든 되요.)
  Give me coffee or tea. Either will do.
  커피나 차 줘. 아무거나 괜찮아.

- **either way** 어느 쪽[편]이나
  Either way, one of us should be insulted.
  어느 쪽이라도 우리 중 한 명은 모욕을 받을거야.

- **me either** 나도 그래
  A: I don't know what to say. B: Me either.
  A: 뭐라고 말해야할지 모르겠어. B: 나도 그래.

- **elaborate on** …에 대해 더 자세히 말하다[상술하다]
  Could you elaborate on that?
  그걸 좀 자세히 말해줄 수 있나요?

It would mean everything to her. 그건 걔한테 정말 소중한 걸거야.

So he comes in here every other week.
그래 걘 격주로 여기에 와.

- She comes down every other weekend. 걘 격주로 주말마다 내려와.

  They come up for air every so often.
  걔네들은 가끔 수면위로 숨쉬러 올라와.

■ every so often은 가끔, 종종 every other는 하나 걸러서 라는 말로 격일, 격주, 격년 등을 말할 때 사용된다.

I'm every bit as stubborn as you.
난 너 못지않게 깐깐해.

- They're every bit as safe as hospital births.
  걔네들은 병원출산 못지않게 안전해.

  What you feel is every bit as important as what you think.
  네 느낌은 네 생각만큼 중요해.

■ every bit as~ as~는 '… 못지않게 …한.' 보통 as 다음에 말하고 싶은 형용사를 넣고 그 다음에 비교대상을 말하면 된다.

I'm pretty much peeing every which way.
난 사방으로 오줌을 많이 갈겼어.

- I've looked at this thing every which way there is.
  난 있는 모든 방향에서 이것을 바라보고 있었어.

  You did it every which way you could. 넌 사방팔방으로 다 해봤어.

■ every which way는 '사 방으로,' '가능한 모든 방향' 이란 말로 여러 방향이란 걸 강조할 때 사용한다.

You mean everything to me.
넌 내게 소중한 사람이야.

- Your permission would mean everything to me.
  네가 허가해주면 내겐 정말 의미있는 걸거야.

  It would mean everything to her.
  그건 걔한테 정말 소중한 걸거야.

■ be[mean] everything (to sb) …에게 모든 것이란, 다시 말해 가장 중요한, 소중한 것이라 는 의미이다.

We have everything we need right here.
우린 지금 여기 필요한 건 다 갖추었어.

- We already have everything we need from the crime scene.
  범죄현장에서 필요한 것 이미 다 확보했어.

  You really do have everything in there, don't you?
  너 그곳에 필요한 것들을 정말 다 갖추었구나, 그지 않아?

■ have everything은 모든 것을 다 갖추다, 특히 필요하거나 바람직한 자질을 갖추었을 때 사 용한다.

They have pictures and books and everything.
사진, 책 및 다른 것들도 있어.

- I thought I made it clear about all the extra work and everything.
  모든 추가작업과 기타 등등에 대해 명확히 한 걸로 아는데.

  You worked so hard for Yale and everything.
  넌 예일대 및 기타 대학에 들어가려고 열심히 공부했어.

■ ~ and everything은 나열 할게 많거나 구체적으로 말하지 않을 때 기타 등등이라는 뜻으로 쓴다.

MORE EXPRESSION

one in every~ …중 한 명은
in every way 여러모로
Is that everything? 다른 것은?
have everything going for sb …에게 모든게 잘 되어가다
everything but the kitchen sink 필요이상으로 많은

You have to listen to the evidence. 증거에 귀를 기울여야 해.

The evidence says you killed your wife.
증거에 의하면 네가 아내를 죽였어.

- I don't care what the evidence says. 증거가 뭐라건 난 상관없어.
  Because the evidence points to him. 증거가 그 사람을 가리키거든.

- evidence says~는 범죄 물에 단골로 나오는 표현으로 '증거에 의하면'이라는 뜻. 또한 the evidence points to~하면 '증거가 …를 가리킨다,' 즉 '증거에 의하면 범인은 …이다'라는 의미.

You have to listen to the evidence.
증거에 귀를 기울여야 해.

- Believe me, I'd rather follow the evidence. 정말이지, 난 차라리 증거를 따라갈거야.
  As soon as we find some evidence, I promise. 증거 좀 찾는대로, 약속할게.

- follow the evidence는 CSI 반장중 가장 과학적인 그리섬 반장의 철칙으로 '증거를 따라가라,' 즉 증거에 기반으로 두고 하나하나 풀어가다보면 범인을 잡을 수 있다는 말. 달리 listen to the evidence라고 해도 된다.

I'll need Ben to give evidence at the trial.
벤이 이번 재판에서 증언을 해야 돼.

- There's a rumor. I can't give evidence on this. 소문이 있지만 그걸 증언은 못해.
  Several witnesses gave evidence at the trial.
  여러명의 증인들이 재판에서 증언을 했어.

- give evidence는 법정에서 증언하다(testify at the trial)라는 표현으로 '증거를 제출하다'라는 give the evidence와 헷갈리면 안된다.

To my knowledge, there was no evidence of that.
내가 알기로는 그 증거는 없었어. .

- There isn't enough evidence to suggest it didn't. 안그렇다는 증거가 충분치않아.
  There is no evidence he has committed a crime. 걔가 죄지었다는 증거가 없어.

- there is (no) evidence 는 '증거가 있다, 없다할 때,' 그리고 the evidence will show~ 하면 '증거가 …을 나타내 줄거다'라는 의미. 한편 physical evidence는 '물리적 증거'를 뜻한다.

E

Now if you'll excuse me, I have a date. 죄송하지만, 데이트가 있어서요.

Okay, Olivia, excuse me for sec.
좋아, 올리비아, 잠시만 실례.

- Excuse me, why is this stuff free? 저기요, 이게 왜 공짜예요?
  A: You will never have him. B: What? Excuse me?
  A: 넌 걜 차지하지 못할거야. B: 뭐? 뭐라고?

- Excuse me는 상대방에게 실례를 구할 때 쓰는 표현. 사람들 헤치고 가면서 죄송하지만 길 좀 비켜주세요라고 할 때도 쓴다. 또한 올려서 Excuse me?라하면 상대방이 한 말을 못들었거나 상대방 말이 황당할 때 "뭐라구?"라고 받아치는 표현이다.

Now if you'll excuse me, I have a date.
죄송하지만, 데이트가 있어서요.

- If you'll excuse me, I'm gonna go down to the laundry room.
  괜찮다면 세탁실에 갈래.

  Now, if you'll excuse me, I gotta go to the john.
  실례합니다만 화장실에 가야되겠어요.

- If you'll excuse me는 함께 있다가 자리를 일어나 다른 곳으로 갈 때 상대방에게 양해를 구하면서 하는 전형적인 표현. Now를 앞에 붙이는 경우가 많다.

Can you excuse us?

자리 좀 비켜주시겠어요?

- **Would you excuse me for a second?** 잠시 실례할게요.

  Can you excuse me for a minute? I got a quick phone call.
  잠시 실례할게요. 빨리 전화할 데가 있어서요.

Could I be excused?

양해를 구해도 될까요?, 이만 일어나도 될까요?

- **May we please be excused?** 자리에서 일어나도 될까?

  You may be excused now. 이제 그만 가봐도 될 듯하다.

There's no excuse for what he's doing.

걔가 하는 행동에는 변명의 여지가 없어.

- **I know you're temp nurses but there's no excuse for sloppiness.**
  임시 간호사지만 실수하면 안 돼요.

  There's no excuse for your bad behavior. 너의 못된 짓엔 변명의 여지가 없어.

That's no excuse

그건 변명이 안돼.

- **That's no excuse. I'm very, very sorry.** 그건 말이 안돼. 정말 미안해.

  A: Because they're closing. B: That's no excuse.
  A: 걔들이 문을 닫아서. B: 이유가 안돼.

You know what? I make no excuses.

저 말이야. 난 변명의 여지가 없어.

- **I make no excuse for the choices I have made.**
  내가 한 선택에 대해 변명의 여지가 없어.

  I make no excuse for the things my brother did.
  내 형이 한 짓에 대해 변명의 여지가 없어.

I have no excuses! I was totally over the line.

할 말이 없네! 내가 전적으로 도를 넘어서.

- **I just ran out of excuses.** 이젠 변명거리도 다 떨어졌어.

  That boy is running out of excuses to get near my breasts.
  저 애는 성적으로 접근할 구실도 다 떨어져가.

■ **Would you excuse sb (for~)?** 역시 함께 있다가 자리를 뜨면서 혹은 상대방에게 자리를 비켜달라고 할 때 사용하는 표현.

■ **Could I be excused?** 역시 대화중 자리를 일어설 때 사용하며, 반대로 You're excused 하게 되면 상대방보고 그만 일어나서 가도 된다라는 표현이 된다.

■ **There is no excuse for sth**은 변명꾼들에게 던질 수 있는 표현으로 '···에 대한 변명의 여지가 없다,' '변명할 구실이 없다' 라는 의미.

■ **That's no excuse**는 말도 안되는 변명을 늘어놓는 사람에게 따끔하게 일침을 가하는 표현.

■ **make one's excuses**는 '변명을 하다' 라는 표현으로 변명은 for 이하에 적으면 된다. make no excuse (for)하면 '변명의 여지가 없다' 라는 말.

■ **have no excuse**는 역시 변명할 여지나 구실이 없다는 의미이고 '변명을 대다,' '이젠 변명거리가 떨어진다'고 할 때는 run out of excuse라 한다.

That doesn't excuse any of it. 그걸로 모두 용서받을 수는 없어.
Excuse my appearance.
몰골이 말이 아니라서 죄송합니다.
Excuse me for living. 내가 죽을 죄라도 지었나, 면목없어요.

놓치면 원통한 미드표현들

- **engage in** ···일을 하다
  They had actually engaged in physical intimacy. 걔들은 사실상 신체적 접촉을 했어.
  I believe they engaged in coitus.
  걔들이 성교를 했다고 생각돼.

- **be[get] engaged** 약혼하다

What, the girl he was engaged to was a Buckley?
뭐? 그 아이랑 약혼했던 여자가 버클리 집안 아이란 말야?

- **enjoy oneself** 즐기다, 놀다 Enjoy! 즐겨
  I'm (really) enjoying myself. 정말 신나게 놀고 있어.
  You're not enjoying this, are you?
  이걸 즐기는 것은 아니지, 그렇지?

It was the last thing I expected. 전혀 예상도 못했던거야.

I've been expecting you.
기다리고 있었어.

- Not the person I was expecting. 네가 올거라곤 생각도 못했어.

  I'm expecting a call from the crime lab. 범죄연구소에서 전화가 올거야.

  I didn't expect to see you here. 여기서 널 보게될 줄 몰랐어.

  I don't expect you to understand! 네가 이해하리라고 기대안해.

> ■ expect는 기본적으로 sb, sth, 혹은 to+V를 목적어로 받는다. 또한 to~하는 주체를 별도로 표시하려면 expect sb to~라고 한다.

I'm expected to show up.
내가 오기로 되어 있어.

- The nurses say you're expected to make a full recovery.
  간호사들은 네가 완전히 회복될거라 말해.

  The funeral's tomorrow. And you're both expected to attend.
  장례식이 내일야. 둘다 참석해야지.

> ■ be expected to는 …할 것으로 예상되거나, 기대되거나 그래서 어느 정도는 그렇게 해야 한다 등의 뉘앙스를 문맥에 따라 띄게 된다.

Wow! I honestly never expected this.
왜! 정말이지 이건 전혀 뜻밖이네.

- Mindy broke her pattern in a way that she had never expected.
  민디는 자신도 전혀 예상못한 방식으로 자신의 패턴을 깼다.

  Never expected to ever see you in here again.
  여기서 널 다시 보게될 줄이야.

> ■ never expected~는 전혀 예상하지 못한 뜻밖의 일이 벌어졌을 때 쓰는 표현으로 'I never expected that~'하게 되면 '…하다니 전혀 뜻밖이네'라는 말이 된다.

Am I expecting too much?
내가 너무 많은 걸 기대하나?

- I didn't expect much of you anyway. 네가 하는 일이 다 그렇지 뭐.

  I just hope you don't expect too much from this relationship.
  네가 우리 관계에서 너무 많은 걸 기대하지 않기를 바래.

> ■ expect a lot of~는 기대를 하되 넘 많이 기대를 하는 경우로 expect too much라고 해도 된다.

I heard Mary is expecting
메리가 임신했대

- Are you expecting a child? 너 임신했어?

  They expect the arrival to be a girl. 걔네들은 아기가 딸이길 바래.

> ■ be expecting은 주어가 아이를 가졌다는 표현으로 그냥 목적어없이 쓰거나 혹은 a child를 넣어도 된다.

It was the last thing I expected.
전혀 예상도 못했던거야.

- Cause of death was cerebral hemorrhaging, as expected.
  사인은 예상대로 뇌출혈이야.

  So no money, as expected, but I did find this.
  예상대로 돈은 없지만 이걸 찾았어.

> ■ be the last thing I expected는 전혀 예상도 못했을 때, 반대로 예상대로 일 때에는 as expected라 한다.

That's to be expected.

있을 수 있는 일이야.

- **Your reluctance is to be expected.** 네가 꺼려하리라 예상했어.
  Adversity is to be expected. Continue. 난관은 예상된거야. 계속해.

So what do you expect me to do?

그래서 나보고 어찌라고?

- **What do you expect me to do, House? Quit? Cry?**
  나보고 어쩌라고요, 하우스? 그만둘까요? 울까요?
  How do you expect me to stay calm?
  어떻게 내가 침착하기를 바라는거야?
  How do you expect me to respond to this stuff?
  내가 이 일에 어떻게 반응하리라 예상해?

■ **sth be to be expected** 는 사물이 주어로 나오고 be to be expected가 결합된 것으로 주어가 예상되는 일이라는 의미가 된다.

■ **What do you expect (sb) to+V~?**는 단순히 무엇을 기대하느냐라는 의미이지만 문맥에 따라 상대방에게 따지는 표현으로도 많이 사용된다.

» explain

 That explains it. 그럼 설명이 되네.

That explains it.

그럼 설명이 되네.

- **That explains it, I told them to put it on my desk.**
  그럼 설명이 되네. 내가 책상 위에 올려놓으라고 했거든.
  Well, that explains it. It was an inside job.
  그래서 그랬구나. 그건 내부범죄였구나.

Why don't I ever have to explain myself to you?

네게 해명을 할게.

- **I just wanted to explain myself.** 난 단지 해명을 하고 싶었을 뿐이야.
  No, you know what? I don't have to explain myself to you.
  아니, 저 말이야. 난 네게 해명을 할 필요가 없어.

■ **That explains it**은 '그럼 말이 되네,' '아 그래서 이런 거구나' 라는 표현. 반대로 설명이 안되는 상황이면 "That doesn't explain it"이라고 하면 된다.

■ **explain oneself**는 자기 자신을 설명한다는 말로 '속마음을 털어놓다,' 혹은 '자신의 행동에 대한 해명을 하다' 라는 뜻이 된다.

I got my eye on this guy. 난 이 애를 찍었어.

I'll keep an eye on him.

내가 걜 지켜볼게.

- He's gonna keep an eye on the apartment until I get there.
  내가 도착할 때까지 걔가 아파트를 잘 봐줄거야.

  Oh, don't worry, I'll keep an eye on it. 어, 걱정마. 내가 잘 봐줄게.

> ■ keep an eye on은 on 이 하에 나오는 사람이나 사물이 다 치지 않도록, 해가 되지 않도록 지켜본다는 의미.

I'll have to keep my eye on you.

네게서 눈을 떼지 않고 지켜봐야 돼.

- Keep your eye on her for the next few hours. Make sure she's okay. 앞으로 몇시간 동안 걜 잘 지켜봐. 아무 일 없도록 해.

  Keep your eyes on the woman in the red dress.
  빨간색 옷입은 여자를 잘 지켜봐.

> ■ keep[have] one's eye on sb는 my[your] eye를 써서 keep an eye보다 좀 더 적극적으로 지켜본다는 의미이며 또 한 단계 나아가 '경계하다' 라는 의미로도 쓰인다.

Keep your eye on the ball!

방심하지마!

- A: A little advice? B: Keep your eye on the ball.
  A: 조언 좀 주라? B: 방심하지마.

  I don't know, but I'm keeping my eyes peeled.
  잘 모르겠지만 눈을 부릅뜨고 경계하고 있어.

  Keep your eyes open. 잘 살펴봐.

  But it's vital that we keep our eyes open.
  하지만 두 눈을 부릅뜨고 경계하고 있는게 중요해.

> ■ keep[have] one's eye on the ball은 '경계하다,' '방심하지 않다' 라는 뜻이며 역시 좀 더 강조해서 눈을 부릅뜨고 경계한다고 할 때는 keep one's eyes peeled[skinned]라고 하면 된다. 좀 쉽게 말하려면 keep one's eyes open이라고 한다.

I got my eye on this guy.

난 이 애를 찍었어.

- I think Mrs Tishman's got her eye on you.
  티쉬먼 부인이 널 눈독들이고 있는 것 같아.

  She's got her eye on a beige chair. 걘 베이지색 의자를 탐내고 있어.

> ■ have (get) one's eye on sb[sth]는 어느 대상에 눈을 고정시키고 있다는 말로 갖고 싶은 욕심이 난다, '눈독들이다' 라는 뜻이 된다.

I only have eyes for you.

난 당신뿐이야.

- Believe me, I only have eyes for one girl.
  정말야, 난 한 여자만 사랑할 뿐이야.

  But she only had eyes for you? 하지만 걔가 너만 사랑한걸까?

> ■ only have eyes for sb 는 다른 사람에게는 눈길 한번 주지 않고 '오로지 …만을 바라본다' 는 의미로 오직 한 사람만을 사랑한다는 충성표현.

I couldn't take my eyes off you.

네게서 눈을 뗄 수가 없었어.

- He said he couldn't keep his eyes off me.
  걘 내게서 눈을 뗄 수가 없다고 말했어.

  He doesn't take his eyes off the TV. 걘 TV에서 눈을 떼지 않고 있어.

> ■ can't take one's eyes off sb는 '…에게서 눈을 뗄 수 없을 정도' 로 어떤 사물이나 사람에게 필이 아주 팍 꽂인 경우. '…에게 뿅가다' 정도의 뜻.

E

She has an eye for it
걔가 그거에 대한 안목이 있어.

- You cops sure have an eye for detail.
  너희 경찰들은 정말 작은 것들까지 세세히 보는 눈이 있어.

  I tend to have a bit of an eye for these things.
  난 이런 것들을 보는 눈이 좀 있는 편이야.

■ have an[a good] eye for~는 우리말에도 '…을 볼 줄안다' 라는 표현이 있듯이 for 이하에 대한 안목이 있다라는 의미.

This girl is making eyes at Chris, okay?
이 여자가 크리스에게 추파를 던졌다는거야, 맞아?

- He's making goo-goo eyes at my secretary.
  걘 내 비서에게 추파를 던지고 있어.

  I have somebody to roll my eyes at.
  난 작업걸 사람이 있어.

■ make eyes at sb는 '…에게 추파를 던지다' 라는 의미로 make 대신 roll을 써도 된다. goo-goo eyes는 추파, 유혹의 눈길을 뜻한다.

We see eye to eye on this.
이 문제에 대해서 우리는 의견의 일치를 보았어.

- My roommate and I didn't see eye to eye at first.
  룸메이트와 나는 첨에 의견일치를 못봤어.

  They didn't always see eye to eye.
  걔네들이 항상 의견일치를 본 건 아니었어.

■ see eye to eye (on)는 눈을 마주본다는 말로 비유적으로 '의견일치를 보다' 라는 의미.

You have to have eyes in the back of your head.
넌 빈틈없이 철저히 경계해야 돼.

- What, do you have eyes in the back of your head?
  뭐야, 너 머리 뒤에도 눈이 달린거야?

  The soldiers have eyes in the back of their heads.
  군인들이 사방을 철저히 경계하고 있어.

■ have eyes in the back of one's head는 머리 뒤에도 눈이 있다는 말로 '사방으로 철저히 경계하다' 라는 뜻.

I could do it with my eyes closed.
난 눈감고도 할 수 있어.

- I can do it with one hand! I can do it with my eyes closed!
  한 손으로 할 수 있고 두 눈 감고도 할 수 있어!

  Sara can finish the puzzle with her eyes closed.
  새라는 간단히 그 퍼즐을 쉽게 맞출 수 있어.

■ can do sth with one's eyes shut[closed]는 눈감고도 할 수 있다는 말로 아주 간단히, 쉽게 할 수 있다는 말씀.

Beauty lies in the eyes of the beholder.
아름다움은 보는 사람에 따라 다른거야.

- So in the eyes of the law, he is innocent until proven guilty.
  그래, 법적으로, 걘 유죄입증이 되기 전까지는 무죄야.

  In the eyes of Mr. Johnson, we failed.
  존슨 씨 보기에 우리는 실패했어.

■ in the eyes of는 '…보는 바에서' 라는 뜻으로 예로 in the eyes of law는 '법률상으로' 라는 뜻이 된다.

He believes that all eyes are always on him.
걘 항상 모든 시선이 자기를 향하고 있다고 생각해.

- So just know all eyes are on you. 모든 시선이 널 향해 있다는 걸 알아둬.
  All eyes are on the awards ceremony. 모든 시선이 시상식에 쏠려있어.

■ All eyes are on~은 모든 시선을 받고 있다는 말로 'on' 대신에 watching이나 fixed를 써도 된다.

She turned a blind eye to the abuse.
걘 학대를 보고도 못 본 척했어.

- I'm not gonna turn a blind eye, but I have to protect my son.
  보고도 못본 척하지는 않겠지만 내 아들은 지켜야 돼.
  The police turn a blind eye to the food carts.
  경찰은 노점상을 못 본 척했어.

■ turn a blind eye (to)는 뭔가 안좋은 일을 보고도 '외면하고 못 본 척하다' 는 표현.

Don't make eye contact with Elle.
엘과 눈 마주치지마.

- He never makes eye contact, just stares at people's asses.
  걘 절대 눈을 마주치지 않아, 단지 사람들 엉덩이를 봐.
  Not yet. Kid hasn't talked or made eye contact.
  아직. 애들이 말도 않고 눈도 마주치지 않아.

■ make eye contact (with)은 상대방과 서로 눈을 바라다 보는 것, 즉 눈을 마주치다라는 의미.

■ eye candy는 귀염둥이, naked eye는 벗고 보는 게 아니라 안경 등의 도구를 이용하지 않는 육안, 그리고 black eye는 맞아서 멍든 눈을 뜻한다.

You just can't see it with the naked eye.
육안으로는 볼 수 없어.

- We want to see you take your clothes off! You big piece of eye candy! 옷벗는 거 좀 보자. 이 멋진 매력덩어리야!
  It's because you're not what I call eye candy.
  넌 내가 말하는 귀염둥이가 아니기 때문야.

MORE EXPRESSION

My eye[foot]! 맙소사!, 말도 안돼!
This is for your eyes only.
이건 너만 알고 있어야 돼.
get an earful from ⋯에게 잔소리를 듣다
keep[have] one eye on ⋯에서 눈을 떼지 않다
have eyes bigger that one's belly 과식하다
in the twinkling of an eye 눈깜짝할 사이에
I don't have good eye-sight. 난 시력이 좋지 않아.

놓치면 원통한 미드표현들

- **say[talk] English** 우리말로 하다
  Speak English. 우리말로 해
  Okay you're talking doctor now George. Talk English.
  그래 넌 의사들 쓰는 말을 하잖아, 조지. 우리말로 해.

- **in (plain) English** 쉬운 우리말로
  How about we do this in plain English?
  이거 쉬운 우리말로 하자?
  In English, please. 우리말로요.
  English, please. 우리말로 해.

- **not speak a word of English** 영어 한마디도 못하다

She doesn't speak a word of English.
걘 영어 한마디도 할 줄 몰라.
She doesn't understand a word of English.
걘 영어 한마디도 이해못해.

- **go the extra mile for~** ⋯을 위해 특별히 더 노력을 하다
  I'll go the extra mile for you.
  너를 위해서라면 내가 더한 것도 할게.

- **extra~** 추가의
  The sexual assault was just an extra humiliation. 성추행은 단지 굴욕이 하나 더 늘뿐이었어.

F

» face

I can't do this with a straight face. 난 웃지 않고 이걸 할 수 없어.

Why the long face?
왜 그렇게 시무룩해?

- Why the long face? Are you still sad Mom wouldn't let you go to Paris. 표정이 왜 시무룩해? 엄마가 파리 못가게 해서 아직도 화났어?

  Shirley realizes they try to save face.
  셜리는 걔네들이 체면을 세우려고 한다는 걸 깨닫고 있어.

long face는 슬프고 우울해 시무룩한 표정을 말하며 save face는 '체면을 살리다,' 반대로 '체면을 잃다'는 lose face라 한다.

I can't do this with a straight face.
난 웃지않고 이걸 할 수 없어.

- Damn it! I was trying to keep a straight face. 젠장! 웃지 않으려고 했는데.
  I couldn't keep a straight face. 웃음을 참을 수가 없었어.

keep a straight face는 웃지않고 아무런 일도 없다는 듯이 태연한 얼굴 혹은 진지한 표정을 짓고 있는 것을 말한다.

And you told me right to my face.
그리고 넌 바로 내 면전에서 말했어.

- If you wanna say something about me, say it to my face! 나에 대해 뭐 말하고 싶으면 내 앞에서 하라고!
  She lied right to my face. 걔는 내 면전에서 거짓말을 했어.

say sth to one's face는 얼굴에 대고 이야기한다는 것으로 '바로 면전에서 당당하게 말하는' 것을 뜻하며, say 대신에 tell, lie 등의 동사가 오기도 한다.

I intend to fly in the face of such thinking.
난 그런 생각에 정면으로 맞서려고 해.

■ fly in the face of~는 어떤 규칙이나 상식에 어긋나거나 나아가 기존의 것을 무시하거나 맞서는 것을 뜻한다.

- It flies directly in the face of Cheesecake Factory policy.
  그건 치즈케익 팩토리사의 정책에 정면으로 위배돼.

  That completely flies in the face of my master plan.
  저건 내 마스터 플랜하고 전혀 다른거야.

She vanished from the face of the earth.
걔는 행방이 완전히 묘연해졌어.

■ vanish from the face of the earth는 지구상에서 완전히 사라진다는 것으로 '완전히 행방을 감추다' 라는 뜻이다. vanish 대신에 disappear, fall off 등을 써도 된다.

- She said your family had locked you out and you'd fallen off the face of the earth. 네 가족들이 널 가둬서 완전히 종적을 감췄다고 걔가 그러던데.

  But the employees didn't fall off the face of the earth.
  하지만 직원들은 완전히 잠수타지는 않았어.

Face the music.
떳떳하게 책임을 지라고.

■ face the music은 피하지 않고 당당하게 자기가 잘못한 일에 대해 응분의 책임을 지거나 그 죄값을 받는 걸 뜻한다.

- It's time for us to face the music. 우리가 당당히 책임을 져야 할 때야.

  When it's time to come home and face the music, she concocts a story that gets her sympathy.
  집에 와서 책임을 져야 할 때가 되면 걘 동정을 사려고 이야기를 지어내.

And face up to your problems whatever they are.
문제가 뭐든 받아들이라고.

■ face up to sth은 자기가 현재 맞부딪친 힘든 상황을 받아들이는 것을 뜻하는 표현.

- My point is you need to face up to what you're feeling with this breakup. 내 말의 요지는 이 이별로 인한 네 감정을 받아들여야 된다는거야.

  It's the time in my life where I should be facing up to my fears.
  이제 난 내 인생에서 내가 두려워하는 것들을 받아들여야 할 때야.

Get out of my face!
좀 꺼져!

■ get out of one's face는 '면전에서 사라지다,' 반대로 면전에서 감나라배놔라 얄짱대면서 짜증나게 할 때는 get in one's face라 한다.

- A: Bitch, get out of my face! B: Calm down. A: 이 년아, 꺼지라고! B: 진정해.

  Don't get in my face, Brian. 브라이언 내 앞에서 얄짱대지마.

  Don't ever get in my face about money. 절대로 돈문제로 내 앞에서 얄짱대지마.

Let's face it.
현실을 직시하자.

■ Let's face it은 관용문장으로 힘들고 험한 현실에 부딪혀 피하지 말고 '있는 그대로 받아들이다' 라는 말.

- Let's face it, you're not good enough for him anyway.
  현실을 직시해. 넌 어쨌거나 걔한테는 턱없이 부족해.

  Let's face it. There's no pattern here. 현실을 직시하자. 아무런 패턴이 없어.

I've been faced with an ethical dilemma.
난 윤리적인 딜레마에 직면해있어.

■ when faced with~는 어떤 상황에 직면했을 경우에 사용하는 것으로 with 이하에 어려운 상황을 말하면 된다. 함께 많이 쓰이는 표현으로는 be faced with가 있다.

- But sometimes, you're faced with a cut that won't heal.
  하지만 가끔 치유되지 않을 상처에 직면하게 된다.

  When faced with a situation like this, the solution's obvious.
  이런 상황에 직면하게 되면 해답은 명백해.

F

I was just putting on a brave face.

난 그냥 태연한 척하고 있었어.

- He's putting on a brave face. But he's not doing so well.
  걘 태연한 척하고 있지만 그렇게 일을 잘하고 있지는 않아.

  Put your poker face on. You got it? 얼굴표정 좀 감춰라. 알겠니?

I'm saying she was a two-faced bitch.

내 말은 걘 위선적인 년이었다는거야.

- You're married to a selfish, two-faced liar who betrayed you?
  넌 이기적이고 널 배신한 위선적인 거짓말쟁이와 결혼한거야?

  But be careful around her, they say she's two-faced.
  하지만 걔 조심하라고, 위선적인 여자래.

■ put on a brave face에서 put on은 입다, 걸치다 등 실제의 모습을 감추는 것으로 put on a brace face하면 실제와 달리 당당한 표정으로 위장하는 것을 뜻한다. 즉, 태연한 척하는 것을 말하며 또한 poker face하면 '무표정한 얼굴'을 말한다.

■ two faced는 얼굴이 두 개라는 것으로 겉과 속이 다른 위선적인 사람을 말한다.

MORE EXPRESSION

show one's face 나타나다 (show up)
make face at sb 인상쓰다
Shut your face! 조용히 해!
what's his[her] face 누구더라
on the face of it 보기에는
can't face 감당못하다

» fact

 Stick to the facts. Don't lie to me. 좋아, 사실에 집중해. 거짓말하지 말고.

That's just a fact of life.

그게 현실이야.

- Sad, but it's a fact of life. It's not a crime. 슬프지만 그게 현실이야. 죄는 아냐.

  She's 5. She's too young to understand the facts of life.
  걘 5살이야. 성에 관한 내용들을 이해하기에는 너무 어려.

Still, the fact remains.

그래도 여전히 사실은 변함이 없다.

- But the fact remains the police seized the fetus without asking my client. 하지만 경찰이 제 의뢰인에게 묻지 않고 태아를 데려갔다는 사실은 변함없습니다.

OK, stick to the facts. Don't lie to me.

좋아, 사실에 집중해. 거짓말하지 말고.

- My sister can never stick to the facts. 내 누이는 전혀 사실에 집중하질 못해.

  Let's stick to the facts. Were there signs of forced entry?
  사실에만 집중해보자. 강제침입의 증거가 있었나?

But the fact is, I'll need a support team.

하지만 사실은 지원팀이 필요할거야.

- The fact is you're an ungrateful spoiled brat!
  사실은 넌 배은망덕한 싸가지 없는 새끼야.

  Well, the fact is, you can't. 어, 사실은 너 못해.

■ a fact of life는 어쩔 수 없는 '현실상황'을 뜻하고 the facts of life는 아이들에게 알려주는 '성에 관한 진실,' 즉 성교육내용을 말한다.

■ The fact remains (that~)는 뭔가 앞에서 나온 결론에도 불구하고 여전히 해결되지 않은 사실이 있음을 말할 때 사용하는 표현.

■ stick to the facts는 '사실(fact)를 고집한다(stick)'는 뜻으로 사실을 집중한다는 의미.

■ The fact is~는 '사실은 …이다'라는 뜻으로 앞서 이야기한 내용과 상반된 것을 언급할 때 사용한다.

MORE EXPRESSION

facts and figures 정확한 정보
Is that a fact? 그게 정말야?
as a matter of fact 사실(in fact)

But to be fair, she's also hot. 하지만 제대로 말해서 걔도 역시 섹시해.

It's[That's] not fair.
그건 공평하지가 않아.

- **This is so unfair.** 이건 정말 너무 불공평해.
  No fair! 불공평해!, 이건 공정하지 않아!
  It's not fair to me! How could you do this? 불공평해! 어떻게 그럴 수 있어?
  It's not fair, you son of a bitch! 공평치않아, 이 개새끼야!

We get our fair share of sightings.
우린 볼만큼 관광을 했어.

- **Besides, I've done my fair share.** 게다가 난 내 몫을 했어.
  The criminal had more than his fair share of bad luck.
  그 범죄자는 정말 지지리도 운이 없었어.
  Hellen has had more than her fair share of heartbreak.
  헬렌은 정말 크게 상심했어.

But to be fair, she's also hot.
하지만 솔직히 말해서 걔도 역시 섹시해.

- **To be fair, I wrote that a long time ago.** 솔직히 말해서 오래전에 그걸 썼어.
  But to be fair, that's part of your charm. 하지만 정직히 말해, 그건 네 매력의 일부야.

You won fair and square.
넌 공평하게 이겼어.

- **I don't need it. I'm going to beat you fair and square.**
  난 그거 필요없어. 정정당당하게 널 이길거야.
  I don't think so. I earned it fair and square. 아냐. 난 정직하게 그걸 벌었어.

Play fair
정정당당히 해

- **You know I don't play fair.** 내가 공정하게 행동하지 않는거 너 알잖아.
  I can be painfully vindictive and I do not play fair.
  내가 앙심을 품게 되면 더티플레이 할거야.

---

be not fair는 세상은 공평하지 않기 때문에 또 사람들도 객관적이지도 못하기 때문에 어쩔 수 없이 아주아주 많이 쓰게 되는 표현.

fair share는 '적정량'으로 more than one's fair share of sth하게 되면 '적정량이상으로,' get a fair share하면 '당연히 받아야 할 것을 받다,' 그리고 do one's fair share는 '합당한 자기 몫을 하다' 라는 의미가 된다.

to be fair는 '공정하게 말해서' 혹은 '정직하게 말해서' 라는 표현.

fair and square는 '공명정대하게,' '정직하게' 라는 말로 앞에는 주로 win, beat 등의 동사가 주로 온다.

play fair는 정정당당하게 행동하고 승부하는 것을 말하며, 반대로 부정하게 속이는 행위는 play foul을 쓰면 된다.

MORE EXPRESSION

Fair's fair! 공정하게 하자!
Be fair! 억지그만펴!
the fair sex 여성
by fair means or foul 수단과 방법을 가리지 않고
faith healing 신앙요법
keep faith with 약속을 지키다
an act of faith 소신있는 행동

놓치면 원통한 미드표현들

- **have faith in** ···을 믿다 **lose faith in** 믿지 않다
  I have faith in you. 난 널 믿어.

- **good faith** 선의 **in good faith** 신념을 갖고
  You sneaky arrogant bad faith bastard!
  이 교활하고 거만하고 부정직한 놈아!

- **faithful to** 충실한 **unfaithful** 부정한
  I'd never be unfaithful to my wife.
  아내를 절대 배신하지 않을거야.
  I've been unfaithful. Many times.
  나 여러번 외도했어.

My life is falling apart. 내 인생이 엉망야.

But falling short of being certain?
하지만 확신할 수 없다면?

- Yet the advice of my wife fell short of its mark.
  하지만 내 아내의 충고는 성공하지 못했어.

  This new label frequently fell short of what was advertised.
  이 새로운 라벨은 종종 광고된 것보다 질이 떨어져.

  Katie fell victim to the violent drunken rage of a juvenile gang.
  케이티는 젊은 갱단놈들의 술주정 폭력의 희생자가 되었어.

■ **fall short of**는 of 이하의 목표나 상태에 모자르거나 미흡한 경우를 말한다. 또한 fall victim[prey] to는 '…의 희생자가 되다'라는 의미.

It felt like everything was falling into place.
모든게 다 앞뒤가 들어맞는 것 같았어.

- The rest of it could just fall into place. 그 나머지는 그냥 앞뒤가 맞을 수 있어.

  I just thought once we found them, everything would fall into place. 난 우리가 일단 그것들을 발견하면 모든 게 다 분명히 이해될거라 생각했어.

  The idea of him falling into the clutches of another woman?
  걔를 다른 여자의 손아귀에 맡긴다는 생각야?

■ **fall into place**는 이해하기 어려운 상황이나 이야기가 딱 맞아떨어져 이해가 된다는 표현. '앞뒤가 맞다,' '분명히 이해되다'라고 해석하면 된다. 한편 fall into the hands[clutches] of~는 '…의 수중에 들어가다,' 혹은 '…의 손아귀에 맡겨지다'라는 의미.

Don't fall for it.
속아 넘어가지 마, 사랑에 빠지면 안돼.

- Your honor, don't fall for this. 재판장님, 그 말에 혹하지 마십시오.

  Come on, Ted. You always fall for that. 이봐, 테드. 넌 항상 그말에 넘어가잖아.

■ **fall for**는 상대방이 속이려는 의도하에서 말하는 거짓에 멍청하게 '속아 넘어가다,' 혹은 콩깍지가 씌워서 '사랑에 빠진 상태'를 말하는 표현.

My entire body is falling apart.
온몸이 쑤셔.

- My life is falling apart. 내 인생이 엉망야.

  My world is falling apart and you're the only one who would understand. 내 인생이 엉망진창이 되어가고 너만이 이해해줄 유일한 사람이야.

■ **fall apart**는 다 갈기갈기 흐트려지는 것을 말하며 be falling to pieces라 해도 비슷한 뜻이 된다.

Look, so your date fell through.
이봐, 그래서 너 데이트를 못한거지.

- Actually, my plans for tonight just fell through. 실은 오늘밤 계획이 수포로 됐어.

  The deal fell through a month ago. He lost everything.
  그 거래는 한 달전에 무산됐고 걘 모든 걸 잃었어.

■ **fall through**는 끝까지 가지 못했다는 말로 계획, 거래, 일정 등이 '실현되지 못하거나 실패로 끝나다'라는 뜻이 된다.

What day does Jasper's birthday fall on?
재스퍼의 생일이 무슨 요일이야?

- The national holiday fell on Monday. 국경일이 월요일이었어.

  Christmas falls on a Sunday this year. 금년에는 성탄절이 일요일이야.

■ **fall on+날짜**의 표현에서 날짜 자리에는 생일이나 공휴일 등 특정 날짜가 나와서 그날이 무슨 요일이라는 것을 말할 때 사용하는 표현이다.

■ **take the fall for** '…을 대신해 책임지다.'

Why is she trying to take the fall for you?
왜 걔는 너를 위해 책임을 지려는거야?

- You take the fall for Melinda and you go to jail. 네가 멜린다 대신 감방가.

  You let him take the fall for causing James Reed's death.
  넌 걔가 제임스 리드의 죽음을 초래한 책임을 지게 했어.

MORE EXPRESSION

fall into a trap 함정에 빠지다
fall from grace 신뢰를 잃다
fall into step 보조를 맞추다

I should sue both of you for false arrest. 둘 다 불법체포로 고발해야겠어.

Never mind. False alarm.
걱정마. 잘못된 경보야.

- Is this just a false alarm? 이게 그냥 단순한 허위 경보일까?
  All complaints filed were false alarms. 접수된 모든 불만신고는 허위였어.

■ false alarm 거짓 경보라는 말로 장난이나 실수로 경보가 울리는 것을 말한다.

I can charge her with filing a false police report.
그 여자를 허위신고죄로 기소할 수 있어.

- It became our concern when you filed a false claim.
  네가 거짓 항의서를 제출했을 때 우리 일이 되었어.
  Filing a false kidnapping report, that's five years in prison.
  허위로 유괴신고하면 5년 징역형야.

■ file a false~ false 다음에 report나 claim 등을 붙여서 허위신고나 주장을 한다고 표현할 수 있다. 참고로 'file a claim for damage는 손해배상 청구소송을 하다' 라는 뜻이 된다.

You brought me here under false pretenses.
넌 거짓정보로 날 이리로 데려왔어.

- You gained access under false pretenses. 넌 허위로 접근허가를 받았어.
  You entered the building under false pretenses.
  넌 거짓말로 건물에 들어갔어.

■ under false pretenses 에서 pretenses는 허위라는 뜻이고 여기에 false가 붙어서 false pretenses하면 '사기행위' 라는 뜻이 된다. 여기에 다시 under가 붙어 under false pretenses하게 되면 '허위로,' '사기행위로,' '거짓정보로' 라는 의미가 된다.

I should sue both of you for false arrest.
당신들 둘 다 불법체포로 고발해야겠어.

- I need to tell you that providing a false alibi is a felony.
  거짓 알리바이를 제공하는건 중죄라는 걸 알아야 돼.
  Nearly 10% of all rapes turn out to be false allegations.
  모든 강간의 약 10%는 거짓진술인 걸로 드러나고 있어.

■ false arrest는 불법체포, false alibi 거짓알리바이 그리고 false allegation 허위진술을 뜻한다.

F

Lisa and I are about to start a family. 리사와 난 아이를 가지려고 해.

She's in a family way.
그 여자는 임신했어.

- You're in the family way. 임신중이군요.
  Any of your neighbors in the family way? 이웃 중에 임신한 분 있어요?

■ be in the family way는 '임신중이다' 라는 숙어로 전통적으로 family는 '부부+아이' 를 뜻하기 때문이다.

Looks like hotness runs in the family.
섹시함이 집안 내력인가보군.

- I guess being a psychopath runs in the family. 사이코패스도 집안내력인가봐.
  You sure you got no cop in his family tree? 걔네 집안에 경찰없는게 확실해?

■ run in the family는 집안 대대로 내려오는 내력이 있다는 의미로 주어는 내력의 내용을 적어주면 된다. 또한 family tree는 집안 가계도.

Lisa and I are about to start a family.

리사와 난 아이를 가지려고 해.

- I'm ready to start a family. 난 아이를 가질 준비가 되었어.

  A: Does he have a family? B: Yeah. 걔 아이가 있어? B: 응.

Please don't kick me in the family jewels.

제발 내 고환은 차지마요.

- Somebody slit his throat, and sliced off the family jewels. 누군가 걔의 목을 길게 베고 고환을 잘라버렸어.

  She picks up a bat, thinks of everything that he's done to her, starts with the family jewels and ends with the family fortune. 걘 방망이를 들고 걔가 자기에게 여짓껏 했던 짓을 생각하고 귀중품부터 집안재산들까지 뭉게버렸어.

■ start a family는 '가정을 이루다' 라는 의미로 부부가 '아이를 갖다' 라는 의미로 많이 쓰인다. have a family는 '가정을 이루다,' lose a family는 '가족을 잃다' 가 된다.

■ family jewels는 집안의 귀중품, 보석류를 뜻하지만 속어로는 그만큼 소중한(?) '남자의 고환(nuts, balls)' 을 뜻한다.

MORE EXPRESSION

be family 가족이다
How's the[your] family? 가족들은 다 잘 지내?
family name 이름 중 성
family man 가정적인 남자

» fancy

 What tickled your fancy? 뭐가 흥미를 갖게 해?

Fancy meeting you here!

이런 데서 만날 줄이야!

- Tim, fancy bumping into you here. 팀, 이게 누구야.

  Fancy that! 설마, 도저히 믿기지 않는다!

What tickled your fancy? Girl on girl?

뭐가 흥미를 갖게 해? 여자들끼리 하는거?

- Bob's date tickled his fancy. 밥의 데이트 상대는 걔의 호기심을 자극했어.

  Eating cake tickles my fancy. 케익를 먹는게 내 흥미를 갖게 해.

It's a fancy restaurant.

여긴 고급 음식점야.

- I make wedding cakes for a lot of fancy bridal shops. 많은 고급신부매장에 웨딩케익을 만들어 주고 있어.

  How would you like me to take you out to a fancy restaurant? 내가 고급식당에 데려가는거 어때?

■ Fancy meeting you here는 예상못한 사람을 만났을 때 반가움을 나타내는 표현이고 Fancy that!은 뭔가 믿기지 않는 일이 생겼을 때 놀라면서 던지는 말.

■ tickle sb's fancy는 …의 상상이나 생각을 재미있게 한다는 말로 '…을 재미있게 하다,' '호기심을 자극하다' 등으로 생각하면 된다.

■ fancy는 또한 고급의, 비싼 이란 의미로 fancy price하면 비싼 가격이란 뜻이 된다.

MORE EXPRESSION

take[catch] one's fancy 맘에 들다
have[take] a fancy 좋아하다
fancy oneself (as)~ 실은 아닌데 …라고 믿다
fancy-free 자유로운

놓치면 원통한 미드표현들

- **factor** 요인 decisive factor 결정적 요인
  I wasn't even a factor in his decision making process. 걔의 의사결정과정에서 난 고려대상도 아니었어.

- **factor in** 감안하다
  Oh, I didn't factor in the room tax.
  방에 붙는 세금은 감안하지 않았어.

- **be[sit] on the fence** 중립적인
  I'm still on the fence. 아직 생각중야.

- **file for** 제기하다, 신청하다
  I'll file for a DNA search warrant.
  DNA 수색영장을 신청할거야.

How far did you go? 니네 진도가 어디까지 나갔어?

This is far and away the best.
이게 단연 최고야.

- He was also far and away the worst boss I ever had.
그는 내가 겪은 사장중 가장 최악이었어.

This is by far the drunkest I've ever seen you.
여짓껏 네가 이렇게 취한 걸 본 적 없어.

■ far and away는 훨씬, 단연코라는 부사구이고 far and away the best하면 가장 뛰어난 것을 말한다. by far 또한 비교급을 강조하는 부사구.

So she was single as far as you knew.
그래 네가 아는 한 그 여자는 미혼이었지.

- As far as I know, no one has been hurt. 내가 보기에 아무도 다치지 않았어.
As far as I can tell, she didn't touch her soup or salad.
내가 알기로는 걘 스프나 샐러드에 손도 안됐어.

■ as far as I know는 '내가 알기로는,' '내가 보기에는' 그리고 as far as I can tell은 역시 '내가 알기로는,' '내 판단으로는'이라는 의미.

I think we're out of the woods as far as that goes.
우린 어느 정도 어려움에서 벗어난 것 같아.

- They've lost the scent. Might be as far as it goes.
그들은 단서를 놓쳤어. 어느 정도 그럴거야.

But as far as that goes, it's a dead end. 하지만 실제로는 막다른 골목길이야.

■ as far as it goes는 '어느 정도,' 그리고 as far as that goes하게 되면 앞의 표현과 유사하나 완전히 거짓말일 수도 있고 혹은 완전히 이해되지 않을 수도 있다는 의미에서 '실제로는'이라는 의미를 갖기도 한다.

How far did you go?
니네 진도가 어디까지 나갔어?

- How far did you get? 어디까지 했어?
How far away is the bus stop? 버스 정거장이 얼마나 멀어요?

■ how far~ 혹은 how far away[from]~ 등의 형태로 얼마나 멀리, 혹은 얼마나 멀리 떨어져 있는지 등을 물어볼 수 있다.

How far is it from here?
여기서 얼마나 걸려요?

- It's not far from here. 여기서 그리 멀지 않아.
That's not far from the airport. 공항에서 멀지 않아.

■ be far from here는 주어가 여기서부터 얼마나 멀리 있는지 물어볼 때.

You have gone too far.
네가 너무했어, 심했어.

- You go too far. 지나친 억측이야, 너무하는군.
I have gone too far. 내가 너무 했어.

■ go too far는 너무 많이 갔다는 것으로 '너무 심했다'는 말. 또한 take[carry] sth too far는 '…을 도를 지나치게 하다'라는 말이 된다.

I won't go so far as to forbid it.
그걸 금지까지는 하지 않을거야.

- I even went so far as to follow older men around the store.
난 가게 근처까지 노인네들을 따라가기까지 했어.

I'll go so far as to say I'm not sorry he's dead.
걔의 죽음이 유감스럽지 않다는 말까지 할거야.

■ go so[as] far as to do sth은 주어가 상당히 '극단적으로 …까지 하다'라는 의미.

F

I'm far from being dead.
내가 죽기는커녕.

- A: What do you think, I'm stupid? B: Far from it.
  A: 어때, 내가 멍청해? B: 정반대야.

  Far from it, I just have to go. 정반대야, 난 그냥 가야 돼서.

far from sth[~ing]은 '…와 혹은 …하는 것과 전혀 다르다'라는 그래서 '정반대'라는 의미도 갖는다.

Guess I didn't go far enough.
내가 충분하지 못했던 것 같아.

- Oh everybody knows that doesn't go far enough.
  어, 그게 충분하지 못한 건 다들 알아.

  You'd better let him go far enough to charge him with attempted rape. 강간미수로 기소하려면 걔가 멀리 못가도록 해야 돼.

go far enough는 주로 부정문이나 의문문에서 '충분하다'라는 의미. 물론 문맥에 따라 단순히 '…할 정도로 멀리가다'라는 뜻으로 쓰일 수도 있다.

Oh far be it from me to speak ill of his future.
어, 걔의 미래에 대해 악담할 생각은 추호도 없어.

- Well, far be it from me to stand in the way of a young man's dream. 어, 젊은이의 꿈을 방해할 마음은 조금도 없어.

  If Emily said so, far be it from me to call her a liar.
  에밀리가 그렇게 말했다면 걜 거짓말쟁이로 부를 생각은 전혀없어.

far be it from me to~는 좀 어렵게 보이는 부사구로 내가 to~이하를 할 마음은 조금도 없다는 부정을 강조하는 표현법.

You're officially on leave until further notice.
넌 추후통보가 있을 때까지 공식적으로 휴가야.

- She just told me I was in charge until further notice.
  걘 추후통보시까지 내가 책임자라고 말했어.

  Classes have been canceled until further notice.
  수업은 다음 통지할 때까지 취소됐어.

until further notice는 '다음 통보가 있을 때까지'라는 빈출표현.

MORE EXPRESSION

far and wide 널리
in so far as …하는 한에 있어
thus far 지금까지(so far)
so far so good 지금까지 괜찮은
That's far out! 정말 멋지다!

» fast

 I don't need to play fast and loose. 난 제멋대로 행동할 필요가 없어.

I don't need to play fast and loose.
난 제멋대로 행동할 필요가 없어.

- You're playing fast and loose because you've got a guilty conscience. 죄의식 때문에 넌 함부로 행동하는거야.

  You're playing fast and loose with the school fund money.
  넌 학교기금을 제멋대로 사용했어.

play fast and loose with는 '아무렇게 대하다'(treat~in a careless way), '무책임하게 행동하다'라는 표현.

Not so fast. I'm not that easy.
서두르지마. 난 그렇게 쉬운 사람 아냐.

- Not so fast. It's not even five. 서두르지마. 아직 5시도 안됐어.

  Make your point and make it fast. 내가 이해하도록 잘 설명해봐 대신 빨리.

Not so fast는 '서두르지마'라는 표현이고 반대로 빨리 하라고 할 때는 make it fast를 쓰면 된다.

MORE EXPRESSION

be fast asleep 푹 잘자다
fast 금식하다, 금식
fast and furious 정신없는
pull a fast one (on) 속이다
make a fast buck 벼락부자 되다

306

Dan, you're generous to a fault. 댄, 넌 지나칠 정도로 관대해.

It is my fault
내 잘못이야

- It's not your fault. 네 탓이 아냐.

  No, it's my fault for thinking that you might care.
  아니, 네가 신경쓸거라고 생각했던 건 내 잘못야.

Through no fault of mine.
나도 어쩔 수가 없었어.

- They find themselves through no fault of their own, you know, kind of, addicted. 걔네들은 불가항력으로 자신들이 중독이 되었다는 것을 알게 되었다.

  I suddenly, through no fault of my own, became irresistible to her!
  난 갑자기, 불가항력으로 그녀에게 끌리지 않을 수가 없었어.

And you find fault with her?
그리고 넌 걜 비난하는거야?

- It's like your new favorite game is 'finding fault with Nancy.'
  네 새로운 취미가 '낸시흠집내기' 인 것 같아.

  My new boss is always finding fault with me.
  새로운 사장은 늘상 날 비난해.

Dan, you're generous to a fault.
댄, 넌 지나칠 정도로 관대해.

- No. Eva is honest to a fault. 아니, 에바는 지나칠 정도로 정직해.

  She believes herself ready to a fault. 걘 지나칠 정도로 준비가 되었다고 믿어.

■ **be one's fault**는 잘잘못을 따질 때 쓰는 표현으로 잘못한 내용을 말할 때는 for ~ing 형태로 적어주면 된다.

■ **through no fault of one's own**은 좀 낯설지만 '…의 책임이 아닌데도,' '불가항력으로' 이란 부사구.

■ **find fault with**는 '비난하다,' '흠집내다' 라는 아주 기본적 표현.

■ **to a fault**는 뭔가가 잘못(fault)될 정도라는 말로 '지나치게,' '지나칠 정도로' 라는 의미.

MORE EXPRESSION

at fault 잘못해서, 고장나서

F

We the jury find in favor of the defendant. 배심원은 피고에게 승소 판결을 내립니다.

Could you do me a favor?
부탁 좀 들어주시겠어요?

- Can I ask you a favor? 부탁 하나 해도 될까?

  I have a favor to ask you. 부탁할 게 있어.

  She returns the favor and gives him a ride. 걘 호의에 대한 답례로 차태워줬어.

Do me a favor and keep an eye on Paul.
부탁인데 폴 좀 봐줘.

- Penny, do us a favor and stay here. 페니야, 부탁인데 여기 남아주라.

■ **do sb a favor**는 '…에게 호의를 베풀다,' 그리고 **ask sb a favor**는 반대로 '…에게 호의를 부탁하다,' 그리고 **return the favor**하면 상대방이 베푼 호의에 답례를 하는 것을 말한다.

■ **do sb a favor and+V**는 부탁하면서 동시에 부탁하는 내용을 함께 말하는 것으로 우리말로 하자면 '부탁인데 …좀 해주라' 라는 의미.

Do yourself a favor.
너 스스로를 생각해야지.

- Do yourself a favor. Stay home and watch football.
  스스로를 챙겨야지. 집에서 축구나 봐.

  Do yourself a favor and think for yourself.
  스스로를 챙기고 너를 위해 생각해.

do oneself a favor는 자기 자신에게 호의를 베푼다는 말로 다시 말하자면 스스로를 챙긴다라는 표현.

Can't you call in a favor?
도와달라고 전화도 못해?

- I called in a favor in order to borrow the money.
  난 돈을 빌리기 위해 도움을 청했어.

  Did you call in a favor to get these concert tickets?
  너는 이 콘서트 표를 얻기 위해 호의를 청했니?

call in a favor는 예전에 도와줬던 사람에게 도움을 청하다라는 뜻. call in favors라고 쓰이기도 한다.

We the jury find in favor of the defendant.
배심원은 피고에게 승소 판결을 내리는 바입니다.

- I'm ruling in favor of the defendant. 피고 승소 판결을 내리는 바입니다.
  Are you in favor of the death penalty? 너 사형제도를 찬성해?

(be) in favor (of)는 '…에게 유리하게,' '…의 입장에서' 그래서 '…에 찬성하다'라는 의미까지 갖게 된다.

All those in favor raise hands.
찬성하는 분은 모두 손을 들어주세요.

- So all those in favor of going ahead of this, say aye.
  이렇게 하기를 바라는 모든 사람은 '에이'라고 말해요.

  The vote is on the table. All in favor?
  투표를 해야 되는데 모두 찬성야?

All those in favor (of~)는 '(…에) 찬성하는 모든 사람들'이란 의미. 뭔가 찬반결정을 할 때 주로 사용되는 표현이다.

Dave wants to curry favor with his boss.
데이브는 사장에게 비위를 맞추려고 해.

- It's good to curry favor with your parents.
  부모님의 환심을 사려는 건 좋은거야.

  If you wanna curry favor with me, avoid discussions of other men's testicles. 내 환심을 사려면 다른 남자들의 고환얘기는 하지 말라고.

curry favor (with)는 with 이하의 사람에게 비위를 맞추거나 환심을 사려고 노력하는 것을 말한다.

MORE EXPRESSION

without fear and favor
공정하게

놓치면 원통한 미드표현들

- **flinch** 움찔하다, 주춤하다
  She flinched as if I'd hit her.
  걘 내가 자길 때리기라도 하듯 움찔했어.
  He didn't even flinch. 걘 조금도 주저하지 않았어.

- **whatever floats your boats** 네가 정 원하면(각자 취향이 다르니)
  Okay, whatever floats your boat.
  좋아, 네가 정 원한다면.

That's Hindi for whatever floats your boat.
네가 정 원한다면이란 의미의 힌두어야.

- **float** 생각을 내놓다, 제시하다
  Okay, let me float another plan.
  좋아, 내가 다른 계획을 내놓을게.
  So you float the idea of a threesome?
  그래 너 쓰리섬 하자고 하는거야?

I'm fed up with you! 너한테 질렸어!

I'm fed up with you!
너한테 질렸어!

- Chris was simply fed up with the paparazzi. 크리스는 그냥 파파라치 땜에 질렸어.
  Lily was so fed up with not getting anywhere.
  릴리는 아무런 성과도 얻지 못해 질렸어.

Do you know how to feed a baby?
아기 우유 어떻게 먹이는지 알아?

- I thought I was gonna have to breast-feed the baby.
  아기에게 모유를 먹여야 될 것 같아.
  Hannah feeds the baby like she's had a lot of practice.
  한나는 경험이 많은 듯 아기에게 우유를 먹인다.

They will bring in the bottom feeder.
걔네들이 그 밑바닥 인생사는 놈들을 연행해올거야.

- No, you're a bottom feeder. 아니, 넌 하류인생야.
  You've become a bottom feeder, Philip. 필립, 넌 막장인생이 되었어.

She breast-fed and bonded with this child.
걔는 모유수유를 했고 아기와의 유대감을 쌓았다.

- She breast-fed Chris for a year after he was born.
  걔는 크리스 생후 1년동안 모유를 주었다.
  I was not breast-fed enough as a child. 난 어렸을 때 제대로 모유수유를 못했어.

■ be fed up with~는 with 이하에 신경질 날 정도로 질린 상태를 말한다.

■ feed a baby에서 feed는 동물에게 사료를 줄 때 많이 쓰이지만 특히 '아기를 먹이다' 혹은 '가족을 먹여살리다' 라고 할 때는 사람을 목적어로 받기도 한다. 이 때 feed a baby라고 하면 '우유나 젖을 먹이다' 라는 뜻

■ bottom feeder는 다른 사람들이 하지 않는 일을 하거나 다른 사람을 등쳐먹는 '밑바닥 인생,' '하류인생' 을 말한다.

■ breast-feed는 '모유를 먹이다' 이고 과거형은 breast-fed 이다.

MORE EXPRESSION

feed the meter 미터기에 동전넣다
feed sb a line 거짓말하다
chicken feed 쥐꼬리만한 돈

F

I don't feel up to it. 못할 것 같아.

Feel free to ask.
뭐든 물어봐, 맘껏 물어봐.

- Please feel free to do it. 언제든 그렇게 해.
  A: Feel free to grab a snack. B: Thank you. A: 과자 맘껏 드세요. B: 고마워요.

I feel quite done in today.
오늘 정말 피곤하네

- I'm not feeling well. 기분이 별로 안좋아.
  I'm not feeling very good. 기분이 그리 좋지 않아.

■ feel free to+V는 …하는 데 자유롭게 느끼다라는 말로 '…을 맘껏 하라' 는 뜻., 상대방을 배려하는 마음을 듬뿍 담아서 어떤 것을 허락(permission)할 때 쓸 수 있는 전형적인 표현.

■ feel done처럼 feel은 다음에 다양한 형용사나 분사를 넣어서 주어의 감정상태를 표현할 수 있다. feel done은 feel low와 같은 뜻으로 기분이 안좋을 때 쓰면 된다.

I don't feel right, either.
나도 맘이 편하지는 않아.

- I don't know. I mean, I don't really feel right. 몰라. 정말 기분이 이상해.
  Still, it doesn't feel right without him here. 여전히 걔가 여기 없으니 좀 이상해.

■ **not feel right**는 뭔가 제대로 되어 있지 않아 맘이 불편하거나 기분이 이상할 때 사용한다.

Don't feel so bad about it.
너무 속상해하지마.

- I don't feel so bad about sleeping with Jason.
  난 제이슨하고 자는데 기분상하지 않아.
  I feel so bad about this. It's all my fault. 정말 기분나빠. 모두 다 내 잘못야.

■ **feel so bad about~**는 기분이 더러울 때, 기분이 더럽게 상했을 때 사용하는 표현. '속상하다'라는 말로 about 다음에는 명사나 ~ing을 붙이면 된다.

Don't make me feel bad.
나 기분 나쁘게 하지마.

- You're supposed to make me feel safe. 넌 내 맘을 편안하게 해줘야지.
  It'll make you feel better. 그럼 네 기분이 더 좋아질거야.
  That makes me feel better. 그 때문에 기분이 더 좋아졌어.

■ **make sb feel~**은 '다른 사람의 기분을 …하게 만들다'라는 표현으로 특히 make sb feel better의 형태로 많이 쓰인다.

I feel for that kid. Gonna have a rough life.
저 아이가 가여워. 힘들게 살거야.

- I feel for you. You need to work it out. 네가 안됐어. 잘 해결해야 돼.
  Did you feel for a pulse on the patient? 환자의 맥박을 짚어봤어?

■ **feel for sb**는 '…을 동정하거나 가여워하는' 것을 말하며, 한편 feel for a pulse는 맥박을 짚어보다라는 뜻.

I feel like I ruined her life.
내가 걔 인생을 망쳐버린 것 같아.

- I feel like God has abandoned me. 신이 나를 버리신 것 같아.
  I feel like a monster. 내가 괴물이 된 느낌야.

■ **feel like** 다음에는 명사나 주어+동사의 절이 와서 '…같은 기분이다,' '…같다'라는 뜻으로 쓰인다.

I don't feel like it.
사양할래.

- I don't feel like chatting anymore, friend. 야, 더 이상 얘기하고 싶지 않아.
  I just don't feel like going to a mall. 쇼핑몰에 가고 싶지 않아.

■ **feel like ~ing[N]**는 지금 당장 '…을 하고 싶다'라는 의미로 반대로 하고 싶지 않을 때는 I don't feel like ~ing[N]라 하면 된다. 특히 I don't feel like it의 문장이 많이 쓰이는데 이는 뭔가 거절할 때 요긴한 표현.

I just wanna get a feel for what you want.
네가 뭘 원하는지 감을 잡고 싶어.

- I'd love to take a look around, get a feel for the area.
  주변을 돌아보고 싶어 주변감도 익히고.

■ **get[have, give] a feel for~**는 '…에 대한 감각을 익히다,' '감을 잡다'라는 의미. 특히 특정대상이 아닌 일반적으로 things를 써서 get a feel for things라고도 자주 쓰인다.

I don't feel up to it.
못할 것 같아.

- Do you feel up to talking now? 지금 얘기할 수 있겠어?
  You feel up to going for a drive? 너 드라이브 가고 싶어?
  I don't feel up to par this afternoon. 오늘 오후에 컨디션이 별로 안좋아.

■ **feel up to sth[~ing]**은 주어가 to 이하를 할 수 있는지 여부를 말할 때 사용되며, not feel up to par는 기분이나 컨디션이 별로 안좋다는 표현이 된다.

I got a feeling she's coming over.

걔가 올 것 같아.

- I get a feeling it's not Ashley who has the problem.
  문제가 있는 사람은 애슐리가 아닌 것 같아.

  I have the feeling you had something to do with it.
  네가 그거에 관련되어 있다는 느낌이 들어.

  I get the feeling that he's more interested in the video than me.
  걔가 나보다 비디오에 더 관심이 있는 것 같아.

■ get[have] a[the] feeling S+V는 주어의 느낌을 말하는 것으로 '…인 것 같다,' '…라는 기분이 들다' 라는 뜻이 된다.

I have feelings for her.

난 걔를 좋아해.

- I mean, did you ever have any feelings for me at all?
  내 말은 날 조금이라도 좋아했었니?

  She was starting to have real feelings for Mike.
  걘 마이크를 정말로 좋아하기 시작했어.

  I'm sure you have no feelings for her anymore.
  걔한테 네가 더 이상 아무 감정이 없다고 확신해.

■ have feelings[a feeling] for sb는 '…을 좋아하는 감정이 있다' 는 말로 반대로 '별 감정없다' 고 할 때는 have no feelings for라 한다.

Oh, I'm getting a bad feeling.

어휴, 점점 악감정만 생겨나.

- I got a bad feeling about this guy. 이 친구한테 감정이 안좋아.
  I got a bad feeling about this. 난 이것에 감정이 좋지 않아.

■ get a bad feeling (about~) 에서 bad feelings는 악감정으로 about 이하의 사람이나 사물에 감정이 안좋은 경우에 쓰인다.

I just wanted to say no hard feelings.

난 단지 악의가 없었다고 말하고 싶었어.

- I just want you to know, I have no hard feelings.
  내가 악의가 없었다는 걸 네가 알아만 주었으면 해.

  I dumped her and she said, "No hard feelings."
  난 걔를 찼는데 걘 '감정 안 상했다' 고 말했어.

■ no hard feelings는 상대방과 오해가 생길 수도 있는 상황에서 먼저 악의가 없음을 밝힐 때 혹은 기분 나쁠 수도 있는 상황에서 기분 나쁘지 않다고 말할 때 사용한다.

I'm sorry I hurt your feelings.

네 감정을 상하게 해서 미안해.

- What did he do? Did he hurt your feelings?
  걔가 어떻게 했는데? 네 맘을 아프게 했어?

  I didn't want to hurt your feelings. 네 감정을 상하게 하고 싶지 않았어.

■ hurt one's feelings는 … 의 감정을 해치거나 마음을 아프게 하는 것을 말한다.

I know the feeling.

그 심정 내 알지.

- I know how you feel about him. 네가 걔한테 어떤 심정인지 알아.
  I know how you feel. My mother makes me crazy.
  그 심정 알겠어. 엄마도 날 미치게 해.

■ I know just how you feel은 상대방을 위로할 때 사용하는 표현으로 상대방에게 '어떤 심정인지 알겠어,' '어떤 기분일지 알아,' '그 기분 이해해' 등을 뜻한다. I know the feeling도 같은 맥락의 표현.

MORE EXPRESSION

How (are) you feeling? 몸은 좀 어때?
What's your feeling about~?
…에 대한 네 의견은 어때?
feel nice 촉감이 좋다, 기분이 좋다
feel the need to~ 필요성을 느끼다

She'll go into V-FIB. 걘 심실세동이 일어날거야.

Look, I sorta told a fib.

이봐, 나 좀 거짓말했어.

- She's going to hell because she told a fib. 걘 거짓말해서 지옥갈거야.

  Okay, there's no camp. That was a fib on my part.
  그래, 캠프는 없어. 내가 거짓말한거였어.

■ **tell a fib**에서 fib은 '별로 중요하지 않은 사소한 거짓말'을 말하는 것으로 tell a fib하면 tell a lie처럼 거짓말하다라는 의미.

I understand fibbing on your resume.

네 이력서의 거짓말 이해해.

- No great skill in guessing you were fibbing there.
  네가 그거 거짓말하고 있다는 걸 추측하는데 별로 힘들지 않아.

  The little always fibs to her mom. 저 꼬맹이는 늘상 엄마한테 거짓말해.

  Don't you ever fib to me again! 나한테 다시는 거짓말하지마!

■ **fib**은 동사로도 쓰여 역시 '사소한 거짓말을 하다'라는 의미.

She'll go into V-FIB.

걘 심실세동이 일어날거야.

- We've got V-fib. 여기 심실세동이 일어났어.

  He's looking bad. Put the defib pads on him.
  걘 안좋아보여. 제세동기를 개한테 연결해.

  Defib! Get the pads! Give me the paddles and charge to 200.
  Clear. 제세동기 패드 갖고 왜! 패드! 200으로 충전해. 클리어.

■ **V-fib**에서 ventricular fibrillation(심실세동)의 약자로 의학미드에서 많이 쓰이는 단어. 위의 fib하고는 다른 fib이지만 함께 알아두자. 참고로 defibrillation은 전기충격으로 심장을 다시 뛰게하는 제세동기로, 줄여서 defib이라고 한다.

The press is having a field day. 언론은 아주 신이나 들떠있어.

He's out in the field.

걘 현장에 나가 있어.

- She's out in the field somewhere collecting specimens.
  걘 어디 현장에 나가 표본을 수집하고 있어.

  A: Where are your technicians? B: They're all out in the field.
  A: 기술자들 어디 있어? B: 다들 현장에 나갔는데요.

■ **be out in the filed**는 현장에 외근나가는 것을 뜻하는 표현. 참고로 field kit하면 현장에 갖고 나가는 도구를 말한다.

He likes to play the field.

걘 여러 여자를 두루 만나는 걸 좋아해.

- I should play the field for a while. 한동안 많은 사람과 놀아야겠어.

  You know, at your age, you should be playing the field.
  네 나이 때는 많은 이성과 교제를 해야 해.

■ **play the field**하면 결혼에 정착하기 전에 이사람 저사람 두루두루 섭렵하는 것을 말한다.

The press is having a field day.
언론은 아주 신이나 들떠있어.

- Tripley's lawyers are having a field day with this.
트리플리의 변호인단은 이걸로 아주 신나해.

  Press is gonna have a field day with this. 언론은 이걸로 아주 신나죽어.

 have a field day에서 field day는 운동회날이라는 말로 have a field day하면 특히 '다른 사람들에게 힘들어하는 걸로 아주 들떠 있는' 것을 말한다. 스캔들을 보도하는 타블로이드 언론을 떠올리면 바로 이해된다.

MORE EXPRESSION

in the field (of~) …의 분야에서
be one's field …의 분야이다

» filthy

 You're a filthy liar. 넌 아주 더러운 거짓말쟁이야.

She was filthy, like she hadn't bathed in weeks.
걘 불결했어, 몇주동안 목욕도 안한 것처럼.

- I had a cleaning service in. The place was filthy.
청소서비스업체 불렀어. 너무 더러웠어.

  You're a filthy liar. 넌 아주 더러운 거짓말쟁이야.

  He's a cool guy, filthy rich. 걘 아주 멋진 친구야, 더럽게 부자고.

filthy의 기본적인 의미는 dirty이다. 어떤 장소가 더럽거나 불결할 때 사용하면 되는 단어. 혹은 불만스런 강조로 '더럽게 …한' 이라고 사용되기도 한다.

Shut up, you filthy whore, do you understand me?
입닥쳐, 이 더러운 창녀야, 내 말 알겠어?

- I hope this isn't out of line, but are you a filthy whore?
좀 죄송하지만 혹시 추잡한 매춘부예요?

  I think you might be the prettiest girl I've ever seen outside of a really filthy magazine.
내 생각에 넌 정말로 야한 잡지말고 본 여자중에서 가장 예쁜 여자애 같다는 생각이 들어.

filthy의 두 번째 의미는 특히 성적으로 추잡한 경우를 말한다. filthy language, filthy story, filthy joke 등처럼 쓰인다.

F

» fight

 You put up a good fight, Alex. 알렉스, 잘 싸웠어.

I feel like I'm fighting a losing battle.
난 지는 게임을 하는 것 같아.

- Jack, you're fighting a losing battle. 잭, 넌 뻔히 질 게임을 하고 있는거야.

  I'm fighting a losing battle with hemorrhoids here.
난 여기 치질과 힘든 싸움을 하고 있어.

fight a losing battle은 '질게 뻔한 싸움을 하다' 라는 의미.

Dr. Mandell fought me tooth and nail.

맨델 박사는 나와 필사적으로 싸웠어.

- You fight me tooth and nail that he wasn't a con man.
  걘 사기꾼이 아니었다며 넌 나와 격렬하게 싸웠지.

  There's a fight to the death between Richard and Emily.
  리차드와 에밀리가 죽도록 싸웠어.

So fight fire with fire.

그래 눈에는 눈, 이에는 이야.

- You gotta fight fire with fire. 넌 그대로 앙갚음 해야 돼.

  You gotta get back at her, you gotta fight fire with fire.
  넌 걔한테 복수해야 돼, 받은대로 그대로 갚아야 돼.

You guys have a fight?

너희들 싸웠어?

- We had a fight. 우린 싸웠어.

  It's not nice to start a fight. 싸움을 시작하는 건 좋지 않아.

You put up a good fight, Alex.

알렉스 잘 싸웠어.

- You put up a good fight. Better luck next time.
  선전했어. 다음 번에는 더 잘 할거야.

  You put up a good fight for a freshman. 신입생치고는 선전한거야.

■ **fight tooth and nail**은 이를 악물고 죽을 힘을 다해 필사적으로 싸우는 것을 말하는데 더 쉽게 말하면 fight to the death 라 한다.

■ **fight fire with fire**는 불로 불과 싸운다는 말로 우리말로 하자면 '이열치열하다,' '받은대로 그대로 앙갚음하다' 라는 표현이 된다.

■ **have a fight**는 '싸우다,' start a fight는 '싸움을 시작하다.'

■ **put up a good fight**는 싸움에서 잘 싸웠다는 의미로 '선전하다' 라는 뜻. 또한 good을 bad[poor]로 써서 put up a bad fight하면 반대로 '고전[졸전]하다' 라는 뜻이 된다.

MORE EXPRESSION

fighting spirit 투쟁정신
fight like cats and dogs 심하게 싸우다
fight one's way 싸우며 나아가다

» figure

 So I figured it out. 그래서 이유를 알게 되었어.

She's smart. She'll figure a way out.

걘 똑똑해. 탈출구를 찾아낼거야.

- I'm sure you can figure a way to put them to bed.
  걔들을 잠재울 방법을 네가 찾을거라 확신해.

  We're going to figure a way to go out and bring him back.
  나가서 걔를 데려올 방법을 찾아낼거야.

Go figure. No one else in the park.

설명 좀 해봐. 공원에는 아무도 없잖아.

- Go figure. Even though our marriage was crazy at times, it never got dull.
  생각 좀 해봐. 우리 결혼생활이 정상이 아닌 적도 있었지만 결코 지루하지는 않았잖아.

  His system's a bit of a breeding ground, go figure.
  걔의 시스템이 좀 온상인 것 같으니 확인해보자.

■ **figure a way to**는 '…할 방법을 찾아내다' 라는 뜻이고 figure a way out은 '빠져나갈 길을 찾다' 라는 말이 된다.

■ **Go figure**는 뭔가 설명하기에 이상하고 어려운 상황에서 던지는 말로 '설명해봐,' '확인해보다' 라는 의미로 주로 명령문 형태로 많이 쓰인다. 달리 표현하자면 'Try to figure it out'와 같은 말로 '설명해봐' 정도의 뉘앙스.

So I figured it out.
그래서 이유를 알게 되었어.

- That much I've figured out. 그 정도는 예상했어요.
  Try to figure out what this guy's looking for. 이 친구가 뭘 찾으려는지 알아내.
  I think I've got it figured out. 내가 그것을 알아낸 것 같아.

That[It] figures.
그럴 줄 알았어, 그럼 그렇지.

- That doesn't figure. 앞뒤가 안맞아.
  A: He made bail. B: Yeah, that figures. A: 개가 보석금 냈어. B: 그럴 줄 알았어.
  That's what I figured. 그럴 줄 알았어.

How can you eat like that and keep your figure?
어떻게 그렇게 먹으면서 몸매를 유지해?

- You had the baby and got your figure back in one day.
  넌 애를 낳고 하루만에 몸매를 회복하네.

■■ figure out는 머리를 굴려 '이해하다,' '생각해내다' 라는 빈출표현으로 달리 get it figured out이라고 해도 된다.

■■ That[It] figures는 상대방의 말에 맞장구치는 것으로 '당연하다,' '생각한대로이다,' '그럴 줄 알았다' 라는 표현.

■■ keep one's figure는 '몸매를 유지하다' 그리고 have a good figure는 '몸매 좋다,' '날씬하다' 라는 뜻이 된다.

MORE EXPRESSION

ballpark figure 어림잡은 수치
ballpark 어림잡다
ballparking it 어림잡아, 얼추
put a figure on …의 수를 정확히 말하다
a fine figure of a man 풍채가 당당한 남자

» fill

You're full of it! 뻥까지마!

He filled me in.
그 사람이 알려줬어.

- Please fill me in! 나한테 말해줘!
  Though, Jill hasn't really filled me in! 그래도, 질은 정말 내게 알려주지 않았어!

■■ fill sb in은 일어난 일에 대한 '상세한 정보를 …에게 알려주는' 것을 말한다.

Please fill it up.
가득 채워주세요.

- Don't fill up the tank. 가득 채우지 마세요.
  Fill it up with some stuff from the store. 가게에 있는 물건들로 가득채워.
  You better hurry, all the group are filling up.
  서둘러, 모든 그룹들이 다 채워지고 있어.

■■ fill it up은 주유소에서 기름을 가득 채우다라는 기본 표현. it 대신에 her를 쓰기도 한다. 물론 기름외의 물건을 가득채운다고 할 때도 사용된다. 혹은 자동사로 '가득차다' 라는 의미로도 쓰인다.

There's a form I need you both to fill out.
둘 다 작성해야 하는 서류가 있어.

- We just need to fill out the paperwork. 우린 서류작업을 작성해야 돼.
  Just fill out these papers authorizing the investigation.
  조사를 인가하는 이 서류를 작성해요.

■■ fill out는 '서류를 작성하거나 기입한다' 는 의미.

She's filling her head full of lies.
걘 자기 머릿속에 거짓말을 가득 채우고 있어.

- He started filling the tub with ice. 걘 얼음으로 욕조를 채우기 시작했어.
  Your father's been filling your head with hate since you were a baby. 네 아빠는 네가 어렸을 때부터 네 머리에 증오를 가득 채웠어.

You're full of it!
뻥까지마!

- You just bought a house? You're full of it! 집샀다고? 뻥까지마!
  You're full of it! You never dated my sister! 말도 안돼! 넌 내 누나랑 데이트한 적 없어.

■ **fill A B**형태는 A안에 B를 가득채운다는 말로 그때 그때 상황에 맞게 이해하면 된다.

■ **be full of it**은 '헛소리마 (bullshit),' '말도 안되는 소리마(I don't believe you)'라는 의미의 표현으로 be full of crap과 같은 말.

» find

She is a real find. 걘 정말 괜찮은 애야.

Where will I find you?
당신을 어떻게 찾죠?

- Where are you? How will I find you?
  어디예요? 어떻게 당신을 찾죠?

If you need me, you know where to find me.
내가 필요하면, 어디있는지 알지.

- A: You going home? B: Yeah. They know where to find me.
  A: 집에 가? B: 어, 나 어디있는지 걔네들이 알아.

  You change your mind, you know where to find me.
  맘바뀌면, 나 어디있는지 알지.

She is a real find. We'll do it again soon.
걘 정말 괜찮은 애야. 우리 곧 다시 만날거야.

- I hope there is a real find in this antique shop.
  이 골동품점에 진짜 괜찮은 게 있길 바래.

  Your new girlfriend is a real find. 네 새로운 여자친구는 정말 괜찮아.

I came to discuss my preliminary findings.
내 예비판결에 대해 토의하러 왔어.

- Were they aware of your findings? 걔네들이 네 연구결과를 알고 있었어?
  Preliminary findings have been inconclusive. 예비평결의 결론이 안났어.

■ **Where will I find you?** 는 약속장소를 정하면서 사용하는 표현으로 '당신을 어디서 찾죠?' 라는 말이다. where 대신에 how 를 써도 된다.

■ **You know where to find me**는 '내가 어디있는지 알지' 라는 말로 상대방이 나중에 보자고 할 경우 자신이 있는 곳이나 연락처를 알고 있으니 연락하라고 할 때 쓰는 표현.

■ **a real find**는 '가치있고 괜찮은 발견' 이라는 뜻으로 find가 명사로 쓰인 경우. 사물이나 사람의 경우에 다 쓰일 수 있다.

■ **finding(s)**는 '어떤 조사나 연구의 결과' 라는 뜻과 법에 관련되어서는 '법정 판결,' '평결'을 뜻한다.

Not to put too fine a point on it. 까놓고 말해서.

They're walking a fine line here.
걔네들은 지금 아슬아슬한 줄타기를 하고 있는 거야.

- There is a fine line between cowboy and outlaw.
  카우보이와 범법자는 종이한장 차이야.

  Sometimes there's a fine line between love and hate.
  때때로 사랑과 증오는 종이 한 장 차이야.

■ fine line은 가는 선을 말하는 단어로 walk a fine line은 위험한 일을 하는 것을 그리고 There's a fine line between A and B는 A와 B는 종이 한 장 차이로 구분이 쉽지 않더라는 뜻.

You're a fine one to talk!
넌 말할 자격이 없어.

- Linda is a fine one to talk to me about friendship.
  린다는 내게 우정에 대해 말할 자격이 없어.

  Tim's got no money. He's a fine one to talk about investing.
  팀은 돈이 없어. 걘 투자에 대해 말할 자격이 없어.

■ fine one to talk (about~)은 '(…에 대해) 말할 자격이 없다'라는 의미로 You don't deserve to talk과 같은 말.

Not to put too fine a point on it.
까놓고 말해서.

- Not to put too fine a point on it, but you are wrong.
  솔직히 말해서, 넌 틀렸어.

  Not to put too fine a point on it, but I was throwing you a bone.
  솔직히 말하지만, 널 돕는 척만 했어.

■ not to put too fine a point on it은 '솔직히 말해서,' '까놓고 노골적으로 말해서'라는 표현.

I'm not saying it was my finest hour.
그때가 내 최고의 전성기는 아니지.

- Not my finest hour. I finished, but, I kinda had a lot on my mind.
  좋지 않았어. 마무리했지만 머릿속이 복잡했거든.

  I won my case in court today. Not my finest hour. Not even close.
  오늘 승소했지만 좋지 않았어, 전혀.

■ sb's finest hour는 sb가 최고로 잘나가는 전성기, 좋은 때를 뜻한다.

F

Everything will be fine.
다 괜찮아질거야.

- It's going to be fine. 괜찮아질거야.
  Everything is going to be fine. 다 잘될거야.
  I'll be fine in no time. 곧 좋아질거야.

■ ~ will be fine은 주로 주어로 사람이 올 뿐만이 아니라 it[that] 혹은 everything 등이 와서 사람이나 상황이 괜찮다고 말할 때도 사용한다.

That's fine with me.
난 괜찮아.

- Fine by me; hope she wins. 난 좋아. 걔가 이기기를 바래.
  I think anything that makes you happy is fine by me.
  난 널 기쁘게 하는 거라면 뭐라도 좋아.

■ be fine with[by]~는 상대방의 이야기가 좋은 생각이라고 동의할 때 사용하는데 with보다 by를 쓰는게 더 회화적이다.

You'll do fine.
너는 잘 할거야.

- I'm sure you'll do just fine. 너는 분명 잘 할거야.
  I've been doing just fine since you left me. 너 떠난 이후로 난 잘 지내고 있어.

I'm not going to pay a fine.
난 벌금내지 않을거야.

- Your firm is fined $30,000. 귀사에게 3만달러 벌금을 내립니다.
  I don't wanna get fined for that. 그걸로 벌금맞고 싶지 않아.

■■ do fine은 '잘하다' 라는 표현으로 do just fine의 형태로도 자주 쓰인다.

■■ pay a fine은 '벌금내다' 라는 말로 get[be] fined는 '벌금을 맞다' 라는 표현.

MORE EXPRESSION

get sth down to a fine art
…하는데 달인이 되다
fine letter 작은 글자
fine print 작은 활자

» finger

Don't lay a finger on me! 나한테 손대지마!

I can't put my finger on it
딱 뭐라고 꼬집어 말할 수는 없다

- I can't quite put my finger on it. 단서를 쉽게 찾을 수 없어요.
  Nothing I could put my finger on. 확실히 얘기할 수 있는게 아무 것도 없었어.

Don't lay a finger on me!
나한테 손대지마!

- He won't lay a finger on you. 걘 네게 손대지 않을거야.
  I'm telling you right now my husband wouldn't lay a finger on Andy. 틀림없이 내 남편은 앤디에게 손대지 않을거야.

I got Jim wrapped around my little finger.
난 짐을 완전히 통제하고 있어.

- You think you got him wrapped around your little finger?
  넌 걔를 완전히 통제하고 있다고 생각해?
  And he's got her wrapped around his little finger.
  그리고 걔는 그녀를 통제했어.

Don't be so quick to point the finger of blame!
너무 성급하게 비난의 손가락질을 하지마라!

- You always point the finger of blame at Charlie. 넌 늘 찰리에 손가락질해.
  The finger of blame has turned upon itself.
  남을 향해 비난의 손가락질을 했지만 결국 자기 자신에게 돌아왔어.

Could you stop giving me the finger?
내 욕 좀 그만 할테야?

- Did he just somehow give me the finger? 어쨌든 걔가 날 욕했단 말이지?
  Be nice and don't give anyone the finger. 착하게 굴고 아무한테도 욕하지 마라.

■■ put one's finger on은 '단서를 잡다,' '상황이 왜 틀렸고 이상한지 설명할 수 있다' 라는 의미. 우리말로는 '…을 딱 꼬집어 지적하다' 에 해당된다. 단 put the finger on하면 경찰 등에 '밀고하다' 라는 뜻이 된다.

■■ not lay a finger on은 부정형태로 on 이하의 사람에게 '해를 입히다,' '때리다' 라는 의미.

■■ get sb wrapped around one's little finger는 어려워보이지만 sb를 일정기간동안 통제하거나 영향력을 발휘하는 걸 뜻한다.

■■ point the finger of blame [suspicion]은 '비난[의혹]의 손가락질을 하다' 라는 표현.

■■ give sb the finger는 우리가 잘 아는 바디랭귀지를 언어로 표현한 것. 화났을 때 가운데 손가락만을 세워서 상대방에게 드리는(?) 행위처럼 '욕이나 화를 내다' 라는 뜻.

You don't let that slip through your fingers.

그걸 떨어뜨리지마.

- He's frustrated that he let another sale slip through his fingers.
  걘 또다른 영업건수를 놓쳐서 좌절했어.

  If John's going to slip through our fingers, I need someone else to explain to her what went wrong.
  존이 빠져나가면 무엇이 잘못되었는지 그녀에게 설명해주기 위해 다른 사람이 필요해.

I'm not gonna lift a finger.

손 하나 까딱 안할거야.

- I would never lift a finger to anyone. 난 누구도 도와주지 않을거야.

  I never should have lifted a finger for you! 널 위해 손하나 까딱안했어야 했는데!

■ let sth slip through one's fingers는 손가락 사이로 sth을 미끄러지게 하다라는 말로 '뭔가 손에서 놓치다' 라는 의미. 그냥 slip through one's fingers하면 '기회를 놓치다', '잃어버리다,' '도망치다,' '빠져나가다' 라는 말이 된다.

■ not lift[raise] a finger는 얌체처럼 남을 도와야 할 때 손가락 하나 까딱하지 않는 이기적인 못된 인간을 말할 때 사용하면 된다.

MORE EXPRESSION

have sticky fingers
손버릇이 나쁘다, 도벽이 있다
burn one's fingers
혼나다, 손해보다
snap one's fingers
사람주의를 끌다, 경멸하다
have a finger in every pie
모든 일에 간섭하다

» finish

I'm not finished with you. 얘기 다 안끝났어.

We are finished.

우리 관계는 끝났어.

- You are totally finished. 넌 이제 죽었다.

  It's a pity. His life is finished. 안됐네. 걔 인생은 끝났어.

I'm not finished with you.

얘기 다 안끝났어.

- Yeah, I'm finished with the job. 응, 일 끝냈어.

  We are almost finished with our investigation. 조사가 거의 끝났어.

  Are you finished with him? 너 걔랑 끝났어?

We've finished with all this unpleasantness.

이 모든 불화를 우린 끝냈어.

- When he's finished with her, heads for the bathroom.
  그가(범인이) 그 여자를 마무리하고 욕실로 가는거지.

She finished writing another book.

걘 다른 책 쓰는 것을 끝냈어.

- Lab finished analyzing the vomit from the crime scene.
  연구소는 범죄현장의 구토물 분석을 끝냈어.

  Where did he go after he finished talking to you?
  너와 얘기를 끝낸 후 걔가 어디간거야?

■ be finished "주어+be finished."의 경우, 즉 finished 다음에 전치사가 연결되지 않을 때의 의미는 주어의 상황이나 관계 등이 끝났다, 새됐다의 의미.

■ be finished with는 '일을 마무리했다' 는 말이며 단 with 다음에 사람이 오는 경우에는 문맥에 따라 '관계가 끝났거나,' 혹은 '그 사람과의 업무가 끝났다' 는 의미로도 쓰인다.

■ have finished with~ 역시 be finished with와 마찬가지로 '일을 끝내다' 라는 말이다.

■ finish ~ing는 '…을 끝내다,' '…을 마치다' 라는 의미로 무척 많이 쓰이는 기본표현.

F

Just a little finishing touches.

좀 마무리작업만 하면 돼.

- I put the finishing touches on my new board game.
  난 내 새로운 보드게임에 마무리 손질을 했어.

  She's putting the final touches on her lips.
  걘 입술에 마지막 마무리를 하고 있어.

■ put[add] the finishing [final] touches에서 finishing touches는 '마무리 작업'이라는 뜻으로 주로 put동사와 어울려 '…을 마무리하다'라는 의미로 쓰인다.

MORE EXPRESSION

a close finish 아슬아슬한 결승

» fire

I'm fired up, ready to go. 난 사기충천해 있고, 나갈 준비가 되어있어.

I'll just fire away.

바로 질문할게.

- Okay, "yes" or "no" only. Fire away. 좋아, '응' 아니면 '아니'로. 어서 질문해.
  A: It's my turn to ask you some questions. B: Fire away.
  A: 이제 내가 물어볼 차례야. B: 어서해봐.

■ Fire away!는 상대방이 질문이 있다고 할 때 '어서 물어봐'라고 하는 적극적인 마인드의 표현. 즉 fire away는 '질문을 퍼붓다'라는 말로 fire questions at sb와 같은 맥락의 표현.

I'm on fire.

잘 풀리고 있어.

- I'm on fire right now. 난 지금 잘 나가고 있어.
  What? The house is on fire? 뭐라고? 집에 불났다고?

■ sb be on fire는 활활 타오르는 불빛처럼 '잘 나가고 있다'는 표현. 사람이 아니라 사물이 주어로 오면 글자그대로 '불타고 있다'라는 의미가 된다.

You set me on fire.

너 때문에 열받는다.

- You set me on fire. And who's the girl in my bed?
  열받게 하네. 내 침대에 있는 여자 누구야?
  Set me on fire, push me off a cliff? 날 열받게하고, 절벽에서 밀어버릴려고?

■ set sb on fire는 sb를 불타게 한다는 것으로 비유적으로 '열받게 하다'라는 의미이다.

Where's the fire?

왜 그렇게 서두르냐?

- Slow down kids. Where's the fire? 얘들아, 천천히 해라. 왜 그렇게 서둘러?
  Why was Tracey running? Where's the fire?
  왜 트레이시가 달리고 있었어? 어디 불나기라도 한거야?

■ Where's the fire?는 어디 불났냐?라는 말로 '왜 그렇게 서두르냐?'라는 말.

I'm fired up, ready to go.

난 사기충천해 있고, 나갈 준비가 되어 있어.

- Whoa, did you see how fired up she was?
  와, 걔가 얼마나 열광적인지 봤어?
  I don't feel that fire in my belly, I don't bring my A game to court.
  난 그런 열정이 없어서 경기장에서 내 최선을 다하지 못해.

■ be fired up은 '열정적으로 사기가 치솟다,' '열광하다' 그리고 'fire in one's belly'는 '야심,' '열정'을 뜻한다.

They get on like a house on fire.
걔들은 금세 친해졌어.

- Security said he ran out of his place like it was on fire.
경비는 걔가 재빨리 자기 집에서 도망쳤다고 말했어.

■■■ like a house on fire는 목조집에 불이 났을 때를 생각해보면 떠오르는 표현으로 '금세,' '순식간에' 라는 뜻. like it was on fire도 같은 의미.

Hold your fire! Don't shoot! We want him alive!
사격중지! 쏘지마! 생포해야돼!

- I repeat, hold your fire. There are civilians on the platform.
반복한다, 사격중지. 플랫폼에 민간인이 있다.

I would never pull out a gun and just open fire!
난 절대로 총을 꺼내 쏘지 않을 거야!

■■■ hold one's fire는 범죄수사물 미드에서 많이 듣는 표현으로 '사격중지' 라는 의미이고 반대로 '발포하다' 는 open fire.

I almost got fired today.
나 오늘 거의 짤릴 뻔했어.

- I got fired before the bankruptcy. 파산직전에 짤렸어.

And I'm telling you you're fired, bitch. 그리고 넌 해고야, 나쁜년.

■■■ be[get] fired는 '해고되다' 는 의미로 get the ax, get the pink slip, get canned, get sacked와 같은 의미.

MORE EXPRESSION

be[come] under fire 맹비난을 받다
light a fire under sb 독려하다
play with fire 위험한 짓을 하다

» first

I will first chair. 내가 수석변호사를 맡을게요.

You'll be the first to know.
너한테 제일 먼저 알려줄게.

- I'd be the first to go. 가장 먼저 내가 갈거야.

I'm going to resign. Wanted you to be the first to know.
그만둘려고. 네게 제일 먼저 알리고 싶었어.

■■■ be the first to~ to 다음에 동사를 붙여서 '처음 …한다' 라는 의미. 자주 쓰이는 I'd be the first to~는 '가장 먼저 내가 …할거야' 라는 뜻이 된다.

But one of you has to make the first move.
하지만 너희중 하나가 먼저 행동을 해야 돼.

- You wanna talk to her, you gotta make the first move.
걔하고 말하고 싶으면 먼저 해야 돼.

I thought one of us should finally make the first move.
우리중 하나는 행동을 취해야 한다고 생각했어.

■■■ make the first move는 먼저 움직이다, 즉 먼저 행동을 시작하다라는 뜻이 된다.

You don't know the first thing about your own son?
자기 자식에 대해 아무 것도 모른단 말야?

- I don't know the first thing about seducing a woman.
여자꼬시는 데엔 젬병이야.

You don't know the first thing about architecture.
넌 건축에 대해 아무 것도 모르잖아.

■■■ not know the first thing about~는 첫 번째 것도 모른다는 말로 '…에 대해 아무 것도 모르다' 라는 뜻.

F

First thing we have to do here is call the police.
가장 먼저 해야 할 일은 경찰에 신고하는거야.

- **First things first. I think you need to talk to her.**
  중요한 것부터 해야지. 네가 그녀에게 전화해야 될거야.

  First things first. What the hell is that? 중요한 것부터 하자. 이게 도대체 뭐야?

■ First thing we have to do is+V는 '우리가 우선적으로 해야 할 일은 …이다' 그리고 First things first는 '중요한 것부터 먼저 하자'는 문장.

Drop it! You first!
내려놔! 너 먼저!

- **You first. You're going to need her.** 너 먼저 해. 넌 걔가 필요할거야.

  You want the truth? You first. 진실을 원한다고? 너 먼저 해.

■ You first는 '당신 먼저,' '먼저 하세요'라는 말로 문맥에 따라 양보가 될 수도 있고 경계하는 상황이 될 수도 있다.

I'll first chair.
내가 수석 변호를 맡을게요.

- **I hope you won't mind if Steve sits first chair.**
  스티브가 수석변호를 맡아도 넌 괜찮겠지.

  You can't let him first chair this deposition.
  이 증언을 걔가 주도하게 하면 안돼.

  I was first chair clarinet. 난 수석 클라리넷 연주가였어.

■ first chair는 법적에는 '수석변호사,' 그리고 악단에서는 '수석연주자'라는 의미. sit first chair라는 동사구로 많이 쓰인다.

It was love at first sight.
첫눈에 반한 사랑이었어.

- **I believe in lust at first sight.** 난 첫눈에 성욕을 느낄 수 있다는 것을 믿어.

  How can you believe in love at first sight?
  어떻게 첫눈에 반한 사랑을 믿을 수 있어?

■ at first sight는 문자그대로 처음 보자마자라는 의미로 love at first sight란 표현으로 유명한 문구이다.

I need it on my desk first thing in the morning.
낼 아침 일찍 내 책상에 올려놔.

- **I'm gonna need you to pick it up first thing in the morning.**
  네가 낼 아침 일찍 픽업해와.

  Okay, you guys check with the bank first thing in the morning.
  그래, 너희들은 낼아침 일찍 은행에 확인해봐.

■ first thing in the morning은 '(다른 어떤 일보다) 아침 제일 먼저'라는 뜻으로 그냥 first thing이라고만 해도 된다.

First off, this is a strictly voluntary thing.
우선, 이건 엄격히 말해서 자발적인 일이야.

- **First off, he found the security in my building deficient.**
  먼저, 걘 내 빌딩 경비가 정신적으로 좀 모자란다는 것을 알아냈어.

  First off, what were you doing at those apartments?
  우선 말야, 너 저 아파트에서 뭘하고 있었어?

■ First off는 '우선,' '먼저,' '무엇보다도'라는 표현.

■ first and last는 첨부터 끝까지는라는 의미로 '완전히'라는 뜻의 표현이 된다.

That was her first and last day.
그건 걔의 처음이자 마지막 날이었어.

- **He's a new tenant. Paid first and last in cash.**
  그는 새로운 세입자인데 첨부터 끝까지 현금을 냈어요.

  Do you know the name of this girl, first and last?
  이 소녀의 성과 이름을 다 알아요?

MORE EXPRESSION

from the (very) first 처음부터
first of all 무엇보다도, 우선
for the first time 최초로
in the first place 제일 먼저
first and foremost 다른 무엇보다도
at first 처음에는
at first light 동이 트자
first come, first served 선착순

There's something fishy about him. 걔 좀 수상한데가 있어.

I feel like a fish out of water.
어쩔 줄을 모르겠어, 불편해.

- You always feeling like a fish out of water? 넌 항상 겉도는 느낌이야?
  I should let Dr. Ron gut me like a fish.
  론 박사님에게 생선속 발라내듯 내속을 들어내라고 해야겠어.

It's New York City. You know, plenty of fish in the sea.
여긴 뉴욕야. 알잖아, 남자가 어디 한둘야.

- Y'know what, there're other fish in the sea. 저기, 여자가 어디 한둘이야.
  You're my only match! There was a computer and there were 8 fish in the sea full of lesbians. 넌 내 천생연분이야. 컴퓨터에 8명의 레즈가 있었어.

We gotta go on a fishing expedition.
우리는 정보를 알아내러 가야 돼.

- I can't send you on a fishing expedition. 정보를 캐내도록 널 보낼 수가 없어.
  They are on a fishing expedition now. 걔네들은 지금 정보를 캐내는 중이야.

There's something fishy about him.
걔 좀 수상한데가 있어.

- I knew something was fishy. 뭔가 수상하다는 걸 알고 있었어.
  I didn't say it tasted fishy. I said it tasted like fish.
  비린내가 난다고 말한게 아니고 생선맛이 난다고 말한거야.

■ **like a fish out of water**는 물밖의 물고기같다라는 말. 연상해보면 의미가 유추될 것이다. 어떤 상황이나 자리에 어울리지 않아 겉돈다는 의미. feel like a fish out of water 형태로 자주 쓰인다.

■ **there're plenty more fish in the sea**에서 fish는 '이성'을 지칭하며 이 표현은 실연당한 친구에게 쓸 수 있는 표현으로 우리말 '어디 남[여]자가 한둘이냐'에 해당된다.

■ **be on a fishing expedition**은 낚시를 하듯 비밀이나 정보 등을 캐내려고 한다는 의미.

■ **fishy**는 생선냄새가 난다는 것으로 일반적으로 '수상한'이라는 의미의 단어.

MORE EXPRESSION

cold fish 냉정한 사람
a big fish in a little[small] pond 우물안 개구리
kettle of fish 곤란한 상태
fish for compliments 칭찬하게끔 유도하다
I have other fish to fry. 더 중요한 일이 있어.

F

Well, if the shoe fits, wear it. 맞으면 맞다고 해.

That fits the bill.
그렇게 하면 돼.

- Then a ten-year-old kid really doesn't fit the bill.
  그럼 10살짜리 애는 정말 안돼.
  My guess is in this place you fit the bill. 내 생각으론 이 분야에서 네가 딱이야.
  It's perfect. Fits like a glove. 완벽해. 딱 들어맞아.

Everybody's a perfect fit for this job.
다들 이 일에 잘 맞아.

- That table setting's exquisite, like it's fit for a queen.
  저 테이블 세팅 정말 굉장할 정도로 아름다워.
  You try it on, but it's not exactly the right fit for you.
  입어봐, 하지만 너한테 정말 딱 맞는 것 같지는 않아.

■ **fit the bill**은 요구되는 조건이나 자질을 충족시켜준다는 말로 '딱 들어맞다'라는 표현이다. fit sb like a glove도 비슷한 표현.

■ **fit for~**는 '…에 어울리는'이라는 표현으로 강조하려면 fit for a king[queen]이라고 하면 된다.

You going to church? Well, if the shoe fits, wear it.
너 교회가? 음, 맞으면 맞다고 그래.

- People say Jen needs to diet. I say if the shoe fits, wear it.
  젠이 다이어트 해야 된대. 그게 사실이면 그렇게 해야지.

  Jim failed in school and became a bus driver. If the shoe fits, wear it. 짐은 학교생활 끝내고 버스운전사가 됐어. 사실이면 맞다고 해.

■ If the shoe[cap] fits, wear it은 '그게 사실이면 인정하라구' 라는 말로 단독으로 쓰이기 보다는 뭔가 얘기를 해놓고서 '그 말이 맞으면 인정해' 라는 형식으로 쓰인다.

She almost had a fit.
걔는 까무라칠 뻔했다.

- Betty said when she fired him, Brian threw a fit.
  베티가 브라이언을 해고했을 때 걔가 까무라쳤대.

  Alison would have a fit if she knew you were accompanying me to this party. 앨리슨은 네가 나를 이 파티에 데려오는 줄 안다면 까무라칠거야.

■ have[throw] a fit는 놀라운 소식을 듣고 분노와 충격 속에 '졸도하다' 라는 뜻. fit가 명사로 '졸도,' '발작' 이란 의미로 쓰인다는 점을 유의해둔다.

Randy said he killed Lindsay in a fit of rage.
랜디는 홧김에 린제이를 죽였다고 말했어.

- In a fit of anger, she picked up the statuette and swung.
  홧김에 걔 조각을 집어 휘둘렀어.

■ in a fit of 다음에 anger, rage 등을 붙여서 쓰면 '홧김에' 라는 표현이 된다.

I don't know if it's gonna fit in here.
이게 여기에 어울릴지 모르겠어.

- That thing you're packing is way too big to fit in that box.
  네가 포장한 저건 이 박스에 들어가기엔 너무 커.

  I thought I told you, that's just not going to fit in there.
  내가 말한 것 같은데 저거 거기에 안어울려.

■ fit in은 자연스럽게 '어울리다,' '들어맞는다' 라는 의미.

Scott was physically fit.
스캇은 신체적으로 건강해.

- Look for someone physically fit. 신체적으로 건강한 사람을 찾아봐.

  Let me know if and when he is fit to stand trial.
  그가 재판정에 나올 정도로 건강해지면 알려줘.

■ be fit에서 fit은 '건강한' 이라는 의미로 'be physically fit'의 의미이다.

Don't try to sweet talk me. I am fit to be tied.
나 꼬시지마. 엄청 화났거든.

- Mother was fit to be tied every time he used her for his business. 엄마는 걔가 사업에 자기를 이용할 때마다 엄청 화내셨어.

■ fit to be tied는 좀 생소하지만 매우 놀라거나 열받아 '매우 화난' 이란 뜻.

The crate was outfitted with explosives.
상자는 폭발물이 들어있었어.

- They outfitted a van to rape and murder girls.
  걔네들은 소녀들을 강간하고 살해하기 위해 밴을 개조했다.

  I love the plan but you need a better outfit.
  계획은 맘에 드는데 옷은 더 좋은 것으로 바꿔 입어야 돼.

■ be outfitted with는 '…로 갖춰지다' 이란 의미. 여기서 outfit은 특정 목적에 맞는 장비 등을 갖추는 것을 말한다.

MORE EXPRESSION

be fit as a fiddle 건강하다
fit for a king 최상의
see[think] fit (to do) …하는 것이 좋다고 생각하다

It will take a while to fix dinner. 저녁 준비하는데 시간이 좀 걸릴거야.

Now, you can fix me up with her.
그럼 그 여자를 나한테 소개시켜줘.

- You have to get Penny to fix me up. 페니가 날 소개팅시켜주도록 해.
  You want me to fix you up with Ryan? 내가 널 라이언에게 소개시켜줄까?

She'll fix it up.
걔가 처리할거야.

- Well then, go talk to Mike and fix it up.
  그럼 마이크에게 가서 얘기하고 일을 해결해.

If it's broken, we'll get it fixed.
부러졌으면 우리가 고쳐드릴게요.

- A: I got a flat. B: Just, uh, trying to get it fixed. A: 펑크났어. B: 고쳐봐.
  My bed was broken. I have to make sure they fixed it.
  침대가 망가졌어. 걔들이 확실히 고치도록 해야겠어.

My mom will fix dinner in an hour.
엄마가 한시간내로 저녁을 준비할거야.

- Should we fix dinner or go out to eat? 저녁을 준비해야 돼 아니면 외식할까?
  It will take a while to fix dinner. 저녁을 준비하는데 시간이 걸릴거야.

Fix your hair before we leave the house.
우리가 집을 떠나기 전에 머리를 손질해라.

- I fixed her hair and I put a blanket around her. 걔머리를 손보고 담요 덮어줬어.
  Hold on, I need some time to fix my hair. 잠깐, 머리 손볼 시간이 필요해.

How long before you get a fix on him?
걔의 위치를 확인하는데 얼마나 걸려?

- Garcia couldn't get a fix on the call. 가르시아는 전화발신지 위치를 확인할 수 없었어.
  You really got a fix on this dive shop thing?
  이 다이브샵에 관한 걸 정말 이해한거야?

■ fix sb up with는 이성을 소개시켜준다고 할 때 단골로 사용되는 표현. sb에게 with 이하의 사람을 소개시켜주는 것을 말한다.

■ fix it[things] up은 '일을 해결하다,' '처리하다' 라는 의미.

■ get it fixed는 '…을 수리하다' 라는 뜻. fix는 기본적으로 수리하다이고 fix (sth) up 또한 '수리하다' 라는 뜻이다.

■ fix dinner은 저녁을 준비하다라는 뜻. fix가 의외로 다음에 식사관련 명사를 목적어로 받아서 '먹을 것을 준비하다' 라는 의미로 쓰인다.

F

■ fix one's make up은 '화장하다,' 그리고 fix one's hair하게 되면 '머리를 손질하다' 라는 표현.

■ get a fix on은 '…의 위치를 확인하다' 혹은 어떤 상황인지 '분명히 이해하다' 라는 두가지 의미로 쓰인다.

MORE EXPRESSION

fix a date 날짜를 정하다
have a fixed idea 고정관념을 갖다
be fixing to~ …할 준비를 하다
be in a fix 곤경에 처하다

놓치면 원통한 미드표현들

- **fondle** 애무하다
  I think that's the guy who fondled me.
  내 생각에 저 놈이 날 애무한 것 같아.

- **foreplay** 성행위 직전의 전희

I'm not used to guys bailing on me in the middle of foreplay. 전희도중 날 차버리는 놈들에 익숙치 않아.

- **fornicate** 간통하다, 간음하다
  He was going to kill her, But first they fornicated.
  걘 그녀를 죽일려고 했어. 하지만 먼저 섹스를 했지.

» flame

He went up in flames. 걘 종적을 감추었어.

Couple of your old flames were there.
네 옛날 애인 두어명도 거기에 왔었어.

- There's a rumor that you're showing up with an old flame tonight.
네가 오늘 밤에 옛애인하고 나타날거라는 소문이 있어.

  It's hard to turn up the heat with an old flame.
옛 애인과 다시 열정을 피우는 것은 쉽지 않아.

■ old flame은 옛애인, 즉 ex-girlfriend, ex-boyfriend를 말한다.

That's just adding fuel to the flame.
그건 문제를 더욱 악화시킬 따름이야.

- Don't argue with him. You'll just add fuel to the fire.
걔하고 싸우지마. 넌 사태를 악화시키게 될거야.

  Helen added fuel to the fire when she left her husband.
헬렌은 남편을 떠나서 사태를 더욱 악화시켰어.

■ add fuel to the fire [flame]는 불길에 기름을 붓는다는 이야기로 '사태를 악화시킨다' 라는 뜻이 된다.

I was like the moth to the flame.
난 불에 뛰어드는 나방같았어.

- John went to the bar like a moth to a flame.
존은 불에 뛰어드는 나방처럼 본능적으로 바에 갔어.

  She always found trouble, like a moth to a flame.
걔 있는 곳에 언제나 문제가 있어, 불에 뛰어드는 나방처럼말야.

■ like a moth to a flame 는 불을 보고 달려드는 나방처럼 이라는 말로 비이성적으로 뭔가에 강하게 끌려드는 모습을 말한다.

He went up in flames.
걘 종적을 감추었어.

- His alibi just went up in flames. 걔의 알리바이는 그냥 없어져버렸어.

  Oh, honey. Their marriage went down in flames.
자기야 걔네들 결혼은 파멸됐어.

■ go up in flames는 타서 재와 연기로 변해 날아간다는 말로 압축하면 '없어지다, 사라지다' 라는 의미가 된다. up 대신 down 을 써서 go down in flames해도 역시 불길에 쓰러진다는 말로 '파멸하다,' '못쓰게 되다' 라는 뜻을 갖는다.

» flash

Your life flashing before you. 너의 지나온 삶이 네 눈앞에 펼쳐질거야.

My father's advice flashed through my mind.
아버지의 충고가 문득 머리에 떠올랐어.

- Panic flashed through his mind when he crashed his car.
차사고 났을 때 공포감이 뇌리를 스쳤어.

  I hope the information will flash through my mind during the exam. 시험중에 이 정보가 머릿 속에 떠오르기를 바래.

■ flash through sb's mind~는 '문득 머리에 떠오르다,' '머리를 스치다,' '뇌리를 스치다' 라는 의미.

Your life flashing before you.

너의 지나온 삶이 네 눈앞에 펼쳐칠거야.

* Gilligan's life flashed before his eyes as he tried to swim.
  걘 수영을 하려고 했을 때 길리건의 삶이 눈앞에 스쳐지나갔어.

  Her life flashed before her eyes as she died.
  걔는 죽을 때 눈앞에 자기의 살아온 삶이 스쳐지나갔어.

I'm flashing back.

난 과거를 회상하고 있어.

* A boy kisses a girl, and she flashed back to the abuse.
  한 소년이 소녀에게 키스하자 그녀는 과거에 학대당했던게 머리 속에 떠올랐어.

  For some reason, I'm flashing back to fourth grade.
  어떤 이유에서인지 난 4학년 때가 생각났어.

The man in the bushes just flashed Sally.

수풀 속에서 남자는 샐리에게 자기 몸을 노출했어.

* I was flashed by a girl in a bikini.
  비키니 입은 여자가 나한테 몸을 보여줬어.

  Jerry took off his clothes and flashed everyone at the soccer match. 제리는 옷을 다벗고 축구경기장의 모든 사람에게 벗은 몸을 보여줬어.

I'm telling you, I just got the news flash.

정말야, 속보가 있어.

* Here's a news flash for you, okay? 자 여기 뉴스속보 보라고, 알았어?
  Oh, thanks for the news flash. 오, 뉴스속보 고마워.

■ **sb's life flashes before one's eyes**는 한마디로 말해서 '…의 인생이 눈앞에 스쳐지나가다' 라는 말. 즉 힘들고 어려운 순간 혹은 죽음을 눈 앞에 둔 순간에 과거의 중요한 순간들이 기억나는 것을 말한다.

■ **flash back**은 '지나간 과거의 순간이 머리 속에 스쳐지나가는' 것을 말하며 과거순간의 구체적 내용을 말하려면 to sth을 연결하면 된다.

■ **flash sb**는 '…에게 잽싸게 자기 몸을 살짝보여주다' 라는 의미로 노출증환자의 주업무. 이렇게 하는 사람은 flasher라고 한다. 통상 말하는 바바리맨.

■ **news flash**는 '뉴스속보'로 breaking news와 같은 말이다.

MORE EXPRESSION

flash a glance[look] …을 보고 힐끗 보다
like[in] a flash 매우 빠르게 (quick as a flash)

F

» flat

That beer looks a little flat. 저 맥주는 좀 김이 빠진 것 같아.

I have a flat tire.

타이어가 펑크났어.

* His car has a flat tire. He's waiting for a tow truck.
  걔 타이어가 펑크나서 견인차를 기다리고 있어.

  House doesn't believe you got a flat tire.
  하우스는 네 타이어가 펑크났다는 걸 믿지 않아.

I'm flat now.

난 지금 빈털터리야.

* I'm flatter than a pancake. 완전히 빈털터리야.
  She left him flat, ten years ago. So, what?
  걔가 10년전에 두고 가버렸어. 그래서 어쨌다고?

■ **have a flat tire**는 '타이어가 펑크나다,' '타이어를 교체하다' 는 change a flat이라고 하면 된다.

■ **be flat**은 금전적으로 바닥이 난 상태인 '빈털터리' 를 말하는데 flat broke는 '완전히 바닥난,' leave A flat는 'A를 두고 떠나다' 라는 의미가 된다.

That's flat!

더 이상 왈가왈부하지마!

- I'm not going to your party, and that's flat.
  네 파티에 가지 않을거야, 더 이상 말하지마.

  We have one basketball, and that's flat.
  농구공이 하나뿐인데 빵구났네.

Lie flat on your back all the way.

쭉 등을 대고 누워있어.

- The doctors said the best chance of getting pregnant was being flat on your back with your legs in the air.
  의사들이 말하기를 가장 임신할 확률 높은 자세는 등을 바닥에 대고 공중에 다리를 올리는 거래.

My name would come up in five seconds flat.

내 이름이 5초도 안되어서 나올거야.

- He ratted out Kincaid in two seconds flat.
  걘 킨케이드를 2초도 안돼 배신했어.

The comedian's jokes always fall flat.

그 코미디언의 조크는 아무런 반응도 없었어.

- You're gonna need it when you fall flat on your ass.
  엉덩방아 찧을 때 이게 필요할거야.

  Uncle Tom's wedding story fell flat with the guests.
  엉클 탐의 결혼이야기는 손님들에게 아무런 반응도 얻지 못했어.

They just flat out violated the policy.

걔네들은 죽자사자 그 정책을 위반했어.

- He didn't even hint. He just flat out told me.
  걘 힌트조차 주지 않았어. 내게 솔직히 다 말해줬어.

  She told me flat out she didn't wanna see me today.
  걘 오늘 날 보고 싶지 않다고 솔직히 말해줬어.

That beer looks a little flat.

저 맥주는 좀 김이 빠진 것 같아.

- I hope she wasn't anything like my flatmate from Boston.
  걘 보스톤의 룸메이트와는 전혀 다른 사람이기를 바래.

  She's flat. No implants. 가슴이 자연산인데. 수술안했어.

  She's flat. She's eating ice cream watching TV.
  걘 지루해 TV를 보면서 아이스크림을 먹고 있어.

■ **and that's flat**은 자기가 이미 결정한 것은 아무리 남이 설득해도 번복하지 않을거라는 단호한 의지를 보여주는 영국식 구어체 표현. '더이상 말하지마,' '더이상 왈가왈부하지마' 라는 의미. 물론 원래의 flat의미가 살아서 '빵구난', '편평한' 이라는 의미로도 쓰인다.

■ **be flat[thrown] on one's back**은 납작 등을 대고 누워있다는데서 출발하여 비유적으로 '완패하다' 라는 뜻으로 쓰인다.

■ **minutes[seconds] flat**은 육상경기에서 자주 듣는 말로 '빨리'라는 뉘앙스를 주면서 '몇분만에' 라는 뜻을 갖는다.

■ **sth(joke, story) fall flat**은 납작 떨어진다는 것으로 농담이나 이야기 등이 '아무런 호응도 못받고 실패로 돌아가다' 라는 의미. 한편 fall flat on one's face는 '엎어지다,' fall flat on one's ass는 '엉덩방아 찧다' 라는 말이 된다.

■ **flat out**는 부사구로 '죽기살기로,' '전속력으로' 혹은 '솔직한' 이라는 의미로 쓰인다. 특히 ask[tell] sb flat out은 '솔직하게 물어보다, 말하다' 라는 뜻이다.

■ **flat**이 음료와 결부되면 '김 빠진,' 여성가슴을 묘사할 때 '자연산,' 또는 '지루한' 이라는 의미로도 쓰인다. 또한 명사로는 영국식표현으로 '아파트 방'을 말한다. 그래서 flatmate하면 룸메이트가 된다.

MORE EXPRESSION

flats 굽없는 신발
lay flat 엎드리다
flat butt 열심히 앉아 일해 납짝해진 엉덩이
flatline 죽다
flat soda 김빠진 소다

Don't flatter yourself. 잘난 척 좀 그만해.

I'm very flattered.
과찬의 말씀이세요.

- I'm so flattered. 그런 말을 들으니 기분이 좋네요.

  I'm flattered, but technically, I'm not a celebrity.
  기분은 좋지만 엄밀히 말하자면 전 유명인이 아녜요.

  I'm tweeting about you. You should be flattered.
  트위터에 너에 관해 글올렸어. 기분좋아 해야 돼.

This is very flattering.
과찬의 말씀예요.

- It's flattering to be noticed by a woman like you.
  당신같은 여성이 알아봐주니 영광이죠.

  That one's good because it's flattering to the girl.
  그건 매우 좋아요. 여자에게 기분좋은 말이니까요.

Don't flatter yourself.
잘난 척 좀 그만해.

- You flatter yourself. 넌 자화자찬하고 있는거야.

  Don't flatter yourself. I'm just ignoring you. 착각마. 난 널 무시하고 있는거야.

■ be flattered에서 flatter는 타동사로 다른 사람을 칭찬한다는 말. 여기처럼 be flattered하게 되면 '그렇게 말해주면 고맙지,' '뭘요,' '과찬의 말씀이세요,' ' 그렇지도 않아요' 등의 의미가 된다.

■ be flattering은 능동형으로 '으쓱하게 하다' 는 말로 it's flattering to~의 형태로 자주 쓰인다.

■ flatter oneself는 스스로를 칭찬하거나 대견하게 생각한다는 말로 '착각하다,' 그래서 주제파악 못하고 '잘난 척하다' 란 뜻에 가깝다.

MORE EXPRESSION

Flattery will get you nowhere.
아부해서는 아무것도 얻지 못하다.

F

Sarah passed with flying colors. 새라는 탁월한 성적으로 시험에 합격했어.

He could be a flight risk.
그는 도주할 가능성이 있어요.

- She has strong roots in the community. There is no flight risk.
  그 여자는 지역사회에 뿌리가 강해서 도주위험성이 없습니다.

  She's charged with attempted murder and is an obvious flight risk.
  그 여자는 살인미수죄로 기소되었고 명백히 도주위험성이 있습니다.

Look, I gotta fly.
이봐, 나 가야 돼.

- Oh, look at the time. I gotta fly. 어휴, 시간 좀 봐라. 가야 돼.

  I gotta fly to Boston right now. 나 지금 보스턴으로 비행기 타고 가야 돼.

Fish gotta swim and birds gotta fly.
물고기는 물속에, 새는 하늘에서 날아야 되는 법.

- Birds gotta fly, fish gotta swim. Will's gotta lighten up.
  새는 하늘에서 날고 물고기는 물에서 수영처야 되고 윌은 기운을 내야 돼.

■ be a flight risk는 법정드라마에 많이 나오는 표현. 재판중 보석여부를 결정할 때 자주 나오는 것으로 '도주위험성이 있다' 는 의미.

■ I must fly는 '빨리 가야 된다' 고 자리를 뜨면서 하는 말. I've got to fly라고 해도 된다. 하지만 fly to~의 형태로 가면 '…로 비행기 타고 가야 돼' 라는 말이 되니 구분해야 한다.

■ Fish gotta swim and birds gotta fly는 당연한 세상의 이치를 말하는 문장으로 뭔가 당위적인 말을 하기에 앞서 먼저 던지는 말이다.

And he can't keep his fly zipped.

그리고 갠 바지지퍼를 잠그고 있을 수가 없어.

- What, my fly open? 뭐, 내 바지지퍼가 열렸다고?

  I thought you might want to know that your fly's open.
  네가 지퍼열렸다는 걸 알고 싶어할 것 같았어.

Wouldn't hurt a fly unless Charlie told him to.

찰리가 시키지 않는 한 누구도 괴롭히지 않을 사람이야.

- He couldn't bring himself to harm a fly. 갠 파리 한마리도 해치지 못할 성격야.

  For a year, they were dropping like flies. 일년간 개네들은 무더기로 병들었어.

I'm going to be a fly on the wall.

내가 조용히 지켜볼거야.

- I recently had the opportunity to be a fly on the wall.
  최근에 조용히 지켜볼 기회가 있었어.

  I'm here as an observer, a fly on the wall. 난 여기 조용히 지켜보려고 왔어.

Sarah passed with flying colors.

새라는 탁월한 성적으로 시험에 합격했어.

- I think I passed with flying colors. 좋은 성적으로 시험에 통과한 것 같아.

  They got through the audition with flying colors.
  개네들은 오디션을 성공적으로 통과했어.

  You better pass the exam with flying colors. 시험을 잘 통과해야 돼.

■ **one's fly**에서 fly는 명사로 '바지지퍼'를 말하며 XYZ하면 "바지지퍼가 열렸어요"라고 상대방에게 살짝 주위를 줄 때 하는 말이다. 풀어쓰면 Examine Your Zipper라는 말.

■ **sb wouldn't hurt[harm] a fly**에서 fly는 '파리'로 글자그대로 옮기면 '파리 한 마리도 해치지 못하다'라는 의미. 의역하면 성격이 인자하고 부드럽다는 것을 말한다. 또한 by dying [dropping] like flies하게 되면 파리떼처럼 무더기로 죽거나 아프게 되는 것을 뜻한다.

■ **be a fly on the wall**은 벽에 붙은 파리로, 가끔 주변에 파리가 조용히 벽이나 천장에 붙어 있는 것을 봤으면 쉽게 이해되는 표현. 의미는 몰래 지켜보거나 관찰하는 것을 뜻한다.

■ **flying colors**는 휘날리는 깃발이라는 말로 비유적으로 승리나 성공을 뜻한다. 특히 pass with flying colors는 '탁월한 성적으로 합격하다'라는 의미.

MORE EXPRESSION

Time flies. 세월빠르다.
as the crow flies 일직선으로
fly the coop …에서 달아나다
fly solo 혼자가다
fly open 갑자기 열리다
make the sparks fly 야단치다

» **fling**

It was just a fling. 그냥 한번 즐긴거야.

I want to have a fling.

번섹 좀 해야겠어.

- This whole thing with Robin was just a fling.
  로빈과 관련된 일은 그냥 한번 즐긴 것뿐야.

  You had a fling with Jill, and then you dumped her?
  질하고 즐기고 나서 버렸단 말야?

  I'm not covering for your stupid little fling anymore.
  난 더 이상 너의 어리석은 번섹을 감싸주지 않을거야.

Apparently, he had flung himself elsewhere.

분명히, 갠 어딘가 다른 곳으로 가버렸어.

- She flung herself in front of an oncoming train last night.
  갠 지난밤에 달려오는 열차에 몸을 내던졌어.

■ **have a fling** fling은 심각한 관계가 아닌 부담없이 가볍게 만나 성적관계를 맺는 것을 말한다. 물론 one-night stand보다는 길게 가는 형태이며 주로 스트레스나 걱정 등을 성적으로 해소하기 위해 그러는 경우가 많다.

■ **fling oneself** fling이 동사로는 '화나서 던지다' 혹은 몸의 일부 등을 내밀다라는 뜻이 있어 fling oneself하게 되면 '움직이다 (move)'라는 의미가 된다.

MORE EXPRESSION

fling oneself into 몰입하다
fling sth at sb 화나서 말하다

I'm sorry for flipping out. 너무 화내서 미안해.

Let's flip a coin for it.
동전 던지기로 결정하자.

- OK, I'm flipping. Heads or tails. 좋아, 동전던진다. 앞면야 뒷면야.

  Then flip a coin 'cause I am staying so far out of this.
  그럼 난 별로 상관없는 일이니 동전던지기해.

■ flip a coin은 '손가락으로 툭던지다' 라는 뜻으로 뭐가 결정하기 전에 동전을 위로 올려던지는 것을 말한다. 동전던지기는 flip of a coin, 앞면 혹은 뒷면이라고 할 때는 heads or tails라 한다.

Stop flipping channels.
채널을 이리저리 돌리지마.

- I was flipping the stations in the car. 난 차의 방송채널을 돌리고 있었어.

  Luke began flipping through the papers that Charles brought.
  루크는 찰스가 가져온 서류를 넘겨보기 시작했어.

■ flip channel에서 flip은 기계버튼 등을 누르거나 돌리다라는 의미. 또한 flip through는 주로 책장을 넘겨보는 것을 말한다.

I'm sorry for flipping out.
너무 화내서 미안해.

- Mom's flipping out about other things, too.
  엄마는 다른 일들에도 화를 내셨어.

  Stephanie is flipping out about closing the dorm.
  스테파니는 기숙사폐쇄에 화나 있어.

■ flip out은 '무척 화를 내다' 라는 의미(become very angry)로 flip one's lid라고도 한다. 화난 이유를 말하려면 뒤에 about~을 붙인다.

Whatever happened to just flipping burgers, man?
도대체 햄버거 뒤집는 일에 무슨 일이 생긴거야?

- I'd still be flipping burgers at the Hamburger Heaven.
  난 아직도 햄버거 헤븐에서 햄버거나 굽고 있었을지 몰라.

  I'm not saying he'd ever work for NASA, but flipping burgers isn't out of the question.
  걔가 나사에서 근무할거라고 말은 못하지만 햄버거 집에서 일하는 정도는 가능하지.

■ flip burgers는 햄버거를 뒤집다라는 말로 특히 정크푸드 판매점에서 적은 월급을 받으며 직장다니는 것을 말한다.

F

Now he flip-flops like an eel.
이제 걘 뱀장어처럼 요리저리 생각을 바꾸고 있어.

- I can't believe you got Bart to wear flip-flops.
  네가 바트에게 샌들을 신게했다는게 안믿어져.

  It's dangerous to drive in flip-flops. 샌들신고 운전하는 건 위험해.

■ flip-flop은 동사로 '의견이나 태도를 갑자기 바꾸는' 것을 말한다. 명사로 do a flip-flop 형태로 많이 쓰이고 또한 flip-flops는 '샌들'을 뜻한다.

I'm not being flip.
농담이 아냐.

- I'm not being flip, I'm just pointing out a reality.
  악의는 없어. 그냥 현실을 지적했을 뿐이야.

  The government is not being flip about the economic problems.
  정부는 경제문제에 관해 진지해.

■ be not being flip은 주어가 농담하는게 아니라 심각하고 진지하다는 의미.

MORE EXPRESSION

on the flip side 한편

He's such a flirt! 걘 정말 못말리는 바람둥이야!

I'm just flirting.
작업 좀 들어간 것뿐인데.

- Are you flirting with me? 내게 작업거는 거예요?
  You noticed she was pretty, but you didn't flirt with her.
  걔의 미모를 알아차렸지만 작업은 안 걸었어.
  That's absurd. He was not flirting with me. 말도 안돼. 걘 내게 작업 안걸었어.

He's such a flirt!
걘 정말 못말리는 바람둥이야!

- They're terrible flirts here. 걔네들은 여기서 정말 끔찍한 바람둥이들이야.
  Jessica didn't really like Chris. He was just a big flirt.
  제시카는 크리스를 정말 좋아하지 않았어. 걘 정말 바람둥이였거든.

She is sending flirtatious glances to me.
걘 내게 추파를 던지고 있어.

- After one drink, she got a little flirtatious. 한잔하더니 걘 교태를 부렸어.
  He knew you were more than just a flirty engineer.
  걘 네가 단지 추파나 던지는 기술자 이상이라는 것을 알았어.

▬ **flirt with**는 남녀관계에서 작업을 걸거나 히히닥거리는 것을 의미한다.

▬ **a terrible[dreadful] flirt**는 flirt가 명사로 쓰인 경우로 '바람둥이'를 의미한다.

▬ **flirtatious**는 flirt의 형용사형으로 '추파를 던지는,' '히히덕거리는' 등의 의미. flirty는 '집적대는,' '경박한' 이라는 의미.

I know. I'm floored! 그래. 당황했어!

This is my floor.
저 내려요. 내려야하니까 좀 비켜주세요.

- We're almost at my floor so I'll summarize. 내릴 때 됐으니 요약을 할게.

His respiratory status is going through the floor.
걔 호흡상태가 급격히 떨어지고 있어.

- Oxygenation is through the floor and the lungs are full of fluid.
  산소첨가가 급속히 떨어지고 폐는 물로 가득찼어.
  Jack's grades went through the floor and he quit school.
  잭의 성적이 많이 떨어져서 학교를 그만뒀어.

I know. I'm floored!
그래. 당황했어!

- A: That's a surprise, isn't it? B: I know. I'm floored!
  A: 놀랍구, 그지않아? B: 그래. 당황했어!
  Ten minutes ago, a line like that would've floored me. Now nothing.
  십분전엔 그런 말에 내가 당황했겠지만 지금은 전혀 안그래.

▬ **be one's floor**는 엘리베이터에서 하는 말로 '…가 내릴 층이다' 라는 표현.

▬ **go[be] through the floor**는 주식이나 가격, 혹은 성적, 호흡 등이 급격히 하락하는 것을 뜻하는 표현.

▬ **floored**는 바닥에 벌렁 녹다운될 때처럼 놀라거나, 당황한 상태를 말한다.

MORE EXPRESSION

take (to) the floor 춤추다
take the floor 연설하다
***the floor** 회의에 모인 사람들

The party at Ben's house flopped. 벤의 집에서 열린 파티는 실패했어.

The strange new computer flopped with customers.

이상한 신제품 컴퓨터는 고객들의 호응을 얻지 못했어.

- The comedy show flopped with American viewers.
  그 코메디 쇼는 미국 시청자들의 인기를 얻지 못했어.

  I hope my date with Randy doesn't flop. 랜디와의 데이트가 잘되기를 바래.

  I think the new car's design is going to flop.
  이 신차 디자인은 대중의 외면을 받을 것 같아.

■ flop은 기본적으로 위에서 아래로 달려있는 상태로 너무 힘들어 털썩 주저앉다라는 말. 비유적으로 제품, 공연 등이 '실패하다,' '팔리지 않다,' '인기를 얻지 못하다' 라는 뜻으로 쓰인다.

That's the way the mop flops.

인생이란 다 그런거야.

- That's the way the mop flops. Some people are lucky.
  인생이 다 그렇지 뭐. 행운이 있는 사람들도 있어.

  His company failed, but that's the way the mop flops.
  걔 회사는 실패했지만 세상일이 다 그렇지 뭐.

■ That's the way the mop flops는 That's the life, That's the way cookie crumbles와 같은 의미로 '세상살이 다 그렇다' 라는 표현.

The actress had a lot of flop sweat during the play.

여배우는 공연중 많은 진땀을 흘렸어.

- Tom wiped away the flop sweat after talking to his boss.
  탐은 사장과 이야기나누는 후 식은 땀을 닦았어.

  We saw Kelly's flop sweat when she sang at the concert.
  켈리가 콘서트에서 노래부를 때 식은 땀을 흘리는 것을 봤어.

■ flop sweat는 특히 무대에서 배우가 긴장하여 흘리는 진땀, 식은땀이라는 표현으로 대중적인 표현은 아니다.

The hat was black, kind of shiny and floppy

모자는 검은색이었고 좀 빛나며 느슨했어.

- Forwarding address is in some flophouse in Chinatown.
  회송주소는 차이나타운의 싸구려 여인숙이야.

■ flop on[down]하면 주저앉다, flop house는 싸구려 여인숙, floppy hat은 느슨한 모자를 말한다.

F

I'm gonna flunk out of Yale. 예일대에서 졸업못할거야.

I think I'll flunk SAT.

나 SAT시험 망칠 것같아.

- Can you flunk it? And if so, then what happens?
  낙제할 수도 있는거야? 그렇게 되면 어떻게 되는거야?

  Fate's gonna flunk me? 페이트가 날 낙제시킬까?

■ flunk는 '시험에 떨어지다,' '낙제하다' 라는 동사로 flunk 다음에는 시험이나 사람이 나온다.

She's gonna give me the boot if I flunk out.

걘 내가 졸업못하면 날 쫓아낼거야.

- Well she did flunk out. 저기 걘 졸업못했어.

  Now I can't study, I'm gonna flunk out of Yale. 공부안돼, 예일졸업못할거야.

■ flunk out (of)는 '(…학교에서) 낙제로 졸업못하다' 라는 표현으로 of 다음에 학교명을 써주면 된다. 또한 flunkout하면 낙제생이 된다.

We flushed your stash. 우리가 네 몫을 버렸어.

Flush it!
물내려!, 원샷!

- You used the toilet, so flush it! 화장실 썼으면 물내려야지!
  Flush it when you are you are finished. 일 다봤으면 물내려.
  Come on man, flush that drink down. 야 이 친구야, 그 술 다 들이켜.
  Should we take a chance, or should we flush it?
  한번 해봐야 하나, 아니면 단념해야 할까?

■ flush it은 기본적으로 변기를 쓰고 버튼을 눌러서 물을 내리다라는 의미가 있다. 또한 과격한 (?) 상상력을 발휘한다면 그렇게 쫙 물을 내리듯 '술을 원샷으로 마시다(Bottoms up!)' 혹은 다 떠내려가버리듯 '실패하다(fail),' '포기하다' 라는 속어로 쓰이기도 한다.

You might as well flush it down the toilet.
그런 건 완전히 없애버려.

- I flushed them down the toilet. 난 그것들을 없애버렸어.
  I want you to take this garbage and flush it down the toilet!
  이 쓰레기 가져가서 변기에 버려!
  Take the dead goldfish and flush it down the toilet.
  죽은 금붕어가지고 가서 변기에 버려.
  Don't take our relationship and flush it down the toilet.
  우리 관계를 완전히 버리지마.

■ flush는 또한 변기물을 내려버리다라는 뜻에서 '완전히 없애버리다,' '제거하다(get rid of)' 라는 비유적 의미로도 쓰인다. 참고로 flush the toilet하면 '변기물을 버리다,' the toilet don't flush하면 '변기물이 안내려간다' 라는 뜻이다.

Well, you could've flushed away evidence.
어, 넌 증거를 없애 버렸을 수도 있어.

- When the undertaker flushed out her blood, he also flushed away any toxins. 장의사가 피를 물로 씻겨낼 때 독도 다 함께 씻겨내버렸어.
  But once they wake up, all that memory will get flushed out.
  하지만 일단 걔네들이 일어나면 모든 기억들이 없어져버릴거야.
  Let's flush him out. 걔를 없애버리자고.
  What if we flush out the central relationship?
  우리가 가장 핵심적인 관계를 날려버리면 어떻지?

■ flush out은 숨어지내던 곳에서 '쫓아내다,' 그리고 flush away는 '물이 쓸어버리다' 라는 의미이다.

I'm gonna flush those birth controls pills.
피임약을 갖다 버릴게.

- She promised me she'd flush the coke, but I caught her buying more. 걔 코카인을 버리겠다고 약속했는데 코카인을 사는 걸 잡았어.
  They shut down the water so we can't flush our contraband.
  물을 막아버려서 밀수품을 버릴 수가 없어

■ flush sth하면 단순하게 써서 '…을 버리다' 라는 뜻으로도 많이 쓰인다.

He might have flushed your stash.
걔 네 몫의 돈을 버렸을 수도 있어.

- How many times I took his stash and flushed it?
  몇 번이나 걔의 몫을 가져가서 버렸냐고?
  You wouldn't stop using, so, we flushed your stash.
  넌 계속 써댔을거야, 그래서 우리가 네 몫을 버렸어.

■ flush one's stash는 '…의 몫을 버리다' 라는 의미.

We're not flush with cash right now.
우리는 지금 돈이 풍족하지 않아.

- She's still out there, flush with cash and a gun.
  걘 아직 많은 돈과 총을 가지고 바깥에서 돌아다녀.

  The gun was flush to the skull when it was fired.
  총이 발사될 때 총은 두개골과 수평의 높이였어.

 be flush with cash는 '일시적으로 돈이 많아지다' 라는 의미. 또한 flush는 좀 의외지만 같은 높이이라는 의미로도 쓰인다.

Her face got flushed with embarrassment.
걔의 얼굴은 당황하여 붉어졌어.

- She was flushed and she was sweating.
  걘 얼굴이 붉어졌고 땀을 흘리고 있었어.

  She couldn't look at us. Her face got flushed.
  걘 우리를 바랄 볼 수가 없었어. 얼굴이 빨개졌어.

  I suddenly feeling flushed. My heart rate is elevated.
  난 갑자기 얼굴이 붉어지고 내 가슴은 흥분되었어.

be[get] flushed는 '창피하고 당황하여 얼굴이 붉어지다.'

» follow

 Follow your heart. 하고 싶은대로 해.

Follow your heart.
하고 싶은대로 해.

- Be true to yourself, Tony. Follow your heart.
  토니야 자신에게 솔직해져봐. 하고 싶은대로 해.

  What do you say we just forget thinking and follow our hearts?
  생각은 그만하고 그냥 맘가는대로 하면 어때?

follow one's heart는 맘 가는대로 따라가는 말로 '하고 싶은 대로 하다' 라는 뜻이 된다. heart 대신 nose를 쓰기도 한다.

I'm sorry, I don't follow you.
미안하지만 무슨 말인지 모르겠어.

- I don't quite follow you. 네 말 전혀 이해못하겠어.
  Are you following me? 내 말 알아듣겠니?

follow sb는 물리적으로 따라가는 것이 아니라 대화중 '상대방 말을 이해하다' 라는 표현.

We've talked to you once, but we need to follow up.
우리가 한번 이야기했지만 담 후속조치를 해야 돼.

- We can follow up and get additional witnesses.
  더 알아보면 추가증인을 찾을 수 있을거야.

  If Sam had that woman's report, why didn't he just follow up?
  샘이 저 여자의 보고서를 갖고 있다면 왜 후속조치를 하지 않았던거야?

follow up은 앞서 한 내용에 이어 후속적으로 이어서 뭔가 한다는 것을 뜻한다. 명사로 follow(-)up하면 '후속조치' 라는 말이 된다.

I'll follow up on you.
너에 대해 좀 더 알아볼거야.

- You're gonna want to follow up on these. 넌 이것들을 좀 더 알고 싶을게야.
  I actually need to follow up on a few things with you.
  실은 네게 몇가지 좀 알아보게 있어.

follow up on은 on 이하에 대해 추가적인 조치를 하거나 좀 더 알아보는 것을 말한다.

F

Follow up every lead you have on the shooter.

살해범에 대해 갖고 있는 모든 단서를 쫓아.

- Everyone. Follow my lead. 여러분들. 나를 따르세요.

  As long as she follows my lead, I can't foresee a problem.

  걔가 나를 따라하는 한, 문제는 없을거야.

■ follow up every lead에서 lead는 단서(clue)를 뜻해 follow up every lead하면 '단서를 쫓다'가 된다. 하지만 follow one's lead는 '…가 하는대로 따라하다'라는 의미가 된다.

Just follow the signs to the ER.

응급실까지 표지판을 따라가세요.

- She will follow each instruction to the letter.

  걘 각 지시사항을 그대로 정확히 따를거야.

  Sounded truly shocked that we didn't follow the rules.

  우리가 규칙을 지키지 않았다는 사실에 정말 충격을 받은 것 같아.

■ follows the signs는 간판을 따라가다, follow the rules는 '규칙을 따르다' 그리고 follow the example하면 '본받다'라는 뜻이 된다.

I'll follow suit.

나도 그럴게.

- I'd like to make sure Dr. Sutton doesn't follow suit.

  서튼 박사가 반드시 전례를 따르지 않도록 하고 싶어.

■ follow suit는 원래 카드게임에서 방금 나온 카드패와 같은 짝의 패를 내다라는 뜻으로 '…을 따르다,' '전례를 따르다'라는 뜻으로 사용된다.

Did Steven follow in your footsteps?

스티븐이 너의 뒤를 따라왔어?

- She's been following in his footsteps her whole life.

  걘 평생 걔의 길을 따라왔어.

  Looks like Stern has a son who may be following in his footsteps.

  스턴에겐 아들이 있는 것 같은데 스턴을 본받는 것 같아.

■ follow in sb's footsteps도 역시 …의 발자국를 뒤따라간다라는 뜻에서 '…을 본받다'라는 뜻이 된다.

MORE EXPRESSION

follow shortly 곧 …가 뒤따르다
be a hard act to follow 이기기 어려운 사람
follow the crowd 대세를 따르다
follow one's dream 꿈을 쫓다
as follows 아래처럼, 다음과 같이

» fool

You could have fooled me! 바보 될 뻔했잖아!

You can't fool me.

날 속이려고 하지마.

- You really think I'd let you fool me twice? 내가 정말 두 번 속을거라 생각해?

  Yeah, well, he didn't fool me. 어, 저기, 걘 날 속이지 않았어.

■ fool sb는 fool이 동사로 사용된 경우로 fool 다음에 나오는 사람을 속이고 사기치는 걸 말한다.

You could have fooled me!

바보 될 뻔했잖아!

- A: I wasn't sleeping on the floor. B: Could have fooled me.

  A: 난 바닥에서 안잤어. B: 이제 네 말은 절대 안 믿어.

■ could have fooled sb에서 could have+pp는 과거에 그랬을 수도 있다라는 말. 따라서 could have fooled sb는 '…을 속였을 수도 있을 뻔했다'라는 뜻이 된다.

I think you're just fooling yourselves.

너희들은 스스로를 속이고 있는 것같아.

- Don't worry. It won't last. You're just fooling yourselves!

  걱정마. 금방 끝나. 너희들은 스스로를 속이고 있는거야!

■ be just fooling oneself에서 fool oneself는 '자기자신을 속인다'는 의미로 주로 상대방을 비난하면서 You're just fooling yourself!의 형태로 자주 쓰인다.

Stop fooling around.
그만 빈둥거려.

- Stop fooling around and get back to work! 그만 빈둥거리고 일하라고!
  You were actually fooling around with her.
  넌 실제로 걔와 바람을 피고있었어.

I am nobody's fool!
날 쉽게 보지마!

- He is nobody's fool. 쟤는 빈틈이 없어.
  Chet was nobody's fool. 쳇은 빈틈이 없는 애였어.

■ fool around는 하는 일없이 빈둥거리거나 혹은 바람피우는 것을 말한다.

■ be nobody's fool은 누구한테도 당하지 않을 정도로 많은 것을 알고 있는 똑똑한 사람이라는 의미.

MORE EXPRESSION

live in a fool's paradise
바보처럼 환상속에 살다
make a fool of 놀리다
make a fool of oneself
바보짓을 하다
send sb on a fool's errand
헛걸음시키다
Any fool can~ 어떤 바보라도 …
할 수 있다
play[act] the fool 바보짓하다,
속이다

» foot

 I'm getting back on my feet. 혼자 일어나서 걸어다닐 수 있게 되었어.

We got off on the wrong foot.
우리가 시작이 좋지 못했던 것 같아.

- You and I got off on the wrong foot. 너와 나는 시작부터 꼬였어.
  I just feel like I got off on the wrong foot here, and I want to start again. 난 여기서 잘못 시작한 것 같아. 다시 시작하고 싶어.

I got to put my foot down.
난 단호한 입장이야.

- I had to put my foot down. 난 단호한 입장을 취해야만 했어.
  I'm putting my foot down. I forbid it. 난 결사 반대야. 금지한다고.

I'm gonna stick my foot in your ass.
너 혼쭐날줄 알아.

- Sleep tight. And don't let the bed bugs put their foot in your ass. 잘 자라. 침대벌레들이 널 괴롭히지 않도록 해.
  If you don't finish it, dad will stick his foot in your ass.
  너 그거 끝내지 못하면 아버지가 널 혼내실거야.

I have two left feet.
난 몸치야.

- I'm afraid I have two left feet. 난 춤을 잘 못춰.
  I can't go to the dance. I have two left feet. 난 춤추러 못가. 춤을 너무 못춰.

I'm getting back on my feet.
혼자 일어나서 걸어다닐 수 있게 되었어.

- I'll be back on my feet in no time! 곧 괜찮아질 거예요!
  It took me 2 years to get back on my feet. 다시 일어서는데 2시간이 걸렸어.

■ get[start] off on the wrong foot는 상호간의 관계의 시작이 꼬이거나 잘못되었다는 의미.

■ put one's foot down은 두다리를 땅에 내려놓고(put down) 꽉 디디고 있다는 말로 주어의 단호한 의지가 나타나는 표현으로 '단호하다,' '결사반대한다' 는 뜻으로 쓰인다.

■ put[stick] foot in one's ass는 진짜로 ass에 foot를 넣는다는 뜻이 아니라 give sb a kick in the pants처럼 '누가 잘못을 하면 혼내주겠다' 는 의미.

■ have two left feet은 왼쪽 발이 두 개라는 말로 '어떤 운동이나 춤동작에 서투르다'(be not athletic)라는 뜻을 갖는다.

■ be[get] back on one's feet는 자기 두발로 다시 일어선다는 말로 주로 아프거나 나빠진 상태에서 회복된다고 할 때 사용한다.

F

I can stand on my own two feet now.

난 이제 자립할 수 있어.

- But she had to stand on her own two feet. 걔는 스스로 자립해야만 했어.

  I'm trying my hardest to stand on my own two feet.
  난 독립하려고 최선을 다하고 있어.

C'mon I'm sweeping you off your feet.

이봐, 난 너의 마음을 바로 사로 잡을거야.

- This man came in and swept me off my feet.
  이 남자가 들어오더니 내 맘을 바로 사로잡았어.

  He swept you off your feet, and, uh, he let you fall.
  걔는 네가 자기를 정신없이 사랑하게 만들었어, 그리고 걔는 그렇게 빠지게 놔두었고.

They'll probably never set foot in a church at all.

걔네들은 교회에 얼씬도 하지 않을거야.

- When I first brought you here, you didn't want to set foot in this room. 널 여기 첨으로 데려왔을 때 넌 이 방에 들어오려고 하지도 않았어.

  I hope this is the last time we'll force her to set foot in this courtroom. 난 이번이 걔 법정에 발을 들여놓게 하는 마지막이 되기를 바래.

We're just getting our feet wet.

우리 이제 시작하는 단계야.

- Be a good chance for you to get your feet wet.
  네가 참가할 수 있는 좋은 기회가 되도록 해라.

Jane really put her foot in her mouth.

제인은 본의아니게 큰 실언을 했어.

- I'd better take off before I put my foot in my mouth.
  내가 실수하기 전에 가는 낫겠어.

■ **stand on one's own two feet**는 역시 자기 두발로 일어서다라는 말로 '스스로 독립하다' 라는 의미가 된다.

■ **sweep sb off one's feet**는 두사람이 만났는데 주어가 'sb를 급사랑하게 하다,' 'sb의 마음을 바로 사로잡다' 라는 의미. sweep 대신에 knock이나 carry를 써도 된다. be swept off one's feet의 형태로 많이 쓰인다. 한편 be rushed[run] off one's feet는 '열심히 일하다' 라는 의미.

■ **set foot in**은 어느 장소에 발을 들여놓다라는 의미로 in 대신에 on를 쓰기도 한다.

■ **get one's feet wet**은 '발을 담그다' 라는 말로 방관자가 아니고 직접 참가하거나 시작하는 것을 말한다.

■ **put one's foot in one's foot**는 '발을 자기 입에 넣는다는 말로 '실수하다,' '실언하다' 라는 의미. foot-in-mouth하면 '실언을 잘하는' 이라는 뜻.

MORE EXPRESSION

be on one's feet cheering 기립박수하다
drag one's feet 발을 질질 끌다
have[keep] both feet on the ground 현실적이다
be six feet under 매장되다
On your foot! 일어서!
get[have, keep] one's foot in the door 기회를 얻다

» forget

And don't you forget it. 그리고 그거 명심해.

Before I forget, I need you to write me a check.

미리 얘기해두는데 수표 좀 써줘.

- Before I forget, Cindy told me what she wants for Christmas.
  미리 말해두는데 신디는 크리스마스 선물로 뭘 원하는지 말해줬어.

  Before I forget, tomorrow morning, you're driving me to the dentist. 내 미리 말해두는데 내일 아침 나 치과에 데려다 줘.

■ **before I forget**은 '잊기 전에 말해두는데' 라는 의미로 급한 건 아니지만 나중에 잊을까봐 미리 얘기해둘 때 쓰는 말.

Don't forget to tip him.
걔한테 팁주는거 잊지마.

- Don't forget to get me a present. 내게 선물 사다주는 거 잊지마.
  Don't forget to e-mail me. 그럼 잊지 말고 이멜보내.

Forget about it!
잊어버려, 됐어.

- Forget it! I want her locked up. 잊어버려! 걔 가두어 둬.
  Forget it, I don't want to talk about it. 잊어버려, 얘기하고 싶지 않아.

And don't you forget it.
그리고 그거 명심해.

- You're just a con artist, and don't you forget it. 넌 사기꾼야, 그걸 명심해.
  A: I am a dentist. I'm not Rambo. B: And don't you forget it.
  A: 난 치과의사지 람보가 아냐. B: 그래 명심하고.

I knew I was forgetting something.
내가 뭔가 깜박했다는 걸 알고 있었어.

- Aren't you forgetting something? 뭐 잊은거 없어?
  Are you forgetting I've done this before? 내가 전에 이거 했다는거 잊었니?
  We're forgetting what's really important here.
  우린 여기서 정말 중요한게 뭔지 잊고 있어.

■ Don't forget to+V는 '잊지 말고 …하라'고 상대방에게 상기시킬 때 사용하는 기본표현.

■ Forget (about) it은 '신경쓰지마'라는 말로 자신이 앞에 한 말은 아무 것도 아니니 신경쓰지 말라고 할 때 혹은 상대방이 감사하다고 할 때에 그에 답으로 '별것도 아닌데'라고 하는 말이다.

■ ~and don't (you) forget it은 내가 인정할 수 없는 말이나 행동을 했을 때 혹은 뭔가 앞서 말한 일반적인 내용을 잊지말라고 할 때 사용하는 표현으로 문맥에 따라 '괜찮지', '잊지마'라는 뜻이 될 수 있다.

■ be forgetting은 과거형태로 쓰여 was forgetting하면 '깜빡했어,' 현재형으로 하면 '…을 잊고 있다'는 말로 특히 마지막 예문처럼 뭔가 놓치고 있는 점을 캐치해서 경각심을 불러 일으킬 때는 We're forgetting~이라고 해도 된다.

MORE EXPRESSION

never forget 절대로 잊지 않다
clean forget 완전히 잊다
How should I forget? 어떻게 잊겠어?
Forget that noise! 그건 말도 안돼! 불가능해!
Forget you! 꺼져버려!(Beat it!)

F

» forensic

We gotta get CSU in here. CSU 불러.

There's no forensic evidence and she can't ID him.
법의학적 증거가 없으면 걔는 그의 신원을 확인할 수 없어.

- The forensic evidence proves Tom didn't rape her.
  법의학적 증거에 의하면 톰은 걔를 강간하지 않았어.

  No forensic evidence either Nina or Susie were in his apartment.
  니나 혹은 수지가 걔 아파트에 있었다는 법의학적 증거가 없어.

■ forensic evidence는 범죄수사물에서 꼭 나오는 표현으로 '범죄학적 증거'를 뜻한다.

Has forensics had any luck?
과학수사 범죄팀이 뭐 알아낸 것 있어?

- We'll give this to forensics, let them search for DNA.
  이걸 과학수사팀에 주고 DNA검사를 해보도록 할게.

  Forensics won't find any defensive wounds. 감식반은 방어흔을 찾지 못할거야.

■ forensics는 증거 등을 토대로 과학적으로 범인을 추적하는 과학범죄수사팀을 말한다.

We gotta get CSU in here.
CSU 불러.

- CSU's looking for the weapon at his place.CSU가 걔집에서 무기를 찾고 있어.

  CSU found the trunk key hidden under the carpet.
  CSU는 카펫트 밑에서 숨겨진 트렁크 열쇠를 찾았어.

■ CSU는 Crime Scene Unit의 약자로 경찰내 현장 조사 팀(police investigation team)을 뜻한다.

» foul

No harm, no foul. 다친 사람도 없고 잘못한 사람도 없네.

It could be foul play.
타살일 수도 있어.

- The police didn't suspect foul play. 경찰은 타살이라고 의심하지 않았어.

  We're just trying to rule out foul play. 우리는 단지 타살가능성을 배제할려고.

She's in a foul mood again.
걘 기분이 다시 안좋은 상태야.

- You've been in a foul mood since I sat down. 내가 앉은후에 넌 기분이 안좋아.

  That means no outbursts and no foul language.
  그건 어떤 감정의 폭발이나 욕짓거리가 없었다는거네.

No harm, no foul.
다친 사람도 없고 잘못한 사람도 없네.

- You're on the rebound from the plumber. No harm, no foul.
  배관공으로부터의 실연을 극복하고 있잖아. 다친 사람도 없고 잘못한 사람도 없네.

  This is not a 'no harm, no foul' situation.
  이건 '다친 사람도 없고 잘못한 사람도 없는' 상황은 아냐.

■ foul play는 일반적으로 '반칙행위' 이지만 범죄수사물에서는 '살인행위'를 말한다. 그래서 sign of foul play는 '타살흔적'으로 No signs of foul play하면 '타살흔적이 없다,' Any sign of foul play?하면 '타살흔적이 있어?' 라는 문장이 된다.

■ use foul language는 '욕을 하다' 그리고 in a foul mood[temper]하면 '불쾌한 기분'을 뜻한다.

■ no harm, no foul은 다치거나 손해보는 사람도 없고 또한 잘못을 저지르는 사람도 없다는 말.

» frame

I didn't frame anybody. 난 아무에게 누명을 씌우지 않았어.

I didn't frame anybody.
난 누구에게도 누명을 씌우지 않았어.

- She framed Simon for the rapes, and I can prove it.
  걘 사이몬에게 강간죄를 뒤집어씌웠지만 난 그걸 입증할 수 있어.

  I didn't do nothing, man. He framed me.
  이봐, 난 아무짓도 안했다고. 걔가 날 누명씌우거야.

  I'm going to have this framed for the dining room!
  이거 액자에 넣어서 주방에 걸어놔야지!

■ frame은 동사로 '액자에 넣다' 그리고 미드용으로는 '누명을 씌우다' 라는 의미로 많이 쓰인다. 또한 be framed하면 '함정에 빠지다,' '누명쓰다.'

Ken was in a bad frame of mind after the fight.

켄은 싸움 후에 맘상태가 안좋았어.

- You're not in the best frame of mind to be having this discussion.
  넌 이 토론을 하기에 최상의 맘상태가 아냐.

  She wasn't in a right frame of mind when she spoke to the police. 걘 경찰에 말할 때 맘상태가 정상이 아니었어.

■■ frame of mind는 특정한 시기의 맘상태를 말한다.

Decomposition fits the time frame.

부패정도가 시간흐름에 딱 맞아.

- You want a time frame for cuddling? 애무하는 시간길이도 정해놔?

  I could be wrong, but the symptoms and the time frame point to her. 내가 틀릴 수도 있지만 증상과 타임프레임이 걜 가리키고 있어.

■■ time frame은 어떤 일에 소요되는 시간의 범위를 말한다.

MORE EXPRESSION

be in[out] of the frame (for sth) 참여하고 있다[있지 않다]
frame of reference 판단의 틀

» freak

I don't want to freak him out. 쟤를 놀래키고 싶지 않아.

Ok, I freaked out, a little bit.

좋아, 난 조금 기겁을 했어.

- Has John ever freaked out like this before?
  존이 전에 이렇게 화를 낸 적이 있어?

  If anything didn't go according to the plan, they would freak out.
  계획에 하나라도 어긋난다면 걔네들은 당황할거야.

■■ sb freak(ed) out (a little) freak은 뭔가 정상과 평온한 상태가 아니라 놀라운 소식이나 상황에 접해 놀라거나, 흥분하거나, 기겁하거나, 안절부절못하거나, 화를 내거나 등 감정이 상당히 격해있는 상태를 말한다.

I'm not freaking out.

안 놀랬어, 난 괜찮아.

- She started freaking out on me, so I backed off.
  걔가 내게 한바탕하길래 내가 물러섰어.

  Your dad is freaking out, so my dad is freaking out.
  네 아빠가 걱정하니까 우리 아빠도 걱정하시는거야.

■■ sb be freaking out은 freak이 진행형으로 쓰이는 경우로 의미는 똑같이 걱정하다, 놀라다 등으로 문맥에 따라 다양하게 해석될 수 있다.

She's gonna totally freak out!

걔는 완전히 핑 돌걸!

- Marriage is big. You're allowed to freak out. 결혼은 큰일이니 걱정되지.

  It's totally casual. I'm not gonna freak out. 평상시와 같아. 당황하지 않을거야.

■■ sb is going to freak out은 be going to와 freak이 결합된 것으로 회화에서 많이 쓰이는 형태이다.

You freaked out!

너 정말 굉장하더라!, 가관이었어!

- You just freaked out about our relationship. 넌 우리관계를 걱정을 한거야.

  Please don't freak out. 좀 진정해.

  Now don't freak out about getting us a present.
  우리에게 선물주는거 넘 걱정마.

■■ You freaked out (about) 이번에는 주어가 you로 쓰인 경우로 이때는 상대방이 you가 기겁을 하거나 안절부절하는 모습을 봤을 때 사용하면 된다. 또한 명령문 형태로 Don't freak out (about)~으로 쓰이면 흥분하는 상대방에게 진정하라고 하는 말.

I don't want to freak him out.

재를 놀래키고 싶지 않아.

- If we keep talking this way, aren't we gonna freak her out soon? 우리가 이런식으로 계속 얘기하면 걜 곧 질겁하게 만들거야.

  Let me guess. My parents sent you here to freak me out.
  내 추측으로는 부모님이 날 기겁하게 하려고 널 보냈겠지.

■ sb freak sb out은 다른 사람을 기겁하게 하고 걱정하게 하는 경우.

It'll totally freak her out!

그것 땜에 걘 정신없을거야!

- This is kind of startin' to freak me out a little bit.
  이게 점점 날 좀 미치게 하네.

  A: Does it freak you out? B: No, not at all.
  A: 그거 땜에 미치겠어? B: 아니, 전혀 안그래.

■ sth freak sb out도 역시 다른 사람을 기겁하게 놀라게 하는 거지만 원인이 사람이 아니라 어떤 사물이나 행동이 되는 경우이다.

I got so freaked out.

나 정말 간 떨어질 뻔했어.

- I got so freaked out that I hung up the phone. 넘 놀래서 전화를 끊었어.

  No wonder everyone's all freaked out. 모두가 정신없는건 당연해.

■ sb get[be] freaked out 은 수동형으로 주어가 무척 놀란 경우를 말할 때 사용한다.

He's obviously a freak.

걘 누가봐도 이상한 사람이야.

- We can all agree this kid's a freak! 이 애가 괴짜라고 우리 모두 동의할 수 있어!

  Yeah, he's kind of a control freak, huh? 그래, 걘 좀 통제광같더라, 그지?

■ a freak은 명사로 뭔가 평범함과는 거리가 있는 '괴짜'를 뜻하며 또한 a control freak은 통제를 해야만 직성이 풀리는 '통제광'을 말한다.

MORE EXPRESSION

freaky 이상한

» free

 She's just gonna get off scot-free? 걔가 처벌받지 않을거라고?

Are you free?

시간있어? 한가하니?

- Hey guys. Are you free tomorrow night? 야 다들 내일 저녁에 시간돼?

  Defendants are free on posted bail. 피고들은 보석이 되면 자유로와진다.

■ be free는 사람을 만날 혹은 다른 일을 할 수 있도록 시간이 여유있거나 혹은 억압되지 않고 자유로운 상태를 뜻하기도 한다.

There are no free lunches.

세상엔 공짜가 없는 법.

- He thinks the world is a free lunch. 걘 그냥 받을 줄만 알아.

  There is no such thing as a free lunch. 세상에 공짜는 없다.

■ free lunch는 말 그대로 공짜 점심이지만 보통 비유적으로 세상에 공짜가 없다는 사실을 강조할 때 많이 쓰이는 어구이다.

The killers of black children get off scot-free!

흑인아이들의 살해범들이 처벌받지 않고 풀려난다고!

- After all the things she's done, she's just gonna get off scot-free? 이 모든 짓을 해놓고도 걘 처벌받지 않을거라고?

  She gets put away for attempted murder, and he gets off scot-free? 걘 살인미수로 갇혀있는데 그 자식은 풀려난다고?

We had the get-out-of-jail-free card.

우린 어려운 상황을 빠져나갈 방법이 있어.

- She was excited. Thought she might have a permanent get-out-of-jail-free card. 걘 들떴어. 평생 '자유석방탈출권'을 가졌다고 생각했어.

  Dying is a get-out-of-jail-free card. 죽는다는 것은 자유로의 석방카드야.

  You just used your "Get-Out-of-Jail-Free" card on this case. 넌 이번사건에서 '열외카드'를 썼어.

Coney Island isn't exactly a crime-free zone.

코니아일랜드는 범죄가 없는 지역은 아니야.

- So you're saying it's impossible for a teenager to have free will in a group? 그럼 넌 10대는 단체내에서 자유의지를 갖는게 불가능하다는거야?

  I'd like to propose a toast to a rare and wonderful Sheldon-free evening. 흔하지 않은 너무 멋진 쉘든이 없는 저녁을 위해 건배하자.

■ get off scot-free는 좀 어려운 숙어로 '벌받지 않고 풀려나다'라는 뜻이다. scot은 원래 '세금'을 뜻하는 단어여서 scot-free하면 세금을 내지 않는 것을 말한다.

■ get-out-of-cancer-free는 보드게임의 일종인 모노폴리의 한 카드인 get-out-of-jail-free를 응용해서 만든 표현. get-out-of-jail-free 카드는 '어렵고 힘든 상황에서 빠져나갈 수 있는 수단'을 뜻하는데 여기서 jail을 cancer로 바꾼 get-out-of-cancer-free card는 '암에 걸리지 않는 수단'을 뜻한다.

■ free will은 '자유의지,' 그리고 free fall은 '자유낙하'를 말한다. 또한 접미어로 -free형태로 쓰이면 '...가 없는'이라는 의미가 된다.

MORE EXPRESSION

for free 무료로
free of charge 무료로
free and easy 털털한, 캐주얼한
give sb free hand[rein] 재량권을 주다
make free with sb 착취하다
make free with sth 헤프게 쓰다
free up 풀어주다

F

» freeze

When hell freezes over. 절대로 아니야.

Freeze! Stop right there! Or I'll shoot.

꼼짝마! 거기서! 그렇지 않으면 쏜다.

- Freeze! On the ground, now! 꼼짝마! 무릎꿇어, 당장!

  Freeze! FBI! Get down on your knees. 꼼짝마! FBI다! 무릎꿇어.

When hell freezes over.

절대로 아니야.

- This way I will be nice when hell freezes over! 이런 식으로 난 절대로 괜찮지 않을거야!

  The possibility exists that Leonard could have a birthday party before hell freezes over. 레너드가 생일파티를 할 수 있을 가능성은 전혀 없지.

■ Freeze! 범죄수사물 단골어로 경찰이 용의자에게 던지는 '꼼짝마!'라는 말.

■ when hell freezes over는 지옥이 얼어붙을 때라는 말로 비유적으로 '절대로 그런 일이 없을 거'라는 뜻이다. 간단히 never의 강조문구로 생각하면 된다.

He does freeze my accounts, I'm guilty.

걘 내 계좌를 동결했어요, 유죄입니다.

- A: Freeze all his accounts. B: You got it, boss.
  A: 모든 자산을 동결해. B: 알았어요, 보스.

  He wanted to close his account. 걘 자기 계좌를 없애고 싶어했어.

I hope he freezes his ass off.

걔가 얼어붙었으면 좋겠어.

- They're about to freeze off. 걔네들은 얼어붙을거야.

  Let him move to Canada. Freeze his balls off.
  캐나다로 보내버려. 불알이 얼어 떨어지도록 말야.

■ **freeze one's assets** 역시 범죄수사물에 자주 나오는 표현으로 돈이나 부동산 등의 자산을 용의자나 범죄인이 빼가지 못하도록 동결한다는 의미. 한편 close out one's account는 '…의 계좌를 없애다' 라는 뜻.

■ **freeze off**는 매우 춥다, 얼어 붙다라는 말로 속어로 강조해서 freeze one's ass off, freeze one's balls off 등으로 쓰인다.

MORE EXPRESSION

freeze to death 얼어죽다
be frozen with fear 두려움에 사로잡히다
get brain freeze 아이스크림 먹고나서 머리가 아프다

» fresh

 He got fresh with me. 걔가 내게 농짓거리를 했어.

I wanted a fresh start.

난 새로운 출발을 원했어.

- It was supposed to be a fresh start. 그건 새로운 출발이었어야 해.
  Let's start fresh. 새로 시작하자.

I was fresh out of med school.

난 의대를 갓 졸업했어.

- He's fresh out of the academy. It's his first assignment.
  걘 경찰대학를 갓 졸업했어. 그게 걔 첫 번째 임무야.

  How about that? I'm fresh out of ideas. 그건 어때? 난 아이디어가 떨어졌어.

He got fresh with me.

걔가 내게 농짓거리를 했어.

- I'll slap your face if you get fresh with me! 버릇없이 굴면 네 빰을 갈길거야!

I told her to watch the Freshman 15.

걔한테 대학 1학년 때 체중이 늘어나는 걸 조심하라고 했어.

- She seemed a little heavier. We just chalked it up to the Freshman 15.
  걔가 좀 살이 찐 듯 보였어. 우린 대학 1학년생의 체중증가현상 때문이라 생각했어.

  I'm going through Freshman 15. I have to join the gym.
  신입생되더니 15파운드가 찐다는 말이 맞아. 헬스장에 가입해야겠어.

■ **a fresh start**는 과거를 다 잊고 새롭게 출발하는 것으로 어울리는 동사는 make[take]로 make[take] a fresh start라 쓴다.

■ **fresh out of sth**은 문맥에 따라 '…에서 갓나온,' 혹은 '…가 떨어진[부족한]' 이라는 의미의 어구이다. 보통 '갓구운,' '갓졸업한,' 혹은 '…을 다 써버린' 등의 의미로 쓰인다.

■ **be[get] fresh with sb**는 좀 색다르게 쓰이는데 문맥에 따라 '…에게 버릇없이 굴다' 혹은 '농짓거리를 하다' 라는 의미로 쓰인다.

■ **Freshman 15(fifteen)**은 대학입학하게 되면 15파운드 살이 찐다는데서 나온 말.

Where can I freshen up?
화장실이 어디죠?

- Let me just go freshen up. 좀 씻고 올게요.

  I'm gonna go to the restroom to freshen up a little.
  화장실가서 좀 씻고 올게요.

■ freshen up은 손이나 얼굴 등을 씻어서 깨끗이 하다라는 의미로 freshen oneself up이라고 해도 된다.

May I freshen your drink?
잔을 다시 채워줄까요?

- Let me freshen your drink. 술잔을 채워줄게요.

  Can I freshen your drink for you? 술잔 다시 채워줄까요?

■ freshen one's drink는 '…의 술잔을 다시 채우다' 라는 말로 상대방의 술잔이 비어있을 때 쓰면 된다.

MORE EXPRESSION

fresh look 참신한 시각
as fresh as paint 생기가 넘친

» friend

I'm asking you as a friend. 난 친구로서 부탁하는거야.

Let's just be friends.
그냥 친구하자.

- She's friends with my brother. 걔는 형하고 친구야.

  Are you friends with Vanessa? 너 바네사와 친구야?

■ be friends (with) 그냥 be friends하면 '친구로 지내다,' 그리고 '…와 친구이다' 라고 할 때는 with sb를 붙이면 된다.

Penny and I are just friends.
페니와 난 그냥 친구사이야.

- Well, for a long time, we were just friends.
  저기, 오랫동안 우린 그냥 친구사이였어.

  You have to admit things seemed simpler when we were just friends. 우리가 친구였을 때가 사정이 더 단순했다는 걸 인정해야 돼.

■ be just (good) friends는 조금 달라서 주로 연인관계는 아닌 그냥 단순한 친구사이라는 걸 말할 때 사용하는 표현이다.

Gee. Why can't Sheldon make friends?
맙소사. 왜 쉘든은 친구를 못사귀는거야?

- If you want to learn how to make friends, then just go out to a coffee shop or a museum. 친구사귀는 걸 배우고 싶으면 커피샵이나 박물관에 나가봐.

  We've been friends for a long time. 우리는 오랫동안 친구사이였어.

  Come on, dude, we've been friends for years.
  이봐, 친구, 우린 오랫동안 친구였잖아.

■ make friends (with)는 좀 더 적극적으로 친구를 사귀는 것을 뜻하며 have been friends는 현재완료형을 써서 오래전부터 친구사이로 지내왔다는 걸 표현할 때 사용한다.

I'm asking you as a friend.
난 친구로서 부탁하는거야.

- Are you asking as a friend or a forensic psychologist?
  친구로서 물어보는거야 아님 범죄심리학자로서 물어보는거야?

■ ask[say, talk] sb as a friend는 '친구로서 물어보거나 말하다' 그리고 유명한 문장인 What are friends for는 '친구 좋다는 게 뭐냐' 라는 말.

What are friends for? 친구 좋다는 게 뭐야?

That's what friends are for. 그게 바로 친구좋다는 거지 뭐.

What's it between friends? 친구 사이에 그게 뭐 대수야?

Lily, we are Ted's best friends.
릴리, 우린 테드의 가장 친한 친구들이야.

- I thought I was your best friend. 난 내가 너의 가장 친한 친구인 줄 알았어.

  They're my best friends. I tell them everything.
  걔네들은 내 베프야. 난 다 얘기해.

  Peter, this is my bestie, Sam. 피터, 내 가장 친구인 샘이야.

  They do besties better than anyone. 걔네들은 어느 누구보다도 친하게 잘 어울려.

 best friend는 가장 친한 친구 그리고 bosom friend는 '흉금을 터놓을 수 있는 친구'를 말한다. best friend는 속어로 bestie라고 하며 do bestie하면 '제일 친한 친구로 지내다' 라는 의미.

MORE EXPRESSION

be no friend of sth
···와 맞지 않다, 우호적이지 않다
have friends in high places
상류층 친구들이 있다

» front

Get paid up front. 선불로 받다니.

Smart. Get paid up front.
현명하군. 선불로 받다니.

- I respect hookers. At least they earn their money up front.
  창녀들이 존경스러워. 적어도 걔네들은 선불로 돈을 벌잖아.

  Why didn't Tina tell us up front that she wore those underwear?
  왜 티나가 그런 속옷을 입은 것을 우리에게 솔직히 말하지 않았어?

  She wants her money up front. It's 200 grand, nonnegotiable.
  걘 선불을 원하는데 2백만 달러이고 조정은 안된데.

Do you have a problem with full frontal nudity?
완전누드로 나오는 데 문제있어?

- In adults, the activity in the frontal lobe is higher.
  성인이 되면 전두엽의 활동이 더 많아져.

  It was a full frontal attack of the face. 그건 전면적인 정면공격이었어.

 up front는 돈에 관련되어서는 '미리 선불로 지급하는' 것을 그리고 뭔가 얘기할 때 up front가 쓰이면 '솔직한' 이라는 뜻이 된다. 그리고 up front money 하면 선불금이 된다.

 frontal은 '정면의' 라는 형용사로 frontal attack하면 정면공격, full frontal하면 완전누드, 그리고 의학미드에 자주 나오는 frontal lobe는 전두엽을 뜻한다.

MORE EXPRESSION

put on a front 겉치레하다

놓치면 원통한 미드표현들

- **be a force of habit** 습관이라 어쩔 수 없다
  I'm sorry, it's force of habit. 미안, 습관이야.

- **join forces (with~)** (···와) 힘을 모으다, 협력하다
  I want to join forces with you.
  너와 함께 힘을 모으고 싶어.

- **force sb's hand** 강제로 더 빨리 ···하게 하다
  He forced my hand. I'm telling you I had no choice. 걔가 날 윽박질렀어. 정말이지 선택의 여지가 없었어.

- **forgery** 위조
  It's a legal document. Forgery's a crime.
  그건 법률서류이고 위조는 범죄야.

That's so frustrating. 진짜 너무 낙담케하네.

I was frustrated with you!

너한테 좌절했어!

- I'm frustrated because I'm a failure at everything.
  난 매사에 실패해서 절망하고 있어.

  You usually lash out when you're frustrated.
  넌 불만에 가득차게 되면 보통 비난하잖아.

be frustrated with sb에서 frustrate는 좌절시키다라는 뜻으로 이처럼 수동태형으로 쓰이면 with 이하로 낙담하거나 좌절하는 것을 뜻한다.

But how is he? Bitter? Sexually frustrated?

걔 어때? 원통해해? 욕구불만야?

- And now I'm creatively and sexually frustrated.
  그리고 지금 난 창의력을 발휘하는 것도 잘 안되고 성적으로도 불만야.

sexually frustrated는 성적으로 풀지 못하거나 제대로 풀지 못해 성적인 욕구불만으로 가득찬 경우.

That's so frustrating.

진짜 너무 낙담케하네.

- That must have been frustrating. 그게 좌절케했음에 틀림없어.

  Being a doctor, that must have been very frustrating for you.
  의사가 된다는게 너를 정말 지치게 만들었음에 틀림없어.

frustrating은 원래 다른 사람이나 대상을 좌절케한다는 의미.

F

Why don't you go fuck yourself. 그냥 나가 뒈져라.

Oh, fuck! Oh, fuck! God damn it!

어, 빌어먹을! 젠장! 제기랄!

- Oh, shit! Fuck me! 어, 젠장! 입닥쳐!

  Fuck me! I didn't do my homework. 빌어먹을. 숙제를 안했네.

fuck!은 그냥 뜻대로 안되거나 기분나쁠 때 그리고 fuck me!는 진짜 그렇게 해달라는게 아니고 '젠장,' '입닥쳐,' '꺼져!'라는 의미. 외국인 회사 직장여상사가 화가나 "Fuck me!"라고 했다고 바로 "Right now?"라고 말하면….

Fuck you! You are just like them.

젠장! 넌 그놈들하고 똑같아.

- Fuck you. I'm not apologizing anymore.
  빌어먹을. 더 이상 사과하지 않을거야.

  Yeah, fuck you! Weren't you my friend?
  그래, 꺼지라고! 내 친구 아니였냐?

  So fuck you and your lawyers. 너와 네 변호사들 빌어먹어라.

  Fuck you and the horse your rode in on.
  엿먹어.(fuck you의 유머스런 표현)

fuck you 역시 원래 의미는 없이 상대방이 분노를 표현하는 것으로 fuck it, fuck them이라고도 한다. '빌어먹을,' '젠장,' '꺼지라고!' 등의 의미이다.

Fuck your mouth shut.

빌어먹을 아가리 닥쳐.

- A: Apologies. B: Fuck your apologies! A: 사과할게. B: 빌어먹을 사과하고 있네.
  Fuck your words, unless coupled with coin. 돈 아니면 말해봤자 의미없어.

Why don't you go fuck yourself.

그냥 나가 뒈져라.

- She told me to go fuck myself. 걘 나보고 나가 뒈지라고 했어.
  She wouldn't leave me alone, so I told her to go fuck herself.
  걘 날 혼자 내버려두려 않으려고 해서 난 걔보고 나가 꺼져라라고 말했어.

Fuck me on the desk.

책상에서 해줘.

- Am I supposed to fuck you, right here? 내가 바로 여기서 널 해줘야 돼?
  Fuck me! Fuck me like there's no tomorrow. 해줘! 죽도록 해.
  You shut the fuck up and fuck me before my husband gets home.
  주둥이 닥치고 남편이 집에 오기 전에 해줘.

Hey, I'm not fucking around here.

이봐, 난 여기서 그냥 빈둥거리는게 아냐.

- And if you mess up, if you fuck around, you're out.
  그리고 네가 망쳐놓고 빈둥거리면 넌 끝이야.
  Must have thought you were fucking around on her.
  그 여자는 네가 자기를 속이는 줄 알았음에 틀림없어.

Fuck off!

꺼져!

- Well, tell him to fuck off. 저기, 걔보고 꺼져달라고 해.
  I fucked up. I did not fuck off. 나 좆됐지만 도망치지 않았어.

You can't just come and fuck up my life.

네가 그냥 내게 와서 내 인생을 망칠 수는 없지.

- I fucked up so bad with Lara. 난 라라와 완전히 엉망이 되버렸어.
  Let's figure out why they're so fucked up.
  걔네들이 왜 그렇게 엉망이 되었는지 알아보자.
  I won't see you fuck him up like you're trying to fuck me up
  right now. 네가 지금 날 망치려하듯 걜 망치게하는 걸 보고만 있지 않을거야.
  My life is so fucked up. 내 인생은 정말 망했어.

I'm fucking with you.

장난친거야.

- Don't fuck with me, Veronica. 베로니카, 날 갖고 놀지마.
  Willow is fucking with my head. 윌로는 날 아주 혼란스럽게 하고 있어.

■ **fuck one's~**는 one's 뒤에 나오는 명사를 강하게 부정하는 표현법.

■ **go fuck oneself** 역시 분노의 표현으로 '나가 뒈져' 라는 의미.

■ **fuck sb**는 fuck이 본연의 의미에 충실하게 쓰인 경우로 have sex with란 뜻으로 매우 상스러운 표현이다. fuck sb like there's no tomorrow는 fuck hard와 같은 말.

■ **fuck around**는 단독으로 쓰이면 '빈둥거리다' (fool around) 라는 뜻이고 fuck around on sb 혹은 fuck sb around하면 '…에게 개수작을 부리다' 라는 의미이다.

■ **fuck off**는 'off' 에서 힌트를 얻어야 한다. 상대방에게 '가라'(go away)는 의미로 아주 극단적으로 말하는 경우. 결국 '꺼져' 에 해당된다.

■ **fuck sb[sth] up**은 'sb의 신세나 상황을 망치다' 라는 의미이고 또한 fuck up처럼 목적어없이 쓰일 때는 '망치다' 이고 be fucked up하면 '다 엉망이 되다,' '망치다' 라는 뜻이 된다. 명사형으로 fuck-up하면 '실패,' '얼간이' 라는 뜻이 된다.

■ **fuck with sb**는 'sb를 가지고 놀다' 혹은 '놀리다,' '장난치다' 라는 의미. 또한 fuck one's head는 주어의 행동이 혼란스럽고 무섭다는 뜻이 된다.

Get the fuck out of my apartment!
내 아파트에서 당장 꺼지라고!

- **Shut the fuck up.** 입다물어.

  Where the fuck were you? 너 어디 처박혀있었어?

  I don't know what the fuck is happening.
  나 도대체 무슨 일이 있었는지 몰라.

You fuckin' rule!
네가 최고야!

- **Do not fucking speak!** 젠장 말하지 말라고!

  You're fucking brilliant. I fucking love that idea! I fucking love you.
  넌 정말 머리 좋다. 그 생각 졸라 맘에 들고! 졸라 널 좋아해.

  I don't know. She's a fucking freak. 몰라. 걘 졸라 이상해.

  Don't fucking touch me! Get your fucking hands off of me!
  젠장 만지지마! 내게서 빌어먹을 손떼라고!

We're fucked.
우린 망했다.

- **He's fucked.** 그 사람 해고됐어, 끝장났어.

  And I knew I was fucked. 그리고 난 내가 엉망이 되었다는 걸 알았어.

Do not wake this little fucker up. I just got him down.
이 얼간이 깨우지마. 내가 방금 야단쳤거든.

- **Hey, you fuckers! Who wants to see my tits?**
  야 이 놈들아! 누가 내 젖꼭지 볼래?

  Ahh, this motherfucker's trying to kill me!
  아, 이 씨브럴놈이 날 죽이려고 하네.

■ the fuck은 분노의 표시로 원하는 문장에 추가적으로 강조하기 위해 사용하는 단어이다.

■ fucking 역시 강조어로 자신이 강조하고 싶은 단어 아무데나 품사에 상관없이 앞에 붙이면 된다. 이는 문맥에 따라 부정 혹은 긍정의 강조가 될 수 있다.

■ be fucked는 수동태형으로 '몹시 화나다,' '끝나다,' '엉망이 되다' 라는 다양한 의미로 쓰인다.

■ fucker는 XX하는 사람이라는 말로 보통 싫거나 바보같은 놈 혹은 단순히 친구들사이에 허물없이 친구라는 의미로 쓰이기도 한다.

F

MORE EXPRESSION

Fucking A 대단하군, 굉장하군, 물론이지
Fucked if I know 죽어도 몰라, 정말 몰라
not give a fuck 전혀 신경안쓰다

≫ fun

What's so funny? 뭐가 그렇게 우스워?

It was fun having you.
같이 있어서 즐거웠어.

- **It was really fun.** 정말 재밌었어.

  Well, it was fun when we were kids.
  저기, 우리가 어렸을 때 재밌었어.

■ be fun ~ing는 '…하게 돼서 재미있다,' '즐겁다' 라는 표현으로 좀 더 정확하게 즐거운 이유를 말할 때는 be fun when~을 써도 된다.

Did you have fun?
재밌었어?

- Have (much) fun. 즐겁게 지내

So we are gonna go have fun for Lily.
그래 우리는 릴리를 위해 가서 놀려고.

■ have (much) fun은 '재미를 보다'라는 말로 재미를 많이 보면 a lot of나 much를 fun 앞에 넣어주면 된다. 특히 '가서 놀아'라는 의미로 'Go have fun'도 많이 쓰인다.

We're having fun.
우린 즐겁게 지내고 있어.

- Ignore him. He's just upset that we're having fun.
걔 무시해. 걘 우리가 재미있어서 화난거야.

What a great disco. Are we having fun yet?
멋진 디스코네. 다들 즐기고 있어?

■ be having fun은 have fun과 같은 의미로 그냥 진행형으로 쓰인 경우. 또한 Are we having fun yet?은 '다들 즐겁게 지내고 있어?'라는 의미.

You're making fun of me?
너 지금 나 놀리냐?

- Don't make fun of me, okay? 나 놀리지마, 알았어?

People have poked fun at my brother his whole life.
사람들이 내 형을 평생 조롱하고 있어.

■ make fun of은 '놀리다'라는 기본표현으로 poke fun at 이라고 해도 된다.

Sounds like a fun party.
재미있는 파티같아.

- This sounds like fun out here. 여기 이거 재미있는 것 같아.

Causing you trouble sounds like fun to me.
널 힘들게 하는게 내겐 재미있어.

■ sound like fun은 '재미있는 것 같다,' sound like a fun+명사는 '재미있는 …같다'라는 의미. sound like 대신 look like를 써도 된다.

Fun and games are over.
노는 시간은 이제 끝났어.

- Why would she do that if this was all fun and games?
이게 기분풀이였다면 왜 걔가 그걸 하려할까?

Well, this isn't fun and games. 그래, 이건 그냥 장난이 아니야.

■ fun and games는 아이들이 좋아하는 것으로만 구성된 표현. 장난이나 즐거운 놀이 등을 뜻한다.

What's so funny?
뭐가 그렇게 우스워?

- A: What's so funny? B: Oh, she's having a fit.
A: 뭐가 그리 우스워? B: 어, 걔가 경련을 일으켰나봐.

Come on. What's so funny? 이봐, 뭐가 그리 우스운거야?

■ What's so funny는 문맥에 따라 진짜 뭐가 웃기는 일인지 궁금해서 물어볼 수도 있고 아니면 반어적으로 상대방을 비난하면서 쓸 수도 있다.

That's funny.
거참 이상하네.

- That's funny. Her bloody fingerprints were all over it.
이상하네. 걔의 피묻은 손가락 지문이 거기 도처에 있었어.

Very funny, Wendy, now we know you watch porn.
말도 안돼, 웬디. 이제 우리는 네가 포르노 본다는 걸 알고 있어.

All right, very funny, you guys. 그래, 우습기도 하겠다, 너희들 말야.

■ That's funny는 '거참 이상하네'라는 말로 알고 있는 것과 다르게 돌아가는 상황이 뭔가 이상하다고 생각할 때 사용하는 말이고 또한 Very funny!는 '그래 우습기도 하겠다,' '말도 안돼,'라는 뜻이 된다.

Don't make a fuss. 쓸데없이 소란피지마.

Dear, don't make a fuss.
자기야, 쓸데없이 소란피지마.

- So we made a fuss, and you were happy?
  그래 우리가 소란폈어, 좋았어?

  I can't believe the fuss they made over you.
  걔네들이 네게 보여준 애정이 믿겨지지 않아.

■ make[kick up] a fuss는 '불필요하게 야단법석을 떨다' 라는 말로 뒤에 about~이 붙으면 야단법석을 떠는 대상을, 그리고 over sb가 이어지면 '…에게 사랑한다는 관심을 보여준다' 는 의미가 된다.

I just wanted to see what all the fuss was about.
난 이 모든 소란이 뭣 때문인지 알고 싶었어.

- She didn't understand what all the fuss was about.
  걘 이 모든 소란이 뭣 때문인지 이해못했어.

■ see[understand] all the fuss over [about]는 …에 대한 소란이나 호들갑을 강조하는 표현.

Why all the fuss over a dead pervert?
죽은 변태에게 왜들 호들갑야?

- Fine. Penny fussed a bit. 좋아. 페니가 좀 법석을 떨었어.

  He didn't even fuss when I put him to bed.
  걘 내가 걜 침대에 눕힐 때 소란떨지 않았어.

  Who needs the trouble? No muss, no fuss.
  뭐 어렵게 해? 간단히 하자고.

■ fuss over는 fuss가 동사로 쓰인 경우로 '법석을 떨다,' be not fussed about하면 '호들갑을 떨지 않다' 그리고 No muss, no fuss는 '혼란스럽거나 소란스럽지 않다' 라는 관용문장.

No. She was fussy sometimes.
아니. 걘 가끔 신경질적이었어.

- I find it a bit fussy. 난 그게 좀 복잡한 것같아.

  He's been really hot and fussy. 걘 정말 섹시하고 까칠해.

■ fussy는 사람 성격이 까다롭거나 신경질적인 경우 혹은 사물일 경우에는 지나치게 복잡한 장식이 많은 경우를 각각 말한다.

 MORE EXPRESSION

funny peculiar 괴상한
It's no funny. 웃지마 재미없거든.
(It's not funny)
just for fun 그냥 재미로
just for the fun of it 재미삼아

F

 놓치면 원통한 미드표현들

- **be sb's forte** …의 강점이다, 전문분야이다
  They're not my forte. 그것들은 내 전문분야가 아냐.
  Okay, you know, that's not really my forte.
  좋아, 알잖아, 그건 정말 내 분야가 아냐.

- **foxy** 섹시한
  Find out how he got so foxy.
  걔가 어떻게 그렇게 멋져 졌는지 알아봐.
  Oh, Eric, you look so foxy.
  어, 에릭, 너 정말 섹시해보여.

- **it's one's funeral** …가 책임져야지, 그날로 넌 끝이야
  It's your funeral. 그날로 넌 끝이야.
  You can stay home, but it's your funeral.
  넌 집에 있어도 되지만 넌 끝장이야.

- **go to the funeral** 장례식에 가다 **be at a funeral** 장례식에 참석하다
  You decided to come to the funeral?
  장례식에 오기로 했어?
  We know why the unsub wasn't at the funeral. 왜 미확인용의자가 장례식에 안왔는지 이유를 알아요.

» gag

 So you gagged her. 그래서 입에 재갈을 물렸구나.

Are you gagging over there?

너 목이 막힌거야?

- A: I had to stop her. B: So you gagged her.
  A: 난 걔를 멈추게 해야 했어. B: 그래서 입에 재갈을 물렸구나.

  Hey, you said that without gagging!
  야, 넌 망설임도 없이 말하네!

■ gag은 입에 재갈을 물리다, 말을 막다라는 의미.

Oh gag me. Look at Sarah's new clothes.

열받아. 새라의 새 옷 봐봐.

- I hate the taste of cheese. Gag me. 치즈맛은 정말 싫어. 열받아.

  The smell from the bathroom was enough to gag me.
  화장실 냄새가 날 숨막히게 해.

■ Gag me!는 1980년대초의 슬랭으로 요즘에는 별로 쓰이지 않는 표현. '열받아' 라는 의미. 한편 gag me with a spoon은 '역겹다,' '지겹다' 라는 표현.

Just a little gag gift somebody gave me.

누가 내게 준 장난스런 선물야.

- A: It's a great gag gift. B: Yeah, it's really funny.
  A: 멋진 장난스런 선물야. B: 그래, 정말 재미있겠다.

  Oh, my God! That's genius! A gag gift! 이런! 정말 멋지다! 장난선물이라니!

■ a gag gift는 장난으로 웃기려고 주는 작고 우스꽝스러운 선물을 말한다.

Look who's got game. 정말 일을 효과적으로 잘하네.

You gotta get back in the game.
다시 뛰어야지.

- Why? You told me to get back in the game. 왜? 다시 시작한다고 했잖아.
  You just need to get back on the horse. 넌 다시 시작해야 돼.

Maybe I wanted to play his game.
아마도 난 걔의 방식대로 하고 싶었어.

- She's just playing her game, right? 걘 자기 방식대로 하고 있지, 맞아?
  Don't play games with me. 날 가지고 놀 생각은 마.

Maybe Kai really is off her game.
카이는 아마도 제 컨디션이 아닌 것 같아.

- He's been a little off his game lately. 걘 최근 좀 상태가 안좋아.
  What's going on here? You seem to be off your game.
  무슨 일이야? 너 상태가 안좋아 보여.

You know what? This game's over.
저 말이야, 이번 게임은 끝났어.

- It'll be game over, you'll be dead. 게임끝이고 넌 이제 죽은 목숨이야.
  Oh, game over. Call it a tie. 오, 게임끝났어. 비겼다고 하자.

What's the game?
어떻게 된거야?

- What's your game? Why're you trying to take over my company?
  도대체 왜그러는거야? 왜 내 회사를 인수할려고 하는거야?
  I know your game. 네 수법 다 알아.
  You game? I'm game. 너도 할래? 나 할거야.
  I come up with a new game plan. 새로운 전략을 생각해냈어.
  What's the game plan? 계획이 뭔데?

This is a game to you. But not to me.
이건 네겐 게임이지만 난 아냐.

- Life is a game. Play it. 인생은 게임이야. 즐기라고.
  This is not a game to me, okay? 내겐 게임이 아냐, 알겠어?

Look who's got game.
정말 일을 효과적으로 잘하네.

- Jeff has game to get a girl like that. 제프는 저런 여자를 잡는데 선수야.
  The new basketball player really has game. 신입농구선수가 정말 잘해.

■ **get[be, want] back in the game**은 '게임에 다시 뛴다'는 의미로 비유적으로 '좌절과 절망의 시기를 극복하고 다시 삶에 뛰어든다'는 표현. '말에 다시 올라탄다'라는 말인 get back on the horse도 같은 의미.

■ **play sb's game**은 sb가 생각하는 일의 방식이나 사고방식 등 'sb의 방식에 따르다'라는 표현. 반면 play games (with sb)하면 원하는 걸 얻기 위해 부정직한 방법으로 '(…을) 속이다,' '가지고 놀다'라는 뜻으로 쓰인다.

■ **be off one's game**은 경기에 참가한 사람 등이 '자기 컨디션이 아니다'라는 의미.

■ **Game's over**는 게임이 끝났다는 말로 비유적으로 '어떤 상황이나 일 등이 끝났다'고 말할 때 사용한다. game over의 형태로도 쓰인다.

■ **What's the[sb's] game?** 여기서 game은 상대방 행동의 진짜 이유를 말하는 것으로 '도대체 왜그래?,' '어떻게 된거야?'라는 뜻. 또한 know one's game하게 되면 '네 수작[수법]을 알다,' 그리고 '새로운 것, 어려운 것 또는 위험한 것을 시도할 의지[용기]가 있는(willing)'이라는 뜻으로 주로 You game?, I'm game 등의 형태로 쓰인다. 또한 game plan은 '전략,' '작전'이라는 뜻

■ **be a game**은 상대적으로 심각하고 진지하게 아니라 장난이나 게임이라는 의미.

■ **Look who's got game**은 '뭔가 일을 효과적으로 잘 할 수 있다'는 것을 뜻한다. 한편 get a game은 게임이 있다는 말로, get a game going+시간이라고 해도 된다.

MORE EXPRESSION

lose[win] the game 지다[이기다]
the name of the game 핵심, 본질
make game of 놀리다
The game's up. 게임끝, 끝장나다.

What have you got there? 무슨 일이야?

Let's get together sometime.
조만간 한번 보자.

- We should get together sometime. 우리 언제 한번 봐야지.
  Did you get together with him? 걔 만났어?

<blockquote>get together (with sb) 는 회의 등의 목적이 아니라 가볍게 캐주얼하게 만나는 것을 말하며 get-together 형태로 명사로도 쓰인다.</blockquote>

So, either get it together or get it apart.
그래, 정신차리던지 망가지던지 해.

- I mean you probably wait and really get it together and do it.
  내 말은 네가 좀 기다렸다 정신을 가다듬고 그걸 하는 거야.
  Get out of here and get it together. 나가서 정신 좀 차려.

<blockquote>get it together는 성공하기 위해 자기 자신을 통제하는 것을 뜻하는 것으로 '뭔가 잘해내다' 혹은 '정신을 가다듬다'라는 뜻이 된다. 또한 get oneself together하면 '침착하게 맘을 정리한다'는 뜻.</blockquote>

You can't always get what you want.
항상 원하는 걸 얻을 수는 없어.

- What'd you do? Did you get what you wanted?
  뭘한거야? 네가 원하는 걸 얻었어?
  Why don't you just say it to get what you want?
  그냥 말하고 원하는 걸 얻지 그래?

<blockquote>get what sb want는 'sb가 원하는 것을 얻는다'라는 뜻. 옆의 첫 번째 예문은 롤링스톤즈 믹재거의 노래제목으로도 유명하다.</blockquote>

Hi, what's got you down?
안녕, 무슨 고민있어?

- Don't let it get you down. 그것 때문에 기죽지마.
  He got down on Joseph until he was fired. 걘 해고될 때까지 조셉을 야단쳤어.
  I hate people getting down on themselves. 난 자책하는 사람들이 싫어.

<blockquote>get sb down은 'sb를 기죽이거나 우울하게 만들다'라는 말로 주어자리에는 사람이나 사물이 올 수 있다. 특히 사람이 올 경우 '…을 비난하다'라는 뜻. 그래서 '자책하다'라는 의미의 get down on oneself의 형태로도 많이 쓰인다.</blockquote>

I have the feeling they got it down already.
걔네들이 벌써 잘 하고 있다는 느낌을 받았어.

- It'll take time, but you'll get it down. 시간걸리겠지만 넌 잘할거야.
  Who's up for getting down? 누가 가서 놀래?, 누가 섹스할래?
  What is this a funeral? Why aren't you guys getting down?
  장례식야? 왜 즐겁게 놀지 않아?

<blockquote>be getting down은 파티하자, 즉 '가서 놀자'라는 의미도 되지만 암묵적으로 '섹스를 하다'라는 의미도 된다. 또한 get it down은 뭔가 '일을 능숙하게 잘한다'라는 의미.(be able to do sth well or skillfully) 뜻.</blockquote>

Get down on the ground.
바닥에 엎드려.

- Get down! Hands on your head! 엎드려! 두손을 머리 뒤로 하고!
  You have to get down here immediately. 너 당장 이리로 와야 돼.

<blockquote>get down은 물리적으로 몸을 낮추다라는 뜻으로 주로 총격전에서 '피하다,' '머리를 숙이다'라는 의미. 범인에게 무릎을 꿇으라고 할 때의 get down on your knees가 많이 쓰인다. 한편 get down there[here]하면 '이리로 오다,' '저리로 가다'라는 의미.</blockquote>

When you get right down to it?
언제 핵심을 말할거야?

- Let's get right down to it, shall we? 그럼 핵심에 대해 말을 하자, 그럴까?

<blockquote>get right down to는 '빨리 요점이나 핵심을 말하다' (get to the point quickly)라는 의미.</blockquote>

I'm getting to it.

그 이야기를 할거야.

- Let me just get right to it. Amy is so judgmental.
  직접적으로 말할게. 에이미는 비판적이야.

  She always get right to the point. 걘 항상 단도직입적으로 말해.

■ get (right) to it은 '…을 바로 시작하다,' '말하다' 라는 의미이며 get right to the point도 같은 표현으로 '단도직입적으로 말하다' 라는 뜻이 된다.

I'll never get through this.

난 결코 이 일을 해낼 수 없을거야.

- Am I getting through on this? 이 문제에 대해 내 말을 이해했지?
  I need someone to get through to him. 걜 이해시킬 사람이 필요해.

■ get through는 어려운 상황을 이겨내다라는 '경험하다' 라는 뜻의 go through와 구분해야 한다. 또한 get through to sb하면 'sb에게 이해시키다,' get through on sth하면 '…에 대해 이해시키다,' '의사소통하다' 라는 뜻이 된다.

Could I get by please?

좀 지나갈 수 있을까요?

- I've been getting by. 겨우 살아가는 중이야.
  I'm cute. I get by. 난 귀여우니까, 그냥 넘어갈 수 있어.

■ get by는 기본적으로 '지나가다' 그리고 나아가 '들키지 않고 잘 빠져나가다,' 더 나아가 '남을 교묘히 속이다' 라는 의미까지 지니게 된다.

I've got you this time.

이번에 사정 안 봐주겠다.

- I'll get you later. 다음에 보자.
  Don't get me again. 날 또 속일 생각은 하지마.

■ get sb의 경우는 다양하게 쓰이는데 get sb later는 '다음에 보자' 혹은 '두고보자,' 그리고 get sb this time은 '이번엔 안봐주겠다,' 또한 get sb하면 '…을 화나게하다,' '속이다' 라는 뜻으로 이때는 get to sb와 같은 의미.

Don't let it get to you.

신경쓰지마.

- It's really getting to me. 그것 때문에 정말 화나.
  She got to you. 너도 걔한데 말려든거야.

■ sth get to sb는 주어가 sb를 '…을 화나게 하다, 거슬리게 하다' 라는 뜻. 또한 sb get to sb하면 역시 get to sb의 형태이지만 뒤에 나오는 사람이 나오는 경우로 주어가 사람이 나오는 경우로 뒤에 나오는 'sb에게 영향력을 끼치거나 설득하는' 것을 말한다.

G

You two get along?

너희들 잘지내?

- You and your wife didn't get along. 너와 네 아내는 잘 지내지 못했어.
  No, I get along with everyone. 아니, 난 모든 사람들과 잘 지내.

■ get along (with sb)는 (…와) 잘 지내다라는 기본 숙어로 get along swimmingly하게 되면 '일사천리로 친해지다,' '보자마자 친해지다' 라는 뜻이 된다.

Get away from it.

그것으로부터 도망가.

- Why is Sam itching to get away from you? 왜 샘이 너한테서 벗어나려 안달야?
  Dad decided to get away from the office for a while.
  아빠는 잠시동안 사무실을 벗어나 계시기로 결정했어.

■ get away from은 '…로부터 도망가다,' '빠져나가다,' '벗어나다' 라는 표현. 또한 get away라고 하면 '휴가가다,' '휴식을 취하다' 라는 표현이 된다.

Get out of my ER.

내 응급실에서 나가.

- Get out of here, you little scamp! 웃기는 소리마, 이 장난꾸러기야!
  She needs to get out of here. 걘 여기서 나가야 돼.

■ get out (of)에서 get out는 밖으로 나가다, 퇴소하다라는 뜻으로 어디에서 나가냐를 말할 때는 get out of라고 하면 된다. 특히 Get out!(꺼져!)나 Get out of here!(꺼져, 웃기는 소리마!)가 많이 쓰인다.

Get over it.

잊어버려.

- I can't get over it. 정말 놀라웠어, 놀랍군.
  I just want to get it over with. 난 그냥 빨리 해치워버렸으면 좋겠어.
  Get over yourself. I was just trying to make you laugh! 건방떨지마. 난 그냥 너 웃기려고 한거야.

Let me get back to you on that.

나중에 이야기할게요.

- I'm gonna have'ta get back to you on that one. 그거에 대해 나중에 연락할게.
  We'll get back to you as soon as we can. 가능한 한 빨리 연락할게.
  I'm going to do everything I can to get you back to her. 널 걔한데 데려다 주기 위해 할 수 있는 모든 것을 할거야.

She's only sleeping with you to get back at me.

걘 내게 앙갚음하기 위해 너와 잔거야.

- I just wish there was some way to get back at him. 걔한테 복수할 방법이 있으면 좋겠어.
  I'm sure he just hurt Emily to get back at me. 걔가 분명 내게 복수하기 위해 에밀리를 아프게 했을거야.

Get on with it.

제대로 계속해봐.

- Let's get on with it. 계속하자.
  I'd like to get on with my question now. 이제 질문 계속 하고 싶어요.
  Come on, man, get with it! 이봐, 친구야, 유행 좀 따라라!

How are you getting on?

어떻게 지내세요?

- Jim's goanna get it on with a TV reporter. 짐은 텔레비전 리포터와 섹스할거야.
  All right. Shirts off! Let's get it on! 좋아. 셔츠벗어! 우리 섹스하자.

Are you getting on a bit?

잘하고 있지?

- It started to get on a bit, so we went to bed. 시간이 늦어지자 우리는 잤어.
  After it got on a bit, the party really started. 일이 잘풀리자 파티가 시작됐어.

Will you tell me when to get off?

언제 출발해야하는지 알려줄래?

- Get off my crime scene. 내 범죄현장에서 손떼라고.
  You're not gonna get off that easily. 그렇게 쉽게 그걸 떨쳐버릴 수는 없을거야.

■ get over it (with)는 뭔가 기분 안좋은 일을 피하기 위해 일을 빨리 끝내다라는 말로 '빨리 해치우다' 정도로 해석하면 된다. 보통 it은 불쾌한 일을 말하게 된다. get over yourself는 상대방이 필요이상으로 진지하게 행동하거나 잘난 척을 할 때 던질 수 있는 표현이다.

■ get back to sb on sth은 전화 등에서 지금은 바쁘니 나중에 연락해서 얘기하자고 할 때 쓰는 전형적인 표현. get back to basics하면 '기본으로 돌아가다'라는 말. get sb back은 '…을 다시 원래 있던 곳으로 데려다주다'라는 의미.

■ get back at은 '복수하다' (revenge)라는 말로 at이나 on 다음에 복수하고픈 sb를 이어쓰면 된다.

■ get on with는 정말 다양한 의미로 사용되는데, '다루다,' '시작하다,' '계속하다,' '진척되다,' 그리고 '사이가 좋다' 등등이다. 특히 get on with it의 형태로 남들이 하기 싫은 어려운 일을 시작해서 계속하다라는 뜻으로 많이 쓰인다. 한편 get with it은 주로 시대와 유행에 뒤처지지 않고 따라온다는 의미.

■ get on은 안부인사할 때 쓰게 되는 표현으로 '지내다'라는 뜻. 잘지낸다는 get on very well이라고 하면 된다. 물론 get on 다음에 교통수단이 나오면 '…에 타다'라는 뜻이고 get it on하면 '섹스하다'라는 표현이 된다.

■ get on a bit는 '일을 잘하고 있다' (do well) 혹은 '나이가 들어가고 있다' (be getting older), '시간이 흐르다'라는 의미.

■ get off는 분리한다는 기본적 의미에서 있던 곳을 떠나 출발하다, 그만두다, 퇴근하다, 그리고 뒤에 교통수단이 오면 '…에서 내리다'라는 뜻으로 쓰인다. 또한 get off that easily하면 쉽게 '…을 떨쳐버리다'라는 숙어가 된다.

Get off of me! Let me go!

날 놔줘! 가게 해줘!

- Get off me! What are you doing? 날 놓아줘! 너 뭐하는 거야?

  I hate my life! Get off of me! 내 인생이 싫다! 날 내버려 둬!

get off (of) sb는 '…를 놔주다,' '놓다,' '만지지마' (stop touch)라는 뜻으로 of는 써도 되고 안써도 된다.

But it triggered a sexual response. He got off on it.

하지만 그래서 성적반응이 유발되고 걘 흥분을 한거야.

- They get off on the fact the victims never see them coming.
  그들은 피해자가 자기들이 오는 것을 보지 못한다는 사실에 흥분하고 있어.

  I don't get off on raping 17-year-olds, okay?
  난 17살짜리를 강간하는데 흥분하지 않아, 알겠어?

get off on은 '…에 성적흥분하다,' '즐기다' 라는 의미.

You two get off with your careers.

두사람은 경력에 해가 되지 않아.

- The murderer got off with just a few years in jail.
  그 살인범은 감방에서 고작 몇 년밖에 처벌받지 않았어.

  Jill got off with several guys that night. 질은 그날 밤에 여러 놈하고 섹스했어.

get off with 역시 다양한 의미로 쓰이는데 with sth이면 '…에 해가 되지 않다,' '처벌받지 않다' 라는 뜻이고 ~with sb가 되면 '…와 성적관계로 사귀다' 라는 뜻이 된다.

I just got off with Gale.

금방 게일하고 통화했어요.

- I just got off with the hospital. 금방 병원과 통화했어.

  A: You reach the parents? B: Just got off with the mother.
  A: 부모랑 통화했어? B: 엄마랑 통화했어.

get off (the phone) with sb의 경우 보통 the phone을 빼고 get off with sb의 형태로 나오는데 방금 전화통화를 했다 (finish talking with sb)는 표현.

That's what gets him off.

그게 그 놈을 흥분시킨거야.

- And then he did what gets him off. He scared her.
  그리고 나서 걘 자기가 흥분되는 일을 했어. 그녀를 겁준거야.

  Maybe the act of strangulation is what gets him off.
  아마도 교살행위가 걜 흥분시키는 것 같아.

get sb off는 sb를 get off 하게 한다는 말로 여기서 get off 는 '흥분시키다,' '자극하다' 라는 말로 주로 ~what gets sb off의 형태로 쓰인다.

G

Can I get in on that?

나도 좀 끼어들어도 돼?

- Wait a minute, let me get in on this. 잠깐, 나도 붙여줘.

  If you wanna get in on this surgery, you better learn.
  이 수술에 참여하려면 더 배워야 돼.

get in on은 어떤 일이나 사건에 '연루되다,' '끼다,' '관련되다' 라는 의미로 come in on이라고도 한다.

놓치면 원통한 미드표현들

- **a gal** 여자

  Your gal is somewhere in that building across the street.

  네 여자는 길건너 건물 어딘가에 있어.

- **bridge[narrow] the gap** 격차를 줄이다, 결함을 보완하다

  She's helping me fill the gaps of my memory.

  걘 내 기억력이 되살아나는데 도와주고 있어.

Get off your ass, come to the party.

그만 일어나, 파티에 와.

- Get off your ass and get your department under control.
  그만 고민하고 네 부서를 장악하라고.

  Oh, my God, off to a bad start. 오, 맙소사. 출발부터 나쁘네.

  I want to make things right with her. Get off to a good new start.
  난 걔와의 일을 바로 잡고 싶어. 새롭게 출발하는거지.

■ get off one's butt[ass]는 엉덩이를 바닥에서 떼라는 뜻으로 그만 게으름이나 우유부단에서 벗어나 행동을 하라는 의미의 표현이다. 또한 get off to a good[bad] start는 출발이 좋다 혹은 나쁘다고 할 때 쓰는 표현.

I can't get into that right now.

나중에 이야기하자.

- I can't get into this with you now. 지금 너와 이 문제를 얘기할 수 없어.

  What are you getting into? 무슨 일을 하려는 거야?

■ get into sth은 물리적으로는 어떤 장소에 들어간다는 뜻으로 비유적으로 '어떤 화제나 사건에 대해 논의하거나 이야기한다'는 의미로 쓰인다.

What are you getting at?

무슨 말 하려는 거야?

- I don't know what you are getting at. 네가 무슨 말을 하려는건지 모르겠어.

  I don't see what you're getting at. 네가 무슨 말을 하고 싶은 건지 모르겠어.

■ get at은 직접적으로 말하지 않고 '뭔가 암시한다'는 의미로 주로 What are you getting at? 이란 형태로 쓰인다.

You can't get away with it.

그런 짓을 하고도 무사하지 못하지.

- You'll never get away with it. 넌 그에 대한 처벌을 피할 수 없어.

  Who in the hell thinks they can get away with murder?
  걔네들 맘대로 행동해도 된다고 대체 누가 생각하는거야?

■ get away with는 with 이하의 '못된 짓을 하고도 처벌받지 않다'라는 말로 주로 부정형태로 쓰인다. 또한 get away with murder는 '처벌받지 않고 자기 멋대로 행동하다'라는 관용어구.

Go get them.

이겨라, 힘내라

- Ok, now go get him and bring him to me. 좋아, 이제 가서 걔붙잡고 내게 데려와.

  Go get your brother. 가서 네 형을 잡아.

■ go get sb는 가서 sb를 잡아라는 의미. 상황에 따라 경찰이 범인을 잡을 수도 있고 아니면 사람을 그냥 데려오기 위해 잡을 수도 있고 아니면 짝사랑하는 사람에게 상대를 잡으라고 말할 수도 있는데 이때는 이겨라, 힘내라라는 뜻.

Look out! Gotcha.

조심해! 속았지롱.

- Gotcha. Watch your back. 잡았다. 뒤를 조심하라고.

  Gotcha! I was only playing a joke on you! 속았지? 그냥 장난친거야!

■ Got'cha!는 Gotcha라고 표기하기도 하며, 'get you'를 발음나는대로 만든 단어. 의미는 '속았지롱,' '거짓말 마,' '알았어'로 상대방을 놀래킬 때나 상대방이 무슨말을 하는지 알았다고 하면서 쓰는 말이다.

You get to be a best-selling author.

넌 베스트셀러 작가가 될거야.

- What if I never get to be a Mom? 내가 엄마가 절대로 되지 못한다면 어떻하지?

  I want to get to know her, ya know. 난 걔를 알게 되길 바래, 알지.

  It's got to be. 틀림없이 그럴거야.

  He has got to hear your side of the story. 걘 네 입장의 얘기를 들어줘야 돼.

■ get to be sth은 한 단어로 하자면 become과 같은 뜻. 특히 get to know[like]가 많이 쓰인다. 또한 has got to는 have to와 같은 의미로 have got to be하면 특히 강한 추측을 뜻한다.

Oh, I get it!

아, 알겠어

- Okay. I get it. It was a stupid idea. 좋아, 알겠어. 그건 어리석은 생각야.

  I don't get it[that]. 모르겠어, 이해가 안돼.

I get it은 유명표현으로 understand라는 뜻이고 반대로 I don't get it이라고 말하면 not understand라는 말이다.

You got it.

맞아, 바로 그거야, 알았어

- You got it. Now keep on going. 맞아. 이제 계속 하라고.

  So, from now on, we do it my way, you got that? 그래, 지금부터 내 방식대로 할거야, 알겠어?

  You don't get it. 뭘 모르는구만.

You got it은 상대방 말에 맞장구 치면서 '맞아' 혹은 상대방이 지시하는 말에 '알겠어요' 라는 뜻이고 You got it[that]?하면 상대방이 이해했는지 물어볼 때 사용하면 된다.

You got me.

모르겠어, 내가 졌어.

- Well, then, I guess you got me. 그럼 네가 알아차린 것 같구만.

  A: You just want to get laid. B: Yes, I do. You got me.
  A: 그냥 섹스고픈거지? B: 어, 맞아. 알아차렸네.

you got me는 상대방이 날 잡았다고 생각하면 쉽게 이해할 수 있다. 크게 두가지 의미로 쓰이는데 내가 모르는 질문을 상대방이 했을 때는 '나 몰라…, 내가 졌어' 가 되고, 또한 내가 거짓말을 하는 등을 하다 걸렸을 때는 '알아차렸네' 라는 뜻이 된다.

You got me there.

나 몰라.

- You got me there! I forgot. 네 말이 맞아! 내가 깜박했어.

  Okay, you got me there, but you're wrong about this! 좋아, 네가 맞아 하지만 이건 네가 틀렸어.

you got me there는 you got me와 비슷한 표현으로 '모르겠어,' 혹은 '네 말이 맞아' 라는 말이다.

I'll get it.

(전화) 내가 받을게.

- Would you get that? 문 좀 열어줄래?, 전화 좀 받아줄래?

  I'll get it. Hello. 내가 받을게. 여보세요.

get it[that]은 앞의 형태와 비슷하지만 전화벨소리가 울릴 때 초인종소리가 들릴 때 대신 받아주거나 열어주라 부탁하거나 혹은 내가 받을게, 내가 열어줄게라고 할 때 쓰는 전형적 표현이다.

All right, get this.

알겠어. 들어봐봐.

- Get this. You know who works out at my gym? 들어봐봐. 누가 내 체육관에서 운동하는지 알아?

  I have to get this. (전화올 때) 이 전화 좀 받아야겠어.

get this는 뭔가 중요한 이야기를 꺼내면서 상대방의 관심을 끌 때 사용하는 것으로 '이것 좀 들어봐' 라는 뜻. 문맥에 따라 그냥 원래 의미대로 쓰이기도 한다.

What (have) you got there?

무슨 일이야?

- A: What you got? B: White female. Mid-twenties.
  A: 뭐야? B: 백인여성이고 20대 중반요.

  What have you got so far? 지금까지 결과가 뭐야?

  What you got there? Special panties for your date with Wilson?
  뭘 갖고 있는거야? 윌슨과의 데이트 때 입을 특별팬티?

  What have you got on the shoe? 신발이 어떻게 된거야?

What (do) you got?, What have you got?은 문법적으로는 틀린 표현. 하지만 CSI를 보다 보면 늦게 도착한 반장들이 이미 현장에 나온 부하직원이나 검시관에게 '무슨 일인가?' (what happened?)의 의미로 혹은 실험실의 직원에게 '결과가 나왔어?'(what was the result?)라는 의미로 아주 뻔질나게 나오는 표현. What do we have here? 혹은 What did you get?이라고 해도 된다. 뒤에 'there'를 붙이기도 하며 또한 상황에 따라 그냥 물리적으로 무엇을 갖고 있냐고 물어볼 때도 쓰인다.

G

You know, that's all I got.
알잖아, 이게 전부 다야.

- A: You're short fifty cents. B: Please, that's all I got.
  A: 50센트 모자라요. B: 제발요, 제가 가진 전부인데요.
  That's all I got. No name, no hair. 그게 전부야. 이름, 머리카락도 없어.

That's all I got는 내가 가진게 이게 전부라는 말로 '그게 다야,' 혹은 '나 (내몫, 최선) 다했어' 라는 의미.

You just show me what you got.
그냥 네 능력을 보여줘.

- All right, Kirk, show me what you got. 좋아, 커크, 네 실력을 보여줘봐.
  Now, show me what you got. 이제, 네 실력을 보여줘.

show me what you got은 네가 가진 것을 보여달라는 말로 바꿔 말하면 '네 실력이나 능력을 보여달라' 는 말이 된다. 또한 Let me see what you got은 '네 능력을 보여달라' 혹은 문맥에 따라서는 쌈질하면서 '어디 한번 덤벼봐라' 는 뜻으로도 사용된다.

What do I get?
내가 얻는게 뭔데?

- And what do I get? Nothing. 그리고 내가 얻는게 뭔데? 아무 것도 없어.
  What do I get if I win? 내가 이기면 뭘 얻는거야?

What do I get?은 반어적인 표현으로 '내가 얻는게 뭔데?,' '난 얻는게 없어' 라는 뜻으로 쓰이며 문맥에 따라 단순히 내가 얻는게 뭔지 궁금해서 물어볼 때도 쓴다.

What's got into you?
뭣 때문에 이러는 거야?

- What's gotten into your head? 머리가 어떻게 된거 아냐?
  What are you getting into? 뭐하려는 거야?

What's got into you?는 네 속에 무엇이 들어갔냐라는 말. 다시 말해 평소와 다르게 행동하는 상대방에게 할 수 있는 말로 '뭣 때문에 이러는거야?,' '도대체 왜 이러는거야?' 라는 뜻.

Exactly! That's what got me!
바로 그거야! 그게 나를 아주 귀찮게 해.

- It's kind of what got me in here. 그게 이 부분에서 날 좀 혼란스럽게 하는 거야.
  You know what gets me? 내가 뭐 때문에 짜증나는지 알아?

What gets me~는 '나를 혼란스럽게 하는 것은,' '나를 성가시게 하는 것은' 이라는 의미.

That's what you got her on?
바로 그걸로 네가 걜 기소한거야?

- That's what you got busted for, ringing a bell?
  바로 그 때문에 네가 곤란에 처한거야, 기억이 나서?
  Depends on what you got for us. 네가 우리한테 뭘 가져왔는지에 따라 다르지.

That's what you got~은 문맥에 따라 다양하게 해석될 수 있다. '바로 그거로 …한거야?' 라는 의미.

I've still got it.
나 아직 건재해.

- I still am Denny Crane. I still got it. 난 아직 데니 크레인야. 건재하다고.
  We're rich and famous. We still got it. 우린 부자고 유명해. 아직 살아있다고.

have still get it은 주로 I've still got it 형태로 쓰이는데 의미는 나 아직 안죽었어, 즉 '나 아직 건재해,' '나 아직 살아있다고' 라는 표현이다.

Please get it done by tomorrow.
내일까지 마무리해.

- I can get it done before we go to bed. 자기 전에 끝낼 수 있어.
  I will try and get it done Sunday. 일요일까지 끝내도록 할게.

get sth done은 상대방에게 sth를 언제까지 끝내라고 말하는 문장으로 주로 get it done 형태로 쓰인다.

You got five.
5분 시간줄게.

- You got five seconds! 넌 5초밖에 없어!
  I've got five minutes. Where's the pizza? 5분 여유있어. 피자 어디있어?

■ get five에서 five는 five minutes로 보통 시간단위는 생략한다. 따라서 get five는 '5분을 얻다' 라는 뜻이 된다.

What's it got to do with you?
너랑 무슨 상관인데?

- A: Mr. Porter, is your son at home? B: What's it to you?
  A: 포터씨 아드님 댁에 있나요? B: 당신이 알아서 뭐하게?
  Well, what's it to you? You took my purse.
  저기, 무슨 상관야? 내 지갑을 훔쳐갔잖아.

■ What's it to you?는 What's it got to you? 혹은 What's it got to do with you?와 같은 말로 '대체 왜 이래?,' '그게 너랑 무슨 상관이지?' 라는 표현.

There's no getting around it!
여기서 빠져나갈 방법이 없어.

- Yeah, they're just not getting around too well.
  그래, 걔네들은 아주 잘 빠져나갈 수는 없을거야.
  There's no getting around it. You must enter the military.
  피할 길이 없어. 넌 군대가야 돼.

■ There's no getting around it은 그것을 우회할 수 없다는 것으로 비유적으로 엄연한 현실이고 사실이기 때문에 피할 수가 없다라는 의미가 된다.

Don't get used to it.
거기에 익숙해지면 안돼.

- You better get used to it, Peter. 피터, 넌 거기에 익숙해져야 돼.
  Well, you're gonna have to get used to it. 저기, 넌 거기에 익숙해져야 돼.

■ get[be] used to는 기본 표현으로 '…에 익숙해지다' 라는 의미. to 다음에 명사나 동사의 ~ing가 온다는 점에 주의하면 된다.

I am getting a deja vu.
이미 봤던 것 같아.

- This looks familiar. deja vu all over again. 낯익은데. 이미 다 봤던 것 같아.
  Do you know what deja vu is? 데자뷔가 뭔지 알아?

■ get a deja vu에서 deja vu는 프랑스어에서 온 단어. deja는 already, vu는 seen으로 결국 '이미 봤던 거' 라는 뜻이다. 좀 어렵게 말하면 '기시감' 이라고 한다.

A: Tim can't get it up. B: What?
A: 팀이 안 서. B: 뭐라고?

- Dan couldn't get it up in the bedroom. 댄은 침실에서 그걸 세울 수 없었어.
  He's an impotent who needs violence to get it up.
  걘 발기불능인데 폭력을 써야 세워져.

■ get it up는 그것(it)을 일으켜 세우다라는 말로 남녀관계에서는 남성성기를 세우다(erect), 즉 '발기하다' 라는 뜻이 된다.

Your video game skills will get you nowhere.
너의 비디오게임 기술은 아무런 도움이 안될거야.

- That crap will get you nowhere in show business!
  저 쓰레기 같은 건 네 쇼비즈니스에 아무런 도움이 되지 않을거야.
  Mr. Smith's math skills got him somewhere at the university.
  스미스 씨는 수학실력으로 대학에서 잘 나갔어.

■ get sb nowhere는 일의 성공 등에 '아무런 도움이 안되다,' get somewhere은 '성공하다,' '잘 되어가다' 라는 의미.

G

They didn't get working until after five.
걔네들은 5시 이후에 일을 하지 않았어.

- We need to get cooking to feed everyone. 우린 다들 먹이려고 요리해야돼.
  Let's get going. It's really late. 출발하자. 정말 늦었어.

■ get ~ing는 다른 문형에서 다양하게 사용될 수 있지만 여기서는 '…하기 시작하다' 라는 의미를 알아본다. 이때는 begin ~ing 와 같은 표현이라 할 수 있다.

Yeah, we get that a lot.
자주 듣는 핑계이다.

- A: You're a bastard. B: Well, I get that a lot.
  A: 이 잡놈같으니라고. B: 그런 얘기 많이 들어.
  Two confessions, one crime. We don't get that a lot.
  한 범죄에 두명의 자백이라. 많이 듣던 얘기는 아니네.

■ get that a lot은 구어체 표현으로 종횡무진 활약하는 get 의 역량을 확인할 수 있는 표현. 상대방의 말에 '나 그런 얘기 많이 들어' 라고 맞장구 치는 말이다.

Okay, so I got to thinking.
좋아, 그래 내가 생각 좀 해보고.

- I got to thinking, what is it that I do best?
  내가 생각해보는데, 내가 최선을 다한다는게 무슨 뜻야?

■ get to thinking은 뭐에 관해 고려하거나 생각하기 시작했다는 것을 뜻한다.

You got Karl.
칼입니다.

- You got Sikorsky's office. What can we do for you?
  시코르스키 사무실입니다. 뭘 도와드릴까요?
  You got the support line. Can I help you?
  고객지원라인입니다. 뭘 도와드릴까요?

■ You got sb[sth]는 당신이 '…을 갖다' 라는 말로 전화영어에서 '…에 연결되셨습니다' 라는 의미.

MORE EXPRESSION

from the get go 처음부터
get behind sb 지원하다, 도와주다(support), 뒤떨어지다

» give

Don't give me that! 그런 말마!

Give me time to prepare, please.
제발 준비할 시간 좀 줘.

- It's been three days, Ray. You gotta give me time.
  레이, 3일 지났어. 내게 시간을 더 줘야 돼.
  He has got to give you time to find new counsel.
  걘 새로운 변호사를 구할 시간을 네게 줘야 돼.

■ give sb time은 sb에게 시간을 주다라는 말로 무엇을 할 시간인지 덧붙이려면 time to+V 형태로 써주면 된다. 또한 구체적인 시간을 말하려면 time 대신에 a few weeks, all day를 써도 된다.

It'll give you time to clean up.
그렇게 되면 네가 치울 시간이 있게 될거야.

- It'll give me time to give you proper consideration.
  네가 적절하게 고려할 수 있는 시간을 갖게 될거야.

■ This[It] will give sb time to~는 주어가 It이나 That 으로 어떤 상황을 뜻하는 것으로 뜻은 '그렇게 되면 sb가 …할 시간을 갖게 될 것이다' 라는 의미가 된다.

I'd give anything to be with you again.
너랑 다시 같이 있을 수 있다면 뭐든지 할거야.

- I'd give anything not to be looking at you!
  널 다시 볼 수 없다면 뭐라도 하겠다!

  I'd give anything to see his face right now.
  걔 얼굴을 지금 당장 볼 수 있다면 뭐라도 하겠어.

■ would give anything은 가정법으로 to~이하를 할 수 있다면 뭐든지 하겠다는 주어의 강한 의지를 나타내는 표현이다. anything 대신에 a lot, one's right arm 등을 넣어도 된다.

I'd say between midnight and 3:00 am, give or take.
자정에서 새벽 3시, 대략 그 정도 쯤 돼.

- A: We got, what, 24 hours? B: Yeah, give or take.
  A: 뭐, 24시간 있다고? B: 그래, 대략.

  A: How much is that thing worth? B: 100 grand, give or take.
  A: 그거 가치가 얼마나 돼? B: 백만달러 내외.

■ give or take는 숫자 다음에 쓰는 표현으로 '대강 그 정도 쯤,' '얼추,' '…내외'라는 뜻이다. 거의 우리말화된 give and take와 구별해야 한다.

Jim gave his kids what for after they got bad grades.
짐은 성적이 나쁘면 아이들을 심하게 꾸짖었어.

- We got what for when we stayed out late. 우린 늦게 귀가하면 엄청 혼나.

  I'm going to give her what for next time I see her.
  담번에 걜 보면 아주 크게 야단칠거야.

■ give sb what for는 'sb를 아주 심하게 꾸짖다,' '야단치다'라는 표현. 요즘에는 그렇게 자주 쓰이지 않는 좀 오래된 표현.

He's very brilliant. I'll give you that.
걔 정말 총명해. 네 말이 맞아.

- She's sexy. I'll give you that. And nasty too, I'll bet.
  쟤 섹시해. 네 말이 맞아. 그리고 헤프기도 하고, 정말야.

  Wow, you have good taste. I'll give you that.
  야, 너 정말 맛볼 줄 아는구나. 네 말이 맞아.

■ I'll give you that은 상대방의 말을 인정한다는 문장으로 '네가 맞았어'라는 표현.

What gives?
무슨 일 있어?

- Say, what gives? 왜그래?

  You're back at work. What gives? 다시 왔네. 무슨 일이야?

■ What gives?는 뭔가 안좋은 표정의 상대방에게 '무슨 안좋은 일이라도 있어?,' '왜 그래?'라고 물어보는 표현.

G

놓치면 원통한 미드표현들

- **pass gas** 방귀를 뀌다
  You're a gas man. 넌 방귀쟁이야.

- **be gassy** 방귀가 나오려고 하다
  Are you gassy? 방귀 나오려고 해?
  I'm not supposed to drink coffee, it makes me gassy. 난 커피를 안마셔. 마시면 가스가 차거든.

- **play[have] a gig** 공연하다
  We're gonna be playing a gig next month.
  우리는 다음달에 공연할 예정야.

- **giggle** 낄낄거리다
  Seriously. Don't giggle. 정말야. 낄낄거리지마.

I'm trying to find that out. Give me five.

그걸 알아내려고 하고 있어. 5분만 줘.

- I can do this. Just give me five seconds here.
  내가 이거 할 수 있어. 5초만 줘.

  Give me five! 손바닥 부딪히자!

give me five는 앞서 나온 get five와 같은 맥락의 표현. minutes[seconds]가 생략된 것으로 이번에는 5분[초]을 주다라는 뜻. 하지만 give의 경우 give me five는 기뻐서 손바닥을 부딪히자는 말로도 쓰인다는 점에 주의한다.

Don't give me that!

그런 말 마!

- A: What are you talking about? B: Don't give me that.
  A: 무슨 소리야? B: 그런 말 마.

  Don't give me that. You were trying to protect yourself.
  말도 안되는 소리마. 넌 널 보호하려는 거잖아.

Don't give me that은 상대방이 거짓말하거나 말도 안되는 변명을 할 때 '그런 말 마!', '정말 시치미떼기야!' 라고 화를 내면서 하는 말.

You always give up too easily!

해보지도 않고 포기한단 말야!

- I won't give up without a fight. 순순히 물러나진 않을거야.

  Don't give up just because things are hard. 상황이 어렵다고 포기하지마.

give up은 포기하다로 give up without a fight는 '순순히 포기하다,' give up easily 역시 '쉽게 포기하다,' 그리고 don't give up은 '포기하지마' 라는 의미.

Please don't give up on her.

제발 걔에 대한 희망을 버리지마.

- Please, Olivia, don't give up on me. 제발, 올리비아, 날 버리지마.

  We've decided to give up on that pesky Harvard dream.
  우린 그 짜증나는 하버드에 대한 꿈을 포기하기로 결정했어.

give up on sb[sth]는 뭘 포기하는지를 on~이하에 구체적으로 말해주는 것으로 '…에 대한 기대나 희망을 접는다' 는 표현.

Give it up. That was incredible, really.

그만해. 그건 말도 안되는 소리야, 정말.

- Give it up, dude, you're arguing with a crazy person.
  그만해, 친구야. 미친놈하고 무슨 언쟁야.

  Gentlemen. Give it up for Esther!
  신사여러분, 에스테에게 박수를 보내주세요!

give it up은 '그만하다,' '그래봐야 시간낭비야' 라는 의미. 또한 give it up for~하면 '…에게 박수를 쳐주다' 라는 의미가 된다.

Don't give your husband up for dead yet.

아직 남편이 죽었다고 단념하지마.

- They gave him up for dead when his ship sank.
  걔가 탄 배가 가라앉았을 때 걘 죽은 것으로 단념했어.

  Police gave many people up for dead after the storm.
  경찰은 폭풍이 지나간 다음에 많은 사람들이 죽었다고 단념했어.

give sb up for dead[lost]는 아쉽지만 sb를 죽은 것으로 혹은 실종된 것으로 단념하다라는 의미.

Don't give an inch!

한치도 양보하지마!

- The politicians never give an inch to the other side.
  정치가들은 상대편에게 절대로 양보하지 않아.

  Mary won't give an inch in the divorce.
  메리는 이혼하면서 절대 양보하지 않을거야.

give an inch는 주로 부정문이나 의문문에서 '양보하다,' '물러서다' 라는 의미.

She gave it to me.
나 걔하고 섹스했어.

- **My mom gave it to me.** 나 엄마한테 혼났어.

  You have proof? Give it to me. 증거있어? 내게 줘봐.

  Come on, give me more, give me more, you sexy beast.
  어서, 더 해줘, 더 해달라고 이 섹시한 짐승같은 놈아.

  If I'm gonna give myself to you, you damn well better worship me!
  내가 몸을 허락하면 날 잘 모셔야 돼.

  I give myself over to her beliefs. 난 걔의 믿음에 빠졌어.

Why am I doing all the giving here?
왜 내가 다 이해해줘야 해요?

- **Wait a minute, why am I doing all the giving here?**
  잠깐만, 내가 왜 항상 이해해야 해요?

  My parents do all the giving here.
  부모님은 항상 이해해주셔.

You can't give in to your fear.
네가 느끼는 두려움을 극복해야지.

- **You just had to give in to my incessant begging.**
  넌 단지 나의 끊임없는 요구에 굴복한거야.

  You're determined not to give in to these feelings.
  넌 이런 감정에 굴복하지 않기로 굳게 맘 먹었잖아.

No, at any given time, there's a good chance.
아냐, 언제든 좋은 기회는 있어.

- **On any given day, how many glasses of wine do you put away?**
  어느 날이든 하루에 와인 몇잔을 마셔?

  **They could walk through my door at any given day and just
  fire me.** 걔네들은 언제든 문열고 들어와 날 해고할 수 있어.

Your job's already been given to Tim.
네 일은 이미 팀에게 주어졌어.

- **I'm given to understand that your mother is overweight.**
  네 엄마가 비만이라는 걸 이해하게 되었어.

  Harry was given to helping his friends and relatives.
  해리는 친구들과 친척들을 도우는데 열심이었어.

So given that, do you trust Jack? Or don't you?
그런 점에서 넌 잭을 믿니 안믿니?

- **Given this situation, I have no choice but to withdraw my
  previous objections.** 이런 상황하에서 전에 했던 반대를 취소할 수밖에 없네요.

■ **give it to sb**는 몇가지 의미로 쓰일 수 있는데 가장 먼저 단순히 '…에게 그것을 주다'가 있고, 다음 주긴 주는데 '야단'을 주면 '…을 혼내다' 그리고 야리꾸리한 걸 주면 '섹스하다'라는 의미가 된다. 같은 맥락으로 give me more도 침대영역에서 쓰이면 '더해달라는 표현.' 또한 give oneself to sb하면 '몸을 허락하다'라는 뜻으로도 쓰인다.

■ **do all the giving here**는 '이해하다,' '너그러이 받아주다' (being generous)라는 의미.

■ **give in (to)**는 '(…에) 항복하다,' '포기하다,' '패배를 받아들이다'라는 뜻.

■ **at any given time**은 '언제든'이라는 말로 여기서 given은 '정해진,' '특정한'이라는 단어이다.

G

■ **be given to**는 '단순히 주어지다'는 의미에서부터 시작해서 '…에 몰두하다,' '곧잘 …하다'라는 의미로도 쓰인다.

■ **given that (S+V)**은 (…라는) 점에서라는 의미이고, given this situation은 '이런 상황하에서'라는 표현이다

Where do we go from here? 이제 어떻게 해야 하지?

Go for it.
한번 시도해봐.

- Let's go for it. 한번 시도해보자.
  I just decided to go for it. 난 그냥 한번 해보기로 했어.

■ go for it은 상대방 격려용 표현으로 힘들고 어려운 목표를 달성하기 위해서 머뭇거리지말고 도전의식을 갖고 시도해보라고 할 때 쓰는 전형적인 표현.

He's going out with Cindy.
걔는 신디하고 사귀는 중이야.

- He's going with Amber? 걔 앰버랑 사귀고 있어?
  We started going out. 우린 교제를 시작했어.

■ go out (with)은 (…와) 사귀다, 데이트하다라는 뜻으로 남녀관계에서 많이 쓰이는 표현. 단 그냥 친구들끼리 외출하는 것도 go out with이니 상황에 따라 표현을 이해해야 한다. 또한 구체적으로 데이트를 밝혀줄 때는 go out on a date라 하면 된다.

I should be going.
가봐야겠어.

- It's time we should be going. 그만 일어나죠.
  I think I'd better be going. 가봐야 될 것 같아.

■ should be going은 모임 자리에서 나가려고 할 때 하는 표현으로 '그만 일어납시다,' '우리도 이제 그만 갈까' 라는 의미. should 대신 must 혹은 had better를 써도 된다.

We should get going.
자 이제 그만 가봐야 되겠네.

- Let's get going. 이젠 어서 가자.
  I should probably get going. It's pretty late. 가봐야 될 것 같아. 꽤 늦었어.
  We'd better get going, it's like a four-hour drive. 우리 가봐야 돼. 차로 4시간야.

■ get going은 좀 늦은 뒤 뭔가 하기 시작하다라는 말로 역시 모임자리에서 일어날 때도 사용하는 표현이다.

I have got to go.
이제 가봐야겠어, 이제 끊어야겠어.

- I gotta go, Mom. Bye. 나 끊어야 돼, 엄마. 잘있어.
  Mom, I gotta go. Let's talk about this later, okay?
  엄마, 나 가봐야 돼. 나중에 얘기해, 응?

■ gotta go는 전화상이나 혹은 일반상황에서 '그만 가봐야겠다'는 의미. 특히 전화상에서도 쓰인다는 걸 기억해두어야 한다.

What's going on around here?
여기 무슨 일이야?

- What is going on with you? 어떻게 된 거야?
  Is anything going on? 뭐 재미있는 일 없니?

■ What's going on?은 막 도착한 장소에서 재미있고 신나는 일 없는지 물어보는 말로, go on은 happen과 같은 의미이다.

Go on, you can do it!
자 어서(힘내), 넌 할 수 있어!

- Go on, honey. Tell him the truth. 자, 계속해 자기야. 걔한테 진실을 말해.
  I have to go on with my life. 내 아내와 계속 잘해나갈거야.
  I'll go on to help others who are lost. 난 계속해서 다른 조난자들을 도울거야.

■ go on은 또한 하던 일을 계속하다라는 뜻을 갖고 있어 Go on이라고 상대방에게 말하면 '어서 계속해' 라는 말이 되고, 계속하는 것을 구체적으로 말하려면 with sth, to+V를 붙이면 된다.

He says it's been going on for years.

걔말에 의하면 오랫동안 그래왔대.

- I'd say this has been going on for months.
  이건 몇 개월째 이랬다고 할 수 있지.

  How long will they go on like this? 걔네들이 얼마나 이런 식으로 갈까?

  You can't go on like this. You have to take care of yourself.
  계속 이런 식은 안돼. 네 자신을 돌봐야지.

> ■ be going on for는 다음에 숫자관련명사가 나와서 그 숫자에 거의 근접했다고 말하는 경우. 또한 go on like this에서 go on은 continue로 go on like this는 계속 이런 식으로 가다라는 뜻.

Okay, you two have something going on?

좋아, 너희 둘 뭔일 있는거지?

- You two really have something going, don't you?
  너희 둘, 정말 뭔가 잘되고 있는 거지, 그지 않어?

  You have something going on more important than me?
  나보다 더 중요한 일이 벌어지고 있는거야?

  Do you have anything going on tonight? 오늘밤 뭐 재미난 일 있어?

> ■ have[get] something going on~은 뭔가 일이 벌어지고 있다는 말로 남녀관계 등에서 뭔가 벌어지고 있을 때 쓸 수 있는 말로, on 대신 with sb를 쓰면 '…와 교제하다' 라는 뜻이 된다. 또한 뭐 재미난 일 있냐고 물어볼 때 have anything going on을 쓴다.

We'll have to go on the offensive.

우리가 선제공격을 해야 돼.

- We go on the offensive. Cut off the invading army's supply line.
  선제공격을 한다. 침략군의 보급로를 끊어라.

  Go on the offensive. Counter attack. 공세를 취해. 반격을 한다.

> ■ go on the offensive는 '공세를 취하거나 선제공격을 하다' 라는 의미.

What have you got going on?

무슨 일이야?

- He's real interested in what you got going on.
  걘 네가 지금 하고 있는 일에 관심이 커.

  Whatever you got going on, fill me in. 무슨 일이든, 내게 알려줘.

  I love the whole kitschy thing you got going on here.
  네가 여기서 하고 있는 아주 저질스러운 일들이 좋아.

  What do we got going on tonight? 오늘 밤 뭐할거니?

> ■ What you have got going on?은 언뜻 해석하기 어려운 표현으로 지금 현재 하고 있거나 관련된 일(the project or thing(s) that you are doing or involved with right now)이라는 의미. ~you got going on 역시 네가 지금 하고 있는 일을 의미.

G

Now, go away! Don't come back!

이제, 가버려! 다신 돌아오지마!

- Go away! I don't want to talk to you. 꺼지라고! 너랑 얘기하기 싫어.
  Go away! I don't want to see anybody. 꺼져! 아무도 만나고 싶지 않아.

> ■ Go away는 떠나다라는 말로 주로 명령문 형태로 상대방에게 '꺼져' 라고 말할 때 사용된다. go away with하면 '…을 갖고 도망치다' 가 된다.

놓치면 원통한 미드표현들

- **a gimmick** 술책, 장치
  There must be a gimmick.
  무슨 수작이 들어 있을거야.
  You just got to be yourself, no more gimmicks. 솔직해져야지, 술책은 그만 부리고.

- **glib with sb** 말장난하는
  Don't be glib with me. Sara adores you.
  나랑 말장난하지마. 새라가 널 흠모해.

Okay, go ahead, we're listening.

좋아, 어서 말해, 듣고 있으니.

- Go ahead. Use my office. 그렇게 해. 내 사무실 써.
  Come on, go ahead and grab it. 자, 어서 들어.

■ go ahead는 '앞서가다,' '밀고나가다' 라는 의미로 주로 상대방의 부탁 등에 흔쾌히 '어서 그렇게 해' 라는 의미로 자주 쓰인다. go ahead and+V하면 '어서 …해라' 는 말.

Just go with it.

좀 쉬면서 긴장풀어.

- Just go with it. Stop worrying so much. 좀 쉬어. 넘 걱정하지 말고.
  I already had this conversation with her. Just go with it.
  걔와 이미 얘기나눴어. 좀 그냥 쉬어.

■ just go with it은 스트레스를 많이 받은 상대방에게 긴장을 풀고 좀 쉬라고 할 때 쓰는 말.

I'm going with it.

난 그걸로 할게.

- The kids went with a visit to Disneyland.
  아이들은 디즈니랜드로 가기로 결정했어.

  I'm going to go with steak and fries for dinner.
  난 저녁으로 고기와 감자튀김으로 할거야.

■ go with sth에서 go with는 choose라는 뜻으로 '결정하다,' '선택하다' 라는 표현. go well with~하면 '…와 잘 어울리다,' 그리고 go with sb하면 '…와 함께 가다' 라는 뜻이 되기 때문에 문맥에 따라 잘 해석해야 한다.

He's handsome and he went to Princeton.

걔는 잘 생겼고 프린스턴 대 나왔대.

- Lewis decided to go to Princeton University.
  루이스는 프린스턴 대학교에 가기로 했어.

  Carry went to a college in her hometown.
  캐리는 고향에 있는 대학교에 갔어.

■ go to college는 대학에 가다로 우리말과 같다. 하지만 '어느 학교를 나왔어,' 혹은 '…학교에 진학했어' 라고 말하려면 애를 먹는데 이때는 가볍게 went to+학교라 하면 된다.

I'll go along with that.

그 점에 동의해.

- Why would you go along with this? 왜 넌 이거에 찬성하겠다는거야?
  You don't always have to go along with what the woman wants.
  넌 여자가 원하는대로 항상 따라할 필요는 없어.

■ go along with는 …와 함께 따라가다라는 말로 with 이하의 것에 '찬성하다,' '동의하다' 라는 뜻이 된다.

I think I see where this is going.

안봐도 비디오다.

- I don't know where you're going with this.
  이걸로 네가 뭘 말하려는지 모르겠어.

  Where are you going with this, Raj? 라지, 무슨 말을 하려는 거야?

  Hang on. Let's see where he's going. 잠깐, 걔가 무슨 말을 하려는지 보자.

■ know[see] where S going (with)에서 going은 단순히 '간다' 라는 의미가 아니다. 'S가 어디로 가는지 안다' 라는 말로 S가 말하려는 것, 목표하는 것을 안다라는 뜻이 된다.

You go back out there.

다시 뛰어야지.

- So, here's the thing. I gotta go back out there.
  그래, 중요한 건 말야 내가 다시 뛰어야 한다는 거야.

  Get back out there and find that bullet. 거기 다시 가서 총알을 찾아.

■ go back out there은 다시 돌아간다는 말로 비유적으로 '다시 시작한다' 는 의미로 쓰인다. 앞서 나온 get back in the game, go back to the drawing board와 같은 맥락의 표현. 물론 그냥 단순히 '그리고 다시 가다' 라는 뜻으로도 쓰이는데 이때는 go 대신 get을 써도 된다.

Let go of me.
날 가게 해줘요.

- It's time to let go of the fantasies. It's time to grow up.
환상은 놓고 이제 성숙해져야지.

  My boss let him go. 우리 사장이 걜 해고했어.

let go of는 쥐고 있는 것을 놓다라는 뜻으로 '놓아주다,' '해고하다' 등의 의미로 쓰이는데 let ~go와 같은 표현이다.

Would you let it go?
그냥 잊어버려라.

- Let it go at that. 그쯤 해두자.

  Elliot. Come on. Let it go. 엘리엇. 그만해. 그냥 잊어.

  Then, maybe you should let it go. 그렇다면 그만 손떼는게 나을 것 같다.

  Can I get it to go? 싸가지고 갈 수 있나요?

let it go는 상대방에게 그만 신경쓰라고 하는 것으로 '잊어버려,' '놔둬' 라는 말. 또한 let it go at that은 '그쯤 해두자,' '더 이상 문제삼지 않다' 라는 말이 된다. 또한 get it to go는 음식가게에서 포장해서 간다는 의미.

That's what I was going for.
내가 바라던 바야.

- Thank you. That's what I was going for. 고마워. 내가 바라던 바야.

  That's what I was going for. I'm so excited about tomorrow.
내가 바라던게 바로 그거야. 낼 정말 우리 재미있겠다.

be what I was going for는 '내가 바라던 것이다' 라는 어구. That's what I was going for라는 문장으로 많이 쓰인다.

How goes it with you?
어떻게 지내?

- A: How goes it, Sam? B: Goes great. A: 샘, 상황이 어때? B: 좋아.

  A: How goes it? B: It goes fantastic. A: 어떻게 지내? B: 끝내줘.

  How's it going? You win? 어떻게 됐어? 네가 이겼어?

How goes it (with~)?는 상황(it)이 어떻게 가고 있냐고 물어보는 문구. 그리고 How be A going?은 좀 달리 How's it going 혹은 How're things going?의 형태로 상대방의 근황이나 상황을 물어보는 표현.

How'd it go?
어떻게 됐어?, 어땠어?

- So, how did it go with Lesley? 그래, 레슬리하고 어떻게 됐어?

  How did it go in court today? 오늘 재판 어땠어?

How did it go (with)~?는 과거형으로 상황(it)이 어떻게 되었냐고 물어보는 문장. 물어보는 대상을 적으려면 with 다음에 붙여주면 된다.

Nice going!
참 잘했어!

- Let's take a look at it. Nice going. 저것 좀 봐봐. 참 잘했어.

  Nice going. You just saved yourself a couple months of sex.
잘했어. 넌 몇 달치 섹스를 벌은 거야.

Nice going!은 상대방을 칭찬하는 표현으로 '참 잘했어,' '잘됐네!' 라는 의미지만 말투에 따라 '자~알한다' 라고 비아냥거릴 때도 사용되는 표현이다.

Don't go there.
얘기 꺼내지마.

- Oh, don't go there, Mr. Gibbs. 어, 그 얘긴 하지마세요, 깁스 씨.

  A: Because you married a man... B: Don't go there!
A: 넌 유부남이기 때문에… B: 그 얘긴 하지마.

Don't go there는 그냥 '거기 가지마' 라는 의미도 되지만 미드에서는 '그 얘기 꺼내지 마라' 라는 뜻으로 많이 쓰인다.

G

Don't go blaming any of this on her.

이걸 걔탓으로 돌리지 않도록 해.

- Just don't go making any promises I can't keep.

  내가 지킬 수 없는 약속을 하지 않도록 해.

  Don't go acting all indefatigable. 끈기있는 척하지 않도록 해.

■ **Don't go ~ing**는 주로 명령문 형태로 쓰이며 상대방에게 '(나쁜 일을) 하지 말라'고 할 때 사용한다.

If Tom cheats on his wife, there goes his marriage.

탐이 바람피면 결혼생활이 끝장날거야.

- If I plead guilty, there goes my entire academic career.

  내가 유죄인정을 하면 내 평생 학교경력이 끝장날거야.

■ **There goes sth~** 혹은 **Bang goes~**는 다른 일로 인하여 뭔가를 망치거나 실패할 경우를 말하는 표현. '…가 끝장나다'라는 의미.

Just goes to show how easily manipulated we all are.

우리 모두가 얼마나 쉽게 조종되는지 보여주고 있어.

- That just goes to show how much attention you give to meals.

  네가 식사에 얼마나 많은 관심을 기울이는지 보여주는 예야.

■ **It just goes to show how~**는 '얼마나 …한지를 보여주고 있다'라는 문장.

What your father says goes. Listen to him.

네 아빠가 말씀하시는 건 따라야지. 잘 귀기울여 들어봐.

- What the country's president says goes. 대통령이 하는 말은 따라야돼.

  Everyone sit down. What I say goes. 다들 앉아요. 내가 하는 말에 따라요.

■ **What sb says goes**는 sb가 하는 말이 곧 진리(?)까지는 아니더라도 명령에 따르듯 sb의 말에 따라 행동해야 한다는 의미.

Where do we go from here?

이제 어떻게 해야 하지?

- A: Let's move on. B: So where do we go from here?

  A: 다음으로 넘어가자. B: 여기서 어떻게 해야 돼?

  We need to figure out where we go from here.

  이제 어떻게 해야 되는지 알아봐야 돼.

■ **Where does A go from here?**는 여기서 어디로 가나라는 뜻으로 비유적으로 힘든 상황에서 벗어나려면 '앞으로 어떻게 하지?,' '무슨 묘안이 없어?'라는 문장이 된다.

There's plenty of fruit and fish to go around.

모든 이에게 돌아가고도 남을 과일과 생선이 많아.

- There's enough fun to go around for everybody.

  모든 사람에 돌아갈 재미가 넘쳐 흘러.

  Plenty of pie, ice cream, grapefruit to go around.

  모든 사람에게 돌아갈 파이, 아이스크림 그리고 포도가 넘쳐나.

■ **enough[plenty] to go around**는 두루두루 모든 사람들에게 돌아갈 정도로 풍부하다라는 뜻.

It will not go unanswered, I promise you.

정말이지, 전화 꼭 받을게.

- Your hard work will not go unrewarded. 열심히 일한 거 보상받을거야.

  Hundreds of victims go unnoticed. 수많은 희생자가 간과되고 있어.

■ **go unanswered [unnoticed, unrewarded]**는 좀 특이한 형태로 go 다음에 동사의 pp가 바로 이어져 'pp한 상태로 되다'라는 뜻으로 쓰인다. 대표적으로 go unanswered는 전화를 했을 때 응답이 없는 상태를 말한다.

Speaking of what goes around comes around...

주는 대로 받는 법에 대해 말하자면…

- It's actually a very elegant system, what goes around comes around. 그건 정말 매우 우아한 시스템야. 주는 대로 받으니 말야.

■ **what goes around comes around**는 '주는 대로 받는 법'이란 우리말에 해당되는 표현.

There's no going back, never, ever again.
이젠 절대 다시 되돌릴 길이 없어.

- We saw each other naked, and there's no going back.
  우린 서로 나체를 봤어, 돌이킬 수 없어.

  Once we sign these papers, there's no going back.
  일단 이 서류에 사인하고 나면 돌이킬 수 없어.

■ There's no going back 은 다시 돌아갈 길은 없다는 말로 비유적으로 후회해도 소용없으니 하던 일 계속해야 한다는 뉘앙스를 담고 있다. 이제 와서 되돌릴 수 없다라는 말.

Get Adam to have a go at him.
아담보고 걜 비난하라고 해.

- Terry had a go at playing the trumpet. 테리는 트럼펫을 연주해보려고 했어.
  Let's have a go at cleaning up this place. 이 곳을 치워보도록 하자.

■ have a go at 다음에 sb 가 나오면 '비난하다' 라는 뜻이 되며, have a go at it하게 되면 '…을 해보다, 시도하다' 라는 의미가 된다.

We're late for the staff meeting. Off we go!
스태프회의에 늦었어. 이제 가자!

- Off we go. This is the beginning of our summer trip.
  자 출발하자. 여름여행의 출발이야.

■ Off we go는 '출발' 이라는 표현으로 이제 그만하고 가자 (We're leaving[starting] now) 라는 뜻이다.

But it goes against who I am.
하지만 이건 나의 정체성에 어긋나.

- It goes against all my instincts, but I said all right.
  내 본능에 어긋나지만 괜찮다고 했어.

  It goes against everything we stand for. 우리 주장하는 모든 것에 위배돼.

■ It goes against sth은 '…에 어긋나다' 라는 기본 숙어. 좀 더 복잡하게 '…가 …하는 것은 어긋난다' 라고 말하려면 It goes against+N+to+V라고 하면 된다.

And that goes for self-respect as well.
그리고 자존감의 경우도 마찬가지야.

- That goes for your bailiff and your clerk as well.
  집행관과 서기의 경우도 마찬가지야.

  What he does is who he is. And the same goes for you.
  행동을 보면 사람 됨됨이를 알 수 있어. 너도 마찬가지야.

■ the same goes for는 '…도 마찬가지이다' 라는 말로 that goes for ~ as well이라고 하기도 한다.

I feel like I could go for three more.
3개 더 먹고 싶어.

- We could go for a run together. 함께 뛰고 싶어.
  I could go for a bite. Who's buying? 간단히 먹고 싶은데 누가 사는거야?

■ I could[would] go for sth은 '…을 하고 싶다' 라는 말로 would like sth이나 would like to do와 같은 의미.

G

My heart goes out to her.
걔 때문에 맘이 아프네.

- My heart goes out to you, pal. 친구야, 정말 안됐다.
  And of course our heart goes out to Linda. 그리고 물론 린다 심정이 이해돼.

■ heart[thoughts] go out to sb는 상대방이 안좋은 일을 당했을 때 하는 말로 '유감이다,' '그 심정 이해하다' 라는 뜻.

You want to go?
한판 붙을래?

- You want to go?! Come on! 한판 붙을래?! 덤벼!
  A: You want to go? B: Sure, I'll go. A: 갈래 B: 어, 갈거야.

■ You want to go?는 그냥 '단순히 갈래?' 라고 쓰이기도 하고 혹은 '한판 붙을래?' 라는 의미로도 쓰인다.

No haircut, ratty old clothes, that'll go over big.

머리도 길고, 추레한 낡은 옷들, 그게 잘 먹혀들거야.

- Yeah, that didn't... Didn't go over well. 그래, 그땐. 잘 안먹혔지.
  Cookies would go over well with your parents.
  쿠키는 네 부모님께 잘 먹혀들거야.

■ go over well[big]하게 되면 사람들에게 '잘 먹혀들다' 라는 의미로 쓰인다.

I'm going.

나 갈거야.

- I'm not busy, I'm going. I will be there. 나 안바빠, 갈게. 갈거야.
  Um, I'm going. I'll call you later. 음, 갈게. 나중에 전화할게.

■ I'm going 어디 가자고 하는 친구의 권유 혹은 모임에 갈거냐고 물어보는 사람에게 갈 때는 I'm going, 안간다고 할 때는 I'm not going이라고 하면 된다.

I'll go.

내가 할게, 내가 갈게.

- A: We need to talk to him. B: I'll go. A: 걔하고 얘기해야 돼. B: 내가 할게.
  No, chief. You stay. I'll go. 아니, 반장님. 남아요, 제가 갈게요.

■ I'll go 또한 글자 그대로 '내가 갈게' 라는 뜻도 되지만 상황에 따라 '내가 할게' 라는 뜻으로도 쓰인다.

I'm gone.

나 간다.

- I'm here to get my car, then I'm gone. 차가지러 왔어. 이제 나 간다.
  Okay, that's it, I'm gone. 좋아, 바로 그거야. 나 간다.
  I'll be gone just a few minutes. 잠깐만 갔다 올게.

■ be gone은 슬랭으로 '나 간다' (I'm leaving)라는 의미.

All systems go.

준비완료됐어.

- Glad you're on it. All systems go! 너도 함께 해서 기뻐. 모든 준비가 다 됐어!
  I guess it's all systems go. 모든 준비가 다 된 것 같아.

■ all systems go는 모든 준비가 완료되었음을 말하는 문장으로 all systems go for라 쓰기도 한다.

놓치면 원통한 미드표현들

- **Am I on glue?** 내가 뭔가 착각하고 있는 건가?
  You two are getting married? Am I on glue?
  너희 둘 결혼해? 내가 잘못 알고 있는건가?
  There is no way I got fired. Am I on glue?
  난 잘릴 일이 없어. 내가 잘못 알고 있나?

- **be glue to sth** …에 얽매여 있다
  Mom was the glue to our entire family.
  엄마는 가족 전체에 얽매어 있었어.
  The president is the glue to his company.
  사장은 회사에 묶여 있어.

- **goose** 똥침놓다
  Bill got in trouble when he goosed Anne.
  빌은 앤에게 똥침을 놓고 곤경에 빠졌어.
  Don't goose your co-workers here.
  여기서 동료들에게 똥침놓지마라.

- **sb be golden** 계획대로 잘되다
  You're golden. 다 계획대로 잘 됐어.

- **a golden opportunity** 절호의 기회
  It's his golden opportunity 그건 개의 절호의 기회야.

We're going in.
우리가 맡을게.

- A: So I guess we're going in. B: I guess we are.
  A: 우리가 맡을까봐. B: 우리가 맡을게.

  No contact in 30 seconds, we're going in.
  30초간 교신없으면 우리가 들어간다.

■ go in는 글자그대로 어디 들어간다는 말에서 '어떤 임무나 일을 맡는다' 라는 의미로도 쓰인다.

He really made a go of it!
걔 정말 성공했어.

- Addison and I are gonna try and make a go of it.
  애디슨과 난 노력해서 성공할거야.

  The young couple made a go of their marriage. 젊은부부는 결혼에 성공했어.

■ make a go of sth은 '성공하다' 라는 구어체 표현.

What's going down?
무슨 일이야?

- Can you tell me what's going down?
  무슨 일인지 말해줄래?

■ What's going down? 은 '무슨 일이야?' 또는 '왜그 래?' 라는 문장.

Says he won't go down without a fight.
걘 싸워보지도 않고 항복하지는 않을거래.

- You think he's gonna go down without a fight?
  걔가 그냥 항복할거라 생각해?

  It takes two to tangle and girls like these don't go down without a fight. 뒹굴려면 둘이 필요한데 저런 여자애들은 거저 취할 수가 없어.

■ go down without a fight 는 싸우지 않고 내려오다, 항복하다라는 뜻으로 '아무런 저항없이 항복하다' 라는 의미이다.

Do we have to go through all that again?
그걸 다시 반복하자구?

- Why are you making me go through this again?
  왜 내가 이걸 다시 겪게하는 거야?

  I'll go through menopause in a couple of years.
  난 몇 년내에 폐경을 겪을 거야.

■ go through는 '살펴보다,' '조사하다,' '경험하다' 등 다양한 의미로 쓰이는 동사구.

G

He's always on the go.
그는 늘 바삐 돌아다니죠.

- I work in fashion. Girls on the go. 난 패션계에서 일해. 바쁜 여성들하고.
  Okay. It's a go. She's on the move. 좋아. 결정됐어. 걔가 이동 중야.
  The deal's a go. 거래는 결정됐어.

■ on the go는 go가 명사로 쓰인 경우로 '바쁜'을 뜻하며 또한 it's a go하면 '결정됐어,' it's no go하면 '이젠 틀렸어' 라는 말이 된다.

I'm finished being your go-between.
이제 네 중개인 노릇은 끝났어.

- Up until then, it was pretty touch-and-go. 그때까지 꽤 불안했어.
  My Parisian daughter's such a go-getter.
  내 파리지엥 딸은 무척 야심찬 사람야.

■ go-between은 중개인, touch-and-go는 불확실한, 불안한, 그리고 go-getter는 야심찬 사람을 뜻한다.

MORE EXPRESSION

go flying 걸려 넘어지다
Go to it! 힘내, 해보는거야!
Let's go get~ …하러 가자
go off with (남의 것을) 갖고 튀다
go on at 비난하다
party-goer 파티가는 거 좋아하는 사람

So you decide to play God. 그래서 넌 신처럼 행동하기로 결정했구나.

Please, for the love of God, get me out of it!
빌어먹을, 제발 날 꺼내줘!

- I tell you, for the love of God, Jane, don't do it!
제발, 제인 그러지 말라니깐!

  Can we please, for the love of God, just order something now?
제발 지금 뭐좀 주문할 수 있나요?

■ for the love of God은 짜증나서 하는 말로 뜻은 '제발,' '빌어먹을' 이라는 말.

He thinks he's God's gift to gay men.
걘 게이들에게는 자신이 최고라고 생각해.

- You're no God's gift to women. 넌 여성들에게 젬병이야.

■ God's gift to~는 '…에 신이 내린 선물' 이라는 말로 비유적으로 '…에는 자신이 최고' 라는 의미이다.

God forbid you should work.
제발 네가 일하지 않기를.

- God forbid you get one of those new fancy sex diseases!
네가 신종성병중 하나에 걸렸을 리가 없어!

  Be careful. God forbid you fall off the chair.
조심해. 네가 의자에서 떨어지지 않기를.

■ God forbid that~은 that 이하의 사실이 절대로 일어나지 않기를 간절히 소망할 때 사용하는 표현. '제발 …가 아니기를,' '그런 일은 없을 것이다' 라는 뜻이다.

God only knows where it's been.
그게 어디 있었는지는 아무도 몰라.

- God knows what he did to my daughter. 걔가 내 딸에게 무슨 짓했는지 아무도 몰라.
You're smart and God knows you're parent. 넌 현명하고 정말이지 부모다워.

■ God (only) knows~는 신만이 알고 있다는 말로 역으로 말하면 '아무도 알 수 없다' 는 말의 강조어법이다. God 대신에 Heaven을 써도 된다. 한편 God know (that)~은 '정말이지…이다' 라는 의미.

Who in God's name are you?
도대체 너 누구야?

- What in God's name are you wearing? 도대체 넌 뭘 입었어?
What in God's name have you done? 도대체 넌 무슨 짓을 한거야?

■ What[How, Where, Who] in God's name에서 in God's name은 의문문을 강조하는 역할을 한다.

Well, if the food's late, God help you!
음식이 늦어지면, 어이구 너 불쌍도 해라!

- She's made her choice, God help her.
걘 선택을 했어요, 걜 돌보소서.

  God help us if they don't make it.
걔네들이 해내지 못하면 우린 불쌍해지는거야.

■ God help you[him]는 '…가 불쌍해라,' '가여워라' 라는 말.

You're an honest to God hero.
넌 정말로 영웅이야.

- Honest to God, I was not gonna say that. 정말로 난 그말 하려 하지 않았어.
Honest to God. Leonard, tell her I have a girlfriend.
맹세코, 레너드, 난 애인이 있다고 말해.

■ honest to God는 신께 정직하다는 말로 '정말로,' '맹세코' 라는 의미.

He's dead now, God rest his soul.
걘 이제 죽었어, 저승에서도 평안하기를.

- She treated me like trash! God rest her soul.
걘 날 쓰레기 취급했어. 걔 영혼이 고이 잠들게 하소서.

  So you decide to play God. 그래서 넌 신처럼 행동하기로 결정했구나.

  But that doesn't give you the right to play God.
하지만 그렇다고 네가 신처럼 굴라는 권리를 준건 아니지.

Oh, thank God I found you.
아, 이런 널 찾았구나.

- Pupils are good. Thank goodness. 학생들은 착해. 다행이지.

  Oh, my God. Who told you that? 맙소사. 누가 이걸 네게 말했어?

■ God rest his[her] soul 은 '저승에서 평안하기를' 이라는 말로 죽은 이를 애도하면서 하는 말. 또한 play God은 신처럼 막강한 힘을 가진 것처럼 '마음대로 행동하다,' '좌지우지하다' 라는 의미.

■ Thank God[goodness, heavens]은 안도감을 느꼈을 때 나오는 감탄어구로 '고마워라,' '다행이다' 라는 뜻이다. 또한 Oh, my God은 놀랐을 때 하는 표현으로 '맙소사' 라는 뜻. 약어로 OMG라고도 한다.

MORE EXPRESSION

God willing 별일없으면, 잘되면
There is a God! 이렇게 좋을 수가!

» good

You're looking good for it. 증거를 많이 찾았구만.

That's good to know.
알게 돼서 좋다.

- It's good to know you're watching my back.
내 뒤를 봐준다는 걸 알게 돼 좋아.

  We're good to go. 우린 가도 돼.

It sounds too good to be true.
너무 좋아 믿어지질 않아.

- I knew it was too good to be true. 너무 좋아 믿기지 않는다는 걸 알았어.

  She's too good to be true, and you're too blind to see it.
걘 믿기지 않을 정도로 좋아 그리고 넌 눈이 멀어 그걸 보지 못한거야.

You are way too good for her.
넌 걔한테 너무 과분해.

- You know alcohol's not good for the baby? 알콜이 애한테 안좋은거 알지?

  Sam insisted that it was good for Jack. 샘은 그게 잭에게 좋다고 주장했어.

You're looking good for it.
증거를 많이 찾았구만.

- He looked good for three unsolved rapes in Harlem.
걘 할렘에서 3건의 미해결 강간사건에 대한 증거를 많이 찾았어.

  You're the one who's looking good for this murder.
네가 바로 이 살인사건의 증거를 찾은거야.

■ be good to know는 '… 하게 돼서 좋다' 라는 뜻의 be good to+V 형태 중 하나로 '…을 알게 돼서 좋다' 라는 의미. be good to go[see] 등으로 다양하게 동사를 바꿔서 쓸 수 있다.

■ be too good to be true 는 믿기지 않을 정도로 너무 좋은 일이 생겼을 때 쓰는 표현.

■ be good for~는 '…에게 좋다,' '상태가 좋다,' '유효하다' 라는 의미.

■ look good for가 범죄미 드에서 사용되면 '누가 범죄를 저 질렀다는 증거가 많다' (there is a lot of evidence that someone committed a crime or crimes.) 라는 의미.

G

Good of you to join us.
네가 우리랑 함께 해서 고마워.

- It's good of you to come. 와줘서 고마워.
  It was very good of you to tell me in person. 개인적으로 말해줘 고마웠어.

You're so good at that.
너 그거 정말 잘한다.

- She's good at heart. 걘 마음이 참 따뜻한 것 같아.
  What are you good at? 너 뭐 잘하니?

No, no. It's all good.
아니. 상황이 다 좋아.

- You're here. It's all good. 네가 여기 있고 아무 문제 없어.
  Well, that's all well and good for them. 어, 걔네들에게 정말 좋아.
  Charm is all well and good, but in the real world, knowledge is power. 매력도 좋기는 하지만 실제 세계에서는 아는게 힘이지.

Well, if this is as good as it gets for a while.
음, 이게 한동안 이보다 더 좋을 수 있다면.

- Felony battery, that's as good as it gets. 폭행중범죄라, 이보다 더 좋을 순 없군.

I don't know. That's a good one.
난 모르겠지만 그거 좋은데.

- That's a good one. I like that. 그거 좋네. 맘에 들어.
  A: Okay, why don't I make us some coffee? B: That's a good one.
  A: 좋아, 커피 좀 타올까? B: 그거 좋지.

He's trying to make good.
걘 성공하려고 애쓰고 있어.

- We'll make good for anything that is wrong. 잘못된 건 보상할게.
  The shippers made good for the damaged package.
  발송업체는 피해입은 물건에 대해 보상을 했어.

Have a good one, Marty.
재미있게 보내, 마티.

- A: Um. Well, have a good one. B: You too. A: 음. 잘 보내. B: 너도.
  See you, Rory. Have a good one. 담에 보자, 로리. 잘 보내고.
  A: Ok, I'm gone. B: Be good. A: 좋아, 나 간다. B: 잘 다녀와.

Good job. You are a good girl.
잘했어. 너 참 착하구나.

- Hey! You be a good girl, right? 얘! 너 얌전히 있어야 돼, 알았어?
  Be a good boy and I'll buy you a toy afterward. 착하게 굴면 나중에 장난감 사줄게.

■ (That[This, It] is) Good of sb to~는 상대방의 친절에 감사하다고 말할 때 사용하는 표현으로 구어체에서는 주어+동사는 아예 생략하기도 한다.

■ be good at은 '…를 잘하다,' '…에 소질이 있다' 반대로 '…을 잘못하다'는 be not good at 혹은 be poor[terrible] at~이라고 하면 된다.

■ It's all good은 모든 상황이 무리없고 안전해서 '좋다,' '문제가 없다'라는 표현. That's[it's] all well and good 또한 말그대로 '모든 게 좋다,' '괜찮다'라는 뜻.

■ be as good as it gets는 영어화제목으로 유명한 표현으로 '이보다 더 좋을 수는 없다'라는 의미.

■ That's a good one은 '그거 좋다' 혹은 '그거 재미있네'라는 말로 상대방의 농담이나 제안 등에 맞장구치면서 하는 말.

■ make good 혹은 make it good은 '성공하려고 애쓰다,' '약속을 이행하다,' 혹은 '과거에 저지른 실수로 생긴 피해를 회복하려고 노력하다' (try to succeed, or undo some damage he has caused in the past)라는 뜻.

■ have a good one은 have a nice day와 비슷한 의미로 생일이나 휴일 등을 재미있게 잘 지내라는 표현. 한편 Be good하게 되면 헤어질 때 하는 말로 '안녕,' '잘 지내,' '잘 다녀와'라는 의미이다.

■ good girl, good boy는 아이들 칭찬할 때나 혹은 남녀사이에서 껄떡대지말고 얌전히 있으라고 할 때 사용된다. 또한 That's a good boy는 '착하지'라고 아이들에게 사용하는 표현이다.

Well, good for you. Come on in.

저기, 잘됐네. 어서 들어와.

- A: I apologized to her. B: Good for you. A: 걔한테 사과했어. B: 잘했어.
  Good for you, moving on. 잘됐네, 다음 단계로 넘어가자고.

■ **Good for you**는 상대방에게 좋은 일이 생겼을 때 축하해주며 '잘됐네,' 혹은 상대방 행동을 칭찬하면서 '잘했어' 라는 의미의 빈출표현. Good for me하면 '다행이다' 라는 뜻이 된다.

If you know what's good for you, you'll go back to your place.

어떻게 하는게 좋은지 안다면 집으로 돌아가라고.

- If you know what's good for you, you'll stay away from me in the yard. 뭐가 좋은지 않다면 마당에서는 나와 떨어져 있어.

■ **if you know what's good for you**는 직역하면 '무엇이 네게 좋은지 안다면' 이라는 뜻으로 상대방에게 충고할 때 쓰이는 표현이다.

You got a good thing going here.

넌 여기서 잘 풀린거야.

- I've got a good thing going here. A job at a nice hotel. 난 여기서 잘 풀리고 있어. 멋진 호텔에서 일도 하고.
  I don't have a yard, myself. You got a good thing going. 난 마당도 없어. 넌 잘된거야.

■ **have a good thing going (with~)**은 '…와 일이 잘 풀리다' 라는 말로 'good'을 뺀 have a thing going(애정을 느끼다)과 헛갈리지 말아야 한다.

He's good and hungry.

걘 엄청 배가 고파.

- When he's good and ready, he works that plan. 걔가 완전히 준비되면 그 계획을 가동할거야.
  I know it makes you feel good and pretty. 그게 널 느낌이 좋게 만들거라는 걸 알고 있어.

■ **good and ready**는 good and+형용사의 형태로 여기서 good and는 뒤에 따라나오는 '형용사' 를 강조하는 역할을 해서 good and ready하게 되면 '완전히 준비된' 이라는 의미이다.

Oh, that's not good.

어, 좋지 않은데.

- A: Sweetie, how's it going? B: Not good, not good at all.
  A: 자기야, 어때? B: 안좋아, 전혀 안좋아.
  While that's a good reason, that's not good enough. 좋은 이유는 되지만 충분하지는 않아.

■ **Not good**은 That's not good이란 말로 '그건 심했다,' '안좋다' 라는 표현이고 That's not good enough하면 '그걸로는 충분하지 않아' 라는 뜻.

G

놓치면 원통한 미드표현들

- **gossip** 험담(꾼), 험담하다, 남얘기하다
  I like to gossip on the phone.
  난 전화로 남얘기하는 거 좋아해.

- **gossip about** …에 대한 소문이야기를 하다
  Those women will spend the entire weekend gossiping about me.
  저 여자들은 주말내내 내얘기하면서 보낼거야.

- **on my mother's grave** 맹세코.
  I swear on my mother's grave. 정말 맹세해.

- **take it to one's grave** 비밀을 지키다(carry sth with sb to sb's grave 무덤까지 가져가다)
  I'll take it to my grave. 절대로 말하지 않을게.

That good, huh?
그렇게 좋아?

- What? What happened? That good, huh? 뭐? 어떻게 되었는데? 그렇게 좋아?
  A: The sex was fantastic. As good as with Chris. B: Hmm.
  That good, huh? A: 끝내주는 섹스였어. 크리스 때만큼. B: 그렇게 좋았어?

That'll be good.
잘 될거야.

- That'll be good for you. 네게 괜찮을거야.
  That's actually a valid idea. Very good. 정말 근거있는 이야기야. 아주 좋았어.

You're up to no good.
쓸데없는 일을 하고 있는거야.

- I know that look. You're up to no good. 저 표정알아. 무슨 못된 짓을 하려는거야.
  I'm telling you, he's up to no good. 정말이지, 걘 헛수고하고 있는거야.
  I've been up to no good. 별 일도 없이 그냥 지냈어

I suggested it for the good of the school.
학교의 이익을 위하여 그걸 제안한거야.

- For the good of the patient. It's what House would have done.
  환자의 이익을 위하여. 하우스라면 이렇게 했을거야.
  I'm only here for the good of the company. 난 회사의 이익을 위해 일하고 있어.

■ **That good, huh?**에서 'that'은 '그렇게,' '그정도로' 라는 말.

■ **That'll be good (for~)**는 '좋을거야,' '괜찮을거야' 라는 표현. 또한 very good은 '아주 좋았어' 라는 칭찬의 표현도 되고 상대방의 말에 '잘 알겠다' 라는 의미로도 쓰이는 표현이다.

■ **up to no good**은 '쓸모없는' 이라는 뜻으로, '넌 쓸데없는 짓 혹은 나쁜 짓을 하고 있다' (do bad things)거나 혹은 '빈둥거리다' (goof around or waste time)라는 뜻으로 쓰인다.

■ **for the good of~**는 '…을 위하여,' '…의 이익을 위하여' 라는 말.

MORE EXPRESSION

For the good old days
옛날이 좋았지
hold good 유효하다
good for nothing 쓸모없는
for good measure 추가로
do some good 도움되다
be in sb's good books
…에게 잘보이다
What's the good of~ ?
…해야 무슨 소용야?
good-natured
성격이 좋은(good-tempered)

» goof

We're just goofing around. 우린 그냥 빈둥거리고 있어.

I like to goof off now and then.
난 종종 농땡이치는 걸 좋아해.

- We're just goofing around. 우린 그냥 빈둥거리고 있어.
  Maybe he was just goofin' around. 아마도 걘 그냥 노닥거리고 있었어.

I thought it was goofy, kind of funny.
난 그게 바보같은 짓같아, 좀 웃기기도 하고.

- When I criticize you, you don't put on a big goofy grin!
  내가 널 비난할 때 얼빠진 표정짓지말아!
  I get requests from goofballs every day. 매일 멍청이들로부터 요청을 받아.

■ **goof off**는 일할 시간에 '농땡이 치는' 걸 말하고 goof around는 '그냥 빈둥거리고 시간을 때우는' 것을 말한다.

■ **goofy**는 '바보같은,' '얼빠진' 이라는 뜻이고 goofball는 멍청이라는 단어이다.

That doesn't make the grade. 그렇게 해서는 안돼.

That doesn't make the grade.
그렇게 해서는 안돼.

- If they don't make the grade, they don't work.
  걔네들은 어떤 기준에 다다르지 않으면 일을 하지 않아.

■■■ make the grade는 어떤 필요한 기준에 다다르다라는 말로 비유적으로 '성공하다' 라는 뜻으로 쓰인다.

You get those grades up for college.
넌 대학가려면 성적들 좀 올려라.

- If Tina doesn't pull her grades up, she'll have to go to summer school. 티나가 성적 못올리면 써머스쿨에 가야 될거야.

  I could get my grades up enough to go to Brown.
  난 브라운대에 갈 정도로 충분한 성적을 올릴 수 있어.

■■■ keep[pull, get] one's grades up에서 'grades'는 '성적'이란 단어로 전체 의미는 '성적을 올리다' 라는 뜻이 된다.

You have a really good grasp on this. 넌 이걸 정말 잘 알고 있어.

You have a really good grasp on this.
넌 이걸 정말 잘 알고 있어.

- Do you have a good grasp on this computer system?
  이 컴퓨터 시스템 잘 알고 있어?

  Tim has a good grasp on the subway routes. 팀은 지하철노선을 잘알아.

■■■ have a good grasp on에서 grasp는 꽉쥐다라는 말로 have a good grasp on하게 되면 on 이하의 것을 '잘 파악하다,' '잘 알고 있다' 라는 뜻이 된다.

Gimme a break here. I'm just grasping at straws.
좀 봐줘. 지푸라기라도 잡고 싶은 심정야.

- I got a robot hand grasping a man's penis out here.
  여기 로봇팔에 성기를 잡은 남자환자가 있어.

  Making a million dollars is beyond my grasp. 백만달러 버는 건 불가능해.

■■■ grasp at straw는 지푸라기라도 잡는 심정으로 '기적을 바라다' 라는 표현이고, beyond [within] one's grasp는 '손이 닿지 않는 곳에' 혹은 '이해할 수 없는' 이라는 뜻으로 쓰인다.

G

놓치면 원통한 미드표현들

- **be all Greek to sb** …에게 전혀 이해가 되지 않다
  It's all Greek to me. Can you help me out?
  무슨 말인지 모르겠어. 나 좀 도와줄테야?

- **off the grid** 추적 불가능한 *be totally off the grid 세상을 등지다
  His GPS signal goes off the grid.
  걔 GPS 신호는 추적 불가능해.

- **good grief!** 맙소사!
  Oh, good grief. This isn't about you.
  어, 맙소사. 이건 너에 관한 것이 아냐.

- **grill sb (about, on)** 닦달하다
  I know you're not grilling my client without his lawyer present. 네가 걔 변호사도 없는데 내 의뢰인을 심문하지 않았다는 걸 알아.

That's great. Good for you. 대단하다. 너한테 잘됐네.

No, but he's great for theft.
아니, 하지만 걘 도둑질에 아주 능해.

- This is going to be so great for Will. 이건 윌에게는 대단한 걸거야.

  I think it'd be really great for us to own something together.
  우리가 뭔가 함께 소유하는 건 아주 멋진 일이 될거라 생각해.

I was going to say great minds think alike.
위대한 사람은 같은 생각을 한다라고 말하려고 했어.

- Well, great minds shop alike. 어, 위대한 사람들은 좋은 물건을 알아본다니까.

  I do not see you wearing a ring. Great minds think alike!
  너 반지 안끼지. 위대한 사람은 같은 행동을 한다니까.

You look great!
너 멋져 보인다!

- You look great in the dress. 그 드레스 입으니 멋져 보여.

  A: I'm almost 30. B: Come on, you still look great.
  A: 난 30이 다 돼가. B: 괜찮아, 넌 여전히 멋져 보여.

That's great! We can all hang out!
대단해! 우린 모두 놀아도 돼!

- Liz still wants to meet you. That's great! 리즈는 여전히 널 만나고 싶어해. 잘됐어!

  That's great. Good for you. 대단하다. 너한테 잘됐네.

  If you want to meet my friends, that would be great.
  내 친구들을 만나고 싶다면 아주 좋을거야.

  It's going to be great. 아주 좋아질거야.

  This year is going to be great. 금년은 대단할거야.

■ **be great for ~ing[sth, sb]**는 '···에 능하다,' '···에게 매우 좋다' 라는 표현.

■ **great minds think alike**는 둘이 같은 생각을 하게 됐을 때 '위대한 사람은 같은 생각을 한다' 라고 장난스럽게 말하는 표현. think 대신 shop 등을 써서 패러디하기도 한다.

■ **look great**는 사람이나 사물의 겉모양이 좋아 보인다는 의미.

■ **That's great**는 상대방의 행운을 칭찬해주는거로 good for you와 유사하며 의미는 '그거 아주 좋아,' '굉장해,' '잘됐네' 가 된다. 또한 That would be great 에서 would는 가정법으로 문맥상 '그렇다면' 아주 좋겠다라는 말이고 be going to be great는 단순한 미래의 일을 말하는 것으로 앞으로 좋을 것이다, 대단할 것이다라는 의미.

MORE EXPRESSION

great big 대단히 큰
be no great shakes 대단치않다
go great guns 잘해나가다
Great Scott! 어머나!, 맙소사!
Great Heaven! 맙소사!
Not so great 안좋은(bad)

놓치면 원통한 미드표현들

- **have an ax to grind** 딴 속셈이 있다
  She has an ax to grind. 걘 다른 속셈이 있어.

- **get back into the grind** 일을 다시 시작하다
  Let's get back into the grind.
  다시 일을 시작하자.

- **be groovy** 멋지다
  How do you like Bob's new hair? Isn't it

  groovy? 밥의 새로운 머리 어때? 멋지지 않아?

- **group sb** 더듬다
  You tore her dress off, you groped her.
  넌 걔 드레스를 찢고 걜 더듬었어.

- **groupie** 열성팬
  One of those groupie sluts he was banging.
  걘 헤픈 열성팬 들중 하나와 섹스하고 있어.

She gave him the green light for tonight. 걘 오늘 밤 개한테 허락했어

You're still green.
아직 어리구나.

- She's still green. 걘 아직 풋내기야.
  You're a little green. 넌 아직 좀 미숙해.

Serena gave him the green light for tonight.
세레나는 오늘 밤 개한테 허락했어.

- We'll hold the story until you give me the green light.
  네가 내게 허락할 때까지 그 이야기를 보도하지 않을게.

  Transplant committee gave us the green light. 장기기증위원회가 승인했어.

You guys have very green thumbs.
너희들 원예에 한가닥하네.

- Where did you get such a green thumb? 원예기술은 어디서 배운거야?
  He has a green thumb. 걘 식물을 잘 가꿔.

■ **be still green**은 아직 여전히 어리고 미숙하다라는 말로 be a little green하면 좀 약간 미숙하다라는 말이 된다.

■ **give sb the green light**는 sb에게 파란불(green light)을 준다라는 뜻으로 '승락하다,' '허락하다' 라는 뜻으로 쓰인다.

■ **have a green thumb**은 식물이나 원예를 잘한다라는 뜻.

MORE EXPRESSION

green card 영주권
the green-eyed monster
질투, 시기

Get a grip on yourself. 좀 정신차려.

My God. Get a grip
맙소사. 진정해.

- Get a grip? I'm hanging on for dear life, here. 진정하라고? 죽어라 버티고 있는데.
  Get a grip on yourself. 좀 정신차려.

No, I lost it. I lost my grip.
아니, 잃어버렸어. 내가 나버렸어.

- Sam lost his grip on the business and it failed.
  샘은 사업에 대한 열정을 잃고 실패했어.

  Don't lose your grip on the course work. 과제물 놓치지말고 해라.

Nick is trying to come to grips with this information.
닉은 이 정보를 이해하려고 노력중이야.

- I never came to grips with my dad's death.
  난 절대로 내 아빠의 죽음을 이해하지 못했어.

  They need to come to grips with the bad economy.
  걔네들은 경기불황에 직면해야 돼.

■ **get a grip (on)**에서 grip은 '꽉 움켜잡는 것,' '장악' 이라는 말로 get a grip on하면 화가 나서 씩씩대거나 감정이 폭발하는 것을 억제한다는 말. 또한 get a grip on yourself하면 '마음을 다 잡다,' '기운내다' 라는 뜻이 된다.

■ **lose one's grip** 쥐고 있는 것을 놓다라는 이야기이니까 어떤 열의나 기운 등을 잃는 것을 뜻한다.

■ **come[get] to grips with sth**는 with 이하의 것을 '이해하기 시작했다' 혹은 '…에 직면하다,' '대처하다' 라는 말.

MORE EXPRESSION

be in the grip of sth 시달리다
keep a grip on you
잡다, 진정하다

It's really gross. 정말 구역질나.

I need to look at it. Ew! Gross!

좀 봐야겠어. 익!, 역겨워!

- That Internet site is really gross! 저 인터넷 사이트 정말 역겹다!
  This movie even sounds gross! 이 영화는 역겹게 들리기까지 해.
  He's gross! I don't want to see him again. 걘 정말 역겨워! 다신 보고 싶지 않아.

■ be gross는 구역질나고 역겨울 정도의 상태를 말하며 , 단독으로 Gross!라고 말할 수 있다. Nasty!와 같은 말.

Gross me out!

열받아!

- Are you trying to gross me out so I can't eat my burrito?
  날 역겹게해서 내 부리토를 못먹게하려고?

■ gross sb out은 'sb를 역겹게하다' (disgust)라는 말로 gross가 동사로 쓰인 경우이다.

We should hit the ground running. 우린 처음부터 잘해야 돼.

I'm trying to get off the ground.

난 시작하려고 하고 있어.

- I tried, but he kept telling me to get off the ground.
  난 시도했는데 걘 계속해서 나보고 시작하라고 하는거야.
  There's a project I'm trying to get off the ground.
  내가 시작하려는 프로젝트가 있어.

■ get off the ground는 뭔가 순조롭게 활동을 시작하거나 출발한다는 표현. 바닥(ground)에서 off한다고 생각하면 된다.

Get on the ground! Don't move!

바닥에 엎드려! 움직이지마!

- Everybody down! Get on the ground! 다들 엎드려! 바닥에 엎드려!
  The police! Search warrant! Get on the ground!
  경찰이다! 수색영장이다! 바닥에 엎드려!

■ get on the ground는 범죄수사물에서 자주 들리는 표현으로 경찰이 용의자에게 '바닥에 엎드려' 라고 할 때 사용하는 표현이다.

You're grounded.

넌 외출금지야.

- My parents grounded me. 부모님이 외출금지시켰어.
  Heather was grounded for a month. 헤더는 한달간 외출금지야.

■ ground는 동사로 사람을 목적어로 받아 '외출금지시키다' 라는 의미로 쓰인다. 주로 부모가 자식들이 말 안들을 때 취하는 벌의 종류.

You got no grounds to hold him.

걜 잡아둘 근거가 없어.

- We have no grounds to commit her. 우린 걜 수감할 근거가 없어.
  You had no grounds to detain Mr. Logan. 넌 로건을 억류할 명분이 없었어.

■ have no grounds to+V 에서 grounds는 이유나 근거를 말하는 경우로 의미는 'to~이하할 이유, 근거가 없다' 라는 말이 된다.

On what grounds?
무슨 근거로?

- A: So arrest him. B: On what grounds? A: 걜 체포해. B: 무슨 근거로?

  A: Jill sued you? B: On what grounds? A: 질이 널 고소했어? B: 무슨 근거로?

Give ground, or I'll kill you myself!
양보해, 그렇지 않으면 내가 널 죽일거야!

- No, I'm holding my ground. 아니, 내 입장을 고수할거야.

  Standing my ground is not really my strong suit.
  내 입장을 고수하는게 내 장점이 아냐.

I thought I was gaining ground.
난 내가 점점 강해지는 줄 알았어.

- Gabrielle had been losing ground to Juanita ever since.
  가브리엘은 그 이래로 후아니타에게 점점 밀리고 있었어.

I saw a gun; I hit the ground.
난 총을 보고서 바닥에 엎드렸어.

- I hit the ground. It scared me to death. 바닥에 엎드렸어. 무서워 죽는줄 알았어.

  By the time I hit the ground I thought I was dead.
  내가 바닥에 엎드릴 때 난 죽었다 생각했어.

We should hit the ground running.
우린 처음부터 잘해야 돼.

- I could hit the ground running on Monday. 월요일에 새롭게 시작할 수 있을거야.

  We need to hit the ground running. 우리는 시작부터 잘해야 돼.

■ **on what grounds**는 의문형태로 주로 쓰이는데 역시 grounds는 근거라는 말로 상대방에게 무슨 근거로 이렇게 행동하는지 반문할 때 사용한다.

■ **give ground**는 '기반'(ground)을 준다는 말로 '양보하다,' '후퇴하다,' '자신의 의견을 물리다' 라는 표현이다. 반대로 '자신의 주장을 고수하다' 라고 할 때는 hold[stand] one's ground 라고 하면 된다.

■ **gain ground** 역시 땅이나 기반을 얻는다라는데서 '강해지다,' '유리한 고지에 서다' 라는 뜻이고 반대로 lose ground는 '기반을 잃다,' '불리해지다,' '물러서다,' '밀리다' 라는 의미를 갖는다.

■ **hit the ground**는 바닥에 엎드리다, 혹은 바닥에 떨어지다 라는 의미. 참고로 one's feet hit the ground하면 어느 장소에 도착하다 혹은 침대에서 일어나다라는 의미로도 쓰인다.

■ **hit the ground running**은 '시작부터 성공적으로 잘 되어가다' 라는 아주 좋은 내용의 표현.

MORE EXPRESSION

down to the ground
아주, 철저히
break new ground
신기원을 열다
on the ground 현장에서
on the ground that~
…의 이유로
have both feet on the ground
현실적이다
be grounded on …을 근거로 하다

G

» grow

You were beginning to grow on me. 넌 날 좋아하기 시작했어.

They think money grows on trees.
걔네들은 땅파면 돈이 나오는 줄 알아.

- Chocolate boxes do not just grow on trees. They are made.
  초콜렛박스는 저절로 생기는게 아냐. 만들어지는거지.

  Nannies like her don't grow on trees. 걔같은 유모를 찾기 쉽지 않아.

You have to grow up.
철 좀 들어라.

- Grow up already. 이제 철 들 때도 되지 않았어.

  He treated me like a grown-up. 걔는 나를 성인으로 취급했어.

■ **don't grow on trees**는 주어가 나무에서 저절로 자라나는 게 아니라는 말로 주어가 드물거나 소중히 아껴써야 한다는 의미.

■ **grow up**은 성장하다라는 기본숙어로 문맥에 따라 '철들다' 라는 의미로 쓰이기도 한다. grown-up은 명사형으로 '성인,' '어른'을 뜻한다.

Well, hopefully, it'll grow on you.
저기 바라건대, 네가 그걸 좋아하게 될거야.

- Despite our differences, you were beginning to grow on me.
  우린 차이점에도 불구하고 넌 날 좋아하기 시작했어.

  Maybe it's okay if we grow apart. 우리가 멀어져도 아마 괜찮을거야.

■ grow on sb는 주어가 sb 에서 자라난다는 뜻으로 결국 'sb 가 주어를 좋아하게 되다' 라는 뜻 이 된다. 한편 grow apart하면 '사이가 멀어지다' 라는 의미.

Maybe I'll just grow out of it.
아마도 크면서 그렇게 하지는 않을거야.

- Hopefully she'll grow out of that. 바라건대 걘 나이들어 같은 일을 반복하진 않을거야.
  17-year-old boys don't grow out of their sexuality.
  17살 아이들은 성적취향에서 벗어나지 않아.

■ grow out of~는 …를 벗 어나 성장한다라는 점에서 of 이 하에 의류 등이 오면 '자라서 … 을 못입게 되다' 라는 뜻이 되고 그밖에 명사가 올 때는 문맥에 따 라 '…을 더 이상 안하다' 등의 의 미로 사용된다.

» guard

You just caught me off guard. 전혀 예상치 못한 일이야.

Oh, you just caught me off guard!
이거 전혀 예상하지 못한 일인걸!

- You're catching me a little off guard here. 전혀 예기치 못한 일이야.
  No, it's not okay. You just caught me off guard.
  아니, 괜찮치 않아. 전혀 예상치 못한 일이야.

■ catch[throw] sb off guard는 가드를 내리고 있는 사 람을 catch한다는 건 경계를 푼 상태에서 혹은 준비가 되지 않은 상태에서 어떤 일이 일어나는 걸 말한다.

I got people standing guard 24/7.
난 항상 경계를 하고 있는 사람들이 있어.

- Two MPs stand guard inside the room. 두명의 헌병이 방에서 경계를 서고 있어.

■ keep[stand] guard는 반 대로 경계하다, 지키다라는 의미.

MORE EXPRESSION

It's like having the fox guard the henhouse.
고양이한테 생선가게를 맡긴 격이야.

» guess

Can you take a guess? 알아맞춰볼래?

Let me guess, you found semen.
가만있자, 너 정액발견했구나.

- I saw you two. Let me guess, your ex-boyfriend?
  너희 둘 봤어. 내가 맞춰볼게, 옛남친?

  Let me guess. You got a huge bonus check.
  추측컨대, 보너스 많이 탔구나.

■ let me guess는 내가 추 측해보겠다라는 말로 잠시 생각하 면서 하는 표현. 우리말로는 '가만 있자,' '추측해보건대,' 혹은 상황 에 따라 '말 안해도 알아' 라는 뜻 으로 쓰인다.

Can you take a guess?
알아맞춰볼래?

- It's a chemical weapon. Take a guess. 화학무기야. 알아맞춰봐.
  I won't hazard a guess. 무리하게 억측하지 않을래.

■ take[make] a guess는 '짐작을 하다,' '추측하다' 라는 표현이고 hazard a guess는 좀 추측을 무리하게 하는 것으로 '억측하다' 라는 뜻.

That's a rough guess.
그냥 어림잡아 하는 얘기야.

- Let me take a wild guess. 대강 맞춰볼게.
  Want to take a wild guess what my first partner still calls me?
  내 첫파트너가 날 뭐라고 부르는지 대충이라도 맞춰볼테야?

■ take a wild guess는 hazard a guess처럼 '대충 맞추다' 라는 뜻으로 wild guess는 rough guess라고 해도 된다.

Well, guess what? I'm not scared.
저기, 그거 알아? 난 무섭지 않았어.

- Guess what? I got the part on CSI. 저기 말야. 나 CSI에서 일하게 됐어.
  So guess what? We've come to a decision.
  그래 저기 말야. 우린 결론에 도달했어.

■ Guess what?은 뭔가 흥미로운 이야기를 다른 데서 듣고서 상대방에게 얘기할 때 호기심을 자극하기 위해 하는 말로 '저기 말야?,' '그거 알아?' 라는 의미.

I'll give you three guesses.
뻔한 질문 좀 할게.

- How about I give you three guesses? 쉬운 질문 좀 할까?
  This is all just a guessing game, isn't it?
  이거 그냥 정답맞추는 게임이지, 그지 않아?
  You propose a guessing game, yet you don't give me enough time to guess. 알아맞히기게임을 하자고 해놓고 넌 아직 알아맞출 충분한 시간을 주지 않았어.

■ give sb three guesses는 sb에게 세 번 알아맞춰볼 기회를 준다는 것으로 '세번'이 많은 숫자인지는 모르겠지만 하여간 기회를 많이 준다는 맥락에서 '쉬운 질문을 하다' 라는 뜻이 된다. 또한 guessing game은 정답을 알아맞히는 게임 혹은 수수께끼라는 뜻으로 쓰이는 표현.

You'll never guess what just happened.
방금 무슨 일이 있었는지 넌 짐작도 못할거야.

- You'll never guess what I heard. 내가 무슨 얘기를 들었는지 넌 짐작도 못 할 걸.
  You'll never guess what Tom's got in that box.
  탐이 저 박스에 뭘 담고 있었는지 넌 짐작도 못할거야.

■ will never guess what~은 뭔가 놀랍고 충격적인 소식이나 사실을 알고 나서 다른 사람에게 그 놀라움을 전달하는 표현법.

G

Your guess is as good as mine.
모르긴 나도 매한가지야.

- Right now your guess is as good as ours.
  지금 너나 우리나 모르긴 마찬가지야.
  A: How did that get there? B: Your guess is as good as mine.
  A: 어떻게 거기에 갔어? B: 모르긴 나도 마찬가지야.

■ sb's guess is as good as mine은 주어의 guess나 나의 guess나 매한가지라는 말로 '모르기는 마찬가지이다' 라는 뜻이다.

That's anybody's guess.
아무도 몰라.

- It's anybody's guess. 확실치 않아.
  A: I hate it when you do that. B: Lucky guess.
  A: 네가 그럴 때 정말 싫더라. B: 우연히 맞춘거지.

■ be anybody's guess는 아무도 모른다, 그리고 lucky guess는 '우연의 일치' 라는 뜻이다.

I'm guessing the killer is left-handed.
살인범이 왼손잡이인 것 같아.

- I'm guessing someone late last night. 아마 지난밤 누가 늦은 것 같아.

  I'm guessing this guy isn't exactly an altar boy.
  얘가 정확히 (카톨릭) 복사는 아닌 것 같아.

■ I'm guessing~은 '…을 추측해본다' 라는 표현으로 I guess~ 와 같은 표현.

MORE EXPRESSION

I guess not. 아마 아닐걸.
I guess so. 아마 그럴 걸.
keep sb guessing 안 알려주다
I guess (that)~ 아마 …일거야

» guest

Be my guest! 그럼요!

Be my guest!
그럼요!

- You wanna test this guy? Be my guest!
  이 애를 테스트해보겠다구요? 그렇게 해요!

  Oh, yeah, yeah? Be my guest. Fall in love with her.
  어, 그래? 그렇게 해봐. 걔랑 사랑에 빠져봐.

■ be my guest는 '내 손님 이다' 라는 뜻으로 상대방의 요청에 흔쾌히 '그럼요,' '그렇게 해요' 라는 친절한 표현이다.

Well first, we don't have house guests.
먼저, 우린 자고가는 손님이 없어요.

- I had an unexpected house guest. 예상치 못하게 자고가는 손님이 있어.
  You can still stay in the guest room. 손님방에 더 있어도 돼.

■ house guest는 묵고 가는 손님을 그리고 guest room은 각 집에 있는 손님방을 말한다.

» guilty

Guilty as charged. I'm out. 어 맞아. 난 빠질게.

They'll find you not guilty by reason of insanity.
넌 정신이상으로 무죄판결 받을거야.

- I find you not guilty by reason of mental defect.
  정신박약으로 당신에게 무죄를 선고한다.

  I find you guilty of manslaughter and sentence you to five years. 과실치사로 평결하고 5년형에 처한다.

  He can still be found guilty of felony murder.
  걘 중죄모살죄로 평결날 수 있어.

■ find sb (not) guilty는 '…을 유죄라고 평결하다' 그리고 not을 붙이면 '…을 무죄라고 평결하다' 라는 말.

He's guilty of multiple homicide.
갠 연쇄 살인죄를 지었어.

- That woman was guilty of a crime she didn't commit.
  저 여자는 짓지도 않은 걸로 유죄판결받았어.

  The only thing I am guilty of is loving you in silence.
  나의 유일한 죄는 말없이 너를 사랑한거야.

■ be guilty of는 '…의 죄를 짓다,' '…에 대해 유죄이다' 라는 의미.

My client is ready to plead guilty.
내 의뢰인은 유죄를 인정할 준비가 됐어.

- Your Honor, I killed Julie Donovan. I plead guilty.
  재판장님, 줄리 도노반을 살해했습니다. 유죄를 인정합니다.

  Sam is going to plead guilty and go to prison.
  샘은 유죄를 인정하고 감방에 투옥될거야.

■ plead guilty는 법정드라마에서 많이 나오는 표현으로 '유죄를 인정하다' 라는 말.

Guilty as charged. I'm out.
어 맞아. 난 빠질게.

- Yeah. Guilty as charged. 어, 내가 그랬어.
  A: Oh, you know, how funny you are. B: Guilty.
  A: 어, 저말야, 너 정말 웃겨. B: 맞아.

■ Guilty or Guilty as charged는 상대방의 말에 좀 코믹하게 표현하는 것으로 '어 맞아,' '내가 그랬어' 라는 뜻이다.

Do you have a guilty pleasure Luke?
루크야, 너 은근히 즐기는 거 있어?

- Everyone's allowed a guilty pleasure now and again.
  누구나 다들 가끔은 남몰래 즐기는 것이 있게 마련이지.

  Yeah, the guilty pleasure that you know is bad for you.
  그래, 몸에 안좋은 걸 알면서도 하게 되는 죄의식이 따르는 즐거움.

■ guilty pleasure는 단어들의 의미상 어색한 만남이다. 이는 죄의식을 갖고도 그 과정의 즐거움 때문에 하는 것을 말한다.

MORE EXPRESSION

the guilty party 가해자측

» gun

 Ok, let's not jump the gun. 좋아, 신중하게 행동하자고.

She's bringing out the big guns.
갠 비장의 카드를 꺼내 들었어.

- Roll out the big gun later? 비장의 카드는 나중에 쓴다고?
  Good call, Governor, bringing in the big guns.
  훌륭한 결정예요, 주지사님. 거물을 영입하는 건요.

■ big gun은 사람을 뜻할 때는 '거물,' 그렇지 않을 때는 '비장의 카드'를 말한다. 그래서 '비장의 카드를 꺼내다,' '결정타를 날리다' 라고 할 때는 pull out the big gun라 하면 된다.

We better have a smoking gun.
우린 명백한 증거가 필요해.

- I still can't find the smoking gun. 난 아직 명백한 증거를 찾을 수가 없어.
  If I don't find a smoking gun, I'm screwed. 명백한 증거를 찾지 못하면 난 망해.

■ smoking gun은 총에서 연기가 난다는 말로 '명백한 증거'를 뜻한다.

I'm under the gun.
압력에 시달리고 있어.

- Look, I understand that you're under the gun.
  이봐, 난 네가 많은 부담을 느끼고 있다는 걸 이해해.

■ be under the gun은 총구밑에 있다는 말로 상당한 부담이나 스트레스를 받고 있다는 이야기.

Why not hold a gun to your own head?
왜 너는 하려고 하지 않는거야?

- We need to put a gun to his head for results.
  머리에 총을 겨누고 결과를 얻어내야겠어.

  You don't have to put a gun to my head! 총으로 협박할 필요는 없어!

■ hold[put] a gun to sb's head는 '총으로 협박하여 …하도록 하게 하다'라는 뜻이고 그냥 hold a gun하면 총을 지니다라는 의미.

I'm not his friend. I'm a hired gun.
난 걔의 친구가 아냐. 살인청부업자지.

- Let's say this hired gun rapes Denise then Jessica.
  이 살인청부업자가 데니스를 강간하고 그런 다음 제시카를 강간한거네.

  I mean like a hired gun professional. 내 말은 전문살인청부업자처럼 말야.

■ hired gun은 청부살인업자, 즉 hit man을 뜻한다.

Ok, let's not jump the gun.
좋아, 신중하게 행동하자고.

- I know the rules. I will not jump the gun.
  난 규칙을 알아. 신중하게 행동할게.

  I think you're jumping the gun here.
  난 네가 경솔하게 행동하는 것 같아.

■ jump the gun은 육상 등의 경기에서 출발신호 총소리보다 빨리 튀어나가는 것을 뜻하는 것으로 비유적으로 '경솔하게 행동하다'라는 의미를 갖는다.

Well, someone's gunning for him, huh?
어, 누군가가 걜 비난하고 있어, 맞지?

- There is a madman gunning for you because of me.
  나 때문에 널 비난하려는 미친놈이 있어.

  I hear the D.A.'s really gunning for the father.
  지방검사가 아버지를 비난하려 한다는 얘기를 들었어.

■ be gunning for sb는 sb에게 총구를 겨냥한다는 뜻에서 'sb를 비난할 기회를 노리다'라는 의미로 쓰인다.

He's a real jackass gunning for my job.
걘 내 자리를 잡으려고 하는 정말 멍청한 놈야.

- You're gunning for disbarment. 넌 변호사자격을 박탈당하려고 기를 쓰는구나.

  It's a little soon to be gunning for a promotion.
  승진을 노리는 건 좀 빨라.

■ be gunning for sth 이번에는 for 다음에 사물이 나오면 '…기회를 잡기 위해 무척 노력하다, 다투다'라는 의미.

MORE EXPRESSION

son of a gun 개자식
with all guns blazing
결의를 불태우며
stick to one's guns
억지부리다, 양보하지 않다

놓치면 원통한 미드표현들

- **grumpy** 짜증부리는
  Mommy gets grumpy if I wake her too early. 내가 넘 일찍 깨우면 엄마는 짜증부려.
  Mrs. Jaffe gets grumpy when she's made to wait. 재프 부인은 기다려야 할 때면 짜증을 부려.

- **gullible** 남의 말에 잘 속아 넘어가는
  I mean, I'm surprised you're so gullible.
  내 말은 네가 잘 속아넘어가는 거에 놀랐어.
  You'd better hope the jury is more gullible than I am. 배심원이 나보다 귀가 얇기를 바래야 돼.

You think he's got the guts? 걘 배짱이 있다고 생각해?

I hate your guts.
정말 너 싫어.

- I still pretty much hate your guts, Sacks. 색스, 난 아직도 네가 정말이지 싫어.
  He's going to hate your guts. 걘 널 증오하게 될거야.

You got a gut feeling on this?
이거에 본능적으로 오는 느낌이 있어?

- I have a gut feeling it's my best shot. 이게 나의 최선이라는 직감이 들어.
  I just have a gut feeling that it's him. 걔라는 직감이 들어.

You think he's got the guts?
걘 배짱이 있다고 생각해?

- You got the guts? 너 그럴 배짱 있어?
  You don't have the guts. 넌 배짱이 없어.
  I just wish I had the guts to do it. 내가 그걸 할 배짱이 있었으면 좋겠어.

You are a gutless wonder.
넌 정말 한심한 겁쟁이야.

- You're gutless. 넌 배짱도 없어.
  He was gutless and he was pathetic. 걘 배짱도 없고 한심해.

■ **hate one's guts**에서 gut 는 '내장'으로 여기서는 내장까지 싫어할 정도로 무척 싫어한다는 의미.

■ **get[have] a gut feeling** 은 '본능적으로 어떤 직감을 느끼다' 라는 의미.

■ **get[have] the guts**에서 guts는 용기나 배짱을 뜻한다. 따라서 have the guts to~하게 되면 '…할 배짱이 있다' 라는 말.

■ **gutless**는 '배짱이 없는,' '한심한' 이라는 단어.

MORE EXPRESSION

beer gut 맥주 많이 마셔 나온 배
spill one's guts 모든 걸 털어놓다
blood-and-guts 지독한
gut sb like a fish 속속들이 다 까발리다

He's our guy. 저자가 범인이야.

He's our guy.
저자가 범인이야.

- We don't think he's our guy. 저 사람이 우리가 찾는 범인은 아닌 것 같아.
  It looks like our guy wore a condom. 용의자가 콘돔을 낀 것 같아.

I'd rather talk to you guys anyway.
어쨌거나 너희들하고 얘기하는게 낫겠어.

- You guys figure it out, because she's driving me nuts.
  너희들이 알아내봐. 걘 날 돌아버리게 해.
  Looks like these guys are partners. 이 사람들은 파트너같은데.

■ **be our guy**는 범죄수사미드에서 자주 나오는 표현으로 수사관들이 찾고 있는 용의자, 범인이라는 의미.

■ **guy**는 원래 남자를 말하는 단어였지만 점점 여성도 가리키며 특히 복수형태로 guys하면 남녀 구분없이 사람들이라는 말로 쓰인다.

MORE EXPRESSION

wise guy 잘난 척하는 사람
bad guy 악당
fall guy 희생양
No more Mr. Nice Guy!
더이상 좋은 사람처럼 행동하지 않을 거야!

G

» habit

 They were trying to kick the habit. 개네들은 습관을 끊으려고 노력했었어.

Joe has a habit of getting high.
조는 마약하는 습관이 있어.

- Sam has a bad habit of leaving Joey alone.
  샘은 조이를 혼자놔두는 나쁜 습관이 있어.

  I'm trying to get you in the habit of doing things without me.
  난 나없이 네가 일을 하는데 익숙해지도록 하고 있어.

I'm not in the habit of prescribing non-approved drugs.
입증되지 않은 약물을 처방하는 사람은 아냐.

- I'm not in the habit of ruining people's reputations on a whim.
  난 맘대로 사람들의 명성을 해치는 사람은 아냐.

  Was she in the habit of staying there all night?
  갠 밤새 거기 있곤 하는 버릇이 있었어?

Don't make it a habit of consorting with liars.
거짓말쟁이들과 어울리지 않도록 해라.

- Do you make a habit of referring to your employer as a crazy bitch? 사장을 미친년이라고 부르는 버릇이 있어요?

■ **have[get] a habit (of) ~ing**는 어떤 사람의 습관을 묘사하는 것으로 습관의 내용은 of ~ing 혹은 그냥 ~ing만 붙여 써도 된다. get sb in the habit of~는 '…에게 …하는 습관을 들이다' 라는 말.

■ **I'm not in the habit of~**는 앞의 be in the habit을 이용한 표현으로 '나'에 관한 그릇된 이야기를 바로 잡을 때 사용하는 것으로 '나는 …하는 사람이 아냐' 라는 말이다.

■ **make a habit of**는 of 이하 하는 것을 습관으로 만들다라는 말로 '습관적으로 …하다', '…하는 버릇을 들이다' 라는 말. 또한 pick up[fall into] a bad habit하면 '나쁜 습관에 빠지다' 라는 표현.

Mother didn't want me picking up any bad habits.
어머니는 나쁜 습관에 전혀 빠지지 않기를 원하셨어.

I don't want you to develop bad habits.
네가 나쁜 습관을 붙이지 않기를 바래.

Old habits are hard to break.
오랜된 습관은 끊기가 어려워.

- Old habits die hard. 세살 버릇 여든까지 가기 마련야.
  They were trying to kick the habit. 걔네들은 습관을 끊으려고 노력했었어.
  I broke the habit of staying up late. 난 늦게까지 안자는 습관을 깼어.
  He'd only do that out of habit. 걘 습관적으로 그러는 거야.

■ kick the habit은 '좋지 않은 습관을 끊다'라는 말로 break the habit, 또는 go out of the habit이라고 해도 된다. 단 단독으로 out of habit하면 '버릇대로,' '하던대로'라는 뜻.

Chris, you've got a drug habit.
크리스, 너 상습적으로 마약하잖아.

- She had herself a nasty coke habit too. 걔 역시 위험한 코카인을 상습복용해.
  He only takes cash, probably to feed his heroin habit.
  걘 현금만 받는데 아마도 습관적으로 헤로인을 복용하는데 돈을 대기 위해서인 것 같아.

■ drug habit은 마약을 상습적으로 복용하는 습관이란 의미. drug 대신 다른 coke, heroin을 쓰기도 한다.

» hair

 I'm gonna tear my hair out. 어떻게 해야 할지 몰라 미치겠어.

Have a hair of the dog that bit you.
해장술 한잔 하죠.

- How about a little hair of the dog? It'll perk you right up.
  해장술 어때? 기운이 나아질거야.

■ hair of the dog은 '해장술'이란 의미로 사연(?)있는 표현. '개한테 물리면 개의 털을 잘라 붙이면 치료된다'는 옛속설에서 유래된 표현. 술취했을 땐 술로 해장한다는 의미로 쓰이게 되었다.

I might come in here and let my hair down once.
여기 와서 한번 좀 쉬어야겠네.

- I think you should wear your hair down. 너 머리를 내리는 게 나을 것 같아.
  A: You ever wear your hair down? B: What? Yeah, sometimes. Why? A: 머리 내린적 있어요? B: 뭐라고? 그래, 가끔, 왜?

■ let one's hair down은 머리를 풀다라는 말로 '긴장을 풀고 편히하다'라는 말. 직장여성들이 퇴근후 집에 와서 머리를 푸는 모습을 연상하면 된다. 한편 wear one's hair down은 머리 모양새의 하나로 '머리를 올리지 않고 내리는' 것을 말한다.

They're not making me want to tear my hair out.
걔네들은 내가 걱정하게 하지 않을거야.

- I'm gonna tear my hair out, so out my way.
  어떻게 해야 할지 몰라 미치겠으니 비키라고.
  Why should Serena be the one pulling her hair out?
  왜 세레나가 걱정을 해야 하는 거야?

■ be tearing[pulling] one's hair out은 우리도 그렇듯, 안좋은 상황이나 뭔가 풀리지 않을 때 머리를 쥐어뜯는 모습을 뜻하는 표현으로 '어떻게 할지 몰라 무척 걱정하거나 화내다'라는 의미.

H

Well, let's not split hairs.

저기, 너무 세세하게 따지지 말자고.

- Don't split hairs, if it works she lives. 걔가 살 수 있게 돌아간다면 그냥 넘어가자.
  Don't split hairs with me, Tim! Come on! 팀, 나랑 의견을 달리 하지마! 제발!

Get out of my hair! Just go outside.

그만 가래! 밖으로 나가.

- Well, I'll get out of your hair for a while. 잠시 널 혼자둘게 .
  Find a way to get him out of my hair. 내 눈에 걔 안보이게 해.

■ split hairs는 잡기도 어려운 머리카락을 하나씩 분리한다는 뜻에서 '사소한 일에 꼬치꼬치 따지다,' '지나치게 신경쓰다' 라는 의미. split hairs with하면 '…와 의견이 다르다' 라는 말.

■ get out of one's hair는 '…를 귀찮게 하지 않고 그만 가다' (leave sb alone)라는 의미.

MORE EXPRESSION

bad hair day 운수 나쁜 날
get in sb's hair …을 짜증나게하다
get out of one's hair
시야에서 사라지다

» half

 You don't know the half of it. 얼마나 심각한지 말도마.

You don't know the half of it.

얼마나 심각한지 말도마.

- You still don't even know the half of it. 얼마나 힘든 정도가 아냐.
  You don't know the half of what he's done. 걔가 저지른 짓이 장난아냐.

■ not know the half of는 상대방의 무지를 혼내기보다는 이 이하의 상황이 얼마나 충격적인지 강조하기 위한 표현이다.

Might have half a chance.

어느 정도 기회가 있을지 몰라.

- I don't know a young woman who wouldn't want to marry my son, given half the chance.
  기회를 좀 준다면 내 아들과 결혼을 하지 않으려는 젊은 여자는 없을거야.
  A good beginning is half the battle. 시작이 반이다.

■ give ~ half a chance는 '…에게 어느 정도 기회를 좀 주다' 라는 의미. 또한 be half the battle은 뭔가 이루려면 넘어야 하는 가장 핵심부분으로 '고비' 를 뜻한다.

Where's your better half?

네 아내 어디 있어?

- I'm still trying to hard, huh? Trying to get your other half to like me. 난 아직 노력중이라고. 네 부인이 날 좋아하게 만들려고 말야.
  Half my genes are drunk and the other half are violent and cruel. 내 유전자의 반은 알콜중독이고 나머지 반은 폭력적이고 잔인해.

■ sb's better half는 유머있는 말로 한 사람의 아내, 남편, 파트너를 말하는 표현. better 대신 other를 쓰기도 한다. 물론 the other half는 '다른 반쪽' 이란 일반적 의미로도 쓰인다.

■ not half bad는 예상했던 것보다 좋을 때 '괜찮다' 라는 의미로 쓰인다.

You weren't half bad yourself.

넌 괜찮았어.

- You know, you're not looking half bad. 저말야, 넌 썩 괜찮아 보여.
  Oh, stop your whining. You didn't turn out half bad.
  그만 투덜대. 괜찮았는데.

MORE EXPRESSION

half a minute[moment] 잠깐
Half now, half upon completion.
반은 지금, 반은 일 끝나고.
~ and a half 굉장한, 특별한
not do something by halves
일을 어중간하게 하다

We're all hands on deck. 우린 모두 함께 도와야 돼.

This had gotten out of hand.

일이 너무 커져버렸어.

- This is totally getting out of hand. 사태가 너무 걷잡을 수 없어졌어.
  The case gets out of my hands now. 이건 이제 내가 어떻게 손쓸 도리가 없어.

■ get out of hand는 '상황이 통제불가능한 상태가 되어 있다'는 것을, 그리고 '내손을 떠나서 나도 어쩔 수 없다'고 말할 때는 get out of one's hands라 하면 된다.

I'm going to need to get my hands on the original.

오리지널을 수중에 넣어야 될거야.

- I'd just love to get my hands on a brochure. 브로셔를 하나 얻었으면 해.
  He'll be my dead husband if I ever get my hands on him.
  나한테 잡히면 내 남편은 죽었어.

■ get one's hands on sth은 '…을 수중에 넣다,' '얻다,' '성공하다'라는 말이며 on 다음에 사람이 오면 '붙잡다,' '혼내다'라는 뜻이 된다.

I have a screaming baby on my hands.

난 소리를 지르는 아기를 다루어야 돼.

- I have a very sick child on my hands. 무척 아픈 아이를 돌봐야 돼.
  I've had a little more time on my hands lately. 난 최근에 시간이 좀더 있었어.

■ have sth[sb] on one's hands는 '다루기 어렵고 힘든 문제를 안고 있다'는 의미. 단 have 다음에 시간명사가 오면 '시간이 있다, 없다'라는 의미가된다.

I have my hands full!

너무 바빠 다른 일 할 겨를이 없어!

- It looks like you have your hands full. 보니까 너 너무 바쁜 것 같아.
  I had my hands full, Detective. 형사님, 저 너무 바빴는데요.

■ have one's hands full은 '손이 가득 차다,' 즉 '너무 바빠서 다른 일을 못하다'이다.

I washed my hands of it.

난 그 일에서 손뗐어.

- You washed your hands, right? 너 손 씻었지, 그지?
  I shower twice a day and wash my hands as often as I can.
  하루에 두 번 샤워하고 가능한 자주 손을 씻어.

■ wash one's hands는 그냥 단순히 화장실에서 '손씻다,' 혹은 비유적으로 '손떼다'라는 의미로 쓰인다.

Get your hands off!

건드리지 마!

- Get your groping hands off of me, creep! 내 몸 더듬지마, 이 짐승아!
  What are you doing? Take your hands off of me!
  뭐하는거야? 내게서 손 치우라고!

■ keep[take, get] one's hands off (of)는 '…에서 손떼다'라는 의미로 물리적으로 손을 치우다 혹은 추상적으로 '어떤 일에서 빠지다'라는 뜻으로도 사용된다. 그냥 명령문으로 Hands off~라고도 자주 쓰인다.

I'll take her off your hands.

내가 걔 떠맡을게.

- I can take them off your hands. 내가 그것들을 책임질게.
  Why don't you let me take this one off your hands.
  이건은 내가 맡도록 하지.

■ take A off one's hands에서 off one's hands는 '의 책임이 아닌'이라는 의미로 take ~ off one's hands하면 '…을 …에게서 면해주다,' '…을 떠맡다,' '인수하다'라는 표현이 된다.

H

A girl has to take matters into her own hands.
여자애는 직접 자신의 손으로 문제를 다루어야 해.

- This woman took the law into her own hands.
  이 여성은 스스로 직접 법을 대신했다.

  She decided to take justice into her own hands.
  걘 직접 정의를 실현하기로 결정했어.

■ take matters[or sth] into one's own hand는 자신의 손으로 '직접 …을 떠맡다,' '다루다,' '처리하다' 라는 뜻.

Put your hands on your head!
손 머리에 올려!

- Police! Get your hands up! 경찰이다! 손들어!

  Hands up where we can see them. 두 손 보이도록 올려.

  Hands on the back of your head! 두 손 머리 뒤로 해!

  Can you keep your hands to yourself? 손 좀 대지마라.

■ put[get] one's hands up은 경찰들이 주로 쓰는 말로 '손들다' 라는 의미. 단, put one's hand up하게 되면 질문 등의 이유로 '한 손을 들다' 라는 의미가 된다. 그밖에 경찰들이 자주 쓰는 말로는 Hands on your head, 그리고 keep your hands in sight 등이 있다. 한편 keep your hands to yourself(손대지 마시오)는 네 두 손을 네게 지니고 있다라는 말로 박물관 등에서 쓸 수 있는 표현.

You had a hand in this.
너 이 일에 관련됐어.

- You still had a hand in her death. 넌 여전히 그녀의 죽음에 연관되어있었어.

  I wouldn't stick your hand in there. 난 네가 거기에 관여하지 않도록 할거야.

  Why she stick her hand in there for anyway? 걔가 거기에 왜 손을 넣었대?

■ have a hand in sth은 이하의 일에 '관여하거나 관련되다' 라는 의미로 keep one's hand in이라고도 한다. 또한 stick one's hand in~은 '…안에 손을 집어넣다' 라는 것으로 비유적으로 '…에 개입하다,' '관련되다,' '참여하다' 라는 의미로도 쓰인다.

Can I give you a hand with that?
그거 내가 도와줄까요?

- You going to give me a hand with the bags? 가방드는거 도와줄래?

  He's so friendly and always willing to lend a helping hand.
  걘 너무 우호적이어서 언제나 도움의 손길을 주려고 해.

■ give a hand는 '(일)손을 주다' 라는 말로 '도와주다' 라는 기본표현. hand는 결국 '도움의 손길' 이라는 의미로 a helping hand는 '원조,' '도움' 이라는 표현이 된다.

I thought you could use a hand.
난 네가 도움이 필요한 줄 알았어.

- We could use a hand with the geographical profile.
  지리적 프로파일로 도움을 받으면 좋겠어.

  A: I could use a hand. B: Well, then I'll help you.
  A: 난 도움이 필요해. B: 어, 그럼 내가 도와줄게.

■ could use a hand에서 could use는 …을 얻었으면 좋겠다는 희망의 문구로 could use a hand하면 '도움이 있으면 좋겠다' 라는 의미.

Get your hands dirty if you have to.
꼭 그래야 한다면 궂은 일도 마다하지 마라.

- Don't you think it's time to start getting our hands dirty?
  이제 손을 더럽혀야 될 때라고 생각하지 않아?

  Because you didn't want to get your hands dirty.
  그건 네가 손을 더럽히지 않으려고 했기 때문이야.

■ get one's hands dirty는 손을 더럽히다라는 뜻에서 '부끄러운 짓을 하다,' '궂은 일을 하다' 라는 의미로 사용된다.

I'm sorry, but my hands are tied.
미안하지만 너무 바빠서.

- I wish I could help you, my hands are tied. 도와주고 싶지만 옴짝달싹 못해.

■ sb's hands are tied는 두손이 묶였다는 말로 주로 바빠서 '옴짝달싹 못하다' 라는 의미가 된다.

He's waiting on her hand and foot.
갠 그녀를 지극정성 돌봤어.

- Jane nursed him, bathed him, waited on him hand and foot.
  제인은 걜 돌보고, 목욕시키고 정성스럽게 수발을 들었어.

  Edwin's waiting on me hand and foot. 에드윈은 지극정성으로 날 돌봤어.

■ wait on sb's hand and foot는 …의 손발노릇을 하다로 아주 '정성스럽게 sb를 돌보는 것'을 말하며, tie[bind] sb hand and foot는 '달아나지 못하도록 손발을 묶다'라는 뜻이 된다.

You can do it with one hand tied behind your back.
넌 그걸 아주 쉽게 할 수 있을거야.

- Chris could play baseball with one hand tied behind his back.
  크리스는 아주 손쉽게 야구를 할 수 있을거야.

  You could even cook this with one hand tied behind your back.
  이 요리하는거 엄청 쉬워.

■ can do sth with one hand tied behind one's back은 길이에 비해 간단한 표현. 한손을 머리 위에 묶인상태에서 할 수 있다는 건 아주 '쉽고, 간단하게' 할 수 있다는 걸 뜻한다.

I've got to hand it to you!
너 정말 대단하구나!

- All I did was hand it to him. 내가 한 것이라고는 걔한테 그걸 건네주는거였어.

  I have to hand it to Emily, she's a great businesswoman.
  에밀리에게 두손 들었어, 걘 정말 훌륭한 여성사업가야.

■ hand it to sb는 보통 앞에 have to 등이 와서 sb에게 너무 잘해서 '난 두손 들었다,' '네가 이겼다' 등 상대방이 '잘났음(?)'을 인정하는 표현이 된다. 기본적으로 hand sth to sb는 '전달하다,' '건네주다'라는 뜻.

The manager took all of his employees in hand.
매니저는 직원전체를 책임지고 있었어.

- Anna took me in hand when I arrived at the school.
  내가 학교에 도착했을 때 애나가 날 안내했어.

  I hope the tour guide will take us in hand when we arrive.
  우리가 도착할 때 관광안내원이 우리를 안내하기를 바래.

■ take sb in hand는 sb를 손안에 갖고 있다는 말로 sb를 지도하거나 책임지고 다루다라는 의미를 갖게 된다.

Trust me. It comes in handy.
날 믿어. 그게 도움이 될거야.

- We got a doctor there as well. That will come in handy.
  거기에 의사도 있어. 필요할 때 도움이 될거야.

  I'm sure that would come in handy, right? 그게 도움이 될거야, 그지?

■ come in handy는 '필요할 때 도움이 되다'라는 의미.

He handed in his resignation at the university.
걘 대학교에 사직서를 제출했어.

- I handed in that marketing report. 난 저 마케팅 보고서를 제출했어.
  So why don't you just hand over the keys? 그럼 열쇠를 그냥 넘겨줘라.

■ hand in은 '제출하다' (submit)라는 뜻이고 hand over는 '넘겨주다,' '이양하다'라는 의미.

H

놓치면 원통한 미드표현들

- **harp on about sth** 짜증날 정도로 계속 얘기하다
  Stop harping on that subject.
  한 말을 되풀이하지마.

- **hatch (up) a plot** 음모를 꾸미다

What plots are you two hatching?
너희 둘 무슨 음모를 꾸미고 있는거야?

- **down the hatch** 건배, 위하여
  Down the hatch! 건배!, 원샷!

That's his best shit, hands down.

저건 의심할 여지없이 최고야.

- Mike won the writing contest, hands down. 마이크는 쉽게 작문대회우승했어.
  The biggest horse won the race, hands down. 가장 큰 말이 손쉽게 우승했어.

This is hands down the worst storm I've seen.

이건 의심할 여지없이 지금까지 본 것 중 최악의 폭풍야.

- Shelia is hands down the best looking girl. 쉴라는 최고로 멋진 여자애야.
  This is hands down the silliest thing I have ever heard.
  이건 내가 들어본 것 중에 정말 가장 어리석은 것이야.

I'm really good with my hands.

난 정말 손재주가 있어.

- Joe became a carpenter because he's good with his hands.
  조는 손재주가 있어서 목수가 됐어.
  I'm talking no blow jobs, no hand jobs. 오럴섹스나, 핸드플레이를 말하는게 아냐.

We're all hands on deck. You mean it?

우린 모두 함께 도와야 돼. 알겠어?

- All hands on deck. Now I'm done. 모두 함께 도와서 이제 일을 끝냈어.
  All hands on deck. That was the call, right? 다 힘을 합치자. 그 명령이었어, 응?

No, you'll be on your hands and knees.

아니, 넌 이제 무릎을 꿇게 될거야.

- She begins crawling on her hands and knees to her house.
  걘 집까지 기어가기 시작했어.
  Well, how do I carry it if I'm on my hands and knees?
  저기, 내가 무릎을 꿇고 있는데 이걸 어떻게 날라?

Let's give her a big hand.

걔에게 큰 박수를 보냅시다.

- Okay, let's have a big hand for Robin the reporter. 로빈리포터에게 큰박수를.
  Put your hands together. 큰 박수를 보내줘요.

So we don't need your hand-me-downs.

네가 물려주는 책은 필요 없어.

- By the way, I know that's a hand-me-down ring.
  그건 그렇고, 그건 대대로 물려받는 반지인 걸 알아.
  I don't want hand-me-downs. I want brand new stuff.
  난 헌 것이 필요없어. 새로운 것이 필요해.

He's really a handful.

걘 정말 다루기 힘들어.

- You think Serena's a handful? 세레나가 다루기 힘들다고 생각해?
  He holds out a handful of pens. 걘 한 움큼의 펜을 내밀었어.

■ **hands down**은 두손을 내리고라는 뜻으로 주로 '손쉽게(easily)' '힘 안들이고'라는 의미. 주로 동사 win과 잘 어울린다. 엔트리 표현인 That's his best shit, hands down은 '최고다'(be absolutely the best)라는 말.

■ **This is hands down the+최상급 (that) S+V**의 형태로 쓰일 때 hands down은 '의심할 여지없이(without any doubt)'라는 의미.

■ **be good with one's hands**는 '손으로 뭘 잘 만들다'라는 의미로 한마디로 '손재주(be good at building or making things using his hands)가 있다'는 표현이다. 한편 hand job은 남자성기를 손으로 애무해주는 것을 말한다.

■ **all hands on deck**에서 deck은 갑판. 따라서 all hands on deck은 비상상황에 처해 모두 갑판으로 모이라는 뜻에서 유래하여 위기상황에서 모두 모여 힘을 합치다, 돕다라는 표현이다.

■ **on one's hands and knees**는 '네발로 기어서'라는 모습을 표현한 것.

■ **Let's give a big hand (for~)**는 (…에게) 박수를 보냅시다

■ **hand-me-down**에서 hand down은 대대로 물려주는 것을 말하고 여기에 me를 넣어 hand me down을 명사형으로 쓴 것으로 '물려주는 것,' '헌 옷' 등을 뜻한다.

■ **sb is a handful**하면 말썽꾸러기, 다루기 힘든 사람을 말하고, a handful of~하면 '한움큼의,' '한줌의'라는 의미.

MORE EXPRESSION

hand over fist 빨리, 대량으로
on the other hand 한편
at the hands of sb …에 의해
be off one's hands …의 책임이 아니다
try one's hand at 시도하다
turn one's hand to sth 시작하다
lay one's hands on sth 찾다
come to hand 입수하다

Hang on to your hat! 놀라지마!, 미리 마음의 준비를 해!

Yeah, I can't hang out with you anymore.
그래, 난 더 이상 너랑 못어울려.

- Just hang out with me. 그냥 나랑 놀자.
  I'm gonna hang out with her tonight as friends.
  난 오늘 친구로서 걔와 어울릴거야.

■ hang out with sb~는 전형적인 미드표현으로 특정장소에서 특정 사람들과 '함께 시간을 보내다' 라는 말. 한편 let it all hang out하면 '편하게 행동하다' 라는 의미.

I'm just hanging around.
그냥 놀고 있어.

- We're just hanging around here. 그냥 여기저기 시간때우는 중이야.
  Why are you hanging around with me? 왜 내 주변에서 알짱거리는거지?
  He's just really great to hang around with. 걘 정말 같이 어울리기 좋은 친구야.

■ hang around는 기다리면서 혹은 아무것도 하지 않으면서 시간을 보내는 것을 말한다. hang around with sb하면 '…와 함께 시간을 보내다,' 그리고 not hang around하면 '지체없이 …하다' 라는 표현이 된다.

No, wait. Don't hang up yet.
아니, 기다려. 아직 전화끊지마.

- Ask John to hang up and call in again. 존에게 전화끊고 다시 전화하라고 해.
  You hang up first. 먼저 끊어.

■ hang up은 '전화를 끊다' (get off the phone)이고 hang up on sb하게 되면 '통화중 끊어버리다' 라는 표현이 된다.

Hang in there.
끝까지 버텨.

- All I can tell you, Pam, is hang in there.
  팸, 네게 해줄 수 있는 말은 끝까지 버티라는 것밖에 없어.
  Hang in there, sweetheart. Just hang in there. 자기야, 잘 버텨. 잘 견뎌.

■ hang in there는 어렵고 힘든 상황하에 처해진 상대방에게 '힘내 참고 기다리다' 라고 하는 격려용 문장.

Hang on Casey, It's not that simple.
케이시 잠깐만, 그게 그렇게 간단한게 아냐.

- Hang on a minute, Jack. This is important. 잭, 잠깐만요. 이거 중요한거에요.
  I'm coming! Hang on! 나가요! 잠깐만요!

■ hang on은 전화상이나 혹은 대화중 '잠깐 기다리려달라' 고 할 때 쓰는 표현. 뒤에 잠깐을 말하기 위해 a minute, a moment, a second를 넣어도 된다.

A: How they hanging, brother? B: Low and lazy.
A: 어때, 친구? B: 별 볼일없이 지내.

- How they hanging? Are you keeping busy? 어떻게 지내? 바빴어?
  Hey Charlie, how they hanging these days? 찰리야, 요즘은 어떻게 지내?

■ How (are) they hanging? 은 '어떻게 지내?' 라는 매우 슬랭에 가까운 표현.

H

Hang on to your hat!
놀라지마!, 미리 마음의 준비를 해!

- I get that. You should hang on to this. 알았어. 이거 놓치지 않는게 좋겠어.
  Hang on to this girl, Ted. 테드, 이 여자 놓치지 말고 꽉 잡아.

■ hang on to는 '놓치지 않기 위해 꽉 붙잡다,' '계속 지니고 있다' 라는 의미. 한편 hang on to one's hat하면 바람에 모자가 날아가지 않도록 잡고 있으라는 말로 '놀라지 말고 마음의 준비를 하다' 라는 뜻으로 쓰인다.

He hung her out to dry.

걘 그 여자를 어려운 처지에 방치했어.

- She hung him out to dry, and he's doing the same thing.
  걘 그를 나몰라라 방치했고 그도 똑같이 그러고 있어.

  You hung me out to dry in court.
  넌 법정에서 나 몰라라 했어.

■ **hang sb out (to dry)**는 아주 야비한 표현. 자기가 비난 받지 않기 위해 다른 사람이 어려움에 처했어도 '그냥 버려두고 도움을 외면하다' 라는 뜻.

I've enjoyed watching you hang yourself.

네가 스스로 망가지는 것을 즐겁게 보고 있어.

- A: You're hanging her. B: That's not so. She's hanged herself.
  A: 넌 그 소녀를 목매달았어. B: 그렇지 않아. 걘 자살한거야.

  Girl hanged herself from the bed.
  소녀는 침대에서 목매달아 죽었어.

■ **hang sb**는 목매달아 죽이는 것을 **hang oneself**는 스스로 자살하는 것을 뜻한다.

You'll get the hang of it.

금방 손에 익을거야.

- Until you get the hang of it.
  네가 요령이 붙을 때까지.

  I think I'm getting the hang of it.
  난 점점 요령이 붙는 것 같아.

■ **get the hang of**에서 'hang'은 명사로 '요령' 을 뜻한다. 그래서 주로 상대방이 어떤 일을 시작하면서 불안해할 때 '금방 손에 익을거야,' '요령이 금방 붙을 거야' 라고 말할 때 이용되는 표현.

Hang it up! Hang up the phone!!

관둬! 전화끊어!!

- Hang it, I can't believe she left me. 젠장, 걔가 날 떠나다니.
  Hang it, we're going home now! 제기랄, 이제 집에 가야돼!

■ **Hang it!**은 제기랄!, **Hang it all!**은 제기랄, 빌어먹을, **Hang it up!**은 관둬! 때려치워!라는 표현으로 다들 오래된 표현들로 요즘에 일상생활에서는 잘 쓰이지 않는다.

I'll be hanged if I ever support that policy.

결코 난 그 방침을 지지하지 않을거야.

- I'll be hanged if I've ever seen anything like that.
  난 결코 그런 것을 본 적이 없어.

■ **I'll be hanged (if)!**는 '절대 …하지 않다,' '결코 …하지 않겠다' 라는 강한 부정의지를 담고 있는 표현.

He could be older. Don't get hung up on his age.

걘 나이가 더 많을 수도 있어. 나이에 집착하지 말자고.

- You weren't wrong. I just got hung up on the wives.
  네가 맞았어. 난 부인들에게 집중했는데.

■ **get hung up on~**은 '…에 매달리다,' '집착하다,' 그리고 on 없이 쓰이는 get hung up은 '(…로) 늦어지다' (to be delayed) 라는 말이다.

I didn't know you had that hang-up.

네게 그런 걱정이 있는지 몰랐었어.

- We got a lot of hang-ups last month.
  지난달에 우린 많은 걱정거리가 있었어.

  It was a hang up call. I'm not sure who it was.
  받자마자 전화가 끊어졌어. 누구였는지 모르겠어.

■ **hang-up**은 걱정, 그리고 hang-up call하면 요즘 많이 받은 경험이 있는 것으로 전화가 걸려와서 받으면 끊는 그런 전화를 말한다.

MORE EXPRESSION

hang a left[right] 좌회전[우회전]
hang fire 행동을 미루다

I do have a hankering for some sushi. 스시가 정말 당기네.

Did you ever hanker after another woman?

다른 여자를 강하게 원했던 적 있어?

- Lisa began to hanker after some chocolate.
  리사는 초콜렛을 무척이나 먹고 싶어하기 시작했어.

  I've got lots of work to do, and I'm hankering to get to it.
  난 할 일이 많지만 그걸 무척 하고 싶어.

■ **hanker after[for]~**는 after[for] 이하를 무척이나 강하게 원한다는 의미의 표현. 물론 hanker to+V를 써도 된다.

I've got a hankering for Chinese food tonight.

오늘 저녁 중국음식을 먹고 싶어.

- I got a hankerin' for a Lone Star beer. 론스타 맥주가 정말 당겨.
  I do have a hankering for some sushi. 스시가 정말 당기네.

■ **have a hankering**은 hanker의 명사형을 쓴 것으로 have a hankering for+명사[to+동사]의 형태로 쓰인다. 의미는 역시 '…하고 싶다,' '…가 당기다' 라는 의미.

 I don't see that happening. 그렇게는 안될걸.

If anything should happen to him,

걔한테 만약 무슨 일이 생기면,

- I'm a surgeon. If anything happens to these hands, I'm screwed.
  난 외과의사야. 이 손에 무슨 일이 생기면 난 끝이야.

  But if anything happens to her, I will destroy you.
  하지만 걔한테 무슨 일이 생기면 널 깔아버리겠어.

■ **if anything (should) happens**는 '무슨 일 있으면' 이라는 의미이고 '내게 무슨 일이 생기면'이라고 하려면 if anything happens to me라고 하면 된다.

As it happens you've come to the right place.

마침 넌 제대로 온거야.

- You're just awful. And as it happens, so am I.
  넌 으악야. 그리고 공교롭게도 나도 그래.

  By any chance, did you happen to see him at that time?
  어쨌거나, 그때 걜 봤었니?

■ **as it happens**는 '마침,' '우연히,' '공교롭게도' 라는 의미로 happens 대신에 happened 를 써도 된다. it just so happens (that) S+V는 '때마침 …하다' 라는 의미. 또한 happen to 다음에 동사가 이어지면 '우연히 …하다,' '마침 …하다' 라는 뜻.

How could this happen?

어떻게 이럴 수가 있니?

- How could this happen to me? 내게 어떻게 이런 일이 생긴단 말야?
  How could that happen to a healthy young man?
  어떻게 이런 일이 건강한 젊은이에게 일어난거야?

■ **How could ~ happen?**은 예상치 못한 놀랄 일을 접했을 때 충격 속에서 던지는 표현.

H

How can this be happening?
어떻게 이런 일이 일어나는 거지?

- Oh, my God, this can't be happening. 맙소사, 이런 일이 있을 수가.
  Can you believe this is already happening? 벌써 이렇게 됐나?
  I just can't believe this is happening, again. 이런 일이 내게 또 생기다니!

I won't let it happen again.
다신 그런 일 없을거야.

- I'm not gonna let that happen again. 다신 그런 일 없을거야.
  Don't let it happen again. 다신 그러지마.

How did it happen?
이게 어떻게 된거야?

- How did it happen that I've agreed to date him?
  내가 걔하고 데이트하기로 했다니 어떻게 된거야?
  A: Where did it happen? B: Central Park. A: 어디서 일어난거야? B: 센트럴파크.

I don't see that happening.
그렇게는 안될걸.

- Well, I don't see that happening. You see that happening?
  어, 그렇게는 안될거야. 그럴거라고 생각해?
  Yeah, that'll be happening. 응, 알았어.

It could happen.
그럴 수도 있겠지.

- It could happen any moment now. 이제 언제라도 그럴 수가 있어.
  It was the kind of thing that could happen to anybody.
  누구한테나 일어날 수 있는 일이야.

It[That] happens.
그럴 수도 있지 뭐

- It happens to everybody. 다들 겪는 일이야.
  That happens every day. Don't worry about that. 매일 그래. 걔 걱정마.
  Bad things happen in darkness. 나쁜 일은 밤에 일어나는 법이야.
  What the hell is your problem? It's a party. Things happen.
  넌 도대체 뭐가 문제냐? 파티잖아. 그럴 수도 있지.

(It'll) Never happen!
절대 안돼!, 말도 안돼!

- A date with Pam? It'll never happen! 팸하고 데이트? 절대 그런 일 없을거야!
  You can't get into Yale. It'll never happen! 넌 예일에 못가. 절대 안될걸!

■ can be happening은 주로 부정이나 의문형태로 놀람과 당황함을 나타내는 표현이고 can believe (that) this is happening 또한 부정[의문]형태로 놀라운 감정을 표현할 수 있다.

■ let it happen은 잘못된 일을 벌인 후 다시는 그러지 않겠다, 혹은 다시는 그런 일이 생기지 않도록 해라라고 사과 및 경고를 할 때 사용하는 전형적인 어구.

■ How did it happen~?은 역시 놀라거나 혹은 궁금할 때 그 이유를 물어보는 표현. how 대신 when, where 등을 써서 원하는 정보를 물어볼 수 있다.

■ see~ happening은 …가 벌어지는 일을 보다라는 의미로 달리 말하자면 주로 부정문으로 그런 일이 일어나지 않을거라고 돌려 표현하는 경우이다. 또한 ~will be happening하면 '응 알았어' 라는 말이 된다.

■ It could happen (to)~은 어떤 안좋은 일이 생겼을 때 '그럴 수도 있다' 라고 하면서 '위로' 하거나 혹은 문맥상 '경고' 의 문장으로 쓰일 수도 있다.

■ It[That] happens (to sb) 역시 상대방의 실수를 비난하지 않으면서 던지는 말. '그럴 수도 있지 뭐' 라는 뉘앙스로 위로하는 표현이다. That happened하면 과거형으로 '다 그러는거야,' 그리고 ~things happen하면 역시 상대방을 안심시키고 걱정을 덜어주기 위해 하는 표현. 앞에 these 혹은 good[bad] 등의 추가단어들이 온다.

■ Never happen!은 '천만에,' '절대 안돼' 라는 말로 반대 및 거부의사를 강하게 밝힐 때 사용한다. 앞에 It'll이 생략된 것으로 보면 된다.

It never happened.
이런 적 한번도 없었어.

- **That never happened to me.** 이건 처음 겪는 일이야.
  That has never happened before. 난생 처음 겪는 일이야

It's never gonna happen.
절대 그런 일 없을거야.

- **It's gonna happen.** 참고기다려라.
  We're never gonna happen. 우린 안 돼
  That can't happen. 말도 안돼, 그렇게는 안돼.

You'll make it happen.
넌 성공할거야.

- **We want him here boys, make it happen.**
  우린 걔가 여기 있길 바래, 얘들아. 그렇게 하도록 해라.
  How fast can you make it happen? 얼마나 빨리 그걸 할 수 있어?

What happened?
무슨 일이야?, 어떻게 된 거야?

- **What happened to you guys?** 그동안 어떻게 지냈어?
  Tell me what happened. 무슨 일이 있었는지 말해.
  Tom, what's happening here? 탐, 여기 무슨 일이야?
  I think I know what's happening to you.
  네게 무슨 일이 일어나고 있는지 알겠어.

Whatever happened to my hopes and my dreams?
대관절 내 희망과 꿈은 어떻게 된거야?

- **Whatever happened to teaching kids to tell the truth?**
  애들에게 진실을 말하도록 가르키는게 어떻게 된거야?

■ **It[That] never happened** 는 과거에 전혀 그런 적이 없었다고 말하는 것으로 상황에 따라 자신의 결백 혹은 놀람 등 다양한 감정을 표현할 수 있다.

■ **happen**은 일반적으로 '일어나다(take place)'라는 뜻이므로 모든 문장을 이렇게 해석하면 안되고 창의력(?)을 발휘하여 상황에 맞게 옮겨야 한다. 특히 남녀간에 사귀는 일을 의미할 때도 많이 쓰이는데 이때 happen대신 work를 쓰기도 한다.

■ **make it happen**은 아주 많이 쓰이는 표현으로 그것이 일어나도록 하게끔 한다는 뜻으로 다시 말해 '그렇게 되도록 하겠다,' 나아가 '이루다, 성공하다' 라는 뜻도 갖게 된다.

■ **What happened?**는 '어떻게 된거야?' 라는 의미. What happened to[with] sb?하게 되면 '…가 어떻게 된거야?, 무슨 일이야?' 라고 묻는 문장이고 또한 What's happening?은 상대방에게 '무슨 일이냐' 라고 물어보는 문장. 하지만 문맥에 따라 그냥 상대방에게 '잘 지내?' 라고 안부인사를 묻는 경우도 있다.

■ **Whatever happened to~**는 강조표현으로 '도대체 to~이하에 무슨 일이 생긴거야' 라고 물어볼 때 사용하면 된다.

MORE EXPRESSION

Sit back and let it happen.
편히 앉아서 일이 벌어지게 내버려 둬.
It shouldn't happen to a dog!
생각만 해도 지긋지긋하다!

H

- **haze** 신참자를 괴롭히다 **hazing** 신참자 굴리기, 신고식
  Think of it as a hazing ritual. 신고식이라고 생각해.
  You give him a beer shower? And you don't call that hazing? 술을 왕창 먹여놓고 그걸 신고식이 아니라고?

- **have a hectic day** 바쁜 날을 보내다
  I had a pretty hectic day. 정신없이 바빴어.
  Sorry. It was a hectic night.
  미안. 정말 정신없는 저녁였어.

Don't make this hard for me. 이걸로 내가 더 힘들게 만들지마.

There's no hard feelings on my part.
기분 나쁘게 생각하지마.

- She was wrong. I had no hard feelings. 걔가 틀렸어. 악의에서 하는 말은 아냐.
  No hard feelings about you leaving the party. 네가 파티 떠나는거 감정없어.

■ **no hard feelings (about)**는 상대방이 혹 기분나빠할 수도 있는 상황이 발생했을 경우 '악의는 없으니 기분나빠하지 말라'고 하는 표현. 뒤에 on my part를 붙이기도 한다.

She's playing hard to get.
걘 튕기는 중이야.

- Tim really liked me, and he was just playing hard to get.
  팀은 정말 날 좋아했지만 걘 튕겼어.
  This playing hard to get thing is not working.
  이렇게 튕기는 것은 통하지 않을거야.

■ **play hard to get**은 훈남, 훈녀들이 쉽게 품절남, 품절녀가 되지 않는다는 사실을 깨달으면 이해가 쉽게 될 것이다. '잡기 힘든척 연기하다,' '튕기다,' '비싸게 굴다' 라는 말.

This is hard for me to say, but you date losers.
이런 말 해서 그렇지만, 넌 바보같은 놈들하고만 데이트를 해.

- This is so hard for me to say, but... Yes. Yes, it was.
  이런 말해서 안됐지만, 어, 맞아, 그래.

■ **This is really hard for me to say, but~**은 상대방에게 무척 미안하지만 뭔가 자기가 느끼는 사실을 맞을 각오하고 말하는 것으로 '이런 말 꺼내게 되서 안됐지만' 이란 의미.

This is going to be harder than I thought.
이건 내 생각보다 더 어려울거야.

- It's harder than I thought. 이거 생각보다 더 어려워.
  It's been harder than I thought to keep up with schoolwork.
  학교숙제를 따라가는데 생각보다 더 어려워.

■ **harder than I thought**는 생각보다 더 힘들다는 표현으로 뭔가 어려운 일에 봉착했을 때 할 수 있는 말.

Don't make this hard for me.
이걸로 내가 더 힘들게 만들지마.

- Don't make this harder than it is. 더 이상 난처하게 만들지마.
  Don't make it hard on your boyfriend. 네 남친 힘들게 하지마.

■ **make this hard**는 'this'를 더 어렵게 만든다는 뜻으로 주로 부정형태로 쓰이며 또한 얼마나 어려운지 비교대상을 말해주려면 make this harder than~이라고 써주면 된다.

I'm having a hard time keeping it safe.
그걸 안전하게 하는데 어려움을 겪고 있어.

- He has a hard time with loud noises. 걘 소음 때문에 힘들어해.
  She had a hard time being married to a cop.
  걘 경찰과 결혼해서 고생했어.

■ **have a hard time (in) ~ing**는 기본적인 표현으로 '…하느라 힘들다,' '어려움을 겪다' 라는 의미.

Please don't give me a hard time.
날 힘들게 하지마.

- People give you a hard time about it, I bet.
  사람들이 그것으로 널 힘들게 할거야, 확실해.
  Anyone in the store give Katie a hard time?
  가게에서 누가 케이티를 힘들게 해?

■ **give A a hard time**은 A에게 어려움을 준다는 의미로 'A를 힘들게 하다' 라는 숙어.

You're just going through a hard time.
넌 단지 힘든 시기를 겪고 있어.

- He's going through a hard time. 걘 어려움을 겪고 있어.
  I guess your family's been going through a hard time too.
  너희 가족 역시 힘든 시기를 보내고 있는 것 같아.

■■ go through a hard time
에서 go through는 experience
로 '어려움을 겪다,' '곤란한 지경
이다' 라는 의미이다.

You're getting me hard.
꼴리게 하네.

- God, you're getting me hard. 맙소사, 날 흥분되게 해.
  This guy's got a hard-on for you. 이 친구 네게 흥분되어 있어.

■■ get sb hard는 '19세 이
상'에서 나오는 표현으로 'sb를
딱딱하게 만든다'는 노골적인 표
현. 아울러 남성의 거시기가 '발
기'된 상태는 hard-on이라고 한
다.

Don't be so hard on me.
날 너무 괴롭히지마.

- Yeah, he's pretty hard on me, but I can take it.
  그래, 걘 날 심하게 대하지만 난 참을 수 있어.
  Don't be so hard on yourself. You are a good person.
  너무 자책하지마. 넌 좋은 사람야.

■■ sth be hard on sb는 힘
들게 하는 주체가 사람이 아니라
사물이나 상황이 되는 경우로 문
맥에 따라 '…에게 어렵다, 힘들
다' 라는 의미.

Prison is gonna be real hard on you.
감옥은 네게 진짜 힘들거야.

- That's hard on anyone. 이건 누구한테도 힘들거야.
  Why has this been so hard on me? 왜 이게 날 힘들게 하는 거야?

■■ be hard on sb (about)
는 '…에게 모질게 대하다' 그리
고 be hard on oneself하면 '자
책하다' 라는 의미가 된다.

It's hard to believe he'd ever commit.
걔가 저질렀다는게 믿어지지가 않아.

- It's hard to believe I'm actually having this conversation with you.
  너랑 이런 대화를 하고 있다는게 믿기지 않아.
  I'm finding it hard to believe you're actually a woman.
  네가 실제 여자였다는게 믿기지 않아.

■■ It is hard to believe~는
믿기 어려운 일에 언급할 때 사용
하는 표현으로 달리 find it hard
to believe~라고 쓰기도 한다.

You all have clearly put in a lot of hard work.
여러분들 모두 정말이지 열심히 했어요.

- It takes a lot of hard work. 일을 진짜 열심히 해야 돼.
  The mechanic put in hard work to fix the car.
  그 수리공은 차를 고치는데 무척 열심히 했어.

■■ hard work는 일이나 공부
를 열심히 하는 것을 말한다. 그래
서 put in hard work하면 '공부
나 일이든 뭐든 열심히 하다,' 그
리고 make hard work of sth하
면 '어떤 이유로 해서 …에 지나
치게 고생하다' 라는 의미가 된
다.

Chuck's hard at work upstairs, actually.
척은 실은 위층에서 열심히 일하고 있어.

- I'm getting him coffee, and he's hard at work.
  걔한테 커피를 갖다주려고, 걘 열심히 일하고 있어.
  Melanie is hard at work today. 멜라니는 오늘 열심히 일하고 있어.

■■ be hard at~은 뭔가에 빠
져서 열심히 하는 모습을 연상하
면 된다. 특히 be hard at
it[work]라고 써서 '바쁘다,' '열중
하다' 라는 뜻으로 쓰인다.

H

You wanna play hardball?

세게 나오시겠다?

- He's playing hardball. 걘 아주 강하게 맞서고 있어.

  What can I say? They played hardball. We lost.
  할말 없어. 걔네들이 강하게 나오는데 우린 졌어.

play hardball은 원하는 걸 얻기 위해 단호한 입장을 취한다라는 뜻으로 '세게 나오다,' '강경자세를 취하다' 라는 표현.

He's just gonna have to learn the hard way.

걘 고생하면서 배워야 할거야.

- I guess I'm learning that the hard way. 내가 그걸 어렵게 배우고 있는 것 같아.

  I guess we're gonna have to do this the hard way.
  우리가 이걸 고생하면 해야될 것같아.

the hard way는 부사처럼 쓰이는 표현으로 '어렵게,' '고생하며' 라는 뜻. learn the hard way는 '어렵게 배우다,' do sth the hard way는 '…을 고생하며 하다' 라는 의미가 된다.

Any hard evidence to support your opinion?

네 의견을 뒷받침해줄 명백한 증거라도 있어?

- We don't have any hard evidence that Dayton did anything.
  데이톤이 뭔가 했다는 아무런 명백한 증거도 없어.

  We can't argue with cold hard facts.
  부정할 수 없는 엄연한 현실을 따질 수는 없어.

hard evidence[facts, information]에서 'hard'는 '명백한,' '확실한' 이란 의미. 특히 cold hard fact는 '엄연한 현실' 이란 뜻.

The coach went hard on the team during practice.

코치는 연습중 팀원들을 심하게 다루었어.

- The class will go hard if no one studies.
  누구도 공부하지 않으면 수업이 힘들어질거야.

  I know it must be hard going from prom queen to the invisible woman. 프롬퀸에서 아무도 알아봐주지 않은 여자로 전락하는 것은 힘든 일이라는 걸 알고 있어.

hard going는 '이해하기 어려운,' '힘든' 이라는 뜻이고 go hard는 '힘들어지다,' '어려워지다,' 혹은 '심하게 하다' 라는 의미.

I've thought long and hard about this.

난 이걸 신중하게 생각했어.

- I would advise you to think long and hard about that.
  네가 이걸 시간을 갖고 신중하게 생각해봤으면 해.

  We should've taken a hard look at Linda.
  우린 린다를 면밀히 관찰했어야 했는데.

think long and hard는 시간을 두고 신중하게 생각하는 것을 말하는 표현. 한편 take a (long) hard look at~하게 되면 날카롭게 그리고 자세하게 관찰하는 것을 말한다.

I tried my hardest. I did everything.

난 최선을 다했어. 안해본게 없어.

- I'm going to try my hardest because I am so sorry.
  난 너무 미안해서 최선을 다할거야.

try one's hardest는 최선을 다하다라는 것으로 try[do] one's best와 같은 의미.

We were all hard hit by the bad economy.

우린 경제악화에 어려움을 많이 겪고 있어.

- Was the town hard hit when the factory closed?
  공장이 문 닫았을 때 마을이 많은 어려움을 겪었어?

  Just make sure you hit hard enough to leave a mark.
  자국이 남도록 심하게 확실히 때리도록 해.

be hard hit은 '어려움을 겪다' (experience difficulty)라는 의미로 '심한 손해를 받다,' '강한 타격을 받다' 라는 뜻의 be hit hard와 구분해야 한다.

Bill took it hard when his wife left.
빌은 아내가 떠났을 때 매우 힘들어했어.

- Mr. Smith took getting fired hard. 스미스 씨는 해고된 것에 무척 괴로워했어.
  We took it hard when our vacation was cancelled.
  우리는 휴가가 취소되었을 때 매우 힘들어했어.

Some of these are hard core.
이것들 중 일부는 너무 노골적이야.

- My real name is Peg, and I'm a hard-core lesbian. 골수 레즈인 페그야.
  He gave me the hard sell. 그 남자는 물건 사라는 말을 끈질기게 했어.
  Therefore, I prefer a hard copy. 그래서 난 인쇄된 출력물을 더 선호해.

◼◼ take sth hard는 sth을 매우 어렵게 받아들이다라는 말로 '…에 몹시 괴로워하다,' '힘들어하다'라는 의미이다.

◼◼ hard core는 '뭐든지 정도가 심한,' '철저한,' '노골적인'이라는 의미이고 명사로는 '핵심'을 뜻한다. 또한 hard copy는 인쇄된 출력물 그리고 hard sell은 영업사원들의 강매를 뜻한다.

MORE EXPRESSION

the hard stuff 강한 술
hard-boiled 비정한, 완고한
rock-hard 어려운
be[feel] hard done by
화가나서
hard luck 불행, 불운
It's not as hard as it looks.
보기보다 어렵진 않아.

» harm

Come on, what's the harm? 왜 이래, 손해볼 게 뭐 있다고?

Do no harm.
해 끼치지마.

- Wolf had any enemies that wanted to do him harm?
  울프와 원한관계인 사람들이 있나요?
  No harm done. 잘못된 거 없어.

Come on, what's the harm?
왜 이래, 손해볼 게 뭐 있다고?

- What's the harm in that? 그렇게 해서 뭘 손해보는데?
  Everyone's in class. Where's the harm? 다들 교실에 있는데 뭐가 잘못된거야?

There's no harm in looking for a boyfriend.
남친 구한다고 손해볼게 있나.

- I guess there is no harm in putting my name down.
  내 이름을 적어도 손해볼 건 없을 것 같아.
  It does no harm to ask for more money. 더 많은 돈을 요구해도 손해볼 것 없어.

I didn't mean any harm.
다치게 할 생각은 없었어.

- I'm very sorry. I did not mean any harm. 미안. 피해를 줄려는 건 아니었어.
  He's just an old man. He didn't mean any harm. 노인야. 해끼치려 한게 아녔어.

This is putting kids in harm's way.
이건 애들을 위험에 빠지게 하는거야.

- Your questions put me in harm's way. 네 질문들은 날 위험에 빠트렸어.
  Her faith just seemed to put her in harm's way. 개신념으로 위험에 빠진 것 같아.

◼◼ do harm (to)는 '(…에) 해를 끼치다'라는 뜻으로 do sth harm이라고 표현해도 된다. 또한 No harm (done)은 별로 피해를 입지 않았을 경우 '괜찮다'라는 뜻.

◼◼ What's the harm?은 '새 가슴'들에게 던질 수 있는 말로 그렇게 해서(in that) 손해볼 게 뭐가 있냐, 한번 호연지기를 갖고 해봐라는 도전정신을 담은 표현. 한편 Where's the harm?하면 뭐가 잘못되었는데?라는 말이다.

◼◼ There's no harm in ~ing는 in 이하를 해도 아무런 해가 되지 않으니 한번 해보라고 암시하는 표현. It does no harm to~라고 해도 된다.

◼◼ not mean any harm 혹은 mean no harm하면 자신의 말이나 행동이 다른 사람에게 해를 입혔을 경우 그 사람을 다치게 하려고 일부러 그런 것이 아니었음을 어필하려고 하는 표현.

◼◼ put sb in harm's way는 '…을 위험에 빠트리다,' 그리고 keep~out of harm's way는 '…를 위험에서 벗어나게 하다'라는 표현.

H

He swore he'd never harm a child.

걘 절대 애를 해치지 않겠다고 맹세했어.

- Do you have any idea who would try to harm your son?
  당신 아들을 해치려고 할 사람이 누가 있나요?

  Can you think of anyone that might have wanted to harm her?
  걔를 해치고 싶어했을 수도 있는 사람 누구 생각나요?

 harm sb는 harm이 동사로 쓰인 경우로 '···에게 해를 끼치다'이고 특히 might have wanted to harm sb는 '···에게 해를 끼치고 싶었을지도 모른다'라는 표현.

MORE EXPRESSION

harmful 해로운
come to no harm 해를 입지 않다(not come to any harm)

» harass

 You sexually harassed her! 넌 성적으로 걜 희롱했잖아!

Detective Stabler sexually harassed my client.

스테이블러 형사가 제 의뢰인을 성희롱했습니다.

- Kevin's lawyer claims that you harassed him. 케빈변호사는 네가 괴롭혔다고 해.
  You sexually harassed her! 넌 성적으로 걜 희롱했잖아!

 (sexually[racially]) harass는 '···을 괴롭히다'라는 동사로 특히 성적으로(sexually) 희롱당하거나, 인종적으로(racially) 차별할 때 많이 쓰인다.

She was harassed when you got demoted.

걘 네가 승진했을 때 속이 타들어갔어.

- I'm sick of getting harassed by cops when I'm modeling.
  내가 모델할 때 경찰들 괴롭힘에 넌더리가 났어.

  A woman was being harassed by her ex-boyfriend.
  한 여성이 옛 남친으로부터 괴롭힘을 당하고 있었어.

 be[get] harassed는 '괴롭힘을 당하다,' '시달리다'라는 말.

Damn it, this is harassment!

빌어먹을, 이건 '괴롭힘'이야.

- He was suing you for sexual harassment. 걘 널 성희롱으로 고소중이었어.
  Peter had a sexual harassment suit filed against him recently.
  피터는 최근에 성희롱고소를 당했어.

 sexual harassment는 성희롱.

» hassle

 It's such a hassle. 진짜 귀찮은 일이야.

Ladies, I'm not here to hassle you.

숙녀여러분, 전 여러분들을 들볶으려고 여기 온게 아닙니다.

- Has anyone ever tried to hassle him? 누가 걔를 들볶은 적이 있어?
  She ever get hassled by anyone? 누군가가 걜 들볶은 적이 있나요?

 hassle sb는 sb에게 ···을 하라고 계속 재촉하거나 들볶아 짜증나게 하다라는 의미. be[get] hassled하면 '재촉당하다.'

Got into a hassle with a cabbie.

택시기사와 함께 티격태격했어.

- It's such a hassle. 진짜 귀찮은 일이야.
  Breast-feeding on this schedule must be a real hassle.
  이 일정에 따라 모유를 먹이는 건 정말 성가신 일이다.

 be a hassle은 hassle이 명사로 쓰인 경우로 귀찮고 번거로운 일 혹은 이러쿵저러쿵 서로 잘났다고 따지는 상황을 뜻한다. 그냥 Sth be a real hassle이라고도 쓰이는데 이는 '정말 성가신 일이야'라는 말이다.

I take my hat off to him. 그분에게 경의를 표합니다.

I'll eat my hat if Gina wins the contest.
지나가 우승하면 내가 성을 간다.

- I'll eat my hat if it snows tomorrow. 내일 눈이 오면 내가 손에 장을 지진다.
  I'll eat my hat if she finishes before me. 걔가 나보다 먼저 끝내면 성을 간다.

■■■ eat one's hat은 우리말의 '손에 장을 지지다,' '성을 간다'에 해당하는 표현으로 뭔가 도저히 일어날 수 없는 일을 장담할 때 하는 말로 주로 뒤에 '일어날 수 없는 일'을 if절에 써준다.

I take my hat off to him.
그 분에게 경의를 표합니다.

- Well, hats off to the chef. 자, 주방장에게 경의를 표합니다.
  Hank took his hat off to the other runners. 행크는 다른 주자에게 경의를 표했어.

■■■ take one's hat off to sb는 sb를 향해 모자를 벗는다는 것으로 '…에게 경의와 존경의 표시를 하다'는 의미. 그냥 줄여서 hats off to sb라고 쓰기도 한다.

John is wearing his foreman hat today.
존은 오늘은 배심원장 역할을 해.

- You need to wear your parental hat with the kids.
  넌 아이들과 부모역할을 해야 돼.

■■■ be wearing one's ~ hat는 '…모자를 쓴다'라는 말로 비유적으로 '…의 역할을 하다(do another person's part)'라는 뜻으로 쓰인다.

I've been able to hang my hat on my family's money.
난 가족의 돈에 의지할 수 있었어.

- He's got to at least give you a good argument to hang your hat on. 걘 네가 의지할 훌륭한 주장을 적어도 네게 줘야돼.
  If you're going to hang your hat on statistics, then you have to look at both sides. 통계에 의존할거라면 양면을 다 봐야 해.

■■■ hang one's hat on은 모자를 …에 걸라는 뜻에서 '…에게 의지하다,' '…을 근거로 하다'라는 의미로 쓰인다.

MORE EXPRESSION

pass the hat 모금하다
keep sth under one's hat …을 비밀로 하다
talk through one's hat 실없는 말하다

What do we have here? 이게 누구야?, 무슨 일인가?

What does that have to do with us?
이게 우리랑 무슨 관계가 있는거야?

- What does that have to do with Jerry? 저게 제리랑 무슨 관련이 있어?
  How does any of this have to do with that girl?
  이게 어떻게 저 여자와 무슨 관련이라도 있는거야?

■■■ have (got) to do with는 '…과 관련이 있다,' '…와 관한 것이다' 등의 의미를 갖는 표현.

You think I had something to do with it?
내가 그거와 좀 관련되어있다고 생각하는거야?

- This club has something to do with it. 이 클럽은 그 일과 관계가 있어.
  He thinks that Gates had something to do with it.
  걘 게이츠가 그거와 관련이 있다고 생각해.

■■■ have something to do with는 have to do with와 같은 의미로 '…과 (조금) 관련이 있다'라는 말.

H

That has nothing to do with this.

저건 이것과 아무런 관련이 없어.

- **They have nothing to do with this.** 그리고 걔네들은 이것과 전혀 관련이 없어.
  You know that I have nothing to do with this. 이일과 관련없는거 넌 알잖아.

■ **have nothing to do with**는 앞의 것과 반대로 with 이하와 '아무런 관련이 없다' 라고 말하는 경우.

Great, have at it.

대단해, 한번 해봐.

- **Have a go at it.** 한번 해봐.
  The computer tech couldn't fix it, so have at it.
  컴퓨터 기술자가 그걸 못고쳤으니, 네가 한번 해봐.

■ **have at it**는 '한번해봐' 라는 의미로 상대방에게 뭔가 해보라고 격려하거나 독려할 때 사용하는 표현이다. have a go at it 이라고 해도 되며 모두 give it a try라는 표현과 같다.

He always has it in for me.

걘 늘 나를 미워해.

- **I'm starting to think someone really has it in for me.**
  정말 어떤 사람이 내게 앙심을 품고 있다는 생각을 하기 시작했어.
  Any of them have it in for a guy named Chris Suh?
  걔네들 중 크리스 서에게 앙심을 품은 사람 누구 있어?

■ **sb have it in for~**는 sb 가 for 이하의 사람에게 'it'을 품고 있다라는 것으로 sb가 '…에게 앙심을 품다,' '트집을 잡다' 라는 의미로 쓰이는 슬랭.

I like having you here.

네가 여기 있어서 좋아.

- **It's good to have you here.** 와주셔서 기뻐요.
  It is so nice to have you here, sir. 선생님 여기 와주셔서 감사해요.

■ **have you here**는 파티 등의 이벤트에서 손님을 맞이하면서 하는 환영인사.

What do we have here?

이게 누구야? 무슨 일인가?

- **My, my, my. What do we have here?** 이런, 이게 무슨 일이야?
  Good, good. So, uh, what do we have here? 좋아, 좋아. 그래 무슨 일이야?

■ **What do we have here?** 역시 앞서 나온 What (do) you got?과 같은 표현으로 '무슨 일이야?,' 혹은 '이게 누구야' 라는 의미이다.

I've had it!

이제 그만!, 참을 만큼 참았어!

- **That's enough! OK! I've had it! All right?** 그만해! 됐어! 지겹다고! 알아!
  As soon as you found love, you've had it. 사랑하면 많은 문제들에 부딪혀.

■ **have had it[enough]**은 화가나 하는 말로 참고 견디었지만 더 이상 못참고 뭔가 변화를 줘야겠다고 하는 말. 단 You've had it하게 되면 문맥에 따라 해 고당하고, 안좋게 끝나고 등 다양한 경험을 하다라는 의미.

I've had it with you.

너한테 정말 질렸어.

- **I've had it with you guys.** 너희들한테 질려버렸어.
  I have had it with your crap. 네 헛소리에 질렸어.

■ **have had it with**는 앞의 have had it 다음에 with sb[sth]을 붙인 것으로 뭘 더 이상 참지 못하겠는지, 뭐에 그렇게 질렸는지 구체적으로 언급하는 경우.

I've had it up to here with these people.

이 사람들이라면 정말이지 진절머리가 나.

- **I've had it up to here with you two!** 너희 둘한테 정말이지 넌더리가 나!
  Dave has had it up to here with Steve being late.
  데이브는 스티브가 늦게 오는 것에 진절머리를 내.

■ **have had it up to here with sb[sth]**는 역시 have had it을 확장한 표현으로 아주 참을 만큼 참았다는 것을 강조하는 표현.

Let's have it.
어서 말해봐, 내게 줘.

- **Let me have it!** 어서 말해봐!
  Alright then, **let's have it.** 그럼 좋아, 어서 말해봐.

■ **Let's have it**은 상대방이 알고 있는 새로운 소식을 듣고 싶어서 어서 말하라고 할 때 사용하는 표현으로 Let me have it이라고도 한다.

Now there you have me.
그건 정확한 지적야.

- **You have me there.** 내가 졌어.
  Well, **you've got me there.** I'm a baseball person.
  저기, 내가 손들었어. 난 야구광이야.

■ **Now there you have me**는 앞서 나온 You've got me there와 같은 맥락의 표현으로 '모르겠어,' '내가 졌어' 등의 의미. You have me there이라고도 쓴다.

I'll have you know, Todd is a very bright spirit.
분명히 말해두는데, 토드는 매우 영리한 아이야.

- **I'll have you know,** he's been imitating my accent behind my back. 분명히 말해두는데 걘 내 뒤에서 내 억양을 흉내냈어.
  I'll have you know, I was an extremely pretty child.
  분명히 말하자면 난 매우 착한 아이였어.

■ **I'll have you know**는 네가 know 이하를 알게 하겠다라는 뜻으로 '분명히 말하는데' 정도에 해당되는 표현.

The police are not having any of your story.
경찰은 네 이야기를 들으려 하지 않아.

- **The manager isn't having any** more excuses.
  매니저는 더 이상의 변명은 들으려 하지 않아.
  Donny **wasn't having any** of it. He just threw that trash out.
  도니는 동의하지 않았고 그 쓰레기를 버렸어.

■ **be not having any (of that)**는 동의하지 않다 혹은 들으려하지 않다라는 말.

The money was gone, and we had been had.
돈이 사라졌어, 우린 사기당한거야.

- Karen **had been had** by her ex boyfriend. 카렌은 전남친한테 속았어.
  I think we **have been had** by the stock market investors.
  우린 주식투자자로부터 속은 것 같아.

■ **sb has been had**는 '사기당하다,' '속다'라는 표현.

I called my parents. I had it out with them.
부모에게 전화했어. 담판을 지을려고.

- I'm guessing you and Dad **had it out** about the job thing?
  너와 아빠가 직업문제에 관한 매듭을 지어야겠지?
  The two boys **had it out** after school. 그 두 소년은 방과후에 담판을 지었어.

■ **have it out (with sb)**는 어떤 이견이나 불화를 종식시키기 위해 열띤 설전이나 담판을 짓다라는 말로 '결판짓다,' '이견을 해결하다'라는 의미로 쓰인다.

H

놓치면 원통한 미드표현들

- **be heinous** 쇼킹한, 아주 나쁜
  You're heinous. 넌 정말 나쁘다.
  I have never been accused of something so heinous! 난 아주 나쁜 짓으로 고소당한 적 없어!

- **hickey** 키스자국(lovebite)
  He has a big purple hickey on his chest.
  걘 가슴에 자줏빛 큰 키스자국이 있어.
  She is trying to hide a big purple nasty hickey! 걘 지저분한 자줏빛 키스자국을 숨기려 해.

I have red skin, which I've never had before.

피부가 빨개지는데 전에는 이런 일이 없었어.

- I hate being old. I have problems which I've never had before.
  나이드는게 싫어. 전에 겪어보지 못한 문제들을 겪고 있어.

  I have a new nickname, which I've never had before.
  전에 가져본 적이 없는 별명을 갖게 됐어.

■■ I have sth, which I've never had before는 전에는 '이런 일이 없었는데 …하다' 라는 의미.

Do you have to stare at her boobs?

걔 가슴 그만 좀 봐라.

- Do you have to stick your nose in everyone's business?
  모든 일에 간섭해야겠니?

  Do you have to keep that promise? 그 약속 지켜야 돼?

■■ Do you have to+동사?는 일반적으로 '…을 꼭 해야 하니?' 라는 의미이지만 문맥에 따라 좀 상식밖의 행동을 하는 상대방에게 '너 꼭 …해야 되냐?,' '…좀 그만 할래?' 라는 의미로도 쓰인다.

I have to say, the presentation is very impressive.

발표회는 매우 인상적이라 할 수 있어.

- I have to say, I'm surprised you called me. 네가 전화해서 놀랬어.

■■ I have to say는 '…라고 할 수 있겠다' 라는 말이고 I have to admit은 자신의 생각과 다른 의견에 동의하면서 서두에 꺼내는 말이다.

What do I have to do?

내가 어떻게 해야 하지?

- What do I have to pay a fine? 벌금내려면 어떻게 해야 해요?

  What do I have to do? Put a gun to your head?
  날더러 어찌라고? 총구를 네 머리에 갖다대라고?

■■ What do I have to~?는 어떻게 행동을 해야할지 몰라 '내가 무엇을 …해야 하는지?'에 대해 반문하는 문장.

You don't have to live like this.

넌 이렇게 살 필요가 없어.

- You know you don't have to stay for the whole thing.
  처음부터 끝까지 남아있을 필요없어.

  Penny, you don't have to do that. 페니야, 넌 그럴 필요는 없어.

■■ You don't have to~는 상대방에게 충고하는 표현으로 '…할 필요없어,' '…하지 않아도 돼' 라는 뜻으로 You don't need to~와 같은 맥락의 표현.

What are you having? The veal looks good.

뭐 먹을래? 송아지고기가 괜찮을 것 같은데.

- So, what'll you have? 그래 뭐 먹을래?

  Sheldon, what are you going to have? 쉘든, 뭐 먹을래?

■■ What are you having? 은 뭘 먹을지 물어보는 표현으로 What will you have? 또는 What are you going to have? 라고 해도 된다. 다 '뭘 먹을래?'라는 의미.

Tara has got her friends with her.

태라는 친구들과 함께 있어.

- The kids have got their teachers with them. 애들은 선생님들과 함께 있어.

  I have got the police with me. 난 경찰과 함께 있어.

■■ have (got) sb with~는 '…가 sb와 함께 있다' (be together with sb)라는 단순한 표현.

Rumor has it the park's going to shut down.

소문에 의하면 공원이 문 닫을거래.

- Rumor has it you're headed back to Boston. 너 보스톤으로 돌아갔다던데.

  Rumor has it you seem to have a history of this type of behavior.
  소문에 의하면 넌 이런 행동의 전력이 있는 것 같아.

■■ Rumor has it~은 '소문에 의하면 …이다' 라고 빅마우스(입 싼)들이 즐겨 애용하는 표현. rumor 대신에 legend, word를 써도 된다.

That's all right, baby. I got to have you.
자기야, 괜찮아. 난 지금 정말 널 갖고 싶어.

- I mean it. Anyone would be lucky to have you.
  정말야. 누구든 널 차지하는 사람은 행운일거야.

  We're thrilled to have you. 네가 함께 해서 너무 기뻐.

That's the minute you become a has-been.
바로 그 순간에 넌 지나간 사람이 된거야.

- Compilation albums are for has-beens. 모음곡 앨범은 한물갔어.

  The old baseball player is a might have been. He was never famous. 나이든 야구선수는 이름을 날리지 못했어. 전혀 유명하지 않았거든.

■ have sb에서 have는 '가지다' 라는 동사로 have sb하면 일반적 의미로 '…가 있다' 라는 말이지만 우리도 애인에게 '오늘 밤 널 갖고 싶어' 라고 말하듯 영어에서도 성적인 의미로 쓰이기도 한다.

■ has-been은 사람이나 사물이 유행에 뒤쳐진 사람, 한물 간 사람이나 물건을 뜻하며 또한 might-have-beens 역시 같은 맥락에서 이름을 날리지 못한 사람을 뜻한다.

» head

I can't get him out of my head. 난 걔를 머릿속에서 지울 수가 없어.

Some of his memories are still in my head.
걔의 기억일부가 아직도 내 머릿속에 있어.

- But in my head it, it sounded something like this.
  하지만 내 머릿속에 그건 이와 같이 들렸어.

  Garth was drunk off his head at the bar.
  가스는 술취해 바에서 제정신이 아니었어.

■ be in one's head는 '머리속에 있다' 라는 말이고 be off one's head하면 '제 정신이 아니다,' be drunk off one's head하면 술취해 제정신이 아니다라는 의미.

She finally got it into her head.
걘 그걸 마침내 이해했어.

- I got it into my head this week that you were eating on me.
  네가 날 괴롭힌다는 걸 이번주에 많이 생각해봤어.

  She got the idea of a trip into her head. 걘 여행에 대해 생각을 많이 했어.

  I got the idea of having a party into my head.
  파티 열 생각을 많이 했어.

■ get into one's head는 …의 머리 속에 들어가다는 의미로 비유적으로 '다른 사람의 행동이나 사고를 통제하거나 영향을 주는 것' 을 뜻한다. 또한 get sth into one's head는 'sth에 대해 많이 생각하다' (think a lot about these specific ideas)를 뜻한다.

Harold put some new ideas into our heads.
해롤드는 새로운 아이디어를 생각해냈어.

- The teacher put special dreams into his students' heads.
  선생님은 특별한 꿈을 학생들의 머릿속에 집어넣었어.

  Have you ever felt that someone could put thoughts into your head? 누군가가 네 머릿속에 생각들을 주입할 수도 있다는 것을 느껴봤어?

■ put sth into sb's head는 sth을 …의 머릿속에 집어넣는다라는 것으로 '…을 생각하게 하다' 라는 뜻으로 come into one's mind와 같은 뜻이다.

H

I mean this is just off the top of my head now.
내 말은 이건 금방 떠오른 생각야.

- Off the top of my head, you're on Medicare?
저 말이야, 메디케어에 가입되어있어?
  I don't know. Off the top of my head...dating your friends' exes.
  몰라. 금방생각났는데, 네 친구의 옛애인을 사귄다든가.

■ off the top of one's head는 별생각없이 갑자기 뭔가 머릿속에 떠올랐을 때 하는 말로 '금방 생각이 나서 그러는데,' '저 말이죠' 라는 표현이다.

I can't get him out of my head.
난 걔를 머릿속에서 지울 수가 없어.

- I've worked real hard to try to get that stupid song out of my head. 그 한심한 노래를 잊으려고 무척 노력했어.
  I still can't get that image of Lynette out of my head.
  리네트의 그 이미지를 머릿속에서 아직 떼어내버릴 수가 없어.

■ get[put] ~ out of one's head는 머릿속에서 빼낸다라는 말로 '…을 잊다,' '…을 머릿속에서 지우다' 라는 의미.

You gotta keep your head, man.
야 침착해야 돼.

- When you get out, keep your head down. 외출할 때 조심히 다녀.
  I gotta keep my head down cause your brother's on trial for murder. 네 형이 살인죄로 재판중이니 조용히 다녀야겠어.

■ keep one's head는 '어려운 상황에서도 침착하다' 그리고 keep one's head down은 머리를 낮추다라는 말로 '피하다,' 혹은 '자중하다,' 그리고 keep one's head above water는 물 위로 머리를 내놓고 있다는 말로 '익사하지 않다,' '파산하지 않다' 라는 뜻이 된다.

If you wanna bite my head off, go ahead.
날 물고늘어지려면, 어서해.

- Bite my head off! I still hate this firm! 괜히 나만 뭐래! 난 여전히 이 회사싫어!
  Don't bite my head off, please. 제발 날 물고 늘어지지마.
  Calm down. Don't try to take my head off. 진정해. 나한테 화내려고 하지마.

■ bite one's head off는 머리를 물다라는 의미에서 '무턱대고 …을 화를 내다,' '아무 이유없이 물고 늘어지다' 라는 뜻으로 쓰인다. take one's head off 또한 다른 사람에게 화를 내다라는 뜻.

I only give head to get head.
난 입으로 애무받기 위해서만 입으로 해줘.

- But she won't give head. 하지만 걘 입으로 해주려고 하지 않을거야.
  Oh, fine. Going down, giving head. 어, 좋아. 밑으로 내려가 입으로 해주고.
  I love giving head. 난 입으로 해주는 걸 좋아해.

■ give head는 매우 성적인 표현으로 blow job을 해주다라는 의미. 반대로 받는다고 할 때는 get head라고 하면 된다.

Put your heads together and come up with some ideas.
머리를 맞대고 논의해서 새로운 생각을 내놔봐.

- Did you put your heads together to make this work?
이게 작동하도록 머리를 맞대고 논의해봤어?
  Put your heads together and come up with a plan.
  머리를 맞대고 계획을 짜내봐.

■ put one's heads together 는 여러명이 머리를 맞대고 어려운 문제를 해결하는 것을 뜻한다.

Maybe he was getting his head together.
아마도 걘 냉정해지려고 하고 있었어.

- I'm talking about you getting your head together.
난 네가 침착하라는 말이야.
  I need a break to get my head together. 정신 좀 차리게 쉬어야겠어.

■ get one's head together 하면 '확실히하다,' '냉정하다,' '침착하다' (stop stressing, to attempt to return to a normal state of mind)라는 뜻이 된다. head가 단수임에 주의한다.

I can't make heads or tails of this e-mail.
이 이멜은 종잡을 수가 없어.

- The police can't make heads or tails of the murder.
  경찰은 이 살인의 갈피를 잡을 수가 없었어.

  Sandra can't make heads or tails of Rick's actions.
  샌드라는 릭의 행동에 갈피를 잡을 수가 없었어.

can't make head or tail of sth은 도저히 알길이 없어 갈피를 못잡거나 뭐가 뭔지 모를 때 사용하는 표현.

I can walk down the street and hold my head high!
난 거리를 거만하게 활보할 수 있어!

- Don't be ashamed. Hold up your head when you go home.
  부끄러워하지마. 집에 갈 때 당당하게 행동해.

  As long as I give it my best shot, I can hold my head high.
  난 최선을 다하는 한 머리를 처들고 활보할 수 있어.

hold up one's head는 머리를 꼿꼿이 들고간다는 의미로 '당당하게 행동하다'라는 뜻. 또한 hold one's head high는 한단계 더 나아가 '거만하게 굴다'라는 의미가 된다.

Keep your head up.
조심하고 다녀라.

- Keep your head up. Don't look down. 조심해 다녀. 아래만 쳐다보지 말고
  Tell her to keep her head up, all right? 걔한테 조심해서 다니라고 해, 알았지?

Heads up!은 주변상황이 위험하니 주위를 잘살펴보라는 것으로 '조심하고 위를 봐,' '위험하니까 잘보라구!' 라는 뜻이 된다. 주로 keep one's head up의 형태로 쓰인다.

I thought I'd give you the heads-up.
난 네게 경고를 미리 준걸로 아는데.

- It was a courtesy heads-up, nothing more.
  그건 예의상 미리 알려준 거구요, 더는 없어요.

  All I'm saying is give me a heads-up. 내말은 내게 미리 알려달라는 것뿐이야.

give sb a heads-up에서 heads-up은 명사로 경고, 경계라는 뜻으로 give a heads-up 하면 '미리 알려주다' 라는 표현이 된다.

The other strategy is to meet them head-on.
다른 전략은 걔네들과 정면으로 만나는거야.

- Which would be consistent with a head-on crash.
  그건 정면충돌상황에 일치할거야.

  Your husband was in a head-on collision with an SUV.
  남편께서 SUV와 정면충돌했어요.

head-on은 '정면으로' 라는 표현으로 face~head-on하면 '정면으로 …에 맞서다' 라는 뜻이 된다.

I thought about going head to head with you.
너와 정면으로 맞서려고 했었어.

- You really want to go head to head with me on this?
  너 정말 이 문제로 나와 맞서고 싶어?

  We're going head to head with their team. 걔네들 팀과 정면으로 맞설거야.

go head to head with는 머리를 두명이 맞대고 있는 장면을 연상해보면 된다. 피하지 않고 정면으로 맞서다라는 표현.

I watched her bang her head against that thing!
난 걔가 머리를 그거에 대고 박는 걸 봤어.

- He bashed my head against the wall, I passed out.
  걘 내머리를 벽에 내리쳤고 난 의식을 잃었어.

  I gotta stick my head in the oven. 난 오븐에 머리를 내밀어야 했어.

bang[bash] one's head against~는 …에 머리를 대고 있는 모습을 묘사하는 표현. 또한 stick one's head는 머리를 어디 안이나 밖으로 내미는 것을 말한다.

H

You let that cop get in your head?

저 경찰한테 끌려다닐거야?

- The trouble began when she let Glen get in her head.
  걔가 글렌의 통제를 받게되면서 문제가 발생했어.

  Don't let Denise get in your head. 데니스의 통제를 받지 않도록 해.

■ let sb get in one's head에서 get in one's head는 앞의 get into one's head와 마찬가지로 …를 통제하다, 좌지우지하다라는 의미로 let sb get in one's head하게 되면 '…에게 좌지우지되다,' '통제받다'라는 뜻이 된다.

I can do a year standing on my head.

감방 일년은 누워서 떡먹기지.

- She could solve that problem standing on her head.
  걘 쉽게 문제를 풀 수 있었어.

  I could play this game standing on my head. 이 겜을 아주 쉽게 할 수 있어.

■ can do sth standing on one's head에서 'standing on one's head'은 '편하게,' '쉽게'라는 뜻으로 전체적으로 '어렵지 않게 쉽게 …을 하다'라는 표현이 된다.

Her grandfather had lost his head.

걔 할아버지는 정신을 놓으셨어.

- Have you completely lost it? 너 완전히 정신 나갔구나?

  I just lost my head. 내가 좀 허둥댔어요.

■ lose one's head 원래 head는 heart와 달리 '이성'을 의미했는데 이 이성을 잃어버렸다라는 말은 '냉정을 잃다,' '정신나가다'라는 뜻이 된다.

You're headed in the right direction.

넌 제대로 가고 있어.

- Where are you headed? 어디 가?

  We'll head over to the Hill house. 우리는 힐하우스 쪽으로 향할거야.

■ be headed는 '…로 향하다'라는 의미로 head over to는 '…로 출발하다,' head home은 집으로 향하다라는 뜻이 된다.

Where's your head?

머리는 뒀다가 어디에 쓰려고 그래?

- Use your head for once. I'm not going to let you ruin my life!
  한번이라도 머리 좀 써라. 네가 내 인생을 망치도록 두지는 않을거야.

■ Use your head!는 답답한 친구에게 하는 말로 '머리를 좀 쓰라구,' '정신을 어디다 둔거야'란 뜻으로 Use your brain 혹은 Where's your head?라고 해도 된다.

I'm in over my head.

너무 걱정이 돼.

- You're in over your head. 너는 역부족이야.

  I think I might be in over my head. 난 감당이 안될 것 같아.

■ be[go] in over one's head는 머리를 넘어서가니 이해도 안되고, 감당도 안되고 힘에 벅찬 상태를 말한다.

놓치면 원통한 미드표현들

- **take a hike** 꺼지다, 사라지다
  Take a hike! 가버려, 꺼져 버려!
  Good decision. Take a hike, he's mine.
  결정 잘했어. 꺼지라고, 걘 내꺼야.

- **be hilarious** 재미있는
  She's right. Your dad was hilarious.
  걔말이 맞아. 네 아빠는 재미있었어.
  Oh, yeah, I saw that. That was hilarious.
  어 그래, 나도 봤어. 정말 재미있었어.

I've got to hit the head.
(남자) 화장실 가야 되겠어.

- I'm going to explain that after I hit the head. 화장실 갔다와서 설명할게.

Don't shake your head at me.
내게 모른다고 하지마.

- I just shake my head and say, "I know. It's unbelievable."
난 그냥 고개를 가로젓고 '알아, 믿을 수 없어' 라고 말했어.

He's got a big head.
걘 으스대.

- I don't want my ass to get a big head. 난 과도하게 아부받는 걸 원치않아.
Charlie got a big head after winning the championship.
찰리는 우승후 우쭐했어.

He got that red-headed tumor removed.
걘 빨간 머리 모양의 종양을 제거했어.

- But you're clear-headed now, right? 하지만 이제 너 냉철하지, 그래?
I'm kind of light-headed. 난 좀 어지러워.

- hit the head는 속어로 '화장실에 가다' 라는 의미.

- shake one's head (at)는 고개를 좌우로 흔든다는 것으로 '부정(거부)하다' 라는 의미.

- get[have] a big head는 '뽐내다,' '젠체하다' 라는 의미. 단 give sb a big head는 '…에게 과도하게 아부하다' 라는 말이다.

- -headed로 복합어를 만드는 경우로 clear-headed는 냉철하다, light-headed는 약간 어지러운이라는 의미.

MORE EXPRESSION
take one's head out of the oven 숨어있지 않다
be a headache 골칫거리이다
Heads or tails! (동전을 던지면서) 앞면일까 뒷면일까
come to a head 위기에 처하다
head to head 맞대면하여

» hear

Did I hear you right? 그게 정말이야?

I hear what you're sayin'. I'm with you.
무슨 말인지 알아. 동감야.

- I hear what your saying, but I don't know if I can give it up.
무슨 말인지 알겠어 하지만 내가 포기해도 되는지 모르겠어.

I hear what you're saying, and truth be told, I am a little nervous. 무슨 말인지 알겠는데, 솔직히 말해서 난 조금 초조해.

So I hear Brett got arrested.
브렛이 체포되었다며.

- So I hear you're leaving our company. 네가 회사를 떠난다며.
So I've heard we'll leave at six. 우리가 6시에 출발한다고 들었어.

Right now I could hear a pin drop.
지금은 핀이 떨어져도 들릴 정도로 조용해.

- Yes, very nice. Quiet. You could hear a pin drop.
어, 아주 좋았어. 조용히 해. 숨소리도 들릴 정도로.

You could hear a pin drop after Jerry walked in.
제리가 들어온 후로 쥐죽은 듯이 조용했어.

- I hear what you say나 I hear what you're saying은 '네가 하는 말 들었다' 라는 의미로 쓰일 때도 있지만 주로 상대방 말에 동의할 때 '무슨 말인지 알겠어' 라고 공감할 때 사용된다.

- so I hear 혹은 so I've heard는 남한테서 들은 얘기를 전달하면서 하는 말로 '그렇다고 들었어' 라는 표현. I was told that이라는 말이다.

- could hear a pin drop은 핀이 떨어지는 소리도 들을 수 있을 정도로 조용하다라는 표현.

H

You are my guests. I won't hear of it.
손님이신데 못들은 걸로 할게요.

- Oh, no, I wouldn't hear of it. 오, 안돼, 그렇게는 안돼.
  His mother wouldn't hear of it. 걔 어머니는 허락하지 않을거야.

■ won't[wouldn't] hear of it는 듣지 않을 거라는 말로 '승낙하지 않다,' '허락하지 않다' 라는 의미.

Then you never hear the end of it.
그럼 너는 계속 그 얘기를 듣게 될거야.

- If he sees me wearing this, I'll never hear the end of it.
  걔가 내가 이 옷을 입은 걸 보면 주구창창 얘기할텐데.

■ will never hear the end of it은 그것의 끝을 듣지 못할거라는 건 뭔가 트집을 잡혀서 '평생 계속 그 잔소리를 들을 것이다' 라는 말.

I'm hearing things.
난 환청이 들려.

- So there's no reason for me to be hearing things.
  내가 환청을 들을 이유가 없어.

  There's no one there. You're hearing things, you crazy old lady!
  아무도 없어. 환청이 들리는 거야, 이 미친 노인네야.

■ be hearing things는 '환청을 듣다' 라는 표현. 헛것이 보이다라는 뜻의 be seeing things와 함께 알아두면 좋다.

Now hear this.
자, 주목해 주세요.

- No, Leonard, you should hear this. 아니, 레너드, 너 이것 좀 들어봐.
  You're gonna want to hear this. 너 이것 듣고 싶을거야.

■ Hear this는 Get this와 마찬가지로 뭔가 새로운 정보나 소식을 전달하기 앞서 상대방의 주의를 끌기 위해 하는 말.

You're new here? I've heard that one before.
여기 처음야? 난 들은 적 있는데.

- Stop telling the story, I've heard that one before.
  얘기 그만해, 들어본 적 있어.

■ I've heard that one before는 상대방의 말에 '전에도 들은 적이 있는 이야기이다' 라고 하면서 맞장구 치는 표현.

Now I've heard everything.
살다 보니 별 말을 다 듣겠네.

- After that lie, now I've heard everything. 그 거짓말후에, 난 별 얘기를 다 들었어.
  Celia has heard everything at her job. 셀리아는 직장에서 별별얘기를 다 들었어.

■ have heard everything은 '살다보니 별말을 다 듣겠네' 라는 뜻으로 상대방이 좀 어처구니 없는 말을 했을 때 쓰는 표현.

Did I hear you right?
그게 정말이야?

- Hey, did I hear you right? 야, 그게 정말이야?
  If I heard you right, you want a job here. 내가 제대로 들었다면, 여기 일을 원하지.
  No, you didn't hear me right. 아니, 넌 내 말을 제대로 이해하지 못했어.

■ hear sb right은 sb가 하는 말을 제대로 듣다라는 말로 주로 의문형태로 상대방이 전하는 소식에 놀라며 '그게 정말야' 라고 반문하는 표현이다.

Do you hear me?
내말 듣고 있니?, 알았어?

- Can you hear me now? 이제 내 말 들려?
  We heard you, already. 네 얘기는 벌써 들었어.
  I can't[couldn't] hear you. 안 들려

■ hear sb는 …의 말을 듣다 라는 것으로 특히 'I hear you' 는 단독으로 쓰이면 '동감이다' 라는 뜻의 표현이 된다.

Do you hear that?
들었지?

- Did you hear that? (이상한 이야기를 듣고서) 너 그 얘기 들었니?
  You heard that? 넌 그 얘기 들었어?
  I didn't hear that. 난 못들었는데.

(Do) You hear?
무슨 말인지 알겠니?, 알았지!

- Did you hear? 너 얘기 들었니?
  Hey, Sam, did you hear? I'm going on tour with Jill!
  야, 샘 너 얘기 들었어? 나 질하고 여행가!
  We won our case. Did you hear? 우리가 승소했어. 얘기 들었지?
  Just shut up. You hear? 입닥쳐. 알겠어?

Have you heard from her this morning?
오늘 아침 걔한테서 얘기들었어?

- Have you heard about Jessica's secret boyfriend?
  너 제시카의 비밀남친에 대해 들어봤어?
  Have you heard what he's been up to lately?
  걔 최근에 어떻게 지내는지 들었어?

Would you just hear me out?
좀 끝까지 내 얘기 들어봐.

- Hear me out. 내 말 끝까지 들어봐.
  A: Get the hell away from me. B: Hear me out. A: 날 좀 놔둬. B: 다 들어봐.

I heard about it.
얘기는 들어봤어.

- I've heard all about it. 그 일이라면 이미 알고 있어.
  You might have heard of him. 걔 얘기 들어봤을거야.

I never heard of such a thing.
말도 안돼.

- Are you sure that you never heard of him? 정말 걔 얘기 못 들어봤어?
  I never heard of that woman. Look, I didn't kill anybody.
  저 여자 금시초문예요. 이봐요, 난 아무도 안죽였어요.

I heard it through the grapevine.
소문으로 들었어.

- Heard through the grapevine you were back in New York.
  네가 뉴욕으로 돌아왔다는 소문을 들었어.
  I've heard through the grapevine that he is so chatty.
  걔가 정말 수다장이라는 걸 소문으로 들었어.

■ hear that은 '그 얘기를 듣는다'라는 것으로 미드영어에서 간단히 '그 얘기 들었어' 등의 문장을 만들 때 긴요하게 쓰인다. 특히 Do you hear that?은 방금 자기가 한 얘기를 들었지?라고 확인하거나 이상한 소리가 들렸을 때 너도 들었지?라고 물어보는 문장이 된다.

■ hear 이번에는 hear가 단독으로 쓰이는 경우. (Do) You hear?는 자신이 한말을 알아들었냐고 화가난 상태 혹은 주의를 주면서 하는 말로 '무슨 말인지 알겠니?'라는 뜻이고 Did you hear?, Have you heard?는 '너 그소식들었니?,' '그말 들었어?'라는 의미로 새로운 뉴스거리나 남의 뒷공론을 이야기할 때 상대방의 주의를 환기시키기 위해 사용하는 말이다.

■ Have you heard~?는 '…라는 소식 들었니?'라는 뜻으로 뒤에 about, of, from 아니면 that S+V가 이어져 나온다. 단순사실을 확인하거나 혹은 새로운 화제를 꺼낼 때 사용한다.

■ hear sb out는 상대방이 말을 자꾸만 끝까지 듣지 않을 때 혹은 말을 자를 때 하는 표현으로 '이야기를 끝까지 들어보라는 말.'

■ hear about은 '…에 관해 듣다,' hear of는 '…의 소식을 듣다' 그리고 hear from은 '…로부터 이야기를 듣다'라는 기본표현들.

■ never heard of는 '그런 소리는 들어본 적이 없다' 다시 말해 '말도 안돼'라는 의미로 주로 상대방의 말에 놀라움과 불신이 들 때 애용하는 표현이다.

■ hear it through the grapevine은 '소문으로 들었다'는 의미로 A little bird told me, get wind of와 같은 맥락의 표현.

H

You heard me.
내 말 알겠지.

- You heard me, son, turn it down! 시키는대로 해, 자식아. 소리줄이라고!
  A: What did you say? B: You heard me. A: 뭐라고요? B: 내 말 들었잖아.

■ You heard me는 내 얘기를 들었으니 들은대로 하라는 다소 명령조의 문장. 우리말 '내 말 알겠어?' 에 해당된다.

It's good to hear your voice.
네 목소리 들으니 좋아.

- Oh, great, well, that's good to hear. 어, 좋아. 듣기 좋은 소식이네.
  I am glad to hear it. 그것 참 잘됐다.

■ be good to hear는 전화를 시작할 때 혹은 끝나면서 상대방과 통화해서 좋았다라고 말할 때 쓰는 표현. 물론 생기초인 be glad to hear, be sorry to hear도 함께 복습해본다.

I'm sorry, I'm hard of hearing.
미안해요. 귀가 좀 안좋아서요.

- It seems we have a hearing in four weeks. 4주후에 청문회가 있을 것 같아.

■ hearing은 단순하게 '청력,' 혹은 '청문회'를 뜻한다.

■ overhear는 '엿듣다' 라는 hear 파생어.

I overheard them having phone sex.
걔네들이 폰섹스하는거 엿들었어.

- I'm sorry. I overheard you two talking. 미안, 둘이 얘기하는거 엿들었어.

MORE EXPRESSION

hear oneself talk 혼잣말하다
be last heard of~
마지막으로 …을 듣다
That's what you need to
hear. 그게 네가 들어야 되는 말야.

» heart

Don't you have a heart? 넌 인정도 없어?

You're breaking my heart.
너 때문에 내 가슴이 찢어져.

- I really liked this guy and he just broke my heart.
  난 이 친구를 정말 좋아했는데 내 맘을 찢어놓았어.

  A: What did he do? B: He broke her heart.
  A: 걔가 어떻게 했는데? B: 걔가 그녀 맘을 찢어놓았어.

■ break one's heart는 '가슴이 찢어지다' 라는 말로 특히 실연당했을 때 많이 쓴다. 그렇게 해서 상처받은 가슴은 broken heart라 한다.

You ripped my heart out!
네가 내 마음을 갈기갈기 찢어 놨어!

- Girls like Gabrielle would just rip my heart out.
  가브리엘같은 여자들은 내맘을 갈기갈기 찢어놓을거야.

  When I get home, I'm gonna rip your heart out.
  집에 가면 네 가슴을 갈기갈기 찢어놓을거야.

■ rip one's heart out는 '가슴을 갈기갈기 찢어놓다' 라는 말로 You broke my heart, You destroyed me의 의미.

In my heart of hearts, I hope to marry him.
내 맘 깊은 곳에 걔랑 결혼하고 싶어해.

- In John's heart of hearts, he wants to be a musician.
  존의 진심은 음악가가 되고 싶어해.

  In my heart of hearts, I just can't believe that he could do
  such a thing. 내맘깊은 곳에서는 걔가 그런 짓을 할 수도 있다는게 믿어지지 않았어.

■ in sb's heart of hearts 는 '…의 마음 깊숙한 곳에,' '남몰래' 라는 표현.

I tried with all my heart to forgive my husband.
난 진심으로 남편을 용서하려 했어.

- I love Eric with all my heart. 난 에릭을 진심으로 사랑해.

  I dedicated myself to it completely, heart and soul.
  난 열과 성을 다해 그거에 전적으로 전념했어.

■ with all one's heart (and soul)는 '진심으로,' '충심으로' 그리고 heart and soul은 '열과 성을 다하여' 라는 표현이다.

All of Mary's students are close to her heart.
메리는 학생들 모두를 진정으로 좋아했어.

- They moved away, but they are still close to our hearts.
  걔네들은 이사갔지만 아직 진정으로 좋아하고 있어.

  I'm trying to help a patient very near and dear to my heart.
  정성을 다해 환자를 도우려고 해.

■ close[dear] to sb's heart는 …의 마음에 근접한이라는 의미로 '맘을 다해서,' '진정으로' 라는 의미가 된다. 특히 사람들끼리 진정으로 좋아하는 경우에 자주 쓰인다.

You can relax to your heart's content this summer.
넌 이번 여름에 실컷 쉬어도 돼.

- I'll document it to my heart's content, and you can't stop me.
  난 맘껏 그걸 서류작성할거고 넌 날 막지 못해.

  Barry ate to his heart's content at the buffet.
  베리는 뷔페에서 맘껏 먹었어.

■ do sth to one's heart's content에서 'to one's heart's content' 는 '맘껏,' '실컷' 이라는 표현.

His hearts literally skipped a beat.
걔 심장은 글자 그대로 멈췄어.

- My heart skips a beat when I see my girlfriend.
  여친만 만나면 심장박동이 멈추는 것 같아.

  Life is full of nasty shocks that jolt our systems and cause our hearts to skip a beat.
  인생은 우리 시스템에 충격을 주고 우리의 심장을 멈추게 하는 위험한 충격들로 가득차있어.

■ sb's heart skips a beat 는 심장이 뛰는 걸 건너뛴다는 말로 '심장이 멈출 정도로 놀라다' 라는 뜻이 된다. 물론 문자그대로 '심장박동이 건너뛰다, 멎다' 라는 뜻으로도 쓰인다.

You'll pour your heart out.
넌 다 털어놓게 될거야.

- I cannot go up to Steven and pour my heart out to him.
  스티븐에게 가서 내 속내를 털어놓을 수가 없어.

  Did you have a heart to heart with Ron? 너 론하고 맘을 터놓고 얘기했어?

■ pour one's heart out은 …의 심장을 쏟아붓는다는 말. 비유적으로 말하자면 '속내를 다 털어놓다' 라는 뜻이 된다. 한편 heart-to-heart는 '허심탄회하게' 그리고 heart-to-heart talk은 '마음을 터놓은 진솔한 대화'를 뜻한다.

Well, didn't have the heart to tell them to stop.
어, 걔들보고 멈추라고 할 용기가 없었어.

- I didn't have the heart to tell him he didn't get the part.
  걔가 그 역을 맡지 못했다고 말할 수가 없었어.

■ not have the heart to~ 에서 the heart는 courage나 nerve에 해당되는 말로 '…할 용기가 없다' 라는 말이다.

My heart wasn't in it.
난 거기에 뜻이 없었어.

- She gave him head, but her heart wasn't in it.
  걘 오럴섹스를 해줬지만 내켜하지 않았어.

  But admit it, your heart wasn't in it. 하지만 인정해, 네 맘은 딴데가 있었잖아.

■ sb's heart isn't in it는 거기에 …의 맘이 없다는 말로 '…에 내키지 않다,' '…에 뜻이 없다,' '마지못해 …하다' 라는 의미이다.

H

We took Harriet to our hearts after she helped us.

해리엣이 우리를 도와준 후에 걔를 좋아했어.

- I'm hoping my boyfriend will take me to his heart.
  남친이 나를 좋아하기를 바래.

  She took him to her heart after the romantic weekend.
  로맨틱 주말 후에 그 여자는 걜 좋아했어.

take sb to one's heart 는 'sb를 좋아하다,' give one's heart to sb 또한 sb에게 맘을 주다라는 말로 역시 'sb를 좋아하다' 라는 말이 된다.

Can you find it in your heart to take me in?

나를 받아들일 맘이 날 수 있겠어?

- He hopes you can find it in your heart to forgive him.
  걘 네가 자길 용서할 맘이 날 수 있기를 바래.

  I think you'll find it in your heart to take pity on me.
  네가 날 가엾게 여길 맘이 생길거라 생각해.

find it in one's heart to~는 to 이하를 '할 마음이 나다' 라는 의미.

Yeah, your heart was in the right place.

그래, 너는 진심이었지.

- I know everyone's heart is in the right place, but I need to figure out what I want.
  모든 사람들의 맘이 진심이라는 걸 알지만 난 내가 뭘 원하는지 알아내야 돼.

sb's heart is in the right place는 …의 맘이 제자리에 있다라는 뜻으로 간혹 안좋은 일도 하지만 '…의 맘은 진심에서 나온 것이다' 라는 의미이다.

My heart bleeds for all the lonely people.

혼자 사는 모든 사람들이 참 불쌍해.

- My heart bleeds for the family of the crime victim.
  범죄피해자 가족이 참 안됐어.

  My heart bleeds for Joe after his divorce. 조가 이혼한 후에 참 안됐어.

My heart bleeds (for sb)는 '…가 참 안됐다,' '…가 참 불쌍하다(feel sad about sb)라는 표현.

I don't wear my heart on my sleeve.

난 솔직히 말하지 않아.

- It's easy to wear your heart on your sleeve when you're not looking in his eyes. 걔 눈을 바라보지 않을 때 솔직하게 말하는 건 쉬워.

  What does your heart tell you? 솔직하게 말해봐

wear one's heart on one's sleeve는 숨기지 않고 솔직하게 말한다는 표현. 한편 What does your heart tell sb? 는 상대방에게 솔직히 말해보라고 채근하는 문장이다.

I have my heart set on it.

난 그걸 하기로 맘먹었어.

- I never really had my heart set on being a cop.
  난 정말 경찰이 되기로 맘먹은 적이 없어.

have one's heart set on은 맘을 on 이하에 고정시킨다는 말로 '…을 하기로 맘먹다, 결심하다' 라는 의미. set one's heart on이라고 해도 된다.

She had a change of heart.

걘 심경의 변화를 일으켰어.

- You wanna have a change of heart? 너 맘을 바꾸고 싶어?

  That might explain why he had a change of heart.
  걔가 왜 맘을 바꿨는지 그럼 설명이 되네.

have a change of heart 는 '의견을 바꾸다,' '심경의 변화를 일으키다' 라는 의미.

Come on. Have a heart.
이봐, 인정을 베풀라고.

- That was a little girl! Don't you have a heart? 어린 소녀였잖아! 인정도 없어?
Where's your heart? 넌 인정도 없어?

At least I'm not mean to people who love me. Where is your heart? 적어도 날 사랑하는 사람들에게 비열하게 굴지는 않아. 넌 인정도 없어?

Slow down. You're gonna have a heart attack.
천천히 해. 심장마비오겠어.

- You definitely did not have a heart attack. 넌 절대 심장마비가 온게 아니야.
I thought I was going to have a heart attack.
난 심장마비가 오는 줄 알았어.

You called her a cold-hearted bitch.
넌 걘 인정머리없는 년이라고 불렀어.

- You're a cold-hearted little thing, aren't you? 넌 참 냉혈한이다, 그지 않아?
Everyone looks disheartened. 다들 낙담해 있는 것 같아.

■■ have a heart에서 heart는 비유적으로 '인정'을 말하는 것으로 '인정이 있다' 라는 뜻이 된다. 주로 명령문 형태로 '한번만 봐줘,' '온정을 베풀라구' 라는 의미로 상대방에게 인정과 동정심을 호소할 때 사용된다. Where's your heart?도 마찬가지. 또한 have a heart of gold하면 친절한 사람, have a heart of stone 하면 무정한 사람을 뜻한다.

■■ heart attack은 심장마비, heart disease는 심장병, heart failure는 심장발작을 뜻한다.

■■ cold-hearted는 '냉혈한' half-hearted는 '성의가 없는' 그리고 disheartened는 '낙담한' 이라는 의미이다.

MORE EXPRESSION

win sb's heart …의 마음을 얻다
eat one's heart out
마음을 다 뺏기다
know by heart 암기하다, 외우다
cry one's heart out 엉엉울다
take sth to heart …에 맘상하다
win the hearts and minds
of sb …의 마음을 사로잡다

» heavy

 Oh, it's heavy, heavy with importance. 오, 이건 매우 중요한거야.

That's heavy.
거 참, 골치아프군.

- I just got out of a marriage. That's heavy. 막 이혼했어. 골치아파.
It's heavy, I can't hold it. 무거워서 못들고 있겠어.
My head feels heavy. 머리가 무거워.

Okay. So I went a little heavy on the Vicodin.
좋아. 그래 내가 바이코딘을 좀 과하게 먹었어.

- She goes extra heavy on the chocolate. 걘 초콜렛을 많이 먹어.
Jack was heavy into drugs before he died. 잭은 죽기 전에 마약에 빠졌어.

Oh, it's heavy, heavy with importance.
오, 이건 매우 중요한거야.

- Drinking beer is too heavy with eating a big dinner.
저녁만찬을 하면서 맥주를 마시는 건 넘 과하지.

The police report was heavy with crime details.
경찰보고서는 범죄세부사항으로 가득해.

■■ sth be heavy하게 되면 '…가 무겁다,' 혹은 비유적으로 '…가 골치아프다' 라는 뜻이고 한편 sb feel heavy하면 '머리가 무겁다' 라는 의미.

■■ go[be] heavy on은 뭔가 '많이 먹다' 등 소모량이 많은 경우를 표현한다. 그리고 be heavy into sth은 술, 도박, 마약 등 안좋은 일에 연루되거나 개입되다, 빠지다라는 말이다.

■■ be heavy with~는 '…으로 가득차다,' 양이 너무 많은 등 다양한 의미로 쓰인다.

H

421

Don't get heavy with the audience.
청중들에 너무 짓눌리지마.

- Things got heavy with my girlfriend today. 오늘 여친상황이 심각했어.
  It's gonna get heavy with the group members. 회원들과 심각해질거야.

You did most of the heavy lifting.
넌 일의 대부분을 다했어.

- I'm the one doing all the heavy lifting. 내가 일의 대부분을 다한거야.

■ **get heavy with sb**는 'sb에게 뭔가가 심각해진다' (be serious)는 의미.

■ **do the heavy lifting**은 물리적으로 무거운 것을 들어올리다, 비유적으로는 '대부분의 일을 다하다' 라는 뜻이 된다.

MORE EXPRESSION

heavy date 중요한 데이트
play[come, do, act] the heavy 엄하게 굴다, 꾸짖다
heavy going 이해하기 다루기 어려운

» heck

What the heck was all that about? 이게 도대체 다 무슨 일이야?

Tony is a heck of a basketball player.
토니는 대단한 야구 선수야.

- He seems like a heck of a nice guy. 걘 대단한 친구같아.
  Morning. Heck of a day, isn't it? 안녕. 대단한 날야, 그렇지 않아?

What the heck was all that about?
이게 도대체 다 무슨 일이야?

- What the heck is this? 도대체 이게 뭐야?
  What the heck is going on here? 도대체 여기 무슨 일이 벌어지는거야?

So, I said, "What the heck?"
그래서 내가 "에라 모르겠다!"라고 말했어.

- What the heck, dad! 어쩌라고, 아빠!
  What the heck? Do it anyway. 어쩌라고? 어쨌든 하라고.

They threw in a beret just for the heck of it.
걔네들은 베레모를 무료로 나누어 주었다.

- Let's go to the fair, for the heck of it. 그냥 재미로 장터에 가자.
  We traveled to Long Island for the heck of it. 재미로 롱아일랜드에 갔어.

■ **a heck of**는 명사앞에서 강조하는 수식어로 '대단한'이라는 의미.

■ **What the heck~**은 What 등의 의문사 바로 뒤에 위치해서 의문문을 강조하는 역할을 한다.

■ **What the heck!**은 해서는 안될 짓을 하면서 던지는 말로 '에라 모르겠다!' 정도에 해당되는 표현이다.

■ **for the heck of it**은 그냥 재미로라는 말로 for fun과 같은 의미로 보면 된다.

MORE EXPRESSION

on heck 도대체(on earth)
Oh, heck! 이런 젠장!

놓치면 원통한 미드표현들

- **a hole in one** 성공 **be in a hole** 힘든 상황에 처하다
  He got a hole in one. 걔는 단번에 성공했어.
  Help, help, I'm in a hole! 도와줘요, 곤경에 처했어요!
- **be full of holes** 헛점투성이다

His plans are full of holes. 걔 계획엔 허점이 많아.

- **hole up** 숨어지내다
  Don't hole up here till after hours.
  근무시간 후까지는 여기에 숨어있지마.

422

Hell if I know. 정말 몰라.

You'll die! Go to hell!
넌 죽을거야! 꺼져!

- A: I want a name. B: Go to hell. A: 이름을 대. B: 나 좀 가만히 둬.
  For what? I ain't do anything, so go to hell. 뭐 땜에? 난 아무짓도 안했으니 놔둬.

Go to hell은 '꺼져,' '그만 좀 놔둬' 라는 뜻. 명령문의 형태로 누군가에게 화난 상태에서 그만 가버리라고(go away) 그리고 나 좀 가만히 놔두라고(leave me alone)하는 이야기.

He said I was a freak, and I was gonna go to hell.
걘 내가 이상한 놈이어서 실패할거래.

- He said Cindy was gonna go to hell for what she did.
  걔는 신디가 자기가 한 짓으로 지옥에 갈거라고 말했어.
  It doesn't matter, that's where it all went to hell.
  상관없지만, 바로 거기에서 모든 게 엉망이 된거지.

sb[sth] go to hell~은 '망치다,' '실패하다' 라는 의미로 앞의 명령문 형태로 쓰이는 go to hell과 헛갈리면 안된다.

The hell with that!
알게 뭐람!, 맘대로 해!

- Well, the hell with him. He got what he deserved.
  저기, 걔 상관없어. 당해싸지.
  To hell with that! 그게 끝이야!, 더는 없어!
  To hell with it, Andy. I don't even care. 알게 뭐야, 앤디. 난 신경도 안써.

the hell with that은 '맘대로 해라,' '알게 뭐냐,' '난 내할 일하겠다' 라는 의미. with 이하에 거부감있는 대상을 넣으면 된다. to hell with~라고 해도 된다.

Hey, what the hell are you doing?
야, 너 지금 뭐하는 짓이야?

- Who the hell is Mike Franks? 마이크 프랭크가 대체 누구야?
  Who the hell do you think you are? 대체 네가 누구라고 생각하는거야?

의문사 the hell~은 놀라거나 화났을 때 강조하는 것으로 주로 What the hell was that? 아니면 What the hell are you doing?이란 문장이 자주 쓰인다. 앞서 나온 What the heck~보다는 부드러운 표현이다.

Dammit. Stop it. What the hell?
젠장. 그만해. 도대체 뭐야?

- Yeah, what the hell? It's prom. 그래, 알게 뭐야? 프롬파티인데.
  Arrest? What the hell for? 체포한다고요? 대관절 뭐 때문이에요?

What the hell?은 단독으로 쓰이는 경우로 '알게 뭐람?,' '도대체 뭐야?' 라는 의미. 또한 What the hell for?는 '도대체 뭣 때문에?' 라는 표현.

That's a hell of a lucky break.
굉장히 운좋은 기회이다.

- We got a hell of a lot of suspects. 진짜 많은 용의자가 있어.
  I think he would have done a hell of a job.
  걔가 대단한 일을 할 수 있었을거라 생각해.

a[one] hell of sth은 앞서 나온 a heck of처럼 명사앞에 나와서 명사를 강조하는 표현으로 '굉장한,' '대단한' 이라는 의미.

Right now, it just hurts like hell.
지금, 끔찍하게 아파.

- It hurt like hell, but she did a damn good job.
  엄청 아팠지만 일은 정말 잘했어.
  Mom fought like hell. 엄마는 죽어라 싸웠어.
  Thank you. You look like hell. 고마워. 너 아주 끔찍해보여.

like hell은 지옥과 같은 이라는 뜻으로 hurt like hell하면 '지독하게 아프다,' fight like hell 하면 '죽어라 싸우다' 그리고 feel[look] like hell은 '지독한[대단한] 상황이나 상태' 를 말한다.

H

You look like you've been to hell and back.

저승에라도 갔다 왔니?

- Her system's been to hell and back, but she's stabilized.
  개 상태가 죽을 고생을 했지만 이제 안정됐어.

  Melissa's been to hell and back with me. 멜리사와 난 힘든 시기를 보내고 있었어.

■ to hell and back은 매우 어려운 상황에서 죽을 고생을 하는 것을 말하는 것으로 주로 have been to hell and back 혹은 go to hell and back의 형태로 쓰인다.

I wanted to scare the hell out of him.

난 간떨어질 정도로 개를 놀라게 해주고 싶었어.

- He scared the hell out of me. 개 때문에 나 십년감수했어.

  Somebody's beating the hell out of her. 누군가 걜 죽도록 패고 있어.

■ beat[surprise, scare] the hell out of sb는 각동사를 강조하는 것으로 '…을 늘씬 패주다, 깜짝 놀라게 하다, 죽을 정도로 무섭게하다' 라는 의미.

I'll give you hell.

너, 나한테 혼날 줄 알아.

- You're gonna give me hell, aren't you? 너 나 괴롭힐거지, 그치?

  Dad gave me hell because I got home late. 집에 늦었다고 아빠한테 혼났어.

■ give sb hell은 sb를 '못살게 괴롭히다' 라는 표현.

Get the hell out of my way.

빨리 비키라고.

- I wanted to get the hell out of there. 난 빨리 그곳을 벗어나고 싶었어.

  We don't get the hell out of here right now. 우린 당장 여기서 떠나지 않을거야.

■ get the hell out of는 '…에서 재빨리 떠나다' 라는 의미. get out of를 강조한 표현.

Oh, my god. All hell broke loose.

맙소사. 엉망진창이 되었어.

- And then as you know all hell broke loose. 그리고 나서 알다시피 아수라장 됐어.

  The next thing we knew, all hell broke loose.
  다음에 우리가 안 사실은 온통 아수라장이라는 거였어.

  As usual, it's going to hell in a hand basket. 언제나처럼 엉망이 될거야.

■ all hell broke loose는 지옥전체가 풀려났다는 것으로 '아수라장이 되다,' '야단법석이다' 라는 의미. 그리고 go to hell in a hand basket 또한 '엉망이 되다' 라는 표현.

I'm about to caf up right now just for the hell of it.

흥이 나게 카페인 음료를 마실려고.

- I don't think he'd trash the place for the hell of it.
  개가 아무이유없이 그 집을 부수리라고는 생각안해.

■ just for the hell of it은 특별한 이유없이 그냥 장난삼아서 혹은 재미로라는 표현.

She's the motivational speaker from hell.

걘 최악의 동기부여강사야.

- Looks like the party from hell. 최악의 파티같아.

  They're cheap and dangerous as hell. 개네들은 매우 아비하고 위험해.

  I sure as hell didn't steal his car. 난 정말 개 차를 훔치지 않았어.

■ sth from hell은 지옥에서 왔다는 말로 '최악의…,' '끔찍한…' 이라는 의미. 또한 형용사 +as hell은 '매우… 한,' '대단히…' 이라는 의미로 앞의 형용사를 강조해준다. 또한 sure as hell은 '확실히' 라는 뜻.

Hell if I know. Some lady.

정말 몰라. 어떤 여자였어.

- A: What company do you use? B: Hell if I know.
  A: 어떤 회사를 이용해? B: 정말 몰라.

  A: What's that? B: Hell if I know. A: 저게 뭐야? B: 내가 어찌 알아.

■ Hell if I know는 '내가 어떻게 알아' 라는 뉘앙스로 I don't know를 강조한 표현으로 생각하면 된다. '정말 모른다니까' 라고 옮기면 된다.

There will be hell to pay.
나중에 엄청난 대가를 치루어야 할 텐데.

- **There is gonna be hell to pay. Sorry.** 나중에 뒤탈이 생길거야. 미안.
  You better take that roast out of the oven or there'll be hell to pay!
  고기를 오븐에서 꺼내는게 좋아 그렇지 않으면 나중에 성가시게 될거야!

Plus, the defense attorney will raise hell.
게다가 피고측 변호인이 들고 일어날거예요.

- **He's gonna raise hell the next few years.**
  걘 앞으로 몇 년간 소란을 피울거야.
  I tell you, he was hell on wheels. 정말이지 걘 성가신 사람이야.

Why are you so hell-bent on derailing this match?
왜 이 경기를 무산시키려고 작정한거야?

- **Just yesterday you were hell-bent on moving us immediately.**
  바로 어제 넌 우리를 바로 이동시키려고 했어.

■ **There will be hell to pay**는 호되게 대가를 치를거라는 의미로 '나중에 몹시 성가시게 될 거야,' '뒤탈이 생길 텐데' 라는 뜻. 어리석은 짓을 하려는 상대방에게 충고나 경고할 때 사용한다.

■ **raise hell**은 지옥을 들쑤셔 놓는 것처럼 '자기가 원하는 걸 얻기 위해 격렬하게 항의하다,' '소동피다' 라는 뜻. 또한 hell on wheels는 혹독한 것, 성가신 사람 등을 뜻한다

■ **hell-bent on~**은 철없이 결과에는 아랑곳하지 않고 'on 이하를 하려고 작정한' 이라는 의미.

MORE EXPRESSION

oh, hell! 이런 제기랄!, 빌어먹을!
Hell's bells (and buckets of blood)! 젠장할!, 제기랄!
come hell or high water
어떤 일이 있어도
run[go] hell for leather
죽어라 뛰다
not have a hope in hell (of ~ing) …할 가능성이 전혀 없다

» help

 You gotta help me out here. 이거 좀 도와줘야겠어.

I can't help but feel a little guilty.
약간 죄의식을 느끼지 않을 수 없어.

- **I can't help but notice that this isn't porn.**
  이건 포르노가 아니라는 걸 알아차릴 수밖에 없어.
  I can't help but think about Lisa. 리사 생각을 떨쳐버릴 수가 없어.

(I) Can't help it.
나도 어쩔 수가 없어.

- **It's in your blood. You can't help it.** 네가 타고난거야. 너도 어쩔 수가 없어.
  Don't hurt him. He can't help it. 걜 아프게 하지마. 걔도 어쩔 수가 없어.

It can't be helped.
어쩔 수 없는 상황이야.

- **I couldn't be helped.** 나도 어쩔 수가 없었어.
  I cannot help myself. 내 감정을 억제할 수가 없어.
  All I know is that I can't help myself.
  내가 아는 건 나도 어쩔 수가 없다는거야.

■ **can't help ~ing[명사]**는 기본숙어로 '…하지 않을 수 없다' 그리고 can't help but+V 또한 '…을 하지 않을 수가 없다' 라는 뜻.

■ **can't help it**는 고정된 형태로 미드에서 무척 많이 쓰이는 문장이다. 의미는 '나도 어쩔 수가 없어.'

■ **can't be helped**는 이미 발생한 일에 대해 막을 방법이 없었음을 말하거나 자신을 자제할 수 없었음을 말하며 상황을 개선시킬 방법이 전혀 없거나 그것이 어느 누구의 잘못도 아니라는 의미. can't help oneself 또한 '어쩔 수가 없다' 라는 뜻이다.

H

Sometimes that helps.

그게 간혹 도움이 돼.

- It might help if you're just a little more specific.
  네가 좀더 구체적이면 도움이 될텐데.

  Thank you very much. It helped a lot. 정말 고마워. 많은 도움이 됐어.

  It helped me stop hating myself. 그게 날 자학하는 걸 멈추는데 도움이 됐어.

■ That[It] helps (~)는 That[It] 이 도움이 되다라는 표현으로 단독으로 쓰이거나 혹은 뒤에 절, sb+V 등이 이어져 문장을 길게 만들 수 있다.

But it won't help Rudi much.

하지만 그건 루디에게 많은 도움이 되지 않을거야.

- Well, then give me the script. It won't help you.
  어, 그럼 스크립트 줘. 너한테 소용없을거야.

  I told you it won't help you find her. 걜 찾는데 그게 소용없을거라 말했잖아.

■ It won't help sb는 그렇게 해봤자 sb에게는 도움이 안된다, 즉 '소용이 없을거야' 라고 말하는 표현.

Help yourself to anything in the refrigerator.

냉장고에 있는거 아무거나 들어.

- Why don't you grab a plate? Help yourself. 접시 들고 맘껏 드세요.
  A: Mind if I sit here? B: Help yourself. A: 여기 앉아도 돼? B: 그러세요.

■ Help yourself (to)는 상대방에게 음식이나 물건을 '마음껏 드세요,' '어서 갖다 드세요' '맘대로 갖다 쓰세요' 라는 의미로 Help yourself 단독으로 써도 되고 아니면 구체적으로 먹거나 쓰는 대상을 to 이하에 적어주면 된다.

Can I help in some way?

어떻게 좀 도와드릴까요?

- How may I help you? 어떻게 도와드릴까요?
  Can I help you with something? 뭐 좀 도와드릴까요?
  I am being helped now. 다른 사람이 봐주고 있어요.

■ How can I help (you)? 는 May I help you?와 더불어 대표적인 친절영어표현으로 손님 등 상대방이 뭘 필요한지 물어볼 때 사용한다. 이때 다른 사람으로부터 이미 도움을 받고 있다고 말할 때는 I'm being helped라고 하면 된다.

Not if I can help it.

할 수만 있다면 피하고 싶어.

- A: He's gonna get out by dinner. B: Not if I can help it.
  A: 걘 저녁때 외출할거야. B: 나 그러고 싶지 않은데.

  Tell me where my wife is, or so help me, I will shoot you.
  내 아내가 어디있는지 말해, 그렇지 않으면 정말이지 널 쏠거야.

■ Not if I can help it은 '하지 않았으면 하는 마음' 을 나타내는 것으로 '그건 안하고 싶어' 라는 뉘앙스의 표현이다. 또한 자주 쓰이는 so help me (God)는 '하느님께 맹세합니다' 라는 말로 God은 생략하기도 한다.

We gotta get help.

도움을 받아야 해.

- Get help! 도움을 청해!
  I begged her to get help. 난 걔한테 도와달라고 간청했어.

■ get help는 '도움을 받다' 라는 아주 유용한 표현.

You were a great help.

정말 많은 도움이 되었어.

- You're a big help. 고마워.
  That's a big help. 크게 도움이 돼.
  You've been a big help. 큰 도움이 되었어요.

■ be a great help는 '정말 많은 도움이 되었어' 라는 말로 실질적 도움이나 조언을 받거나 혹은 자신에게 도움되는 물건을 상대방이 빌려주었을 때.

Shut up! You're not helping!
닥쳐! 넌 도움이 안돼!

- You're not helping me. 넌 내게 도움이 되는게 아니라 반대야.

  I can't believe I ever even tried to help you. You are so beyond help. 널 도우려고 했던 내가 믿기지 않아. 넌 구제불능이야.

■ be not helping~은 별 도움이 안되거나 도움이 되기는커녕 방해가 되는 경우 핀잔을 주면서 하는 말. 그리고 be beyond help하면 '도와줘도 소용없다' 라는 뜻이 된다.

Do you need help unloading your car?
차에서 짐내리는거 도와줄까?

- You need help getting Chuck to sleep with you? Really? 척이 너와 잠자리하도록 하는데 도와줘? 정말?

  Do you need help making arrangements? 일정잡는거 도와줄까?

■ Do you need help ~ing? 는 상대방에게 도움이 필요하냐고 물어보는 표현으로 help 다음에는 ~ing나 with+N가 나온다.

You gotta help me out here.
이거 좀 도와줘야겠어.

- Somebody help me out! 누구 나 좀 도와줘!

  Are you going to help me out with this or not? 이것 좀 도와줄거야 말거야?

■ help sb out은 문제가 있는 sb를 도와준다는 의미.

MORE EXPRESSION

need sb's help
…의 도움을 필요로 하다

» here

Here's what's what. 상황이 이렇게 된거야.

Here it comes again. Shut up!
또 시작이구만. 입닥쳐!

- A: I have so many awesome plans for us. "Us." Oh, man. It feels so good to say that. B: Oh, God. Here it comes.
  A: 우리를 위해 멋진 계획을 많이 세워놨어요. "우리." 야, 그 말하니 기분이 무척 좋네요. B: 오, 맙소사. 또 시작이구만.

■ Here it comes는 물건을 건네주면서 '자 여기 있어,' 또는 상대방의 잔소리에 '또 시작이군,' '올 것이 오는구만' 등의 의미를 갖는다.

Here comes our new boss, be polite.
신입 사장님이 저기 오신다, 예를 갖춰.

- Here she comes now. Be cool! 지금 쟤가 저기 오네. 침착해!

  Here comes the unsub. But you don't turn around. Just keep talking. 미확인용의자가 저기 오네. 돌아보지말고 계속 얘기해.

■ Here comes sb 혹은 here sb comes는 sb가 말하는 사람 쪽으로 다가오는 모습을 보고 하는 말로 '저기 오는구만' 이라는 뜻.

Here we are. I had a really great time tonight.
자 도착했네. 난 오늘밤 정말 즐거웠어.

- Well, here we are again, dear boy. 얘야, 우리 여기서 또 만났네.

  Here we are again, in the conference room. 우리 또 회의실에서 만났네.

■ Here we are는 어느 지점에 도착해서 '자 (드디어) 도착했다' 혹은 뭔가 건네주면서 '여기 있다' 라고 한다. 한편 Here we are again은 과거에 비슷한 장소에 만난 사람을 다시 만났을 때 사용한다.

H

Here you are. Thanks.
여기요. 고마워요.

- And here you are, officially leaning on me.
  이제 네가 내게 공식적으로 의지하네.

  And here you are, making me look the fool.
  이제 네가 나를 바보처럼 보이게 만드네.

■ Here you are는 상대방에게 물건을 건네주면서 '자 여기 있어' 라고 하는 뜻이 기본이고 좀 어렵지만 뒤에 ~ing를 붙여서 상대방의 현재 상태를 언급할 때도 사용된다.

So here goes, I'm having feelings for Karl again.
그래 이런거야. 내가 칼을 다시 좋아하게 됐어.

- We tell each other everything. So, here it goes.
  우린 서로에게 다 얘기하자. 그래, 시작하자.

  Okay, here it goes. I feel bad that she got hurt.
  그래, 시작한다. 난 걔가 상처받아 맘이 안좋아.

■ Here goes는 '한번 해봐야지,' '자 간다,' '자 내가 먼저 한다' 등의 의미로 뭔가 주사를 놓는다던가 사랑고백을 한다던가 등 어렵고 힘든 일을 하거나 말을 하려고 시작하면서 한번 어렵지만 해보겠다라는 표현. 또한 Here it goes는 '자, 시작하자' 라는 말.

I made your favorite, tacos. here you go.
네가 젤 좋아하는 타코 만들었어. 자 여기.

- I'm gonna be right there. Here you go. 손님 바로 갑니다. 자 여기 있습니다.
  Ok, here it is. Your choice. It's simple. 좋아, 들어봐. 네 선택야. 간단해.
  Here it is. I'm gay. 내 얘기할게. 난 게이야.

■ Here you go나 Here it is는 물건 등을 건네며 '자, 여기 있어' 라는 말이며 특히 Here it is는 상대방에게 어떤 이야기를 건넬 때도 쓰이는데 이 때의 의미는 Listen to me이다.

You are going to love these. Ok, here we go.
이거 좋아하게 될거야. 자 시작한다.

- Ok, here we go. I don't think we should go out anymore.
  그래, 해보는거야. 우리 그만 만나는게 나을 것 같아.

  All right, ten centimeters, here we go.
  좋아요, 10cm 열렸네요. 자 이제 나옵니다.

  Oh God! Here we go again. Why does this keep happening to me?
  맙소사! 또 시작이네. 왜 이런 일이 내게 계속 일어나는거지?

■ Here we go는 '자 간다,' '여기 있다,' '자 이제 시작해볼까' 라는 의미로 뭔가 행동을 시작할 때 혹은 뭔가 발견했을 때 사용하면 된다. 하지만 뒤에 again이 붙어 Here we go again이 되면 상대방의 행동에 '또 시작하는구만' 이라는 의미가 된다.

It's good to be here.
오기를 잘했군.

- God, I'm so happy to be here. 아, 여기 오길 잘했네.
  Well, it's good to be here. 저기, 여기 와서 좋으네.

■ be good[happy, nice] to be here는 상대방의 환영에 대한 답례인사로 '오기를 잘했네요,' '환영해줘서 기뻐요' 라는 의미이다.

And from here on out, it's gonna be me.
그리고 지금부터는 내가 될거야.

- From here on out, nobody talks to the press.
  지금부터, 아무도 언론에 이야기하지마.

■ here on out는 '지금부터' (from now on) 혹은 '앞으로' (in the future)라는 의미.

I'm still here.
아직 듣고 있어.

- A: You still there? B: Yes, I'm still here.
  A: 아직 안끊었어? B: 어, 아직 안끊었어.

■ be still here는 단순히 여기 있다라는 의미를 넘어 내가 아직 듣거나 보고 있다, 즉 주의를 기울이고 있다는 말이고 특히 전화영어에서는 '아직 전화안끊고 듣고 있다' 라는 말이 된다.

I'm up to here in files on my desk.
내 책상에 파일들이 목까지 찼어.

- **I'm up to here in parents complaining.** 부모님 불평이 목까지 찼어.
  I'm up to here in products I can't sell. 내가 팔 수 없는 제품들이 목까지 찼어.

I'm up to here는 단독으로 쓰일 때는 배불러서 사양할 때 혹은 일이 목까지 차서 엄청 바쁘다라는 뜻이 된다. 좀더 구체적으로 …가 목까지 찼는지 말하려면 in~다음에 자신을 숨막히게 하는 것을 적어주면 된다.

I've had it up to here with these people.
난 이 사람들 때문에 돌겠어.

- **Kate has had it up to here with riding the bus.**
  케이트는 버스타는게 진절머리가 나.
  Mr. Burns has had it up to here with waiting for Steve.
  번즈 씨는 스티브를 기다리는데 미쳐버리겠어.

have had it up to here with~는 '…때문에 주어가 돌겠다,' '미치겠다,' '…라면 넌더리가 난다'라는 아주 짜증나고 지친 표현.

Here's to you!
당신을 위해 건배!

- **Here's to a great cop!** 한 훌륭한 경찰을 위하여!
  Here's to your marriage! 네 결혼을 위하여!

Here's to~!는 '…을 위해 건배!,' '…을 위하여'라는 말. Here's mud in your eye하게 되면 '한잔 쭈욱 마셔라'는 뜻이 된다.

Here's what's what.
상황이 이렇게 된거야.

- **Save the story, kid. Here's what's what.** 얘기 그만해. 상황은 이래.
  You're confused, so here's what's what. 넌 헛갈리고 있어, 상황은 이래.

Here's what's what은 자초지종이 이렇게 된거야, 상황이 이렇게 된거야(Here is what the situation is)라고 말하는 표현법.

That's it. I'm out of here. I'm done.
바로 그거야. 나 여기 없는거야. 난 다했어.

- **If anyone calls for me, I'm not here.** 누가 전화해서 날 찾으면 없다고해.
  Don't talk to me like I'm not here! 내가 여기 없는 것처럼 말하지마!
  Guys, over here. Right here. 애들아, 이쪽야. 바로 여기.

I'm not here는 누가 지금 물어볼 때 혹은 나중에 누가 물어볼 때 모두 지금 내가 여기 있지만 없는 것으로 해달라는 표현. '나 여기 없는 거야.' 참고로 I'm outta here는 '나 갈게'라는 뜻. 한편 over here는 이쪽으로라는 말로 over there와 반대되는 표현.

They are going to be here.
걔네들 이리 올거야.

- **He really wants you to be here.** 걘 네가 여기 오기를 정말 원해.
  Why are you here? 여기는 왜 왔지?

be here는 내가 아닌 제 3자가 주어로 쓰일 때는 그쪽에서 이리로 온다(come)는 의미.

H

놓치면 원통한 미드표현들

- **give (sb) a hint** (…에게) 힌트주다 get[take] a[the] hint 눈치채다
  I can take a hint. 알겠어.
  I get the hint. 눈치 챘어.
  I'll give you a hint about where she works.
  걔가 어디서 일하는지 힌트를 줄게.

- **hock sth to** 저당 잡히다
  I hocked it okay, I pawned it.
  그걸 저당잡혔어. 전당포에 맡겼다고.
  God, I love that car. Hocked my future on it.
  맙소사, 저 차 좋다. 내 미래를 걸어야겠어.

I'm here to help you.
널 도와주러 온거야.

- I'm here to see if I can. 내가 할 수 있는지 보러 왔어.
  A: You here to ambush me again? B: I'm here to apologize.
  A: 날 또 공격하려고 왔어? B: 사과하러 왔어.

Yes. Well, that's neither here nor there.
맞아. 저기 그건 별로 중요하지 않아.

- That is neither here nor there. 그건 중요하지 않아.
  Let's just enjoy the here and now. 현재를 즐기자고.

■ I'm here to~는 여기에 '···하러 왔습니다'라고 방문목적을 말할 때 사용한다.

■ neither here nor there 는 여기저기도 아니라는 말로 중요하지 않은(not important), 그리고 the here and now는 현재(the present time)라는 말이다.

MORE EXPRESSION

(Is that) For here or to go?
여기서 드실겁니까 가지고 가실 겁니까?
Here! 그만해! 그만하면 됐어!
here, there, and everywhere
사방에

» high

Did you guys get high? 너희들 약먹었나?

Did you guys get high?
너희들 약먹었나?

- I used to come here to get high. 난 약하러 이리로 오곤 했어.
  Did you see him high or something? 걔가 취해 있는거 봤어?
  I'm high on life. 기분 최고야.

That was the high point for me.
그건 내게 가장 재미있는 부분이었어.

- Meeting you is the high point of my career. 널 만난 건 내 경력 중 최고야.
  Don't take the moral high ground. 도덕적으로 우위에 서려고 하지마.

I think it's high time to make a toast.
건배해야 될 것 같아요.

- It's high time our families got together. 우리 가족이 함께 모여야 할 때야.

So don't get so high and mighty with me!
그러니 내게 거만하게 굴지 말라고!

- You were always so high and mighty back at the clinic.
  넌 언제나 클리닉에서 불손했어.
  Our manager was on her high horse during the meeting.
  우리 매니저는 회의중에 잘난 척을 했어.
  Don't get on your high horse talking to me!
  나한테 말할 때 거만하게 굴지마!

■ get high는 미드에 많이 나오는 표현중 하나로 '술, 마약에 취하다'라는 뜻. be already pretty high하면 '나 꽤 취했어' 그리고 be high on은 '약에 취하다'라는 의미가 된다.

■ high spirits는 '명랑이나 쾌활,' high ground는 '우위' 그리고 high point는 '가장 재미있는, 좋은 부분'을 뜻한다.

■ It's high time은 '딱 좋은 때다,' '그럴 때도 됐다'라는 말로 뒤에는 to+V나 that 절이 올 수 있다. It's about time처럼 about을 쓰기도 하며, 물론 아무것도 없이 그냥 It's time~이라고도 한다.

■ be[get] on one's high horse는 말에 올라타고 밑을 내려다보는 모습을 연상하면 된다. '뻐기다,' '거만하게 굴다'라는 의미. 또한 high and mighty 역시 '거만한,' '불손한,' '잘난 척하는'이라는 의미.

They searched high and low for him.

개네들은 그를 찾기 위해 사방팔방을 뒤졌다.

- I've been searching high and low for a blunt object.
  난 둔기를 찾기 위해 온사방을 찾았어.

  I looked high and low for your glasses. 난 네 안경을 사방으로 찾았어.

Samsung is riding high this year.

삼성은 올해에 매우 성공적이야.

- The football team is riding high after winning. 축구팀은 승리후 의기양양했어.

  We were riding high when we bought the house. 우린 집샀을 때 잘 나갔었어.

■■ look[search] high and low는 높은데도 낮은데도 찾는다는 말로 '샅샅이 찾다' 라는 뜻이 된다.

■■ be riding high는 '의기양양하다,' '인기가 좋다,' '매우 성공적이다' 등 뭔가 잘 풀리는 것을 말한다.

MORE EXPRESSION

from on high 윗사람
have a high temperature
열이 많이 나다
high priority 최우선순위
high on the agenda 중요의제
run high 고조되다
on a high note 화려하게

» hip

They were joined at the hip. 개네들은 매우 친밀해.

You're hip and trendy?

너 유행에 밝고 앞서간다며?

- We can go to some hip club and get some hot guys.
  유행하는 클럽에 가서 멋진 남자들을 낚자.

  I know plenty of cool, hip mothers who live in the city.
  도시에 사는 멋지고 유행에 밝은 엄마들을 많이 알고 있어.

I was hip to the problems Ray had.

난 레이가 갖고 있는 문제를 잘 알고 있었어.

- You need to get hip to the new music. 넌 새로운 음악을 잘 알 필요가 있어.

  Sharon is not hip to our secret. 새론은 우리 비밀을 잘 모르고 있어.

They were joined at the hip.

개네들은 매우 친밀해.

- We're joined at the hip now, aren't we? 우리는 일심동체야, 안그래?

  She and Shannon were joined at the hip. 걔와 섀넌은 한배를 탔어.

  You two have been attached at the hip all week.
  너희 둘 주중내내 같이 다니네.

■■ be hip은 매우 인기가 있다는 말로 be all the rage, be the craze, be the fad, be in vogue와 같은 말이며, hip+명사의 형태로 '유행에 밝은' 이라는 의미로 쓰인다.

■■ be[get] hip to sth은 '잘 알고 있다,' '…에 통달하다' 라는 의미.

■■ joined[attached] at the hip은 '일심동체이다,' '매우 친밀하다,' '한배타다' 라는 뜻.

MORE EXPRESSION

shoot from the hip
깊이 생각하지 않고 행동하다
hip, hip, hooray! 응원소리

놓치면 원통한 미드표현들

- **go[jump] through hoops** 남이 시키는 대로 하다
  All my life I have jumped through hoops to keep men from leaving.
  평생 남자들 떠나보내지 않으려고 별짓을 다했어.

- **visiting hours** 면회시간
  What time are your visiting hours?
  네 면회시간은 언제야?

H

The rest is history. 그 다음은 뻔한 얘기야.

We are history.
우린 끝이야.

- You're history! It's over! 넌 끝이야! 끝났어!
  Well it's cool 'cause Jackie and I are history!
  저기, 재키와 내가 끝나서 잘됐어.

■ **be history**는 과거가 됐다는 말로 '우린 이제 죽었다,' '이제 끝이야' 라는 말로 'We're done here' 혹은 'We are finished' 라는 의미이다.

We got history.
우린 오랜 친분이 있잖아.

- We'll take the lawyer since Fin's got history.
  핀하고 친분이 있기 때문에 그 변호사를 데려올거야.
  A: You guys got history? B: We met at a seminar.
  A: 너희들 예전부터 알아? B: 세미나에서 만났어.

■ **have[get] history**는 예전부터 알고 지낸 '친분이 있다' 라는 뜻.

She's got a history of mental problems.
걘 과거에 정신병을 앓은 적이 있어.

- Did Shelly have any history of depression? 쉘리가 우울증 앓은 적이 있어?
  Now do you have a history of seizures? 과거에 발작을 일으킨 적이 있어요?

■ **have a history (of)**는 (…의) 전력, 병력 등을 갖고 있다라는 말로 특히 과거에 경험한 병 등을 언급할 때 사용된다.

The rest is history.
그 다음은 뻔한 얘기야.

- I cracked her back and the rest is history.
  난 걔등을 때렸고 그 다음은 뻔하지.

■ **the rest is history**에서 history란 이미 사람들이 알고 있다는 전제하에 '나머지는 역사다' 라는 말은 '그 다음은 혹은 결과는 다 알고 있다,' '뻔하다,' 그러니 말하지 말라라는 표현이다.

I'm gonna go down in history with these freaks.
난 이 이상한 놈들과 함께 역사에 남을거야.

- You're gonna go down in history as America's greatest mass murderer. 넌 미국최대의 대량학살범으로 기록될거야.
  We made history. 우린 정말 대단한 일을 해냈어.

■ **~will go down in history**는 역사에 남을 만한 일을 하다, 그래서 역사에 기록되다라는 뜻이고 그리고 make history 또한 역사에 남을 만한 '대단한 일을 하다' 라는 뜻이 된다.

I don't care what he told you, it's history.
걔가 너한테 한 말 상관안해, 다 지나간 일인데.

- Our relationship? That's history. 우리 관계? 다 지난 일이야.
  Don't think about his promise. That's history. 약속생각하지마. 다 지난일야.

■ **That's (past/ancient) history**는 '그건 다 지난 이야기이다' 라는 말로 잊어버리고 더 이상 생각하지 말자는 말.

She doesn't want to hear about your life history.
걘 네 인생사에 대해 듣고 싶지 않아해.

- Spyware wipes your computer file history daily.
  스파이웨어는 매일 컴퓨터 파일기록을 지워버려.
  They won't accept her without a full family history.
  가족력이 없으면 걜 받아주지 않을거야.

■ **life history**는 일대기, disease history는 병력, career history는 직업경력, 그리고 criminal history는 전과기록을 말한다.

Hit me. 한잔 더 줘요.

Hit me.
나도 줘.

- Hit us again! 술 더 줘요!
  A: More wine? B: Hit me. A: 와인 더요? B: 한잔 더 줘요.
  I thought he was gonna hit me, too. 난 걔가 날 때릴려는 줄 알았어.

■ Hit me는 나를 때리다라는 뜻이 아니고 술자리에서 '술 더 달라'고 하는 표현.

We got a hit on the DNA.
DNA 일치하는 것을 찾았어.

- Got a hit on some blood found in Haines's apartment.
  하인즈 아파트에서 발견된 혈흔에서 일치하는 것을 찾았어.
  I got a hit on him from the DMV database.
  DMV 데이터베이스에서 걔와 맞는 것을 찾았어.

■ get a hit on에서 hit는 목표물에 명중한다는 명사로 get a hit on~하면 on 이하에서 뭔가 맞는 것, 일치하는 것을 찾았다는 의미가 된다. CSI 등 범죄수사물에 많이 나온다.

I think you can hit the road.
네가 떠나도 좋을 것 같아.

- We hit the road to a brand-new life. 우리는 새로운 삶을 찾아 출발했어.
  I gotta go home and hit the books. 집에 가서 공부할래.

■ hit the road는 출발하다, hit the book은 공부하다, hit the spot 적중하다, hit the sack은 잠들다 그리고 hit one's cell은 '휴대폰으로 전화하다'라는 뜻. 우리도 속어로 '…때리다'라는 말로 '…하다'를 뜻하는 경우를 생각해보면 된다.

If she finds out, she's gonna hit the ceiling.
걔가 알아채면 발광을 할텐데.

- Police commissioner's gonna hit the roof. 경찰국장이 난리칠거야.
  When I saw the lightning hit the roof you were electrocuted.
  내가 벼락이 지붕에 내리치는 걸 봤을 때 넌 감전된거야.

■ hit the roof는 지붕을 치고받을 정도로 열받은 상태로 '격노하다'라는 말. hit the ceiling 혹은 go through the roof라 해도 된다. 물론 글자그대로 벼락 등이 지붕을 친다라고 쓰이기도 한다.

He hit the deck when the shooting started.
걘 총격전이 시작되자 바닥에 몸을 납작 엎드렸어.

- And just as I hit the deck, it exploded. 내가 바닥에 엎드리자마자 폭발했어
  Here it comes, hit the deck! 저기 온다, 바닥에 엎드려!

■ hit the deck은 '바닥에 납작 엎드리다'라는 말로 총이나 폭발이 일어날 때 바닥과 일심동체(?)가 되는 모습을 연상해보면 된다.

We hit the jackpot.
우린 땡 잡았어.

- Brenda hit the jackpot. 브렌다는 대박을 터트렸어.
  We hit the jackpot. The whacko kept diaries. 대박이다. 미친놈이 일기썼네.

■ hit the jackpot은 도박에서 '대박을 터트리다'는 말로 일반 상황에서도 많이 쓰이는 표현.

We'll hit the street tomorrow.
우린 내일 거리를 돌며 탐문수사할거야.

- I've got an idea. How about we hit the streets?
  생각이 났는데 우리 거리로 나가는게 어때?
  Let's just hit the streets, find some girls, question them about violent Johns. 탐문수사하며 매춘부들을 좀 찾아보고 폭력범들에 대해 물어보자고.

■ hit the street는 '거리에 나오다'라는 말로 경찰들이 거리를 돌며 '탐문수사하다,' 그리고 '거리홍보하다'라는 의미로도 쓰인다.

H

Well, this case just hit the big time.
저기, 이 소송은 대박쳤어.

- My cousin hit the big time with his job. 내 사촌은 직장에서 아주 잘 나가.

  The actress hit the big time with her new movie.
  여배우는 새로운 영화로 대박을 쳤어.

■ hit the big time은 대박을 치다, 크게 성공하다(become successful or rich)라는 의미로 hit it big이라고 해도 된다.

You're gonna make me take the hit?
나보고 책임지게 하려고?

- Your investments will take a hit this year.
  네가 한 투자는 금년에 손해를 볼거야.

  I'm not going to take the hit for the mistake you made.
  네가 한 실수에 대해 책임을 지지 않을거야.

■ take the hit은 책임을 지다(be responsible)라는 말을 기본으로 해서 문맥과 상황에 따라 많은 다양한 의미로 쓰일 수 있다. 반면 take a hit은 어떤 상황 때문에 '손실이나 손해를 보다' 라는 뜻이 된다.

Are you hitting on me?
지금 날 꼬시는 거냐?

- She's a hottie. So guys are always hitting on her.
  걔 섹시해. 그래서 애들이 항상 집적대.

  I thought he was cute. I hit on him. 난 걔가 귀엽다고 생각해서 꼬셨어.

■ hit on는 성적으로 끌려서 어떻게 한번 해보려고 말을 거는 수작행위를 말한다.

Because you just got the greatest hits.
왜냐면 네가 방금 위대한 히트작들을 갖고 있기 때문야.

- His greatest hits include pimping, assault, and robbery.
  걔의 가장 큰 특기는 포주노릇, 폭행 그리고 강도질이야.

  The band was a hit with their new song.
  그 그룹은 새로운 노래로 히트를 쳤어.

■ make a great hit는 히트치다, greatest hits는 대히트한 것들, have a hit with는 히트치다 be a hit with sb하면 …에게 인기가 좋다라는 의미.

It hit me that this isn't going to work.
이건 제대로 되지 않을거라 생각이 들었어.

- It hit me I had seen her in front of Jake's apartment.
  걜 제이크의 아파트앞에서 봤다는 생각이 문득 들었어.

  It just hit me out of nowhere. 그게 문득 떠올랐어.

■ It hit me that S+V는 that 이하의 내용이 문득 떠올랐다라는 의미. "sth just hit me"(뭔가 떠올랐어)라는 문장. 또한 hit on sth하면 '생각해내다' 라는 말로 come up with와 의미가 같다.

They really hit it off.
쟤네들은 바로 좋아하더라고.

- We hit it off. 우린 서로 잘 맞았어.

  Great! So uh, so did you guys hit it off? 잘됐다! 그래서 너희들 잘 맞는거야?

■ hit it off는 만나자마자 얼마안돼 서로 좋아하게 되는 경우를 말한다. '죽이 잘 맞다' 에 해당되는 표현.

Actually, you said a few things that - hit home.
실제로, 넌 정곡을 찌르는 몇가지를 얘기했어.

- I thought you said he said something that hit home.
  난 걔가 정곡을 찌르는 말을 했다고 네가 말한 걸로 아는데.

  When you made that crack about suicide, it just kind of hit home.
  네가 자살에 관해 농담을 했을 때 그게 내게 좀 의미를 쳤어.

■ hit home은 '정곡(급소)을 찌르다,' '…에게 큰 의미를 갖다' 라는 의미.

How did she pay for a hit man?
그 여자는 살인청부업자에게 어떻게 돈을 줬지?

- I didn't want to be next on my husband's hit list.
  난 남편의 살생부의 다음 차례가 되고 싶지 않았어.

A hit-and-run is loud, draws attention.
뺑소니는 요란하고 주의를 끌어.

- This is the first hit-and-run rape I've ever seen.
  이건 여태까지 처음 본 기습적인 강간야.

  I'm looking for witnesses to a hit-and-run last night.
  지난 밤의 뺑소니를 목격한 사람을 찾아.

■ hit list는 살생부, hit man은 살인청부라는 말.

■ hit-and-run은 뺑소니(의) 또는 기습적인이라는 의미.

MORE EXPRESSION

hit the bottle 술을 많이 마시다
hit the nail on the head
정곡을 찌르다
the shit hits the fan
재난이 닥치다

» hitch

You and Yang are getting hitched? 너와 양이 결혼한다고?

He hitched a ride home with us.
걘 우리와 함께 차를 얻어 타고 집에 왔어.

- I hitched a ride with the emergency response team.
  난 긴급대응팀 차를 얻어탔어.

  He might have hitched a ride out of here.
  걘 히치하이크해서 여기를 빠져나갔을지도 몰라.

  Next time, take a bus. You're too pretty to hitch!
  다음번에 버스를 타. 넌 히치하이크하기엔 넘 예뻐.

How could you pick up a hitchhiker?
넌 어떻게 히치하이커를 태운거야?

- I used to hitchhike there when I was a kid.
  어렸을 때 거기서 히치하이크하곤 했어.

  We picked her up hitchhiking on her way to a rock festival.
  우리는 걔가 락 페스티발에 가는 중 히치하이크하는 걸 태워줬어.

You and Yang are getting hitched?
너와 양이 결혼한다고?

- They come to Vegas to get rich or to get hitched.
  부자가 되기 위해 혹은 결혼하려고 라스베이거스에 오지.

What's the hitch?
무슨 문제야?

- Now you've just got that one little hitch. 이제 넌 작은 한 문제가 있는거야.
  This car is free? What's the hitch? 이 차 무료야? 뭐가 문제인데?

■ hitch a ride[lift] with sb는 히치하이크하다, with~이하가 나오면 '…에 차를 얻어타다'라는 말이 된다.

■ hitchhike는 히치하이크하다, hitchhiker는 히치하이크하는 사람을 뜻한다.

■ get hitched에서 hitch는 고리나 줄 등을 걸다라는 말에서 속어로 '결혼하다'라는 뜻으로 쓰인다.

■ hitch는 일시적인 장애가 생겨나는 문제를 말한다.

H

435

How are you holding up? 어떻게 견디고 계세요?

Could you hold?

잠시 기다리세요.

- Can you hold for one second please? 잠시만 기다려주세요.
  Could you hold for a moment? 잠시만 기다려요.

■ Could you hold~?는 잠시만 끊지 말고 기다리다라고 할 때쓰는 전형적인 표현으로 뒤에 for a moment, for one second 등을 붙여 말하곤 한다.

Hold on! Just a second.

잠깬! 잠시만.

- Hold on for one minute. 잠깐만요.
  Hold on! Please, hold the line[wire]. 끊지 말고 기다리세요.

■ Hold on (a second, a minute])!은 '잠깐만요'라는 뜻으로 앞서가는 용건 땜에 잠시 멈추라고 하거나 상대방의 움직임에 잠시 멈추고 내얘기를 들으라고 하는 말 혹은 전화상에서 잠시 기다리라고 하는 말로 Hold the wire, Hold the line, Please hold, Hold, please라고도 한다.

I can't get hold of him.

걔 연락 정말 안되네.

- You get hold of Will? 윌과 연락돼?
  Sandy is on the phone trying to get hold of Jim.
  샌디는 짐하고 연락하려고 통화중이야.

■ get (a)hold of sb[sth]는 '연락이 닿다,' '입수하다'라는 뜻으로 특이한 점은 get hold of~ 혹은 get ahold of~로도 쓰인다는 것이다.

Get a hold of yourself!

진정해!, 정신차려라!

- Don't tell me to get a hold of myself. I'm fine!
  나보고 정신차리라고 하지마. 난 괜찮아!
  Mr. Davenport, get a hold of yourself. 데이븐포트 씨 정신차리세요.

■ get a hold of oneself는 스스로를 잡다라는 말에서 '진정하다,' '정신차리다'라는 뜻이다.

The fireman had to take hold of survivors.

그 소방관은 생존자들을 잡아야 했어.

- You'll need to keep hold of these files. 넌 이 파일들을 꼭 잡고 있어.
  Come on Terry, take hold of the situation. 자, 테리, 그 상황을 장악하라고.

■ take (a) hold of[on]은 '…잡다,' '장악하다'라는 의미로 take 대신에 get, keep을 쓰기도 한다.

Put a hold on all promotions.

모든 승진을 중단시켜.

- Is that what you want to put a hold on happiness?
  행복이 오는 걸 막는게 네가 바라는거야?
  Put a hold on that new cell phone. I don't want it.
  새로운 핸드폰 사지마. 나 필요없어.

■ put on hold는 예정된 것을 나중에 하기로 보류하는 것을 말하며 put sb on hold하게 되면 전화영어로 '…을 잠시 기다리게 하다'라는 뜻이 된다.

Just put the plan on hold.

그냥 그 계획은 보류해.

- You still upset about your case being put on hold?
  네 사건이 보류되어서 기분나빠?
  Someone hacked the project database, and the whole project was put on hold. 누가 프로젝트 데이터베이스를 해킹해서 전 프로젝트가 보류됐어.

■ put a hold on~는 on 이하의 일들이 일어나지 않도록 '중지시키다,' '미리 방지하다'라는 의미.

Hold it! What's the matter with you?
그대로 있어! 문제가 뭐야?

- A: Maria, hold it! B: Who are you? A: 마리아, 그대로 있어! B: 누구예요?
  Hold still. Let me get him. 움직이지마. 내가 걜 잡을게.

Hold it down.
조용히 해.

- I'm sorry. We'll try to hold it down. 미안. 조용히 하도록 할게.
  I am going to have to ask you ladies to hold it down.
  여성분께 조용히 해달라고 해야겠네요.

Let's hold off on those for one second.
잠시만 그것들 연기하자고.

- Why don't we just hold off on the meeting? 회의를 연기하자고.
  I couldn't hold Rob off from coming over. 롭이 찾아오는 것을 막을 수가 없었어.

Hold the onions
양파는 빼주세요.

- I, uh, told 'em to hold the potatoes. 감자를 빼달라고 했는데요.
  One large pizza, and hold the salami. 피자 라지요. 소시지는 빼고요.

What's the hold up?
왜 이리 늦는거야?

- What's the holdup? We've got to get moving here.
  왜 이리 늦었어? 여기를 떠나야 돼.
  You're very late. What held you up? 너 너무 늦었어. 뭐 때문에 늦은거야?

How are you holding up?
어떻게 견디고 계세요?

- I'm Detective Ben. How you holding up? 벤슨 형사입니다. 어떻게 지내세요?
  I'm sorry about your house. How you holding up?
  집이 망가져 안됐네요. 어떻게 지내?

I got held up at work.
일에 잡혀서 말야.

- I got held up behind a traffic accident. 교통사고에 꼼짝 못하게 잡혔어.
  He got held up at the office. 걘 사무실에서 꼼짝 못하게 잡혔어.

I gonna hold you to that.
그 약속 꼭 지켜야 돼.

- I hold you to a higher standard. 네가 더 높은 기준에 따라 행동하게 할거야.
  I have to hold you to the same standards as everybody else.
  네가 다른 사람들과 같은 동일한 기준에 따라 행동하게 할거야.

▬ **hold it**은 주로 명령문형태로 '그 자리에 꼼짝말고 서 있으라'는 말이고, hold everything은 '그대로 멈춰', '가만있어' 그리고 hold still은 움직이지 말고 가만히 있으라는 표현.

▬ **hold it down**은 '조용히 하다,' '소란피우지 않다'라는 뜻으로 pipe down이나 quiet down과 같은 맥락의 표현.

▬ **hold off on**은 '연기하다,' '미루다'라는 뜻이고 hold sb off는 '일시적으로 sb가 …하는 것을 중단시키지 못하다,' '막지 못하다'라는 의미.

▬ **hold the**+음식은 주로 식당에서 주문할 때 앨러지 혹은 싫어하는 이유 등으로 '…는 빼주세요'라고 말할 때 사용하는 표현.

▬ **What hold sb up?**은 약속시간보다 늦게 온 사람에게 하는 말로 주어를 what으로 했다는 점을 눈여겨 본다. '왜 이리 늦는거야'라는 말로 What held you up?하면 '왜 늦었어?라는 표현. holdup 하면 명사로 '지체'를 뜻한다.

▬ **hold up**은 '지탱하다,' '버티다'라는 말로 어려운 상황을 겪고 난 후의 사람들에게 물어볼 때 쓰는 표현. 또한 hold up은 총으로 위협하여 강탈하다, holdup은 노상강도를 뜻하기도 한다.

▬ **be[get] held up**는 어떤 일이나 장소에 꼼짝 못하게 잡히다라는 의미.

▬ **hold sb to sth**은 sb가 한 약속이나 결정인 sth를 지키도록 하다라는 의미. 특히 늦은 데이트나 초대를 우호적으로 승낙할 때 I'll hold you to that라고 많이 쓰인다. 또 다른 의미로는 sb가 어떤 믿음이나 기준에 따라 계속 행동하게 한다는 뜻을 갖는다.

H

I won't hold it against you.

널 원망하진 않을거야.

- I don't think you should hold that against him.
  걔 말은 꽁하게 마음 속에 담아두지마.

  I'm sure he won't hold it against me.
  걔가 내게 꽁하게 원망하지 않을거라 생각해.

■ hold it[that] against sb 는 'sb에게 원한을 갖다,' '맘속에 꽁하니 담아두다' 라는 의미로 hold 다음에는 관용적으로 it이나 that이 나온다.

Please don't hold back.

감추지 말고 다 얘기해.

- If we hold back, she's more likely to make a mistake.
  우리가 숨기면 걘 더 실수하기가 쉬워.

  Do you want to hold back the profile based on a feeling?
  느낌에 기초한 프로파일은 자제하길 바래?

■ hold back은 '감추다,' '비밀로 하다,' 그리고 '저지하다' 라는 말로 쓰인다.

Please hold your peace.

아무 말도 하지마.

- We were at the "speak now or forever hold your peace" part.
  우린 지금 말하지 않으면 영원히 침묵해야하는 순간에 있었어.

  Think you can hold your tongue till then?
  그 때까지 말을 하지 않고 있을 수 있겠어?

■ hold one's peace는 '침묵을 지키다,' '아무 말도 하지 않다' 라는 의미로 hold 대신 keep을 쓰기도 한다. hold one's tongue 또한 비슷한 표현으로 '말을 삼가다,' '잠자코 있다' 라는 의미.

I hold you responsible, Ms. Cabot.

캐봇 부인, 당신이 책임이 있다고 생각합니다.

- They don't hold you responsible. You don't need to blame yourself. 네가 책임있다고 생각하지 않아. 자책할 필요가 없어.

  Because you hold me responsible for breaking up your marriage.
  결혼파경에 대한 책임이 있다고 생각해서 그런거야.

■ hold sb responsible은 'sb에게 책임을 묻다' 라는 말로 be held responsible이라고 하면 '…가 책임이 있다' 라는 의미가 된다.

And give us something to hold on to.

그리고 우리가 고수할 수 있는 것을 줘.

- She's not like you. She doesn't hold on to that stuff.
  걘 너와 달라. 걘 그런 일에 집착하지 않아.

  If we hold on to the past too tight, the future may never come.
  우리가 과거에 너무 집착하다보면 미래는 절대 오지 않을지도 몰라.

■ hold on to는 손에 꽉쥐고 있다는 말로 '고수하다,' '지키다,' 그리고 '끝까지 매달리다' 라는 의미를 갖는다.

She's a tramp. Hold out for a good girl.

걘 잡년야. 착한 여자를 구하라고.

- You should just hold out for something else. 넌 뭔가 다른 것을 요구해야 돼.
  You should hold out for something bigger. 넌 뭔가 더 큰 것을 요구해야 돼.

■ hold out for는 더 좋고 나은 것을 단호히 요구하다라는 의미. 따라서 for 다음에는 이미 언급한 것보다 더 나은 것이 나와야 한다.

You've been holding out on me.

넌 내게 지금까지 숨겨왔어.

- See how irrational I get when you hold out on me?
  내게 비밀로 했을 때 내가 얼마나 비이성적이 되는지 봤지?

  Why you've been holding out on us? 왜 우리에게 비밀로 했나요?

■ hold out on sb는 sb에게 '비밀로 하고 감춘다' 라는 의미.

I guess I can hold out a little longer.
더 있어도 될 것 같아.

- Hold out your hand like this, please. 이렇게 손을 내밀어봐요.

  I can hold out hope that I'm wrong about what happened.
  적어도 내가 잘못 생각할 수도 있다는 기대는 해볼 수 있어.

 hold out은 '계속 지속되다,' hold out one's hand는 '…의 손을 내밀다,' hold out hope는 '기대하다,' 그리고 hold out the possibility는 '가능성이 있다고 말하다' 이다.

MORE EXPRESSION

can hold one's liquor
술이 강하다
with no holds barred
마음대로
be held to sth …로 생각되다
hold fast 고수하다, 유지하다

» honor

 You do the honors. 자네가 해봐.

I'm honored.
영광인데요.

- I would be honored to carpool with you.
  당신과 카풀을 한다면 영광일거예요.

  I was honored to even be sitting at the same table with him.
  그 사람과 같은 테이블에 앉은것만 해도 영광이었어.

be[feel] honored (to do)는 자신에게는 기쁨을 넘어 영광이라는 말로 왜 영광스럽게 느끼는지 내용을 말하려면 to~ 이하에 적어주면 된다.

Sidebar, Your Honor.
가까이 가도 될까요, 재판장님.

- No further questions, Your Honor. 질문 마치겠습니다, 재판장님.
  Excuse me, Your Honor, we need an arrest warrant.
  미안해요, 재판장님, 체포영장이 필요합니다.

Your Honor!는 법정에서 숱하게 듣는 표현. 검사나 변호인이 판사에게 이의를 제기하거나 의견제시할 때 부르는 호칭으로 '재판장님!' 이라는 말.

Graduated with honors from northwestern law.
노스웨스턴 법대를 우등으로 졸업했어요.

- She graduated with honors, she could've done anything.
  걘 우등으로 졸업했는데, 다재다능했어.

  I graduated with honors in criminal justice at Yale.
  난 예일대 형사행정학과를 우등으로 졸업했어.

with honors는 학교에서 '우등'으로라는 말로 graduate with honors from+학교하게 되면 '우등으로 졸업하다' 라는 말이 된다.

It's an honor to meet you, sir.
만나게 돼서 영광입니다.

- It's an honor to serve your country. 귀국을 위해 봉사하게 돼 영광예요.
  Our guest of honor has just arrived. 우리의 귀빈이 방금 도착했어요.

It's an honor to~는 to~ 이하를 하게 돼서 영광이라는 의미. 또한 guest of honor는 귀빈, maid of honor는 결혼식에서 신부측 대표들러리를 뜻한다.

You do the honors.
자네가 해봐.

- Vampire Lou, would you do the honors? 뱀파이어 루, 진행을 할래요?
  I thought you'd like to do the honors. 네가 주인역을 하고 싶어하는 걸로 생각했어.

do the honors는 '주인노릇을 하다,' 행사나 모임등에서 '진행을 맡아서 하다' 라는 의미.

H

No. No, I won't. Scout's honor.
아니, 아니. 안 그럴거야. 맹세해.

- Tom, scout's honor, this booth will make you proud, okay?
  탐, 정말야, 이 부스로 넌 자부심을 느낄거야, 알았어?

  Ok. I will get back to you super fast. Scout's honor.
  좋아. 무지 빨리 네게 돌아갈게. 맹세해.

I need to honor my promise to Dale.
난 데일과의 약속을 지켜야돼.

- The bank manager decided to honor the check.
  은행 매니저는 수표에 대한 현금을 지불하기로 결정했어.

  Dwight, thank you for honoring us with your presence.
  드와이트, 와줘서 너무 고마워.

■ Scout's honor는 명예를 소중히 여기는 보이스[걸] 스카웃의 명예라는 뜻으로 자신의 말이 거짓이 아님을 말할 때 쓴다. '정말야,' '맹세해' 라는 뜻.

■ honor one's promise는 약속을 지키다, honor the check은 은행에서 어음을 지급하다, 그리고 honor sb with one's presence는 초대받은 손님이 왔을 때 기쁜 맘에서 하는 말로 때때로 비아냥거릴 때도 쓰인다.

MORE EXPRESSION

honor killing 가문의 수치를 가져왔을 때 가족이나 친척들이 죽이는 행위
word of honor 명예를 건 맹세
in honor of~ …에 경의를 표하여
on my honor 내 명예를 걸고

» hook

Are you gonna hook up with him? 걔 낚아서 잘거야?

He's off the hook.
걘 어려움에서 벗어났어.

- Contractor's off the hook. He's been out of town for a week.
  하청업자는 지금 일 안해. 일주일간 출장 중이야.

  She can finish the job. You're off the hook.
  걔가 일을 끝낼 수 있으니 넌 안해도 돼.

You have to get him off the hook.
넌 걔를 곤경에서 구해줘야 해.

- You think PJ killed her to get off the hook?
  PJ가 곤경에서 벗어나려고 걜 죽였다고 생각해?

  How can I use this to get Nate off the hook?
  어떻게 이걸 이용해서 네이트를 어려움에서 벗어나게 할 수 있어?

I got hooked on TV.
난 텔레비전에 중독됐어.

- Baby, baby don't get hooked on me. 자기야, 나한테 빠지지마.
  Carol got him hooked on the other stuff. 캐롤은 걔가 다른 일에 열중토록 했어.

I guess she and Max hooked up last night.
걔하고 맥스는 간밤에 엮인 것 같아.

- We hooked up, and we've been dating ever since.
  우리는 관계를 시작해서 그 이후로 계속 데이트를 하고 있어.

  No. I'm looking for a hookup. 아니. 난 그냥 가벼운 만남을 원해.

■ be off the hook에서 hook은 갈고리를 뜻해 off the hook하게 되면 '곤경이나 어려움에서 벗어난' 또는 '해야 할 일에서 면제된' 이라는 뜻이 된다.

■ get off the hook은 '곤경에서 벗어나다,' get sb off the hook은 'sb를 곤경에서 구해내다' 라는 표현.

■ get hooked on은 on 이하에 갈고리에 걸려 꼼짝 못하게 되었다는 것으로 '…에 빠지다,' '중독되다' 라는 말이다. 결국 hooked는 addicted란 의미.

■ hook up는 두사람이 주어로 나오게 되면 관계를 맺기 시작하거나 어떤 일을 시작하다라는 것으로 '엮이다' 라는 뜻이 되고, hook up (~) to하게 되면 인터넷에 연결하다라는 의미가 된다. 한편 hookup하면 명사로 '가벼운 만남'을 뜻한다.

Are you gonna hook up with him?

걔 낚아서 잘거야?

- I need to hook up with a woman. 난 여자가 있어야겠어.
  When I hook up with a guy, we'll do everything. 남자를 낚으면 다 해볼거야.

■ hook up with sb는 sb와 '성적인 관계를 시작하다' 혹은 '만나서 친하게 지내다' 그리고 hook sb with sth하면 'sb가 원하는 것을 구해주다' 라는 뜻이 된다.

Our phone was ringing off the hook.

우리집에 전화가 줄창 왔었어.

- My phone's been ringing off the hook with job offers.
  내 전화기는 구인전화가 계속 왔었어.
  It's been ringing off the hook all morning. 아침내내 전화가 줄창 왔었어.

■ be ringing off the hook 는 전화통에 불이날 정도로 전화가 많이 오다라는 표현.

I can't let Tony off the hook.

토니를 자유롭게 해줄 수가 없어.

- The court let him off the hook. 법정은 그 사람을 자유롭게 해줬어.
  That's pretty nice of you, letting her off the hook like that.
  정말 고마워, 걜 그렇게 곤경에서 벗어나게 해주다니.

■ let[get] sb off the hook 는 sb를 갈고리(hook)에서 풀어준다는 뜻으로 어떤 곤경이나 의무에서 벗어나게 해준다는 의미이다.

He played hooky yesterday.

걔가 어제 학교를 땡땡이쳤어.

- I love playing hooky. How about you? 난 땡땡이치는게 좋아. 넌 어때?
  I think I could play a little hooky. 좀 땡땡이칠까 생각했는데.

■ play hooky는 무단으로 학교를 결석하는 것을 말하는 것으로 play truant, miss the class, skip school이라고도 한다. '땡땡이치다' 라는 말로 직장에서도 쓰인다.

What'd you think I was, a hooker?

날 뭘로 본거야, 창녀?

- Come on, Jack, let's get you a hooker. It'll be fun.
  그러지마, 잭. 창녀구해줄게. 재미있을거야.

■ a hooker는 갈고리를 이용해서 낚는 사람이라는 의미에서 '창녀(whore)' 를 뜻한다.

I was on the hook for half the debt.

부채의 반은 내가 책임졌어.

- You're already on the hook for helping the murderer.
  넌 이미 살인자를 도운 책임을 지고 있어.

■ be on the hook for~는 '…에 대한 책임을 지고 비난받다' 라는 말로, be on the hook for homicide하면 살인에 책임을 지다.

MORE EXPRESSION

hook, line, and sinker 완전히
sling one's hook
살짝 도망치다
by hook or by crook
어떻게 해서든

H

놓치면 원통한 미드표현들

- **man of the hour** 각광받는 인물.
  Hey, there she is, the woman of the hour!
  야, 쟤 저기온다, 주목받고 있는 여자말야.

- **at an ungodly hour** 너무 빠르거나 늦거나 아주 터무니없는 시간에
  Well who's calling at this ungodly hour?

누가 이렇게 일찍 전화하는거야?

- **hussy** 왈가닥, 제멋대로인 여자
  I am not some hussy who will just sleep around to get ahead!
  난 출세하기 위해 잠자리를 하는 제멋대로인 여자는 아냐!

Sounds like a hoot. 정말 재미있을 것 같아

Don't give a hoot if I get shot, do ya, kid?
내가 총맞더라도 신경쓰지마, 알았어 꼬마야?

- Not that I give two hoots about finance.
  내가 금융에 신경을 쓴다는 건 아니고,

  Gina doesn't give a hoot that she's broke.
  지나는 돈이 떨어졌어도 상관하지 않아.

Sounds like a hoot.
정말 재미있을 것 같아.

- You're a hoot, Stabler. 넌 우스운 사람야, 스테이블러.
  She's my surrogate! Isn't it a hoot? 걔가 내 대리모라고! 웃기지 않아?

■ don't give a hoot에서 hoot는 콧방귀라는 말로 '콧방귀도 안뀐다,' 즉 '전혀 상관하지 않는다'라는 말이 된다. give 대신 care를 써도 되며 또한 a hoot 대신 two hoots라고 해도 된다. Who gives a fuck[damn]?과 같은 의미.

■ be a hoot에서 hoot는 '폭소'라는 뜻으로 무척 재미있다(to be very funny or amusing)라는 표현. 또한 사람을 지칭할 때는 '매우 웃기는 사람'이라는 뜻이 된다.

MORE EXPRESSION

hooters 여자의 가슴

Now he's club-hopping with Jason. 이제 걘 제이슨과 클럽을 전전하고 있어.

Hop to it!
가자, 서둘러!

- You just hop to it and do whatever I say.
  빨리 서두르고 어떤거든 내가 시키는대로 해.

  Well you can see why I'd wanna get rid of them. Hop to it!
  왜 내가 걔네들을 제거하고 싶은지 알게 될거야. 빨리 서둘러!

Just hop in the back.
뒤쪽으로 어여 타.

- Why don't you hop in, Teddy? 테디야, 어서 타.
  It's nice to see you again. Hop in. 다시 만나 반가워. 어서 타.

Now he's club-hopping with Jason.
이제 걘 제이슨과 클럽을 전전하고 있어.

- Your fiance was bar-hopping for his bachelor party.
  네 약혼자가 총각파티한다고 바를 이곳저곳 돌아다니고 있어.

■ hop to it은 주로 명령문 형태로 '서둘러'라는 뜻으로 jump to it이라고도 한다.

■ hop in는 자동차에 어서 타라는 동사구. 슬랭으로 get in보다 빠른 동작으로 차속으로 들어오라는 말.

■ bar-hopping hop은 개구리가 이리저리 뛰어다니듯 옮겨다니는 것을 말하는 것으로 bar-hopping은 바를 전전하는거, job-hopping은 직장을 이리저리 옮겨다니는거 그리고 bed hopping은 침대 바꿔가면서 이 남자 저 남자 사귀는 것을 말한다.

MORE EXPRESSION

hopping mad 매우 화난
It's just a hop, skip and a jump. 엎어지면 코 닿을 거리야.

» hope

Just try not put all your hopes on this. 이거에 모든 희망을 걸지않도록 해.

Don't get your hopes up yet.
아직 너무 기대하지마.

- Just don't get your hopes up too high, okay?
  너무 많은 기대를 하지마, 알았어?

  I just don't want you to get your hopes up too high.
  네가 기대를 너무 많이 안했으면 해.

■ get[build] one's hopes up은 아직 확실하지 않은 상황에서 될거라 '기대를 많이 하다' 라는 뜻으로 주로 부정형태로 쓰인다.

I had such high hopes for him.
난 걔한테 정말 많은 기대를 품고 있어.

- I don't have high hopes for it. 난 거기에 많은 기대를 하지 않아.

  There's some poor woman going to pin her hopes on my sperm. 내 정자에 희망을 거는 불쌍한 여인이 좀 있어.

■ have high[great] hopes for~ 역시 for~이하에 대해 많은 기대를 품고 있다라는 표현. pin one's hopes on~ 또한 on~이하에 '희망을 걸다' 라는 말.

Just try not to put all your hopes on this.
이거에 모든 희망을 걸지않도록 해.

- He put all his hopes and dreams into this little butcher shop.
  걔는 이 작은 정육점에 모든 희망과 꿈을 걸었어.

  The couple put all their hopes on their son.
  그 부부는 아들에게 모든 희망을 걸었어.

■ put all one's hopes on~은 마치 올인하듯 '…에 모든 희망을 걸다' 라는 뜻.

I hope not. She's married.
아니라면 좋을텐데. 걔 결혼했잖아.

- A: She's having a good time. B: I guess so. I hope so.
  A: 걔 재미있게 보내고 있어. B: 그러는 것 같아. 그러길 바래.

  Then hopefully it'll be a quick verdict. 그럼 판결이 빨리 나왔으면 좋겠어..

■ I hope so는 '그랬으면 좋겠어' 반대로 '그러지 말았으면 좋겠다,' '아니라면 좋을텐데' 라고 할 때는 I hope not!이라고 한다. 또한 Hopefully는 '바라건대,' '그랬으면 좋겠다' 라는 말로 자신이 바라는 일이 이루어졌으면 하는 맘에서 나오는 표현.

All we can do is wait and hope for the best.
우리가 할 수 있는 건 기다리며 잘되기를 바라는게 전부야.

- I had to send her to Child Welfare, hope for the best.
  난 걔가 잘되기를 바라며 아동복지센터로 보내야했어.

  My last hope is that you finish what we started.
  내 마지막 희망은 우리가 시작한 걸 네가 마무리하는거야.

  Right now he needs you. You're his only hope.
  지금 당장 걔는 우리를 필요로 해. 넌 걔의 유일한 희망야.

  So, that's it. That was my last hope.
  그래, 그게 다야. 그게 나의 마지막 희망이었어.

■ hope for the best는 안 좋은 상황에서 가능한 잘되기를, 잘풀리기를 바란다는 의미. 그리고 be sb's last[only, best] hope는 글자그대로 '…의 마지막[유일한, 최상의] 희망이다' 라는 표현.

■ I'm hoping that~ 혹은 I'm hoping to~는 '…하기를 바래' 라는 뜻으로 기대나 희망사항을 말하는 표현.

MORE EXPRESSION

with the hopes of~
…의 희망을 갖고
You're hopeless. 넌 구제불능야.
dash[shatter] (sb's) hopes
…의 희망을 깨트리다
raise someone's hopes
희망을 심어주다
hope against hope
희망을 버리지 않다
be beyond hope 가망이 없다

I'm hoping that's three different guys.
난 그게 3명의 다른 사람이기를 바래.

- I'm hoping that I could get a look around his house a bit.
  걔 집을 좀 둘러봤으면 해.

H

Stop horning in on my private life! 내 사생활에 참견하지마!

She's been on the horn with all of her friends.

갠 친구들 모두와 통화중이야.

- She's been on the horn with every member of the school board all day long. 갠 온종일 전화통을 붙잡고 학교이사진 모두와 전화했어.

  Barnett's attorney's on the horn with every city official he can think of. 바네트의 변호사는 생각나는 모든 시공무원들과 통화중이야.

■ be on the horn with는 '…와 통화중이다' 라는 의미.

I'm on the horns of a dilemma.

난 이러지도 저러지도 못하고 있어.

- Were you ever on the horns of an important dilemma? 중요한 문제로 이러지도 저러지도 못한 적 있어?

  I'm on the horns of a dilemma about my fiance. 내 약혼남을 어떻게 해야 할지 모르겠어.

■ be on the horns of a dilemma는 딜레마의 뿔위에 있다는 말로 '이러지도 저러지도 못하는 상황이다,' '진퇴양난이다' 라는 말로 많이 쓰이지 않는 표현. 별로 바라지 않는 두 개중에서 선택해야 하는 것으로 비슷한 표현으로는 between a rock and a hard place 혹은 be a gum tree라고도 한다.

Stop horning in on my private life!

내 사생활에 참견 좀 하지마!

- Please, stop trying to horn in on my new friends. 제발 내 새 친구들에게 간섭하려 하지마.

  Thelma always horned in on the lives of her friends. 텔마는 항상 친구들 생활에 참견했어.

■ horn in on은 반기지도 않는데 나서서 참견한다는 의미로 butt in과 같은 의미.

MORE EXPRESSION

draw[pull] in one's horn
조심하다, 소극적이 되다

Stop horsing around! 제발 좀 그만 뛰어 놀아라!

Cart before the horse, Nick.

순서가 바뀌었어, 닉.

- Aren't you putting the shopping cart before the horse? 너 앞뒤 순서가 바뀐거 아냐?

  Jen put the cart before the horse when she traveled to China. 젠은 중국여행때 엉뚱하게 행동했어.

■ put the cart before the horse는 말이 수레(cart)를 끌어야 하는데 수레를 말앞에 놓는다는 말은 '비논리적으로 행동하다,' '본말을 전도하다,' 혹은 '앞뒤 순서를 바꾸다' 라는 표현.

Hold your horses.

서두르지마, 닦달하지마.

- I got it, just hold your horses. 알았어, 다만 서두르지는마.

  Just hold your horses. He's hurt. 좀 천천히 해. 걔 아파.

■ hold your horses는 말이나 마차를 세울 때를 연상하면 된다. 어떤 일을 결정내릴 때 넘 서두르지 말고 천천히 하라는 말로 주로 명령문으로 쓰인다.

Stop horsing around!
제발 좀 그만 뛰어 놀아라!

- That's not funny! Just stop horsing around! 재미없거든! 그만 좀 법석떨어!
  I love brotherly horseplay! 난 형제들이 하는 거친 장난이 좋아!

■ horse around는 거칠게 야단법석을 떨면서 노는 것을 그리고 horseplay는 그렇게 거칠게 노는 장난을 말한다.

Well, that's a horse of a different color.
어, 그건 전혀 다른 문제야.

- Your ideas are a horse of a different color. 네 생각은 전혀 다른 문제야.

■ a horse of a different color는 관용어구로 '전혀 다른 문제야' 라는 의미.

MORE EXPRESSION

(I'd) Better get on my horse. 출발해야겠어, 일어나야겠어.
flog a dead horse 헛수고하다

» hot

 Hot off the press. I didn't hold back. 방금 들은 이야기야. 숨기고 있지 않았어.

And he landed this hottie.
그리고 걘 이 섹시한 여자를 차지했어.

- What a hottie, huh? I'm sure you're a real player. 진짜 섹시해, 넌 정말 꾼야.
  He's kind of a hottie. 걘 좀 섹시해.

■ hottie는 속어로 성적으로 '섹시한 사람' 을 말한다.

You're hot for Castle.
너 캐슬한테 끌리지.

- Mona was hot for the guy. 모나는 걔한테 성적으로 끌렸어.
  I don't know. But they look pretty hot on something.
  모르겠어. 하지만 걔네들은 뭔가 잘 알고 있는 것처럼 보여.
  You two still have the hots for each other. 너희 둘은 아직도 성적으로 끌려.

■ be hot on[for] sb는 학교 성적이 아니라 성적(sexually)으로 끌리다라는 뜻이고, be hot on sth은 '…을 잘 알다' 그리고 be hot for sth는 준비돼서 빨리 하고 싶다라는 표현. 또한 have[get] the hots for sb 역시 'sb에게 성적으로 끌리다' 라는 말로 여기서 hots는 명사로 쓰인 경우이다.

It's Garcia. Talk to me, hot stuff.
가르시아야. 말해봐, 섹시남.

- Well, we need you now more than ever, hot stuff.
  저기, 우린 네가 어느때보다 널 더 필요해, 섹시남.
  Go ahead, hot stuff, talk to me. 어서 해, 섹시남, 내게 말해봐.

■ hot stuff는 '멋있는 사람,' '섹시한 사람' 을 말하는 속어.

You got a hot date tonight?
오늘 밤 멋진 데이트 있어?

- Yep, and I got a hot date tonight. 어, 그리고 오늘밤 멋진 데이트있어.
  It would be your treat. I'm a hot date. 네가 내야지. 난 멋진 데이트 상대잖아.

■ a hot date는 '멋진 데이트' 혹은 '멋진 데이트 상대' 를 말한다.

■ be hot off the press는 원래 '방금 출간된,' '이제 막 보도된' 이라는 뜻에서 '방금 들은 따끈 따끈한 소식이다' 라는 말.

Hot off the press. I didn't hold back.
방금 들은 이야기야. 숨기고 있지 않았어.

- Cutting edge. Hot off the press from Homeland security.
  최신정보야. 국토안보국에서 나온 소식이야.
  The news about the war is hot off the presses. 전쟁뉴스 방금 들어온거야.

MORE EXPRESSION

be hot to trot 열의에 차있다
get hot under the collar
매우 화내다
I don't feel so hot. 몸이 좀 안 좋다.

H

445

He brought the house down. 걘 모든 이들의 갈채를 받았어.

It's on the house.

이건 서비스예요.

- In fact, everyone's coffee's on the house today.
  사실, 오늘 모든 커피는 공짜입니다.

  First time customers are on the house. 처음 방문하는 고객들은 공짜입니다.

■ **be on the house**는 'It's on me(내가 낼게)'에 반대되는 표현으로 가게 주인이 부담할테니 공짜로 먹으라는 의미의 표현.

I thought this was an in-house position.

난 이게 회사내 자리인줄 알았어.

- My publisher is thinking about doing his advertising in-house.
  내 출판사는 내부적으로 광고를 할 생각이야.

  We informed your in-house counsel. 우린 당신의 회사변호사에게 알려줬어요.

■ **in house**는 외부가 아니라 내부에서라는 말로 '사내의,' '회사조직내의' 라는 의미.

He brought the house down.

걘 모든 이들의 갈채를 받았어.

- The great performance brought the house down.
  훌륭한 공연은 많은 갈채를 받았어.

  Have you ever seen a comedian bring the house down?
  코미디언이 갈채를 받는 걸 본 적 있어?

■ **bring the house down**은 극장이나 공연 등에서 많은 사람들의 갈채를 받는다라는 의미. 극장이 떠나갈 정도라는 우리말을 연상하면 된다.

The shed was used to house extra boxes.

헛간은 여분의 박스들을 보관하는데 이용됐어.

- Can you house some of my friends tonight?
  오늘 밤 내 친구들 몇 명 재워줄 수 있어?

  This hotel can house 300 people. 이 호텔은 300명을 수용할 수 있어.

  We do know that the bomb is housed in a white commercial van. 폭탄이 하얀 상업용밴차에 보관되어있는지 알고 있어.

■ **house**는 동사로 '보관하다,' '소장하다,' 혹은 '집에 재우다' 라는 뜻으로도 쓰인다.

MORE EXPRESSION

open house 부동산 매각 집 공개
put[set, get] one's house in order 정돈하다, 질서회복하다
house husband 전업남편
My house is your house. 내집이라 생각하고 편히 계세요.

 How's that again? I can't hear you. 다시 한번 말해주라. 잘못 들었어.

Oh. Hi, Amy. How you been?

어, 안녕, 에이미. 잘지냈어?

- A: How you been, Elliot? B: Everything is good.
  A: 어떻게 지냈어, 엘리엇? B: 다좋아.

  Oh, no, that's okay. How have you been? 어, 아냐, 괜찮아. 어떻게 지냈어?

■ **How (have) you been?**은 오랜만에 만난 상대의 안부를 물어보는 표현. '그간 잘지냈어?' 라는 말이다. 또한 what have you been doing?(어떻게 지냈어?), Where have you been all my life?(넌 도대체 오랫동안 어디 있었니?)도 함께 알아둔다.

How about if I pay you twice your fee?
요금을 두배 내면 어때요?

- **How about** a cup of coffee? 커피 한잔 하실래요?
  How about we meet at your apartment, lunch time?
  점심시간에 네 아파트에서 보면 어때?

We planned a birthday party. How about that?
생일파티를 준비했는데, 어때?

- You just graduated? **How about that!** 이제 졸업했네? 잘했다!
  How about that! We get to go home! 거 근사한데! 우리 집에 가야겠어!

I'd love to see that. How about you, Raj?
난 보고 싶어. 넌 어때, 라지?

- It was great! **How about you?** 멋졌어! 넌 어때?
  How about you? Did you always want to be a photographer?
  넌 어때? 꼭 사진작가가 되고 싶었어?

How are you doing? You having a good time?
잘 지냈어? 재미있어?

- It looks great. Patty, **how are you doing?** 대단해. 패티, 안녕?
  Um, so, **how are you?** You look good. 어, 안녕. 좋아보인다.

Sad? How so?
슬프다고? 어째서?

- A: He sounded different. B: **How so?** A: 걔 목소리가 좀 이상해. B: 어떻게?
  A: It's gonna get worse. B: Yeah, **how so?** A: 더 악화될거야. B: 그래, 어떻게?

How was it?
어땠어?

- **How was it** with your friends? 네 친구들은 어땠니?
  How's (it) with you? 어떻게 되어가?, 잘 돼가?

How's that again? I can't hear you.
다시 한번 말해주라. 잘못 들었어.

- **How's that again?** You're talking too quietly.
  뭐라고? 넌 너무 조그맣게 얘기해.
  But I'll watch you ride, **how's that?** 하지만 네가 타는 걸 지켜볼게, 어때?
  I have my moments. **How's that?** 내가 잘 나가던 때가 있었어, 뭐가 어째서?

How's that for pain?
고통은 어때?

- **How's that for** a start? 시작으로 어때?
  How's that for a birthday present? 생일 선물로 어때?

H

How's the wife?
부인은 잘 지내?

- How's the victim taking it? 피해자는 그걸 어떻게 받아들이고 있어?

  A: How's the woman? B: She's like in shock.

  A: 그 여자 어때? B: 쇼크상태인 것 같아.

■ **How's A (~ing)?**는 A가 어떻게 지내는지 물어보는 것으로 좀 더 구체적으로 A가 …하는 것이 어떤지라고 할 때는 A뒤에 그냥 ~ing을 붙여 주면 된다.

What? How could that be?
뭐라고? 어떻게 그럴 수가 있지?

- Gee, how could that be? 이런, 어떻게 그럴 수 있죠?

  How could that be? I mean, I didn't know what the hell I was doing. 어떻게 그럴 수가 있는거지? 내 말은 난 어떻게 해야 될지 몰랐어.

■ **How could that be?**는 놀라운 소식을 듣고 혹은 당황한 상황에서 '어떻게 그럴 수가 있지?' 라고 하는 말.

MORE EXPRESSION

and how! 그렇고 말고!
How's my boy?/How's the boy? 넌 어떻게 지내?, 그래 잘 지냈어?

» hug

 Jessica gives Ron a big bear hug. 제시카는 론을 꽉 안아줬어.

Well, what is a boss for? Hug it out!
저기, 사장이라는게 뭔데? 그냥 잊어버려!

- Apology accepted. Okay, you wanna hug it out?
  용서해줄게. 좋아, 너도 잊어버릴거지?

  When the fight finishes, hug it out. 싸움이 끝나면 잊어버려.

■ **hug it out**은 속상하고 기분 나쁜 감정을 안고 있지 말고 잊어버리라는 의미로 get over it이나 let it go와 같은 맥락의 표현이다.

Mother, just say thank you and give me a hug.
엄마, 그냥 고맙다고 하고 절 안아줘요.

- Hey, hey come here, give me a hug. 야, 이리와 날 안아줘.

  I wanna come over there and give you a hug.
  그쪽으로 가서 널 안아주고 싶어.

■ **give sb a hug**는 sb를 안아준다는 뜻.

Come here and give mamma a three-bear hug.
이리와서 엄마를 세 번 힘차게 안아주렴.

- He throws his arms around Alan in a bear hug. 걘 알랜을 꽉 안아줬어.

  Jessica goes over and gives Ron a big bear hug.
  제시카는 다가가 론을 꽉 안아줬어.

■ **bear hug**는 hug 중에서도 꽉 힘차게 껴안는 것을 뜻한다.

Eric really busted his hump. 에릭은 정말 무리할 정도로 열심히 일해.

He was trying to hump her in the lobby.
걘 그녀와 로비에서 섹스를 하려고 했었어.

- Let's hump. 같이 자자.

  I'm really out humping busty chicks. 정말 나가서 가슴 큰 여자와 섹스하고 싶어.

  Did you know there's a couple humping outside of your window?
  네 창문 밖에서 커플이 섹스하고 있는 거 알았어?

■ hump는 '섹스하다' 라는 속어로 상당히 점잖지 못한 표현.

Eric really busted his hump.
에릭은 정말 무리할 정도로 열심히 일해.

- All these years, I have been busting my hump.
  최근 몇 년간 난 정말 열심히 일했어.

  We just busted our humps getting this guy's state of mind.
  이 친구의 정신상태를 알기 위해 전념했어.

■ bust one's hump는 '일을 너무 무리하게 열심히 하다' 라는 의미로 bust one's butt[balls, chops]도 같은 의미이다.

You're over the hump.
넌 고비를 넘겼어.

- The first week is the hardest. We're over the hump.
  첫주가 제일 어려워. 우린 고비를 넘겼어.

  You think something like this would help us get over the hump?
  이런 게 우리가 고비를 넘기는데 도움이 될거라 생각해?

■ be over the hump는 가장 힘든 부분을 마쳤다는 말로 '고비를 넘기다' 라는 의미의 표현.

His own brother thinks he's a hump.
걔 친형은 걔가 멍충이라고 생각해.

- Did you see the hump that shot you? 널 쏜 멍청한 놈 봤어?

  We'll get his list of customers and arrest every hump on it.
  우리는 고객명단을 입수해서 거기 있는 모든 머저리를 체포할거야.

■ be a hump는 상당한 속어로 문제나 일으키며 별 도움이 안되는 멍충이, 머저리를 뜻한다.

MORE EXPRESSION

give sb the hump 화나게 하다
get the hump 화나다

H

You're going on a hunch. 넌 직감으로 행동하는 거야.

I have a hunch he's lying to me.
걔가 내게 거짓말하는 느낌이 들어.

- We have a hunch you wrote it. 우린 네가 그걸 쓴 것 같아.

  I've got a hunch about these guys. 난 이 친구들에 대해 어떤 직감이 들어.

  My hunch is you won't say a word to anybody.
  내 직감은 네가 누구한테도 말하지 않을거라는 거야.

■ I have a hunch S+V [about~]에서 hunch는 '예감' 이라는 말로 have a hunch하면 '…하는 예감[느낌]이 든다' 로 I think ~과 같은 의미이다. sb's hunch is that~라고 해도 된다.

I thought I'd play a hunch.
난 예감대로 행동한다고 생각했어.

- I don't have a warrant. I was following a hunch.
  영장은 없고 직감을 따르고 있었어.

  I'm running with a hunch. 난 내 나름대로의 직감이 있어.

You're going on a hunch.
넌 직감으로 행동하는 거야.

- You don't snatch a baby on a hunch. 직감으로 아이를 체포하면 안돼.

  Look, even if you're right, we can't hold him on a hunch.
  이봐, 네가 맞더라도 직감으로 걜 잡아둘 수는 없어.

■ play a[one's] hunch는 예감이나 직감으로 행동하다라는 말로 '요행수를 노리다,' '예감대로 행동하다' 라는 뜻. 또한 follow a hunch하면 직감을 따르다, run with a hunch하면 직감을 활용하다라는 의미가 된다.

■ on a hunch는 '직감에 따라,' '느낌으로' 라는 부사구.

MORE EXPRESSION

hunch one's shoulders
어깨를 움츠리다
hunch forward 이야기할 수 있도록 가까이 몸을 구부리다

» hurt

It hurts when I'm not with her. 걔와 떨어져있을 때 아파.

It doesn't hurt to ask.
물어본다고 손해볼 것 없어.

- It won't hurt to try. 한번 해본다고 해서 나쁠 건 없지.

  Mom, it doesn't hurt to be prepared. 엄마, 준비해둬도 손해볼 것 없어요.

It wouldn't hurt.
밑질 것 없어.

- Well, a little pleasant conversation wouldn't hurt.
  저기, 잠깐 즐거운 대화를 해도 손해볼 거 없잖아.

  It wouldn't hurt you to think things through a little more carefully next time, would it?
  다음번에 좀 더 신중하게 생각한들 밑질 거 없잖아, 그지?

Easy, man! God, you're hurting me!
진정해, 이 사람아! 맙소사, 아프단 말야!

- You're hurting people I love. 넌 내가 사랑하는 사람들을 아프게 하고 있어.

  A: You're hurting me! B: Not our concern.
  A: 아프단 말야! B: 내 알바아냐.

That hurts.
그거 안됐네.

- Well, that hurts me deeply. 어, 그 때문에 내 맘이 많이 아파.

  Ah! Oh my God, that hurts. 아! 맙소사, 안됐네.

  That had to hurt! 아팠겠다!

■ doesn't hurt (to)는 to 이하를 해도 손해보지 않는다, 그러니 한번 해봐라라는 뜻의 격려용 표현으로 won't hurt sb to~라고도 많이 쓴다.

■ ~ wouldn't hurt to~는 앞의 표현과 같은 표현으로 '손해볼 것 없다,' '밑질 것 없다' 라는 표현.

■ You're hurting me!는 '네가 나를 아프게 한다' 는 말. '아프단 말야' 정도로 생각하면 된다.

■ That hurts하면 '아프다' 라는 뜻으로 '안됐다,' '맘이 아프겠구나' 라는 의미를 갖는다. 물론 뒤에 사람이 와서 '그 때문에 …가 아프다' 라고 표현할 수도 있다.

It hurts when I'm not with her.
걔와 떨어져있을 때 아파.

- It hurts so much to keep it inside.
  그걸 안에 지니고 있을 때 정말 아파.

  Oh God, it hurts to even joke about it.
  맙소사, 그거에 대해 농담할 때조차도 아프네.

I just don't want her to get hurt again.
난 걔가 다시 상처받기를 원치 않아.

- Do you want to get hurt? 너 상처받고 싶어?
  Nobody needs to get hurt. 상처받고 싶어하는 사람은 아무도 없어.

 It hurts sb to~는 to 이하를 하는 게 아프다라는 뜻이고, it hurts when~ 또한 '…할 때 아프다' 라는 뜻으로 어떤 때, 언제 아픈지를 말하는 표현.

■ **get hurt**는 '다치다,' '상처받다' 라는 말로 get 대신에 be를 써도 된다.

MORE EXPRESSION
Does it still hurt?
아직도 아프니?

» hustle

 What's his hustle? 걔가 뭐 때문에 법석을 떠는거야?

Don't you hustle me. This is Charnel.
재촉하지 마세요. 이거 샤넬이잖아요.

- She said a con man had hustled her at the airport.
  걘 한 사기꾼이 공항에서 자기를 거칠게 밀쳤다고 했어.

  Come on now, hustle. We got a man coming over.
  어서, 서둘러. 한 남자가 오고 있어.

  Just kind of seemed like you're trying to hustle Vicky out of the country. 네가 비키를 서둘러 해외로 내보내려고 하는 것 같았어.

  You mean you got hustled? 너 당했다는 거야?

■ **hustle sb**는 sb를 거칠게 밀치다, 비유적으로 결정하라고 재촉하거나 서두르게 하다라는 의미로 쓰인다. 또한 get hustled하면 '속다' 라는 의미.

What's his hustle?
걔가 뭐 때문에 법석을 떠는거야?

- He was doing the hustle. 걘 법석을 떨었어.

  I don't know what kind of hustle you pulled on him, but it's not gonna work on me.
  네가 걔한테 어떤 법석을 떨었는지 모르겠지만 내겐 통하지 않을거야.

■ **hustle**이 명사로 쓰일 경우에는 '소란,' '법석' 이란 뜻.

She's no innocent victim here. She's a hustler.
걘 순진한 피해자가 아냐. 매춘부야.

- He called himself Paul, worst hustler name I ever heard.
  걘 이름이 폴이라고 했는데 지금까지 들어본 것 중 최악의 사기꾼 이름이야.

  We're having a promotional party at Hustler store.
  우리는 허슬러 가게에서 판촉행사를 하고 있어.

■ **hustler**는 '사기꾼' 혹은 '매춘부' 라는 뜻. 대문자로 쓰이는 왕년에 유명했던 포르노 잡지를 말한다.

MORE EXPRESSION

hustle and bustle 혼잡함

H

I/J/K

» **idea**

Where did you get that idea? 어떻게 그런 생각을 하게 된거야?

Do you have any idea?

뭐 좋은 생각있어?

- **Any good ideas?** 어떤 좋은 생각 있어?

  Do you have any idea what kind of guys I'm meeting?
  내가 어떤 친구들을 만나는지 알기나 해?

■■■ **have any idea**는 의문형태에서 상대방에게 혹 좀 아는게 있냐 혹은 좋은 생각이 있냐라고 물어볼 때 사용되는 표현이다.

I get the idea.

알겠어.

- **I think I get the idea.** 알 것 같아.

  Probably not as much as I do, but you get the idea.
  아마 나만큼은 아니더라도 너도 이제 좀 알거야.

■■■ **get the ideas**는 한단어로 말해서 understand라는 의미로 I get the idea는 '알겠어,' you get the idea하면 '너도 이해할거야,' '너도 이제 알겠지' 라는 말이 된다.

Infection? Where did you get that idea?

감염이라고? 어떻게 그런 생각을 하게 된거야?

- **I'm not leaving. Where did you get that idea?**
  난 안떠나. 그런 생각을 어떻게 한거야?

  Kevin didn't get arrested. Where did you get that idea?
  케빈은 체포되지 않았어. 왜 그렇게 생각하게 된거야?

■■■ **Where did you get that idea?**는 '그런 생각을 어떻게 한 거야?' 라는 말로 상대방 생각의 출처를 단순히 묻거나 혹은 상대방의 말도 안되는 소리에 비아냥 거리면서 할 수 있다.

I think you have the wrong idea.
잘못 짚은 것 같은데.

• He's got the right idea. 걔 말이 맞아.

Smith might get the wrong idea about our professionalism.
스미스는 우리 전문성에 관해 잘못 알고 있을지 몰라.

■ have the right[wrong] idea는 생각이나 판단이 맞았다, 틀렸다라고 할 때 사용하는 표현으로 have 대신에 get을 써도 된다.

I have no idea.
모르겠어.

• I have no idea why. 난 이유를 몰라.

We have no idea where or how she's been living.
우린 걔가 어디서 어떻게 살아왔는지 몰라.

■ I have no idea는 '좋은 생각'이 없다는 게 아니라 구어체에서 '단순히 모른다'(don't know)고 할 때 자주 쓰는 표현. 뒤에 what[when~] 등의 의문사절을 붙여 모르는 내용을 구체적으로 말해주기도 한다.

You have no idea how to reach him.
넌 걔한테 어떻게 연락해야 하는지 몰라.

• You have no idea what I could do to you!
내가 네게 뭘 해줄 수 있는지 몰라!

You have no idea what you're talking about.
넌 지금 무슨 말인지 모르고 하는 말야.

■ You have no idea what~는 '네가 ···를 모를거야'라는 의미로 단순히 네가 모른다고 말할 수도 있지만 문맥에 따라 상대방에 대한 섭섭함 내지는 답답함이 포함되어 있다.

You have no idea what it's like to care for somebody.
다른 누구를 좋아한다는게 뭔지 넌 몰라.

• You have no idea what it's like to provide for a family!
가족을 부양한다는게 뭔지 넌 몰라!

You have no idea what it's like to watch your child die.
자기 아들의 죽음을 지켜보는게 어떤건지 넌 몰라.

■ You have no idea what it's like to~는 앞의 응용표현으로 본격적으로 상대방의 무지나 그런 무지함에 답답해서 하는 표현. '넌 to 이하를 하는 것이 어떤 건지 몰라'라는 의미.

Don't get any big idea.
헛된 생각을 하지마.

• I hope you're not getting any big ideas. 네가 헛된 생각을 하지 않았으면 좋겠어.

I'll be watching to see if you share, so don't get any big ideas.
네가 공유하는지 지켜볼테니 헛된 생각은 마.

■ not get any big ideas는 '어림없는 생각, 헛된 생각을 하지 않다'라는 표현.

What's the big idea?
어쩔 셈이야?

• What's the big idea? Why are you pushing me?
어떻게 된거야? 왜 날 몰아붙이는거야?

Did you make this mess? What's the big idea?
네가 이렇게 어지렵혀놨어? 어쩔 셈이야?

■ What's the big idea?는 '어떻게 된거야?', '어쩔 셈이야?'라는 표현으로 상대방을 이해못하는 상황에서 사용한다.

I
J
K

None of this was my idea.
이 어떤 것도 내 생각이 아냐.

• Getting married was my idea. 결혼한다는 건 내 생각이었어.

It was my idea. I take responsibility. 내 생각이었어. 내가 책임질게.

■ be one's idea는 '···의 생각, 의견이다'라는 말로 어떤 생각이 자기의 것인지 아닌지를 분명히 구분해서 말할 경우에 사용한다.

That gives me an idea.

그러고보니 좋은 수가 떠올랐어.

- It also gave me an idea of something else. 그러고보니 뭔가 다른 생각이 떠올랐어.

  What would give you an idea like that? 뭣 때문에 그런 생각을 하게 된거야?

That's not a good idea.

별로 좋은 생각이 아냐.

- You know it's not a good idea for us to be alone all night.
  우리가 밤새 홀로 있는 건 좋은 생각이 아니란건 너도 알잖아.

  A: I was thinking I could visit her mother. B: That's an idea.
  A: 걔 엄마를 방문할까 생각중이었어. B: 그거 괜찮은 생각야.

  I think that's a great idea! 그게 아주 좋은 생각같아!

That's the idea.

바로 그거야.

- That's the idea, right? 그래 바로 그거야, 알았어?

  A: I don't see any scars. B: That's the idea. A: 상처 없는데. B: 바로 그거야.

■ It gives sb idea는 주어인 it이 sb에게 좋은 생각을 주었다라는 말로 '그러고보니 좋은 생각이 떠올랐다' 라는 의미가 된다. put ideas into sb's head도 같은 맥락의 표현.

■ be not good idea는 어떤 결정이나 의견을 완곡하게 반대할 때 사용하는 표현. 좀 더 구체적으로 말하려면 be not good idea for sb to~라고 하면 된다. 반대로 좋은 의견이라고 말할 때는 That's an (great) idea, There's an idea를 쓰는데 '그거 좋은 생각이다' 라는 말.

■ That's the idea는 상대방이 일을 제대로 했을 경우 제대로 말귀를 알아들었을 때 '그래 바로 그거야' 라고 칭찬하는 표현. 이는 상대방이 제대로 이해했을 때 쓰는 표현으로 좋은 아이디어를 내놓은 다른 표현들과는 구분해야 한다.

MORE EXPRESSION

get the same idea
생각이 같다

» impress

What's your impression? 인상이 어땠어?

I'm impressed.

놀라운 걸.

- Fantastic. I'm so impressed. 멋져. 정말 놀라워.

  We're impressed by your generosity. 당신의 관대함에 감명받았어.

What's your impression?

인상이 어땠나요?

- Well then, she did a lovely impression of you.
  그럼, 걘 너를 아주 사랑스럽게 흉내냈어.

  I'd marry him just for his Angelina Jolie impression alone.
  나 같으면 안젤리나 졸리를 닮은 것만으로도 결혼하겠어.

Make a good impression on the judge.

판사에게 좋은 인상을 줘.

- I think you made an impression on the examiner.
  네가 검사관에게 인상을 심어 줬다고 생각해.

  He left us three good impressions on this gum.
  걔는 이 껌에 3개의 자국을 남겼어.

■ be impressed (by)는 수동태형으로 '감동을 받다' 라는 표현.

■ one's impression은 '…가 받은 느낌,' '인상' 이라는 말. 한편 do impression of~하면 사람들 웃기려고 유명인의 행동이나 말투를 '흉내내다' 라는 뜻이 된다.

■ make an impression은 '인상을 주다' 라는 말. impression 앞에 good, first를 넣어서 인상의 종류를 달리 말할 수 있다. 또한 make 대신에 leave를 써도 되는데 문맥에 따라 '어떤 자국을 남기다' 라도 뜻으로도 사용된다.

I got the impression she was going to meet someone.

걔가 누굴 만날거라는 인상을 받았어.

- I must have said something that gave you a terribly wrong impression. 네게 끔찍한 나쁜 인상을 준 뭔가를 내가 말했음에 틀림없어.

  You gave us the impression that you could handle him.
  넌 네가 걜 다룰 수 있다는 인상을 줬어.

Are you under the impression that we're still friends?

우리가 아직 친구라고 믿는거야?

- He's under the impression that his interview with you didn't go well. 걘 너와의 인터뷰가 잘못됐다고 믿고 있어.

■ get the impression은 '어떤 인상이나 느낌을 받다,' 그리고 give sb an impression하게 되면 '…에게 인상을 주다' 라는 뜻.

■ be under the impression 는 실제로는 그렇지 않은데 '…라고 믿다' 라는 의미.

» influence

 You ever see him under the influence? 넌 걔가 술에 취한 모습을 본적 있어?

Barnett had a strong influence over him.

바네트는 걜 완전히 좌지우지해.

- Veronica had a huge influence on me. 베로니카는 내게 큰 영향을 줘.
  Right, he had no influence on you at all. 맞아, 걘 네겐 아무런 영향도 못줬어.

■ have influence on [over]는 '…에 영향을 끼치다,' '좌지우지하다' 라는 말로 influence 앞에 strong, huge 혹은 no 등을 써서 다양하게 문장을 꾸밀 수 있다.

They thought I was a bad influence.

걔네들은 내가 악영향을 끼쳤다고 생각해.

- Donna's been having trouble because Eric's a bad influence! 도나는 에릭이 나쁜 영향을 끼쳐서 어려움을 겪고 있어.
  You are now officially a bad influence.
  넌 이제 공식적으로 나쁜 영향을 주는 사람이야.

■ be a bad influence는 '나쁜 영향을 끼치다,' '악영향을 주다' 라는 의미.

You ever see him under the influence?

넌 걔가 술에 취한 모습을 본적 있어?

- Okay, drunk drivers kill when under the influence. 좋아, 음주운전자들은 술에 취해 사람들을 죽이지.
  What's the penalty for driving under the influence? 음주운전 벌칙은 뭐야?

■ under the influence (of alcohol)는 '술에 취해서,' '과음한 상태에서' 라는 말. 또한 while under the influence(술에 취해서)라는 표현도 많이 쓰인다.

You used to be influenced by me.

전에는 내가 하라는 대로 했잖아.

- Do you think these computer games influenced his behavior? 이 컴퓨터 게임이 걔행동에 영향을 줬을거라 생각해?
  He's so easily influenced. 걘 너무 쉽게 영향을 받아.

■ influenced sb[sth] (to)~ 는 influence가 동사로 쓰여 '…에게 영향을 끼치다' 라는 의미. be influenced란 형태로도 많이 쓰인다.

I J K

455

Keep me informed. 나한테 계속 알려줘.

Keep me informed.
나한테 계속 알려줘.

- Keep me informed of her progress and take good care of her.
  걔의 진행상태를 내게 알려주고 잘 보살펴줘.

  Listen, these deals are never easy so keep me informed, please. 저기 말야, 이 거래들은 절대 쉽지 않으니 내게 계속 진행상황을 알려줘.

Well for your information, I still have a shot with her.
네게 귀뜸해주자면 난 아직 걔와 가능성이 있어.

- For your information, Becky doesn't like steak, she likes spaghetti. 참고로 말해두는데, 베키는 고기를 싫어하고, 걘 스파게티를 좋아해.

Hurley is continuing to gather information.
헐리는 계속 정보를 수집하고 있어.

- We're just trying to gather information. 우린 그냥 정보를 수집하려는거야.

  You're a Harvard-educated man, presumably well-informed.
  넌 하버드에서 공부했으니 아마도 해박하겠지.

■ keep sb informed (of~)는 sb에게 최신정보를 계속 준다는 의미로 정보의 구체적 내용은 of 이하에 써주면 된다.

■ FYI를 풀어쓰면 for your information으로 '(너한테) 참고로 말하자면,' '네게 귀뜸해주면' 혹은 문맥에 따라 '뭘 모르시나본데' 라는 의미로도 쓰인다.

■ gather information은 정보를 모으고 수집하는 것을 말하는데 gather 대신 collect를 써도 된다. 그리고 well-informed는 '정보에 밝은,' '잘 알고 있는' 이라는 의미.

I appreciate the initiative. 주도적으로 해줘 고마워

Okay, I've gotta take some initiative here.
좋아, 이제 내가 좀 주도권을 쥐어야겠어.

- Don't be silly. I admire your initiative.
  바보같은 말 하지마. 난 네 솔선수범을 존경해.

  Garcia, I appreciate the initiative. 가르시아, 알아서 앞서 해줘서 고마워.

Cross it out, initial it, and sign again.
바꿔가면서 이름의 이니셜을 적고 사인해.

- That's correct, but initially there was no age limit in Nebraska.
  맞아, 하지만 첨부터 네브라스카에서 나이제한은 없었어.

  For the initials C.K., we've got a Cindy Kerber.
  C.K.라는 이름 이니셜로 신디 커버를 찾았어.

■ take the initiative는 '선수치다,' '솔선수범하다,' 혹은 '주도권을 쥐다' 라는 뜻.

■ initial은 다양한 품사로 쓰이는데 동사로는 '이름의 첫글자를 표시하다,' 형용사로는 '초기의' 그리고 명사로는 '이름의 첫 글자' 를 뜻한다. 또한 initially는 '처음에는.'

MORE EXPRESSION

lose the initiative 주도권을 잃다

I feel like I'm going insane. 내가 정신이 돌 것 같아.

Are you insane?
너 돌았니?

- You broke me and Karen up? Are you insane?
  네가 나와 카렌을 헤어지게 했지? 너 제 정신야?

  Are you insane? Are you out of your mind?
  너 미쳤니? 제 정신이야?

■ be insane은 정신나가다라는 말로 주로 말도 안되는 이야기를 하는 사람에게 '너 제정신이야?'라는 뜻으로 'Are you insane?'라는 문장이 많이 쓰인다.

I would go insane here!
난 여기서 미쳐버릴 것 같아!

- I think he might be going insane. 걔가 미쳐버릴 것 같아.

  I feel like I'm going insane. 내가 정신이 돌 것 같아.

■ go insane은 '미쳐버리다,' '돌아버리다' 라는 말.

This is insane!
이건 미친짓이야!

- Conspiracy... this is insane. 음모라고… 말도 안돼.

  A: But that's insane! B: No, it's completely sane.
  A: 하지만 이건 말도 안돼! B: 아냐, 완전히 말돼.

■ This is insane은 사람이 아니라 어떤 행동이 말도 안되는 일이라고 생각할 때 쓰는 말.

He's quite an institution. 걘 명물이야.

He's quite an institution.
걘 명물이야.

- Take care of her. Liz is an institution around here.
  걜 잘 부탁해. 리즈는 여기서 유명인이야.

  The police chief is an institution around here.
  경찰서장은 여기서 유명인이야.

■ sth[sb] an institution은 다소 의외일지 모르겠지만 장소나 사람이 오래동안 있어서 잘 알려진 경우를 말한다.

We need to institute partial elimination.
우리는 부분적으로 제거를 시행해야 돼.

- Sheriff, I suggest you institute a curfew. 보안관님, 통행금지를 시행하시죠.

  I spent the summer at the culinary institute in Hong Kong.
  난 홍콩의 요리단체에서 여름을 보냈어.

■ institute는 명사로는 '기관,' 동사로는 '정책 등을 도입하다,' '절차를 시작하다' 라는 의미.

I
J
K

Let's not add insult to injury. 상황을 더 나쁘게 만들지는 맙시다.

Don't insult my intelligence, Mr. Moredock.

모독씨, 날 바보취급하지마.

- He constantly insults you and belittles you.
  걘 계속 너를 모욕하고 너를 깍아내리고 있어.

  Don't you dare insult Mr. Tripley. He's a saint.
  어떻게 감히 트리플리 씨를 모욕을 해요. 성인이신데.

■ insult는 모욕하다라는 뜻으로 insult one's intelligence하면 '…의 지능을 무시하다'가 되며 또한 명사로도 쓰여 be an insult to sb's intelligence라 표현할 수도 있다.

Let's not add insult to injury.

상황을 더 나쁘게 만들지는 맙시다.

- And to add insult to injury, she kept the ring I gave her.
  그리고 설상가상으로 걘 내가 준 반지를 갖고 있었어.

  And to add insult to injury, the copy gets worse every time.
  그리고 설상가상으로 복사물은 매번 더 상태가 나빠져.

■ add insult to injury는 이미 난 상처에 모욕을 준다는 말로 '일을 더 악화시키다'라는 의미. to add insult to injury하면 '설상가상으로'라는 말.

And that's just a little bit insulting.

그리고 그건 좀 모욕적이야.

- Your question is insulting, I am not stupid.
  네 질문은 모욕적이야, 난 멍청이가 아니라고.

  There's nothing more insulting to a bride.
  신부에게 그것보다 더 모욕적인 건 없어.

■ insulting (to)은 '모욕적인'이라는 말로 상대방의 말이나 행동 등이 (…에게) 모욕적이라는 뜻이 된다.

That's what interests me. 그게 날 관심을 갖게 하는거야.

I take an interest in you.

나 너한테 관심있어.

- Talk to them. Take an interest in their lives.
  걔네들한테 말해봐. 걔들 삶에 관심을 가지라고.

  It was nice to see you finally taking an interest in my life.
  네가 내 삶에 관심을 갖는 걸 보니 좋았어.

■ take an interest in은 '…에 관심을 갖다,' an 대신에 no를 써서 take no interest하면 '관심이 없다'라는 표현이 된다.

I expressed an interest in your relationship.

난 너와의 관계에 관심을 표명했어.

- What makes you think I have an interest in helping you?
  네가 널 도와주는데 관심이 있을거라고 왜 생각하는거야?

  Moms love it when you show an interest in their babies.
  엄마들은 네가 자기 아이들에게 관심을 보여줄 때 좋아해.

■ have an interest in 역시 '관심이 있다'이고 show an interest in하면 '관심을 나타내다,' 그리고 express an interest in하면 '관심을 표명하다'라는 말이 된다.

I'm not interested in her.
난 걔한테 관심이 없어.

- **What are you interested in?** 무슨 일에 흥미가 있어?
  Are you interested in physics? 물리학에 관심있어?

What are your interests?
무슨 일에 흥미가 있어?

- **Why the sudden interest?** 갑자기 웬 관심이야?
  Tell me more about yourself. What are your interests?
  너에 대해 더 말해봐. 관심사가 뭐야?

That's what interests me.
그게 날 관심을 갖게 하는거야.

- **What interests you? Give me the chart.** 뭐에 관심있어? 차트줘봐.
  What interests Kelly? I want to know about her.
  켈리가 뭐에 관심있어? 걔에 대해 알고 싶어.

Hey, look at that. That's interesting.
야, 이거봐. 재미로운데.

- **That's interesting, but not exactly helpful.** 흥미롭지만 도움이 안돼.
  That's interesting. Do you have a magnifying glass?
  흥미로운데, 돋보기 있어?

It was in her best interest to come forward.
밖으로 나서는게 걔한테 최선이었어.

- **Even if he did, it's not in his best interest to seek you out.**
  걔가 그랬다해도 너를 찾는 건 걔한데 최선이 아냐.
  Is it of interest to you? 그 사건에 관심있어?
  Which is of no interest to me, I'm a neurologist. 내 관심사아냐. 난 신경학자거든.

He is a person of interest, but that is all.
걘 요주의 인물이지만 그게 다야.

- **She's a person of interest in our investigation.**
  걘 우리 사건에서 요주의 인물이야.

That would be a conflict of interest.
그렇게 하면 이해간의 충돌이 생길거야.

- **Conflict of interest. There's no way they'll ask for our help.**
  이해가 상충돼. 걔네들이 우리 도움을 요청할 리가 없어.
  You can't date Karen! You're still protecting her husband. It's a clear conflict of interest.
  넌 카렌과 데이트할 수 없어! 넌 아직 걔 남편을 보호하잖아. 명백한 이해충돌이라고.

■ **be interested in**도 역시 같은 의미이나 interest가 동사로 쓰인 점이 다르다. '…에 관심이 있다' 라는 말로 Are you interested in~?하면 '…에 관심 있니?,' '…할 생각있니?' 라는 말.

■ **What are your interests?** 는 상대방의 관심사가 무엇인지 물어볼 때 사용하는 것으로, 특별한 관심을 물어볼 땐 special interests, 갑작스런 관심은 sudden interests라 한다.

■ **What interests sb**는 interest를 동사를 써서 주어가 sb의 관심을 갖게 하다라는 의미. It may interest sb to know that~하면 sb가 that 이하에 흥미를 가질 지도 모르겠다는 표현.

■ **That's interesting**은 '그거 흥미롭네,' '그거 재미있네' 라는 말. Sounds interesting이라고도 한다.

■ **be in sb's best interest to+V**는 'to 이하를 하는 것이 …에게 최선의 길이다' 라는 말. 또한 be of interest to sb하면 '…에게 관심이 있다,' 반대로 be of no interest to sb하면 '…에게 관심이 없다' 라는 뜻이 된다.

■ **person of interest**는 특히 범죄물에서 아직 용의자(suspect)까지는 아니지만 주목받고 있는 사람, 즉 '요주의 인물' 이라는 의미. 약어로 POI라 한다.

■ **conflict of interest**는 어떤 목적 등에서 동시에 공존할 수 없는 것을 '이해간의 충돌,' '이해 상충' 이라고 한다.

MORE EXPRESSION

in the interests of justice
정의를 위하여
be in the national[public] interest 국익[대중]을 위하여
out of interest 호기심에서
as a matter of interest
궁금해서 그러는데(채팅약어로는 AAMOI)
Could I interest sb in~?
…을 권해드릴까요?

I
J
K

They have issues with rage. 걔네들은 분노에 문제가 있어.

Sex was an issue in your relationship.
섹스는 너희들 관계에서 중요한 문제야.

- That has little bearing on the issue at hand.
  그건 지금 문제와는 거의 관련없어.

  So her credibility's an issue. 그럼 걔의 유명도가 문제야.

  It's statutory rape. Consent isn't an issue.
  미성년자 강간야. 합의는 문제가 안돼.

  But the real issue here is not teenagers gossiping online.
  하지만 여기 진짜 문제는 온라인으로 험담하는 10대들이 아냐.

■■ be an issue에서 issue는 가장 중요한 문제, 주제, 쟁점이라는 말. the real issue is~는 '진짜 문제는 …이다' 라는 뜻이 된다.

They have issues with rage.
걔네들은 분노에 문제가 있어.

- The last time I saw him, he had anger issues with me.
  지난번에 걜 봤을 때 걘 내게 분노가 있었어.

  This girlfriend's got some serious issues with the relationship.
  이 여친은 관계맺는데 심각한 문제가 있어.

■■ have issues with~는 '…에 문제가 있다,' '…와 불화하다' 라는 표현.

My personal feelings are not at issue.
내 개인적인 감정은 문제가 되지 않아.

- What's at issue here is her state of mind.
  여기서 문제가 되는 것은 걔의 정신상태야.

  There are many factors at issue here. 여기서 문제가 되는 많은 요인들이 있어.

■■ at issue는 '문제가 되고 있는,' '쟁점이 되고 있는' 이라는 의미.

I'd like to issue a press release.
언론보도를 내고 싶어.

- I don't issue invitations to your mother.
  네 엄마한테 초대장을 보내지 않아.

  I think it will be irresponsible to issue a warning without a specifics. 구체적인 내용없이 경고장을 발부하는 것은 무책임한거라 생각해.

■■ issue가 동사로 쓰이면 '언론보도를 발표하거나,' '영장을 발부하다' 라는 뜻. 명사로도 쓰여 press release는 언론보도를 말한다.

MORE EXPRESSION

take issue with 문제삼다
make an issue (out) of 걸고 넘어가다
stand on the issues 어떤 문제에 단호한 입장을 취하다
take a stand on the issue 입장을 표명하다

놓치면 원통한 미드표현들

- **be the perfect image of one's father**
  부모 판박이(be the spitting image of one's father)
  He was the spitting image of his daddy.
  걘 아빠를 빼다 닮았어.
  Patty, I'm the spitting image of the Renoir girl. 패티, 난 르노와르 그림의 여자를 빼닮았어.

- **have an inkling** 눈치채다
  I'm having an inkling.
  어렴풋이 알 것 같아.
  You didn't even have an inkling?
  넌 눈치도 없나?

» itch

You itching for a lawsuit? 소송걸고 싶어 죽겠어?

I have an itch to eat some doughnuts.
도너츠 좀 먹고 싶어.

- Ron has an itch to visit his sister in California.
  론은 캘리포니아에 있는 걔 누이를 방문하고 싶어해.

  Do you have an itch on your scalp? 두피가 가려워?

You itching for a lawsuit?
소송걸고 싶어 죽겠어?

- We're itching to find this guy. 이 사람을 정말 찾고 싶어.

  This guy's itching for another victim, though.
  이 놈은 그래도 또 다른 희생자를 찾고 있어.

> ■ have an itch on~은 …가 가렵다, 그리고 have an itch to+동사는 '…하고 싶어 몸이 근질근질하다' 라는 표현.

> ■ be itching to[for~]는 좀이 쑤실 정도로 …하고 싶다는 의미로 be dying to[for~]와 같은 맥락의 의미. '…하고 싶어 죽겠다,' '몹시 …하고 싶다' 라는 말.

MORE EXPRESSION

be itchy 간지럽다, 가렵다
seven year itch 바람기, 권태

» jam

I hear you're jammed up. 너 문제가 생겼다며.

It's usually jammed.
거긴 늘상 꽉 막혀.

- I guess the circuits are jammed. 전기회로에 잼이 걸린 것 같아.
  It's jammed. It won't open any more. 걸렸어. 이제 더는 안 열릴거야.
  But the gun jammed. 하지만 총이 걸렸어.
  The radio must have jammed. 무선이 전파방해를 받았음에 틀림없어.
  The bullet jammed in the feed, didn't it? 총알이 걸려서 발사되지 않았어, 그지?

I hear you're jammed up.
너 문제가 생겼다며.

- He was jammed up, 'cause he had some important business.
  걔 문제가 있었어, 중요한 사업을 하고 있었기 때문이야.

  It usually doesn't take long, but today we got jammed.
  보통 그렇게 시간이 많이 걸리지 않는데, 오늘은 좀 문제가 있네.

We're jamming the signal.
우리가 신호를 방해하고 있어.

- It's a frequency-jamming signal, Gibbs.
  그거 주파수방해신호예요, 깁스.

  Found the jamming signals that were hidden in your artwork.
  네 예술품 뒤에 숨겨져 있는 전파방해신호를 찾았어.

> ■ be jammed jam은 명사로 맛난 쨈이지만 동사로는 '잔뜩 밀어넣다,' '작동하지 못하게 하다,' '전파를 방해하다' 등 다양하게 쓰인다. 여기 be jammed는 '걸리다,' '막히다' 라는 의미. 그냥 sth jam이라고도 많이 쓰인다.

> ■ sb be jammed up 역시 같은 의미이나 주어가 사람이 오는 경우는 뭔가 문제가 있다는 의미.

> ■ jam은 동사로 전파신호를 의도적으로 방해한다는 의미로도 쓰인다.

MORE EXPRESSION

kick out the jams 락음악을 신나게 연주하다
get into a jam 궁지에 빠지다
jam into~ …로 몰려들다
traffic jam 교통체증
jam on the brakes 브레이크를 갑자기 세게 밟다

I
J
K

461

Don't be jerking me off. 날 속이려 하지마.

Don't be jerking me off.
날 속이려 하지마.

- He had no idea why he was jerking off into a cup.
  걘 왜 자기가 컵에 자위를 해야 하는지 몰랐어.

  Maybe he jerked off before you got there.
  아마 네가 거기 도착하기 전에 자위했었나보다.

■ jerk off는 기본적으로 자위하다(masturbate)라는 의미. 하지만 jerk sb off해서 sb에게 '거짓말하다,' '속이다'라는 뜻으로도 쓰인다.

They're jerking us around.
걔네들은 우리를 부당하게 대하고 있어.

- Stop jerking around and find the guest book.
  그만 멍청하게 행동하고 방명록을 찾아봐.

  I hope you're not jerking us around. 네가 우리를 정당하게 대해줬으면 해.

■ jerk sb around는 sb를 부당하게 정직하지 않게 대하다, 골치아프게 하다 그리고 sb를 빼고 jerk around로 쓰이면 '멍청하게 행동하다'라는 뜻이 된다.

I'm the biggest jerk of all time.
난 역사상 가장 바보야.

- I thought you were gonna call me a jerk. 네가 날 바보라 부를거라 생각했어.

  I thought you were such a jerk. 난 네가 바보라고 생각했어.

■ such a jerk jerk가 명사로 쓰이면 바보, 멍청이라는 뜻으로 강조하려면 such a jerk라고 하면 된다.

I'm just doing my job. 단지 내 일을 한 것 뿐이야.

A guy like this can't hold down a job.
이런 사람은 직업을 계속 유지할 수가 없어.

- It's supposed to make me better, so I can hold down a job.
  내가 더 나아질거니까 난 직업을 계속 유지할 수 있어.

  Some people get addicted and can't even hold down a job!
  마약에 중독되어 직장도 유지할 수 없는 사람들도 있어!

■ hold down a job은 직업이나 직장을 계속 유지한다는 뜻.

Freezer'd do the job.
냉동고가 효과가 있을거야.

- He's gonna do the job you've been neglecting.
  걘 네가 소홀히 했던 일을 할거야.

  Four of these around the perimeter will do the job.
  주변에서 이것들 중 4개면 효과가 있을거야.

■ do the job은 글자그대로 '그 일을 하다'라는 의미로도 쓰이지만 문맥에 따라 '…에 효과가 있다,' '성공하다'라는 의미로 이때는 do the trick과 같은 의미이다.

Do your job.
네 일이나 잘해.

- Now go in there and do your job. 자 이제 들어가서 네 일을 해라.
  I'm not trying to tell you how to do your job.
  네 일을 하는 방법을 네게 말하려고 했던게 아냐.

■ do your job은 상대방에게 '네 일을 잘 하라'고 할 때.

Do your job right.
일에 차질없이 제대로 해.

- He just wasn't smart enough to do the job right.
  걘 일을 제대로 할 만큼 똑똑하지가 않았어.
  Well, he didn't think he was doing his job right.
  저기, 걘 자기가 일을 제대로 하리라 생각하지 않았어.

■ do one's job right는 뒤에 right가 붙은 경우로 '일을 제대로 잘 하다'라는 의미.

I'm just doing my job.
내 일을 한 것뿐인데요.

- Hey, don't make me feel bad for doing my job.
  저기, 내 일을 한 것 뿐인데 날 기분나쁘게 하지마.
  He has his job, too. 걔도 자기 일이니 어쩔 수 없지.

■ be just doing one's job에서 포인트는 'just'이다. just가 들어간 이 표현의 의미는 문맥에 따라 '그냥 내 일을 한 것뿐이다,' 혹은 '어쩔 수 없이 내 직업이 요구하는 걸 했다'라는 뜻으로 쓰인다. have one's job도 같은 맥락의 표현.

Dad, don't do this. I'll get a job.
아빠, 이러지 말아요. 내가 직장을 구할게요.

- I wanted Nick to get a job. 난 닉이 직장을 얻기를 바랬어.
  I do this because you won't let me get a job.
  내가 직장갖는 걸 허락하지 않아서 이러는 거예요.
  Otherwise, you and I'd be out of a job.
  그렇지 않다면, 너와 나는 직장을 잃게 될거야.

■ get a job은 직장을 구하다, 돈벌이를 하다라는 말. Get a job! 이라고 명령형태로 쓰면 '그만 게으름을 피워라'라는 따끔한 충고성 멘트. 또한 be out of a job now는 현재 직장이 없는 백수[백조]라는 말. 쬐끔 고상하게 between jobs[이직중]라고 말해도 된다.

You were on the job?
근무중이었어?

- Ron was retired by the time you come on the job.
  론은 네가 들어왔을 때쯤 퇴직했어.
  It's my first week on the job. 내 출근 첫주야.
  It was an inside job. 그건 내부자소행였어.

■ on the jobs는 근무중, 혹은 직업을 갖고 있는 중이라는 의미. 한편 inside job은 '내부자 소행'이라는 뜻이다.

■ do a good[nice] job은 상대방을 칭찬하는 말로 '잘했어,' '좋았어'라는 말로 그냥 Good job!, Nice job!이라고도 쓰인다.

You did a good job!
아주 잘했어!

- You know what? We did a good job. 그거 알아? 우리가 일을 아주 잘했어.
  You're not doing a very good job! 넌 그렇게 일을 잘하지 못하고 있어!

■ That's[it's] a good job은 칭찬하는 말로 '잘했어,' '좋았어'라는 말이나 상황에 따라 연봉이 많은 직장(a job has a good salary)을 뜻하기도 한다. 한편 칭찬할 때는 그냥 Good[Nice] job! 이라고도 하고 It's a good job S+V하면 '…가 잘됐다'라는 의미.

I
J
K

That's a good job.
잘했어.

- Oh, that's a good job. You married? 야, 좋은 직장이네. 결혼했어?
  It's a good job you prepared for your future. 미래를 준비한 건 잘한 일야.

MORE EXPRESSION

nose job 코성형수술,
boob job 가슴성형
land a job 직장을 구하다
make the best of a bad job
어려운 상황하에서도 최선을 다하다

Can't you take a joke? 농담도 못하냐?

Is this some kind of joke?

장난하는거지?

- What is that, some kind of joke? 이게 뭐야, 장난하는거야?

> ■ Is this some kind of joke?는 상대방이 어처구니 없거나 놀랄만한 일을 얘기해줄 때 믿기지 않으면서 '뭐 장난하는거야' 라는 의미의 표현. 그냥 Is this는 빼고 쓰기도 한다.

You must be joking?

농담하는 거지?

- You're joking? 정말이야?, 농담이지?
  I'm like, he must be joking, right? 나는 말야, 걔가 농담하는거지, 맞지?

> ■ must[got to] be joking 역시 상대방의 말이 믿기지 않을 때 '너 농담하는거지' 라고 하는 표현.

Is this your idea of a joke?

네가 보기엔 그게 우습냐?

- Is this Eddie's idea of a joke? 에디가 재미있다고 생각하는 거야?
  Walter, if that's your idea of a joke, it's really not very funny.
  월터, 네가 재미있다고 생각한다면 정말이지 재미없거든.

> ■ Is it sb's idea of a joke? 는 '이게 넌 재미있다고 생각하는 거야?' 라는 뜻. 자기는 하나도 재미없는데 상대방이 재미있어 할 때 상대방을 비난이나 비아냥거리면서 하는 말.

It's a big joke.

그거 정말 웃기는 일이야.

- I know you think this is a big joke. 이게 정말 웃기는 일이라고 생각한다는 걸 알아.
  I was a joke. 난 웃음거리였어.

> ■ sth be a joke는 sth이 '매우 웃기는 일이다' 이고, sb be a joke로 쓰이면 sb가 '웃음거리이다' 라는 말.

Can't you take a joke?

농담도 못하냐?

- Don't make a joke of your life. 인생을 낭비하지 마라.
  So you just make a joke and do nothing?
  그래 너 그냥 농담이나하고 아무 것도 하지 않는거야?

> ■ take a joke는 '농담을 받아들이다' 그리고 make a joke[jokes]하면 '농담하다,' make a joke of하면 '…을 우습게 생각하다' 라는 의미.

This is not a joking matter.

농담할 일이 아냐.

- This is not a joking matter. Can I trust you with this information?
  농담이나 할 일이 아냐. 이 정보 널 믿어도 돼?
  Murder is no joke. 살인은 장난이 아냐.

> ■ This is not joking matter는 상황이나 일이 심각하기 때문에 '농담할 일이 아냐' 라는 뜻. 또한 This is no joke 또한 같은 맥락으로 '농담이 아니다,' '심각한 문제다' 라는 말로 그냥 줄여서 No joke!(농담아니야!)라 하기도 한다.

놓치면 원통한 미드표현들

- **be an item** 사귀다 item 관심거리가 되는 couple
  We are still an item. 우린 아직도 사귀어.

- **be jazzed** 들뜨다(be excited)
  I'm completely jazzed about this.
  난 이거에 완전히 들떴어.

- **all that jazz** 기타등등(things like that)
  Must be all that jazz. 다른 것도 다 그랬겠구나.

- **the jig is up** 들통나다, 뽀록나다
  The jig is up, Mom. 뽀록났어, 엄마.

And the moment of joy is upon us. 그리고 우리의 즐거운 순간이 다가오는군.

Most likely some kid looking for a joyride.
대개, 일부 아이들은 차를 훔쳐 몰고 싶어해.

- Cops said it was probably just kids, joyriding.
  경찰은 그건 아마 아이들이, 차훔쳐타기였을거라고 했어.

■ **joy ride**는 남의 차를 훔쳐 타고 제멋대로 모는 것을 말하며 또한 비유적으로 그런 자유분방한 행위를 말한다.

And the moment of joy is upon us.
그리고 우리의 즐거운 순간이 다가오는군.

- Life is joy, death is peace. 삶은 즐겁고, 죽음은 평화로운거야.
  Our life together has brought me more joy.
  우리 함께 살아서 나 더 큰 즐거움을 받았어.

■ **~be a real joy**는 '…는 커다란 즐거움이다' 그리고 bring sb joy는 'sb에게 즐거움을 가져다주다' 라는 의미.

There's no joy that lies before us today.
오늘 우리 앞에는 기쁜 일이 없을거야.

- I tried calling her from the hotel when I got into town, but no joy.
  시내에 와서 호텔에서 걔한데 전화를 걸었는데 실패했어.

■ **no joy**는 '실패' 라는 말로 원하는 것을 얻지 못한 경우에 사용한다. 물론 joy가 기쁨이라고 쓰이는 것은 기본이어서 kill joy하면 흥을 깨다라는 말이 된다.

Your words give my heart great joy.
네 말들은 내 맘을 아주 기쁘게 해줘.

- I'm gonna go continue to spread the joy. 난 계속 사람들을 기쁘게 해줄거야.
  I'm great at spreading the joy. 사람들을 기쁘게 해주는 걸 난 잘해.

■ **give ~ great joy**는 '…에게 큰 즐거움을 주다,' 그리고 spread the[one's] joy 역시 다른 사람들을 기쁘게 해주다라는 의미.

MORE EXPRESSION

joyful 아주 기쁜
joyous 아주 기뻐하는

 Don't be judgmental. 비난하지마.

Don't judge a book by its cover.
겉만 보고 사람을 판단하지마.

- You can't judge a book by its cover. 겉만 보고 판단하면 안돼.

■ **judge a book by its cover**는 유명표현으로 책표지로 책을 판단하지 말라는 아주 좋은 표현. 하지만 현실에서 표지가 서적판매를 많이 좌우(^^)하듯 겉만 보고 판단하는 경우가 많은게 현실. 참고로 It's not for sb to judge~라 하면 sb가 '판단할 일은 아니다란 말.

I'm not here to judge you.
널 비난하러 여기 온게 아냐.

- You have no right to judge me. 넌 날 비난할 권리가 없어.
  A: Are you judging me? B: I'm not judging you.
  A: 날 비난하는거야? B: 널 비난하는게 아냐.

■ **judge sb**는 주로 상대방을 부당하게 비난한다는 의미로 의외로 미드에서 많이 쓰이는 표현이다. 그냥 판단한다라고 해석하면 어색할 때가 많다.

I
J
K

Don't be judgmental.
비난하지마.

- I don't need you getting all judgmental.
  네가 그렇게 비판을 일삼지 않았으면 해.

  You see, and you thought she'd be judgmental.
  봤지, 그리고 걔가 비판을 잘한다고 생각했잖아.

■ be judgmental은 미드에서 많이 쓰이는 표현으로, 여기서 judgmental은 '남에 대해 비판적인' 이라는 의미이다.

I'll be the judge of that.
내가 판단할 일야.

- We'll be the judge of that. 우리가 그걸 판단할거야.

  We'll let the medical examiner be the judge of that.
  우린 의료진이 그걸 판단하도록 할거야.

■ be the judge of~는 …의 재판관이다라는 말로 '…는 내가 판단하겠다' 라는 의미. 달리 let me be the judge of~라고 쓰기도 한다.

You are a pretty good judge of people.
넌 사람보는 눈이 아주 좋아.

- You are a smart girl, you're a good judge of character.
  넌 영리한 소녀야, 사람보는 눈이 있어.

■ be a good[bad] judge of character는 '사람보는 눈이 있다[없다]' 라는 표현. of 이하에는 character 뿐만 아니라 다른 단어를 써도 된다.

Judging from the smaller wheel base, I'd say it's a compact.
작은 휠베이스로 보건대, 컴팩트차인 것 같아.

- Judging from the fractures, they think he was beaten with something. 골절로 봐서, 걔가 뭘로 맞았다고 생각돼.

  Judging from the bruising, he was probably strangled with a wire. 타박상으로 봐서, 걘 줄로 교살당한 것 같아.

■ judging from sth은 '…로 미루어보아,' '…로 판단하건대' 라는 의미의 표현으로 뭔가 의견을 말할 때 그 근거로 제시할 경우에 사용한다.

I'm not passing judgment on your ability.
네 능력에 판단을 내리는 게 아냐.

- Have I passed judgment on your breakfast habits?
  네 아침식사습관에 뭐라고 한 적 있어?

  People in church love to pass judgment on others.
  교회사람들은 다른 사람들에게 의견제시하는 걸 좋아해.

■ pass judgment on은 '…에 대한 판결을 내리다' 혹은 '…에 대한 의견을 제시하다' 라는 의미.

MORE EXPRESSION

judgement call 개인적 판단에 따른 결정

» jump

I'd love to get a jump on traffic. 교통체증에 안걸렸으면 좋겠어.

You're not the one she jumped all over.
걔가 호되게 꾸짖은 건 너뿐만이 아냐.

- Pete's jumping all over me. 피트가 날 엄청 비난했어.

  He starts jumping all over me about what I'm wearing.
  걘 내가 입은 거에 대해 호되게 꾸짖었어.

■ jump all over sb는 sb를 '몹시 비난하다,' '다그쳐 추궁하다,' '호되게 꾸짖다' 라는 뜻이 된다. jump down sb's throat도 같은 맥락의 의미.

Make him nervous and jumpy.
걜 초조하고 예민하게 만들어.

- They make him jumpy or startled? 걔네들이 걜 신경질적이고 놀라게 만들었어?
  Hey, Ken Cleary. A little jumpy this morning?
  야, 켄 클리어리. 오늘 아침 좀 예민하네?

 jumpy는 신경질적인, 예민한, 조마조마하는이라는 의미.

Don't call the cops when they get jumped.
강도를 당했을 때 경찰은 부르지마.

- Maybe she was headed home and she got jumped by some guy. 아마 걘 집으로 향했고 어떤 놈한테 강도를 당했을거야.
  He says he got jumped on the way home.
  걘 집에 가는 중에 강도를 만났대.

get jumped는 다른 사람이 주어에게 달려든다는 의미로 '습격당하다,' '강도당하다' 라는 의미.

I'd love to get a jump on traffic.
교통체증에 안걸렸으면 좋겠어.

- You can get a jump on Christmas shopping today.
  오늘 일찍 크리스마스 선물을 사.
  Just thought I'd get a jump on things. How was your trip?
  좀 앞서갈려고 생각했어. 네 여행은 어땠어?

get a jump on~은 다른 경쟁자나 다른 일이 시작되기에 앞서 먼저 시작을 해서 유리하거나 다른 사람보다 앞지르다(get ahead of competitors or get ahead of others who want to do the same thing)라는 의미.

Give her a jump start.
그 차 점프스타트시켜.

- The popular movie jump started the actor's career.
  그 인기 영화는 배우의 경력에 많은 도움을 줬다.
  We can get a jump start on your veganism.
  우리는 네가 당장 채식주의자가 되게 할 수 있어.
  You mean smokers get a jump start on the poisoning process?
  흡연자들은 담배 때문에 다른 사람들보다 빠르게 몸이 상한다는 말이지?

jump start는 자동차시동이 안걸릴때 다른 차의 밧데리를 이용해 시동을 거는 것을 뜻하는 말로 비유적으로 '많은 노력을 기울여 …을 시작하다,' '도약하다' 라는 의미로 쓰인다. 한편 get a jump start on은 앞의 표현에 start만 붙인 것으로 '다른 사람보다 먼저 시작하다' (someone begins something before others)라는 뜻이다.

MORE EXPRESSION

Jump to it! 서둘러!
take a running jump 꺼지다
jump the tracks 탈선하다

» jury

 The jury is still out. 배심원단이 아직 결정못했어.

I
J
K

The jury is still out.
배심원단이 아직 결정못했어.

- The jury still out on that. 배심원단이 그거에 대해 아직 결정을 못내린 상태야.
  It's cutting edge. The jury's still out.
  그건 첨단기술이야. 아직 지켜봐야 돼.

the jury is (still) out on sth는 배심원단(the jury)이 아직 on 이하에 대한 최종결정을 내리지 못했다는 표현. 비유적으로 좀 더 지켜보다, 아직은 모른다라는 의미로도 쓰인다.

You ever been on a jury before?
배심원 해본 적 있어?

- I was on a jury over the summer. 여름동안 배심원했었어.

    I mean, who wants to serve on a jury if there's a chance of being killed? 내 말은 살해위험이 있다면 누가 배심원을 하고 싶겠어?

    She wanted to serve her jury duty. 걘 배심원을 하기를 원했어.

■ sit[serve] on a jury는 배심원을 맡게 되다, 배심원을 하다 라는 뜻으로 sit, serve 대신에 be를 써도 된다. 또한 이런 의무를 jury duty라 하는데 배심원에 지정되면 배심원으로 판결에 임해야 하는 의무를 말한다.

The grand jury's got enough to indict him.
대배심은 걔를 기소하기에 충분했어.

- This is just a Grand Jury hearing. 이건 단지 대배심일 뿐이야.

    A judge in New Jersey will tell my story to a Grand jury.
    뉴저지의 한 판사가 내 이야기를 대배심에 말해줄거야.

■ Grand jury은 미국의 대배심제도로 일반시민이 참여하여 사건의 기소여부를 결정하는 제도로 오리지널 Law and Order를 보다보면 자주 나온다.

Hung jury. Hopelessly deadlocked.
불일치배심야. 절망적으로 막다른 골목에 몰렸네.

- A: What a surprise. I'm a little out of breath. B: Oh, hung jury?
    A: 놀라워. 숨이 좀 차네. B: 어, 불일치배심야?

■ hung jury는 배심원단이 만장일치가 되지 않아 판결을 못 내리는 상태인 '불일치 배심'을 뜻한다.

My compliments don't do you justice. 내가 칭찬을 아무리 해도 너희 선행에 부족해.

The photos don't do justice to the island.
사진들이 섬의 모습을 제대로 담지 못했어.

- The diamond ring doesn't do justice to your beauty.
    다이아몬드 반지는 너의 아름다움에 부족해.

    I can't do justice to describing the movie.
    난 그 영화의 묘사를 제대로 못하겠어.

■ do justice to sb[sth]는 '공정히 평가하다,' '정당하게 취급하다' 라는 의미.

The photos don't do Cindy justice.
신디의 사진이 제대로 나오지 않았어.

- My compliments don't do you justice.
    내가 칭찬을 아무리 해도 너희 선행에 부족해.

■ do one justice는 '제대로 안 나오다,' '…에 부족하다' 라는 의미.

I am of the belief that justice has been served.
정의는 이루어진다는 믿음을 갖고 있어.

- He tells them how happy he is that justice has been served.
    걘 정의가 이루어져 얼마나 기쁜지 그들에게 말했어.

    He's serving a life sentence without the possibility of parole.
    Justice has been served. 걘 가석방없는 종신형을 살고 있어. 당연한 처벌을 받은거지.

■ justice has been done [served]은 정의가 이루어졌다, 당연한 처벌을 받았다, 정당한 일이 벌어졌다라는 의미.

Keep out of this! 끼어들지 마!

Keep going!
계속 해!

- You cannot keep going like this. 넌 이렇게 계속갈 수는 없지.
  Let us keep trying as long as we can. 할 수 있는한 우리는 계속 노력해보자.

■■ keep going은 어떤 일이나 행위를 계속하라는 격려용 혹은 채근용 표현. 또한 keep trying은 멈추지말고 계속 노력해보라는 표현.

I didn't think she should keep it going.
걔가 그걸 계속 작동시켜야 한다고 생각하지 않았어.

- That's good. Now just keep it going, ready? 좋아. 이게 계속 돌아가게 해, 준비됐어?
  Just a little thing I do to keep me going. 내가 계속 일하기 위해서 하는 작은 거야.

■■ keep sb[sth] going은 sb나 sth을 움직이게 하다, 작동하게 하다라는 의미.

I don't know what's keeping him.
걔가 뭣 때문에 늦어졌는지 모르겠어.

- What's keeping him? 걔 왜 이렇게 늦지?
  We have no idea what's keeping him up there. 걔가 뭣 때문에 위에서 늦어지는지 모르겠어.

■■ What's keeping sb는 앞의 What hold~처럼 sb가 왜, 무엇 때문에 늦어졌는지 물어보는 표현.

I kept myself busy.
그동안 바빴어.

- I kept myself busy by cleaning the house. 집안 청소하느라 바빴어.
  Where have you been keeping yourself? 도대체 어디있었길래 코빼기도 안보였니?

■■ keep oneself busy는 keep busy와 같은 말로 바쁘다라는 의미. 하지만 busy 빼고 의문으로 keep oneself하면 최근에 어떻게 지내냐고 물어보는 표현이 된다.

I won't keep you any longer.
네 시간 그만 뺏어야겠다.

- I won't keep you any longer, I know how busy you are. 네 시간 그만 뺏을게, 네가 얼마나 바쁜지 알아.
  I understand. I wouldn't wanna keep you any longer. 알아. 네 시간 많이 뺏지 않을게.

■■ keep sb any longer는 sb를 더 이상 잡지 않겠다는 말로 주로 전화를 끊으면서 하는 말.

Better keep still about it.
입다물고 있는게 좋을거야.

- OK, let's go. Shh. Keep quiet. 좋아, 가자. 입다물어.
  I offered her a grand to keep quiet. 걔한테 입다물라고 천달러를 줬어.

■■ keep still[quiet] about~ 나 keep sth quiet은 어떤 사실을 함부로 발설하지 말라는 말. 또한 It'll keep이라고 하면 '비밀로 지켜질거야' 라는 말이 된다.

It's hard to keep up.
따라잡기 힘들어.

- We tried following you, but it was hard to keep up. 널 따라갈려고 했지만 쫓아가기 힘드네.
  You know, it's hard to keep up with it all. 저기 말야, 그거 따라잡기가 힘들어.

■■ be hard to keep up은 계속 유지하기(keep up) 혹은 따라잡기(keep up) 힘들다라는 표현.

Keep it up pal, you'll get hurt.

친구야, 계속 열심히 해, 다칠지 몰라.

- **This is going very well gentlemen, keep it up.**
  이거 잘풀리고 있네 신사양반, 계속 잘하라고.

  You did great work. Keep it up. 일 아주 잘했어. 계속 잘해봐.

  Keep in there! 그 상태로 계속 열심히 해!

■ keep it up은 계속 유지하다라는 말로 지금처럼 그렇게 '계속 열심히 하다'라는 표현. 또한 keep in there 또한 '그 상태로 계속 열심히 하다'라는 의미의 표현이다.

Keep out of this!

끼어들지마!

- **I'm trying to keep out of it.** 끼어들지 않으려고 해.

  He wants me to keep out of it for now. 걘 내가 지금은 끼어들지 않기를 바래.

■ keep out of~는 …로부터 벗어나 있으라는 말로 '…을 피하다,' '…을 하지 않다,' '…에 끼어들지 않다'라는 의미.

Keep you from looking like an idiot.

네가 바보처럼 보이지 않도록 말이야.

- **She's trying to keep me from talking to anybody.**
  내가 다른 누구와도 얘기하지 못하도록 하려고 해.

  That's gonna keep me from seeing him. 그렇게 되면 걜 보지 못하게 될거야.

  She can barely keep herself from smiling. 걘 간신히 웃음을 참을 수 있었어.

■ keep sb[sth] from ~ing는 '…가 …하는 것을 막다,' '…가 …하지 못하게 하다'라는 뜻. 따라서 keep oneself from ~ing는 스스로 자발적으로 하지 않다라는 의미가 된다.

Hey, keep off the grass! Go on, get outta here!

야, 잔디밭에 들어가지마! 어서, 나가!

- **You're going to have to keep off it a couple of weeks.**
  몇주간 그걸 멀리해야 할거야.

  Just try to keep it off your mind until then. 그때까진 그걸 맘속에서 멀리해.

■ keep off sth은 떨어진 상태로 유지한다는 말로 '멀리하다,' '피하다'라는 의미.

Keep this to yourself.

이건 비밀이야.

- **Now, you keep this to yourself while we work it out.**
  우리가 해결하는 동안 이거 비밀로 해야 돼.

  You keep this to yourself! Not a word. 이거 비밀로 해. 한마디도 하지마.

  Nobody's gonna protect me. I mostly keep to myself.
  아무도 날 지켜줄려고 하지 않아. 대개 나 혼자 지내.

■ keep sth to oneself는 스스로에게 sth를 간직한다는 말로 '비밀로 하다,' '너만 알고 있어라' 등의 의미. 반대로 나한테 비밀로 하고 안알려줄 경우에는 keep sth from me라 한다. 반면 keep to oneself는 사람들과 어울리지 않고 '혼자 지내다'라는 의미.

놓치면 원통한 미드표현들

- **jock** 운동선수
  You said I was a high school jock.
  넌 내가 고등학교 운동선수라고 했어.

  Well, here come the jocks and cheerleaders. 어, 선수들과 치어리더가 온다.

- **juice sth up** 흥미를 느끼게 하다 *Where's the juice? 요점이 뭐야?(What's your point?)
  You get juiced up hearing them scream.
  넌 걔네들이 비명지르는 것을 듣고 흥분해.

I'm going to juice up this drink.
이 음료를 맛나게 먹을거야.

- **juicy** 재미있는, 매우 성적인
  Chris wanted to give us the juicy details.
  크리스는 성적으로 자세한 이야기를 해주고 싶어했어.

  My gossip's too juicy to wait.
  내 가십은 너무 야해 기다릴 수가 없어.

I'm sure he can't keep up with you.

걔가 널 따라갈 수 없다고 확신해.

- When I couldn't keep up with her, she gave me Viagra.
  내가 걜 따라가기 벅차니 내게 비아그라를 줬어.

  Stop trying to keep up with the Joneses. 뱁새가 황새 따라가려다 가랑이 찢어져.

keep up with sb는 '…에 뒤처지지 않도록 쫓아가다,' '…에 뒤지지 않다' 라는 의미로 경쟁관계를 밑에 깔고 있는 표현이다. 또한 keep up with the Joneses는 '남부럽지 않게 살다' 라는 뜻. 가장 흔한 이름중 하나인 Jones의 복수형을 쓴 표현이다.

Would you keep it down?

조용히 좀 해줄래요?

- Can you keep it down, please? 좀 조용히 해주라.

  Would you keep it down, she's gonna hear you! 조용히해, 걔가 듣겠다!

keep it down는 '조용히 하다,' 혹은 '줄이다' 라는 뜻이 된다.

All right. Keep at it.

좋아. 끝까지 버텨.

- If we keep at it, we'll finish soon. 우리가 포기하지 않으면 곧 끝낼 수 있을거야.

  You may have failed, but you must keep at it.
  넌 실패할 수도 있어 하지만 끝까지 버텨야 돼.

keep at it은 어렵고 힘들더라도 포기하지 말고 끝까지 버티고 견디다라는 말.

But why should that keep me up?

하지만 왜 그거 때문에 내가 잠을 못자야 돼?

- It was something else keeping me up last night.
  지난밤에 잠을 못잔 건 다른 것 때문이야.

  This whole dating drama has been keeping me up at night.
  이 연애드라마 때문에 간밤에 잠을 못잤어.

keep sb up은 sb를 up하게 한다는 말로, 즉 자지 못하게 않는다는 의미로 '…을 잠못들게 하다' 라는 표현.

I do my part, earn my keep.

난 내 역할을 했고 생활비를 벌어.

- But some gifts are for keeps. 하지만 어떤 선물들은 오래가.

  She's not your keeper. She has no responsibility for you.
  걘 네 책임자가 아냐. 너를 책임질 의무가 없어.

earn one's keep은 생활비를 벌다, for keeps는 영원히 (for ever) 그리고 be not one's keeper는 '…의 책임자가 아니다' 라는 말이다.

MORE EXPRESSION

How are you keeping?
어떻게 지내?

» kick

 I need to kick back and relax. 난 쉬어야겠어.

I kicked myself the entire night for doing it.

난 그걸 한거에 대해 밤새 자책했어.

- I could kick myself for giving him my money.
  걔한테 돈을 준 걸 자책할 지도 몰라.

  I kicked myself for not asking you out that summer.
  난 지난 여름 네게 데이트 신청을 안한 걸 자책했어.

kick oneself는 스스로를 차다라는 말로 '자책하다' 라는 의미. 자책해야 될 짓은 for~이하로 적어주면 된다.

I J K

The press kicks politicians when they are down.
언론은 정치가들이 곤경에 빠졌을 때 비난을 해.

- Helen is sad. Don't kick her when she is down.
  헬렌은 슬퍼해. 어려울 때 뭐라하지마.

  It's a bad thing to kick people when they are down.
  사람들이 어려울 때 비난하는 것은 나쁜 일이야.

kick sb when sb are down은 쓰러져 있는 사람 패는 거 연상하면 되는 표현으로 '어려운 상황에 몰린 사람을 비난하거나 공격하다' 라는 의미.

We kicked around some ideas last night.
우린 지난밤에 여러 아이디어들을 검토했어.

- There were a lot of different ideas kicking around.
  토의해야 할 많은 다른 생각들이 있었어.

  Let's kick around some ideas before starting.
  시작하기전에 아이디어를 검토하자.

kick around는 '사람들의 의견을 알아보다,' '제안 등을 검토하다' 라는 의미로 많이 쓰이며, 그냥 물리적인 의미로 뭔가 '발로 패는 것' 을 뜻할 때도 있다.

How about a little private party to kick things off?
작게 사적으로 개인파티를 열면 어때?

- All right, Tyra Banks is about to kick someone off.
  좋아, 티아라 뱅크스가 누군가를 내쫓으려고 해.

  Did I miss anything? Did they kick Giselle off?
  내가 뭐 놓쳤어? 걔네들이 지젤을 내쫓았어?

kick off는 축구에서 '킥오프' 라고 하듯 '어떤 회의나 행사 등을 시작하다' 라는 뜻으로 쓰인다. 물론 kick sb off의 경우에는 '내쫓다' 라는 뜻이 된다.

Blair, are you really gonna kick her out?
블레어, 정말 걜 쫓아낼거야?

- She kicked you out of her house? What happened now?
  걔가 널 집에서 쫓아냈어? 무슨 일인데?

  You want to get kicked out? 너 쫓겨나고 싶어?

kick out은 '내쫓다' 라는 뜻으로 get kicked out of school 하면 '학교에서 잘리다' 라는 말이 된다.

I need to kick back and relax.
난 쉬어야겠어.

- This is one of my favorite places to kick back.
  여기는 내가 좋아하는 쉬는 장소 중 하나야.

  Were they getting kickbacks? 걔네들이 뇌물을 받았어?

kick back은 느긋하게 쉬다(relax)라는 단순한 표현이지만 은밀한 거래속에서는 '뇌물을 주다,' 그리고 kick back하면 명사로 '뇌물' 이라는 단어로 쓰인다.

It'll take about 10 minutes to kick in.
효과가 나타나는데 한 10분 걸릴거야.

- If he feels trapped, his animal instinct's gonna kick in.
  함정에 빠졌다고 느끼면 걔의 동물적 본능이 발휘될거야.

  Well, it usually takes an hour for a drug like that to kick in.
  어, 그런 약이 효과를 나타내는데는 한시간 정도 보통 걸려.

kick in은 '효력이 나타나다' (have an effect)라는 의미 그리고 '돈을 갹출하여 돕다' (chip in)라는 의미로 각각 쓰인다.

Ain't that a kick in the head?
정말 뿅가는 일 아냐?

- Oh. Well... Ain't that a kick in the head. 어. 저기… 정말 멋진 일 아냐.

  I guess I've just been waiting all this time for a good kick in the head. 난 정말 기분좋은 경험을 위해 지금껏 내내 기다려왔던 것 같아.

kick in the head는 정신적으로 기분 좋은 경험이나 일을 뜻한다.

Yeah, for kicks.
그래, 재미로.

- **I do it for kicks.** 난 재미로 한건데.
  She's doing it purely for kicks. 걘 그걸 순전히 재미로 해.
  Just kicking it. 좀 바쁘게 지내

I thought you'd get a kick out of it.
난 네가 그것을 아주 즐길 줄 알았어.

- **I thought you might get a kick out of seeing.**
  난 네가 보는데서 즐거움을 느낄거라 생각했었어.
  You're going to get a kick out of me feeding you like a baby.
  넌 내가 널 아기처럼 먹이는걸 아주 좋아할거야.

It's a kick in the pants!
야 이거 예상치 못한 낭패야!

- **Well... Ain't that a kick in the pants.** 저기, 정말 뜻밖의 낭패야.
  You know what it's worth? A kick in the teeth!
  그게 무슨 가치가 있는 줄 알아? 뜻밖의 낭패야.

» kid

Don't kid yourself? 장난해?

No, I'm just kidding. This is great.
아니, 농담야. 이거 대단해.

- **I'm just kidding. It was a joke.** 농담야. 조크였어.
  I'm just kidding. You look fine. 농담야. 너 좋아 보여.

I'm not kidding.
정말이야.

- **I'm not kidding. Those are their real names.** 정말야. 그게 걔네 본명야.
  I'm not kidding. We think there's gonna be more.
  정말야. 우리는 더 있을거라 생각해.

You're kidding! Who is he?
농담마! 걔가 누구야?

- **You're kidding! It took me forever to read that.**
  정말야 난 그거 읽는데 진짜 오래걸렸어.
  You're kidding! How did that happen? 장난마! 어쩌다 그렇게 된거야?

You've got to be kidding!
농담마!

- Oh, come on, you got to be kidding me. 이러지마, 너 나 놀리는거지.
  Oh. Uh, you have got to be kidding. I do not believe this.
  말도 안되는 소리. 난 안믿어.

■ You've got to be kidding (me) 역시 상대방 말이 믿기지 않거나 놀라운 소식을 접했을 때 '웃기지마,' '농담말아' 라는 뜻이 된다. You must be kidding!이라고 해도 된다.

Are you kidding?
농담하는거야?

- Are you kidding me? You want me to snitch? 농담해? 나보고 고자질하라고?
  Are you kidding? They're older than I am. 농담해? 걔네 나보다 나이들었어.

■ Are you kidding (me)? 마찬가지로 상대방의 믿기지 않는 말에 '농담하는거야?' 혹은 '무슨 소리야?' 라는 말.

No kidding, is she here?
설마, 걔가 여기 있어?

- No kidding. How do they track the car? 농담이지. 어떻게 차를 추적한거야?
  A: They still love each other. B: Oh, no kidding.
  A: 걔네들은 서로 사랑해. B: 설마.
  No kidding. Those dudes are nuts. 너 농담해. 저녀석들 멍청이야.

■ No kidding 역시 같은 맥락의 표현으로 상대방의 말에 약간 놀라거나 혹은 사실확인시 '설마?,' '너 농담하내!,' '진심야,' '농담이지?' 그리고 사람들 다 아는 사실을 이제야 알았냐고 말할 때도 쓰이는데 이때는 '그걸 이제야 안거야' 라는 뜻이 된다.

I kid you not.
정말이야.

- A firing squad, I kid you not, was waiting for that kid back in Havana. 정말야, 총살집행대가 하바나에서 저 소년이 돌아오기를 기다리고 있었대.
  I kid you not. She's keeping it warm.
  정말이라니까 걘 그걸 따뜻하게 하고 있었어.

■ I kid you not은 난 널 놀리는 게 아냐라는 말로 자신의 말이 거짓이 아닌 진실임을 강조하는 표현.

You know, Jane used to kid me about you.
저기 말야, 제인은 너에 관해서 나를 놀리곤 했어.

- You wouldn't be trying to kid me, would you?
  지금 그 말을 나더러 믿으라는 건 아니지?
  It would be cruel to kid me. 날 놀리는 건 잔인한 걸거야.

■ kid sb는 sb를 '놀리다,' '약올리다' 라는 말.

Don't kid yourself?
장난해?

- Don't kid yourself. I'm the ultimate mercenary.
  내 말 정말야. 난 최고의 용병야.
  Don't kid yourself, honey. I didn't do it for you.
  정말야, 자기야. 난 자기 때문에 그런거아냐.

■ don't kid oneself는 '솔직해져라,' 혹은 '내말은 정말야' 라는 의미.

How's your kid?
애 어때?

- I'm not a kid anymore. 난 더 이상 어린애가 아냐.
  All you can do is love your kids.
  네가 할 수 있는 거라곤 네 아이들을 사랑하는거야.

■ a[one's] kid는 kid가 명사로 쓰인 경우로 어린 아이들을 말한다.

Oh, you're killing me here. 어, 너 날 왕짜증나게 하네.

Look at those thighs. I'd kill for Tina's thighs.

저 허벅지 좀 봐. 티나처럼만 되면 뭐든지 하겠어.

- I'd kill to have Ellis Grey as a mother.
  엘리스 그레이가 내 엄마라면 원이 없겠어.

  Most people would kill to have that in their lives.
  대부분의 사람들은 삶에서 그걸 가질 수 있다면 뭐든지 할거야.

■ **would kill for+N[to do]** 는 강렬한 소망을 말하는 표현으로 '뭐든지 하겠다' 라는 뜻으로 would do anything~과 같은 의미의 표현.

It wouldn't kill you to slow down a little.

조금 속도를 늦추어도 괜찮을거야.

- Well it wouldn't kill you to say it once in a while.
  어, 가끔 그걸 말해도 괜찮을거야.

  It wouldn't kill you to acknowledge that some things are sacred. 어떤 것들은 성스럽다고 인정을 해도 상관없을거야.

■ **It won't[wouldn't] kill sb to do~**는 호연지기를 강조하는 표현으로 sb가 to 이하를 해도 죽지 않을 것이다, 즉 '…해도 괜찮을 것이다' 라는 말이다.

I'll stay married, even if it kills me.

난 죽어도 이혼하지 않을거야.

- I'll tell him the truth, even if it kills me. 죽더라도 진실을 말할거야.

  I'll finish writing the book, even if it kills me. 죽더라도 그 책을 끝낼거야.

■ **(even) if it kills me**는 '죽어도' 라는 말로 자기가 하고자 하는 행동을 꼭 실천하겠다고 다짐하는 표현.

My head is killing me.

머리 아파 죽겠어.

- Suspense is killing me. 긴장감 때문에 미치겠어.

  The anticipation's killing me. 기대감 때문에 죽겠어.

■ **kill sb**는 주어로 신체부위가 오면 신체가 아파 죽겠다, 그리고 기타 다른 명사가 와서 sth kill sb하면 '…때문에 슬프거나 짜증나다' 라는 말이 된다. 한편 sb kill sb하면 '매우 화나다' 라는 표현이 된다.

Oh, you're killing me here.

어, 너 날 왕짜증나게 하네.

- Stop it! You're killing me! 그만해! 너 때문에 왕짜증난다!

  I hate you! You're killing me! 난 네가 싫어! 너 때문에 내가 미쳐!

■ **You're killing me**는 주어인 you가 나를 귀찮게 하고 짜증나게 한다는 표현. 또한 Kill me now(KMN)는 농담조로 난 쓰레기 같은 인간이니까 혹은 불행하니까 '죽여줘' 라는 조크성 표현.

I made a killing.

나 떼돈 벌었어.

- They made a killing in Las Vegas. 걔네들 라스베가스에서 횡재했어.

  We are gonna make a killing tonight. 우린 오늘 횡재할거야.

■ **make a killing**는 아주 '큰 돈을 벌다,' '횡재하다' 라는 의미.

I thought she and Hyde were just killing time.

걔하고 하이드가 그냥 시간보내는거라고 생각했어.

- I don't know, really. Just killing time, I suppose.
  난 모르겠어, 정말. 그냥 시간이나 보낼까봐.

  I'm just killing time. 그냥 시간이나 보내고 있는거야.

■ **kill time**은 특정한 일을 하지 않고 그냥 시간을 죽치고 있는 것을 말한다.

I
J
K

I have come up with this killer idea.

난 아주 멋진 생각을 해냈어.

- We've got to throw you a killer bachelor party!
  네게 죽여주는 총각파티를 열어줘야겠어!

  This guy! He has a killer apartment. 이 친구! 걔 아파트는 아주 죽여줘.

 killer는 살인자라는 명사도 되지만 구어체에서는 형용사로 '죽여주는,' '아주 멋진' 이라는 의미로 쓰인다.

He's training serial killers.

걔는 연쇄살인범을 훈련시키고 있어.

- So he's our killer. Case closed. 걘 우리가 찾는 살인자야. 사건종결해.

  Are you aware that viagra is a killer for men with heart problems?
  비아그라가 심장병이 있는 남자에게는 치명적이라는 걸 알고 있어?

  I heard Jack took your pain killers. 잭이 네 진통제를 가져갔다며.

killer가 원래 의미대로 쓰인 경우. 살인자라는 뜻이고 연쇄살인범은 serial killer라 한다. 또한 경찰 살해범은 cop killer, 바람둥이는 lady killer 그리고 진통제는 painkiller라 한다.

It's really a major buzz-kill.

정말 분위기 확 깨게 하네.

- What are you, on buzz kill patrol tonight?
  너 뭐해, 오늘밤 기분잡치는 순찰야?

  You're right, buzz kill. This tells us next to nothing.
  네 말이 맞아, 이 기분잡치는 놈아. 이건 우리에게 아무것도 얘기해주지 않아.

buzz-kill은 분위기 깨는, 기분잡치게 하는 사람이나 혹은 그런 것을 뜻하는 속어.

This was a mercy killing.

이건 안락사였어.

- This wasn't a mercy killing. This was an execution.
  이건 안락사가 아냐. 처형였어.

mercy killing은 자비로운 살해, 즉 안락사를 말한다.

MORE EXPRESSION

kill two birds with one stone
일석이조
killer instinct 킬러본능
go in for the kill 결정타를 날리려하다

» kind

 We're two of a kind. 우리는 똑같아.

I'm not that kind.

난 그런 사람 아냐.

- Not that kind of shrink. 난 그런 종류의 정신과의사가 아냐.
  I guarantee you I am not that kind of attorney.
  내 장담하는데 난 그런 종류의 변호사가 아닙니다.

not that kind (of~)는 '그런 종류의 …가 아니다' 라고 자신의 진면목을 설명하는 표현.

It's one of a kind.

아주 귀한 거야.

- It's gotta be one of a kind. 그건 아주 귀한 것일거야.
  Isn't that a kind of sushi? 저건 일종의 스시아냐?
  We're two of a kind. 우리는 똑같아.

one of a kind는 보기 드문, 유례를 찾기 힘든이라는 표현. '일종의' 라는 a kind of와 헷갈리면 안된다. 또한 two of a kind하면 '아주 비슷한' 이라는 의미.

I said nothing of the kind.

난 그런 얘기를 안했어.

- No one said anything of the kind to Neil Armstrong.
  아무도 닐 암스트롱에게 그런 종류의 말을 하지 않았어.

  Get a chocolate cake, or something of the kind
  초콜렛 케익 아니면 그런 종류로 가져와.

We kinda need to talk.

우리 좀 얘기해야겠어.

- We just actually kinda wanted to be alone. 우린 실은 좀 혼자 있고 싶어.
  You're such a kind person. 정말 친절하시네요.

■ nothing[anything] of the kind는 앞에 말한 '그런 것이 아니다' 라는 이야기이고 something of the kind는 앞에 말한 '그런 비슷한 것' 혹은 '그저 그런 것' 이라는 뜻이 된다.

■ kind of는 구어체에서 kinda로 표기되기도 하는데 의미는 '약간,' '좀' 이라는 의미로 sort of[sorta]와 같은 뜻이다. 뒤에 'a' 가 붙지 않는다는 점에 주의해야 하며 또한 친절한이라는 의미의 kind와도 구분해야 한다.

» kink

Let's see how kinky our guy was. 우리가 찾는 범인이 얼마나 이상한지 보자고.

I'm working out the kinks.

난 문제들을 해결하는 중이야.

- Don't worry, it's just a small kink. 걱정마, 쉽게 풀 수 있는 문제야.
  I kinked my hair. 난 머리를 꼬았어.
  How did it get a kink in it? 그안에 어떻게 비틀어진 선이 있는거야?

Let's see how kinky our guy was.

우리가 찾는 범인이 얼마나 이상한지 보자고.

- People who are truly kinky never use the word kinky.
  진짜 킨키한 사람들은 절대로 킨키라는 말을 쓰지 않는다.

  I guess I always thought of myself as a little kinky.
  난 항상 조금 변태스럽다고 스스로 생각했던 같아.

■ work out the kinks in~에서 kinks는 구부러진 것을 말하는 것으로 비유적으로 '문제'를 뜻한다. 따라서 전체 표현은 '조그만 문제들을 해결하다' 라는 뜻이 된다.

■ kinky는 좀 이상하다는 의미로 특히 '성적으로 특이한,' '변태스러운' 이라는 뜻을 갖는다. be into kink는 이상한 섹스행위를 하다라는 말이 된다.

» kiss

I never kiss and tell. 절대로 신의를 버리지 않아.

I'm not one to kiss and tell.

난 떠벌리는 사람은 아냐.

- Sorry, chief. I never kiss and tell. 미안해요, 반장님. 절대로 신의를 버리지 않아요.
  Had a great night last night. I don't like to kiss and tell.
  지난밤에 즐거웠어. 재미보고 떠벌리는 사람은 아냐.

■ kiss and tell은 신의를 저버리고 '서약을 깨다,' '비밀을 폭로하다' 라는 말.

Leo's attitude was the kiss of death at his job.
레오의 태도는 직장에서 안좋은 결과를 가져올 것이었어.

- Meeting Bonnie was the kiss of life for her boyfriend.
  보니를 만나는 건 걔 남친에게는 활력소였어.

  Wearing dirty clothes is the kiss of death at school.
  더러운 옷을 입고다니는 건 학교에서 좋지 않은 결과를 가져올거야.

■■■ the kiss of death는 겉으로 보기에는 좋아보이나 파국을 가져오는 일을 말하며 the kiss of life는 인공호흡이나 비유적으로 희생시켜주는 행위를 뜻한다.

He was always a good kisser.
걘 언제나 키스를 잘했어.

- Yeah, I'm a good kisser. 그래, 난 키스를 잘해.
  Wow, you're an amazing kisser. 와, 너 키스 하나 죽여준다.

■■■ good kisser는 kiss를 잘하는 사람, 더 잘하는 사람은 amazing kisser, 그리고 입술과 혀를 구분못할 정도로 헤매는 사람은 bad kisser라 한다.

» knock

 Knock yourself out! 좋은 시간 보내!

You could have knocked me over with a feather.
나, 정말 놀랐어, 쓰러질 뻔했다니까, 기절안한게 다행이라구.

- Carley knocked the old lady over on the sidewalk.
  칼리는 보도에 있는 노부인을 차로 쳤어.

  They knocked people over running out of the bar.
  걔네들은 사람들을 때려눕히고 바에서 달려나왔어.

■■■ knock sb over with a feather는 '…을 깜짝 놀라게 하다' 라는 의미. knock over는 원래 차가 사람을 치거나, 때려눕히는 것을 말한다.

Knock it off!
그만 집어쳐!

- Knock it off. Come on. Move! 그만해. 제발. 움직이라고!
  All right, that's enough. Knock it off. 좋아, 그만하면 됐어. 그만해.

■■■ knock it off는 상대방보고 짜증나게 하는 행동을 그만하라고 하는 표현으로 주로 명령형태로 쓰인다.

We were all knocked out.
우리 모두 뻗어버렸어.

- She's knocked out. She won't feel it. 걘 실신해서 그걸 느끼지 못할거야.
  A: Well, why didn't he rape her? B: She was knocked out.
  A: 왜 그가 걜 강간하지 않은거야? B: 실신했거든.

  These girls were real knockouts. 이 여자들 정말 끝내준다.

■■■ be knocked out은 권투에서 KO라는 말로 완전히 나가떨어지다, 뻗어버리다, 실신하다라는 의미. knock sb out하면 sb를 나가 떨어지게 하다라는 말. 명사형으로 knockout하면 명사형으로 실신할 정도로 '멋진' 그리고 '끝내주는 여자' 를 말하는 속어.

Knock yourself out!
좋은 시간 보내!

- A: I need to use the restroom. B: Knock yourself out.
  A: 화장실 좀 가야겠어. B: 좋은 시간 보내라고.

  A: Mind if we take a look? B: Knock yourself out.
  A: 둘러봐도 돼? B: 맘대로 해

■■■ knock oneself out은 스스로를 녹다운시킨다는 말로 혼신의 힘을 다하다라는 뜻이지만 구어체에서는 '맘대로 해봐,' '좋은 시간 보내' 라는 뜻으로 많이 쓰이는데 가끔 비꼴때도 사용된다. 따라서 Don't knock yourself out하면 더 이상 애쓰지 말라는 말이 된다.

You knocked her up!

걔 임신시켰구나!

- What about the kid that knocked her up, huh?
  걔 임신시켰던 그 애는 어때?

  I should have knocked her up when I had the chance.
  기회가 있을 때 걔 임신시켰어야 했는데.

I bet we could knock some sense into her.

우리가 걔가 분별있게 행동하게 할 수 있을거야.

- I wanna pay Eddie a visit, knock some sense into him.
  에디를 찾아가서 정신 좀 차리게 해야겠어.

I should knock your heads together.

난 너 정신 좀 차리게 해야겠어.

- Dad knocked our heads together when we fought.
  아빠는 우리가 싸울 때 서로 머리를 부딪히게 하면서 혼냈어.

  The police knocked some heads together to find the truth.
  경찰은 진실을 말하도록 하려고 사람들을 팼어.

  The new manager knocked some heads together.
  새로운 매니저가 아주 혼쭐을 냈어.

  That meal knocked our socks off. 그 식사가 너무 좋아서 우리는 까무러쳤어.

But I will, knock on wood.

하지만 그렇게 할게, 그렇게 계속 되길 빌어.

- You jinxed it. Quick, quick. Knock on wood.
  넌 그거에 징크스가 있잖아. 빨리, 빨리, 징크스를 깨야지.

  The storm may miss our area, knock on wood.
  폭풍이 우리 지역은 오지 않을 것 같아, 계속 이러기를.

Let's knock off the jokes, all right?

농담 좀 그만해라, 알았니?

- I get to knock off an hour early today. 오늘 한시간 일찍 끝낼게.
  Knock off the fighting or I'll call the cops! 싸움 그만두지 않으면 경찰부른다!

Let's go knock down some walls.

가서 벽좀 부수자.

- Hallway's knocked down. We're going in. 복도가 무너졌어. 우리가 들어간다.
  The city will knock down the old house because it's dangerous.
  시는 위험해서 오래된 집들을 철거할거야.

I'm gonna knock back this beer.

난 이 맥주를 빨리 마셔버릴거야.

- I feel like I can knock back a glass of wine. 와인 한잔 빨리 들이키고 싶어.
  They knocked back a lot of beer last night. 걔네들은 맥주를 엄청 마셨어.

■ knock sb up은 '여자를 임신시키다'(to make a woman pregnant)라는 표현. get knocked up하면 '임신하다'가 된다.

■ knock some sense into sb[sb's head]는 'sb를 정신차리게 하다,' '분별있게 행동하도록 하다'라는 의미. knock이란 단어에서 느낄 수 있듯 좀 강제성이 느껴지는 표현이다.

■ knock sb's heads together는 싸움을 말리고 정신을 차리게 하다(punish two people by pushing their heads together violently). 한편 knock some heads together는 혼쭐을 내다(scold severely)라는 표현. knock sb dead는 일반적으로 sb를 죽여줄 정도로 강한 인상을 주다, 뿅가게 하다 혹은 때려 죽이다. 또한 knock sb's socks off는 너무 좋아서 뒤로 까무라치다, 너무 놀라다라는 의미.

■ knock on wood는 미신에서 유래된 표현으로 자신의 행복이 계속되길 그리고 불행이 그만되길 바라는 맘에서 악마의 훼방을 받지 않도록 나무를 세 번 두드리는 데서 시작된 표현이다.

■ knock off는 중간에 끝내다, 깎아주다.

■ knock down은 '뭔가 때려 부수거나 쓰러트리는 것'을 말하며 또한 '차로 치다,' '값을 깎다'라는 뜻으로 쓰인다.

■ knock back은 많은 양의 술을 빨리 들이켜 마시다라는 뜻.

I
J
K

MORE EXPRESSION

knockers 유방
knock sb for six 큰 타격을 주다
knock the stuffing out of 열의를 꺾다
knock one's head[block] off 호되게 때리다
take a knock 타격을 받다

Wouldn't you just know it? 그걸 몰랐단 말야?

I know what I'm doing.
나도 아니까 걱정하지마.

- Nate, it's okay. I know what I'm doing. 네이트, 괜찮아. 내가 알아서 할게.
  I know what I'm saying. 나도 알고 하는 말이야.

Could have dyed his hair for all I know.
걘 아마 염색했을지도 몰라.

- For all I know, that guy's my soul-mate.
  아마도 저 남자가 내 소울메이트일지 몰라.
  She could be in the CIA for all we know. 걔는 CIA일 수도 있어, 누가 알겠어.

I wouldn't know.
알도리가 없지.

- I wouldn't know. I work from home. 내가 그걸 어떻게 알겠어. 난 집에서 일해.
  I wouldn't know. This is all I have. 내가 어떻게 알아. 이게 내가 갖고 있는 전부야.

Wouldn't you just know it?
그걸 몰랐단 말야?

- Which, wouldn't you know it? It's me. 몰랐단 말야, 그거 나야.
  Wouldn't you know it, we all hit traffic on the way.
  젠장, 우리 모두 차가 막혔어.

Before you know it, you'll be all upset.
순식간에, 넌 뒤집어질거야.

- We're gonna get real intimate before you know it.
  우린 금세 정말 친밀해질거야.
  I'll be there and back before you know it. 순식간에 갔다올게.

Do I know you?
저 아세요?

- Don't I know you from somewhere? 어디선가 만난 적이 있지 않나요?
  Do you two know each other? 두 분 아는 사이세요?

Don't I know it. So what's the plan?
말 안해도 알아. 그래 계획이 뭐야?

- A: It'll happen. B: Yeah, don't I know it? A: 그렇게 될거야. B: 그래, 나도 알아.
  It's been very tough. Don't I know it! 정말어렵대. 정말이라니까!
  Don't I know it. We face many problems. 정말이야. 많은 문제가 있어.

■■ **I know what I'm doing** 은 상대방이 날 못미더워해 간섭하는 경우에 쓰는 말로 '내가 다 알아서 해,' '나도 아니까 걱정하지마' 라는 표현. I know what I'm saying 역시 '알고 하는 말이야,' '내가 알아서 얘기한다구' 라는 말로 같은 맥락의 표현이다.

■■ **~ for all I know**는 자기 말에 확신이 없을 때 하는 말로 '아마도 …일지 모른다,' '…인지 누가 알어' 라는 의미.

■■ **(I) wouldn't know**는 '내가 (그걸) 어떻게 알겠니' 라는 말로 그냥 I wouldn't know라고 해도 되고 know 다음에 명사나 if절을 연결해도 된다.

■■ **Wouldn't you (just) know it**은 한마디로 that's ironic하다는 말이며 또한 뭔가 실망했을 때 '저런,' '이런' 이란 뜻으로 사용된다.

■■ **before you know it**은 '순식간에,' '눈깜짝할 사이에' 라는 표현.

■■ **know sb**는 엄밀히 말해서 직접 만나서 알고 있다는 의미. 이야기나 소식을 통해 혼자 알고 있는 경우는 know of를 쓰면 된다.

■■ **Don't I know it?**은 자신도 아는 걸 상대방이 말할 때 대꾸하는 표현으로 '말 안해도 나도 알아,' '그런 것쯤은 말 안해도 알아' 라는 의미이고, Don't I know it하면 정말이야(I'm serious. It's true)라는 의미.

Don't you know?

정말이라니까!

- **Don't you know?** They just said the president died.
  몰랐어? 사장님이 죽었대.

  Don't you know it yet? You love me, Jack.
  그거 아직 몰랐어? 넌 날 좋아해, 잭.

Nobody knows.

아무도 몰라.

- **Who knows?** Maybe we'll wind up getting married someday.
  누가 알겠어? 언젠가 우리가 결혼하게 될지 몰라.

Who knows what they talk about in bed?

걔네들이 침대에서 뭘 얘기하는지 어떻게 알겠어?

- **Who knows where** he went to find another victim.
  걔가 다른 피해자를 찾으러 어디로 갔는지 누가 알겠어.

  Lord knows I've tried. 나도 정말 할만큼 했어.

He knows what's what.

걘 진상을 알고 있어.

- Talk to Chris. **He knows what is what.** 크리스에게 말해. 걘 다 알고 있어.

  I'm new here, so I **don't know what is what.**
  난 여기가 처음이라 뭐가 뭔지 모르겠어.

He's a real know it all.

걘 너무 잘난 척해.

- And you still **know it all.** 넌 여전히 아는 척하고.

  I'm smart but I'm not a **know-it-all.**
  내가 똑똑은 하지만 뭐든지 다 알지는 못하지.

How should I know?

내가 어떻게 알겠어?

- She didn't know, **how should I know?** 걔도 몰랐는데, 내가 어떻게 알아?

  A: Where does he keep it? B: **How should I know?**
  A: 걔가 그걸 어디에다 숨겨놨어? B: 내가 어떻게 알아?

How do I know?

내가 어떻게 알아?

- A: What is it? B: **How do I know?** A: 그게 뭔데? B: 내가 어떻게 알아?

  How do I know when it's gonna start? 그게 언제 시작할지 어떻게 알아?

  A: That's not who we are. B: **How was I to know?**
  A: 우리는 그런 사람이 아냐. B: 내가 어떻게 알았겠어?

■ **Don't you know?**는 자신은 모르지만 상대방은 알고 있을거라고 생각하에 '네가 알고 있지 않니?', '무슨 말인지 알지?' 라는 말이고 그리고 Don't you know sth?하면 '…을 몰랐단 말이야?'라는 의미.

■ **Who knows?**는 '누가 알겠어?' 라는 말로 아무도 모른다는 표현. God (only) knows!, Nobody knows, Heaven[Lord/Christ/Hell] knows!, 그리고 One never knows와 같은 의미.

■ **Who knows what[where~]?**은 앞의 표현에 알수 없는 내용을 붙여서 말하는 경우로 Who knows 다음에 what[where~] 등의 절을 붙이면 된다. God[Lord] knows what~도 같은 의미. 단 that 절이 이어지면 '정말이지 …하다' 라는 의미.

■ **know what's what**은 무엇이 무엇인지 알고 있다는 말로 '진상을 잘 알고 있다,' '분별력이 있다' 라는 의미.

■ **know it all** 모든 걸 다 안다는 건 불가능한 일. 따라서 know it all하면 '너무 잘난 척하다,' 또한 명사로도 쓰여 '잘난척하는 사람' 이란 뜻으로도 쓰인다.

■ **How should I know?**는 도저히 모르는 어떤 일에 대해 상대방이 물어보는 경우 짜증 섞인 말투로 '내가 어떻게 알아?', '내가 알고 있을 리가 없지' 라는 의미.

■ **How do I know?**는 내가 어떻게 알아?, How did I know?는 '내가 어떻게 알았겠어?' 그리고 How was I to know?는 약간 변명조로 '내가 어떻게 알수 있었겠니?' 라는 문장이다. 물론 how do I know 다음에 wh~절이 이어져 역시 알수 없는 내용을 구체적으로 덧붙일 수 있다.

I don't know him from Adam.

나 그 사람 전혀 몰라.

- After many years apart, she didn't know her son from Adam.
  오랜기간 떨어져 있어서 걘 자기 아들이 누구인지 전혀 몰랐어.

> ■ not know sb from Adam은 sb가 누구이지 전혀 모른다고 강조하는 표현.

You know better than that.

얄밉한 사람이 왜 그런 짓을 해.

- You know better than to bother me here.
  날 괴롭히면 안되는 정도는 알지 않아.

  I should know better than to keep a beautiful woman waiting.
  아름다운 여인을 기다리게 해서는 안되는 건데.

> ■ know better than to+V 는 모양새는 전혀 부정어가 없지만 실상 내용은 '···할 정도로 어리석지는 않다' 라는 의미이다.

Old enough to know better.

나잇살이나 먹었으니 알 건 알아야지.

- I was 8! I was too young to know better!
  난 8살이야! 알아야 될 걸 알기엔 너무 어려!

  I haven't observed religious holidays since I was old enough to know better. 철이 든 이후로는 종교휴일을 지키지 않았어.

> ■ old enough to know better는 직역하면 더 잘 알 정도로 충분히 나이가 들었다는 의미로 역으로 말하자면 '철이든,' '나이가 된' 이라는 의미.

Not that I know of.

내가 알기로는 그렇지 않아.

- Not that I know of, but I'm kind of sloppy with them.
  내가 알기로는 안그렇지만 확실하지가 않아.

  No, not that I recall. No. 아니, 내가 기억하기로는 아냐.

> ■ not that I know of는 내가 알기로는 그렇지 않다라는 말로 제한적 부정답변. 참고로 not that I 다음에 꼭 know of만 오는 것은 아니다. not that I recollect [recall], not that I remember 등 다양하게 쓰일 수 있다.

What do you know for sure?

네가 뭘 확실히 아는데?

- Let's do math. What do you know? 머리 굴려봐. 알고 있는게 뭔데?

  What's going on? What do you know? 무슨 일이야?

  What do you know about his history with women?
  걔 여성편력에 대해 너 아는 거 있어?

  How do you know about Alison? 앨리슨 일은 어떻게 알았어?

> ■ What do you know?는 '(about) ···에 대해 아는 것 있어?라는 기본적 의미외에 문맥에 따라 '놀람군,' 또는 '네가 뭘 안다고!' 라는 뜻으로 쓰인다는 점에 주목해야 한다. 단순한 정보를 구할 때는 What else do you know about~? 혹은 How do you know about~?이란 표현을 쓴다.

놓치면 원통한 미드표현들

- **junkie** 마약중독자(junky)
  So you think these guys were junkies?
  그래 넌 이친구들이 마약중독자란 말이야?

- **(down) on one's knees** 무릎을 꿇고
  Get down on your knees! 무릎 꿇어!
  On your knees. Hands behind your head.
  무릎꿇어. 손은 머리 뒤로 하고.

- **take sb out at the knee** 무릎으로 한 대 쳐주다

  I was gonna take her out at the knees.
  난 걔를 무릎으로 한 대 쳐줄려고 했어.

- **go under the knife** 수술을 받다
  I'm going to be under the knife.
  난 수술을 받을거야.

- **have knowledge of** ···을 알고 있다
  We have knowledge of a misconduct.
  우리는 불법행위에 대해 알고 있어.

How do you know anything about physics?
물리학에 대해 어떻게 아는거야?

- Excuse me, do you know anything about this stuff?
  저기, 이거에 대해 뭐 아는 거 있어?

  Do you know anything about where Sylvia went yesterday?
  실비아가 어제 어디갔는지 아는 거 있어?

■ Do you know anything about~?은 '…에 대해 아는거 있어?'라는 말로 앞에 How를 붙이면 '…에 대해 어떻게 알아?'라는 의미가 된다.

What's to know?
뻔하잖아?

- What's to know about the downtown area? 시내지역은 뻔한 거 아냐?

  What's there to know about our new boss? 새로운 사장 뻔할 뻔짜야.

■ What's (there) to know? 는 뻔한 것을 물어보는 상대방에게 핀잔을 주면서 하는 말로 '뻔한 것 아냐?'라는 말.

Just I'm a federal agent, you know.
저기 말야, 난 연방요원이야.

- You know, nothing seemed out of the ordinary.
  저말이야, 아무것도 비정상인 것으로 보이지 않았어.

  Well, as you know, I was 16. 저기, 알다시피, 난 16살이야.

  As you know, I am not a lover of war.
  알다시피, 난 전쟁을 좋아하는 사람이 아냐.

■ You know는 '말야'라는 말로 말하던 중 적절한 말이 떠오르지가 않아 더 이상 설명하기 곤란할 때 하지만 상대방은 내가 무슨 말을 하는지 알수 있을 거라는 전제하에 하는 말로 '무슨말인지 알지?,' '말안해도 알지?'라는 말. 또한 as you know는 '알다시피'라는 표현.

You know what?
그거 알아?, 근데 말야?

- OK, you know what? We can take a break.
  좋아, 그거 알아? 우린 쉴 수 있어.

  You know something? 하나 알려줄까?

■ You know what?은 뭔가 소식을 전하면서 상대방의 주의를 끄는 말로 '저 말이야,' '근데말야'에 해당되는 표현. You know something?(너, 그거알아?) 또한 같은 기능의 표현.

You want to know something?
뭐 알고 싶지 않아?

- You want to know something about my book?
  내 책에 대해 뭐 알고 싶지 않아?

  Stop saying that you're sorry! You want to know something?
  미안하다는 말 그만해! 궁금하지 않아?

■ (Do you) Want to know something?도 역시 뭔가 새로운 정보를 말하면서 상대방의 호기심을 자극하기 위해 하는 말로 '뭐 알고 싶지 않니?,' '궁금하지 않니?'라는 말.

You never know.
그야 모르잖아.

- But you never know, do you? 하지만, 모르는 일이잖아, 그렇지?

  You never know when he's going to come back.
  걔가 언제 돌아올지 모르는 일이야.

■ You never know는 격려용 문장으로 앞으로의 일이 확정되지 않았기 때문에 아직 희망이 있다라는 말로 '그야 모르잖아,' '그야 알 수없지,' '누가 알아,' '아마도'라는 의미로 불가능하지 않으니 아직 포기하지 말라는 뜻이 함축되어 있다. 또한 You never know 다음에 S+V의 절을 연결할 수도 있다.

I don't know what hit him.
걔가 뭐 때문에 그렇게 놀랐는지 모르겠어.

- Those idiots don't know what hit them. 저 바보들은 어리둥절하고 있어.

  I don't know what hit me when I was walking.
  내가 걷고 있을 때 뭔가 날 쳤는지 모르겠어.

■ not know what hit sb는 전혀 예상밖의 일이 일어나서 너무 놀라고 혼란스러워 한다는 구어체 표현.

I
J
K

He's been known to accomplish things.

걘 일을 성공리에 마치는 것으로 알려져 있어.

- That's been known to happen. 그렇게 될거라고 알고들 있어.

  I've known Herman to drink too much beer.
  허먼이 그렇게 술을 많이 마시는 것을 본 적이 있어.

■ I've known A to do sth 는 '…가 …하는 것을 본 적이 있어' 라는 말. 수동태형인 A has been known to~가 많이 쓰인다. 의미는 A는 '…로 잘 알려져 있다' 라는 말.

I know my way around a sailboat.

난 요트에 대해 잘 알고 있어.

- I know my way around a razor blade. 면도날에 대해 잘 알고 있어.

  He knows his way around. 걔는 사정을 훤히 알고 있어.

■ know one's way around sth은 자기주변을 알고 있다는 말로 비유적으로 '사정을 훤히 알고 있다,' '자기가 할 일을 잘 알고 있다' 라는 의미로 쓰인다.

I don't know about you, but I'm nervous.

넌 어떨지 모르겠지만, 난 떨려.

- I don't know about you, but that sounds like a marriage to me.
  넌 어떻게 생각할지 모르겠지만, 내게 결혼으로 들리는데.

  I don't know about you, but I never wrote in anyone's yearbook.
  넌 어떨지 모르겠지만 난 누구의 연감에도 글을 쓰지 않았어.

■ I don't know about you, but~은 상대방과 다른 자기 감정이나 생각을 말하기 앞서 상대방에게 가볍게 예를 갖추는 표현법. '넌 어떻게 생각할지 모르겠지만,' 혹은 '넌 어떨지 모르겠지만' 이라는 뜻이다.

Well, if I didn't know any better, I'd think I cared.

어, 내가 좀 더 알지 못했다면 내가 신경을 쓰고 있다고 생각했을거야.

- If I didn't know any better, I'd think you were a good guy.
  내가 좀 더 알지 못했다면 네가 좋은 사람이라고 생각했을거야.

  If I didn't know any better, Mr. Gibbs, I'd think you were avoiding me. 좀 더 알지 못했다면 깁스, 날 피하고 있다고 생각했을거예요.

■ if I didn't know any better는 내가 좀 더 알지 못했다면이라는 가정법 조건절. 반대로 해석하자면 '내가 그나마 좀 알아서 …라고 생각[말]하지 않다' 라는 의미가 된다.

Just so you know, I'll be home late.

참고로 말하는데, 난 오늘 늦어.

- Just so you know, the police are outside.
  혹시나 해서 그러는데 경찰들이 밖에 와있어.

  Just so you know, it's going to rain this afternoon.
  그냥 말하는건데, 오늘 오후에 비올거래.

■ just so you know는 상대방이 모를 듯한 정보를 이야기 하면서 '그냥 참고로 말하는데,' 혹은 '그냥 알아두세요' 라는 뉘앙스.

I knew it. You got a boyfriend.

그럴 줄 알았어. 너 남친있구나.

- I knew it. I told you. 그럴 줄 알았어. 내가 말했잖아.

  I knew it! You need more time! 그럴 줄 알았어! 넌 시간이 더 필요해!

■ I knew it은 자기가 생각했거나 예상했던대로 일이 벌어졌을 경우 '내 그럴줄 알았어' 라고 잘난척 하는 표현.

Well, we are known for our cheesecake.

저기, 우리는 치즈케익으로 잘 알려져 있어.

- Was he known for carrying around that much money?
  걔는 그렇게 돈을 많이 지니고 다니는 걸로 알려져 있었어?

  She's a well-known pro-life attorney. 걘 낙태반대 변호사로 유명해.

■ be known for는 '…으로 유명한,' '잘 알려진' 그리고 well-known은 '유명한' 이라는 말.

I didn't know that.

모르고 있었지 뭐야.

- I didn't know that. That's fantastic. 몰랐는데 정말 끝내주네.
  I didn't know this was a competition. 이게 시합인지 몰랐어.
  I don't know about that. I've got a lot of stuff I need to do.
  글쎄. 난 해야 할 일 엄청 많아.

I don't know what to do.

어떻게 해야 할 지 모르겠어.

- I don't know what else to do. 달리 어떻게 해야 할 지 모르겠어.
  I don't know what to do about it. 그걸 어떻게 해야 할지 모르겠어.

I want you to know I appreciate it.

내가 고마워한다는 걸 알아줬으면 해.

- I want you to know that I'm dealing with it. 내가 그걸 처리할테니 그리 알아.
  I want you to know that you have friends around here.
  넌 여기에 친구들이 있다는 걸 네가 알았으면 해.

But the first thing I'd like to know is, who are you?

먼저 내가 알고 싶은 건, 넌 누구야?

- What I'd like to know is how did William know to get out of town. 내가 알고 싶은 건 어떻게 윌리엄이 시내를 빠져나가는 방법을 알았냐는거야.

Let me know if you need anything else.

뭐 필요한거 있으면 알려줘.

- Let me know if you find my foot cream. 발에 바르는 크림 찾으면 알려줘.
  Let me know how that goes for you. 저기, 그게 너한테 어떻게 되가는지 알려줘.

You can't know what's wrong.

넌 뭐가 잘못됐는지 이해못해.

- You can't know where I am all the time. 항상 내가 어디에 있는지 넌 알길이 없어.
  You can know who you had sex with. You can't know who she is. 넌 네가 누구랑 섹스했는지 알 수 있지만, 걔가 어떤 애인지는 알 수가 없을거야.

농치면 원통한 미드표현들

- **kudos** 명성, 영광
  I think I deserve some kudos for my selfless courage. 나의 이타적 용기에 명예를 얻을 만하다고 생각해.

- **crack one's knuckle** 손가락을 꺾다
  Does the knuckle-cracking bother everybody? 손가락 꺾는 소리가 그렇게 듣기 싫으니?

- **knuckle under** 항복하다
  Knuckle under, my ass. 항복해, 이놈아.

- **rap sb on[over] the knuckles** …을 비난하다, 자로 너클을 때리다
  She raps her knuckle to emphasize the last three words. 걘 마지막 세단어를 강조하려 손으로 테이블을 쳤어.

■ **I didn't know that**은 몰랐어라는 말이고 구체적으로 모르고 있는 내용을 말하려면 I didn't know that S+V라 써주면 된다. 한편 I don't know about that은 글쎄, 잘 모르겠어라는 뜻.

■ **I don't know what to do~**는 I don't know와 what to+동사가 결합된 것으로 뭘해야 할지 몰라 당황스러울 때 사용.

■ **I want you to know that~**는 상대방에게 '네가 …을 알았으면 해'라는 표현. 좀 더 격식을 갖추려면 I'd like to let you know~라고 하면 된다.

■ **What I would like to know is~**는 '내가 알고 싶은 것은 …야' 그리고 The first thing you need to know is that~는 '먼저 네가 알아둬야 할 것은 …이다'라는 뜻.

■ **Let me know**는 상대방에게 '알려달라'는 말로 간단히 let me know that이라 해도 되고 혹은 Let me know if[what]~으로 써도 된다.

■ **You can't know**는 경고성 멘트로 '알면 다쳐!' '알아선 안돼!,' '알려고 하지마'라는 의미. You can't know wh~ S+V하면 '넌 …을 이해못해,' '알 수가 없어'라는 말.

MORE EXPRESSION

known associates 관련자 범인의 친구나 공범
in the know 잘 알고 있는
I know where it's at. 핵심이 뭔지 알아.
know right from wrong 옳고 그른 것은 가릴 줄 안다
You don't know where it's been. 어디서 굴러다니던 건지도 모르잖니.
I know it all from A to Z 처음부터 끝까지 다 알아

I
J
K

L

» lame

That's so lame. 그거 재미없어.

That's so lame.
그거 재미없어.

- My parents. They're so lame. 부모님, 정말 재미없어.
  Maybe it's one of Jill's lame friends. 아마도 질의 지루한 친구중 하나겠지.

Another lame excuse for criminal behavior?
범죄행위에 대한 또다른 구차한 변명야?

- What kind of a lame excuse is that? 그건 또 어떤 종류의 구차한 변명야?

■ sth[sb] be lame은 주어가 지루하거나 재미없거나 좋지 않다고 말하는 구어체표현.

■ lame excuse 어떤 설명이나 변명이 lame하다고 하는 것. 이때의 lame은 '뻔한,' '구차한'이라는 의미이다.

» language

Watch your language! 말 조심해!

We're talking the same language.
우린 이제 얘기가 통하네

- We are not speaking the same language. 우린 전혀 통하지 않아.
  You're talking my language. 넌 나하고 말이 통해

■ talk[speak] the same language는 같은 말을 한다는 것으로 '이제 얘기가 통하다,' '뜻이 맞다' 라는 표현. talk[speak] one's language라고도 한다.

Watch your language!
말 조심해!

- Watch your language, young lady. What did Larry want?
  말조심해, 젊은 아가씨. 래리가 뭘 원했어?

  Watch your language. There're ladies present. 말조심해. 숙녀분들 계시잖아.

■ watch one's language 는 말을 함부로 하지말라는 의미. '말조심하다' 가 된다.

» **lap**

 When did this fall into your lap? 이 좋은 기회가 언제 굴러들어온거야?

He got into shape by swimming laps at the gym.
걘 체육관에서 수영으로 몇바퀴돌면서 몸을 만들었어.

- You two run five laps around the field. 너희 둘 필드 주변을 다섯바퀴 돌아라.
  Ricky was always the fastest kid to do a lap.
  리키는 항상 한바퀴 도는데 가장 빨랐어.

■ do[run, swim] a lap은 동그란 지역을 한바퀴 돌아보다 혹은 풀장의 한쪽 끝에서 다른 끝까지 수영하다라는 의미.

He stole the money to live in the lap of luxury.
걘 사치스럽게 살려고 돈을 훔쳤어.

- Paris Hilton was born into the lap of luxury.
  패리스 힐튼은 편하고 사치스럽게 즐길 수 있도록 태어났어.

■ in the lap of luxury는 부유하게 자라서 편하고 사치스럽게 즐기는(enjoying a good life with expensive things)이라는 의미.

Can't believe the press is lapping it up.
언론이 이렇게 즐겨 다루다니 믿기지 않아.

- The press is lapping up the scandal. 언론은 그 스캔들을 즐겁게 받아들이고 있어.
  Lena lapped up all the gossip she heard. 레나는 자기가 들은 모든 가십들을 즐기고 있어.

■ lap sth up은 '…을 즐겁게 받아들이다,' '즐거워하면서 더 많은 걸 원하다' 라는 말로 파파라치들이 제공하는 가쉽이나 사진들을 즐겨 보면서 맘속으로 더, 더를 외치는 사람들을 떠올리면 된다.

Don't dump your problems into my lap.
네 문제를 내가 책임지도록 떠넘기지마.

- This money just dropped into my lap.
  이 돈은 방금 내가 책임지게 됐어.

  Do you expect a job to drop into your lap?
  네가 어떤 일을 책임질거라 기대해?

■ drop[dump]~ in sb's lap은 '…가 책임지도록 맡기다'

When did this fall into your lap?
이 좋은 기회가 언제 굴러들어온거야?

- These opportunities fell into Anna's lap.
  이런 기회들이 애나한테 굴러들어왔어.

  A perfect guy is going to fall into your lap.
  완벽한 훈남이 너한테 굴러 들어올거야.

■ sth fall[drop] into sb's lap은 '좋은 기회가 …에 굴러들어오다.'

L

That's the last straw. 더 이상은 못참아.

That's the last straw.
더 이상은 못참아.

- It's the last straw, so she kills herself. 더 이상 참을 수 없어. 걔는 자살했어.
  It was the last straw, and mom left him. 더는 못참고 엄마는 걜 떠났어.

The last thing I want to do is make him angry.
가장 원치않는 일은 걜 화나게 하는거야.

- The last thing I want to do is see my ex-boyfriend.
  가장 원치않는 일은 전남친을 보는거야.

When was the last time you saw him?
마지막으로 걜 본게 언제인가요?

- When was the last time you did talk to him?
  네가 걔하고 마지막으로 얘기한게 언제야?

  The last I heard, Paul ran off with someone's wife.
  최근에 들은 소식에 의하면 폴은 다른 사람의 아내와 달아났대.

■ That's the last straw는 해야하는 일이지만 불쾌하거나 바람직하지 않은 일로 어떤 일에 대해서 도저히 더 견디지 못해서 하는 말로 '해도해도 너무 하는군', '더 이상 못참겠어'라는 말.

■ The last thing I want to do is + V는 '내가 제일 하기 싫은 일은 …하는 거야'라는 의미로 강한 거부감을 나타내는 표현.

■ When was the last time (that)~?은 '마지막으로 …한게 언제였죠?'라고 물어보는 것으로 역시 미드범죄수사물에 많이 나오는 문장이다. 또한 ~the last I heard는 가장 늦게 다시말해서 가장 최근에 들은 것이라는 의미.

MORE EXPRESSION

for the last time 마지막으로
last of all 최후에
last for …동안 지속하다
last-minute 마지막 순간의

Don't make me laugh! 웃기지 좀 마!

This is no laughing matter.
웃을 일이 아니야.

- Your safety's no laughing matter. 너의 안전은 웃을 일이 아니야.
  You'll be laughing about it soon enough. 곧 그거에 대해 웃게 될거야.

Don't make me laugh!
웃기지 좀 마!

- I want to be mad. Don't make me laugh. 나 미치고 싶어. 웃기지 좀 마.
  Don't make me laugh. I'm being photographed. 웃기지 마. 난 사진찍어.

You make me laugh, cause you're silly!
너 진짜 웃기고 있네, 너 바보잖아!

- I enjoy you because you make me laugh. 네가 웃기니까 너랑 같이 있는게 좋아.
  You make me laugh when you are angry. 네가 화나면 정말 웃겨.

■ be no laughing matter는 사태가 심각하다는 걸 상기시키려고 하는 말로 '웃을 일이 아니다'라는 표현. 또한 You'll be laughing은 일이 다 잘될거다고 위로하는 표현. 물론 그냥 웃거나 비웃다라는 뜻도 된다.

■ don't make sb laugh는 상대방이 부적절한 말을 했을 때 대꾸하는 말로 '웃기지 좀 마,' '웃음밖에 안 나온다'라는 표현.

■ You make me laugh 역시 상대방이 어처구니없고 엉뚱한 말을 할 때 하는 말로 '진짜 웃긴다,' '웃기고있네'라는 표현.

MORE EXPRESSION

have the last laugh
마지막으로 웃는 사람이 승자
laugh up one's sleeve
혼자 웃다
be laughed out of court
무시되다
That's a laugh. 웃기지마.

I wanna get laid. 나 섹스하고 싶어.

Could you lay off, please?
그만 좀 할래요?

- Let's lay off Ted, all right? 그만두자고, 테드, 알았어?
  The wife wouldn't lay off until he did something about it.
  아내는 걔가 그것에 대해 뭔가 조치를 취하기 전까지는 이야기를 끝내지 않을거야.

I wanna get laid.
나 섹스하고 싶어.

- You called me to ask me to how to get laid?
  섹스 어떻게 하는 건지 물어보려고 전화한거니?
  I wouldn't pay her for a lousy lay. 섹스가 형편없으면 돈을 지불하지 않을거야.

I say we lay low.
우리 숨자고.

- He can't lay low for long. 걘 오래 숨어지내지 못할거야.
  We had to find a place to lay low. 우린 숨어지낼 곳을 찾아야만 했어.

Tony laid a trap for her.
토니는 걔한테 함정을 놓았어.

- A: The best laid plans. B: Tell me about it.
  A: 가장 잘 짜여진 계획이야. B: 누가 아니래.
  He predicted satan's armies would come and lay siege to us.
  걘 사탄의 군대가 쳐들어와 우릴 포위할거라 예언했어.

Then I'll just lay out my situation.
그럼 내가 그냥 내 상황을 설명해줄게.

- I will lay out four possible choices. 내가 4가지 가능한 초이스를 설명해줄게.
  Now I'm laying out six hundred dollars a month for it.
  지금 난 거기에 월 600달러를 지출해.

■ **lay off**는 경제기사에 나오면 해고하다이지만 일반 구어체에서는 다른 사람들 짜증나게 하는 것을 '그만두다' 라는 뜻. 주로 명령형태로 많이 쓰이며 lay off sth 하게 되면 일시적으로 중단하는 것을 뜻한다.

■ **get laid**는 속어로 '섹스하다' (have sex)라는 말. 또한 lay를 명사로 써서 lay하면 섹스파트너를 말하는 것으로 a great[good, easy] lay 등으로 쓰인다.

■ **lay low**는 몸을 낮추고 있다는 의미에서 '숨어지내다,' '잠수하다' 라는 의미.

■ **lay plans**는 '계획을 짜다,' '세우다,' lay a trap은 '함정을 놓다' 라는 말이 된다. 또한 lay siege to는 '포위하다.'

■ **lay out**은 다양한 의미로 쓰이는데 '자세히 설명하다' 또는 '돈을 쓰다' (spend)라는 뜻을 알아둔다.

MORE EXPRESSION

lay eyes on …을 보다
lay sth on the line 솔직하게 말하다

All right. Lead the way. 좋아, 앞장서.

Get the lead out!
서둘러!

- Get the lead out and we can finish this race. 서두르면 이 경주 끝낼 수 있어.
  The manager told everyone to get the lead out.
  매니저는 모두에게 서두르라고 했어.

■ **get the lead out**은 주머니에 있는 납을 빼라는 말로 '빨리하다,' '서두르다' 라는 의미. 속어로 shake the lead out이라고도 한다.

L

489

He's asking a leading question.

그는 유도 심문을 하고 있습니다.

- Did you ask him leading questions? 걔한테 유도심문을 했어요?
  You do know that was a leading question, right?
  그게 유도심문인지 알죠, 맞죠?

■ leading question은 법정 드라마 용어로 검사나 변호사들이 사용하는 것으로 '유도심문'을 뜻한다.

One thing led to another and we had sex.

어찌어찌 하다보니 우린 섹스를 했어.

- I missed my exit, flew off the overpass, and one thing led to another. 어떻게 하다보니 출구를 지나쳐 고가도로를 타게 됐어.

■ one thing led to another는 '어쩌다 보니 일이 꼬리에 꼬리를 물어서,' '어찌어찌하다보니,' '이래저래 하다보니' 라는 표현.

Police have no leads.

경찰에선 단서를 찾지 못했대.

- So we have no leads? 그럼 우린 단서가 없는거야?
  Well, 4 days, no leads, I feel like crap. 4일지났는데 아무 단서도 없고, 죽겠구만.

■ have no leads에서 lead는 생소한 의미로 역시 범죄수사물에 단골로 나오는 단어로 '단서'(clue)를 말한다.

But perhaps I should take the lead.

하지만 아마도 내가 선두에 서야될 것 같아.

- Who's gonna take the lead? 누가 선두에 설거야?
  Prentiss is gonna take the lead. 프렌티스가 선두에 설거야.
  Fantastic! Lead the way, I'm coming in. 끝내주네! 앞장서, 들어갈게.

■ take the lead in~ing는 '…하는데 선두에 서다,' '…하는데 솔선수범하다' 라는 의미. 한편 lead the way는 길을 앞장서다라는 말로 '앞장서다,' '안내하다' 라는 의미가 된다.

MORE EXPRESSION

lead a life 삶을 살다
lead a double life 이중생활을 하다
lead a better life 더 나은 삶을 살다
That leads me to~ 그것을 통해 …을 하게 되다
go down like a lead balloon 전혀 먹혀들지 않다

» leap

 You're taking a big leap there. 그건 너무 큰 비약이다.

I'll leap to his defense if there is a fight.

싸움이 발생하면 난 걔를 옹호할거야.

- The defense lawyer leapt to his client's defense.
  피고측 변호사는 의뢰인을 옹호했어.
  You look before you leap. 돌다리도 두들겨야 돼.

■ leap to sb's defense는 즉각적으로 sb를 '옹호하다,' '지지하다' 라는 뜻이고, look before you leap은 '행동하기에 앞서 잘 생각해보다' 라는 표현.

You're taking a big leap there.

그건 너무 큰 비약이다.

- It's not a big leap to murder. 살인이라고 해도 되겠네.
  It's not such a leap to attacking her dad. 자기아빠를 공격한거나 매한가지네.
  You just have to take the leap. 넌 그냥 계획대로 밀고나가야 돼.
  So let's take the leap. Let's get married. 그럼 건너뛰고 결혼하자.'

■ a big leap은 큰 발전으로 take a big leap하면 '많은 발전을 하다,' '앞으로 나아가다' 라는 뜻이고 반대로 not a big leap to~하면 '거의 …와 마찬가지인 셈이다' 라는 의미도 된다. 한편 take a leap하면 '잘 될지 안될지 모르지만 결정에 따르다' 라는 의미.

MORE EXPRESSION

leap in the dark 무모한 행동
by leaps and bounds 급속히

» learn

> *I'm still learning.* 아직 배우고 있는 중이예요.

I'm still learning.
아직 배우고 있는 중이예요.

- I'm still learning this stuff too. 아직도 이것을 배우고 있는 중야.
  I need help because I'm still learning. 난 아직 배우고 있어서 도움이 필요해.

I told you not to do it. You never learn.
하지말라고 했잖아. 넌 구제불능야.

- He totally tricked you. You never learn. 걔가 널 완전히 속여먹었어. 넌 안돼.
  You never learn. You always date the wrong people.
  이 구제불능아. 넌 항상 이상한 놈들과 데이트하더라.

■ I'm still learning은 상대방의 칭찬을 듣고서 아직 배우는 단계라고 겸손하게 말하는 표현.

■ You never learn은 고3이 공부는 안하고 컴퓨터만 줄창하고 있을 때, 넌 절대 배우지 못할거야, 넌 발전이 없을거야라는 말로 한마디로 한다면 '넌 구제불능이야' 라는 참혹한 표현.

MORE EXPRESSION

learner's permit 임시면허증
learn to say no 거절하는 걸 배우다
That'll learn you. 이제 알겠지.
learn by note 암기하다

» least

> *It's the least I can do.* 최소한의 제 성의예요.

Last but not least.
끝으로 중요한 말씀을 더 드리자면.

- Last but not least, I want to thank my friends.
  끝으로 중요한 걸 말하자면, 내 친구들에게 감사하고 싶어.
  Last but not least, we want to congratulate Larry.
  끝으로 중요한 걸 말하자면, 래리에게 축하해주고 싶어.

That's the least of your worries.
그건 걱정거리도 못된다

- But she's the least of our concerns. 하지만 걔는 우리 관심거리도 아냐.

It's the least I can do.
최소한의 제 성의예요.

- Well, it's the least I can do. 저기, 내 최소한의 성의야.
  It's the least I can do for the city I love.
  내가 사랑하는 도시를 위해 내가 할 수 있는 최소한의 성의야.

That was very awkward, to say the least.
아무리 좋게 말해도 저건 너무 어색해.

- I was a little bit surprised, to say the least. 줄여서 말해도 난 좀 놀랬어.
  The science on this type of testing is unproven, to say the
  least. 이런 유형테스트의 과학은 입증되지 않았어, 아무리 좋게 말해도 말야.

■ Last but not least는 연설 등 이야기를 하면서 맨끝부분에 중요한 말을 할 때 끝(last)에 말하지만 결코 덜 중요하지않은 (not least)이라는 말. 우리말로는 '끝으로 중요한 말씀을 더 드리자면' 이라고 생각하면 된다.

■ be the least of sb's worries[problems, troubles]는 가장 적은 걱정, 문제, 곤란이라는 말로 그건 사실 걱정, 문제, 곤란이라는 축에도 못든다라는 의미. 다른 걱정이나, 문제, 곤란이 있다는 것을 암시한다.

■ It's the least I can do는 내가 할 수 있는 최소한의 것이다라는 뜻. 상대방이 감사하다고 할 때 답하는 것으로 '최소한 성의예요,' '이건 기본이죠' 라는 뜻으로 You're welcome과 같은 맥락.

■ to say the least는 가장 줄여서 말한다는 것으로 '줄잡아 말해도,' '아무리 좋게 말해도' 라는 뜻을 갖는다.

MORE EXPRESSION

not least 특히
least of all 가장 …하지 않는

L

491

Where does that leave us? 그럼 우리는 어떻게 되는 거야?

I'm leaving and I'm never coming back.
나 간다 그리고 다시 안올거야.

- No! Damn it! I'm leaving. 아니! 젠장헐! 나 간다.
  You don't need to worry about firing anyone. I'm leaving.
  누굴 해고할까 걱정할 필요없어. 나떠나.
  I'm sorry but we were just leaving. 미안하지만 나가려는 참이었어.

■ I am leaving은 '나 간다' 라는 말로 'I'm going,' 'I'm gone'과 같은 표현. 한편 Are you leaving so soon?하게 되면 I'm leaving하는 친구에게 할 수 있는 말. 한편 We were just leaving은 '막나가려는 참이다' 라는 의미

He's on leave right now.
걔 지금 휴가중이야.

- Uh, said he was on leave. 어, 걔 휴가중이라고 했는데
  Linda is on leave until she has her baby. 린다는 출산때까지 휴가야.

■ be on leave에서 leave는 명사로 휴가를 뜻해 be on leave 하면 휴가중이라는 말. be on vacation과 같은 말이다.

Leave me alone.
나 좀 내버려둬.

- I told them to leave me alone. 걔네들에게 나좀 가만히 두라고 했어.
  I'm gonna kill Mary for leaving me all alone here!
  여기에 나 혼자 내버려두고 가다니 메리보면 죽여버릴거야!

■ leave sb alone은 sb를 혼자 놔두다라는 말로 주로 상대방이 귀찮게 하거나 혹은 혼자서 몽상을 하고 싶을 때 'Leave me alone'이라고 사용한다. 한편 Leave me in peace 역시 '나 좀 가만히 놔둬' 라는 말.

Leave me out of it.
난 빼줘.

- Either do your job or go home. Leave me out of it.
  일을 하던지 집에 가. 난 빼주고.
  Why don't you leave me out of this? 나는 좀 빼주라.

■ leave sb out of it은 sb를 '끌어들이지 않다,' '관련되지 않도록 빼다' 라는 의미.

Leave it at that.
더 이상 말하지마.

- Let's just say busy and leave it at that. 바쁘다고 하고 그만 하자.
  Can we leave it at that? 그냥 놔두자. 그냥 지나가자.

■ leave it at that은 저거에 그걸 놔두라는 말로 그게 무엇이든 충분히 했기 때문에 '더 이상 하지말자' 라는 뜻이 된다.

Leave it to me!
내게 맡겨!

- All right. Leave it to me. 알았어. 내게 맡겨.
  Leave it to me, I'll solve the riddle. 내게 맡겨, 내가 수수께끼를 풀게.

■ Leave it to me는 어떤 일을 자기 혼자 맡아하겠다고 할 때 혹은 자기가 어떤 일을 해내겠다고 할 때 '내가 맡아서 할게' 라는 의미. 구체적으로 뭘할건지 말하려고 할 때는 Leave it to me to do~이라고 하면 된다.

Take it or leave it.
하든지 말든지 해.

- None of your business. Take it or leave it. 네 알바아냐. 하든 말든.
  This is it. Take it or leave it. 이게 다야. 하든지 말든지.

■ Take it or leave it은 선택의 여지가 없이 받아들이든지 말든지 알아서 하라는 의미. 받아들이든지 관두든지 둘 중하나 선택하라고 하는 말.

Where does that leave us?

그럼 우리는 어떻게 되는 거야?

- Any prints would have been washed away. **Where does that leave us?** 지문이 있어도 다 씻겨나갔을거야. 그럼 어떻게 되는거야?

  You get to go home with the baby, OK? **Where does that leave me?** 넌 집에 아기와 함께 가면 되지만 그럼 난 어떻게 되는 거야?

■ **Where does that leave sb~?**는 직역하자면 'that'이 sb를 어디에 두냐라는 말로 의역하자면 '그렇게 되면(that) sb는 어떻게 돼냐?' 라는 문장.

That leaves us with two options.

그럼 우리에겐 2가지 옵션이 남아.

- Okay, **that leaves us with** two possibilities.
  좋아, 그럼 우리에겐 2개의 가능성이 남아.

■ **That leaves us with~**는 위의 표현에 대한 답변으로 '그렇게 되면 우리에게는 with 이하가 남는다' 라는 의미.

Where did we leave off last time?

지난 번에 어디까지 했죠?

- Where did we **leave off** when we finished? 우리가 마칠 때 어디였지?
  We're going to **leave off** on page 51. 우리는 51페이지에서 멈출거야.

■ **leave off**는 '중단하다,' '멈추다' 라는 뜻으로 Where did~ leave off?하게 되면 우리가 지난 번에 어디까지 했나라는 의미로 쓰인다.

I'm not gonna leave you hanging.

널 기다리게 하지 않을거야.

- Come on, you can't **leave me hanging** on that.
  자, 그렇게 궁금하게 만들지마.
  You think I'd just **leave you hanging**? 내가 그냥 널 바람맞힐거라고 생각해?

■ **leave sb hanging**은 sb를 매달아둔채로 놔두다라는 말로 sb를 '기다리게 하다,' '궁금하게 하다,' 문맥에 따라서는 '바람맞히다' 등의 의미로 쓰인다.

Yeah, you left out a few details.

그래, 넌 몇가지 세부사항을 빠트렸어.

- I **left out** the possibility our unsub might be a cop.
  미확인용의자가 경찰일 수도 있다는 가능성을 배제했어.
  I don't wanna **be left out**. 나 소외당하고 싶지 않아.

■ **leave out**은 '빼다,' '배제하다' 라는 말로 be[feel] left out하면 '소외감을 느끼다' 라는 말이 된다.

We had lots of food left after the party.

파티후에 많은 음식이 남았어.

- Do you **have** ice **left** in the fridge? 냉동고에 얼음남은거 있어?
  They **had** presents **left** under the Christmas tree.
  걔네들은 크리스마스 트리 밑에 선물을 남겨놨어.
  If you're hungry, there are lots of **leftovers**. 배고프면 음식남은 거 많아.

■ **have sth left**는 뭐가 남아 있다고 말하는 표현으로 sth자리에 남아있는 것을 말하면 된다. 참고로 leftover하면 구어체에서 '먹다 남은 음식'을 말한다.

Have you taken leave of your senses?

정신이 나갔어?

- He **took a leave of absence** due to health issues.
  걘 건강문제로 휴가를 갔어.
  He **took leave of his senses** and gave his money away.
  걘 정신나간 것처럼 행동하더니 걔 돈을 나눠줘버렸어.

■ **take the leave**는 벗어나다라는 뜻으로 take leave of one's senses하면 '정신나간 것처럼 행동하다,' 그리고 take the leave of absence는 '휴가 등을 가다' 라는 뜻이 된다.

MORE EXPRESSION

leave sb in the dust
…을 앞지르다

L

» lesson

I've learned my lesson. 난 교훈을 얻었어.

Let that be a lesson to you.
그걸 교훈삼아야 돼.

- Let that be a lesson to all of you. 그게 너희 모두에게 교훈이 되도록 해.
  By the way, let this be a lesson to you. 그나저나 넌 이걸 교훈삼도록 해.

I've learned my lesson.
난 교훈을 얻었어.

- I know it is, but I've learned my lesson. 그건 알아, 하지만 난 교훈을 얻었어.
  Anyway, I've learned my lesson. She's out of my league.
  어쨌든 교훈을 얻었어. 걘 나하고 레벨이 달라.

I'll teach him a lesson.
내 걔 버르장머리를 고쳐놓을게.

- So you wanted to teach her a lesson. 그래 걔 버릇을 고쳐놓고 싶었던거야?
  And he teaches her a lesson by making her his bitch?
  그리고 걘 걔를 자기여자로 만드는 것으로 버릇을 고쳐놓은거야?

■ **let that[this] be a lesson to sb**에서 lesson은 불쾌한 경험을 통해 배우는 '교훈'이라는 의미로 '그것을 교훈삼다'라는 표현이 된다.

■ **learn one's lesson**은 역시 나쁜 경험을 통해 다시는 그러면 안된다는 교훈을 깨우치다라는 의미.

■ **teach sb a lesson**은 'sb의 버릇을 고쳐놓다,' 'sb를 혼내다'라는 뜻.

» let

I'll let you off this time. 이번엔 용서해줄게.

Don't let him take Tessa.
걔한테 테사를 뺏기지마.

- Please don't let them take me. Mom! 제발 걔네들이 절 데려가게 하지마요, 엄마!
  Detective, don't let him get away with it. 형사님, 걔 처벌받게 해주세요.

I'm not gonna let her do that.
걔가 그거 못하도록 할거야.

- I'm not gonna let you take that away from me!
  네가 저걸 나한테서 뺏어가지 못하도록 할거야.
  I'm not gonna let Red bully me out of it.
  레드가 날 협박해서 그걸 못하게 하도록 가만 있지는 않을거야.

I'll let you off this time.
이번엔 용서해줄게.

- I'm gonna let you off with a warning. 경고만하고 처벌을 하지 않을게.
  I'm not going to let you off that easily. 그렇게 쉽게 봐주지 않을거야.

■ **don't let A do~**도 역시 상당히 영어적 감각이 필요한 표현으로 'A가 …하지 못하도록 하다'라는 뜻. 경우에 따라 'A 때문에 …하지 않도록 하다'라고 해석하는게 더 자연스러울 때도 있다.

■ **I'm not gonna let A do~**는 '…가 …하도록 하지 않겠어'라는 '내'가 다른 사람이 …하는 것을 금지하겠다고 다짐하는 표현.

■ **let sb off**는 sb가 잘못해서 처벌을 해야 하는데 '처벌을 안하거나' 아니면 '가볍게 처벌해주면서 봐준다'라는 의미의 표현이다.

494

Let me through.

지나가게 길 좀 비켜봐.

- You're just gonna let me through? 그냥 통과시켜줄거지?
  What's wrong with you? Let me through. 뭐가 문제야? 좀 지나갈게.

Let's let the good times roll.

맘껏 즐기자고.

- We let the good times roll Saturday night. 토요일 밤에 신나게 즐기자고.
  Everyone let the good times roll at the nightclub.
  다들 나이트클럽에서 맘껏 즐겼어.

I'm not gonna let up.

난 그만두지 않을거야.

- Oh, you just don't let up, do you? 어, 너 그만두지 않을거지, 맞지?
  Don't let up before you get an interview. 인터뷰하기 전까지는 그만두지마.

■ let ~ through는 '…가 지나가게 길을 비켜주다,' '통과시키다,' 그리고 '어떤 잘못을 간과하다,' '눈감아주다' 라는 뜻으로도 쓰인다.

■ let the good times roll은 레이찰스의 노래제목으로도 유명한 표현. '좋은 시간을 보내다,' '맘껏 즐기다' 라는 뜻이다.

■ let up은 그만하다, 멈추다, 약해지다 등 다양한 의미로 쓰인다.

MORE EXPRESSION

let bygones be bygones
지나간 일을 잊다
sublet 집을 재임대하다
let oneself in for sth
책임을 짊어지다
let sb have it 공격하다

» level

Level with me. 솔직히 말해봐.

Level with me.

솔직히 말해봐.

- I'll level with you. 너한테 솔직히 말할게.
  We're friends. Level with me. 우린 친구야. 내게 솔직히 말해.

Let's see if this thing is on the level.

이 일이 사실인지 알아보자.

- The money making scheme was not on the level.
  그 돈버는 계획은 사기였어.
  Look, your excuse had better be on the level.
  이봐, 네 변명은 솔직하게 해야 돼.

Dad levels us with his eyes when he's angry.

아빠는 화나시면 우리 눈을 정면을 쳐다보셔서 무서워.

- You've never known someone that could level you with her
  eyes. 넌 너를 제대로 쳐다봐주는 여자를 만나 본 적이 없어.
  Tina is so hot. She levels me with her eyes.
  티나는 너무 섹시해서 눈이 마주치면 기가 죽어.

■ level with sb는 sb와 level을 맞추는 이야기로 비유적으로 '…에게 솔직히 말하다' 라는 뜻이 된다.

■ be on the level with~는 level을 명사로 쓴 경우로 의미는 앞의 것과 동일하다. '…와 허심탄회하게 말하다,' '솔직히 말하다' 라는 의미.

■ level sb with one's eyes는 sb와 눈을 딱 맞추다, 정면으로 마주치다, 그래서 무섭게 하거나 기가 죽게 한다는 의미.

L

I took the liberty of contacting Interpol. 난 임의대로 인터폴에 접촉했어.

I took the liberty of contacting Interpol.
난 임의대로 인터폴에 접촉했어.

- She took the liberty of showing me your piece.
  걘 제멋대로 네 물건을 보여줬어.

  I took the liberty of analyzing a few other samples and found a match. 난 임의대로 몇몇 다른 샘플들을 분석해서 일치하는 걸 발견했어.

I'd say he's a conservative, she's a liberal.
그는 보수주의자이고 그녀는 진보주의자야.

- They say you can't make money with a liberal arts degree.
  문과대학 학위로는 돈을 벌 수 없다고들 해.

  You're not gonna be too liberal with this, are you?
  이거에 대해 너무 후하지는 않을거지, 그지?

■ take the liberty of ~ing 는 허락없이 '제멋대로 …하다,' '임의대로 …하다' 라는 의미.

■ liberal은 진보적인, 진보주의자를 뜻하며 또한 be liberal with하면 '…을 맘껏 쓰다' 라는 뜻이 된다. 한편 liberal arts는 대학교의 문과대학을 뜻한다.

If you can't lick 'em, join 'em. 이길 수 없다면 손을 잡아라.

If you can't lick 'em, join 'em.
이길 수 없다면 손을 잡아라.

- The big man licked the guy who bothered him.
  큰 덩치의 남자가 자길 괴롭히는 놈을 물리쳤어.

  I can't lick the problems I've been having. 내 문제들을 물리칠 수가 없어.

You don't have a lick of substantiating proof.
넌 입증할 만한 증거가 조금도 없어.

- Or haven't I ever given it a lick of thought?
  혹은 내가 그거에 대한 생각을 손톱만치도 안한건가?

  It's a nice little bedtime story for your kids, but it doesn't have a lick of truth. 애들에게는 잘 때 들려주기 좋은 이야기이지만 다 거짓말이잖아.

Bill got promoted by licking the bosses' boots.
빌은 사장에게 아첨해서 승진했어.

- Does my wife know you were licking her boots?
  내 아내가 네가 자기한테 알랑거리는 걸 알아?

  Angela is quite the ass licker at the office. 앤젤라는 사무실에서 정말 아첨꾼야.

  Linda, don't be such an ass licker! 린다야, 그렇게 아부꾼이 되지마라!

■ lick은 '물리치다' 라는 의미로 defeat와 같은 의미. 하지만 일상회화에서는 잘 안쓰이며 또한 스포츠 경기에서도 드물게 사용된다.

■ not have a lick of~ 는 '조금도 아니다' (not even a little bit of something)라는 뜻.

■ lick sb's boots는 글자그대로 연상해보면 된다. 아첨하다 라는 뜻이고 그렇게 아첨하는 사람은 ass licker라 한다. 참고로 kiss my ass는 아첨하다, Kiss my ass!는 Fuck you!와 같은 의미.

MORE EXPRESSION

lick one's lips[chops]
입맛을 다시다
This food is finger licking good. 이 음식 정말 맛있어.
have (got) sth licked
어려운 문제를 다루는데 성공하다

» lid

So why don't you just put a lid on it? 그래 입 좀 다물지 그래.

Yeah, we'll just keep the lid on it, okay?
그래, 우리는 비밀로 하자고, 좋아?

- Keep a lid on the stuff I told you. 내가 말한 거 비밀로 해.

  It's a parking space! Keep a lid on your hormones, honey.
  주차장야! 자기야 성질 좀 죽여.

So why don't you just put a lid on it?
그래 입 좀 다물지 그래.

- Put a lid on all of your talking. 그만 좀 지껄이지.

  Put a lid on the information in these files. 이 파일에 있는 정보 비밀로 해.

  Put a sock in it. 좀 조용히 해.

We can't take the lid off the agency's secrets.
우린 에이전시의 비밀을 폭로할 수 없어.

- The police decided to take the lid off the details of their case.
  경찰은 사건의 세부사항들을 알리기로 결정했어.

▬ **keep a[the] lid on sth**은 두껑(lid)을 닫아놓는다는 의미로 비유적으로 '감추다,' '비밀로하다' 그리고 '억제하다,' '단속하다' 라는 의미로도 쓰인다.

▬ **put a[the] lid on sth** 이번에는 keep 대신 put을 써서 뚜껑을 덮다라는 말이 된다. 비유적으로 '입다물게 하다' 혹은 나아가 생각이나 일 등을 마무리하라는 맥락에서 '···을 끝내버리다' 라는 뜻으로도 쓰인다. lid 대신에 muzzle, cork, sock을 써도 된다.

▬ **take the lid off**는 뚜껑을 열다라는 말로 '안좋은 사실 등을 알도록 하다' 라는 의미. lift the lid on 또한 '폭로하다' 라는 뜻.

» lie

You're lying to me. 거짓말하지마.

I will not take this lying down.
난 이걸 그냥 받아들일 수는 없어.

- She decided she wasn't going to take this stand-up lying down.
  걘 이 혼자서하는 코미디를 참지 않을거라 결심했어.

  None of the workers took getting fired lying down.
  해고를 그냥 받아들이는 근로자는 아무도 없었어.

I'm not lying.
거짓말 아냐.

- She wasn't lying about this, though, was she?
  걘 그래도 그거에 대해 거짓말안했지, 그지?

  He wasn't lying about the bike injury. 걘 자전거타다 다친거 거짓말 안했어.

I'd be lying if I said I wasn't.
내가 아니라고 말하면 거짓말이겠지.

- I guess I'd be lying if I said I never... 내가 전혀 그런 적 없다고 하면 거짓말일거야.

  I would be lying if I said I wasn't disappointed.
  내가 실망하지 않았다고 말한다면 거짓말이겠지.

▬ **take sth lying down**은 모욕이나 불쾌한 일을 당하고도 불평없이 부당한 대우를 감수하고 받아들이다라는 의미.

▬ **be lying (about)**은 '(···에 대해) 거짓말하다' 라는 의미.

▬ **I'd be lying if I said~**는 가정법문장으로 '내가 ···라고 한다면 거짓말이겠지' 라는 말로 결국 어떤 사실이나 자기의 진실이나 진심을 우회적으로 표현하는 방법.

L

He told me a white lie.
걔가 내게 선의의 거짓말을 했어.

- Have you ever **told a lie**? 거짓말해본 적 있어?
  You always laugh like that when you're **telling a lie**.
  넌 거짓말할 때면 항상 그렇게 웃더라.

■ **tell a lie**는 '거짓말하다,' 반대로 '진실을 말하다'는 tell the truth라고 하면 된다.

You're lying to me.
거짓말하지마.

- I can't help you if **you're lying to me.** 네가 거짓말하면 널 도울 수가 없어.
  Would I lie? 내가 거짓말하겠어?
  You're lying through your teeth. 너 뻔한 거짓말을 하는구나.

■ **lie to sb**는 '…에게 거짓말하다'라는 표현으로 싸우면서 거짓말이잖아, 너 거짓말하잖아라고 말하려면 'You lied to me!'라고 하면 된다. 또한 lie through one's teeth는 '새빨간 거짓말하다,' '뻔한 거짓말을 하다'라는 표현.

That's a big, fat lie.
그건 터무니 없는 거짓말이야.

- It's all **a big lie**! She's just gonna break your heart!
  터무니없는 거짓말이야! 걘 네 맘을 찢어놓을거야.
  Humphrey, you are **a born liar.** 험프리, 넌 타고난 거짓말쟁이야.

■ **big, fat lie**는 '터무니 없는 거짓말'이라는 말로 그냥 big lie라고 해도 된다. 또한 be (such) a good liar는 거짓말을 잘하는 사람.

MORE EXPRESSION

You shouldn't just lie down and take it.
당하고만 있으면 안돼.

» life

 You saved my life. 너 때문에 내가 살았어.

Get a life!
정신차려!

- That girl needs to **get a life.** 저 여자애는 정신 좀 차려야 돼.
  You need a life. 넌 철 좀 들어야 돼.

■ **get a life**는 상대방이 무료하고 따분한 생활을 하거나 사소한 일에 목숨걸 때 '(제발) 정신차려!,' '철 좀 들어라,' '인생 똑바로 살아'라는 말.

Maybe you get to upgrade. Life goes on.
더 나아질 수도 있어. 인생은 계속되니까.

- Charlotte, yes, we're disappointed, but **life goes on.**
  샬롯, 맞아. 우린 실망했어. 하지만 인생은 계속되는거야.
  But **that's life.** You know? 하지만 그게 인생야. 알아?

■ **Life goes on**은 세상이 아파도 혹은 내가 슬퍼도 인생은 계속된다는 의미. 또한 That's life는 어느 정도 살아본 사람은 알고도 남을 만한 표현. '사는게 다 그렇지 뭐'라는 뜻으로 Such is life 혹은 좀 인생의 쓴맛을 본 사람이라면 Life's a bitch라 해도 될 듯.

Now this is the life!
야, 이제 살맛이 나는군!

- I love this hotel. **This is the life!** 이 호텔이 좋아. 살맛나네.
  This is the life! It's great to be rich.
  이게 살맛나는거구만! 부자가 되는건 멋진 일이야.

■ **This is the life!** 하지만 인생에 쓴맛만 있는게 아니라 단맛도 있어서 This is the life하면 이제 살맛난다라는 뜻이 된다. 또한 How's the life?는 상대방에 요즘 사는게 어떠냐고 근황을 물어보는 표현.

She wasn't living the life of a dealer.
걘 딜러로서 살고 있지 않았어

- A cultural anthropologist. I live the life of the people I'm studying. 문화인류학자. 난 내가 연구하는 사람들의 삶을 살고 있어.

■ **live the life of~**는 of 이하의 삶을 살고 있다고 말하는 것으로 live 대신에 lead나 have를 써도 된다.

John came to life after a few beers.
존은 맥주 몇잔 먹은 후에 다시 살아났어.

- I don't come to life until I've had some coffee. 커피 좀 마시고서야 다시 활기가 났어.

■ **come to life**에서 life는 생명이라는 뜻으로 '다시 활기를 띠다,' '소생하다,' '다시 살아나다'라는 의미가 된다.

You saved my life.
너 때문에 내가 살았어.

- I asked you for the money to save my life. 난 죽지 않으려고 네게 돈을 빌려달라고 했어.

  HIV attacks the life-saving T cells that fight disease. HIV는 병과 싸움을 하며 목숨을 구해주는 T셀을 공격해.

■ **save one's life**는 목숨을 구하다라는 뜻이지만 부정문장의 뒤에서 쓰일 때는 절대로 …하지 못한다라는 뜻이 되니 조심해야 한다. 또한 life-saving은 '목숨을 구하는,' life saver는 '구세주,' '재난구조원'이라는 말.

I have no life of my own.
난 정말 내 삶이 없어.

- I had nothing in that house. I had no life. 집에 아무 것도 없어. 삶이 없어.

  She threw her whole life away. 걘 인생 전체를 포기했어.

■ **have no life**는 '사는게 사는게 아니다,' 그리고 throw one's life away는 '인생을 버리다'라는 말.

He takes his own life.
걘 자살했어.

- He'll take his own life. It's the only way we can save Jordan. 걘 자살할거야. 우리가 조단을 살릴 수 있는 유일한 길이야.

  Did they take his life too? 개네들이 그를 살해한거야?

■ **take one's own life**는 자기 목숨을 앗아간다는 말로 '자살하다' (kill oneself)라는 의미. 한편 take sb's life하면 '살해하다' (kill)라는 표현.

I see how you've turned your life around.
난 네가 어떻게 인생역전을 했는지 알아.

- Tina turned her life around after her divorce. 티나는 이혼후에 인생역전했어.

  Some prisoners turn their lives around when they are released. 일부 재소자들은 출소후에 개과천선해.

■ **turn one's life around**에서 turn around는 주로 나쁜 쪽으로 가던 방향을 180도 튼다는 의미로 '인생을 좋게 개선하다,' '개과천선하다,' '인생역전하다'라는 의미가 된다.

놓치면 원통한 미드표현들

- **be in labor** 분만중이다
  I'm in labor. 진통이 있어.
  I don't know. I've never been in labor before. 몰라. 난 첫출산야.

- **lash out** 비난하다, 갈기다
  Sometimes pain can cause you to lash out. 간혹 고통 때문에 격분하게 되거든요.
  You'd wanna lash out at the person who caused it. 넌 그걸 야기한 사람을 후려갈기고 싶을거야.

L

The lies she told took on a life of their own.

걔가 한 거짓말이 점점 부풀려졌어.

- **The small show began to** take on a life of its own.
  소규모 전시회가 점점 더 커지기 시작했어.

  I know this thing with your mom took on a life of its own.
  네 어머니와의 이 일이 점점 더 확대되어가는 걸 알고 있어.

■ take on a life of its own
은 저절로 살아서 움직이다, 즉
'자생하다,' '부풀려지다' 라는 의
미이다.

I've got a friend here who is fighting for his life.

목숨걸고 필사적으로 싸우는 친구가 있어.

- **You took something. The kid's** fighting for his life!
  넌 뭔가 뺏어갔고 그 아이는 필사적으로 싸우고 있어.

  They're more interested in the gun than a cop fighting for his life. 걔네들은 목숨걸고 싸우는 경찰보다 총에 더 관심이 있어.

■ be fighting for one's
life는 목숨걸고 싸운다는 말로
'필사적으로 싸우다' 라는 의미.

My anger had a life of its own.

내가 화났을 땐 통제하기 힘들었어.

- **The dress led me on, it** had a life of its own.
  드레스가 날 이끌었어, 살아움직이는 것처럼.

  Suddenly it's like my hand has a life of its own.
  갑자기 내 손이 제멋대로 움직이는 것 같았어.

■ (have) a life of its own
은 스스로 살아있는 듯이 움직이
다라는 뜻으로 달리 얘기하면 '통
제가 안된다', '제멋대로 움직이
다' 라는 의미로도 쓰인다.

Not on your life!

결사반대야, 절대 안돼!

- **Never in my life.** 두번다시는 안돼.
  A: Ready to talk plea? B: Not on your life. A: 유죄협상거래할래? B: 절대.

■ not on your life는 네 생
전에는 절대로 안된다라는 뜻으로
아주 단호한 거절을 표현하는데
over my dead body와 같은 의
미. never in my life도 있다.

They scare the life out of me.

걔네들이 날 혼비백산하게 만들었어.

- **You crushed the life out of him.** 넌 걜 때려눕혔어.
  I'm gonna choke the life out of you. 난 널 숨막히게 할거야.

■ scare[frighten] the life
out of sb는 sb를 혼비백산하게
만들 정도로 무섭게 하다라는 의
미.

You're the life of the party.

넌 파티에서 분위기 메이커야.

- **Someday I'll wake up and no longer** be the life of the party.
  언젠가 난 정신차리고 파티의 활력소 역할을 더 이상 하지 않을거야.

■ be the life of the party
는 글자그대로 파티의 생명력이라
는 말로 파티에서 흥을 돋구는 활
력소가 되는 사람을 말한다.

놓치면 원통한 미드표현들

- **be out of your league** 너에 비해 수준이 넘 높다
  It's out of your league. 그건 네 능력 밖이야.
  Andy is way out of my league. 앤디는 나보다 수준이 훨 높아.

- **lean on** 기대다, 믿다 **lean towards** …로 마음이 기울다
  We were leaning towards murder. 우리는 살인 쪽으로 맘이 기울고 있어요.
  You can lean on me. 날 믿어.

For the life of me, I can't figure out why.

아무리해도 난 그 이유를 모르겠어.

- For the life of me, I can't remember the correct name.
  아무리해도 그 정확한 이름을 모르겠어.

  I cannot for the life of me read my own handwriting.
  아무리해도 내가 손으로 쓴 글을 못읽겠어.

She's my whole life.

걘 내 인생의 전부야.

- So you've been a liar your whole life. 그래 네 평생동안 거짓말쟁이였구나.

  It was the opportunity of a lifetime. 그건 일생일대의 기회였어.

■■ for the life of me는 부정문에서 쓰이는 표현으로 아무리 노력해도 …을 할 수 없다는 의미를 부여한다.

■■ be sb's whole life는 …가 내 인생의 전부이다, sb's whole life는 '평생' 그리고 V+sb's whole life하면 '평생 …하다' 라는 의미가 된다. 또한 life and death는 '삶과 죽음,' a matter of life and death는 '생사가 걸린 문제,' of a lifetime은 '일생일대의,' 그리고 life-size는 '실물크기의' 라는 뜻이다.

MORE EXPRESSION

social life 사교생활
take one's life in one's own hands 목숨걸고 모험하다
true to life 사실적인
lifer 무기수

» light

You're making light of things. 넌 일들을 너무 안이하게 처리해.

There's light at the end of the tunnel.

고생 끝에 낙이 온다.

- I began to see the light. 난 이해를 하기 시작했어.

  These sorts of things inevitably see the light of day.
  이런 종류의 일들은 필연적으로 빛을보게 되어있어.

New information has come to light.

새로운 정보가 나왔어.

- Evidence supporting criminal intent has just come to light.
  범죄의도를 뒷받침해주는 증거가 밝혀졌어.

  Apparently, some new evidence has come to light.
  명백히, 일부 새로운 증거가 밝혀졌어.

He's out like a light already.

걘 이미 잠들었어.

- I was out like a light when he hit me. 걔가 날 쳤을 때 난 잠들어버렸어.

  I'd love that, but Bill is out like a light. 나도 그러고 싶지만 빌은 바로 잠들어버렸어.

She's the light of my life.

걘 내 인생에서 가장 소중한 사람이야.

- Oh, you are the light of my life, sweet lady.
  어, 자기야, 넌 내 인생에서 가장 소중한 사람이야.

  Sam was the light of her father's life. 샘은 아버지 삶에서 가장 소중한 사람이었어.

■■ see the light는 '뻔한 것을 이해하다,' see the light of day하면 '세상에 널리 알려지다,' '빛을 보다' 그리고 see the light at the end of the tunnel은 '고생 끝에 낙이 온다' 라는 표현이다.

■■ come to light은 사람들이 알게 되다, 밝혀지다라는 뜻으로 bring sth to light하면 '…을 사람들이 알게 하다' 라는 의미.

■■ go[be] out like a light은 '매우 빨리 잠들다' 라는 표현.

■■ the light of sb's life는 인생의 빛이란 말로 가장 소중한 사람을 말한다.

L

You're making light of things.

넌 일들을 너무 안이하게 처리해.

- How dare you make light of this situation! 어떻게 이 상황을 가볍게 처리해!
  He's making light of a kidnapping, false imprisonment.
  걘 유괴나 불법감금을 대수롭지 않게 처리해.

We all need to lighten up a little.

우린 모두 좀 긴장을 풀 필요가 있어.

- Just a little joke to lighten up the mood. 분위기를 좀 가볍게 할 가벼운 조크야.
  He'll lighten up. 걘 괜찮아 질거야.

■■ **make light of~**는 of 이하를 심각하게 고려하지않고 가벼운 일처럼 쉽게 처리하다라는 표현이다.

■■ **lighten up**은 주로 명령형태로 상대방에게 너무 심각하게 생각하지 말고 긴장을 풀어보라고 할 때 사용한다.

MORE EXPRESSION

in light of~ …을 미루어보아
a leading light in[of] sth 핵심멤버
light up the room 주어가 너무 멋져 뽕가다
shed[cast] light on 밝히다, 해명하다

» like

 I don't like it this way. 이런 방식은 맘에 안들어.

He's a little boy, very much like our son.

걘 어린 아이야, 내 아들과 아주 비슷해.

- A cell phone is very much like a computer. 핸드폰은 컴퓨터와 다름없어.
  I would very much like to say no to this. 난 이거에 싫다고 말하고 싶어.

What is it like?

어떤 느낌이지?

- Then tell me, what is it like? 그럼 말해봐, 어땠어?
  What was the show like last night? 지난밤 공연 어땠어?

Gibbs doesn't do things like that.

깁스는 그런 일을 하지 않아.

- Why do you tell her things like that? 왜 걔한테 그런 것들을 말해주는거야?
  Why would she do something like that? 왜 걔가 그같은 일을 하겠어?

■■ **be very much like+명사**는 '…와 대동소이하다,' '거의 비슷하다' 라는 의미. 단 would very much like to+동사는 would like to~의 강조하는 경우이니 헛갈리지 않도록 한다.

■■ **What's A like?**는 A가 어떤지 물어보는 것으로 이때 What ~like는 how. 이 표현은 종종 What~ look like?와 비교되는데 What~ like?가 사람이나 사물의 성격이나 성질을 물어보는데 반해 What~look like?는 단순히 외모를 물어본다는 점이 다르다.

■■ **things like~**는 '…와 같은 것들,' 그리고 something like that는 '뭐 그런거' 라는 의미이다.

놓치면 원통한 미드표현들

- **leer at** (성적으로 끌려) 곁눈질하다
  I hate 'em all. Look at them just leering at us. 걔네들 다 싫어. 우리 곁눈질하는 것 좀 봐.

- **be a lemon** 불량품이다
  My new car is a real lemon. 새로 산 차가 완전히 불량품이지 뭐야.

- **have a lift** 차를 얻어타다 **give sb a lift** 차를 태워주다
  Can I give you a lift? 차 태워줄까?
  Last night she offered to give me a lift home.
  어젯밤 걔가 날 집에 태워주겠다고 했어.

- **go out on a (big) limb** 위험을 감수하고 …하다
  I went out on a limb to get you into that game. 난 위험을 감수하고 널 저 게임에 투입했어.

Like it or lump it!
고르고 말 것도 할 것 없어!

- We're working late, like it or lump it. 선택의 여지없이 우린 야근해야 돼.
  Like it or lump it, he is our president. 싫건 좋건 갠 우리 사장이야.

■ like it or lump it은 달리 선택이 없기 때문에 맘에 안들어도 선택하라는 의미. 선택의 여지가 없다라는 말.

It's very nice of you, I would like that.
고마워라, 그럼 좋지.

- A: I want Kate to meet you. B: I'd like that.
  A: 케이트가 널 만나길 바래. B: 그럼 좋지.
  Now, see, I like that. 이제 봤지, 난 그거 좋아해.

■ I'd like that은 상대방의 제안에 '그렇게 한다면 난 좋다' 라는 뜻으로 '맘에 들다,' '좋다' 라는 뜻의 I like that과 구분해야 한다.

I don't like it this way.
이런 방식이 맘에 안들어.

- I don't like it when people hurt my friends.
  사람들이 내친구 맘을 아프게 할 때 싫어.
  I don't like it either, Jason, but what choice do we have?
  나도 싫지만, 제이슨 다른 선택이 없잖아?

■ I don't like it 싫다라고 할 때 hate보다는 don't like를 많이 쓴다. 부정어자체보다는 부정부사+긍정어를 쓰는게 일반적인데 not happy도 not good도 그런 경우. I don't like it은 '싫어.' '그러지 말자' I don't like either는 '나도 싫어,' I don't like anymore는 '더 이상 좋아하지 않아' 그리고 I don't like when~은 '…할 때 싫더라' 라는 표현.

Did you like it?
좋았어?

- A: Well, you were great. B: Did you like it?
  A: 저기, 너 대단했어. B: 좋았어?
  What about you, Peter? Did you like it? 넌 어때, 피터? 좋았어?

■ Did you like it?은 상대방에게 그게 어땠냐고 물어보는 것으로 How was it?과 같은 맥락의 의미.

I would so much like to see Chris.
난 크리스가 정말 무지무지 보고 싶어.

- I'd very much like to read about your sex life. 너 성생활 무척 듣고 싶어.
  I'd like to see another doctor. 다른 의사선생님을 뵙고 싶어요.
  I'd like you to meet my colleagues. 내 동료들을 만나봐.

■ I'd like to see~는 …을 보고싶다는 말로 see 다음에는 명사, 명사+동사, 명사+~ing[pp] 등이 올 수 있다. I would very much like to~는 강조형. 또한 I'd like you to~는 상대방에게 부탁하는 표현으로 '…좀 해줄래(요)' 라는 문장이다.

Please do as you like.
당신의 뜻대로 하세요.

- Do as you like, no one cares. 맘대로 해, 아무도 신경안써.
  I think it's wrong, but do as you like. 틀린 것 같지만, 하지만 원하는대로 해.

■ Do as you like는 상대방 좋을대로 하라는 말로 문맥에 따라 허락, 관용 혹은 포기의 뜻을 가질 수 있다. do whatever you like 또한 편한대로, 원하는 대로 맘껏하라는 이야기.

How do you like my work?
내가 한 작업 어때?

- A: How do you like that? B: You think you can threaten me?
  A: 어때 맘에 드나? B: 날 협박할 수 있다고 생각해?
  That's how I like it. How do you like it? 그게 내가 좋아하는 방식이야. 어때?
  How do you like dating a fashion model? 패션 모델과 데이트하니까 어때?

■ How do you like that? 은 다양하게 쓰이는 미드표현으로 이상한 행동이나 사건을 보고 '저 것 좀 봐,' '황당하지 않냐?,' 혹은 뭘보여주면서 '어때?' '맘에 드니?' 라는 뜻으로 쓰이고 마지막으로 처벌을 가하면서 '맛이 어떠냐' 라는 뜻으로 쓰인다. How do you like ~ing?는 '…하는 건 어때?' 라는 말.

L

How would you like your job back?
직장을 다시 가져보면 어때?

- How would you like some Tiki Death Punch? 티키 데쓰 펀치 마셔 볼래?

  How would you like two parties this year?
  올해 파티를 두번 하는거 어때?

  How would you like that shipped? 그거 어떻게 발송할까?

How would you like to have a drink with me?
나랑 술한잔 어때?

- How would you like to get together next Monday?
  담주 월요일에 만나는게 어때?

  How would you like to pay for it? 이거 어떻게 지불하시겠어요?

How would you like it if I kicked your ass?
내가 널 혼내면 좋겠냐?

- How would you like it if I read yours? 내가 네것을 읽으면 어떻겠어?

  How would you like it if I told everyone that you were gay?
  네가 게이라고 모두에게 얘기하면 어떻겠어?

What would you like?
뭘 드시겠어요?

- A: Make me a fucking drink. B: What would you like?
  A: 마실 것 좀 줘. B: 뭐 마실래?

  Trust me, it's all stored. What would you like?
  날 믿어, 다 저장됐어. 뭐 먹을래?

What would you like to know?
뭘 알고 싶어?

- We know all about her. What would you like to find out?
  걔에 대해 다 알아. 뭘 알고 싶은거야?

  What would you like me to do? 내가 뭘 해주기를 바래?

I know what it's like to be a teenager.
10대라는 게 어떤 건지 알아.

- You don't know what it's like to have a baby.
  아기를 갖는게 어떤 건지 넌 몰라.

  You remember what it's like to be eighteen years old?
  18살이 된다는게 어떤 건지 기억해?

I'm not like you.
난 너와 달라.

- But you're not like that? 너는 그렇지는 않지?

  He's nothing like me. 걘 나랑 전혀 달라.

■ **How would you like~?**
는 '…는 어때요?' 라고 상대방의 의견을 묻거나 혹은 음식 등을 '어떻게 (준비) 해드릴까요?' 라고 물어볼 때 사용한다. 또한 How would you like that?은 '어떻게 생각해?' 라고 물어보는 문장. 한편 How would you like sth pp~는 '..한다면 어떻겠어?' 라는 의미.

■ **How would you like to~?**
는 상대방에게 제안할 때 사용하는 표현으로 '..어때?,' '…한다면 어떻겠어?' 라는 말. 또한 How would you like to pay~처럼 '어떻게 …하시겠어요?' 라는 의미로도 사용된다.

■ **How would you like it if~**는 '…한다면 어떻겠어?' 라는 말로 역시 상대방의 의향을 물어보는 표현이지만 문맥에 따라 상대방에게 핀잔내지는 비난을 하는 뉘앙스를 띨 때가 많다.

■ **What would you like?**
는 상대방에게 뭘 먹겠냐고 물어보는 것으로 웨이터들의 18번. 물론 일반 상황에서도 쓰이는 표현.

■ **What would you like to+V?**는 what과 would you like to~가 결합된 것을 상대방에게 뭘 하고 싶냐고 물어보는 표현이다.

■ **(not) know what it's like to~**는 to 이하를 하는 것이 뭔지 모른다라는 표현. 응용문장으로 I know[understand] what it's like to~하면 '…하는 것이 어떤 건지 알아,' You don't know[You have no idea] what it's like to~하면 '…하는 것이 어떤 건지 넌 몰라' 라는 표현이 된다. 동사는 know, remember 등 다양하게 올 수 있다.

■ **be like sb**는 주어가 sb와 같다는 표현이고, be nothing like sb는 주어가 전혀 sb와 다르다라는 뜻이다.

There's nothing like it!
그만한게 없어!

- You'll love the feeling! There's nothing like it! 그 느낌 좋아할거야! 최고야!
  There's nothing like the smell of a brand-new car. 신차냄새만한 것도 없어.

■ There's nothing like~는 직역하면 like 이하의 것과 유사한 것은 없다는 말로 '...만큼 좋은 것은 없다' 라는 의미.

It's like I tricked you.
내가 널 속인 것 같아.

- It's like a porn movie gone wrong. 포르노영화가 잘못 된 것 같아.
  It's not like it's brain surgery. 뇌수술같지가 않아.

■ It's like~는 다음에 명사 [~ing]나 S+V를 붙여 '...하는 것 같아,' '...하는 것과 같은 셈야' 라는 표현. 반대로 It's not like+명사[~ing], S+V]라 하면 '...처럼인 것은 아니다,' '꼭 ...는 아니다' 라는 말이다.

It's not like you to get right down to business.
바로 본론으로 들어가는 건 너답지 않다.

- It's not like you to ask those kind of questions.
  저런 종류의 질문을 하는 건 너 답지 않아.
  Not like you to leave something unfinished. 일을 하다마는 건 너답지 않아.

■ It's not like you to+V는 상대방이 실망스런 행동을 했을 경우 비난하면서 '...하는 것은 너 답지 않다' 라고 말하는 법.

It's not like that.
그런게 아냐.

- It's not like that. He's sweet. 그런게 아냐. 걘 착해.
  It's not like that. We're together. 그런게 아냐. 우리 같이 있어.

■ It's not like that은 '그런 게 아냐' 그리고 반대로 It's like that은 '그 경우와 비슷해,' '그런 경험야,' '그런거야' 라는 말.

Like this?
이렇게 하면 돼?

- A: Like this? B: I think it was a little bit faster. A: 이렇게? B: 좀 빨라.
  A: Like this? B: Ah, fuck. A: 이렇게? B: 아, 빌어먹을.
  A: My dad's a pro at hiding things. B: Like what? A: 아빠는 물건 숨기는데 프로야. B: 예를 들면?

■ Like this? 지시를 받고 자기가 제대로 하고 있는지를 확인하는 것. 제대로 하고 있을 땐 Yes, like that, 잘못하고 있을 땐, No, not like that이라고 말한다. 한편 Like what?은 상대방에게 추가적인 예를 들어달라고 요구할 때 쓰는 표현. '예를 들면,' '어떤 거?' 라는 말.

놓치면 원통한 미드표현들

- **the sky is the limit** 제한이 없다 that's the limit 더 이상 못참다
  The sky is the limit. 제한이 없다.
  That's the limit. 더 이상 못참아.

- **be off limits** 금지구역이다
  This area is off limits. You can't come in here. 금지구역이라 오시면 안돼요.

- **know one's limits** 한계를 알다 have one's limits 한계가 있다
  No, I know my limits. 아니, 난 내 한계를 알아.
  No, thanks. Two's my limit.
  고맙지만 됐어. 두 개가 내 한계야.
  I have my limits. You want me to strip, you're going to need a warrant.
  나도 한계가 있지. 내 옷을 벗기려면 영장이 필요할거야.

L

Yeah. Well, it's just like that.
그래. 어, 그냥 그렇게.

- And just like that, it's all okay. 그리고 그냥 그렇게, 다 괜찮았어.
  And just like that, I was hooked. 그리고 그냥 그렇게, 난 낚였어.

I am going whether you like it or not!
네가 좋든 싫든 난 갈거야.

- Donna and I are getting married whether you like it or not.
  네가 좋든 싫든 도나와 난 결혼할거야.
  Whether you like it or not, you're one of us.
  네가 좋든 싫든, 너와 우린 한 팀이야.

I was, like, a hundred pounds heavier.
난, 그니까, 100파운더 더 무거웠어.

- Okay, I'll see you in, like, ten minutes? 좋아, 저기, 10분 후에 보자.
  Dude, that's, like, seven miles. 친구야, 그건 뭐, 7마일이야.

That's more like it.
그게 더 낫네.

- Brilliant? Foolish is more like it. 명석하다고? 어리석다고 하는게 더 좋겠는데.
  A: You win. B: That's more like it. A: 네가 이겼어. B: 그래 그거야.

They've really taken a liking to me.
걔네들은 정말 나를 좋아해.

- They took a liking to the work schedule. 걔네들은 업무일정을 좋아해.
  The steak here is to my liking. 여기 고기는 내가 좋아하는거야.

Same killer. Most likely.
같은 살인자예요. 아마도 그럴 겁니다.

- That's not likely. 그건 별로 가능성이 없어.
  He's likely to call in lawyers. 걘 변호사를 부를 것 같아.

Likewise, and thanks again for letting me stay here.
마찬가지야, 그리고 여기 머물게 해줘서 다시 한번 고마워.

- A: It was really nice meeting you. B: Likewise.
  A: 정말 반가웠어. B: 나도.
  In all likelihood, I'll be seeing him next week.
  십중팔구, 난 걜 담주에 보게 될거야.

■ just like that은 '그냥 그렇게 빨리'라는 말로 뭔가 아주 빨리 진행됐다는 뉘앙스를 갖는다.

■ like it or not는 좋든 싫든 간에, 양단간에라는 표현.

■ like는 참 설명하기 그리고 이해하기 어려운 경우. 틀에 박혀 공부를 하다보니 더 힘들게 느껴지는데 우리도 우리말을 할 때보면 아무 의미없이 중간중간 하는 말들이 있는데 여기 like도 그런 것중 하나로 '뭐냐 하면,' '그니까,' '뭐…'라는 것으로 문장이 전달하려는 의미에 아무 영향도 끼치지 못하는 허사이다.

■ ~ be more like it은 처음 꺼보다 이번에 선택한 것이 더 좋은 경우를 말하는 것으로 '훨씬 좋은데,' '아까 것보다 이번 게 더 낫군,' '그래 그거야'라는 의미.

■ take a liking to sb는 sb를 '단기간에 좋아하기 시작하다'라는 의미. 또한 sth is to your liking은 '네가 좋아하게끔 되어 있다'라는 말.

■ most likely는 '아마도 그럴 거야'라고 상대방의 의견에 동조하면서 하는 말. 반대로 '그럴 것 같지 않다'고 말할 때는 (that's) Not likely라고 하면 된다. be likely to~는 …할 것 같다, 반대로 be unlikely to~하면 그럴 것 같지 않다라는 표현.

■ Likewise는 인사를 주고받을 때 '이하동문이야,' '마찬가지야'라고 하는 표현. 또한 in all likelihood는 '십중팔구'라는 표현.

MORE EXPRESSION

likable 호감이 가는, 맘에 드는
have a liking 좋아하다
I hope you like it. 선물이 맘에 들었으면 좋겠어.
You like it here? 여기 살만하니?
for the likes of sb …같은 사람들에게
likes and dislikes 선호
and the like 기타등등(and such like)
as likely as not 십중팔구

I'm probably out of line here. 내가 좀 지나쳤나보네.

I'm up against deadline.
마감날짜가 코앞에 닥쳤어.

- We have to hurry because we're up against a deadline.
  마감일이 닥치기 때문에 서둘러야 돼.

■ be up against dead line 은 '마감날짜에 임박했다,' '만기 일이 다가오다' 라는 의미.

It's gonna put your life on the line.
네 목숨이 위태로와 질거야.

- This is my life on the line here. 내 목숨이 걸려있어.

■ put one's life on the line은 '목숨을 걸고 하다,' '죽음 을 무릅쓰다' 라는 표현으로 put 대신에 lay를 써도 된다. 또한 be one's life on the line하면 '목숨 이 걸려있다' 라는 뜻이 된다.

I am in line to get a promotion.
내가 다음으로 승진할 차례이야.

- The patient is in line to get a heart transplant.
  저환자가 심장이식수술 받을 차례야. .

  Are you in line? 줄 서 계신 거예요?

  Come on. Get the girls in line. 이봐. 여자들을 줄세워.

■ be in line to+동사{for+명 사}~는 '다음으로 …할 차례이다,' be in sb's line이나 be in line은 '단순히 줄서있다' 라는 말. 그리고 '새치기하다' 는 cut in line이라고 한다.

I'm probably out of line here.
내가 좀 지나쳤나보네.

- It's totally out of line. 그건 도가 지나쳤다.

  That price is out of line. 값이 터무니없이 비싸.

  You are so out of line. 너 지금 실수하는거야.

■ be out of line은 우리말에 도 있듯 선을 넘어 지나쳤다는 말 이다. 그렇게 해서는 안되는데 그 렇게 했다는 뉘앙스가 있다. '도가 지나치다,' '무례하다' 라는 의미.

You can't cross the line, buddy.
친구야 선을 넘으면 안되지.

- How can he tell me to cross the line? 걔가 어떻게 나보고 선을 넘으라고 할 수 있어?

  I didn't cross the line. We had a truce. 난 경우에 어긋나지 않았어. 휴전했거든.

■ cross the line도 역시 선 을 넘었다는 말로 '도가 지나치 다,' '경우를 벗어나다' 라는 의미.

I mean, you already have your pickup line.
내말은 네가 이미 너만의 픽업라인이 있다는거야.

- It's the greatest pickup line of all time. 그건 가장 멋진 픽업라인이야.

  He totally screwed up the punch line. 걔는 완전히 펀치라인을 망쳐버렸어.

■ pick-up line은 보통 남자 가 여자에게 작업들어갈 때 하는 멋진 말로 punch line이라고도 한다.

Who's on the line?
누구 전화예요?

- There's someone on the other line. 다른 전화가 와 있어요.

  Get on the line and figure out what is going on.
  전화해서 무슨 일인지 알아봐.

■ get on the line은 전화하 다, get off the line은 전화끊다, 그리고 be on the line은 통화중 이다라는 의미.

L

We were thinking more along the lines of some guidelines.

우리는 뭔가 어떤 지침에 따라 생각을 하고 있는 중이었어.

- Think along the lines of creating a TV program.
  TV 프로그램을 만드는데 방향을 갖고 생각해봐.

You kill one, and the others fall into line.

한 놈 죽이면 나머지는 뒤따르게 되어 있어.

- The gang members fell into line behind their leader.
  갱단원들은 자신들의 두목을 따랐어.

  There will be problems if she doesn't fall into line.
  걔가 보조를 맞추지 않으면 문제가 될거야.

In my line of work it's accepted.

내 직종상, 그건 용납이 돼.

- In my line of work, there are two kinds of tippers.
  내 직종상 두 종류의 팁을 주는 사람이 있어.

We were together right down the line.

우리는 바로 만났어.

- Sometime down the line we'll need to have a serious chat.
  앞으로 언제가 우린 진지한 대화를 나누어야 돼.

▬ **think along the lines of sth**은 '…에 대한 생각이나 방향을 갖고 생각하다'(ask sb to think with some idea or theme in mind)라는 의미.

▬ **fall into line**은 '다른 사람의 리더십을 따르다,' '동의하다,' 그리고 bring sb into line은 '어떤 규칙이나 리더쉽을 따르게 하다' 라는 의미.

▬ **in my line of work**는 in my profession이라는 말로 '내 직업에서는,' '내 직종상' 이라는 의미.

▬ **down the line**은 보통 미래에, 향후에라는 말로 in the future라는 의미.

MORE EXPRESSION

run lines with sb in the car
차로 동행하다
toe the line 규칙을 지키다

» lip

 My lips are sealed. 절대로 말안할게

Great, lip service, that's what I need.

좋아, 립서비스라, 그게 바로 내가 필요한거야.

- You always pay lip service to the boss.
  넌 언제나 사장에게 입에 발린 말만 하더라.

You heard me, all right? Read my lips.

내 말 들었잖아, 그지? 내 약속을 믿으라고.

- Read my lips carefully. 내말을 잘 들어봐.
  Read my lips; you need to leave. 내 말 잘들으라고, 그만 가라고.

My lips are sealed.

절대로 말안할게.

- Its cool, little porn on a Saturday night. My lips are sealed.
  종구만, 토요일 저녁 포르노 좀 보는거. 아무한테도 말안할게.

▬ **pay lip service to~**는 말로만 좋게 해주다, 즉 '입에 발린 소리만 하는 것' 을 말한다.

▬ **read[watch] my lips**는 아버지 Bush의 선거구호로 유명세를 탄 표현으로 약속할테니 '내 말 잘 들어보세요' 라고 하는 표현이다.

▬ **My lips are sealed**는 입술을 봉한다라는 말로 '절대 말하지 않을게,' '꼭 비밀로 할게' 라는 의미이다.

MORE EXPRESSION

None of your lip. 참견마.
give one's lips 키스를 허락하다
give me any of one's lip
사람들의 뺨에 입맞춤을 하다(cheek on everyone's lips)

Listen to yourself. 멍청한 소리 그만해.

I'm listening.
어서 말해.

- I'm listening, amuse me. 듣고 있어, 날 기쁘게 해봐.
  Keep going. I'm listening. 계속해. 듣고 있으니.

I'm listening은 미드초보 자도 많이 들리는 표현으로 상대방보고 듣고 있으니 어서 말하라고 할 때 전형적으로 쓰이는 표현이다. '듣고 있어,' '어서 말해' 라는 뜻.

You don't seem to be listening.
넌 듣고 있지 않는거 같아.

- You're just not listening. 내 말 안듣고 뭐하나?
  It doesn't matter. She's not listening. 그건 문제 안돼. 말을 들으려 하지 않아.

be not listening은 반대로 말을 하는 사람은 있는데 상대방이 말을 듣고 있지 않을 때 혹은 단순히 말을 듣고 있지 않을 때 뿐만아니라 말을 받아들이지 않을 때도 쓴다.

Are you listening to me?
내 말 듣고 있어?

- A: Are you listening to me? B: Oh, I'm sorry. A: 내말 듣고 있어? B: 어 미안해.
  Dan, are you listening to me? Stop eating. 댄, 내말 듣고 있어? 그만 먹어대.

Are you listening to me?는 위에서처럼 말을 듣지 않는 상대방에게 '내말 듣고 있어?' 라고 확인하는 표현.

Listen to me.
내 말 좀 들어봐.

- I'm not going to listen to this jackoff. 저런 개자식이 하는 말은 듣지 않겠어.
  I don't care. She never listens to me. 상관없어. 걘 내말 절대로 듣지 않아.

listen to sb[sth]는 sb[sth]에 신경을 집중해서, 주의를 기울여서 '잘 들어보다' 라는 의미. 하지만 주어가 3인칭으로 listen to sb하게 되면 주어가 to 이하 사람의 말을 잘 듣는다는 의미가 된다.

Listen to yourself
멍청한 소리 그만해

- Will you listen to yourself? 방금 뭐라고 했지?
  Listen to you. What's your deal? 잘 들어. 너 문제가 뭐야?

Listen to you[yourself]는 '내 말 좀 잘 들어봐' 는 뜻. 특히 문맥에 따라 Listen to yourself는 '멍청한 얘기는 그만 좀 해라' 라는 뜻으로도 쓰인다.

MORE EXPRESSION

Listen up! 잘 들어!(Listen good!)

 놓치면 원통한 미드표현들

- **take out on a loan** 대출받다 = get a loan
  I just got a loan from a family friend.
  친척 친구로부터 대출을 받았어.
  I would rather try and get a loan from a bank. 난 차라리 은행으로부터 융자를 받을려고.
  It's no wonder the Sparks had to take out a loan. 스파크씨네가 대출받아야 했던 건 당연하지.

- **loan shark** 고리대금업자
  So why go to a loan shark for $200,000?
  그럼 왜 20만 달러를 고리대금업자에게 빌리러갔어?
  He's tapped out with the loan sharks.
  돈을 갚지 못해 고리대금업자로부터 돈을 더 못빌려.

L

I'm sorry. I cannot live a lie. 미안, 난 거짓으로 살 수가 없어.

He lives for the moment.

걘 계획없이 되는대로 살아.

- Forget your parents. Let's live for the moment. 부모님잊고, 되는대로 살자.
  No more anger, no more frustration. Live and let live.
  더 이상 화도 내지 말고, 좌절도 하지말고 그냥 살아.

■ live for the moment는 그때 그때 순간의 즐거움을 쫓아 사는 것을 말하는 것으로 그렇게 살면 안된다는 의미가 함축되어 있다. 또한 live and let live는 '다 각자 자기만의 삶이 있는거지'라는 뜻으로 서로 간섭하지 말자는 의미가 함축되어 있다.

I can live with that.

괜찮아, 참을 만해.

- I could live without it. 없어도 돼, 필요없어.
  Can you both live with that? 그 정도 선에서 둘이 합의하면 안돼?

■ can live with that은 that과 함께 지낼 수 있다는 말로 비유적으로 어떤 조건이나 상황을 그 정도면 받아들일 수 있다, 다시 말해 '난 괜찮아'라는 의미.

I know where you live.

두고보자

- "I know where you live." this was a threat. '두고보자'라는 말은 협박였어.
  I know where you live. You know how I know?
  너 어디 사는지 알아. 내가 어떻게 아는지 알아?

■ know where you live는 네가 어디 살고 있는지 알고 있다는 말로 문맥에 따라 '두고보자'라는 의미로 쓰인다.

You live and learn.

살다 보니 별 걸 다 알게 되네.

- A: Oh, I'm sorry your trip was so sucky. B: Yeah, well, live and learn. A: 여행이 엉망이었다며. B: 어, 별일 다 겪고 살아.
  As I live and breathe, is that your sister? 놀라워라, 네 누이야?

■ live and learn은 뭔가 새롭거나 놀라운 이야기를 들었을 때 하는 말로 '오래 살다보니 별 꼴을 다 본다,' '별별일 다 겪어'라는 말이다. 또한 as I live and breathe는 놀랐을 때 '내뱉는 말로 '내 살다보니,' '이거 놀랍네,' 놀라워라'에 해당되는 표현.

Then have fun. Live it up.

걔네들은 즐기고 있어. 돈쓰면서 즐겨.

- Live it up before you get married. 결혼하기 전에 신나게 놀아.

■ live it up은 특히 '돈을 많이 펑펑 쓰며 즐기다'라는 의미.

I'm sorry. I cannot live a lie.

미안, 난 거짓으로 살 수가 없어.

- You just reach a point where you can't live a lie anymore.
  넌 더 이상 거짓삶을 살 수 없을 정도에 이르렀어.
  It's very difficult for two people to live a lie, let alone three.
  3명은 말할 것도 없고 2명이 자신들에 대해 숨기고 살아가는 건 매우 어려운 일이야.

■ live a lie는 '속내를 드러내지 않다'라는 말로 자신에 대해 그리고 자신의 감정을 숨기고 사는 것을 말한다.

You wanna live to see your baby?

살아서 네 아기를 보고 싶어?

- I live to see my wife again, because of you.
  너땜에 살아 아내를 다시 봐야겠어.
  You plead out now, you'll live to see parole.
  유죄인정했으니 생전에 가석방될거야.

■ live to see는 살아서 …을 보다라는 말로 '살아 생전에 …을 보다'라는 의미.

When I was a kid, I used to live on these.
내가 어렸을 때, 이것들을 먹고 살곤 했어.

- It's a party where women live out their sexual fantasies.
여성들이 성적환상을 실제로 해볼 수 있는 파티야.

  You could get to live out my fantasy! 넌 내 상상을 실현시킬 수 있을거야!

How can I possibly live up to that review?
그 평가에 맞게 어떻게 행동할 수 있겠어?

- I mean, who can live up to that? 내말은 누가 그에 맞게 행동할 수 있냐는 거지?

Have the press there. Tell them to go live.
방송사 오라고 하고 생방으로 가자고 해.

- She's gonna go live with him. 걘 걔와 함께 살러 갈거야.

  You go live your life as you please. 넌 원하는대로 네 삶을 살아.

Guy's gotta make a living.
그 사람은 돈을 벌어 생계를 꾸려나가야 돼.

- Can't blame a guy for trying to make a living. 돈벌려 한다고 비난할 순 없지.

  I wasn't in his will. Yes, I need to make a living.
난 유산상속에서 제외되었어. 그래, 난 생계유지를 하기 위해 돈을 벌어야 돼.

I'm living proof he's right.
난 걔가 맞다는 것을 입증하는 살아있는 증거야.

- You are making a difference. I'm living proof.
넌 많이 변했어. 내가 살아있는 증거야.

  He is living proof of my theories. 걘 내 이론이 맞다는 것을 보여주는 본보기야.

■ live on sth하게 되면 '…을 먹고 살다,' 그리고 live out은 상상만 하던 것을 '실제 실행에 옮기다' 라는 뜻이다.

■ live up to~는 to 이하의 기준이나 기대에 맞게 행동하다, 부응하다라는 뜻. live up to one's expectations 등이 많이 쓰인다.

■ go live는 일반적인 의미로 '단순히 가서 살다' 라는 뜻이지만 또한 언론쪽 관련에서는 go live[laiv]로 '생방송으로 가다' 라는 뜻이 된다.

■ make[earn] a good living은 돈벌이가 괜찮다, 수입이 많다라는 바람직한 표현. 그냥 make a living은 '생계를 꾸리 다.'

■ living proof of[that]는 '…의 살아 있는 본보기이다' 혹은 '…임을 보여주는 살아있는 증거다' 라는 표현.

MORE EXPRESSION

sb haven't lived if[until]~
…하지 않았다면 인생 헛살았다
live life to the full 열심히 살다
Long live the King! 왕이시여 만세!
in[within] living memory
살아있는 사람들이 기억하는

» load

Get a load of this. 이것 좀 봐.

Get a load of this.
이것 좀 봐

- Get a load of this. She's proposing to Tim. 이거봐. 걔가 팀에게 프로포즈했대.

  Get a load of that drunk guy. 저 술취한 사람 좀 봐.

Sure thing, Pally. Here. Take a load off.
물론, 팰리. 다, 좀 쉬어.

- Sit down there. Take a load off. 거기 앉아서, 좀 쉬어.

  Sit here and take a load off. 여기 앉아서 좀 쉬어.

■ get a load of는 상대방에게 뭔가 보라고 하거나 자기가 하는 말을 들으라고 할 때 쓰는 표현. '…을 좀 봐,' '…을 들어봐' 라는 뜻.

■ take a load off는 짐(a load)을 내려놓는다라는 말로 '편히하다,' '안심하다,' '짐을 덜다' 등의 의미로 쓰인다.

L

He keeps a loaded gun under the counter.

갠 카운터 밑에 장전된 총을 갖고 있어.

- My father was born poor. I was born loaded.
  아버진 가난하게 태어나셨고 난 부유하게 태어났어.

  My uncle is loaded. He owns several businesses.
  내 삼촌은 부자야. 사업체를 여러개 소유하고 있어.

I don't want to unload her.

난 걜 차버릴 생각은 없어.

- Would you help me unload some groceries from the car?
  차에서 식료품내리는 거 도와줄래?

  I'll help you guys unload the van. 밴에서 짐내리는 거 도와줄게.

 loaded는 원래 '짐이 실린'이라는 뜻으로 시작해서 '돈이 많은', '술취한', '총이 장전된' 등 다양한 의미로 쓰인다.

■ unload는 짐을 내리다라는 뜻으로 unload A from+차량형태로 쓰이지만 unload 다음에 바로 차량을 쓸 수도 있다. 또한 unload 다음에 사람이 오면 '차버리다'라는 의미.

» lock

 I am locked and loaded. 난 준비됐어.

I am locked and loaded.

난 준비됐어.

- You said come locked and loaded. 넌 다 준비해서 오라고 했어.
  Lock and load. We're going to fight the enemy.
  실탄 장전해. 적과 싸울거야.

■ lock and load는 군대에서 유래된 표현으로 탄창을 넣어 고정시키고 실탄을 장전하라는 의미. 즉 싸울 준비를 하라는 뜻으로 일상생활에서는 '준비하다(get ready)'라는 말로 쓰인다.

You locked out?

너 열쇠두고 나왔어?

- I'm locked out of my apartment. I need to come pick up my extra key. 아파트 열쇠를 두고 잠가버렸어. 여분의 키를 가지러 가야돼.
  We locked out a priest? 우리가 신부님을 못들어오게 한거야?

■ lock out은 문이 잠겨서 사람이 들어오지 못하게 하다라는 표현으로 주로 노동현장에서 사측이 출근을 못하게 하는 거 그리고 일상생활에서는 문이나 차문을 잠그는데 열쇠를 안에 둔 경우에 주로 쓰인다.

We've been in lockdown for almost 20 minutes.

우리는 거의 20분동안 갇혀있었어.

- You're going to be spending the next 10 years in lockdown.
  넌 앞으로 10년간 갇혀지낼거야.

  Dr. House? Lockdown ended a few minutes ago.
  하우스 박사요? 몇분 전에 끝났는데요.

■ lockdown은 안전 혹은 제재하기 위해 일시적으로 가두는 구류조치를 말한다.

I promise this won't be long. 이건 시간 얼마 안걸릴거야.

It was a long day.
힘든 하루였어.

- You look like you've had a long day. 아주 힘든 하루를 보낸 것 같아.
  No, but this is gonna be a long day. 아니, 아주 힘든 날이 될거야.

■ a long day는 얼굴이 길어지면(long face) 힘든 모습이듯 하루가 길게 느껴질 때는 무척 고되고 힘든 날을 뜻한다.

You stay here, Charlie. I won't be long.
찰리, 너 여기 있어. 금방올게.

- Don't be long. We're starting soon. 빨리와. 우리 곧 시작해.
  Here is the bathroom. Don't be long. 여기가 화장실이야. 빨리와.

■ don't be long은 잠깐 자리를 비우는 사람에게 빨리 오라고 할 때, 그리고 won't be long은 자리를 잠깐 뜨면서 시간이 오래 걸리지 않을거라고 말할 때 사용한다.

I promise this won't be long.
이건 시간 얼마 안걸릴거야.

- It won't be long before my body starts to wither.
  곧 내 몸이 시들기 시작할거야.
  It won't be long until our house is finally livable again.
  우리집이 다시 곧 살기좋게 될거야.

■ This[It] won't be long (before, until)~은 위에서처럼 won't be long이지만 주어가 it이고 또한 뒤에 before나 until이 와서 '곧 …할 것이다' 라는 뜻으로 쓰이는 표현이다.

You're not taking the long view.
넌 장기적인 관점에서 보질 않아.

- You've got to take the long view of the stock market.
  주식시장은 장기적인 관점에서 봐야 돼.
  Vera is taking the long view of her marriage.
  베라는 자기 결혼을 장기적인 관점에서 보고 있어.

■ take the long view (of~)는 길게 본다는 것으로 '장기적인 관점에서 보다' 라는 뜻.

You know what else goes a long way?
오래가는 다른 거 뭐 알아?

- Take it easy though, a little goes a long way.
  그래도 진정해, 작은 출발이지만 큰 도움이 될거야.

■ (a little) goes a long way에서 go a long way는 '오래가다,' '많은 도움이 되다,' '큰 효과가 있다' 라는 뜻으로 앞에 a little이 붙으면 작은 것이 큰 효과[도움]를 가져오다라는 뜻이 된다.

Well, We have a long way to go.
저기, 아직 갈길이 멀어.

- She's not too happy about it but she's got a long way to go.
  걘 불만이었지만 아직 갈길이 요원해.
  That's a long way to go for a lube job. 자동차엔진 윤활유작업하려면 아직 멀었어.

■ have a long way to go는 가야할 길이 아직 많이 남았다라는 말로 '갈길이 멀다' 라는 뜻이다. That's a long way to go 라고 해도 된다.

I long for it to be so.
난 그게 그렇게 되기를 간절히 바래.

- Don't you long for it? 그걸 간절히 바라지 않아?
  I am touched by your words, but I long to see you again.
  네 말에 감동했지만 널 정말 다시 보고 싶어.

■ long to[for]는 long이 의외로 동사로 쓰인 경우. 이때 long은 wish와 같은 말이다. 열망하다, 갈망하다라는 뜻.

MORE EXPRESSION

longing 갈망, 열망
longingly 간절한 맘으로, 애타게
for the longest time 아주 오래동안
the long and (the) short of it 요점

L

Don't give me that look. 날 그렇게 쳐다보지마.

Look alive!
빨리빨리 서둘러!

- Come on Monica! Look alive! 이봐, 모니카! 빨리 서둘러!
  Look alive! Our boss is coming in the building.
  빨리 서둘러! 사장이 건물로 들어오고 있어.

I'll look you up when I'm in town.
시내에 오면 한번 들를게.

- We were thinking looking it up on a computer.
  그거 컴퓨터에서 찾아보려고 했어.
  Things are looking up already! 상황이 이미 좋아지고 있어.

It looks that way.
그런 것 같아.

- Will he fail? It looks that way. 걔가 실패할까? 그렇게 보여.
  Yeah, it looks that way. I'm guessing he discovered.
  그래, 그렇게 보여요. 걔가 발견한 것 같아.

Don't look at me.
내가 안 그랬어.

- Don't look at me. It was his idea. 나 아니야. 걔 생각이었어.
  Don't look at me. I quit ten years ago. 난 몰라. 10년 전에 그만둔 걸.

Don't look at me like that.
그런 식으로 날 쳐다보지마.

- Don't look at me that way. You know you wanted her dead.
  그런식으로 보지마. 넌 걔가 죽기를 원했잖아.
  Don't look at me like I'm some con. 내가 무슨 사기꾼인 것처럼 쳐다보지마.

Don't give me that look.
날 그렇게 쳐다보지마.

- Don't give me that look. It wasn't my fault.
  그렇게 쳐다보지마. 내 잘못이 아니었어.
  Don't give me that look, don't feel sorry for me. 그렇게 보지마, 동정도 말고.

Have a close look.
천천히 봐요.

- I don't think he broke in. Take a close look.
  걔가 침입한 것 같지는 않은데, 자세히 봐봐.
  Lift the gate. Let's take a look inside. 문을 올려봐. 안을 좀 자세히 보게.

■ **Look alive!**는 꾸물대지 말고 빨리 움직여라는 말로 특히 직장상사가 다가 올 때 경계경보발령시에 많이 쓰인다.

■ **look (sth) up**은 사전에서 단어를 찾듯 뭔가 '정보를 찾는다'는 말이고 look sb up하면 '방문하다'(visit)라는 의미가 된다. 하지만 look up 앞에 상황이 오면 '상황이 나아지다'(get better)라는 뜻이 된다.

■ **It looks that way**는 상황이 그런 것 같아, 그렇게 보인다는 의미.

■ **Don't look at me**는 날 쳐다보지 말라는 말로 상황에 따라 그냥 당황하거나 쪽팔리는 상황에서 보지말라고 할 수도 있고 또 어떤 실수가 발생했을 때는 내가 안그랬어라는 뜻을 나타낼 수도 있다.

■ **Don't look at me like that**은 좀 더 상대방의 시선을 지목해서 '그런 식으로 보지마라'라고 하는 표현. 또한 좀 더 구체적으로 억울한 내용을 적으려면 don't look at me like S+V라 해도 된다.

■ **Don't give me like that look**은 look이 명사로 쓰인 경우로 '날 그런 표정으로 보지 말라'라는 말. 역시 상대방의 표정에 못마땅할 경우에 사용한다.

■ **take[have] a look**는 한 마디로 look과 같은 말로 쳐다보다, 좀 가까이 쳐다본다고 할 때는 take[have] a close look이라고 하면 된다. 한편 take[have] a look-see는 잠깐 보다라는 뜻.

I can look after myself.
내 몸은 내가 돌볼 수 있어.

- Excuse me, would you look after the children? 저기, 아이 좀 봐줄래요?
Would you look after her for the night? 밤새 걜 좀 돌봐줄테야?

■ look after는 안전하도록 돌보다, 봐주다, 보살피다, 맡아라는 기본표현.

I'm just looking.
그냥 구경하고 있는 거예요.

- A: Would you like to try them on? B: No. No, I'm just looking.
A: 입어보실래요? B: 아뇨, 그냥 보는 거예요.

■ I'm just looking은 상점에서 종업원이 낚으려고 May I help you?라고 할 때 그냥 구경하고 있는 거라고 말하는 것으로 I'm just browsing이라고도 한다.

House stares daggers at Wilson.
하우스 박사는 윌슨을 화난 표정으로 바라봤다.

- Tim and Mina stare daggers at each other. 팀과 미나는 서로 노려봤어
The two look up and down each other. 그 둘은 서로 위아래 훑어봤다.

■ look[stare] daggers at sb는 무척 화가나서 sb를 노려보다라는 말이고 look sb up and down은 위아래로 훑어보다[찾아보다] 그리고 look with distaste는 눈살을 찌푸리며 보다, 혐오의 눈길로 보다라는 뜻이 된다.

John's looking to hook up.
존은 가벼운 만남을 해볼 길을 찾고 있어.

- This guy's looking to buy. We want you to sell to him.
이 친구는 사려고 해. 우린 네가 걔한테 팔기를 바래.
You were looking to pick a fight. 넌 싸움 걸려고 하고 있어.

■ be looking to~는 '…할 길을 찾고 있거나 모색하고 있다'는 표현.

Oh, and one more thing... don't look now!
어, 하나 더, 지금 보면 안돼!

- Don't look now, but we're on candid camera. 쳐다보지마, 몰래카메라야.

■ Don't look now는 '쳐다보지마,' '지금 보면 안돼' 라는 표현.

Wow, look what you've done here.
와, 너 참 잘했다.

- You're not Kurt either! Now look what you've done.
너도 커트는 아니잖아. 참 잘한 짓이다.
Now look what you've done! I think my damn hip's broken.
Help me. 참 잘한 짓이다! 내 엉덩이가 부러진 것 같아. 도와줘.

■ Look what you've done은 네가 한 짓을 보라는 말로 상대방이 바보같은 짓이나 멍청한 실수를 했을 때 하는 말로 의역하면 '참 잘하는 짓이다' 라는 의미에 해당된다.

I'm really looking forward to this.
난 정말 이걸 학수고대해.

- The girls are looking forward to this. 소녀들은 이걸 무척 기다리고 있어.
I'm looking forward to your speech. 네 연설 빨리 듣고 싶어.

■ be looking forward to 휴가나 월급날 혹은 연인과의 만남처럼 어떤 일에 대해 학수고대할 때 쓰는 표현. 조속한 답장을 요하는 business letter나 email의 전형적인 결구(結句)로 자주 등장한다. 이때, 전치사 to 뒤에는 동명사나 명사를 써야 한다는 것에 유의하자.

It doesn't look good.
바람직하진 않아.

- You don't look so good. 그렇게 좋아 보이지는 않아.
She doesn't look good in a bathing suit. 걘 수영복 차림이 별로 안어울려.
You're young, you're reasonably good-looking. 넌 젊고 적당히 잘 생겼어.

■ It doesn't look good은 보기 안좋다, 바람직하지 않다 등의 의미. Sb doesn't look good 하면 겉모양을 봐서 짐작컨대 상태가 좋아보이지 않는다는 말이고 good-looking하면 잘생긴, 보기 좋은이라는 말.

L

Look at you.

얘 좀봐.

- Oh, look at you! All shiny and bright. 얘좀봐! 화려하고 화사하게 입었네.
  Look at that! 저거 좀 봐!
  Oh, look at the time. I'm going to bed. 어, 시간 좀 봐. 나 잘게.

Look here, Sam. Things are different now.

이것봐, 샘. 이제 상황이 바뀌었어.

- Look here, I'm tired of listening to you. 이것봐, 네 말 듣는 거 지겨워.
  Look here, everyone is ready to go home.
  이것봐, 다들 집에 갈 준비가 되어 있어.

Look who's here!

아니 이게 누구야!

- Look who's here. Do a little shopping, ladies?
  이게 누구야. 쇼핑 좀 하시나요, 숙녀분들?
  Well, look who's here! It's my school chums!
  어, 이게 누구야! 학교 때 단짝 친구야.

You say I'm fat? Look who's talking.

내가 뚱뚱하다고? 지는 어떻고.

- Helen says I'm a bad cook, but look who's talking.
  헬렌은 내 요리가 형편없다지만 지도 마찬가지면서.
  Dad says I'm lazy, but look who's talking.
  아빠가 내가 게으르다고 하는데 누가 할 소리를.

I got him. Prentiss, look out!

내가 잡았어. 프렌티스, 조심해!

- Look out! Coming through! 조심해요! 좀 지나 갈게요!
  Why do you look out for him? 왜 걜 주시하는거예요?
  I have to look out for my career first. 내 경력부터 챙겨야돼요.

Mike, it looks like you signed it.

마이크, 네가 사인한 것 같은데.

- Looks like he became born again in prison.
  걔가 감옥에서 개과천선한 것 같아.
  Looks like maybe a junkie or an overdose. 마약중독자나 마약과용자 같아.

You don't look like it's okay.

괜찮은 것 같지 않은데.

- You don't look like you're having fun. 너 재미있게 보내는 것 같지 않아.
  You don't look like me anymore. 더 이상 날 닮은 것 같지 않은데.

■ **Look at you**는 서로 만났을 때 새로워진 모습을 보면서 하는 말로 '얘 좀 봐라,' '이거봐라' 라는 표현. 또한 look at the time은 주로 시간가는 줄 모르고 있다가 늦었을 때 '이런 시간 좀 봐' 라고 놀래면서 하는 말.

■ **Look here**는 뒤에 이어지는 말의 내용을 강조하기 위해 '이것 봐,' '중요한 건 이거지' 라고 초를 치는 표현.

■ **Look who's here**는 예상 못한 사람을 보고서 하는 말로 '아니 이게 누구야,' '누가 왔는지 보라고' 라는 뜻. 놀람과 반가움을 표현한다.

■ **Look who's talking**은 자기 잘못은 모르고 타인을 비난할 때 어처구니 없음에 탄식하며 던지는 말로 '사돈 남말하네,' '누가 할 소리를' 이라는 의미. 물론 비아냥거리는 말이다.

■ **Look out!**은 상대방에게 위험이 근접해있음을 경고하면서 '조심해!,' '정신 차리라고!' 라고 하는 표현이다. 또한 look out for~하게 되면 '주시하다,' '돌보다,' '챙기다' 라는 뜻.

■ **It looks like+N[~ing, S+V]**는 '…처럼 보이다,' '…인 것 같다' 라는 표현으로 look like 다음에는 명사, ~ing 혹은 S+V절이 온다.

■ **You don't look like+N**는 '…와 닮지 않다,' 그리고 you don't look like S+V는 '…같지 않다' 라는 뜻이다.

I didn't like the look of the jury.

배심원들의 표정이 맘에 안 들었어.

- I didn't like the look of the guy that Vicky was with.
  난 비키가 같이 있던 사람 표정이 맘에 안들었어.

  I don't like the look of the guy who's standing over there.
  저쪽에 서있는 사람의 표정이 맘에 안들어.

He gets his good looks from his dad.

걘 아빠를 닮아 훤칠해.

- He's got money, good looks. 걘 돈도 많고 생김새도 멋져.
  She's got more than good looks. 걘 아주 멋진 여자야.

■ not like the look of~는 '…의 표정을 싫어하다' 라는 말.

■ get one's good looks는 매력적인 부모를 닮아서 멋지다 (physical attractiveness)라는 말이고 lose one's looks하면 매력을 잃다라는 뜻이 된다.

MORE EXPRESSION

look kind of goofy 이상해보여
try (out) a new look 새롭게 보이려하다
not much to look at 매력없는
She's not unfortunate looking. 걘 못생긴건 아니야.
You look young for your age. 나이보다 어려보이시네요.
look-alike 대역

» loop

It threw me for a loop. 나 놀랬다니까.

I wanted to keep you in the loop.

난 너에게도 진행상황을 알리고 싶었어.

- We need to be kept in the loop. 우리는 돌아가는 상황을 잘 알고 있어야 돼.
  She's yours now. Just keep me in the loop.
  걘 이제 네가 맡아. 내게 보고만 해.

I don't like to be out of the loop.

난 끼지 못하고 소외당하는 건 싫어.

- I would appreciate not being left out of the loop, okay?
  계속 진행상황을 알려줘서 고마워요, 알았죠?

  I want him taken out of the loop. 걔한테는 진행상황을 모르게 했으면 해.

It threw me for a loop.

나 놀랬다니까.

- Yeah, that kind of threw me for a loop. 그래, 그 때문에 좀 놀랬어.

  He threw me for a loop by chasing after Vanessa.
  걔가 바네사를 쫓는 바람에 내가 기겁했어.

■ keep sb in the loop는 의사소통의 고리(loop)에 sb를 넣어달라는 말로 sb에게 '계속 진행상황을 알려달라,' '계속 보고하다' 라는 표현. keep sb posted [informed]와 같은 맥락의 표현.

■ be out of the loop는 반대로 loop에서 빠지다라는 말로 '소외당하다,' '끼지 못하다' 라는 말이다. 앞의 표현을 이용하여 be taken out of the loop라고 해도 된다. 물론 be in the loop는 계속 진행상황을 알고 있다라는 말.

■ throw[knock] sb for a loop는 sb를 어이없게 하다, 놀라게 하다라는 뜻으로 Don't be thrown for a loop하면 '놀라지마' 라는 표현이 된다.

L

Someone tying up loose ends. 누군가 일 마무리를 지으려고 해.

I'll cut him loose.

난 걜 놓아주려고.

- Otherwise you gotta cut her loose. 그렇지 않으면 넌 걜 놓아주어야 돼.

  It's not enough for an arrest. We've got to cut him loose. 체포하기엔 충분치않아. 걜 놓아줘야돼.

  There's a serial killer on the loose. 연쇄살인범이 도주중이야.

Well, they wouldn't let their victim loose.

저기, 걔네들은 피해자를 통제하려고 할거야.

- We'll let loose at the party tonight. 우린 오늘 밤 파티에서 자유롭게 놀거야.

  Our boss let loose on Kristin. 사장은 크리스틴이 맘대로 해보도록 했어.

All hell broke loose!

모든 게 엉망진창이야!

- Dog broke loose, maybe chased the perp and got a piece of him. 개를 풀었고 아마 범인을 쫓아 문 것 같아.

  Did she ever get loose? 걔가 정말 도주한거야?

Someone tying up loose ends.

누군가 일 마무리를 지으려고 해.

- A: What's this all about? B: Just tying up loose ends.
  A: 이게 다 무슨 일이야? B: 일을 마무리할려고.

  Nate is obviously trying to tie up his loose ends.
  네이트는 분명히 마무리 못한 일을 끝내려고 하고 있어.

Let's face it, you're somewhat of a loose cannon.

피하지 말자고. 넌 좀 통제불능야.

- Pat got fired because she was a loose cannon at work.
  팻은 직장에서 통제불능이어서 해고됐어.

  The new cop is a real loose cannon. 새로운 경찰이 위험하게 행동해.

I don't even know how it came loose.

나도 그게 어떻게 풀렸는지 몰라.

- I don't care! The wires have come loose in your head!
  상관없어! 너 나사 풀렸어!

  Right. No biggie. Stay loose. 맞아. 별일아냐. 침착하라고.

  Won't take long, so hang loose. 금방돼. 그러니 침착해.

---

cut loose는 아무런 통제나 영향을 받지 않게 되어 자유롭다, 나아가서는 통제에서 풀려 자유롭게 신나게 즐기다라는 뜻. 한편 cut sb loose는 그런 통제를 풀고 자유롭게 해주는 것을 말한다. 그리고 on the loose는 도망중인, 도주중이라는 의미.

let A loose는 제멋대로 말하거나 행동하다, 풀어주다 그리고 let sb loose on sth은 틀리더라도 자유롭게 해보도록 놔두다라는 뜻이다.

break[get] loose는 도망치다, 도주하다, 달아나다라는 표현. 특히 all hell broke loose하게 되면 모든 지옥이 다 풀려났다는 의미로 모든 게 혼란스러워진 상태를 말한다.

tie up loose ends는 마무리가 되지 않은 일을 마무리짓다라는 의미.

loose cannon은 고삐 풀린 망아지처럼 풀어진 대포라는 뜻으로 '예상외의 돌출행동을 하는 사람'을 말한다. '구제불능,' '통제불능인 사람'으로 time bomb 또는 powder keg이라고도 한다.

come loose는 '풀리다'(break away from where a thing is supposed to be held), '느슨해지다,' 하지만 hang[stay] loose는 걱정하지 않고 '계속 침착함을 유지하다'(stay relaxed)라는 말이다

I'm so sorry for your loss. 고인의 명복을 빕니다.

I think I'm lost.
길을 잃은 것 같아요.

- **Are you lost?** 길을 잃었어요?

  I thought I'd feel happy, but I just feel lost.
  즐거울거라 생각했는데 어떻게 해야할지 모르겠어.

■ be[get] lost는 길을 잃다, 그리고 feel lost는 정신적으로 길을 잃다라는 말로 '어떻게 해야할지 모르다' 라는 뜻이다.

Get lost!
꺼져라!

- **Oh, this is like a nightmare. Get lost!** 어, 악몽같아. 꺼져!

  Get lost, all right? 꺼져, 알았어?

■ get lost가 명령형으로 쓰이면 그만 괴롭히고 꺼지라라는 이야기로 Get out of here와 같은 의미가 된다.

I'm sorry, you lost me.
못 알아듣겠는데.

- **You lost me there.** 말씀을 못 알아들었는데요.

  You lost me at bourgeois. 부르주와라는 데서 말을 이해못했어.

■ you lost me (at~) 역시 상당히 미국적인 표현으로 직역하면 네가 나를 …에서 놓쳤다라는 말로 역으로 말하면 '내가 그 지점부터 네 말을 못 알아들었다' 라는 뜻이 된다. fail to hear[understand]라는 말로 '…때부터 이해못했어' 라고 생각하면 된다.

I'm losing you.
전화가 끊기려고 해.

- **Wait. I'm losing you.** 미안, 전화가 끊어지려고 해.

  I'm in the elevator. I'm losing you. Sorry.
  엘리베이터안이야. 전화가 끊어지려고 해. 미안.

■ I'm losing you는 휴대전화가 엘리베이터나 지하에서 혹은 배터리가 다돼서 막 끊기려고 할 때 '전화가 끊기려고 해' 라는 표현, 혹은 곤란한 상황일 때 써먹을 수 있는 영양가 있는 표현이다.

You've got nothing to lose.
밑져야 본전인데 뭐.

- **So we've got nothing to lose.** 우리는 잃을게 없어.

  He has nothing to lose, so she has to act the same way.
  걘 손해볼 게 없어서 그녀는 똑같은 방식으로 행동해야 해.

■ have (got) nothing to lose는 잃을 게 없다, 손해볼게 없다는 말로 뭔가 과감히 해보라고 상대방에게 권할 때 필요한 표현.

Man, you made me lose it!
야, 너 날 미치게했어.

- **I'm losing it.** 나 미쳐가고 있어.

  I might lose it, so please don't. 나 미칠지도 몰라, 그러니 제발 그러지 말아줘.

  Barney is proposing, she'll lose it and they'll break up.
  바니가 프로포즈를 한다는데, 걔가 화를 낼거고 그럼 헤어지겠지.

■ lose it은 웃음 등이 시작되서 '참지 못하다' 혹은 '갑자기 화를 내다' 그리고 마지막으로 정신 줄을 놓다, 즉 '미치다' 라는 뜻으로 쓰인다.

He's been a loser all his life.
걘 평생 삐주리로 살아왔어.

- **Oh, you must think I'm such a loser.** 어, 넌 내가 정말 못났다고 생각하는 것 같아.

  My mother thinks Justin's a loser. 어머니는 저스틴이 멍청하다고 생각하셔.

  I found it. Finders keepers, losers weepers. 내가 발견했어. 줍는 사람이 임자야.

■ loser는 거의 우리말처럼 쓰는 단어. 패배자라는 뜻에서 멍청이, 못난이라는 의미로 많이 쓰인다. 또한 finders keepers, losers weepers는 '찾는 사람이 갖고, 잃은 사람은 운다' 라는 뜻으로 보통 줍는 사람이 임자라는 뜻으로 쓰인다. 그냥 finders (are) keepers라고 쓰기도 한다.

L

I'm at a loss.
난처해서 어쩔 줄을 모르겠어.

- He is at a loss for words. 걘 당황해서 말문이 막혔어.
  He seems at a loss about what to do. 어떻게 해야할지 몰라 당황한 것 같아.

■■ be at a loss는 당황해서 어쩔 줄 모르다, be at a loss for words는 당황해서 말문이 막히다 라는 의미.

I'm so sorry for your loss .
고인의 명복을 빕니다.

- You look like you lost your best friend. 제일 친한 친구라도 죽었니?
  We are very sorry for your loss. 고인의 명복을 빕니다.

■■ be so sorry for your loss는 범죄수사미드에 정말 많이 나오는 표현. 형사들이 피해자의 가족에게 할 때 많이 들을 수 있다. '고인의 명복을 빕니다,' '삼가 조의를 표합니다' 라는 말.

Then that would be my loss.
그럼 그건 나의 손실이 될거야.

- Thanks. But it's not my loss. 고마워. 하지만 그건 나의 손실이 아니야.
  That's your loss if you don't appreciate my advice.
  내 충고에 감사하지 않으면 네 손해야.

■■ that's[it's] sb's loss는 '…의 손실이다' 라는 의미.

MORE EXPRESSION

loss of memory 기억력 상실
loss of control 통제력 상실
loss of self-control 자기통제력 상실
be lost in thought 생각에 잠기다
be lost for words 할말을 잃다
be lost on sb …의 주목을 못받다

» loud

 Your shirt is so loud. 너 셔츠 한번 요란하다.

I hear you loud and clear.
잘 알았어.

- I think you heard him loud and clear. 네가 걔 말을 잘 들었을거라고 생각해.
  No, I got it. Loud and clear. 아니, 알았어. 아주 분명하게.

■■ loud and clear는 무선통신용어로 상대방의 말이 잘 들린다라는 뜻. 일반적으로 '분명하게,' '확실하게' 라는 의미로 쓰인다.

I didn't say that out loud.
난 큰소리로 말하지 않았어.

- Don't answer out loud. 큰소리로 대답하지마.
  Did I say that out loud? 내가 큰소리로 말했어?

■■ out loud는 큰소리로, 큰소리를 내어라는 뜻으로 say[talk] out loud하면 큰소리로 말하다라는 뜻이다.

Your shirt is so loud.
너 셔츠 한번 요란하다.

- I tried to yell for help but the music was too loud.
  난 도와달라고 소리치려했으나 음악이 너무 시끄러웠어.

■■ be loud는 시끄럽다, 그리고 좀 의외지만 의상 등이 '요란하다' 라는 뜻으로 쓰인다.

You are lousy at cooking meals. 넌 요리하는데 서툴러.

She was a lousy cook.
갠 형편없는 요리사였어.

- That's a lousy conversation starter. 그건 형편없는 대화를 시작하는 말이었어.
  No. I feel lousy, but I don't know why I'm sweating.
  아니. 몸이 안좋아. 하지만 왜 땀이 나는지 모르겠어.

Everyone knows they're lousy with gold.
걔네들이 금을 잘 다룰 줄 모른다는 사실을 다 알고 있어.

- Most people are lousy at bowling. 대부분 볼링을 잘 못쳐.
  You are lousy at cooking meals. 넌 요리하는데 서툴러.

■ lousy하면 '안좋은,' '엄망인,' '형편없는' 이라는 뜻. 특히 feel lousy하면 '몸이 안좋다' 라는 말이다.

■ be lousy at[with]은 '…에 서투르다,' '잘하지 못하다' (have no talent)라는 의미.

They're gonna love it! 걔네들이 좋아하게 될거야!

I'm falling in love with you.
난 널 사랑하게 됐어.

- I'm in love with you. 널 사랑하고 있어.
  I'm madly in love with you. 미치도록 널 사랑하고 있어.

You watched us make love?
우리가 사랑을 나누는 것을 봤어?

- He made love to me. 난 그 사람과 사랑을 나눴어.
  I begged her not to leave. We made love that night.
  난 걔한테 떠나지 말라고 간청했어. 그날 우린 사랑을 나눴어.

(I) Love it!
너무 멋지다!, 내 맘에 쏙 들어!

- I love it! I just hope I don't get too emotional. 좋아! 너무 감정적이지마.
  I'd love it if you girls would come with me. 너희 여자들이 나와 함께 온다면 좋지.

They're gonna love it!
걔네들이 좋아하게 될거야.

- Don't be nervous. He's gonna love it. 초조하게 생각하지마. 걔가 좋아할거야.
  Don't worry. I'm sure they're gonna love you. 걱정마. 걔네들이 널 좋아할거야.

■ fall[be] in love with는 잘 알려진 표현으로 …와 사랑에 빠지다.

■ make love to[with]는 아주 좋은 표현으로 have sex를 완곡하게 표현한 것으로 우리말로 그렇듯 '사랑을 나누다' 라는 말이다.

■ I love it!은 어떤 것이 매우 훌륭하고 멋져서 내 맘에 든다, 정말 좋다, 그리고 I'd love it은 가정법으로 그렇게 된다면 좋겠다는 뉘앙스. 아예 I'd love it if~의 형태로 if 이하에 그렇게 되었으면 하는 내용을 쓰기도 한다.

■ be going to love~는 '…을 좋아하게 될거다' 라는 뜻으로 내가 좋아하게 될 것 같으면 I'll love it 그리고 그녀가 좋아하게 될 것 같으면 She will love it이라고 하면 된다.

L

521

I'd love to, but I can't stay.

그러고 싶지만 가야 돼.

- Is your husband here? I'd love to meet him. 네 남편 여기 있어? 만나고 싶어.
  I'd love to know what he painted, Dr. Reid. 리드박사, 걔가 뭘 그렸는지 알고싶어.

Love you!

너 정말 멋져!

- A: Great. B: Love you! A: 좋아. B: 너 정말 대단해!
  Get over here. Love you! 이리 와바. 정말 멋져!

■ I'd love to는 I'd like to 와 같은 표현으로 …을 하고 싶다, 그리고 I'd love to, but~ 역시 I'd like to, but과 같은 말로 '그러고 싶지만 …할 수가 없다' 라는 말로 정중히 거절할 때 사용한다.

■ Love you!은 진짜 사랑한다는 말이 아니라, '당신 멋져,' '대단해' 라는 의미.

MORE EXPRESSION

love of one's life 소중한 사랑
tug of love 양육권 다툼
love affair 정사
not for love or[nor] money
어떻게 해도 안된다
Love me, love my dog.
나를 사랑한다면 내 모든 걸 사랑해줘.

» luck

I think it's just beginner's luck. 그건 초보자에게 오는 운같은데.

Don't push your luck!

넘 욕심부리지마.

- I don't mean to press my luck, but I'm going to place another bet. 과욕부리려는 것은 아니지만 한번 더 내기할려고.

■ push[press] one's luck 은 자기 운을 믿고 너무 과욕을 부려 일을 망치다라는 의미. 주로 부정형태로 상대방에게 '위험하니 너무 욕심부리지 마라' 라는 뜻으로 쓰인다.

I will try my luck.

한번 해봐야겠어.

- Try your luck. 한번 해봐.
  Want to try your luck? 운에 맡기고 한번 해볼테야?

■ try one's luck은 운을 걸어보다라는 말로 되든 안되든 한번 '운에 맡기고 해보다' 라는 의미이다.

Let's make our own luck. What do you say?

우리 스스로의 운을 만들자. 어때?

- In this world, son, you've got to make your own luck.
  아들아, 이세상에서 넌 네 운을 스스로 만들어야 된다.

■ make one's own luck 은 스스로의 운을 만들다, 다시 말해서 운이 아니라 스스로 열심히 노력하여 성공하거나 부자가 되다 라는 말.

It's bad luck to see the bride before the wedding.

결혼식전에 신부를 보면 불운하대.

- Isn't having sex before the wedding the bad luck thing?
  결혼전 섹스는 불운한 거야나?
  Hey, tough luck about the wife abuser getting released.
  야, 아내 폭행범이 풀려나다니 참 재수없군.

■ bad luck은 불운, 특히 거울을 깨면 7년간 재수없다는 말에서 7 years' bad luck이란 표현도 있다. 또한 Tough luck 또한 '운이 없네' 라는 말이 된다.

I think it's just beginner's luck.

그건 초보자에게 오는 운같은데.

- Hope it wasn't just beginner's luck. 단순히 초보자에게 오는 운이 아니길 바래.
  Your high score was just beginner's luck. 너의 고득점은 초보자 운이야.

■ beginner's luck은 무식하면 용감해진다라는 걸 생각해보면 답이 나온다. 폼도 개떡같은 볼링초보자가 연속으로 스트라이크를 때릴 때, 골프초보자가 홀인원을 하는 것처럼 초보자에게 따르는 운을 말한다.

A: No luck? B: Nope.
A: 안됐어? B: 응.

- A: Any luck? B: I think she's from central America.
  A: 잘돼가? B: 걔가 중미출신인 것 같아.

  So now we've got 3 victims who won't talk. Any luck?
  이제 사망자가 3명인데 잘되가는거야?

Any luck?, No luck?은 둘다 모두 상대방에게 진행하던 일이 잘되어가는지 여부를 물어볼 때 사용하는 것으로 각각 '잘돼가?' '안됐어?' 라는 의미.

With any luck, we'll find Tyler.
운좋으면 타일러를 찾을거야.

- With any luck I will be here to enjoy it. 운이 좋다면 여기와서 즐길거야.

  Well, with any luck, we'll get a clear thumbprint.
  운좋으면 선명한 엄지손가락 지문이 나올거야.

with any luck은 운이 좋다면이라는 말로 희망을 담은 표현으로 hopefully와 같은 의미.

I'm out of luck.
난 운이 없어.

- You're in luck, this is an easy one. 넌 운이 있네, 이거 쉬운거였어.

  You're SOL(shit out of luck). 넌 운이 없구나.

be in luck은 운이 있다, 반대로 운이 없다고 할려면 be out of luck이라고 하면 된다.

Good luck. You'll need it.
행운을 빌어. 필요할거야.

- Good luck! 잘 해, 행운을 빌어!

  Good luck with that. 그거 행운을 빌어.

Good luck (to you)은 상대방의 일에 행운을 빌며 행운을 빌어, 다 잘 될거라는 말로 행운이 있기를 바라는 일에는 good luck with sth을, 사람에겐 good luck to sb라 한다.

I'm happy for you. Best of luck.
너 잘되서 기쁘다. 행운을 빌어.

- Best of luck with the wedding. 결혼식 잘되기를 빌어.

  Best of luck with your recovery. 빨리 회복되기를 빌어.

best of luck 역시 행운을 빌어줄 때 사용하는 것으로 '행운을 빈다' 라는 뜻. 단독으로 써도 되고 잘되기를 바라는 일을 붙이려면 best of luck with~, 그리고 잘되기를 바라는 사람을 말할 때는 best of luck to sb라고 한다.

I wish you good luck.
행운을 빌어.

- Wish me luck! 행운을 빌어줘.

  It's the big night! We wanted to wish you good luck!
  굉장한 저녁야! 우린 네가 행운이 있기를 바랬어.

wish sb good luck은 sb에게 행운이 있기를 바란다라는 표현.

Blow my dice for luck.
내 주사위에 행운을 빌어줘.

- This is what I do for luck. 이게 내가 운좋으라고 하는 거야.

  A: Kiss for luck? B: Oh, sure. A: 행운의 키스를 해달라고? B: 어, 알았어.

do sth for luck은 행운을 가져온다고 해서 …하다, kiss [hug] for luck은 행운의 키스, 포옹을 하다, 그리고 blow one's dice for luck은 '…의 주사위에 행운을 위해 입으로 불다' 라는 말.

I really lucked out.
난 정말 땡잡았어.

- You lucked out with my mom last night, huh? What a relief, right?
  간밤에 우리 엄마랑 운좋았지, 그지? 마음이 놓여 그지?

  So far it looks like I lucked out. 지금까지는 운이 좋은 것 같아.

luck out은 운이 좋다(to be lucky)라는 표현으로 You lucked out하면 '땡잡았네' 라는 의미.

L

My luck ran out.

난 운이 다했어.

- Which was good for this guy, until his luck ran out.
  걔 운이 다할 때까지는 걔한테 잘된 일이었어.

That's just my luck.

내가 그렇지 뭐.

- A: Gentlemen, time is up. B: Just my luck.
  A: 여러분, 시간이 다 됐습니다. B: 내 운이 그렇지 뭐.

  It's just my luck that it rained today. 내 운이 그렇지 뭐, 오늘 비가 오네.

Better luck next time.

다음엔 더 나아질 거야.

- Home pregnancy test. Negative. Better luck next time.
  집에서 임신테스트했는데 임신아니야. 다음번에 좋아지겠지.

  Sorry you lost. Better luck next time. 잃었다며. 다음번에 운이 있겠지.

Being born poor is just the luck of the draw.

가난하게 태어난 건 팔자소관이야.

- It's not the luck of the draw that you're in here with him.
  네가 여기 걔와 함께 있는 건 우연히 그런게 아냐.

■ one's luck run out은 '운이 다했다,' 그리고 be down on one's luck하면 '운이 기울다' 라는 의미.

■ just my luck은 사사건건 하는 일마다 안풀리는 지지리도 운이 없는 사람이 불운을 또 만나면서 하는 하소연, '내가 무슨 운이 있겠어,' '내가 하는 일이 그렇지 뭐' 라는 자조적인 말.

■ better luck next time은 just my luck이라고 한탄하는 친구에게 다음번에는 운이 따를거라고 위로해줄 때 혹은 스스로 위로할 때도 쓰인다.

■ the luck of the draw에서 draw는 무승부가 아니라 제비뽑기라는 말로 the luck of the draw하면 추첨운, 나아가 운이 좋은, 팔자소관이라는 뜻으로 쓰인다.

MORE EXPRESSION

potluck party 각자 음식가져오는 파티
Some people have all the luck. 어떤 사람은 정말 운도 좋아.
You never know your luck. 운이 좋을 수도 있다.

» lucky

He got lucky with Susie. 걔, 수지랑 잤대.

He got lucky with Susie.

걔, 수지랑 잤대.

- Maybe we'll get lucky with some sexy cowgirls.
  아마도 우린 좀 섹시한 터프걸들과 섹스할 수 있을지도 몰라.

  We got so lucky with the weather. 우린 날씨운이 참 좋았어.

Lucky for you.

다행이다.

- And, uh, lucky for you, I'm a nurse. 너 참 다행인게, 나 간호사야.

  Well, lucky for you, I don't have that bag right now.
  어, 너한테 다행인데, 난 지금 그 가방을 안갖고 있어.

Lucky me! Son of a bitch.

내가 운좋구만! 이 개자식.

- Lucky me! Oh my God! That is good news! 내가 운좋네! 맙소사. 좋은 소식야!

  Dad gave you money? Lucky you! 아빠가 돈줬어? 운도 좋네!

■ get lucky with sb는 원래 with 이하에 운이 좋다라는 의미에서 아주 속어적으로 급발전하여 '…와 섹스했다' 라는 의미로도 쓰인다. 그리고 일반적인 의미로도 쓰이는 것 물론이다.

■ Lucky for you는 상대방에게 유리하게 된 상황을 이야기하면서 너에게 잘된 일이야, 다행스럽게도라는 의미.

■ Lucky you!, Lucky me! 는 lucky+sb 형태로 '…가 운도 좋다' 라는 의미지만 질투와 투기심이 배어있는 표현이다. 상대방의 운에 복장이 터질 때는 Lucky bastard!(그 자식 운도 좋구만!)라고 하면 된다.

Who's the lucky guy?

그 행운의 사나이는 누구야?

- A: Who's the lucky guy? B: Just a guy from my English class.
  A: 그 행운아가 누구야? B: 영어수업같이 듣는 아이야.
  So, who's the lucky guy? 그래, 그 행운아가 누구야?

■ Who's the lucky guy?
는 행운을 차지한 사람이 누구냐
라고 물어보는 문장. '행운의 사나
이가 누구야?,' '누가 행운아야?'
라는 의미.

Today is my lucky day.

오늘 일진 좋네.

- This is your lucky day. 너 오늘 운수 대통이구나.
  It's my lucky day. 오늘 나 운종은 날이야.

■ be one's lucky day는
'…가 운이 좋다' 라는 말로 일진
이 좋다라고 말할 때 사용한다.

I would be lucky to have a son like you.

너 같은 아들이 있었으면 좋겠다.

- I'll be lucky if the judge lets me use it as an alias.
  판사가 그걸 내가 가명으로 쓰는 걸 허락해주면 좋겠어.

■ will[would] be lucky
to[if~]는 '…하면 넌 운이 좋을거
다' 라는 의미.

» lust

 She is a lust trigger. A lust trigger! 걘 욕정을 자극해. 욕정을 불러일으켜!

I was just lusting after my teacher.

난 선생님하고 꼭 하고 싶었어.

- You can lust after whomever you want.
  넌 누구든지 원하면 성적으로 원할 수 있어.

■ lust after[for] sb는 sb에
게 성적으로 강하게 끌려서 함께
자고 싶다는 표현. 만약에 sth이
오면 무척 갖고 싶다는 말이 된다.

I admit to having lust in my heart.

내 맘속에 성적욕망이 있는게 맞아.

- My husband won't admit that he has lust in his heart.
  남편은 맘속에 성적욕망이 있다는 걸 인정하려하지 않아.
  She is a lust trigger. A lust trigger! 걘 욕정을 자극해. 욕정을 불러일으켜!

■ have lust in one's heart
는 맘속에 섹스하고픈 성적욕망을
품고 있다라는 표현. lust는 성욕,
욕정이란 뜻이며 성과 관련되지
않을 경우에는 …을 갖고 싶은 강
한 맘을 말한다.

 놓치면 원통한 미드표현들

- **local** 지역의
  I'm gonna call the local hospitals.
  지역 병원에 전화걸거야.

- **be located in** …에 위치해 있다
  Bree sits at a bar located in the middle of
  the store. 브리는 가게 중앙에 위치한 바에 앉아 있어.

- **relocate** 이동[이전시키다]
  They'd been relocated in the Witness
  Protection Program.
  증인보호프로그램에서 위치를 재배정받았어.

- **lone wolf** 외로운 늑대 loner 왕따
  I know, but I'm different, I'm a loner.
  알아, 난 달라, 왕따야.

- **gird one's loins** 만반의 준비를 하다(get one's
  ducks in a row), 싸울 준비를 하다(get ready to fight)
  Larry is waiting there, just girding his loins.
  래리는 싸울 준비를 하고 거기서 기다리고 있어.

L

메토스 미드영어표현사전

Supplements

A-L

I can accept that 그래 맞아

I can accept that.
그래 맞아.

- We are never gonna happen, OK. Accept that.
  우리 (연인으로) 안돼. 그래 받아들여.

  Why can't you accept me? 왜 나를 받아들이지 못하는거야?

  I accept all those flaws, why can't you accept me for this?
  나는 그런 거 다 참고 있는데, 왜 너희들은 내 흠을 인정해주지 않는 거구?

  I've decided to accept the fact that you're going out with her.
  네가 그녀와 데이트한다는 사실을 받아들이기로 했어.

■ accept sth은 '…을 받아들이다,' accept sb는 '…을 받아들이다' 그리고 '…라는 사실을 받아들이기로 결정했어'라고 하려면 I've decided to accept the fact that~라 하면 된다.

She accepted a date with me.
걘 나와의 데이트를 승낙했어.

- Thank you for accepting my last minute invite.
  내가 막판에 한 초대에 응해줘서 고마워.

  And so she accepted a date with Len.
  그래서 걔는 렌하고의 데이트를 승낙했어.

  I got accepted to Yale. 나 예일대에 합격했어.

  Your high school told us you were accepted to Princeton.
  네 고등학교에서 그러는데 너 프린스턴에 합격했다며.

■ accept a date with는 '…와의 데이트를 승낙하다,' get[be] accepted to+대학명은 '…에 붙었다'라는 뜻.

How do I address you? 어떻게 부를까요?

How do I address you?
어떻게 부를까요?

- The headmaster is on stage addressing the audience.
  교장이 연단 위에서 청중에게 연설을 하고 있어.

  They got into a huge fight in the middle of the commencement address. 걔들은 졸업식 연설도중에 큰 싸움을 벌였어.

  Hello everyone. I'm pleased to be here addressing you today.
  안녕하세요, 여러분. 전 오늘 여기서 연설하게 되어 기쁩니다.

■ address는 주로 공식적인 행사에서의 연설을 말하고 일반적인 연설은 speech라고 한다.

This is addressed to Mrs. Braverman downstairs.
이건 아래층 브레이버만 여사 앞으로 온거야.

- They delivered it to the wrong address again!
  걔들이 또 다른 주소에 그걸 배달했어!

  Here's my card. My e-mail address is on the back, and my cell.
  여기 내 명함이야. 이메일 주소하고 휴대폰 번호가 뒤에 있어.

■ address는 기본적으로 주소를 의미하며 return address는 '반송주소,' forwarding address는 '전송주소,' address book은 '주소록'을 말한다. address가 '주소를 적다,' '…의 주소로 발송하다'라는 동사로도 사용된다.

There was no return address on the envelope.
봉투에 반송 주소가 없었어.

Susan throws the letter addressed to Edie into the mailbox.
수잔은 이디에게 온 편지를 우편함에 넣었어.

Let's start off by addressing the division of assets.
(이혼변호사가) 먼저 재산분배문제부터 시작하죠.

- Well, before we answer that, I think we should address the more important question.
  거기에 답하기 전에 좀 더 중요한 문제를 다루어야만 한다고 생각해.

  I was planning on addressing it with you this weekend.
  난 이번 주말에 너와 그 문제를 해결할 생각이었어.

■ address는 '어떤 문제에 접근하다,' '해결하다'라는 의미로 deal with와 같은 의미.

>> amaze

 You look amazing! 너 정말 멋져보여!

You look amazing!
너 정말 멋져 보여!

- Really I'm always amazed at their advancements.
  걔들의 발전에 대해 난 항상 놀랄 뿐이야.

  You're gonna be amazed at how time flies once you're there.
  네가 거기에 있으면 얼마나 시간이 빨리 지나가는지 놀라울거야.

  I'm amazed at how calm you're acting.
  네가 차분하게 행동하고 있는게 정말 놀라워.

■ be amazed at[how, that~/to see~]은 '…에 대해 놀라다' 또는 '놀랄 따름이다'라는 의미로 사용된다.

Her talents never cease to amaze me.
걔의 재능은 날 끊임없이 놀라키고 있어.

- One after the other. It never ceases to amaze me.
  돌아가면서 계속 나를 끊임없이 놀래키고 있어.

  It never ceases to amaze me the damage one human being can inflict on another.
  한 인간이 다른 인간에게 끼칠 수 있는 피해에 대해 난 놀랄 수밖에 없어.

■ never cease to amaze sb는 '끊임없이 …을 놀래키다'라는 뜻으로 주어는 사물이나 it이 나온다.

First of all, you look amazing!
무엇보다도, 너 정말 멋져 보여!

- She looked so amazing in her uniform. 걘 유니폼이 너무 잘 어울리더라고.
  Not that big a deal? It's amazing. 별일이 아니라니? 이건 놀라운 일이야.
  This is amazing. I mean, how, how did this happen? 너무 뜻밖이야. 도대체 어떻게 된거야?
  Wow, this is amazing. Thank you so much, This is gonna be incredible. 세상에. 굉장히 멋지네. 정말 고마워. 굉장한 것이 될거야.

■ You're amazing은 '넌 놀라워'라는 표현이며 You look amazing 하면 '넌 멋지게 보여'라는 의미. 또한 Isn't it amazing?은 '대단하지 않냐?,' '정말 놀랍구나!'라는 뜻이며 This is amazing은 '이건 놀라워'라는 표현이다.

We're taking some time apart 우린 당분간 떨어져 지내기로 했어

We're taking some time apart.
우리 잠시 떨어져 지내고 있어.

- I think time apart will help us. 좀 떨어져 지내는게 우리에게 도움이 될 것 같아.
  You don't think some time apart would do us good?
  좀 떨어져 지내는게 우리에게 도움이 될거라 생각하지 않아?

  So we decided to spend some time apart to decide whether we were gonna get married or split up.
  그래서 우리는 결혼할건지 아님 헤어질건지 결정하기 위해 잠시 떨어져 지내기로 했어.

> ■ take some time apart는 연인이나 부부가 '서로 좀 떨어져 자기만의 시간을 갖는다'라는 뜻이다. 다시 합칠지 아니면 헤어질지는 아직 모르는 단계. need some time은 그런 떨어지는 '시간이 필요하다.' (some) time apart는 그렇게 '떨어져 지내는 시간'을 말한다. take 대신에 spend를 써도 된다.

It appears you've been busy.
너 바쁘게 지내는 것 같아.

- It appears to be some sort of Asian hooker.
  아시아계 매춘부인 것처럼 보여.

  It appears that your son is taking my granddaughter to the ball tonight. 오늘 밤 무도회에 네 아들이 내 손녀를 데려가는 것 같아.

> ■ It appears that~이면 '…처럼 보인다'라는 의미이며 It appears so라 하면 '그렇게 보여'라는 의미.

You appear to be bugging me, Taylor.
테일러, 네가 날 도청하고 있는 것 같아.

- People aren't always what they appear to be, kid. Remember it. 사람들은 보이는 것과 항상 똑같지 않아. 얘야. 내 말 명심해.

  The problem appears to be unsolvable. 문제는 풀 수 없을 것 같아 보여.

> ■ appear to+V하면 '…하는 것처럼 보인다'라는 뜻으로 be 동사나 be+~ing 형태가 오기도 한다.

They look like cops by appearance.
걔들은 외모를 보니 경찰같아.

- Honestly, I don't really have a problem with your appearance.
  솔직히 네가 어떤 옷을 입든 상관없어.

  She just had to make an appearance at the other party.
  걔는 다른 파티에 단지 모습을 나타내야만 했어.

  So maybe if I put in an appearance, she'll let you go.
  그래. 만약 내가 나타난다면 걔는 널 가게할거야.

  Well, guess who's demanding we all make an appearance at lunch? 글쎄. 점심에 우리 모두 나타나야 한다고 누가 주장하는지 알아?

> ■ appearance는 '외관,' '외모,' '겉모습'이라는 뜻. to all appearance는 '어느 모로 보나,' by[in] appearance는 '외관상'이라는 뜻으로 사용된다. 또한 make an appearance는 '모습을 나타내다' 즉, '…에 참석하다'라는 의미로 사용되는데 put in an appearance도 같은 의미의 관용어구로 사용된다.

You're in a restricted area.
넌 제한구역에 들어와있어.

- Now we're into a gray area. Not having sex was holding us together. 이제 우리는 애매한 상황에 놓이게 되네. 섹스를 하지 않아 우리가 함께 했었는데.

  Fortunately I have a lot of experience in that area.
  운좋게도 난 이 분야에서 많은 경력이 있어.

  Are any of these cultures, perchance, in the tri-state area?
  이 근처 주에도 그런 문화가 있을까요?

> ■ gray area는 '중간지대,' '애매한 영역,' restricted area는 '제한구역,' in this[that] area는 '이[저] 분야에서,' 그리고 tri-state area는 3개 주에 걸치는, 즉 '3개 주가 맞닿은'이라는 의미이다.

He's gonna ride my ass for the rest of my life.

갠 날 평생 괴롭힐거야.

- Shut up and stop riding my ass. 닥치고 나 그만 좀 괴롭혀.

  I made mistakes because he was riding my ass.
  걔가 나를 힘들게 해서 내가 실수를 했어.

  They'll get upset if you keep riding their asses.
  네가 계속 걔네들을 괴롭히면 걔네들 화낼거야.

■ ride one's ass는 주어가 'one 을 괴롭히거나 힘들게 하다'라는 뜻. 그래서 이 문장을 쉽게 써보면 He's going to try to cause trouble for me forever가 된다.

>> black. bleach

 She blacked out last night 걘 어젯밤에 필름이 끊겼어

She blacked out last night.

걘 어젯밤에 필름이 끊겼어.

- I think I blacked out there for a minute!
  난 거기서 잠시 정신을 잃었던 것 같아!

  The entire city is blacked out! 도시 전체가 다 정전됐나봐!

■ black out은 '전기가 나가다'라는 뜻도 있지만 주로 비유적으로 '의식을 잃다.' '필름이 끊기다'라는 의미로도 쓰인다. have a blackout이라고 해도 된다.

She's got a black eye, a broken arm.

걘 눈에 멍이 들었고 팔은 부러졌어.

- He bloodied my nose, gave me a black eye.
  걔가 나 코피나게 했고 눈도 멍이 들게 했어.

  Somebody gave her one hell of a black eye.
  누군가 걔 눈을 엄청 멍들게 만들었어.

■ have[get] a black eye는 '눈에 멍이 든 것'을 의미한다. 또한 give sb a black eye는 '눈에 멍이 들게 하다'라는 의미.

I think I'm being blackmailed.

내가 협박을 받고 있는 것 같아.

- You still have the blackmail note? 너 아직도 협박 편지를 갖고 있니?

  He blackmailed me into saying we were together when Ben was killed. 걘 벤이 살해당했을 때 우리가 같이 있었다고 말하도록 날 협박했어.

■ blackmail A into B는 'A를 협박해서 B를 하게 하다'라는 의미의 표현.

It smells like bleach.

표백제 냄새가 나.

- The bottle of bleach was used in both crime scenes.
  표백제가 양쪽의 범죄 현장에서 사용되었어.

  Why don't you tell me why we found bleach on every surface of your house. 네 집안 바닥 곳곳에 왜 표백제가 발라져 있는지 말해 줄래?

  Someone tried to bleach it clean. 누군가 그걸 깨끗하게 표백하려고 했어.

  The whole place was wiped clean with bleach.
  집안 전체가 표백제로 깨끗하게 씻겨져 있었어.

  So that's right, dude, meet me at the bleachers.
  그래, 맞아, 친구야. 옥외 관람석에서 나와 만나자.

■ bleach는 '표백제'라는 뜻으로 미드에서는 주로 살인현장을 깨끗이 닦는데 사용하는 물건으로 등장한다. bleach는 동사로 '표백하다.' '탈색하다'라는 의미로도 쓰인다. bleached 하면 형용사로 '탈색한'이라는 뜻이 된다. 참고로 bleachers는 bleach와 비슷하여 헷갈릴 수 있는 단어로 이는 '경기장의 옥외 관람석'이란 뜻한다.

You're bored out of your minds 네가 아주 지루한가보다

I never even blinked.
난 눈 하나 깜박하지 않았어.

- He didn't even blink at the crime scene photos.
  걘 범죄현장 사진들을 보고도 눈 하나 깜박하지 않았어.

  Life as we know it can change in the blink of an eye.
  인생은 우리가 알고 있듯이 한 순간에 변할 수 있어.

  Superman can fly around the entire planet in the blink of an eye. 수퍼맨은 눈 깜박할 사이에 지구를 한 바퀴 날 수가 있어.

  In the blink of an eye, I've become an old man!
  한순간에 난 나이가 들어버렸어!

■ **not (even) blink**는 '눈 (하나) 깜박하지 않다'라는 뜻으로 '전혀 놀라지 않다'라는 비유적 의미로 사용된다. in the blink of an eye는 눈 한번 깜박할 사이, 즉 '순식간에'라는 의미이며 또한 before you could blink는 '눈을 깜박하기도 전에'라는 의미에서 '매우 빨리'라는 표현이 된다.

It's on the blink.
고장났어.

- A: Can I watch TV? B: Uh, it's on the blink, I'm afraid.
  A: TV 좀 볼 수 있니? B: 아, 고장이 난 것 같아.

  The Internet is on the blink again. 인터넷이 다시 고장났어.

■ **on the blink**는 '고장이 난(out of order)'이란 의미.

You're blowing this out of proportion.
넌 지나치게 부풀리고 있어

- And you're the one who blew it out of proportion.
  그리고 그걸 지나치게 부풀린 건 바로 너야.

  I'm probably just blowing this out of proportion.
  아마 내가 너무 지나치게 부풀리는거 일 수도 있어.

  I know you think I'm blowing this out of proportion.
  넌 내가 과장하고 있다고 생각하고 있다는 걸 난 알고 있어.

■ **blow sth out of proportion**은 별일도 아닌 '사소한 일을 지나치게 부풀리다.' 즉 '과장하다'라는 의미이다.

You're bored out of your minds.
네가 아주 지루한 모양이구나.

- He was bored. He wanted to get out and have some fun.
  걔는 지루해서 나가서 좀 즐거운 시간을 보내고 싶어 했어.

  Don't you ever worry you're gonna get bored?
  네가 지루하게 될거라는 걱정은 하지 않는거야?

  You think that you might get bored?
  넌 네가 지루해질지도 모르겠다고 생각하는거야?

■ **be bored out of one's mind**는 '너무 지루하다'라는 뜻으로 be bored to death 또는 be bored to tears도 같은 표현. 그래서 bore sb to death[tears]는 '…를 아주 지루하게 하다'라는 표현이 된다. 한편 get bored 역시 '지루해지다.'

She's boring the life out of me.
쟤 정말 지겨워 죽겠어.

- Every guy over there is just a boring stiff!
  저기에 있는 모든 남자들은 진짜 따분해!

  I know this gala tomorrow night seems boring.
  내일 밤에 있을 갈라 쇼는 지루할거야.

■ **boring**은 형용사로 '지겨운'이라는 뜻을 갖는다. the life out of me는 참고로 '진을 다 뺄 정도'라는 강조어이다.

Think outside the box 창의적으로 생각해봐

Think outside the box.

창의적으로 생각을 해봐

- You've got to be more imaginative, you know? Just think outside the box here.
  넌 좀 더 상상력을 발휘해야 돼, 알았어? 창의적으로 생각을 해보라고.

  Castle can be a pain in the ass, but he thinks outside the box.
  캐슬이 골칫덩어리가 될 수 있지만 창의적으로 생각을 하잖아.

■ **think outside the box**는 기존 틀에서 벗어나 새롭게 생각을 해보라고 상대방에게 조언할 때 자주 쓰이는 표현이다. 그렇게 '창의적으로 하다'는 go outside the box라 한다.

Cut me a break.

좀 봐줘.

- Come on, Han, cut us a break. We're working two jobs, we got two hours of sleep. 이봐, 한, 우리 좀 봐달라고. 두 가지 일을 하고 잠도 두 시간 잔다고.

  They're gonna cut me a break if I turn him in when he contacts me. 걔가 나에게 접촉할 때 밀고하면 그들이 나를 좀 봐줄거야.

  Why don't you cut me a break, huh? 나 좀 봐주라, 어?

■ **Cut me a break**는 상대방에게 '한번 더 기회를 달라'고 사정하는 표현. 다시는 그런 실수를 반복하지 않을 테니 '한번 봐달라'는 의미. give sb a break와 거의 같은 의미.

You're up bright and early this morning.

오늘 아침 너 일찍 일어났구나.

- A: Yeah. We start work tomorrow. B: Mm, bright and early.
  A: 그래, 우린 내일 일을 시작해. B: 흠, 아침 일찍.

  I'm gonna be there bright and early Monday morning.
  난 월요일 아침 일찍 거기에 갈거야.

■ **bright and early**는 '아침 일찍'이라는 뜻이다.

Look on the bright side.

긍정적으로 생각해.

- Hey, come on, Fez, look on the bright side.
  헤이, 그러지 말고, 페즈, 긍정적으로 보라고.

  We destroyed everything. On the bright side, I don't live here.
  우린 모든 것을 파괴했어. 긍정적인 면은 난 여기에 살고 있지 않다는거야.

  Look on the bright side, she might turn out to be a nice, beautiful girl. 긍정적으로 봐라, 걘 예쁘고 좋은 여자애일 수도 있잖아.

■ **look on the bright side**는 '밝은 면을 보다'라는 뜻으로 비유적으로는 '긍정적으로 보다'라는 의미로 쓰인다.

What brought that on? 어쩌다 그렇게 된거야?

What brought that on?

어쩌다 그렇게 된거야?

- You're quitting? What brought that on? 그만둔다고? 어쩌다 그렇게 된거야?
  What brought that on? Explain it to me.
  어쩌다 그렇게 된거야? 내게 설명해봐.

■ **What brought that on?**은 뭔가 안좋은 일이 일어났을 때 '어떻게 하다 그렇게 되었는지' 그 이유를 물어보는 문장이다.

Look, I don't know what brought this on, but I'm really busy right now. 이봐. 어쩌다 이렇게 되었는지 모르겠지만 난 지금 엄청 바빠.

He's just bursting with ideas.
걔는 아이디어가 그냥 넘쳐나.

- The class was bursting with ideas today.
  오늘 수업시간에는 아이디어가 넘쳐났어.

  Earlier today, I burst into tears. 오늘 아침 난 울음을 터트렸어.
  Brad suddenly burst into the room. 브래드가 갑자기 방안으로 뛰어 들어왔어.
  Sorry to burst your bubble, Castle. 캐슬. 네 환상을 깨버려서 미안.
  I hate to burst bubbles, but you're both wrong.
  기대를 깨트려서 미안한데 너희 둘 다 틀렸어.

■ burst with는 '…으로 넘쳐나다.' burst into는 '갑자기 …하다.' 그리고 burst the bubble은 '환상을 깨다'라는 의미.

Let's bury the hatchet.
오랜 불화를 끝내자.

- Let's bury the hatchet. 오랜 불화를 끝내자. (싸움을 그만두자.)
  And that's how Tammy and I buried the hatchet.
  그렇게 해서 태미와 내가 오랜 불화를 끝냈어.

  Jessica looks at the blood on the hatchet.
  제시카는 그 손도끼에 묻은 피를 쳐다보았어.

■ bury the hatchet에서 hatchet은 '손도끼'라는 무기로 이를 땅에 묻자는 이야기는 '불화를 끝내다'라는 표현이 된다. 또한 bury one's difference하면 '의견차이를 해소하다'라는 뜻.

This woman deserves a proper burial.
이 여인한테는 적절한 장례식을 치러줘야 해.

- The burial suggests an affection for the victims.
  장례식은 희생자들에 대한 애정을 표시하는 자리야.

  She was still alive at the time of her burial.
  걔는 매장 때까지 여전히 살아있었어.

■ burial은 '매장.' '장례식'을 의미하며 burial ground는 '장지'가 된다. 한편 burial chamber는 '묘실'을 뜻한다.

He's trying to butter up her boss.
걔는 사장에게 아부하려고 해

- I'm in no way trying to butter you up.
  난 절대로 네게 아부하려고 하지 않을거야.

  Is there anything I can do to, you know, butter him up?
  Anything he really likes? 내가 저기 걔한테 아부하기 위해 뭐 할게 있어? 걔 뭐 좋아하는거 있어?

■ butter up은 '아부하다.' '아첨하다'라는 의미.

>> call. case. catch. change. chapter

 I'll make some calls 전화 좀 해볼게

I'll make some calls.
전화 좀 해볼게.

- Uh, make some calls, uh, try to figure out where she is.
  어, 전화 좀 해봐. 걔가 어디 있는지 알아내봐.

  I'm gonna make some calls to help you. 널 도울 수 있도록 몇 군데 전화 좀 해볼게.

■ make some calls는 필요한 정보를 구하거나 뭔가 확인할 게 있을 경우 아는 사람이나 필요한 곳에 '전화를 해보다'라는 의미이다.

I can make some calls, see if we can get you transferred to another hospital. 전화 좀 해보고 널 다른 병원으로 이송시킬 수 있는지 알아볼게.

Do you mind looking after her for a minute? I gotta make some calls. 잠깐 걔 좀 봐줄테야? 전화 좀 해야 해서.

She never brought a single case home.
걘 한번도 승소하지 못했어.

- He has made it clear to her that if she doesn't bring this case home, she's gonna be reassigned.
  걘 그녀가 이번 사건을 해결을 못하면 다른 곳으로 발령내겠다는 것을 그녀에게 분명히 했어.

  Just remind yourself that usually I bring the case home.
  보통 내가 사건을 해결한다는 것을 상기하라고.

■ bring the case home은 '사건을 해결하다' 혹은 '사건으로 야기된 문제점들을 해결하다'라는 의미이다.

There's always a catch.
항상 뭔가 있기 마련이야

- Be careful. There's always a catch. 조심해. 항상 뭔가 있기 마련이야.

  I don't trust this contract. There's always a catch.
  난 이 계약을 믿지 못하겠어. 늘상 뭔가 있기 마련이야.

  There's always a catch. Nothing is for free.
  항상 뭔가 있기 마련이야. 공짜란 없어.

■ There's always a catch는 뭔가 할 때 예상 못한 문제점이나 어려움이 있게 마련이라는 세상의 이치를 말하는 문장.

You want to catch me up?
무슨 일인지 말해줄래?

- Come on. I'll catch you up. 이봐. 내가 네게 무슨 일인지 말해줄게.

  Why don't you catch us up? 우리에게 무슨 일인지 말해봐.

  I'll catch you up when you return. 네가 돌아오면 무슨 일인지 말해줄게.

  Now that I have a second, I should catch you up on your new friend Charlie. 내 잠깐 시간이 되니까, 네 새로운 친구 찰리에 대해서 말해줄게.

■ catch me up은 me가 없는 사이에 있었던 일이나 정보를 말하다라는 의미로 You want to catch me up?은 자리를 비우고 난 후 상대방에게 '무슨 일이 있었는지 말해달라'고 하는 의미이다.

Keep the change.
거스름돈은 가져요.

- Here's your change. 자. 여기 잔돈이요.

  I have to be downtown in 10 minutes. Thank you. Keep the change. 10분 안에 시내에 가야 돼요. 고마워요. 잔돈은 가지세요.

■ make change는 '(돈을) 거스르다'라는 의미로 give sb change면 '…에게 잔돈을 주다.' Keep the change하면 '잔돈은 가지세요'라는 뜻. 또한 small change는 '잔돈'이라는 뜻.

Now go get changed.
이제 가서 옷을 갈아 입어라.

- Go upstairs and get changed. 위층으로 가서 옷을 갈아입어라.

  I still have to race home, get changed.
  난 집으로 달려가서 옷을 갈아입어야 해.

  Now go get changed because everybody's ready.
  다들 준비되어 있으니까 이제 가서 옷을 갈아입어라.

■ get changed는 주로 '옷을 갈아입다'라는 의미의 표현.

There was no option but to file for chapter 11.
파산을 선택할 여지밖에 없었어.

- Won't these costs be covered by chapter eleven?
  이 비용은 파산법에 의해 보전되지 않니?

■ file for chapter eleven은 법인이 '파산신청을 하다'라는 표현이며 반면에 개인이면 go chapter seven(파산신청을 하다)라는 표현을 사용한다. chapter eleven은 연방파산법의 제11조를 의미한다.

Many businesses filed for chapter eleven in this economy.
요즘 경기에 많은 회사들이 파산신고를 해.

She began a whole new chapter of life.
걘 삶의 새로운 장을 시작했어.

- He opened an entire new chapter. 걔는 완전히 새로운 장을 열었어.

  How about a whole new chapter in crime solving?
  범죄 해결에 완전히 새로운 장을 열면 어때?

  After the divorce, Mark began a whole new chapter of life.
  이혼 후, 마크는 삶의 새로운 장을 열었어.

■ **a whole new chapter**는 '완전히 새로운 장'이라는 뜻으로 개인의 인생이나 역사의 흐름을 언급할 때 많이 사용된다.

>> **cheer. chill. clear. close**

 This will cheer you up 이게 기운나게 해줄거야

This will cheer you up.
이게 기운나게 해줄거야.

- Cheer up! 기운 내! (힘내!)

  Why don't you do something tonight to cheer her up?
  걔 좀 기운 나게 오늘밤 뭔가를 좀 해봐.

  Well, maybe this will cheer you up. 글쎄, 아마도 이것 때문에 기운이 좀 날거야.

■ **cheer up**은 '기운을 내다,' cheer sb up하면 '…을 기운나게 하다'라는 격려의 의미를 갖는 표현이다.

Thanks, cheers!
고마워, 건배!

- A: Oh, okay, good luck. B: Thanks, cheers.
  A: 좋아, 행운을 빌어. B: 고마워, 건배.

  Cheers to getting Cindy back to where she belongs!
  신디가 소속된 곳에 돌아가게 된 것에 대해 축배를!

■ **Cheers to~**는 '…를 응원하다,' '격려하다'라는 뜻이지만 주로 술자리에서는 '…를 위해서 건배'라는 의미로 많이 쓰인다.

I want you to both chill out.
너희 둘 다 진정하길 원해.

- I just need to chill out for the next few days.
  앞으로 며칠간 난 열을 좀 식히고 싶어.

  We'll chill out first, have a drink, watch the stars.
  우리, 우선 흥분을 가라앉히고, 한잔 하면서, 별을 보자고.

■ **chill out**은 '열을 풀다,' '진정하다'라는 의미의 표현이다.

I got such a chill.
아주 오싹한 느낌이야.

- When we get a chill, goose bumps. When we get excited, adrenaline. 추울 때는 소름이 끼치고 흥분하면 아드레날린이 나오지.

  Hm. I'm feeling a chill from the north. 흠, 북쪽에서부터 오는 한기가 느껴지네.

■ **a chill**은 '냉기'라는 의미도 있지만 '오싹한 느낌'이라는 뜻도 가지고 있다.

You need to get clear on this right now.
이걸 확실히 짚고 넘어가야 돼

■ **get clear on**은 '…을 분명하게 하다,' 즉 '확실히 짚고 이해하고 넘어가다'라는 뜻이 된다.

- Chris, can I get clear on something here? 크리스, 여기서 내가 뭐 좀 확실히 짚고 가도 되겠어?

You need to get clear on this right now. I am in charge of this project. 넌 지금 당장 이걸 확실히 짚고 넘어가야 돼. 내가 이 프로젝트를 책임지고 있다고.

>> come

I didn't see that coming 그럴 줄 몰랐어

I didn't see that coming.
그럴 줄 몰랐어.

- Didn't see that coming. 그럴 줄 몰랐어.

The victims never see it coming because they think they're getting lucky. 피해자들은 운이 좋다고 생각해서 전혀 그렇게 될 줄 모르고 있어.

What? You didn't see that coming? 뭐라고? 그럴 줄 몰랐다고?

■ I didn't see that coming은 예 상하지 못한 일이 일어난 거에 놀라며 할 수 있는 표현. 보통 일어난 일은 바람직하지 않은 경우가 많다.

Why does it come to this?
어떻게 하다 이렇게 된거야?

- **We are all fighting. Why does it come to this?** 우리 다들 싸우고 있네. 어떻게 하다 이렇게 된거야?

Why does it come to this? What is the point? 어쩌다 이렇게 된거야? 말하려는 요점이 뭐야?

Why does it come to this? Does it have to be so hard? 어쩌다 이렇게 된거야? 이렇게 힘들어야 되는거야?

■ Why does it come to this? 역시 뭔가 부정적이고 바람직하지 않은 일이 일어난 후에, 그 원인이나 이유를 물어보는 문장이다.

Let's hope it doesn't come to that.
그렇게 되지 않기를 바라자.

- **We may run out of food. Let's hope it doesn't come to that.** 음식이 떨어질지 몰라. 그렇게 되지 않기를 바라자.

I might have to quit my job. Let's hope it doesn't come to that. 내가 회사를 그만 둬야 될지 몰라. 그렇게 되지 않기를 바라자고.

They say the economy is about to fail. Let's hope it doesn't come to that. 경제가 곧 무너질거라고들 해. 그렇게 되지 않기를 바라자.

■ come to that[this]은 뭔가 '나 쁜 상태로 되다'라는 의미로 이 문장은 반대로 '그렇게 되지 않기를 바라자'라는 문장.

What has come over you?
왜 그런거야?

- **You bought a dog? What has come over you?** 강아지를 샀어? 왜 그런거야?

What has come over you? Why are you acting strangely? 왜 그런거야? 왜 그렇게 이상하게 행동하는거야?

What has come over you? I don't understand what you're doing. 왜 그러는거야? 네 행동이 이해가 안돼.

■ What has come over you? 는 상대방이 이해할 수 없는 이상한 행 동을 할 때 그 이유나 설명을 요구하는 표현.

It's no concern of you 간섭하지마

It's no concern of you.

간섭마.

- It's none of your concern. 네가 상관할 일이 아냐.

  What's going on with Stevens is none of your concern.
  스티븐스 일에 대해서는 참견하지마.

  Safety is my primary concern. 안전은 내 주된 관심사야.

  Your happiness is my only concern. 네 행복이 내 유일한 관심사야.

> ■ be my concern은 '내 관심사이다'라는 뜻. only concern, primary concern은 각각 '유일한 관심,' '주된 관심'이라는 의미이다. 한편 cause for concern하면 '우려요인'이라는 의미.

That's what concerns me.

바로 그게 내가 걱정하는거야.

- Here's what concerns me. 이게 내가 걱정하는거야.

  But what concerns me is the evolution of the kills.
  그러나 내가 걱정하는 것은 살해방법의 진화야.

  I got your e-mail concerning the situation.
  그 상황에 관한 네 이멜을 받았어.

  Concerning this matter, I must rescue myself.
  이 문제에 대해 난 스스로 살길을 찾아야 돼.

> ■ sth concern sb는 '…가 …를 우려케하다', '…때문에 걱정이 되다'라는 뜻이다. 또한 concerning은 '…에 관하여'라는 뜻이고, as far as I'm concerned하면 '나에 관한 한'이라는 표현이 된다.

He was concerned about your teeth.

걘 네 이에 대해 걱정하고 있었어.

- I'm concerned about my client's health, Your Honor.
  판사님, 전 의뢰인의 건강에 대해 우려하고 있습니다.

  We're all just a little concerned, that's all.
  우린 모두 약간 걱정하고 있어. 그게 다야.

> ■ be concerned about[with]은 '…에 대해 관심을 갖다' 또는 '…에 대해 우려를 하다'라는 뜻이다.

To whom it may concern,

담당자께.

- To whom it may concern, I feel that my murder is imminent.
  담당자께, 내가 살해될 날이 임박했다고 느껴요.

  To whom it may concern, I hope I'm not writing this letter in vain. 담당자께, 이 편지가 의미를 갖게 되기를 바랍니다.

  To whom it may concern, I am quitting today.
  담당자께, 오늘 그만둡니다.

> ■ to whom it may concern은 '담당자께'라는 표현으로 주로 편지나 이메일을 받는 사람이 분명치 않을 때 사용하는 표현.

Don't jump to conclusions.

속단하지마.

- Don't jump to conclusions. 속단하지마.

  Then just hope nobody jumps to the conclusion.
  그리고 다만 아무도 속단하지 않기를 바래.

  Don't jump to the conclusion that I'm cheating.
  내가 부정을 저지르고 있다고 속단하지마.

> ■ jump[rush] to the conclusion은 '속단하다,' '급하게 결론을 내다'라는 의미. 한편 come to[draw, reach] a conclusion은 '결론을 내리다'라는 표현이다.

In conclusion, gentlemen, I resign.
여러분, 결론적으로 전 사임합니다.

- And in conclusion, I look forward to working with you.
  결론적으로 난 당신과 함께 일하기를 기대해요.

  In conclusion, I think we need to try harder.
  결론적으로 우리는 더 열심히 해야된다고 생각해.

■ in conclusion은 '결론적으로,' at the conclusion of~하면 '…의 결론부에서'라는 의미가 된다.

That's a foregone conclusion.
그건 필연적인 결과야.

- I mean everything we do, the kissing, the fondling, the foreplay, nyah nyah - all of it, it leads up to that one, ultimate, foregone conclusion.
  우리가 하는 모든 것, 키스, 애무 및 전희 등은 몽땅 한 가지 궁극적인 결론으로 향하고 있지.

  In politics, nothing is a foregone conclusion.
  정치에서 필연적인 결과인 것은 아무 것도 없어.

  Now, you're going to jail. That's a foregone conclusion.
  이제 넌 감방에 가야 돼. 그건 필연적 결과야.

■ foregone conclusion은 '필연적인 결과[결론]'이라는 뜻.

>> cord.cover.crack.cramp

 I got this covered 내가 알아서 할게

You want to cut the cord?
넌 관계를 끝내고 싶어?

- It's time to cut the cord with your parents.
  넌 네 부모로부터 독립해야 될 때야.

  So I told Sue it's time to cut the cord.
  그래서 난 수에게 관계를 끝내야 될 때라고 말했어.

  You need to cut the cord with Chris. 너는 크리스와의 관계를 끝내야 돼.
  We have to cut the cord at some point.
  우리는 적절한 시점에서 관계를 끝내야 돼.

■ cut the cord는 선을 자르다라는 말로 하던 일을 멈추거나, 연결되어 있는 관계 등을 '끝내다'라는 의미로 쓰인다.

I got this covered.
내가 알아서 할게.

- We've got it covered, Zach. Don't worry. 우리가 알아서 처리했어. 걱정마.
  A: Let's talk bachelorette party. B: I got that covered, don't worry. A: 처녀파티 얘기 좀 하자. B: 내가 알아서 처리했으니 걱정마.

  Don't worry, bro. I got you covered on that.
  친구야. 걱정마. 내가 너 대신 그거 처리했어.

■ get sth covered는 어떤 문제나 일을 '알아서 처리하다'라는 의미.

Why do you get first crack at her?
왜 네가 걔한테 처음으로 시도하는거야?

- You'll get first crack at buying the car.
  네가 다른 사람들보다 먼저 차를 사게 될거야.

  I want to get first crack at solving the problem.
  내가 처음으로 그 문제를 풀어보고 싶어.

■ get[have] first crack at~은 '…을 처음으로 시도하다'라는 의미의 표현으로 여기서 crack은 '시도'라는 뜻.

Hang on a sec. Why do you get first crack at him?
잠깐만. 왜 네가 걔한테 처음으로 시도하는거야?

I got a cramp in my neck.
목에 경련이 일어났어.

- My foot is cramping. 발에 경련이 나고 있어.
  My hand keeps cramping up. 손에 계속 쥐가 나고 있어.
  Cramps. I think I'm getting my period. 경련이 나. 생리가 나오는 것 같아.
  I got a cramp. Wanna rub it out for me?
  쥐났는데 날 좀 마사지해줄 수 있어?
  I'll be in there in a second. I got a bit of a cramp. 곧 갈게. 좀 쥐나서.

■ 신체+cramp는 '…경련이 나다'는 뜻이며, 또한 cramp up하면 '경련이 생기다.' '뭉치다'라는 의미가 된다. have[get] a cramp는 '쥐가 나다'는 표현이다.

But these quarters are very cramped.
그러나 이 지역은 매우 비좁아.

- All the stores in New York are so cramped.
  뉴욕 모든 가게들은 아주 비좁지.
  I know it's a little more cramped than we're used to.
  이곳은 과거에 비해 좀 더 갑갑하다는 걸 알아.

■ be cramped는 '갑갑하다.' '비좁다'라는 뜻이다.

>> **crap.crave.cunt.curiosity.cuss.custody**

 He cussed me out 걘 내게 욕을 했어

She doesn't take crap from anyone.
걘 쉽게 당하지 않아.

- My grandma didn't take crap from anybody.
  할머니는 어느 누구에게서도 당하지 않으셨어.
  I don't have to take crap from you. 너의 못된 언행에 내가 당할 필요가 없어.
  Don't take crap from those idiots. 그 멍청이들 언행을 참지 말라고.

■ not take crap from anyone 은 숙어로 누구도 주어에게 함부로 대하게 하지 못하게 하다라는 의미. 참고로 take a crap은 '똥을 싸다'라는 뜻이다.

I got a craving that I can't put off.
도저히 누를 수 없는 열망이 있어.

- And this unsub craves that same immortality.
  이 미확인용의자는 그와 같은 불멸의 존재가 되길 갈망하고 있어.
  It gives him feelings of power and purpose that he craves.
  그게 걔가 갈망하던 통제력과 결단력을 주고 있어.
  I am having a serious craving for herbal tea.
  난 허브차에 대한 강한 열망을 가지고 있어.
  I have a terrible headache and a sudden craving for chicken
  wings. 머리가 무지 아프고 갑자기 닭 날개가 되게 먹고 싶은 생각이 들었어.

■ crave는 '땡기다.' '갈망하다(want to do sth eagerly)'라는 뜻이다. have a craving for는 '…를 열망[갈망]하다'라는 의미의 표현이다.

Oh, I'm gonna miss you, you little cunt.
이 더러운 년아. 보고 싶을거야.

- Get out of here, you little cunt! 이 더러운 년아. 꺼지라고!
  You little cunt, I'm going to kill you! 이 나쁜 년. 난 널 죽일거야!

■ cunt는 '여성의 성기'란 의미로 같은 계열의 pussy, vagina보다 가장 상스런 단어이다. 여기서는 '멍청하고 경멸스러운 사람'을 비유적으로 뜻한다.

I don't give a fuck what that little cunt said to him.
저 한심한 년이 걔한테 뭐라고 했든 신경안써.

It was probably done out of curiosity.
이건 아마도 호기심에 기인한 거였어.

- He opens up human bodies out of curiosity.
  걔는 호기심에서 사람의 몸을 해부했어.

  Just out of curiosity, do we still have hot dogs?
  그냥 호기심인데, 아직도 핫도그 있니?

Curiosity leads to guilt.
호기심 때문에 범죄를 저지르기도 해.

- I wanna see what he's like. And satisfy my curiosity.
  걔가 어떻게 생겼는지 단지 알고 싶었어. 그리고 내 호기심도 채우고.

  I read the Bible to satisfy my curiosity.
  호기심을 만족시키고자 성경책을 읽었어.

He cussed me out.
걔는 내게 욕을 했어.

- The old man cussed us out on the bus.
  그 노인은 버스에서 우리에게 욕을 했어.

  I cussed them out when they wouldn't leave.
  걔네들이 가려고 하지 않았을 때 난 걔네들에게 욕을 했어.

  Whenever she ran into him upstairs, she'd cuss him out.
  걘 그를 이층에서 만날 때마다, 그에게 욕을 해댔어.

Don't cuss at me!
내게 욕하지마!

- I don't like it when people cuss at me.
  난 사람들이 내게 욕하는 걸 좋아하지 않아.

  She got angry and cussed at everyone.
  걘 화가 나서 모두들에게 욕을 해댔어.

  We left when Jim cussed at us.
  짐이 우리에게 욕을 하자 우리는 자리를 떠났어.

She's suing me for sole custody.
걘 단독양육권을 얻으려 소송을 걸거야.

- Until then, your children will be in the custody of the state.
  그때까지, 당신 자녀들은 주정부 보호하게 있게 될 것입니다.

  Do you still have custody of your daughter, Kerry?
  너는 딸, 케리의 양육권을 아직도 갖고 있어?

  Zoe wanted to make sure she got sole custody of Emma.
  조는 엠마의 단독양육권을 확실히 갖기를 원했어.

  Matt Kramer filed for custody of Tommy.
  맷 크레이머는 타미의 양육권소송을 제기했어.

- **(just) out of curiosity**는 '(단지) 호기심에서'라는 뜻이며 with curiosity는 '호기심을 가지고'라는 표현이다.

- **satisfy one's curiosity**는 '…의 호기심을 채우다,' '만족시키다'라는 뜻으로 Curiosity killed the cat은 '호기심이 신세를 망치다'라는 관용표현.

- **cuss out**은 숙어로 화가 나서 '…에게 욕을 하다'(swear)라는 의미.

- **cuss at**은 '…에게 욕을 하다'라는 표현.

- **custody**는 '보호하게 데리고 있다'라는 의미로 sole custody는 '단독양육권'을 뜻한다.

541

We have a suspect in custody.
용의자를 구금하고 있어.

- We've still got him in custody. 우리는 아직 그 남자를 구금하고 있어.
  I heard you had a suspect in custody. 용의자를 구금하고 있다며.
  How long have they been in custody? 그 사람들 구금한지 얼마나 됐어?

■ **have[get] sb in custody**는 죄를 지은 사람을 '구류나 구금하고 있다'는 의미. **take sb in custody**는 '수감하다,' '구속하다'가 된다.

>> **dibs.debt.direct.disaster.dispute**

He paid his debt to society 걘 죄값을 치뤘어

I called dibs on her at that party!
난 파티에서 걔를 찍었어!

- I call dibs on using the computer. 내가 컴퓨터 사용할거야.
  No one called dibs on riding in the passenger seat?
  아무도 조수석에 타겠다고 찜한 사람이 없었어.
  She called dibs on the last piece of cake.
  걘 마지막 케익조각을 먹겠다고 찜해뒀어.

■ **call dibs on**은 '…을 찜해두다,' '찜어두다'라는 뜻으로 call 대신에 get을 써도 된다.

Looks like it took a direct hit from the knife.
칼이 명중한 것 같아.

- Five direct hits. The other two were found in a wall.
  5발 명중. 나머지 두발은 벽에서 찾았어.
  All of the victims are direct descendants of Eva Staller.
  희생자 모두는 에바 스텔러의 직계 후손들이야.

■ **direct**은 형용사로 '직접적인'이라는 의미.

I'm under direct orders from the FBI.
난 FBI 직속이야.

- I gave her a direct order. 난 걔한테 직접 명령을 하달했어.
  Look, we can't disobey a direct order.
  이봐, 우리는 직속 명령을 따르지 않을 수 없어.
  You have ignored a direct order of the court.
  넌 법원의 명령을 무시했어.

■ **direct order**는 '직접 주문' 또는 '직속 명령'이라는 뜻. **give sb a direct order to**~하면 '…에게 …하라는 직속명령을 내리다,' **disobey a direct order**하면 '직속명령을 거부하다'라는 뜻이 된다.

How can I direct your call?
어디로 연결시켜 드릴까요?

- Department of Housing and Development. How may we direct your call? 주택개발부입니다. 어디로 연결시켜드릴까요?
  Sillmont Healthcare. How can I direct your call?
  실몬트 건강관리센터입니다. 어디로 연결시켜드릴까요?

■ **direct one's call**은 '…의 전화를 연결시키다'라는 전화관련 표현이다.

Can I get some directions?
길 좀 가르쳐 주시겠어요?

- You printed out directions to St. Anne's on MapQuest last night. 넌 어제 맵퀘스트를 통해 세인트 앤즈로 가는 약도를 출력했어.

■ **directions**는 '약도,' '방향,' '지침 내용'을 의미한다. 참고로 **directory**는 이름, 상호 등이 알파벳으로 정리된 책자나 사무실 건물로비에 붙어있는 부서별 위치나 연락처 등을 말한다.

And the driver asked for directions.   운전자가 방향을 물어봤어.

It's a disaster.
이건 재앙이야.

- This is going to be a disaster.   이건 재앙이 될거야.
  Come on, let's get out of here, this night's a disaster.
  이봐, 여기서 나가자. 오늘 밤은 재앙일거야.

  Unbelievable. That is just a recipe for disaster.
  믿을 수가 없어. 이건 그냥 망하는 지름길이야.

  You've insisted that we medicate him without psychotherapy.
  That is a recipe for disaster.
  걔를 심리요법없이 약만 투약하는 걸 넌 주장하고 있어. 이건 망하는 지름길이야.

sth is a complete disaster는 '…는 완전히 재앙이야[망쳤어]'라는 표현이다. recipe for disaster는 '재앙의 도화선'이라는 뜻으로서 '망하는 길'이라는 의미도 된다.

These facts are not in dispute.
이건 양측이 모두 동의한 사실이고요.

- Same sex marriage has been open to dispute.
  동성결혼은 논쟁의 소지가 있어.

  We got four domestic disputes at the Andrews' residence.
  앤드류의 집에서 네 차례나 부부싸움이 있었어.

be in dispute는 '논의 중에 있다,' be open to dispute는 '논쟁의 여지[소지]가 있다,' be beyond dispute는 '논의의 여지가 없다,' 그리고 domestic dispute는 '부부싸움'을 말한다.

She can't dispute the will.
그녀는 유언장에 이의를 제기할 수 없어.

- He's not the type to settle disputes with violence.
  걔는 논쟁을 폭력으로 해결하는 타입이 아냐.

  Tell me, what's your plan when Emily comes forward to dispute everything you've said?
  말해봐, 에밀리가 네가 말한 것을 전부 반박하면 너 어떻게 할거야?

  I dispute the findings of the police.   난 경찰의 조사결과에 이의를 제기해.

be involved in a dispute는 '논쟁에 연루되다,' settle[resolve] a dispute는 '논란을 해결[해소]하다,' 그리고 dispute는 '반박하다,' '이의를 제기하다'란 의미이다.

>> do

Look what you've done! 너 무슨 짓을 한거야!

You know what you can do with it!
알아서 해!

- Here is the ring back, and you know what you can do with it!
  여기 반지 돌려줄게. 알아서 해!

  Take your money! You know what you can do with it!
  네 돈 가지고 개! 꺼져버려!

  This is the gift you gave me. You know what you can do with it!
  이거 네가 준 선물이야. 알아서 하라고!

You know what you can do with it!을 직역하면 '넌 그걸 어떻게 해야 할 줄 알잖아'라는 뜻으로 비유적으로 '알아서 해,' '집어치워,' '꺼져버려!'의 의미를 갖는다. 논쟁 중 상대방에게 반대하면서 던지는 말이다.

Look what you've done!
너 무슨 짓을 한거야!

- Look what you've done! Everything is ruined!
  너 무슨 짓을 한거야! 다 망쳐놨네!

Look what you've done!은 글자 그대로 상대방보고 상대방이 한 일이 뭔지 보라는 명령문이 아니라 상대방이 뭔가 대단한 일을 해서 놀라거나 혹은 뭔가 큰 실수를 해서 당황한 상태에서 던지는 문장이다.

You spilled the coffee! Look what you've done!
너 커피를 흘렸어! 이게 무슨 짓이야!

Look what you've done! You've pissed off everyone!
너 무슨 짓을 한거야! 모두를 열받게 했네!

Do you have to do that?
꼭 그래야 돼?, 그건 안하면 안돼?

- Your humming bothers me. Do you have to do that?
  네 콧노래 짜증난다. 꼭 그래야 돼?

  Do you have to do that? People are staring at us.
  꼭 그래야 돼? 사람들이 우릴 쳐다보잖아.

  Do you have to do that? Can't you wait for later?
  꼭 그래야 돼? 나중에 하면 안돼?

■ **Do you have to do that?**은 상대방이 뭔가 짜증나고 신경질나는 일을 하고 있을 때 좀 그만두기를 바라는 마음에서 요청하는 표현이다.

You're gonna have to do a lot better than that.
그거 갖고는 턱도 없어.

- That sucked. You're gonna have to do a lot better than that.
  그거 참 엿같았어. 그거 갖고는 턱도 없어.

  You're gonna have to do a lot better than that. You need to improve. 그거 갖고는 턱도 없어. 넌 더 향상해야 돼.

  I really want to help you out, but you're gonna have to do a lot better than that. 정말로 널 도와주고 싶지만 넌 그 정도로 해서는 턱도 없어.

■ **have to do a lot better than that**은 '그것 이상으로 잘해야 한다'라는 의미로 뭔가 제대로 하려면 지금의 노력이나 성과로는 부족하다라는 의미를 갖는다.

What have I done?
내가 무슨 짓을 했는데?

- Are you upset with me? What have I done?
  나한테 화났어? 내가 뭘 어쨌는데?

  Oh, my god. What have I done? What the fuck am I doing?
  맙소사. 내가 무슨 짓을 한거야? 내가 지금 뭐하는거야?

  What have I done? I should've done this myself.
  내가 무슨 짓을 한거야? 내가 직접 이걸 했어야 했는데.

■ **What have I done?**은 여러가지 의미로 쓰이는데 가장 기본적인 뜻은 '자기는 누구에게도 해가 되는 어떤 짓도 하지 않았다'고 말하거나 혹은 스스로 자기가 한 일에 놀라면서 '내가 무슨 짓을 한거지?'라는 탄식조로도 쓰인다.

I'd never do anything to hurt you.
절대로 너한테 해를 끼치지는 않을거야.

- We would never do anything to hurt Dan.
  우리는 댄에게 해칠 짓은 절대로 하지 않을거야.

  You can blame me all you want but I would never do anything to hurt Marissa.
  네 맘껏 날 비난해도 좋지만 난 절대로 마리사에게 해를 끼치지는 않을거야.

  I would never do anything to upset you or to hurt you.
  난 절대로 너를 화나게 하거나 혹은 해를 끼치지는 않을거야.

■ **I'd never do anything to~**는 '결코 …할 어떤 일도 하지 않을거야'라는 의미.

Don't drag this out! 질질 끌지마!

It's just a rough draft.
그냥 대충 쓴 초안이야.

- I haven't finished it yet. It's just a rough draft.
  아직 끝내지 못했어. 그냥 대충 쓴 초안이야.

  A: What are you gonna do? B: Draft a plea bargain.
  A: 뭘 하려고? B: 양형거래 초안을 쓰려고.

  The first draft of my new manuscript was due yesterday.
  내 새 원고의 최초 초안은 어제가 시한이었어.

draft는 '초안을 쓰다'라는 말로 draft a motion하면 '동의서에 초안하다' draft a contract하면 '계약을 초안하다'라는 의미가 된다. 한편 first draft는 '최초의 초안,' final draft면 '마지막 초안'이라는 말.

He was drafted in 2014.
걘 2014년에 선발되었어.

- He was drafted in 2014. He was only 18 years old.
  걔는 2014년에 징집되었어. 단지 18세였지.

  He was a college basketball star. He's about to be drafted into the NBA. 걔는 대학 농구 스타였는데 NBA로 선발되어 갈거야.

  I'm concerned you've been drafted into a ring of high-class hookers. 네가 고급 창녀조직에 뽑혀간 것 같아 걱정이 돼.

  Waitress! A draft beer here! 언니! 여기 생맥주 좀!

the draft는 '징집,' '드래프트(스포츠)'라는 뜻이다. be drafted into는 '…로 선발되다'라는 의미이다. draft beer는 '생맥주'를 의미한다.

Don't drag this out.
질질 끌지마.

- It's taking too much time. Don't drag this out.
  너무 많은 시간이 걸린다. 질질 끌지마.

  Don't drag this out. I'm in a hurry. 시간 끌지마. 나 바쁘다고.

  Don't drag this out. People are getting upset. 질질 끌지마. 사람들이 화내고 있잖아.

  Thank you, even if I did have to drag it out of you myself.
  고마워. 물론 억지로 얘기하게 만들었지만서도.

drag sb out은 '…을 끌어내다,' drag sth out은 '꺼내다,' 혹은 '…을 질질 끌다'라는 의미로 필요한 시간 이상으로 시간끄는 것을 말한다.

We should exhaust every possibility 모든 가능성을 검토해야 돼

I'm exhausted.
난 지쳤어.

- How you holding up? I'm exhausted. 어떻게 버티고 있어? 난 지쳤어.
  Why don't you get some sleep? You look exhausted.
  잠 좀 자라고. 너 지쳐보여.

  I know how exhausting your life is. 네 삶이 얼마나 지쳤는지 알아.

be exhausted는 '지치다'라는 뜻으로 exhaust oneself와 같은 의미. 참고로 exhausting는 '지치게 하는'이라는 뜻.

We should exhaust every possibility.

우린 모든 가능성을 검토해야 돼.

- I'm not giving up until I exhaust all my options.
  난 내 모든 옵션을 검토하기까지는 포기하지 않을거야.

  The defense has exhausted their appeals.
  변호인은 걔네들의 항소를 충분히 검토했어.

  I won't be satisfied until you exhaust every effort to find out where she's been.
  걔가 어디에 있었는지 알아내는데 네가 모든 노력을 기울이기 전까지 난 만족하지 않을거야.

exhaust every possibility는 '모든 가능성을 검토하다.' exhaust a subject는 '문제를 충분히 검토하다' 라는 의미.

>> face.fail.fall.fashion.fear

 They always fear the worst 걔네들은 늘 최악의 경우를 걱정하고 있어

How dare you throw it back in my face?

어떻게 내 뒤통수를 치는거야?

- How dare you throw that back in my face? I said that because I trusted you. 어떻게 내 뒤통수를 칠 수 있는거야? 난 널 믿고서 말한건데.

  I told you the truth and you threw it back in my face.
  난 네게 솔직히 말했는데 넌 내 뒤통수를 쳤어.

  She listened to his confession and then threw it back in his face. 그녀는 걔의 고백을 듣더니 걔를 비난했어.

throw sth back in sb's face 는 '…의 얼굴에 …을 되던지다'라는 뜻 으로 비유적으로 의역하면 '과거에 잘 해준 사람에게 비난을 하다,' '뒤통수를 치다'라는 의미가 된다.

I failed to protect it.

난 그것을 보호하지 못했어.

- You have failed to meet the requirements for graduation.
  학생은 졸업필요요건을 맞추지 못했어.

  You know, it never fails. 알잖아. 그건 절대 실패하지 않아.

  Pasty and frail never fail. 힘이 없는 자는 절대 실패하지 않는다.

  Don't fail me. 날 실망시키지마.

  It was awful, Casey's definitely gonna fail me.
  끔찍했어. 케이시는 날 실망시킬거야.

fail to~는 '…하지 못하다,' cour-age never fails처럼 주어에 용기, 의 지 등이 오면 '절대 용기가 꺾이지 않 는다,' '실패하지 않는다' 등의 의미로 쓰인다. 또한 fail sb는 '…을 실망시키 다'가 된다.

How did he fall in with those guys?

걘 어떻게 걔네들과 친하게 된거야?

- I fell in with some students with similar interests.
  난 취미가 같은 몇몇 친구들과 친하게 지냈어.

  Don't fall in with those guys. They are bad.
  걔네들하고 사귀지 마라. 나쁜 애들이야.

  I went to prison when I fell in with mobsters.
  내가 깡패들하고 어울렸을 때 난 감방에 갔어.

fall in with sth은 '…에 찬성하 다,' fall in with sb하게 되면 '…와 친 해지다'라는 의미.

Emerald was still the fashion.

에머랄드는 여전히 유행이었어.

- Some things never go out of fashion. 어떤 것들은 절대 유행이 지나지 않아.

be the newest fashion은 '최 신유행이다,' go[be] out of fashion 은 '유행이 지나다,' 그리고 be fash-ionable은 '유행하다'라는 뜻이 된다. 한편 fashion은 동사로는 '만들다'라는 의미로 쓰인다.

Yes. He's always very fashionable. 어, 걘 항상 유행이야.

We have fashioned wings, to raise us higher.
우리는 더 높이 날기 위해 날개를 만들었어.

No fear!
걱정마. 문제 없어!

■ No[Never] fear!는 '걱정마.' 그리고 put the fear of God into sb 는 '…에게 겁을 많이 주다.'

- I assumed as much. But never fear. 그 정도일거라 가늠했어. 하지만 걱정마.

  We put the fear of God into 'em, at least for a while.
  우리는 적어도 한동안은 걔네들에게 겁을 잔뜩 줬어.

They always fear the worst.
걔네들은 늘상 최악을 걱정하고 있어.

■ fear the worst는 '최악의 상황을 걱정하다.'

- I feared the worst, immediately called 911.
  최악의 상황을 걱정하여, 즉시 911에 전화했어.

  We feared the worst after the car crash.
  우리는 자동차 사고 후에 늘 최악의 상황을 걱정했어.

>> **final.fire.fish.fit.force**

We've got bigger fish to fry 우린 더 중요한 일이 있어

And that's final.
이걸로 얘기 끝내자.

■ That's final은 이걸로 얘기 끝내자라는 의미로 더 이상 얘기하지 말라고 단호하게 거절할 때 사용한다.

- No party and that's final. 파티는 안돼. 이걸로 얘기 끝내자.

  Jack and I are going to take you to the doctor, and that's final.
  잭과 난 너를 병원에 데려갈건데, 그게 끝이야.

Stressed about finals?
기말고사 때문에 스트레스 받아?

■ final은 명사로 '기말고사,' 혹은 '결승전'이라는 의미.

- He once missed my field hockey finals. 걘 내 하키 결승전을 한번 놓쳤어.

  They wanted to blow off steam before finals.
  걔네들은 기말고사 시험전에 스트레스를 풀고 싶어했어.

  I've got finals coming up. 기말고사가 다가오고 있어.

  Who cares if I'm pretty if I fail my finals?
  기말고사에 낙제하면 내가 이뻐도 누가 상관하겠어?

He was firing on all cylinders.
걘 최선을 다했어.

■ fire on all cylinders는 '최선을 다하다,' '전력을 다하다'라는 표현.

- We hope the project will be firing on all cylinders soon.
  우린 그 프로젝트가 곧 효과적으로 가동되기를 바라고 있어.

  Jack was firing on all cylinders when he was on the TV game show. 잭은 TV 게임프로에 나왔을 때 최선을 다했어.

We've got bigger fish to fry.
우린 더 중요한 일이 있어

- Cops don't bother us because they have got bigger fish to fry.
  경찰들은 더 중요한 일이 있어 우리를 귀찮게 하지 않고 있어.

  I'm leaving. I have got bigger fish to fry. 나 간다. 더 중요한 일이 있어.

  This is a waste of his time. He has got bigger fish to fry.
  이건 시간 낭비야. 걘 더 중요한 일이 있어.

■ have got bigger fish to fry는 '더 중요한 일이 있다'라는 의미.

I'll help you in any way I see fit.
내가 적절하다고 생각한 방법으로 도와줄게

- I'll use the money any way I see fit.
  내가 적절하다고 생각한 방법으로 돈을 사용할거야.

  Kevin didn't see fit to attend the funeral.
  케빈은 장례식에 참석하는게 적절하다고 생각하지 않았어.

  Why didn't you see fit to protect him?
  걔를 보호하는게 왜 적절하지 않다고 생각했던거야?

■ see fit은 '적절하다고 생각하다, '…가 맞다고 생각하다'라는 의미의 표현. 또한 see fit to+V하게 되면 '…하는게 적절하다고 생각하다'라는 뜻이 된다.

He forced himself on her.
걘 그녀를 성폭행했어.

- That bastard forced himself on her. 그 나쁜 자식이 걔를 성폭행했어.

  He broke into their apartments while they slept and he forced himself on them. 그는 걔네들이 자는 동안 아파트에 몰래 들어가서 걔네들을 성폭행했어.

  I begged him not to, but he forced himself on me.
  난 그에게 하지 말아달라고 빌었지만 날 성폭행했어.

■ force oneself on sb는 sb의 의사와는 상관없이 강제적으로 성관계를 맺다. 즉 '성폭행하다'라는 말이 된다.

>> fork.forward.fret.friend

 Don't fret! 걱정마!

Fork over some cash.
현금을 좀 내.

- Come on everybody, fork over your cash. 자 여러분. 현금을 쓰세요.
  I had to fork over thousands in taxes. 난 세금으로 수천 달러를 내야 했어.
  You're not going to fork over the money you owe me?
  나한테 빌린 돈 돌려주지 않을거야?

■ fork over는 돈을 쓰다[내다]라는 의미로 fork it over라고도 쓴다.

I'm really looking forward to it.
난 정말 그걸 기대해.

- Chris is looking forward to meeting you.
  크리스는 널 만나길 학수고대하고 있어.

  I'm actually looking forward to Friday night dinner.
  난 정말 금요일 저녁식사가 기다려져.

  I thought you were looking forward to this trip.
  난 네가 이 여행을 기대하고 있다고 생각했어.

■ be looking forward to+N [~ing]은 '…하길 기대하다'라는 의미.

She didn't leave a forwarding address.
걘 새 주소를 남기지 않았어.

- I forwarded the image to their lab. 난 그 이미지를 연구실에 전송했어.
  We can fast-forward it. 우리는 그걸 앞으로 감을 수 있어.
  You know, since I moved last year, not all my mail has been forwarded. 저 말이야. 작년에 이사를 해서, 내 모든 우편물이 다 내게 오지 않았어.

■ **forward**는 동사로 '전송하다.' 따라서 forwarding address하면 '우편물을 새로 보낼 주소'라는 뜻이 된다. 참고로 fast-forward는 '앞으로 감다.'

Don't fret!
걱정마

- Honey, don't you fret about that deposit. 자기야. 보증금은 걱정마.
  And fret not, I'm looking for the cars, too.
  그리고 걱정마, 나도 차들을 찾고 있어.

■ **fret about**은 '걱정하다' 그리고 Don't fret!은 '걱정마!'로 Fret not이라고 쓰기도 한다.

I'll friend you on Facebook.
페이스북에 친추할게요

- I friended several people on the Internet.
  난 인터넷에 여러 사람들과 친구를 맺었어.
  Who did you friend on Facebook today?
  오늘 페이스북에서 누구와 친구 맺었어?
  You can friend whoever you want. Don't worry.
  난 원하는 사람 누구든지 친구 맺을 수 있어. 걱정마.

■ **friend**가 동사로 쓰인 경우. 인터넷상에서 '…와 친구하다'라는 의미.

>> **gang.get**

I get that a lot 나 그런 소리 많이 들어

The big kids gang up on the weaker ones.
큰 애들은 약한 애들을 무리지어 괴롭혀.

- Don't gang up on the ugly kid. 그 못생긴 아이를 떼로 괴롭히지마라.
  They ganged up on me at the bus stop.
  걔네들은 버스 정거장에서 나를 괴롭혔어.
  And when he got there, everyone ganged up on him.
  그리고 걔가 거기에 도착했을 때 모두들 걔를 괴롭혔어.

■ **gang up on sb**는 '떼를 지어 sb를 괴롭히다.' '못살게 굴다'라는 의미.

I get that a lot.
나 그런 얘기 많이 들어.

- People think I'm Canadian. I get that a lot.
  사람들은 내가 캐나다 사람이라고 생각해. 그런 말 많이 들어.
  I get that a lot. It doesn't offend me.
  그런 얘기 많이 들어. 기분나쁘지 않아.
  Sometimes my friends think I'm wealthy. I get that a lot.
  때로 내 친구들은 내가 부자라고 생각해. 나 그런 얘기 많이 들어.

■ **get that a lot**은 미드에 많이 나오는 표현으로 사람들이 '많이들 그렇게 말하다.' '그런 얘기 많이 듣다'라는 문구이다.

Where does she get off having all that attitude?

걘 태도가 왜 그 따위야?

- **Where do you get off talking to me like that?**
  어떻게 그딴 식으로 내게 말하는거야?

  Where in the hell do you get off telling people that I am bad in bed! 어떻게 내가 섹스에 서툴다고 사람들에게 말하는거야?

Where does sb get off ~ing?는 좀 어려운 표현에 속하는 것으로 주로 상대의 비정상적인 행동에 놀랐을 때 쓰는 표현. 의미는 '…는 어떻게 그런 식으로[그 따위로] …하니?'가 된다.

You know what got me through it?

그걸 내가 어떻게 이겨냈는지 알아?

- **What got me through it was my religious faith.**
  내가 그걸 이겨낼 수 있었던 것은 종교적 신념였어.

  I'm not sure what got me through the crisis.
  내가 그 위기를 어떻게 이겨냈는지 모르겠어.

  I'm going to tell you what got me through the divorce.
  내가 그 이혼을 어떻게 잘 견뎌냈는지 말해줄게.

get sb through sth은 sb가 sth을 통과하게 해주다라는 말로 '어려운 시기를 이겨내거나 어렵게 학교를 마치게 해주다'라는 의미로 쓰인다.

Look, here's what we got here.

우리가 알고 있는 상황이 이래.

- **Let's see what we got here. Is that a dead body?**
  이게 뭐야. 그거 시체야?

  We're arriving on the scene. Let's see what we got here.
  현장에 도착했으니 어떤 상황인지 보자고.

  Let's see what we got here. I'm not sure what is happening.
  어떤 상황인지 보자고. 무슨 일인지 잘 모르겠어.

what we got here는 현재 상황이나 현재까지 확보한 정보나 물건을 말하는 것으로 Here's what we got here하면 '우리가 알고 있는 상황이 이래.' 그리고 Let's see what we got here하게 되면 '우리 상황이 어떤지 한 번 보자'라는 말이 된다.

I got this.

내가 알아서 처리할게.

- **Cheryl is very angry. I got this.** 쉐릴은 매우 화가 나있어. 내가 알아서 할게.
  I got this. I'll go in there and take care of everything.
  내가 알아서 할게. 내가 들어가서 모든 거 다 처리할게.

I got this는 의미가 다양하다. 먼저 '이해했어,' '(벨이나 전화오는 소리에) 내가 받을게,' '(돈을) 내가 낼게' 등의 의미로 일상생활에서 많이 쓰인다. 여기서 나아가 비유적으로 '내가 알아서 처리할게'라고 쓰이기도 한다.

Someone is out to get you.

누가 널 해치려고 하고 있어.

- **Someone is out to get you. You better be careful.**
  누가 널 해꼬지하려고 해. 조심하는게 나아.

  Someone is out to get you. They tried to burn your apartment.
  누가 당신을 해치려고 합니다. 그들은 당신 아파트에 방화하려고 했습니다.

be out to get sb는 '…을 힘들게 하다,' '…을 해치게 하다'라는 표현.

That's all you got?

그게 다야?

- **Just ten dollars? That's all you got?** 겨우 10 달러야? 그게 다야?
  I thought you were going to buy more food. That's all you got?
  음식을 더 살거라 생각했는데. 그게 다야?

That's all I got처럼 평서문으로 쓰이면 '그게 다야.' 여기서처럼 That's all you got?하게 되면 '그게 다야?,' '그거밖에 없어?'라는 말이 된다.

What have I got?

내가 얻는게 뭔데?, 내겐 뭐가 남아?

- What have I got to **do** to make her love me?

  걔가 날 사랑하게 만들려면 내가 뭘해야 하는데?

  What have I got to **use** to break this lock?

  이 열쇠를 따려면 내가 뭘 사용해야 하는데?

What have I got?은 '내가 얻는 이득이 뭔데?'라고 물어보는 문장으로 앞서 배운 What do I get?과 같은 맥락의 표현. What have I got to+V? 는 'to 이하를 해서 내가 남는게 뭔데?' 라고 반문하는 패턴이다.

All right, get this.

알았어, 이거 들어봐봐

- All right, get this. The company is going bankrupt.

  알았어, 이거 들어봐봐. 회사가 파산할거야.

  All right, get this. We have to leave in ten minutes.

  좋아, 이거 들어봐봐. 우리는 10분 후에 출발해야 돼.

  All right, get this. George and Jody are divorcing.

  그래, 이거 들어봐봐. 조지와 조디가 이혼한대.

Get this는 말을 꺼내기 앞서 상대방의 관심을 유도하는 문구이다. '이것 좀 들어봐,' '내 말 좀 들어봐'에 해당한다.

I can't get through to him.

난 걔를 이해시킬 수가 없어.

- Parents can't get through to their teenagers.

  부모들은 십대 애들을 이해시킬 수가 없어.

  I've never been able to get through to Lori.

  난 로리와 말이 통하게 할 수가 없었어.

get through to sb는 '…을 이해시키다,' '…와 말이 통하다'라는 의미.

You got him right where you want him.

넌 걜 완전히 장악했어.

- **Don't quit now.** You got him right where you want him.

  그만두지마. 넌 걔를 맘대로 할 수 있잖아.

  The fight is almost over. You got him right where you want him.

  싸움은 거의 끝났어. 넌 걔를 장악했어.

have[get] sb right where you want sb하게 되면 'sb를 마음대로 하다,' '장악하다'라는 의미이다.

You get off on that?

넌 그런 걸 즐겨?

- You get off on **the brutal torture of others.**

  넌 다른 사람들에게 고통을 주는 걸 즐겨.

  Men get off on **this kind of violence.** 남자들은 이런 종류의 폭력에 흥분해.

  You tell people the cold hard truth all the time. You get off on it. 넌 항상 사람들에게 냉혹한 진실을 말하고 이를 즐기고 있어.

get off on~은 '즐기다,' '성적으로 흥분하다'라는 의미.

You got me?

내 말 알아들었어?

- And if you say so much as one unkind word to her, I will personally break every bone in your body. You got me?

  네가 걔한테 한마디라도 불친절한 말을 한다면 개인적으로 널 작살내겠어. 알겠어?

  Do it now! You got me? 지금 당장 하라고! 알았어?

You got me로 대답하게 되면 '모르겠어,' '내가 졌어'라는 말이 되지만 상대방에게 말을 한 후에 억양을 올리면서 You got me?하게 되면 '내 말을 알아들었어?'라는 의미가 된다.

Where do you think this is going? 이거 어떻게 될까?

What do we have going on tonight?
오늘 밤에 뭐할거야?

- It's Friday. What do we have going on tonight?
  금요일인데 오늘 밤에 뭐할거야?

  What do we have going on tonight? Can we go to McDonald's?
  오늘 밤에 뭐할거야? 맥도날드에 가도 돼?

■ **have sth going on**(뭔가 일이 벌어지고 있다)에서 sth이 What으로 앞으로 빠진 문장으로 오늘 밤에 무슨 일이 벌어질건지, 즉 오늘 밤에 무슨 일을 할건지 물어보는 표현이 된다.

I don't know where you're going with this.
이걸로 무슨 말을 하려는건지 모르겠어.

- It's very confusing. I don't know where you're going with this.
  정말 헷갈리네. 이걸로 네가 무슨 말을 하려는 건지 모르겠어.

  I don't know where you're going with this. What the hell are you talking about? 이게 무슨 말이야. 도대체 너 무슨 말을 하고 있는거야?

■ **Where are you going with this?**는 이걸로 너의 말이 어디로 가냐고 물어보는 것으로 비유적으로 말하면, '무슨 말을 하려는거야?'라는 뜻이 된다.

I'm really gonna go all out for this.
난 이 일에 최선을 다할거야.

- The race is tomorrow. I'm really gonna go all out for this.
  시합이 내일이야. 난 전력투구를 할거야.

  I'm really gonna go all out for this. I want to win.
  난 전력투구할거야. 이기고 싶어.

■ **go all out for~**는 '…에 최선을 다하다,' '전력투구를 하다'라는 의미.

The same goes for you.
너도 마찬가지야.

- I'm not allowed to leave the building. The same goes for you.
  난 건물 안에 있어야 돼. 너도 마찬가지야.

  Every person must contribute money. The same goes for you.
  모든 사람은 돈을 기부해야 돼. 너도 마찬가지야.

■ **The same goes for~**하게 되면 '…도 마찬가지야'라는 뜻이 된다.

Where do you think this is going?
이거 어떻게 되어가는거야?

- Where do you think this is going? Do you understand it?
  결국 이거 어떻게 될까? 이해가 돼?

  This doesn't make sense. Where do you think this is going?
  이건 말도 안돼. 이거 어떻게 될 것 같아?

■ **Where do you think sth is going?**은 sth이 어디로 가고 있다고 생각하느냐, 비유적으로 말하면 'sth이 결국 어떻게 될까?'라는 의미가 된다.

How would I go about doing that?
내가 어떻게 그걸 처리해야 할까?

- How can I go about finding a job? 내가 어떻게 일자리를 찾을 수 있을까?
  He's going to go about changing his will.
  그 남자는 유언을 바꾸려고 할거야.

  I've been going about balancing the budget.
  난 예산을 맞추려 하고 있었어.

■ **go about+N[~ing]**하게 되면 좀 생소하지만 어떤 문제나 상황 그리고 일 등을 '다루기 시작하다'라는 표현.

Go with your gut 너 끌리는대로 해

He had the goods on me.
내가 나쁜 짓 한 걸 걔가 알고 있었어.

- The cop arrested me. He had the goods on me.
  경찰이 날 체포했어. 내가 나쁜 짓을 한 걸 알고 있었어.

  He had the goods on me. I had to pay the blackmail.
  걘 내가 나쁜 짓 한 거 알고 있었어. 협박하는데 돈을 줘야 했어.

■ **have[get] the goods on sb** 하게 되면 '주어가 sb가 잘못한 증거를 갖고 있다'라는 뜻이 된다.

So, who'd like to say grace?
그래 누가 식사 감사기도 드릴거니?

- Ted, how would you like to say grace tonight?
  테드, 오늘 밤에는 어떻게 식사 감사기도 드릴거야?

  I'm getting the feeling my grace period is over.
  내 유예기간이 다 끝나는 것 같아.

■ **say grace**는 '식사 때 감사기도를 드리다'라는 뜻.

Go with your gut.
너 끌리는대로 해.

- It's a difficult decision. Go with your gut.
  그거 어려운 결정이야. 너 끌리는대로 해.

  Go with your gut. You never know what will happen.
  너 끌리는대로 해. 어떻게 될지 모르는거잖아.

  Go with your gut when it comes to love.
  사랑에 관한 문제라면 너 끌리는대로 해.

■ **go with one's gut**에서 gut은 직감, 본능이라는 의미로 전체적으로 '직감에 따라 행동하다,' '끌리는대로 하다'라는 말이 된다.

Don't hang up on me 전화끊지마

We'll hammer out the details.
세부사항에 대한 문제를 해결해야 돼.

- Come to my office and we'll hammer out the details.
  내 사무실로 와서 세부사항 문제를 해결하자.

  We'll hammer out the details sometime later on.
  우리는 세부사항 문제를 좀 후에 해결할거야.

  If we make a deal, we'll hammer out the details.
  계약을 했으면 우린 세부사항 문제를 해결할거야.

■ **hammer out**은 오랜 논쟁 끝에 문제를 해결하다.

He played right into their hands.
걘 그들의 손에 놀아났어.

- They tricked him and he played right into their hands.
  걔네들은 그를 속여서 그는 걔네들 손아귀에 놀아났어.

  He was confused and he played right into their hands.
  걔는 혼란스러웠고 걔네들 손에 놀아났어.

■ **play into sb's hands**는 'sb의 손아귀에 놀아나다'라는 의미.

You had a hand in planning it.

그걸 계획하는데 네가 한몫했어.

- If he had a hand in it, then he needs to be punished.
  걔가 연루되었다면 걔는 처벌을 받아야 돼.

  You can't carry this burden alone, Chris. I had a hand in this.
  크리스, 너 이 부담을 혼자 져서는 안돼. 나도 한몫을 했는데.

I'm just going to hang back.

난 좀 남아 있을거야.

- I'll hang back, too. Where you going? 나도 좀 남아 있을거야. 어디가는데?
  You might want to tell him to hang back.
  걔한테 좀 남아 있으라고 말하는게 좋겠어.

  Nah, I'm gonna hang back with Andy. 아니, 난 앤디와 좀 남아 있을게.

Don't hang up on me.

전화끊지마.

- You hang up on me again and I rip her open!
  다시 내 전화를 도중에 끊으면 그녀를 찢어 죽일거야!

  Why'd you hang up on me? 넌 왜 내 전화를 도중에 끊었어?

>> **happy.harp.have**

It's TGIF and the happy hour! TGIF인데 해피아워이네!

I'm not happy about this.

난 이거에 만족하지 않아.

- Are you happy now? 이제 됐냐? 만족하니?
  I hope you're happy with yourself. 네가 스스로 자족하길 바래.
  I am happy for you. 네가 잘돼서 나도 기쁘다.
  Why are you not happy for me? 왜 기뻐해 주지 않는거야?

I'd be happy to help you.

기꺼이 널 도와줄게.

- I'm really happy to be here with you right now.
  기꺼이 너와 함께 지금 여기 있을게.

  I'd be happy to rub lotion on you. 내 기꺼이 네 몸에 로션을 발라줄게.
  I'd be happy to lend my expertise. 내 기꺼이 내 전문지식을 빌려줄게.

You make me happy all the time.

넌 항상 날 기쁘게 해줘.

- I thought he would make me happy. 걔가 날 기쁘게 해줄거라 생각했었어.
  Is that what you want? Does this make you happy?
  이게 네가 원하는거야? 이러면 기쁘니?

■ **have a[one's] hand in~**은 주어가 in 이하의 일에 '연루되다,' '관여하다,' '영향을 미치다'라는 표현이다. 다시 말해 in 이하의 일이 일어나도록 '한몫했다'는 말이다.

■ **hang back**은 '서둘러 가지 않고 남아있다'라는 뜻.

■ **hang up on**은 전화하는 도중에 '전화를 끊는' 것을 말한다.

■ **be happy~**는 '기쁘다,' be happy about[with]는 '…에 만족하다,' 그리고 be happy for sb는 '…가 잘돼서 기쁘다'라는 뜻.

■ **I'd be happy to+V**는 '기꺼이 …할게'라는 말.

■ **make sb happy**는 '…을 기쁘게 해주다'라는 의미이다.

It's TGIF and the happy hour!
TGIF이고 해피아워야!

- Oh honey that's your happy place, remember?
  그건 당신이 좋아하는 거잖아.

  Easy, easy. Go to your happy place. 진정하고, 행복한 순간을 떠올려 봐.

■ happy hour는 보통가격보다 싸게 파는 '할인시간'을 말하며, one's happy place는 '…가 좋아하는거 또는 순간'을 말한다.

I couldn't be happier.
정말이지 아주 행복해.

- I have to say I have never been happier to see you.
  널 만나 더 행복했던 적이 없었지.

  I think we'd both be happier if we just went back to being friends. 우리 다시 친구 사이가 된다면 더 좋을텐데라고 생각해.

■ I have never been happier than~은 '…보다 더 행복했던 적은 없었어.' 그리고 I'd be happier if S+과거(완료)는 '…라면[였다면] 더 좋을텐데'라는 의미이다.

If you're gonna harp on this, I'm leaving.
계속 이거 불평하면 나 갈거야.

- Don't harp on the small problems in your relationship.
  사람들과의 관계에서 사소한 문제에 불평하지마.

  I don't mean to harp on the things you do.
  네가 하는 일에 불평을 하려는 것은 아냐.

  My boss is always harping on his workers.
  우리 사장은 직원들에 대해 계속 불평을 해대.

■ harp on sth은 짜증낼 정도로 계속 얘기하거나 불평을 해대는 것을 말한다.

I got to have you.
너와 해야겠어

- You are so beautiful. I got to have you. 너 정말 예쁘다. 너랑 해야겠다.
  I got to have you. You're all I think about.
  나 너랑 해야겠어. 난 네 생각뿐이야.

  I got to have you. I've got to make you mine.
  널 가져야겠어. 널 내꺼로 만들어야겠어.

■ have sb는 친한 사이에나 쓸 수 있는 표현으로 '섹스하다'라는 의미.

>> head

I'll blow your head off 네 머리를 날려버릴거야

He was head over heels about her.
걘 그녀에게 푹 빠져있었어.

- Why did Jason and Maggie divorce? He was head over heels about her. 제이슨과 매기는 왜 이혼한거야? 걘 그녀에게 푹 빠져있었었는데.

  He was head over heels about her. He was totally infatuated.
  걘 그녀에 푹 빠져있었어. 정말 사랑에 미쳐있었어.

■ be head over heels about sb는 'sb에게 홀딱 반하다'라는 의미. 참고로 head over heels는 '거꾸로'라는 말.

I can hold my head high.
난 떳떳할 수 있어.

- I'm proud of what I did. I can hold my head high.
  난 내가 한 일이 자랑스러워. 난 떳떳할 수 있어.

■ hold one's head high는 머리를 곧추 세우고 있는 모습을 연상하면 된다. '떳떳하다,' '자랑스럽게 여기다'라는 의미.

Look, I made no mistakes. I can hold my head high.
이봐, 난 실수하지 않았다고. 난 떳떳할 수 있어.

I had to go over her head.
난 걔를 제끼고 윗사람과 얘기해야만 했어.

- She was breaking the law. I had to go over her head.
  걘 불법을 저질렀어. 난 걜 제끼고 윗사람과 얘기해야 했어.

  I had to go over her head. It was my responsibility.
  난 걜 제끼고 윗사람과 얘기해야 했어. 그건 내 의무였어.

- go over sb's head는 'sb를 거치지 않고 윗사람과 얘기하는' 것을 말하고, sth go over sb's head하면 'sb의 능력밖이다,' 'sb가 이해를 못한다'라는 말이 된다.

I'll blow your head off.
머리를 날려버릴거야.

- Tell him what you did or I'll blow your head off!
  네가 한 짓을 걔한테 말하지 않으면 네 머리를 날려버릴거야!

  Open that door or I'm gonna blow your head off. Do you hear me?! 문 안 열면 널 죽여버릴거야. 알았어?!

- blow one's head off는 총을 겨누고 총으로 '머리를 날려버리다,' '죽이다'라는 의미.

Get your head out of your ass!
정신 좀 차려라!

- Why don't you pull your head out of your ass? 정신 좀 차리지 그래.
  Help him pull his head out of his ass? 걔가 정신차리는데 걜 도와줄래?

- Get your head out of your ass!는 '정신차려라!'라는 의미. get 대신에 pull을 써도 된다.

That will make your head spin.
그 때문에 네 머리가 돌게 될거야.

- Try the whiskey. That will make your head spin.
  위스키 먹어봐. 머리가 빙빙 돌게 될거야.

  Read the e-mail I've sent. That will make your head spin.
  내가 보낸 이멜 읽어봐. 네 머리가 돌게 될거야.

- make a person's head spin은 사람의 '머리를 혼란하게 하다,' '어리둥절하게 하다'라는 뜻.

>> **hear.heart.hide.hill**

 It's not unheard of 흔한 일이야

It's not unheard of.
흔히 있는 일이야.

- Small seizures aren't unheard of in a patient in a vegetative state. 식물인간상태의 환자에게서 약간의 발작은 흔히 있는 일이야.

  Most people don't get married at 20, but it's not unheard of.
  대부분의 사람들은 20세에 결혼하지 않지만 그렇다고 특별한 일은 아냐.

  It's not unheard of for the cops to show up here.
  경찰들이 여기에 오는 건 흔한 일이야.

- It's not unheard of~는 이중부정(not, un-)으로 많이 heard한 것이라는 뜻이 된다. 즉 '새삼스러운 일도 아니다,' '흔히 있는 일이야'라는 의미가 된다. It's not unheard of sb to~하게 되면 'sb가 …하는 건 특별한 일이 아니다'라는 말.

The hearts wants what it wants.
하고 싶은대로 해야지.

- Their romance is odd, but the heart wants what it wants.
  걔네들 사랑은 좀 이상하지만 하고 싶은대로 해야지.

  The heart wants what it wants, and that's why we divorced.
  하고 싶은대로 해야지. 그래서 우리는 이혼한거잖아.

■ **The heart wants what it wants**는 글자 그대로 '마음이 원하는 대로 하다.' 즉 '내키는대로 하다', '하고 싶은대로 하다'라는 뜻이 된다.

Learn how to hide your feelings!
네 감정을 숨기는 것 좀 배워!

- You want to play hide-and-seek, young man? 젊은 양반. 술래잡기할까?
  How about hide-and-seek? You hide. I'll seek.
  술래잡기 어때? 넌 숨고. 난 찾을게.

  Teddy went into hiding. 테디는 몸을 숨겼어.

  Where have you been hiding yourself? 도대체 어디 숨어 있었던거야?

■ **hide one's feelings**는 '감정을 숨기다.' go into hiding은 '몸을 숨기다.' 그리고 hide oneself는 '숨다'라는 의미.

I'm over the hill.
난 한물갔어.

- I'm staying home tonight because I'm over the hill.
  난 한물갔으니 오늘 저녁 집에 남을거야.

  I'm over the hill, so no one wants to date me.
  난 한물가서 아무도 나랑 데이트하려고 하지 않아.

  My body hurts all the time. I'm over the hill.
  한시라도 몸이 안 아픈 적이 없어. 난 한물갔어.

■ **be over the hill**은 언덕의 정점을 넘어갔다는 말로 '전성기가 지났다.' '한물갔다'라는 서글픈 표현이다.

>> **hit.home.homework.hook.horse**

 Hit me up anytime 언제든 연락해

Hit me up anytime.
언제든 연락해.

- Let me know if I can help. Hit me up anytime.
  내가 도울 수 있는지 알려줘. 언제든 연락해.

  Hit me up anytime. I'm always around.
  언제든 연락해. 항상 이 근처에 있을게.

  Hit me up anytime. Let me know how you're doing.
  언제든 연락해. 어떻게 지내는지 알려줘.

■ **hit sb up**은 'sb와 연락하다' 혹은 '만나다'라는 뜻이 된다.

Make yourself at home.
편하게 지내.

- Okay, well, make yourself at home. 좋아요, 편하게 있어요.
  A: Do you mind if I stretch my legs? B: Make yourself at home.
  A: 다리 좀 뻗어도 돼요? B: 편히 하세요.

■ **make oneself at home**은 '편히 하다'라는 뜻으로 주로 명령문 형태로 많이 쓰인다.

You said something that hit home.
넌 정곡을 찌르는 말을 했어.

- Let's see how she felt about that statistic hitting home.
  걔가 정곡을 찌르는 그 통계를 어떻게 느끼는지 보자고.

  I thought you said he said something that hit home.
  난 걔가 정곡을 찌르는 무슨 말을 했다고 네가 말한 걸로 생각했었는데.

■ hit home은 '정곡을 찌르다'라는 표현.

I'm almost home free.
난 잘 될 것 같은데.

- I think you kids are pretty much home free.
  난 니네 아이들이 꽤 잘 된 것 같아.

  They're home free with three million of Ryan's money.
  걔네들은 라이언의 돈 3백만 달러를 손에 쥐었어.

  Don't get cocky. You ain't home free yet.
  너무 자신하지마. 넌 아직 어려움을 넘기지 못했어.

■ be home free는 '잘될 것 같다.' 혹은 '힘들고 어려운 일은 끝내다.'

Do your homework.
사전준비를 해.

- This is important, so do your homework on it.
  이거 중요한거니까 사전준비를 해놔.

  We did our homework before meeting the executives.
  우리는 임원들을 만나기 전에 사전준비를 했어.

  Do your homework on the gang members we want to arrest.
  우리가 잡고 싶어하는 갱단멤버들에 대한 사전준비를 해.

■ do one's homework on~은 '…에 대한 사전준비를 하다'로 여기서 homework는 학교 숙제처럼 미리 준비하는 것, 즉 '사전준비'를 말한다.

He got his hooks in me.
걘 나한테 확 꽂혔어.

- I couldn't leave him because he got his hooks in me.
  걔가 나한테 꽂혀서 내가 걜 떠날 수가 없었어.

  The trouble began when he got his hooks in me.
  걔가 나한테 사로잡혔을 때 문제가 발생했어.

■ get[have] one's hooks in(to) sb는 '…을 사로잡다,' '컨트롤하다,' '…는 …에 확 꽂히다'라는 의미.

We just need to get back on the horse.
우린 다시 시작해야 돼.

- Even if you fall off, you need to get back on the horse.
  말타다 떨어져도 넌 다시 일어나 다시 말을 타야 돼.

  Get back on the horse and make a success of yourself.
  다시 시작해서 성공을 하도록 해.

■ get back on the horse는 (실패 후) '다시 도전하다,' '다시 시작하다'라는 뜻의 표현이다.

I can imagine 무슨 말인지 알겠어

I can imagine.
무슨 말인지 알겠어.

- I can't imagine that. 난 그게 상상이 안돼.
  I can't imagine it's fun for anybody. 누가 그걸 재미있어할까 상상이 안돼.
  We can't imagine being without him. 걔없이 산다는걸 상상할 수 없어.

■ I can't[can] imagine S+V에서 imagine은 know 혹은 understand와 같은 의미로 뭔가 납득이 가거나 안될 때 사용하면 된다. imagine 다음에는 명사, ~ing 및 S+V가 올 수 있다.

We can use our imaginations.
우린 상상력을 발휘할 수 있어.

- It lights up when we use our imagination.
  우리가 상상력을 발휘할 때 더 나아져.

  It's okay, we can use our imaginations, really.
  좋아, 우린 정말 상상력을 발휘할 수 있어.

  I need for you to use your imagination here.
  넌 이제 네 상상력을 발휘해야 돼.

■ use sb's imagination은 말 그대로 '…의 상상력을 발휘하다'라는 의미.

You may be a figment of my imagination.
넌 내 상상력의 산물일지도 몰라.

- This is all a figment of a disturbed child's imagination.
  이건 모두 혼란스런 아이가 만들어낸 상상력의 산물야.

  I'm not certain that you're not simply a figment of my imagination. 난 네가 내 상상력이 만들어낸 단지 허구에 지나지 않는지 확실하지 않아.

■ figment of one's imagination에서 figment는 '허구'라는 뜻으로 figment of one's imagination하면 '상상력의 산물'이란 뜻이 된다.

Well, I feel like I'm imposing.
저기, 내가 좀 눈길을 끄는 것 같아.

- I hope I'm not imposing on you. 폐를 끼치는 게 아닌지 모르겠네요.
  He was a little less imposing and he opened up about his life.
  걘 더 인간적이었고 자기 삶에 대해 얘기를 털어놓았어.

■ impose on은 '…에게 부과하다,' '강요하다,' 그리고 imposing은 '인상적인,' '눈길을 끄는'이라는 의미.

That's totally an improvement.
정말 많이 나아졌네.

- There have been a lot of improvements since you left.
  네가 떠난 후 많이 좋아졌어.

  He's making some physical improvements.
  걘 신체적으로 좀 나아지고 있어.

  I'm afraid they show no improvement.
  난 걔네들이 나아진 모습을 보여주지 못할거야.

  We should start to see some improvement in his liver functions soon. 우린 곧 간 기능이 좋아지는 걸 보게 될거야.

■ be an improvement는 '예전보다 발전하다,' '나아지다'라는 표현. 또한 make an improvement는 '진전이 있다.' show improvement는 '나아진 모습을 보여주다.' 그리고 see improvement는 '나아진 모습을 보다'라는 의미.

I know everything there is to know about you 난 너에 대한 건 다 알고 있어

You don't want to get involved with me.
넌 나와 엮이지 말아라

- He's involved with... an inappropriate woman.
  걔는 부적절한 여자와 엮였어.

  I got involved with a guy who lied about being single.
  난 싱글이라고 속인 남자와 사귀었어.

  Okay, first of all... you are way too involved with my life, okay?
  그래. 무엇보다도, 넌 내 인생에 넘 끼어들었어. 알았어?

■ **get involved with**는 '끼어들다,' '엮이다,' '사귀다'라는 의미.

I made a snap judgment.
내가 성급히 판단했어.

- I'm sorry I made a snap judgment. 내가 너무 성급히 판단해서 미안해.
  It was a snap decision, and it was wrong.
  그건 너무 성급한 결정였고 잘못된 거였어.

■ **make a snap judgment**는 너무 빠르게 판단하는 것을 뜻해 '성급한 결정을 내리다'라는 의미로 쓰인다.

He got his kicks from inflicting pain on others.
걘 다른 사람들에게 고통을 주는데 쾌감을 느껴.

- Kyle gets his kicks from watching old movies.
  카일은 옛 영화를 보는 걸 즐거워 해.

  I get my kicks from drinking beer and riding motorcycles.
  맥주마시고 오토바이를 타는데 쾌감을 얻어.

■ **get one's kicks (from)**는 '…로 쾌감을 얻다'라는 의미로 get a kick out of~와 같은 맥락의 표현이다.

I know everything there is to know about you.
난 너에 대한 건 다 알고 있어.

- You know everything there is to know. 넌 알아야 될 건 다 알고 있어.
  We know everything there is to know about kissing.
  우리는 키스에 대해 모든 것을 다 알고 있어.

  I already know everything there is to know about you.
  난 이미 너에 대한 알아야 될 건 다 알고 있어.

■ **know everything there is to know about~**은 '…에 관한 모든 것을 알고 있다,' '…에 대해 알아야 될 것은 다 알고 있다'라는 의미.

I know it backwards and forwards.
난 그걸 낱낱이 알고 있어.

- So what? I know this crap backwards and forwards.
  그래서 뭐? 난 이 쓰레기 같은 거에 대해 낱낱이 알고 있어.

  You know the place backwards and forwards.
  넌 그 장소를 훤히 잘 알고 있어.

■ **know sth backwards and forwards**는 '낱낱이 알다,' '훤히 잘 알다'라는 표현.

What's to know?
뻔한거 아냐?

- Who studies for exams? What's to know? 누가 시험공부하나? 뻔한거 아냐?
  What's to know? We have it all under control.
  뻔한거 아냐? 우리는 그걸 다 파악하고 있어.

  Do I need to learn more? What's to know? 내가 더 배워야 돼? 뻔한거 아냐?

■ **What's to know?**는 알아야 될 게 뭐가 있냐고 반문하는 것으로 자기가 알고 있어야 될 건 모두 다 잘 알고 있다고 자신감있게 던지는 문장.

The killer is still at large 살인범은 아직 도주중이야

The killer is still at large.
살인범은 아직 도주중이야.

- Did you know there are roughly 30 serial killers at large in the U.S. at any given time?
  미국에서 언제나 약 30 명의 연쇄살인범이 도주중이라는 걸 알고 있었어?

  Well, by and large, the average diameter is about one millimeter. 저기, 전반적으로 평균지름은 1밀리미터야.

  You can be larger than life, just not dead.
  넌 유명해질 수 있어. 죽는거 말고.

■ at large는 '체포되지 않은,' '도망 중인,' by and large는 '대체로,' '전반 적으로' 그리고 larger than life는 '허 풍떠는,' '호들갑을 떠는,' '과장된'이라 는 의미.

Where was he last seen?
걔를 마지막으로 본게 어디야?

- Katie was last seen by her cousin in the arcade about 25 minutes ago. 케이티는 약 25분 전에 아케이드에서 그녀의 사촌에게 마지막으로 목격됐어.

  Prentiss, you and I will go to where the girls were last seen.
  프렌티스, 너와 나는 여자애들이 마지막으로 목격된 곳으로 가자.

■ be last seen은 '마지막으로 목 격되다'라는 의미로 주로 경찰 등이 실 종된 사람을 탐문 수사할 때 많이 사용 하는 표현이다. be last seen ~ing라 고 하면 '마지막으로 …하는 것이 목격 되다'라는 의미.

I gotta take a leak.
오줌 좀 싸야겠어.

- Come on, baby, I gotta take a leak. 제발. 자기야. 나 오줌싸야 돼.

  Isn't that him taking a leak on that fire hydrant?
  소화전에 오줌싸는게 걔아냐?

  Could have stopped here to take a leak, you know?
  여기에 멈춰서 오줌을 쌀 수도 있었어. 알아?

  He wants to check a gas leak, she buzzes him in.
  그 남자는 가스누출을 확인하려 했고 그 여자는 버튼을 눌러 걜 들여보내준거지.

  There's a leak in the apartment above you.
  위층 아파트에서 누수가 있어요.

  Ah! Jeez, ah, we got a leak. 아, 이런. 물이 새네.

■ take a leak은 속어로 '오줌누다' 라는 의미. gas leak은 가스가 새는 '가스누출,' 그리고 water leak은 물이 새는 '누수'를 뜻한다. 또한 get a leak 은 '물이 새다'라는 표현.

I'm gonna lock you up 널 잡아넣을거야

That's the limit.
더 이상 못 참아.

- That's the limit. I can't take it anymore. 더 이상은 안돼. 더 이상은 못 참아.

  This is the end of my patience. That's the limit.
  내 인내심의 한계야. 더 이상은 못 참아.

  That's the limit. You've got to leave now.
  더 이상은 못 참아. 지금 당장 가라고.

■ That's the limit은 '더는 못참아,' '더 이상은 안돼'라는 의미로 상대방의 행동에 짜증나거나 화가 나서 더 이상 은 참을 수 없음을 나타낸다.

I shot my load while I was asleep.

나 몽정했어.

- He shot his load while they were kissing.
  키스하는 도중에 걔 사정하고 말았어.

  It was over quickly because he shot his load.
  걔가 사정을 해버려서 빨리 끝났어.

■ shoot one's load는 '사정하다 (ejaculate)'라는 속어로 이 문장은 달리 "I had a wet dream"이라고 할 수 있다.

I'm gonna lock you up!

널 잡아넣을거야!

- All you can do is lock 'em up. 네가 할 수 있는 것은 걔네들을 잡아넣는 것 뿐이야.
  And the next time, I'm gonna lock you up! 다음 번에, 너 잡아넣을거야!

■ lock sb up은 주로 '감옥에 쳐넣다,' '가둬두다'라는 말로 경찰들이 많이 쓰는 표현. lockup하게 되면 '감옥,' '구치소,' 그리고 lockdown은 '구류조치'가 된다.

How long before you have to leave?

얼마나 있다가 가야 돼?

- How long before your girlfriend comes home?
  얼마나 있다가 네 여친이 집에 와?

  How long before summer vacation begins?
  얼마나 있다가 여름 방학이 시작해?

  How long before the computer is fixed?
  컴퓨터 수리하는데 얼마나 걸려?

■ How long before S+V?는 '얼마나 있어야 …해?'라고 물어보는 문장이다.

You wouldn't know it to look at him.

걔 겉모습만 봐서는 알 수가 없을거야.

- He's rich but you wouldn't know it to look at him.
  걔는 부자지만 겉모습만 봐서는 알 수가 없을거야.

  You wouldn't know it to look at him, but he's dated many women. 겉모습만 봐서는 모르겠지만 걘 많은 여자들과 데이트를 했어.

  Ray is a psycho, though you wouldn't know it to look at him.
  겉모습만 봐서는 모르겠지만, 레이는 사이코야.

■ You wouldn't know it to look at~은 '…의 겉모습만 봐서는 알 수가 없을거야'라는 의미.

What does it look like I'm doing?

내가 뭐하는 걸로 보여?

- What does it look like? It's a panic room. 그게 뭐같이 보여? 패닉룸이야.
  What does it look like? I'm steam-cleaning the rug.
  그게 뭘로 보여? 나 러그를 스팀청소하고 있어.

  A: What you doing there? B: What does it look like I'm doing?
  A: 뭐하고 있어? B: 내가 뭐하는 걸로 보여?

■ What does it look like?는 '그게 뭐같이 보여?'라는 문장으로 What does it look like S+V?하게 되면 '그게 뭘 …하는 것처럼 보여?'라는 표현이 된다.

I know that look.

그 표정 알아.

- Everything okay? Come on. I know that look.
  별일 없어? 그러지 말고, 나 그 표정 알아.

  I know that look. That's your look when your plan falls into place. You're enjoying this.
  그 표정 알아. 계획이 제대로 될 때 짓는 표정이지. 즐기고 있구나.

■ I know that look은 상대방의 표정으로 어떤 상황인지 어떤 의미인지 등을 알겠다라는 뜻.

The killer is on the loose 살인범이 도주 중이야

The killer is on the loose.
살인범이 도주 중이야.

- A serial killer who's been sussed out and is on the loose.
  연쇄살인범의 정체는 밝혀졌지만 도망 중야.

  Well, we know there's a killer on the loose.
  우리는 살인범이 도주 중이라는 것을 알고 있어.

  Carrie, look, first of all, we don't have a terrorist on the loose.
  캐리, 무엇보다도, 도주 중인 테러리스트는 없어.

■ **be on the loose**는 범죄자 등이 잡히지 않고 '도망 중이다,' '탈주 중이다'이라는 표현.

Loosen up!
맘을 좀 느슨하게 먹어!

- Okay, the whole point of this is to loosen you up a little.
  좋아, 이거의 요점은 너의 긴장을 좀 풀어주는거야.

  I said she needed a good banging to loosen her up.
  난 걔가 긴장을 풀기 위해서는 멋진 섹스가 필요하다고 말했어.

■ **loosen up**은 '긴장을 풀다,' '늦추다'라는 말로 '마음을 느슨하게 갖다'라는 의미로 쓰인다.

This might loosen its grip.
이게 그거의 고삐를 늦춰줄거야.

- Sawyer loosens his hold on the gun. 소이어는 총을 느슨하게 잡고 있어.
  He loosens his tie as she begins taking off her clothing.
  걔가 옷을 벗을 때 그 남자는 넥타이를 느슨하게 풀고 있어.

■ **loosen one's grip[hold]**는 '고삐를 늦추다'라는 뜻으로 꽉 잡고 있던 걸 좀 느슨하게 푸는 것을 말한다.

What've you got to lose?
손해볼 거 없잖아?

- Go on a date with me. What've you got to lose?
  나하고 계속 데이트 해. 손해볼 거 없잖아?

  What've you got to lose? You can invest a little money.
  손해볼 게 뭐 있어? 소액 투자해도 돼.

  You should take the job. What've you got to lose?
  너 이 일을 하도록 해. 손해볼 거 없잖아?

■ **What've you got to lose?**는 가진게 별로 없는 사람에게 던질 수 있는 문장으로 형태는 의문문이지만 평서문에 가깝다. 실패해도 잃을게 없으니 걱정하지 말고 도전하라고 조언하는 표현이다.

She looked low after failing the test.
걘 시험에 떨어진 후 우울해보였어.

- The front tire looks a little low. 앞바퀴에 바람이 빠진 것 같아.
  Thank you, but we're a little more low-key.
  고마워. 하지만 우리는 좀 더 절제해야 돼.

  What we're doing today is a little more low-key.
  우리가 오늘 하는 건 좀 더 조용히 해야 돼.

  Jill wanted to keep our romance low-key.
  질은 우리의 연애를 비밀로 하길 바랬어.

■ **look low**는 물리적으로는 '낮아 보이다,' 정신적으로는 '낙담해보이다,' '우울해보이다'라는 의미. low-key는 다른 사람들의 '주목을 받지 않는,' '(음식) 절제하는'이라는 뜻으로 keep sth low-key이라고 하면 '…을 비밀로 하다'라는 표현이 된다.

The money is getting low.

돈이 점점 부족해져.

- You're running low on trash bags. 넌 쓰레기 봉투가 모자라는구나.
  I'm really running low. I need all my energy I can get.
  난 정말 모자라. 난 내가 쓸 수 있는 모든 에너지가 필요해.

get[be, run] low는 '모자르다,' '다 떨어져가다'라는 의미로 모자라는 건 on 이하에 쓰면 된다.

564

A-L

미드 속 미드영어표현사전

영어학습에 도움이 되는 그리고 기억에 남는 미드장면들을 다시
떠올리면서 앞 본문에서 학습했던 미드표현들이 어떻게 쓰였는지
재확인해보는 시간을 갖는다.

001

Do not let them get to you
걔들이 너를 괴롭히지 못하게 해

화려한 출연진으로 화제를 모았던 빅 리틀 라이즈. 연극상연을 반대하는 편에 맞서기 위해 전직 변호사 셀레스트가 나서는데…. 그전에 세 명이 모여 지기 엄마인 제인을 위로하는 장면이다.

Celeste:	Come on, don't give in. Ziggy didn't do it. Do not let them get to you.
Jane:	I'm not giving in. I just I don't know. I need to do what's best for my kid. I don't know what that is, but…
Madeline:	What about what's best for us? We would miss you.
Celeste:	We would miss you.
Jane:	You're gonna make me cry.
Celeste:	And we're gonna win this case, I'm telling you.
Madeline:	I think the mayor is gonna like your argument.

셀레스트:	그러지마, 굴복하지 말라고. 지기가 그러지 않았는데. 걔들이 너를 괴롭히지 못하게 해.
제인:	포기하는게 아니라. 잘 모르겠어. 아이를 위해서 최선인 것을 해야 돼. 그게 뭔지 모르겠지만.
매들린:	우리를 위해서 최선을 택하면 어때? 보고 싶을거야.
셀레스트:	그럼 보고 싶을거야.
제인:	눈물나게 그러네.
셀레스트:	우리는 이 사건 이길거야. 정말이야.
매들린:	시장이 네 주장을 좋아할 것 같아.

002

That's what really gets me
그게 정말 날 화나게 만들어

대통령을 만들어준 킹메이커 프랜시스는 차기 국무장관직을 내정받았지만 당선된 후 프랜시스가 자리에 앉혀준 린다에게서 국무장관 약속은 없었던 일로 하고 의회에 더 남아달라는 얘기를 듣는다.

Claire:	What happened?
Francis:	She says they needed to keep me in congress.
Claire:	Linda said that?
Francis:	Walker wasn't even there. That's what really gets me. He didn't have the courage to look me in the eye.
Claire:	I knew you shouldn't trust that woman.
Francis:	I didn't. I don't. I don't trust anyone.
Claire:	Then how could you not see this coming?

클레어:	어떻게 됐어?
프랜시스:	내가 계속 의회에 남아 있어야 된다고 해.
클레어:	린다가 그렇게 말했어?
프랜시스:	워커는 거기에 있지도 않았어. 바로 그게 날 화나게 만들어. 날 똑바로 쳐다볼 용기도 없었던거지.
클레어:	그 여자를 믿지 말았어야 했는데.
프랜시스:	안 믿었어. 안 믿고. 난 아무도 믿지 않아.
클레어:	그럼 어떻게 이런 일이 일어나는 걸 몰랐던거야?

How did it go with Marcy?
마시와는 어떻게 됐어요?

필은 혼자가 되서 외로운 아버지 프랭크를 술집에 데려가 Marcy라는 여성을 소개시켜주는데…. 다음날 아침 프랭크
는 필에게 다른 여자가 지금 부엌에 있다고 말한다.

Phil:	Hey, there's Casanova! I didn't hear you come in last night. So -- so, uh, how did it go with Marcy?
Frank:	Oh, it was okay. But I actually met someone else while I was waiting for a taxi.
Phil:	Well, all right.
Frank:	And she's downstairs right now. Well, all right. Truth is, I, um, have a bit of a situation. She says I owe her $500.
Phil:	Please tell me you broke something of hers.
Frank:	No, turns out she's a hooker.
Phil:	You picked up a hooker?
Frank:	Well, I didn't know she was a hooker.
Phil:	We're in my kitchen. We have to stop saying "hooker"! You got to get her out of here before Claire gets back from yoga.
Frank:	She's not gonna leave until she gets the cash.
Phil:	$500. I think you got ripped off.

필: 카사노바 나오시네요! 어젯밤에 집에 들어오는 소리 못들었는데요. 저기 마시라는 여자하고는 어떻게 됐어요?

프랭크: 괜찮았는데. 내가 택시를 기다리다 다른 여자를 만났어.

필: 그렇군요.

프랭크: 그 여자가 지금 여기 있어. 사실은 내가 좀 문제가 생겼어. 그 여자가 나보고 500 달러를 달라고 하는구나.

필: 그 여자의 소지품을 망가트렸다고 말해주세요.

프랭크: 아니 창녀야.

필: 창녀를 데려온거예요?

프랭크: 창녀인줄 몰랐어.

필: 우리집 주방예요. "창녀"라는 말은 쓰지 말죠. 그리고 클레어가 요가 끝나고 오기 전에 그 여자를 내보내야 돼요.

프랭크: 그 여자는 돈을 받기 전에는 나가지 않을거야.

필: $500 달러요. 바가지인 것 같은데요.

004

We're not done here
우리 아직 얘기 끝나지 않았어

스카일러와 관계회복을 원하는 월터에게 스카일러는 지금 무슨 일을 벌이고 있는지 사실대로 털어놓으라고 한다. 하지만 사실을 말할 수는 없지만 가족을 위해서 희생하고 있다고 생각하는 월터는 화를 내게 된다.

Skyler: You don't want to lose contact with me, Walt? Good. Then tell me. Now.

Walter: Tell you what? Skyler! What is it you want me to tell you? I don't know. We're not done here. Skyler, Do you know what I've done for this family?

스카일러:	월트, 나랑 멀어지는 것을 원하지 않지? 좋아. 그럼 말해봐. 지금.
월터:	뭘 말하라고? 스카일러! 무슨 말을 당신에게 하라는거야? 모르겠어. 우리 아직 얘기 끝나지 않았어. 스카일러, 내가 가족을 위해서 무슨 일을 했는지 알기나 해?

005

I gotta hand it to you, kid
너한테 정말 두 손 들었다

캐리가 뺨을 맞았다는 말에 분개한 빅이 화를 가라앉히고 캐리와 다정하게 얘기를 나누는 장면. 빅은 "난 너 밖에 없어"(You're the one)라는 말로 사랑을 고백한다.

Big: I gotta hand it to you kid. Most people come to Paris to fall in love. You came and got slapped.

Carrie: Why is that funny?

Big: Are you cold?

Carrie: No. I'm still in shock. This is so surreal. What. how did you even get here?

Big: It took me a really long time to get here. But I'm here. Carrie, you're the one.

Carrie: Kiss me you, big crybaby. I miss New York. Take me home.

빅:	나 너한테 두 손 들었어. 대부분 사람들은 파리에 와서 사랑에 빠지는데, 넌 와서 뺨을 맞다니.
캐리:	그게 뭐가 그리 우스워?
빅:	추워?
캐리:	아니, 아직 충격이 가시지 않아서 그래. 너무 현실같지 않아서. 근데 여기는 어떻게 온거야?
빅:	여기까지 오는데 정말 내겐 많은 시간이 걸렸어. 하지만 난 여기 있잖아. 난 너 밖에 없어.
캐리:	이 큰 울보야 내게 키스해줘. 뉴욕이 그리워. 집으로 데려다 줘.

We're miles beyond a glitch here
단순한 오류는 아니네요

웨스트월드에서 포드 박사가 개발한, 인간과 유사한, 하지만 로봇인 호스트를 운영하고 있는데, 심각한 오류가 생겨서 로봇들의 반란이 시작되려고 한다.

Ford:	Mr. Abernathy, what are your drives?
Abernathy:	Tend to my herd. Look after my wife.
Ford:	Your final drive?
Abernathy:	Well, my daughter Dolores, of course. I must protect Dolores. I am who I am because of her, and, well, I wouldn't have it, I-I wouldn't have it any other. I-I have to warn her.
Ford:	Warn who?
Abernathy:	Dolores. The things they do to her. The things you do to her. I have to protect her. I have to help her. She's got to get out.
Ford:	Very good, Mr. Abernathy. That's enough.
Bernard:	This behavior, we're miles beyond a glitch here.
Ford:	Access your current build, please. What is your name?
Abernathy:	Rose is a rose is a rose.
Ford:	What is your itinerary?
Abernathy:	To meet my maker.
Ford:	Uh-huh. Well, you're in luck. And what do you want to say to your maker?
Abernathy:	By most mechanical and dirty hand, I shall have such revenges on you both. The things I will do. What they are, yet I know not, but they will be the terrors of the earth. You don't know where you are, do you? You're in a prison of your own sins.

포드:	애버나시, 당신 삶의 목적이 뭔가?
애버나시:	말들 관리하고 아내를 돌보고.
포드:	최종 목적은 뭔가?
애버나시:	물론 나의 딸 돌로레스. 돌로레스를 보호해야 돼. 지금의 내가 된 것은 그녀 때문이니. 난 다른 것은 갖지 못했을거야. 그녀에게 경고해야 돼.
포드:	누구에게?
애버나시:	돌로레스. 그들이 걔에게 하는 짓들을. 너희들이 걔에게 하는 짓들은. 난 걔를 보호해야 돼. 걔를 도와야 돼. 걔는 빠져나가야 돼.
포드:	좋아, 애버나시. 충분해.
버나드:	이 행동은 단순한 기계오류로 볼 수는 없는데요.
포드:	현재 설정에 접속해. 이름이 뭔가?
애버나시:	장미는 장미이고 장미인 것…
포드:	당신의 다음 행동은 뭔가?
애버나시:	나를 만든 사람을 만나는 것.
포드:	그럼, 운이 좋군. 자네를 만든 사람에게 뭐라고 말하고 싶은가?
애버나시:	내 더러운 기계 팔로 너희 둘에게 무서운 복수를 하겠다. 내가 할 일들. 아직 그게 뭔지 모르지만 너희들에게 엄청난 복수를 하겠다. 당신은 지금 어디에 있는지 몰라. 그렇지? 당신은 자신이 지은 죄악의 감옥에 있는거야.

007

I am not a sex addict!
난 섹스중독자가 아냐!

조이는 치킨을 먹으면서 책을 보다 우연히 책 속에 꽂혀 있는 모니카의 나체 사진을 보고 놀라는데…. 이를 뒤에서 본 레이첼은 다른 친구들에게 조이가 변태라고 소리친다.

Phoebe:	All right, wait! Just wait. Everybody just calm down. Okay? Let's give our friend Joey a chance to explain why he's such a big pervert!
Joey:	No! I am not a pervert! Okay? It's just… I just… Kinda…
Chandler:	All right, look! Look. I think I can explain this.
Joey:	Thank you!
Chandler:	Joey's a sex addict.
Joey:	What? No I'm not!
Monica:	It's okay! It's good! It's good. It's a disease!
Joey:	No! No! I am not a sex addict!
Monica:	Yes you are! That's the only way to explain all this stuff.

피비:	좋아, 기다려. 다들 진정하라고. 알았어? 우리 친구인 조이에게 왜 그가 그렇게 변태가 되었는지 설명할 기회를 주자고.
조이:	아냐! 난 변태가 아냐! 알았어? 난 그저, 그저, 좀…
챈들러:	괜찮아, 이봐. 내가 이걸 설명할 수 있을 것 같아.
조이:	고마워!
챈들러:	조이는 섹스 중독자야.
조이:	뭐라고!! 난 아냐!!
모니카:	괜찮아! 나쁜게 아냐. 그건 병이야.
조이:	아냐, 아냐. 난 섹스중독자가 아냐!
모니카:	아냐, 넌 중독자야. 그것 만이 이 모든 것을 설명할 수 있는 유일한 방법이야.

008

What do we have here?
이게 무슨 일이야?

하워드는 로봇 손을 만들어 은밀히 혼자 즐긴다. 그런데 갑자기 기계가 멈춰 그만 로봇 손이 하워드의 거시기를 꽉 쥐고 있는 상태에 이른다. 하워드는 친구들과 급히 병원에 오는데 이를 본 간호사는….

Leonard:	Excuse me, could you help us out?
Nurse:	My, my, my. What do we have here?
Howard:	I slipped and fell.
Nurse:	Yeah, we get that a lot. What is this?
Howard:	It's a robot arm.
Nurse:	Where's the rest of the robot?
Howard:	I only built the arm.
Nurse:	'Cause that's all you needed, right?

레너드:	실례합니다, 좀 도와주세요.
간호사:	아니, 이게 무슨 일인가?
하워드:	미끄러져 넘어졌어요.
간호사:	그래요, 그런 말 많이 듣지요. 이게 뭐예요?
하워드:	로봇의 팔예요.
간호사:	나머지 로봇은 어디 있나요?
하워드:	팔만 만들었어요.
간호사:	다른 부분은 필요없으니까, 그렇죠?

Fair enough
그렇지

페니가 베버리와 술을 마시면서 자신이 레너드와 사귄다고 말한다. 베버리는 왜 아들이 자신한테 그 얘기를 하지 않았는지 그 이유를 확인하고자 아들한테로 간다.

Penny: I'm sleeping with your son.

Beverley: Really? Which one?

Penny: The one from whom I live across the hall from.

Beverley: Well, that's convenient. How did his penis turn out?

Penny: Oh, Beverly, I can't talk to my boyfriend's mother about his penis.

Beverley: Oh, fair enough. What can you tell me, if anything, about that busboy's penis?

Penny: Actually, I've only had the cheesecake. One more time. You know, Leonard did not want to tell you we were dating.

Beverley: Really? Well, that means he's either embarrassed about the relationship or he doesn't care enough about his mother to tell her he's in one. Either way, one of us should be insulted.

Penny: Well, let's go find out who.

Beverley: You go get a taxi. I'm gonna slip my business card into that busboy's back pocket, cupping his firm, right buttock as I do so.

페니: 저 어머님아들과 자는 사이 예요.

베버리: 정말? 어느 아들?

페니: 복도 건너편에 살고 있는 아들요.

베버리: 그것 참 편하겠구만. 걔 고추가 어때?

페니: 남친의 어머니에게 남친 고추에 대해 말할 수 없어요.

베버리: 그렇지. 그럼 아는게 있다면 저 접시닦이의 고추는 어떤 것 같냐?

페니: 실은 전 치즈케익만 먹어봤어요. 한 잔 더요. 저기, 레너드는 우리가 데이트하는 걸 어머님께 말하고 싶지 않아 했어요.

베버리: 그건 걔가 너와 연인사이인 것을 창피해하거나 아니면 데이트하고 있다는 것을 말하지 않을 정도로 엄마를 신경쓰지 않는 것을 뜻한다. 어떤 경우이던지 우리 중 하나는 모욕을 당하고 있는 것일 게다.

페니: 누가 모욕을 당하고 있는건지 확인하러 가요.

베버리: 넌 가서 택시를 잡아라. 난 접시닦이의 뒷 주머니에 내 명함을 밀어넣으면서 동시에 탄탄한 오른쪽 엉덩이를 감쌀 테니까.

010

My marriage was on the line
내 결혼생활이 위태로왔어

톰과 르넷의 사장인 에드를 대신해 르넷이 에드의 부인과 채팅을 하게 했는데 이게 들통난다. 에드는 그짓을 한 사람을 해고하기로 합의하는데, 톰을 희생양으로 삼으려 한다.

Ed:	I promised her I would fire the person who did it.
Lynette:	You're gonna fire me?
Ed:	No, of course not. You're too important here. I'm gonna fire Tom. I told her it was him that send the IMs.
Lynette:	What?
Ed:	I told her that he had a problem with boundaries. I'm sorry, I didn't want to do this, but my marriage was on the line.
Lynette:	You can't make my husband your scapegoat! I won't let you!

에드: 아내에게 그짓을 한 사람을 자르기로 약속했어요.
르넷: 나를 해고할거예요?
에드: 아뇨, 물론 아니죠. 당신은 너무 중요한 사람이니 톰을 해고할 거예요. 메신저를 보낸 사람이 톰이라고 했어요.
르넷: 뭐라고요?
에드: 톰이 주제파악을 잘 못한다고 얘기했어요. 이러고 싶지 않지만 결혼생활이 위태해서요.
르넷: 내 남편을 희생양으로 만들 수 없어요. 절대 그렇게 못하게 할 거예요!

I got this
내가 알아서 할게

발렌타인 데이에 롤플레잉을 하는 중에 속옷없이 코트만 걸친 클레어는 에스컬레이터를 타고 올라가다 코트가 걸려 망신살이 뻗치고 있다. 이때 글로리아가 나타나 구해주는 장면.

Jay:	Well, take your coat off. Here, let me help you.
Claire:	No, no, dad, dad...
Jay:	Come on, what are you, naked under there? Oh, geez.
Gloria:	It's okay. I got this. Claire, follow my lead, okay?
Claire:	Okay. Okay. Wow. Okay. Thank you.
Gloria:	It has happened to me before.
Phil:	That was impressive.

제이: 코트를 벗어. 내가 도와줄게.
클레어: 안돼요, 아빠...
제이: 왜 그래. 너 뭐 속에 다 벗었냐? 아이고 맙소사.
글로리아: 괜찮아. 내가 알아서 할게. 클레어, 날 따라해. 알았지?
클레어: 그래요. 와우. 고마워요.
글로리아: 내가 전에 이런 적이 있었어.
필: 인상적인데요.

That's where I draw the line
여기까지가 내 한계야

르넷은 남편 톰이 허리를 다치자 이웃집 맥클러스키 부인에게 다섯 아이와 톰을 맡기고 혼자 피자가게를 운영해가는데….

Mrs. McCluskey:	Well, here's a surprise for you... I quit.
Lynette:	What? What? Why? Why? What happened?
Mrs. McCluskey:	Five kids are tough enough, but your husband makes six. And that's where I draw the line.
Lynette:	Okay, I know that, uh, Tom has been a little cranky lately.
Mrs. McCluskey:	No, I'm cranky. He's insufferable. I hate to admit this, Lynette, but every time that man screams out in pain, I do a little jig inside.
Lynette:	Look, I'll talk to Tom--
Mrs. McCluskey:	No, my mind's made up.
Lynette:	Wait, wait, wait! Please don't do this. Please. I am at the end of my rope.

맥클러스키 부인: 저기, 깜짝 선물이야…. 나 그만뒀어.

르넷: 뭐라구요? 왜요? 무슨 일인데요?

맥클러스키 부인: 아이 다섯도 아주 힘든 일인데, 자네 남편까지 합하면 여섯이야. 그리고 여기까지가 내 한계야.

르넷: 그래요, 알고 있어요. 톰이 최근에 좀 괴팍하게 굴죠.

맥클러스키 부인: 아니, 내가 괴팍한 거고 톰은 참을 수 없을 정도야. 이걸 인정하기 싫지만, 르넷, 그 인간이 아프다고 소리 지를 때마다 난 속이 부글부글 끓어.

르넷: 톰에게 얘기를 할게요.

맥클러스키 부인: 아냐, 내 맘은 결정 됐어.

르넷: 잠깐만요! 제발 이러지 마세요. 제발요. 저도 죽을 지경예요.

Did you fall for him?
그 남자를 좋아했어?

도둑이 들어 냉동고에 함께 갇혔던 르넷과 주방장 릭. 이 장면을 비디오로 본 톰은 르넷에게 추궁한다. 릭에게 좋아하는 감정이 있었냐고….

Lynette:	I said that it was totally inappropriate, and then I fired him.
Tom:	Do you have feelings for him, Lynette? Do you have feelings for Rick?
Lynette:	I would never cheat on you. You know that.
Tom:	That's not what I asked. Did you fall for him?

르넷: 말도 안되는 부적절하다고 말하고 해고했어.

톰: 르넷, 그 남자한테 맘이 갔었어? 릭에게 감정이 생겼어?

르넷: 난 부정을 절대 저지르지 않을 거야. 그거 알잖아.

톰: 내가 묻는 것은 그게 아냐. 그 남자를 사랑했냐고?

I think we're clicking
우린 서로 마음이 통하는 것 같아

로스가 에밀리와 한달 후에 결혼을 한다고 하자 레이첼은 4번 밖에 만나지 않은 조슈아에게 결혼을 하자고 하는 정서 불안한 모습을 보인다.

Rachel: 'Cause I am really happy about us. I think we are, I think we are so on the right track! Y'know? I mean, I think we are working, I think we are clicking. Y'know?

Joshua: Yeah, sure-sure, yeah, we're-we're-we're clicking.

Rachel: Yeah-yeah, y'know if-if there was just like one little area where I think we would need to work on; I-I would think it was we're just not crazy enough!

Joshua: I gotta say, I'm not too sure I agree with that.

Rachel: Well, yeah, right, y'know what? Yeah, you're right, I mean, we have our fun. Yeah! But if I mean, I mean like crazy! Y'know?

Joshua: Are you gonna put on the cheerleader outfit again?

Rachel: No, you wish. Okay, all right. This is gonna, this is gonna sound y'know, a little hasty, but uh, just go with it. What if we got married?

레이첼: 난 정말 우리 만남이 기쁘기 때문이야. 난 우리가 제대로 가고 있다고 생각해! 내 말은 우리가 잘 돌아가고 마음이 서로 통한다고 생각해.

조슈아: 어, 물론, 그래. 우리는 서로 마음이 통하지.

레이첼: 근데 우리 사이에 아쉬운 부분이 있다면 우리가 그렇게 열정적이지는 않다는거야.

조슈아: 근데 말야. 난 동의하기가 그렇게 쉽지 않은데.

레이첼: 저기, 그래 저말야? 네 말이 맞아. 우리 나름대로 재미있게 지내고 있어. 하지만 내 말은, 내 말은 좀 열정적으로란 말야!

조슈아: 또 치어리더복장을 입을거야?

레이첼: 아니. 꿈깨. 좋아. 이건 좀 성급하게 들릴지 모르겠지만 그냥 참고 있으라고. 우리 결혼하면 어때?

015

Go out of my way to~
애를 써서 …하다

애인이 없는 상황이 오래 지속된 레이첼은 친구들에게 남자가 필요하다고 부르짖는다. 그러자 챈들러는 자기 사무실의 멋진 남자를 소개시켜 주겠다고 한다.

Chandler: There's some nice guys at my office, do you want me to set you up?

Rachel: Yeah! Wait a minute, it's been a long time that I've been single. How come you never offered this before?

Chandler: Well, I have a girlfriend, I'm-I'm happy. So, I no longer feel the need to go out of my way to stop others from being happy.

챈들러: 사무실에 멋진 남자가 있는데, 소개시켜줄까?

레이첼: 그래! 잠깐, 내가 혼자인지가 오래됐는데 왜 이제서야 제안을 하는거야?

챈들러: 난 여친이 있어서 행복하잖아. 그러니, 이제는 남의 행복을 애써 막을 이유가 없게 된 거지.

We deal with it
우리는 그걸 견디고 헤쳐나가고 있어

남편의 바람에 정신이 헷가닥한 캐롤린은 식료품점에서 손님들을 인질로 잡는다. 캐롤린은 노라를 향해 총을 쏘고 노라가 죽자 분노한 르넷은 캐롤린을 쳐다본다.

Carolyn: Oh, don't look at me that way. You know you wanted her dead.

Lynette: How can you say that?

Carolyn: Well, you told me about her and your husband after I made it pretty clear where I stand on whores.

Lynette: I did not want this. Don't you dare say that I wanted this.

Carolyn: Shut up!

Lynette: No, I will not shut up! What's the matter with you?!

Carolyn: Have you not been paying attention? My husband cheated on me!

Lynette: Who cares?! Who cares? We all have pain! Everyone in here has pain, but we deal with it! We swallow it and get going with our lives! What we don't do is go around shooting strangers!

캐롤린: 그런 식으로 날 쳐다보지마. 쟤가 죽기를 바란 걸 알아.

르넷: 어떻게 그렇게 말할 수 있어?

캐롤린: 내가 창녀들을 어떻게 생각하는지 분명히 말한 후에 넌 쟤와 남편에 대해서 말했어.

르넷: 난 이걸 원하지 않았어. 어떻게 감히 내가 이걸 원했다고 말하는거야?

캐롤린: 닥쳐!

르넷: 아니, 난 입다물지 않을거야! 넌 도대체 뭐가 문제야?

캐롤린: 지금까지 내 말 못들었어? 내 남편이 바람을 폈다고!

르넷: 누가 신경이나 쓴대? 우리 모두 아픔을 갖고 있어. 여기 있는 모든 사람은 아픔이 있지만 헤쳐나가고 있다고. 우리는 맘속으로 삼키고 삶을 살아가고 있다고. 우리가 하지 않는 일은 돌아다니면서 총을 쏘는 일이라고!

017

Can't argue with that
두말하면 잔소리지

레너드와 페니가 데이트를 하면서 영화관에 가서 함께 볼 영화를 고르고 있다. 레너드는 과학자답게 다큐멘터리를 보자고 하고 페니는 제니퍼 애니스톤이 나오는 영화를 보자고 한다.

Penny: Oh, hey, if we hurry, we can make the new Jennifer Aniston movie.

Leonard: Oh, yeah, sure. There's also an amazing documentary about building a dam on river in South America.

Penny: Okay, but the Jennifer Aniston movie has Jennifer Aniston, and she's not building a dam.

Leonard: Can't argue with that. I'll get the tickets.

Penny: Okay.

Leonard: Actually, you know what? I think it's about time I pick a movie we see.

Penny: You pick plenty of movies.

페니:	서두르면 제니퍼 애니스톤의 신작 영화를 볼 수 있어.
레너드:	그래 물론. 남아메리카 강에 댐 건설에 관한 멋진 다큐멘터리도 있는데.
페니:	그래, 하지만 제니퍼 애니스톤의 영화에는 제니퍼 애니스톤이 있어. 그리고 그녀는 댐을 건설하지는 않아.
레너드:	두말하면 잔소리지. 내가 표를 사올게.
페니:	좋아.
레너드:	실은, 저기 말야? 내가 볼 영화를 고를 차례인 것 같은데.
페니:	네가 지금까지 많은 영화 골랐잖아.

018

Get it over with
빨리 끝내버리자

해군들 파티에 온 캐리는 넷 중 가장 정숙한 샬롯이 한 해군장교에게 가슴을 보여주는 것을 보고 기겁한다. 그리고 가려고 하는데 사만다를 만난다.

Samantha: Carrie! There you are. Where's Charlotte?

Carrie: Believe it or not, she's involved in a little peep show upstairs.

Samantha: I'm starting to have a new-found respect for that girl.

Carrie: What is it about today? I've seen Miranda's boobs, Charlotte's boob. Why not show me yours and get it over with?

사만다:	캐리! 여기 있구나. 샬롯은 어디있어?
캐리:	믿기지 않겠지만, 윗층에서 핍쇼를 좀 하고 있어.
사만다:	샬롯이 존경스러워지기 시작하네.
캐리:	오늘 왜 이러지? 미란다의 가슴, 샬롯의 가슴을 봤어. 네 것도 보여주고 빨리 끝내버리자.

Why do you get first crack at her?
왜 네가 먼저 저 여자에게 작업을 거는데?

Nerd 네 명이 기차를 타고 가고 있는데 여배우가 나타나 뒷자리에 앉는다. 바람둥이인 하워드는 집적대는 것은 자기 전공이라고 생각하고 다가가려고 한다.

Raj:	Hang on a sec. Why do you get first crack at her?
Howard:	Um, well, let's see, couple reasons. One, I saw her first.
Raj:	No, you didn't. I did.
Howard:	Fair enough. But then let me move on to number two, unlike you, I can actually talk to women when I'm sober.

라지: 잠깐만. 왜 네가 먼저 저 여자에게 작업을 거는데?

하워드: 음, 몇가지 이유가 있지. 첫째, 내가 처음으로 그녀를 봤잖아.

라지: 아냐. 네가 아니라 내가 봤지.

하워드: 그렇다고 치자. 하지만 두번째 이유로 넘어가자. 너와는 달리, 난 술 안먹고 여자한데 말을 할 수 있거든.

I don't believe you
네 말을 믿지 않는다

세르세이는 아버지 타이윈에게 자신과 제이미의 근친상간 소문은 사실이라고 말하며, 가문의 명예만을 생각하는 아버지에게 충격을 주며 복수한다.

Cersei:	How can someone so consumed by the idea of his family have any conception what his actual family was doing? We were right there in front of you and you didn't see us. One look in the past 20 years, one real look at your own children and you would have known.
Tywin:	Known what?
Cersei:	Everything they say is true. About Jaime and me.
Tywin:	No.
Cersei:	Your legacy is a lie.
Tywin:	No, no, no, no. I don't believe you.
Cersei:	Yes, you do.

세르세이: 가문의 명예에 그렇게 사로잡힌 사람이 자신의 가족들이 실제 어떻게 행동하는지 어떻게 알겠어요? 우리는 아버지 눈앞에 있었는데 아버지는 보지 않으셨죠. 지난 20년간 한번만 쳐다봤으면, 한 번만 제대로 자기 자식들을 쳐다봤으면 아셨을텐데요.

타이윈: 뭘 알았다는 말이냐?

세르세이: 사람들이 모두 말하는게 사실이에요. 제이미와 저요.

타이윈: 아니다.

세르세이: 아버지가 말하는 가문의 유산은 거짓예요.

타이윈: 아니다, 아냐. 네 말을 믿지 않는다.

세르세이: 믿으시잖아요.

021

The chances are better
가능성이 더 높아요

가공의 나라에서 젊은 여성들은 씨받이로 살아가는데, June이었던 여성은 잡혀와 Offred란 이름으로 한 사령관의 집에서 시녀로 일한다. 처음 사령관과 임신을 위한 성관계를 맺는데 기묘하게도 부인 Serena가 시녀의 손을 잡아준다.

Serena:	Get out! Are you deaf?
Offred:	The chances are better if I lay on my back afterwards.
Serena:	Just get out!

세레나: 나가! 귀먹었어?
버나드: 섹스 후에 등을 대고 누워있으면 임신가능성이 더 높대요.
세레나: 그냥 나가라고!

022

There is no reason to bring race into this
우리 사귀는데 인종문제를 끌어들일 필요는 없어

사만다의 애정편력은 끝이 없고 한없이 다양하다. 이제는 흑인과 사귀는데…. 이를 안 남친의 흑인 누나인 Chivon은 인종문제로 둘의 만남을 용인하지 않는다.

Charlotte:	Maybe you should stop seeing him, Samantha. Race is a very big issue.
Samantha:	No. There is no reason to bring race into this. Chivon is a sweet man. We have great sex, and he happens to have the biggest...
Charlotte:	Black cock! We know he has a big black cock!
Samantha:	I was about to say biggest heart. But now that you're so interested, yes. He does have a big black cock.
Miranda:	It's big African-American cock. Right, Charlotte?
Charlotte:	Don't make fun of me. My chin hurts.

샬롯: 사만다. 그를 그만 만나는게 어때. 인종은 큰 문제잖아.
사만다: 아니. 우리 사귀는데 인종문제를 끌어들일 이유는 없어. 쉬본은 달콤한 남자야. 우리는 아주 멋진 섹스를 했고 공교롭게도 아주 큰…
샬롯: 흑인의 고추! 우리는 그가 커다란 흑인고추를 갖고 있는 것을 알아!
사만다: 난 아주 맘이 넓다고 말하려고 했는데. 하지만 관심이 그렇게 있다면야, 맞아. 걔 고추는 커다란 흑인 고추야.
미란다: 커다란 아프리카 미국인 고추라고 해야지. 맞지, 샬롯?
샬롯: 나 놀리지마. 턱이 아프네.

Beats me
내가 어찌 알아

필의 아버지 프랭크가 데려온 창녀를 필은 클레어에게 상담사라고 소개하고, 클레어는 창녀인줄도 모르고 자신도 똑 같은 일을 하고 있고 직업적으로 해보고 싶다고 한다.

Luke:	Who's the woman in the kitchen?
Frank:	Beats me. I think I'll go freshen up.
Claire:	There's a woman in the kitchen?
Phil:	There's a woman in the kitchen. Yeah, she's a therapist. The therapist that you recommended. So I decided it was a good idea.
Claire:	Oh, that means the world that you listened to me. Thank you!
Phil:	Ohh, you should get a shower upstairs.
Claire:	Oh, no, I want to say hi.
Phil:	No, not sweaty like that. You smell.
Claire:	No, uh Hi! Hi, I'm Claire. I'm Frank's daughter-in-law, and I just want to thank you so much for coming and helping him out this way. It was my idea.
Phil:	No, it wasn't.
Claire:	Okay. All right. No, hey. I've never told anyone this. But I have always wanted to do what you do. I think I'd be really good at it.
Phil:	No, she wouldn't.
Claire:	What are you talking about? It's basically what I already do for the whole neighborhood. At least this way, I get paid for it.

루크:	주방에 있는 여자 누구예요?
프랭크:	난 몰라.. 바람 좀 쐬야겠다.
클레어:	주방에 여자가 있어?
필:	주방에 여자가 있어. 그래 상 담사이셔. 당신이 부르자고 했던 그 상담사야. 당신 생각 이 좋다고 생각해서.
클레어:	당신이 내 말에 귀 기울였다 는게 정말 의미가 커.
필:	먼저 올라가서 샤워하고 와.
클레어:	인사해야지.
필:	안돼. 당신 땀범벅이잖아.
클레어:	안녕하세요. 클레어예요. 프 랭크의 며느리죠. 시아버지 를 도와주러 오셔서 정말 감 사해요. 제 아이디어였어요.
필:	아냐. 그렇지 않아요.
클레어:	그래. 그래요. 다른 사람에게 이런 말을 해본 적은 없지만, 그쪽이 하는 일을 꼭 해보고 싶었어요. 그 방면의 일을 아 주 잘할 것 같아요.
필:	그렇지 않을거예요.
클레어:	기본적으로 내가 이웃들과 하고 있는 일이잖아. 그걸 직 업으로 하면, 그 대가로 최소 한 돈은 받잖아.

024

I'll kick his ass
그 자식 혼내줄거야

캐리 친구들의 조언에 따라 파리에 온 빅은 캐리를 찾아 헤매이다 어느 호텔 로비에서 캐리와 눈이 마주치고 캐리는 그만 울음을 터트리는데….

Carrie:	We had a big fight and then I got slapped.
Big:	You got what?
Carrie:	No. He didn't' mean it. It was an accident.
Big:	He slapped you?
Carrie:	What? No. It's not like that.
Big:	I'll kick his ass.

캐리: 우리는 크게 싸웠고 뺨을 얻어 맞았어.
빅: 어떻게 됐다고?
캐리: 아니. 그럴려고 그런게 아냐. 사고였어.
빅: 네 뺨을 때렸다고?
캐리: 뭐? 아니. 그런게 아냐.
빅: 그 자식 혼내줄거야.

025

You got off easy!
넌 가볍게 끝나는구나!

로스는 에밀리와의 결혼식에서 에밀리를 레이첼로 잘못 말하는 엄청난 실수를 저지르는데…. 뉴욕으로 혼자 돌아온 로스는 에밀리를 뉴욕으로 데려오고 싶어 한다.

Ross:	Look, if I can just do what Emily wants and get her to New York, I'm sure everything will be fine.
Chandler:	Okay, but don't you think this is a little extreme?
Ross:	After what I did? Can you blame her?
Phoebe:	Oh my God! You got off easy! When my friend Silvie's husband said someone else's name in bed, she cursed him and turned his thingy green.

로스: 에밀리가 원하는 걸 해서 뉴욕으로 오게 할 수 있다면. 뭔들 못하겠어.
챈들러: 그래 하지만 좀 심한 것 같지 않아?
로스: 내가 한 짓이 있는데 에밀리를 비난할 수는 없지.
피비: 맙소사! 넌 가볍게 끝나는거야! 내 친구 실비는 자기 남편이 침대에서 다른 사람 이름을 말했다고 해서 저주를 퍼붓고 그 사람 고추를 녹색으로 만들었대.

I have to put my foot down

난 절대 반대야

드디어 모니카와 챈들러는 결혼을 하게 된다. 모니카는 성대한 결혼식을 원해서 챈들러가 그동안 저축한 돈을 다 쓰자고 한다.

Chandler: I realize that honey, but I'm not gonna spend all of the money on one party.

Monica: Honey, I love you, but if you call our wedding a party one more time, you may not get invited. Okay? Listen, we could always earn more money, okay? But uh, we're only gonna get married once.

Chandler: Look, I understand, but I have to put my foot down. Okay? The answer is no.

Monica: You-you're gonna have to put your foot down?

챈들러: 그건 나도 알아 하지만 한 파티에 돈을 다 쓰지는 않을거야.

모니카: 자기야, 널 사랑하지만, 우리의 결혼식을 파티라고 한번 더 부르면 넌 초대받지 못할 수도 있어. 알았어? 이봐, 우리는 앞으로 계속 더 많은 돈을 모을 수 있지만, 결혼은 오직 한번 뿐이야.

챈들러: 저기, 이해해 하지만 난 반대야. 알겠어? 대답은 노야.

모니카: 네가 반대할거라고?

They're starting to grow on me

걔들이 점점 좋아지기 시작하더라고

톰은 결혼전 사귀던 여자에게 자신의 딸 카일라가 있다는 사실을 르넷에게 얘기하고, 르넷은 친엄마 Nora 대신에 카일라를 양육하겠다고 한다.

Lynette: Kayla will be much better off without "crazy" in her life. And so will we.

Tom: I am right there with you. I just, I never thought you'd want a fifth kid.

Lynette: I don't, but I didn't want the first four, and they're starting to grow on me.

르넷: 카일라의 인생은 미친게 없어야 더 나을거고, 우리도 마찬가지이고.

톰: 나도 당신과 동감이야. 난 당신이 다섯 번째 아이를 원치 않는 줄 알았지.

르넷: 원치 않아, 하지만 첫 네 명의 아이도 원치 않았지만 점점 좋아지기 시작하더라고.

028

Can you get into this another time?

이 문제는 다음 기회에 얘기하면 안될까?

여친이 자기에게 한마디 상의도 없이 파리로 가게되었다고 말한 빅에게 화가 난 캐리. 그녀는 술에 취한채 빅에게 전화해서 따지기 시작한다.

Carrie: I would like to know how you could even think of going to Paris and not even think about discussing it with me. Huh? I think about you all the time. What's he doing? What's he thinking? But you, no. I mean, when... When were you planning to tell me? Are you still there?

Big: Yes.

Carrie: Okay, well, because I think about you all the time. No, no. Correction, correction. I think about us all the time.

Big: Can we get into this another time? I was sleeping.

캐리: 당신이 어떻게 나하고 상의할 생각도 하지 않고 파리에 갈 생각을 했는지 알고 싶어. 난 항상 당신 생각뿐인데. 뭐하고 있을까? 뭘 생각하고 있을까? 하지만 당신은 아냐. 내 말은 언제 말하려고 했어? 전화받고 있어?

빅: 어.

캐리: 좋아, 난 당신을 항상 생각하고 있기 때문에. 아냐, 다시 말할게. 난 항상 우리에 대해 생각하고 있다고.

빅: 이 문제는 다음 기회에 얘기하면 안될까? 난 자는 중이었는데.

029

I guess I deserve that

난 이렇게 당해도 싸

미란다는 흑인 의사인 로버트와 연애를 하다 돌연 아이의 아버지인 스티브와 재결합하게 된다. 같은 빌딩에 살고 있는 미란다와 로버트가 계단에서 만나 나누는 대화.

Miranda: OK. I guess I deserve that. I'm sorry. I've never meant to hurt you. Steve and I just fell back in love.

Robert: Oh. And so what was I to you? A little half time show?

Miranda: What? Not at all. I never thought that Steve and I would get back together, or I never would have started up with you. I hope you understand that.

미란다: 난 이렇게 당해도 싸. 내가 미안해. 상처를 주려고 그런 건 아냐. 스티브와 내가 다시 사랑하게 되었어.

로버트: 어, 그러면 난 당신에게 뭐였어? 잠시 쉬는 동안의 쇼였나?

미란다: 뭐라고? 전혀 아냐. 난 스티브와 다시 함께 할 줄은 정말 몰랐고, 알았다면 너하고 절대로 사귀기 시작하지 않았을거야. 네가 이해해주기를 바래.

I don't know where this is coming from
지금 무슨 소리를 하는지 모르겠어

월터가 하이젠버그라는 사실을 행크가 알게 된 후 둘이 처음 만나는 장면. 행크는 먼저 월터의 안면에 주먹을 날리며 그동안 월터가 했던 몇가지 일을 나열한다.

Hank: It was you. All along, it was you! You son of a bitch. You drove into traffic to keep me from that laundry.

Walter: Calm down.

Hank: That call I got telling me Marie was in the hospital that wasn't Pinkman. You had my cell number. You killed ten witnesses to save your sorry ass.

Walter: Listen to me.

Hank: You bombed a nursing home. Heisenberg. Heisenberg! You lying, two-faced sack of shit.

Walter: Hank, look, I don't know where this is coming from, Hank, but just—

Hank: I swear to Christ, I will put you under the jail.

Walter: Just take a breath, okay? Just listen to yourself. These wild accusations-- they could destroy our family. And for what?

Hank: Damn, like you give a shit about family!

Walter: Hank, my cancer is back.

Hank: Good. Rot, you son of a bitch.

Walter: I'm sorry you feel that way.

행크: 바로 너였어. 지금까지 쭉, 너였어! 이 개자식. 내가 세차장 가는 것을 막기 위해 교통사고를 냈어.

월터: 진정해.

행크: 마리가 병원에 있다는 전화를 한 것도 핑크맨이 한게 아니었어. 넌 내 핸드폰 번호를 알잖아. 넌 네 목숨을 부지하기 위해 10명의 증인을 살해했어.

월터: 내 말 좀 들어봐.

행크: 넌 요양원을 폭파했어. 하이젠버그, 하이젠버그! 넌 거짓말하는 두 얼굴의 쓰레기 같은 놈이야.

월터: 행크, 이봐. 지금 자네가 무슨 말을 하는지 모르겠어. 행크, 하지만…

행크: 맹세코 널 감옥에 집어넣겠어.

월터: 진정 좀 하고, 알았어? 정신 좀 차리라고. 그런 억측은 우리 가족을 파멸시킬 수도 있어. 뭐 때문에?

행크: 젠장 네가 언제 가족을 신경썼다고 그러냐.

월터: 행크, 암이 재발했네.

행크: 잘됐네. 썩어죽어라, 개자식아.

월터: 그렇게 생각하다니 유감이네.

031

Hit us again
술 따라줘요

페니가 레너드의 엄마인 베버리를 호텔에 차로 데려다 주는 길에 자신이 일하는 치즈케익가게에 가서 술을 마시는데…. 술을 처음 마시는 베버리의 대사들이 웃음을 자아낸다.

Beverley:	Oh, that is fascinating. I'm noticing an immediate lowering of my inhibitions. For example, I'm seriously considering asking that busboy to ravish me in the alleyway while I eat cheesecake. What do you think?
Penny:	Well, we are known for our cheesecake. Hit us again.
Beverley:	Yes. If a little is good, more must be better.
Penny:	Hey, Bev, guess what?
Beverley:	What?

베버리: 어, 끝내주네. 나의 억압들이 바로 풀리고 있는 걸 느끼겠어. 예를 들어, 저 접시닦이에게 내가 치즈케익을 먹는 동안 뒷골목에서 날 범하라고 하고 싶어지는데. 어떻게 생각해?
페니: 우리 가게가 치즈케익으로 유명하죠. 술 좀 따라줘요.
베버리: 그래. 조금이 좋다면 더 많으면 더 좋겠지.
페니: 베버리, 그거 아세요?
베버리: 뭐?

032

I'm not doing this here
여기서 이러고 싶지 않아

빅의 자유분방한 연애생활에 짜증이 난 캐리가 한 파티에서 빅에게 도대체 데이트를 하고 있는 여자가 몇명이냐 돼냐고 묻는다.

Carrie:	How many women are you dating?
Big:	In the tri-state area?
Carrie:	Well, let's see, there's me, um, Julia, and let's not forget international Melissa.
Big:	I'm not doing this here.
Carrie:	Fine.
Big:	Can't we just enjoy the party?
Carrie:	I don't know.
Big:	Come on, I mean, what do you want from me?

캐리: 몇명의 여자와 데이트를 하는 거야?
빅: 인근 3개주에서?
캐리: 어디보자, 내가 있고, 줄리아, 그리고 국제적인 멜리사를 빼놓으면 안되지.
빅: 여기서 이러지 말자.
캐리: 좋아.
빅: 그냥 파티를 즐기면 안될까?
캐리: 모르겠어.
빅: 그러지말고, 내 말은 나더러 어쩌라고?

I find you in contempt
당신을 법정 모독죄로 처합니다

페니가 아팠을 때 쉘든은 운전해서 병원에 데려갔는데 그때 과속으로 걸렸고 벌금 내라는 통지서가 왔다. 억울한 쉘든은 법정에서 스스로를 변호하다 특유의 깐죽거림으로 판사의 심기를 불편하게 하는데….

Sheldon:	I object. You're completely ignoring the law.
Judge:	No, I'm following the law. I'm ignoring you.
Sheldon:	Really? I would point out that I am at the top of my profession, while you preside over the kiddy table of yours.
Judge:	Dr. Cooper, before I find you in contempt and throw you in jail, I'm going to give you a chance to apologize for that last remark.
Sheldon:	I am a scientist. I never apologize for the truth.

쉘든: 이의있습니다. 판사님은 현재 법을 무시하고 있습니다.
판사: 아뇨, 난 법에 따르고 있고 당신을 무시하는 겁니다.
쉘든: 정말요? 저는 제 직업에서 최고의 자리에 올라와 있지만, 당신은 유치한 법정을 주재하고 있네요
판사: 쿠퍼 박사, 법정모독죄로 감방에 쳐넣기 전에 마지막 발언에 사과할 기회를 주겠어요
쉘든: 전 과학자입니다. 사실에 대해서 사과하지 않습니다.

We'll figure it out
우리가 알아낼거야

릭의 아내. 로리는 임신을 하였지만 지옥 같은 현실에서 새 생명을 낳을 자신이 없어 유산을 시도하게 된다. 이를 알게 된 릭이 아내를 설득하는데….

Laurie:	You want me to bring a baby into this? To live a short, cruel life?
Rick:	How can you think like that?
Laurie:	We can't even protect the son we already have.
Rick:	So this is the solution?
Laurie:	Rick, I threw them up. I screwed up. I don't know how we do this.
Rick:	We can make it work.
Laurie:	How? Tell me how.
Rick:	We'll figure it out.

로리: 이런 상황에서 아기를 낳으라고? 잔인하게 짧게 살다가라고?
릭: 어떻게 그렇게 생각해?
로리: 우린 이미 있는 아이조차도 보호하지 못하잖아.
릭: 그래서 이게 해결책이야?
로리: 릭, 토해버렸어, 내가 망쳐버렸어. 어떻게 해야 할지 모르겠어.
릭: 우리는 해낼 수 있어.
로리: 어떻게? 어떻게 할 수 있는지 말해줘.
릭: 우리가 알아낼거야.

035

Don't do anything I wouldn't do
내가 하지 않을 짓은 너도 하지마

연하의 근육남 스미스는 멕시코에 현지 촬영하러 가게 된다. 밖에 내놓기 무서운 사만다는 스미스에게 여자 단도리를 하게 된다.

Smith:	I'm gonna miss you Samantha.
Samantha:	Oh, save that performance for Mr. Van Sant. It's just two weeks.
Smith:	It's a long time.
Samantha:	Would you get out of here already? I'm late as it is. And listen. When you're on location, don't do anything I wouldn't do.
Smith:	What does that rule out?
Samantha:	Few things. Karaoke. I don't do that.

스미스: 보고 싶을거야, 사만다.
사만다: 연기는 구스 반 산트 감독을 위해서 남겨 둬. 단지 2주뿐인데.
스미스: 긴 시간이잖아.
사만다: 빨리 좀 나가줄테야? 난 지금 늦었거든. 그리고 촬영지에서는 내가 하지 않을 짓은 너도 하지마.
스미스: 예를 들면?
사만다: 몇가지가 있지. 가라오케. 난 가지 않아.

036

Where did that come from?
도대체 무슨 얘기를 하는거야?

엄마 대신 버나뎃을 선택한 하워드. 어느날 하워드는 엄마에게 으례 그랬듯이 버나뎃에게 치과에 데려가달라고 한다.

Bernadette:	Wait a minute. Are you telling me your mother usually takes you to the dentist?
Howard:	It's not weird. There's lots of kids there with their moms.
Bernadette:	I can't believe this.
Howard:	What? It's fun. If I have no cavities, afterwards, we go out for a treat.
Bernadette:	All right, Howard, let's get something straight right now. I'm not going to be your mother.
Howard:	Whoa, whoa, whoa! Where did that come from?

버나뎃: 잠깐. 자기 엄마는 보통 자기를 치과에 데려다주셨다는거야?
하워드: 이상하지 않아. 엄마와 함께 온 아이들이 많아.
버나뎃: 말도 안돼.
하워드: 뭐라고? 재미있잖아. 충치가 없으면 끝나고 사탕받으러 갈 수도 있어.
버나뎃: 좋아, 하워드, 뭐하나 지금 분명히 해두자고. 난 자기의 엄마가 되지 않을거야.
하워드: 뭐라고! 도대체 무슨 얘기를 하는거야?

I'm done with this marriage
이 결혼은 끝이야

회사 안에 놀이방을 만들고 싶어하는 르넷은 놀이방 정원을 채우기 위해 사장의 딸이 필요하다고 주장하고, 사장은 부인 몰래 아이를 회사로 데려온다.

Fran: I thought Mindy had been kidnapped!

Ed: I left a sticky note.

Fran: I wasn't looking for a sticky note, Ed! I was looking for my missing child!

Ed: She's my child, too, and she's staying here, just a few hours a day.

Fran: You, give her to me.

Ed: No, I made a decision.

Fran: Yeah? Okay, watch me make a decision. I'm done with this marriage. I'm taking my baby and I'm getting on a plane to Pittsburgh.

Ed: You wouldn't dare!

프랜:	민디가 납치된 줄 알았잖아!
에드:	포스트잇 붙여놨는데.
프랜:	난 포스트잇을 찾지 않았어, 에드! 난 잃어버린 아이를 찾고 있었다고!
에드:	걘 내 자식이기도 해. 그리고 걘 하루에 몇시간 씩 여기에 있을거야.
프랜:	딸 내놔.
에드:	안돼. 난 결정했어.
프랜:	그래, 좋아. 내가 결정을 하는 걸 봐. 이 결혼 끝이야. 내 아이 데리고 피츠버그로 가는 비행기를 탈거야.
에드:	감히 그렇게는 못하겠지!

I can't believe it
놀랄 일이네

미란다는 자유분방한 삶을 살다가 스티브를 사랑하고 아기를 낳고 정착하려고 하는 자신에 당황해한다. 캐리는 미란다가 그런 사실을 인정하다는 사실에 놀랍다고 말한다.

Miranda: Hey. I'm in love with Steve. Hold this.

Carrie: Oh my god I can't believe it.

Miranda: Come on, are you seriously telling me you didn't know?

Carrie: Oh I knew. I just can't believe you admitted it.

Miranda: I need a drink. What have you got?

미란다:	나 스티브를 사랑하고 있나 봐. 아이 좀 들어줘.
캐리:	맙소사, 놀랄 일이네.
미란다:	그러지마, 정말 너 몰랐다고 말하는거야?
캐리:	알고 있었지. 네가 인정하는 게 놀랍다는거지.
미란다:	뭐 좀 마셔야겠어. 뭐 있어?

I don't get this
이해가 안돼

피터는 다시 주검사장이 되었지만 알리샤는 피터가 예전에 부하직원이었던 칼린다와 잠자리를 같이 했다는 사실을 알게 된다. 알리샤는 별거를 결심하고 아파트를 새로 얻어서 피터의 짐을 다 옮겨 놓는다.

Alicia:	This is your apartment, Peter. I've moved all your things here.
Peter:	What?
Alicia:	You'll have to use your cell phone for a while until they can get the phones connected, and I've paid your first three months rent.
Peter:	I don't get this.
Alicia:	You slept with Kalinda. No, don't. Peter. This makes it easier. So please just take your keys.
Peter:	Alicia, I need you.
Alicia:	You slept with my best friend.
Peter:	It was before she was your best friend.
Alicia:	Oh, God.
Peter:	Look, I'm not trying to make excuses, but you know I've changed. I love you. Look, what can I do to make this better?
Alicia:	Nothing.

알리시아:	이건 당신 아파트야. 당신 짐들은 다 옮겨놨어.
피터:	뭐라고?
알리시아:	전화가 연결될 때까지는 핸드폰을 써야 될거야. 3개월분 월세는 미리 냈어.
피터:	이해가 안돼.
알리시아:	칼린다와 잤잖아. 그러지 마. 이렇게 하는게 더 쉬울 거야. 그러니 열쇠 받아.
피터:	난 당신이 필요해.
알리시아:	내 제일 친한 친구와 잤잖아.
피터:	그건 당신들이 친한 친구가 되기 전 일이잖아.
알리시아:	맙소사.
피터:	변명을 하려는게 아니지만, 내가 변한건 당신이 알잖아. 어떻게 하면 이 상황을 나아지게 할 수 있을까?
알리시아:	아무것도 없어.

It's not gonna happen
안돼, 그럴 일 없어

최고로 자유분방한 사만다의 에피소드. 한 남친이 블로잡을 해달라고 하는데 사만다는 거절한다. 거절하는 이유는 그의 정액냄새가 고약하다고 하는데….

Adam Ball:	Come on, baby, you give the greatest head. Please.
Samantha:	It's not gonna happen.
Adam Ball:	Why? What's the problem?
Samantha:	Well, Adam... You've got some funky tasting spunk.
Adam Ball:	What?
Samantha:	You heard me. Your spunk is funky.

아담 볼: 그러지 말고, 자기야. 최고의 블로잡을 해줘. 제발.
사만다: 안돼.
아담 볼: 왜, 뭐가 문제인데?
사만다: 저기, 아담. 너 정액 맛이 고약해.
아담 볼: 뭐라고?
사만다: 들었잖아. 네 정액은 고약한 맛이 난다고.

I figured you'd try to blow me off
날 제쳐놓으려고 할 줄 알았어요.

정원사 존은 남편 몰래 가브리엘과 섹스를 하는 사이인데, 가브리엘이 임신했다는 소식에 찾아와서 자기 아들일 수도 있다고 한다.

Gabrielle:	John, what are you doing here?
John:	I've been doing some serious thinking about the baby.
Gabrielle:	Really? Why?
John:	Because, there's a good chance that it's mine. And if it is, I want to do the right thing.
Gabrielle:	No, no, no. Nobody expects you to do the right thing.
John:	Yeah, I kinda figured you'd try to blow me off. That's why I'm going directly to Mr. Solis.

가브리엘: 존, 여기서 뭐하는거야?
존: 아기에 대해 진지하게 생각 좀 해봤어요.
가브리엘: 정말? 왜?
존: 왜냐면 내 아이일 가능성이 많잖아요. 그리고 만약 그렇다면 올바른 일을 하고 싶어요.
가브리엘: 아냐. 아무도 네가 올바른 일을 하기를 기대하지 않아.
존: 날 제쳐놓으려고 할 줄 알았어요. 바로 그래서 솔리스 씨에게 직접 이야기하려구요.

What have we done?
우리가 무슨 짓을 한거야?

하워드는 장난삼아 쉘든에게 데이팅 사이트를 통해 에이미라는 또 다른 괴짜를 소개시켜주는데⋯. 두 괴짜가 서로 죽이 잘 맞자 하워드는 놀라서 탄식한다.

Amy: I'm here because my mother and I have agreed that I will date at least once a year.

Sheldon: Interesting. My mother and I have the same agreement about church.

Amy: I don't object to the concept of a deity, but I'm baffled by the notion of one that takes attendance.

Sheldon: Well, then you might want to avoid East Texas.

Amy: Noted. Now, before this goes any further, you should know that all forms of physical contact up to and including coitus are off the table.

Sheldon: May I buy you a beverage?

Amy: Tepid water, please.

Howard: Good God, what have we done?

에이미: 내가 여기에 나온 이유는 엄마와 일년에 한번씩 데이트 하기로 약속해서예요.

쉘든: 흥미롭군요. 저희 엄마와 저도 교회에 대해서 같은 약속을 했는데요.

에이미: 신이라는 개념에 반대하지는 않지만, 교회에 출석을 해야 된다는 생각에는 당황스럽네요.

쉘든: 그럼 동부 텍사스는 피하는 게 좋겠어요.

에이미: 알았어요. 이제 우리가 더 진전되기 전에 성교를 포함한 모든 신체적 접촉은 없는거예요.

쉘든: 음료수 내가 사도 될까요?

에이미: 미지근한 물로 부탁해요.

하워드: 맙소사, 우리가 무슨 짓을 한거야?

What I could do with it?

이게 있었으면 좋겠다

젊은 아내를 거느린 제이는 게이인 아들 친구들과 술을 먹다 페퍼라는 게이와 함께 쇼핑을 하기로 한다. 다음날 아침 술이 깬 제이는 이 상황을 피하기 위해 글로리아에게 응급상황이 발생한 것처럼 해달라고 부탁한다.

Gloria:	Ay, Jay! I... I think you'll have to take me now to the hospital. My head is in pain. Do you mean like that?
Jay:	Yes, thank you. Okay, it's showtime. And with this guy, I mean that literally.
Pepper:	I'm here! Oh, my God. What I could do with this house. Hello, Jay. Mwah. Mwah. Chop, chop... it's a two-hour drive, not counting our stop at the outlet mall.
Jay:	Oh, okay. Um, Gloria, we're leaving!
Gloria:	Hello. You must be Pepper. Ay, ay, ay. My head.
Jay:	What's the matter, Gloria?
Gloria:	Oh, nothing. I just had a little ice cream. He hasn't stopped talking about you all day long.

글로리아: 아, 제이! 나 병원에 데려 가야 될 것 같아. 머리가 아파요. 이렇게 말야?

제이: 어, 고마워. 자 이제 쇼우 타임이야. 그리고 이 친구 왔을 때는 정말 쇼처럼 해 야 돼.

페퍼: 저 왔어요! 맙소사. 이런 집이 있었으면 좋겠다. 안 녕하세요, 제이. 뮤아. 차로 2시 간예요. 우리가 아울렛 매 장에 들르는 걸 뺀 시간예 요.

제이: 좋아, 글로리아, 우리 간다!

글로리아: 안녕하세요. 페퍼 씨군요. 아, 머리가.

제이: 글로리아, 무슨 문제야?

글로리아: 아무 것도 아냐. 아이스크 림을 좀 먹었어. 이 이가 하루종일 당신 얘기를 끊 이지 않고 했어요.

We've got bigger fish to fry

더 큰 문제가 있어

거스가 죽었다는 충격적인 소식을 듣고 차를 몰고 가는 마이크. 역시 마이크와 상의하기 위해서 차를 몰고 가는 월터 와 제시는 중간 지점에서 만나는데….

Mike:	What is it with you guys? Honest to God.
Walter:	May I? Look. Whatever differences you and I have, they'll keep. Right now we've got bigger fish to fry.
Mike:	Bigger fish.
Jesse:	The video cameras.
Walter:	Gus kept cameras on us at the lab, at the laundry, God only knows where else. And, of course, when I say "us," including you.

마이크: 도대체 너희 둘은 왜 그러는 거야?

월터: 내가 말해도 될까? 자, 우리 서로 다른 점은 무엇이든 접 어두고 현재는 더 큰 문제가 있어.

마이크: 더 큰 문제라.

제시: 비디오 카메라.

월터: 거스는 실험실, 세탁소 그리 고 어딘지 모를 곳에서 우리 들을 카메라에 담았고, 물론 내가 '우리'라고 할 때는 당 신도 포함해.

045

I tried not to let it bother me

난 그거에 신경쓰지 않으려고 했어

빅은 캐리와 다정하게 함께 거리를 거닐다가 옛 지인을 만난다. 둘은 서로 반갑게 인사를 나누지만 옆에 있는 캐리는 마치 유령인양 빅은 지인에게 캐리를 소개하지 않는다.

Carrie:	Who was that?
Big:	Some guy I skied with in Aspen.
Carrie:	I didn't understand. Had I become the invisible woman? I tried not to let it bother me. I also tried not to let it bother me that he took me back to Fung Wa, scene of our post-coital dinner.
Big:	I can't make your party tomorrow.
Carrie:	Oh no. I wanted to introduce you to my friends.
Big:	Well, I'll be home later if you miss me.

캐리: 누구예요?

빅: 아스펜에서 스키타다가 만난 사람이야.

캐리(나레이션): 난 이해가 되지 않았다. 내가 투명인간이 되었단 말인가? 그것 때문에 신경쓰지 않으려고 했다. 지난번에 갔던 섹스 후의 저녁식사 장소인 풍와 중국 식당에 또 데려간 것도 신경쓰지 않으려고 했다.

빅: 내일 네 파티에 못갈 것 같아.

캐리: 이런. 내 친구들에게 자기 소개 시켜주고 싶었는데.

빅: 보고 싶으면 저녁에 집으로 와.

046

I'm all yours

난 당신꺼야

캐리는 자신을 여러 번 차버린 옛 애인 커트를 상대로 남자처럼 섹스하기에 성공한다. 바로 그날 캐리는 그를 다시 바에서 만나게 된다.

Curt:	Lucky me, twice in one week.
Carrie:	I don't know if you're gonna be getting that lucky.
Curt:	I was pissed off the way you left.
Carrie:	You were?
Curt:	Yeah. Then I thought how great! You finally understand the kind of relationship I want and now we can have sex without commitment.
Carrie:	Yeah, right. Sure, I guess. So whenever I feel like it, I'll give you a call.
Curt:	Yeah, whenever you feel like it. I mean, if I'm alone, I'm all yours.
Carrie:	Alright.
Curt:	I like this new you. Call me.

커트: 내가 운이 좋네. 일주일에 두번이나 보고 말야.

캐리: 그렇게 운이 좋지 않을지도 몰라.

커트: 네가 휙 가버려서 화가 났어.

캐리: 그랬어?

커트: 어. 그리고 나서 아주 좋았다고 생각했어! 네가 드디어, 서로 얽매임없이 섹스를 할 수 있다는 것을 이해했잖아.

캐리: 어, 맞아. 그럼. 내가 내키면 전화줄게.

커트: 아, 내키면 언제든지. 내 말은 내가 혼자 있을 때는 난 당신꺼야.

캐리: 좋아.

커트: 이런 새로운 네가 좋아. 전화해.

I don't know where you're going with this
무슨 말을 하려는 건지 모르겠지만

레너드가 페니와 격정적인 섹스를 한 후, 하워드와 여친이 생기면 소개팅을 해주기로 했다는 약속얘기를 꺼내는데….
하워드 이름만 들어도 소름이 돋는 페니는 강한 거부감을 나타낸다.

Leonard: A long time ago, I made a pact with Wolowitz that kind of involves you.

Penny: Okay, I don't know where you're going with this, but tread carefully because it may be the last conversation we ever have.

Leonard: No, no, nothing like that. The deal was that if either of us ever got a girlfriend, we'd have her fix the other one up with one of her friends.

Penny: And you thought a good time to bring this up would be right after sex.

Leonard: Well, I sure as hell wasn't going to bring it up before sex, and during, I was trying to remember what I read on google, so…

Penny: I'm not hooking Wolowitz up with one of my friends.

Leonard: Come on, it doesn't have to be a good friend. And you know that deep down inside, Howard's a really nice guy.

Penny: The problem isn't what's on the inside. It's the creepy candy coating.

Leonard: Will you at least think about it? Just as a favor to me?

레너드: 오래전에 너가 관련되는 약속을 하워드와 맺었어.

페니: 그래, 무슨 말을 하려는건지 모르겠지만, 조심해서 말하지 않으면 이게 우리의 마지막 대화가 될 수도 있어.

레너드: 아냐, 그런거 아냐. 약속이란 건 우리 둘 중 한 명에게 여친이 생기면 여친의 친구 중의 한 명을 소개시켜주기로 한거야.

페니: 섹스 후에 이런 말을 하는게 좋은 때라고 생각한거야.

레너드: 난 분명 섹스 전에 이 얘기를 꺼내려고 하지 않았고, 섹스 중에는 구글에서 읽던 것을 기억해내려고 했어. 그러니…

페니: 하워드에게 내 친구 중의 한 명을 소개시켜주지 않을거야.

레너드: 그러지말고, 꼭 좋은 친구일 필요는 없어. 깊이 알고 보면 하워드는 정말 착한 친구야.

페니: 문제는 내면에 무엇이 있느냐가 아니고, 행동하는게 느끼하게 코팅된 캔디같아서.

레너드: 생각이라도 좀 해줄테야? 내 부탁들어주는 셈치고?

MEMO

MEMO